Marketing des services

7e édition

Christopher Lovelock †
Jochen Wirtz, Université de Singapour
Denis Lapert, Grenoble École de Management
Annie Munos, Kedge Business School

PEARSON

Publié par Pearson France
Immeuble Terra Nova II
74, rue de Lagny
93100 Montreuil

Mise en pages : TyPAO

ISBN : 978-2-7440-7663-3
Copyright © 2014 Pearson France
Tous droits réservés.

23456789 MI 21 20 19 18
407663 ABCD   OF10

Table des matières

Lecture 1
Usage déviant et dynamique d'évolution d'une offre de service :
le cas de la téléassistance pour les personnes âgées 505

Lecture 2
Relation client ou relation au client ?
Entre optimisation technique et qualité de service 521

Préface

Les services dominent, comme jamais auparavant, une économie mondiale en pleine expansion. La technologie continue d'évoluer à une vitesse spectaculaire. Les entreprises n'ont que le choix de se transformer ou de décliner. Les unes fusionnent ou disparaissent, pendant que d'autres apparaissent. La concurrence est de plus en plus rude entre les entreprises qui innovent constamment pour répondre aux besoins, attentes et comportement en perpétuelle évolution des clients. Ces derniers sont eux-mêmes obligés de faire face au changement, que certains voient comme une opportunité, alors que d'autres le considèrent comme un inconvénient, voire une menace. Une chose est claire : les compétences en marketing et en management des services n'ont jamais été aussi importantes. À l'image du marketing des services, cet ouvrage a aussi évolué, chaque nouvelle édition étant une version largement révisée de la précédente. Cette septième édition ne déroge pas à la règle. Les lecteurs y trouveront la réalité du monde actuel, incorporant les pensées universitaires et managériales récentes, illustrant les concepts les plus audacieux.

Cette nouvelle version a une connotation fortement managériale, tout en étant fondée sur des recherches universitaires solides. Notre objectif est de combler le fossé trop fréquent entre la théorie et le monde réel. De nombreux exemples complètent, tout au long des 15 chapitres, les cas pratiques managériaux. En complément du texte, vous trouverez une sélection d'articles notables (les lectures) et des études de cas, testées en cours.

Préparer cette nouvelle édition fut un challenge passionnant. Le marketing des services, qui était auparavant une petite niche académique occupée seulement par une poignée de professeurs pionniers, est devenu un secteur d'activité grandissant pour la recherche et la formation. On constate aussi un intérêt croissant des étudiants pour ce domaine, ce qui, du point de vue de leur carrière professionnelle, est très prometteur. En effet, la plupart des diplômés des écoles de management travailleront dans les services.

Qu'est-ce qui est nouveau dans cette édition ?

La septième édition constitue une révision majeure de la version précédente. Son contenu reflète les développements continus de l'économie des services et intègre les récentes conclusions de chercheurs renommés.

De nouveaux sujets

- **Les nouvelles technologies**, leur utilisation dans le marketing des services et les enjeux que ces nouveaux supports et outils représentent pour les consommateurs et les marketeurs sont largement traités : analyse des stratégies basées sur Internet, la biométrie, le marketing « big data », twitter, le m-commerce, etc.

- **Certains chapitres ont été entièrement révisés.** Ils comportent de nouveaux exemples et des références liées aux dernières recherches.

Une nouvelle approche

- **L'approche est plus axée « terrain »** avec, entre autres, de nombreux exemples, le but étant de construire un pont entre la théorie et la pratique. La place de la pratique managériale est donc renforcée.

- **Le texte est fortement remanié.** L'écriture y est allégée : suppression des redondances entre les différents chapitres en privilégiant les renvois si nécessaire.

- **De nombreux chapitres sont construits autour de schémas** reflétant une démarche, un cycle de vie, etc. : la fleur des services (chapitre 3), la roue de la fidélité (chapitre 12), la chaîne de profit (chapitre 15).

De nouvelles études de cas et de nouvelles lectures

- Cette édition offre une sélection de nouveaux cas testés en cours, de difficultés et de longueurs différentes.

- Afin de répondre aux requêtes des lecteurs, nous avons accru la proportion de cas de longueur faible ou moyenne.

- La nouvelle sélection permet de couvrir encore plus largement les problèmes et les secteurs d'application du marketing des services, avec des cas présentant un grand spectre de secteurs et d'entreprises – des géants multinationaux aux petites start-up.

Pour quels types de cours ce livre peut-il être utilisé ?

Cet ouvrage convient aussi bien aux étudiants en master qu'aux étudiants en MBA ou en Executive MBA. *Marketing des services* place les problématiques du marketing dans un contexte managérial plus global. Il séduira donc également les étudiants se dirigeant vers une carrière dans le management au sens large, ainsi que les cadres en formation qui allient leurs études avec un poste de manager.

Quelle que soit la spécificité d'un poste de manager, nous affirmons qu'il (ou elle) doit comprendre et connaître les liens forts qui existent entre les fonctions marketing, opérationnelles et de ressources humaines. Avec cette perspective en tête, nous avons construit ce livre afin que les enseignants puissent faire une utilisation sélective des chapitres, des récits, et des cas dans le cadre de cours de taille et de format différents.

Qu'est-ce qui différencie ce livre ?

Les caractéristiques clés de ce livre sont :

- une orientation managériale forte et un focus sur la stratégie permettant de comprendre les besoins et le comportement du client, mais aussi d'utiliser ces idées pour développer des stratégies concurrentielles efficaces sur les marchés ;
- l'utilisation de cadres conceptuels dont l'intérêt a été validé pour les étudiants en master et en MBA ;
- l'incorporation des résultats des recherches universitaires clés ;
- l'emploi d'exemples intéressants liant la théorie à la pratique ;
- l'intégration d'une sélection d'articles et d'extraits de travaux de recherche pertinents, ainsi que d'une série d'études de cas pour accompagner le texte des chapitres ;
- des références variées et mises à jour à la fin de chaque chapitre ;
- une perspective internationale.

Nous avons conçu ce livre pour compléter les ouvrages classiques sur les fondamentaux du marketing. En reconnaissant que le secteur des services dans l'économie se caractérise par sa diversité, nous croyons qu'un seul modèle conceptuel ne suffit pas à couvrir pertinemment les problématiques marketing qui touchent des entreprises différentes – des imposantes multinationales (dont les domaines peuvent être l'aéronautique, la banque, l'assurance, les télécommunications, le transport de marchandises et les services professionnels) aux petites entreprises locales (comme les restaurants, les pressings, les taxis, et de nombreux autres services aux entreprises). Ce livre offre donc une « boîte à outils », soigneusement conçue pour les managers, enseignants, étudiants, dont les différents concepts, structures, et procédures d'analyse permettent d'examiner et de résoudre au mieux les challenges variés auxquels sont confrontés les managers dans des situations diverses.

Remerciements

Au fil des ans, nos collègues universitaires et du monde de l'entreprise nous ont fourni des informations précieuses à travers leurs publications, les conférences ou les séminaires et les conversations individuelles passionnantes. Nous avons tous énormément bénéficié des discussions pendant et après les cours avec les étudiants ou avec les participants aux programmes destinés aux cadres.

Nous sommes très redevables à ces chercheurs et professeurs qui nous ont aidés à ouvrir la voie à l'étude du management et du marketing des services, et dont le travail continue à inspirer beaucoup de personnes. Parmi elles, John Bateson du Groupe SHL ; Leonard Berry distinguished professor à l'université A&M du Texas ; Mary Jo Bitner et Stephen Brown de l'université d'Arizona ; Richard Chase, professeur émérite à l'université de la Californie du Sud ; Pierre Eiglier de l'IAE de l'université d'Aix-Marseille III ; Raymond Fisk de l'université du Texas ; Faiz Gallouj professeur à l'université de Lille 1 ; Christian Grönroos de la Hanken School of Economic, en Finlande ; Stephen Grove de l'université Clemson ; Evert Gummesson de l'université de Stockholm ; James Heskett et Earl Sasser de l'université d'Harvard ; Gian Lucca Marzocchi professeur à l'université de Bologne ; Chiara Orsingher, professeur à l'université de Bologne ; Benjamin Schneider, professeur émérite de l'université du Maryland, et Valérie Zeithaml de l'université de Caroline du Nord.

Nous saluons aussi les contributions des défunts Eric Langeard, Théodore Levitt, et Daryl Wyckoff.

Un remerciement particulier aux personnes qui ont apporté des contributions exceptionnelles au domaine, non seulement avec leurs rôles de chercheur et de professeur, mais aussi en tant que cadres, permettant la publication de nombreux articles importants, cités dans ce livre. Ce sont Bo Edvardsson, université de Karlstad et directeur de la publication *International Journal of Service Industry Research (IJSIM)* ; Robert Johnston, de l'université de Warwick, directeur et fondateur de la publication de l'*IJSIM* ; Jos Lemmink, de l'université de Maastricht et ancien directeur de la publication au *IJSIM* ; A. « Parsu » Parasuraman, de l'université de Miami et directeur de la publication du *Journal of Service Research (JSR)*, et Roland Rust de l'université du Maryland.

Il est aussi impossible de ne pas citer tous ceux qui ont influencé notre pensée. Par conséquent, nous voulons tout particulièrement exprimer notre gratitude à Tor Andreassen, Norwegian School of Management ; David Bowen, Thunderbird Graduate School of Management ; John Deighton et Leonard Schlesinger, Harvard Business School ; Jean-Pierre Helfer directeur de l' IAE de Paris Management ; Loizos Heracleous, université de Warwick ; Sheryl Kimes, université Cornell ; Jean-Claude Larréché, INSEAD ; David Maister, Maister Associates ; Anna Mattila, université de l'État de Pennsylvanie ; Dwight Merunka, IAE d'Aix-en-Provence ; Benoît Meyronin de Grenoble EM ; Jean-Louis Moulin de l'université de la Méditerranée ; Gilles Paché de l'université de la Méditerranée ; Jean Philippe de l'université PaulCézanne ; Anat Rafaeli, Technion–Israeli Institute of Technology ; Frederick Reichheld, Bain & Co ; Francis Salerno de l'IAE de Lille ; Bernd Stauss, Katholische Universität Eichstät ; Charles Weinberg, université de Colombie Britannique ; Lauren Wright, université de l'État de Californie, Chico ; et George Yip, London Business School.

Nous avons aussi bénéficié des idées des coauteurs dans les adaptations internationales de *Marketing des services*, et nous sommes reconnaissants de l'amitié et de la collaboration de Guillermo D'Andrea de l'IAE, université Austral, Argentine ; Luis Huete de l'IESE, Espagne ; Keh Hean Tat de l'université de Pékin, Chine ; Barbara Lewis, anciennement de Manchester School of Management, Grande Bretagne ; Lu Xiongwen de l'université Fudan, Chine ; Jayanta Chatterjee de Indian Institute of Technology à Kanpur, Inde ; Javier Reynoso du Tec de Monterrey, Mexique ; Paul Patterson de l'université de la Nouvelle-Galles-Du-Sud, Australie ; Sandra Vandermerwe de l'Imperial College, Londres ; and Rhett Walker de l'université de LaTrobe, Australie.

Il faut bien plus que des auteurs pour écrire un livre et ses suppléments. Nous devons remercier chaleureusement nos assistants de recherche, qui nous ont aidés dans différents aspects des cas ou du texte. Nous avons particulièrement apprécié tout le travail acharné fourni par les équipes d'édition et de production qui ont travaillé pour transformer notre manuscrit en un texte publié magnifique. On trouve dans ces équipes Katie Stevens, éditrice d'acquisition ; Melissa Pellerano, directrice de projet ; Christine Letto, assistante éditoriale ; et Renata Butera, directrice de la production.

Enfin, un grand merci à l'ensemble des contributeurs :

Études de cas :

Patricia Baudier : enseignant-chercheur, docteur en sciences de gestion (TEM Mines-Télécom) et diplômée d'un Master 2 en marketing (ESSEC), a travaillé 28 années au sein de multinationales (Apple, Kodak Europe...).

Guergana Guintcheva : docteur en marketing (université de Montpellier), professeur de marketing à l'EDHEC.

Sylvie Hertrich : enseignant-chercheur en marketing à l'EM Strasbourg, université de Strasbourg où elle dirige le Master 2 marketing et gestion d'évènements.

Pascal Latouche : diplômé du Master 1 mathématiques appliquées aux sciences fondamentales, université Paris VI – Jussieu, du Master 2 statistiques et modèles aléatoires en économie et finance, université Paris I – Panthéon Sorbonne / Paris VII – Jussieu, du Master spécialisé gestion et administration d'entreprises, Institut Supérieur du Commerce – Paris, il dirige une équipe dédiée à l'innovation et au développement business avec les startups au sein d'un opérateur Télécoms.

Ulrike Mayerhofer : est professeur des universités en sciences de gestion à l'IAE Lyon, université Jean Moulin Lyon 3, où elle dirige le Centre de recherche Magellan (équipe d'accueil n° 3713).

Lectures :

Fabien Bonnet : est maître de conférences en sciences de l'information et de la communication à l'université de Haute Alsace. Son travail de recherche porte sur la communication des organisations et plus particulièrement sur les processus et les dispositifs mis en œuvre dans le cadre de stratégies de marque et de relation-client.

Florence Charue-Duboc : est directeur de recherche au PREG-CRG École polytechnique-CNRS.

Damien Collard : est docteur en sciences de gestion de l'École polytechnique. Il est actuellement maître de conférences à l'université de Franche-Comté et chercheur au CREGO (Équipe d'accueil 7317) de l'université de Bourgogne. Ses recherches portent principalement sur le développement des compétences et la prévention des risques psychosociaux.

Pascal Goureaux : ancien élève de l'ENS de Cachan, agrégé d'économie et gestion, il travaille à l'IAE de l'université de Nantes en tant que responsable du Master 1 double compétence en formation continue. Ses enseignements portent sur la gestion financière, la comptabilité et le contrôle et ses travaux de recherche sur l'hôtellerie et le tourisme.

François Meyssonnier : ancien élève de l'ENS de Cachan, il est professeur des universités en sciences de gestion, en poste à l'IAE de l'université de Nantes et responsable du Master 2 contrôle de gestion. Ses travaux de recherches portent sur les systèmes de pilotage de la performance des entreprises, l'instrumentation du contrôle de gestion, le contrôle de gestion dans les activités de service et dans les organisations publiques.

Enfin, nos remerciements vont également aux éditeurs qui ont permis la parution de ces articles dans *Marketing des services* :

– Les Annales des Mines pour la revue : *Gérer et Comprendre* ;

– La revue *Communication et Organisation* ;

– *Expansion Management Review.*

Première partie

Comprendre les services, les consommateurs et les marchés

La première partie de notre ouvrage pose les fondements nécessaires à l'étude des services et à l'apprentissage des méthodes et des connaissances requises pour être un « marketeur » des services efficace.

Dans le chapitre 1, nous définissons la nature des services et la manière dont ils créent de la valeur pour les clients, sans qu'il y ait transfert de propriété. En insistant sur les défis spécifiques au marketing des services, nous développons la démarche et la structure d'un plan marketing stratégique des services, plan qui sera détaillé dans chacun des chapitres des parties II, III et IV de cet ouvrage.

Le chapitre 2 expose les fondements nécessaires à la compréhension des besoins et des comportements des clients à la fois dans des environnements de services à forte et faible interaction. Nous employons des concepts pratiques qui vous permettent d'analyser et d'interpréter les rôles joués par les clients dans la création et la livraison de différents types de services – y compris ceux délivrés par le biais des technologies en libre-service. Nous présentons en particulier un modèle en trois étapes de consommation du service qui explore la manière dont les clients prennent des décisions, réagissent aux interactions de services et évaluent la performance du service.

**COMPRENDRE LES BESOINS DES CONSOMMATEURS,
SAVOIR PRENDRE LES DÉCISIONS,
MAÎTRISER ET GÉRER LES COMPORTEMENTS
DANS LES SITUATIONS DE SERVICES**

**Les spécificités des services qui affectent le comportement du consommateur
Les 3 phases du modèle de consommation des services :**

- La phase du préachat : recherche-évaluation des alternatives et décision
- La phase de la rencontre de service : les services *high contact* et les services *low contact*
- La phase post achat : évaluation (attentes/consommation) et intentions futures

(Chapitre 2)

Élaborer le modèle de service

- Développer l'offre de services : service de base et services périphériques
- Sélectionner les canaux de distribution : canaux traditionnels et/ou canaux électroniques
- Déterminer les prix en fonction des coûts, de la concurrence et de la valeur créée
- Former les clients et promouvoir la proposition de valeur
- Positionner la proposition de valeur par rapport à la concurrence

Gérer l'interface client

- Concevoir et gérer les processus de services
- Équilibrer la demande et les capacités de production
- Concevoir et mettre en place l'environnement physique du service
- Manager le personnel en contact pour un avantage concurrentiel

Mettre en place des stratégies de services efficaces

- Créer une relation privilégiée avec les clients et les fidéliser
- Prévoir les actions de réparation de services et mettre en place des systèmes de feed-back client
- Améliorer continuellement la qualité du service et la productivité
- Organiser la gestion du changement et le leadership

Chapitre 1
Nouvelles perspectives marketing dans une économie de services

« Rendre service de tout son pouvoir, de toutes ses forces,
il n'est pas de plus noble tâche sur terre. » – Sophocle

Objectifs de ce chapitre

- Comprendre pourquoi et comment les services contribuent au développement économique.

- Connaître les principales industries de services.

- Identifier les forces qui transforment le monde des services.

- Se familiariser avec les caractéristiques des services et les challenges marketing distinctifs qu'ils posent.

- Comprendre les sept composantes du marketing mix des services.

- Comprendre pourquoi dans les services, la fonction marketing doit être intégrée à celle des ressources humaines et des opérations.

- Connaître le cadre des principales stratégies marketing dans les services.

Qui que nous soyons, nous recourrons quotidiennement aux services : utiliser une carte de crédit, son téléphone portable, faire un voyage en train, en bus ou en avion, utiliser un Vélib', retirer de l'argent dans un distributeur automatique de billets, consulter son compte bancaire *via* Internet, y faire des achats, etc. Nous y prêtons souvent peu d'attention jusqu'à ce qu'un jour, quelque chose se passe mal. Nous recourrons aussi à d'autres services dits plus « mémorables », qui demandent davantage de prévoyance et de préparation, tels qu'organiser un voyage en croisière au bout du monde, rencontrer son banquier pour des conseils financiers, ou choisir un chirurgien ou un établissement de santé.

L'institution dans laquelle nous poursuivons nos études est aussi une organisation de services complexe. En effet, en plus du service « formation », les établissements universitaires et écoles de commerce mettent à la disposition de leurs apprenants une médiathèque, une cafétéria, une cellule d'orientation professionnelle personnalisée, Internet, des animations, des distributeurs automatiques de billets, des salles wifi, un accès à des sites de recherches, à des cours en ligne et plus encore.

De nombreuses entreprises industrielles et organisations non gouvernementales offrent également une large gamme de services qui varient selon leur métier et la nature de leurs activités, lesquelles sont souvent sous-traitées, dans le but de se concentrer sur leur cœur de métier.

Malheureusement, les consommateurs ne sont pas toujours totalement satisfaits de la qualité et de la valeur des services qu'ils reçoivent : promesses non tenues, incompréhension des besoins exprimés, personnel incompétent, horaires d'ouverture des lieux de services inadaptés, procédures et *process* d'accès aux services bureaucratiques, perte de temps, défaillance des équipements automatiques ou électroniques, sites Internet complexes, etc.

Mais les entreprises de services, confrontées à une rude concurrence, semblent rester muettes et inactives face à des scores de satisfaction souvent insuffisants et connus de l'ensemble des collaborateurs. Les contraintes majeures avancées sont la difficulté de maintenir des prix attractifs en raison de coûts souvent trop élevés, de trouver du personnel qualifié et motivé, et de satisfaire des clients de plus en plus exigeants. Fort heureusement, il existe des entreprises qui savent satisfaire leurs clients tout en gérant un système de production de services profitable, délivré par des employés qualifiés et agréables.

Vous connaissez certainement des entreprises de services que vous appréciez tout particulièrement. Avez-vous pensé à la façon dont elles s'y prenaient pour répondre à vos attentes et aller même au-delà ? Ce livre vous apprendra comment ces entreprises doivent être managées pour assurer la satisfaction de leur clientèle tout en étant rentables. Dans ce livre, nous présenterons des entreprises, petites et grandes, toutes remarquables, à partir desquelles vous serez à même de vous faire une opinion sur la manière de réussir dans ce secteur d'activité.

Dans ce chapitre introductif, nous présentons la place des services dans l'économie française, avant de définir ce qu'est un service et de souligner les spécificités de la démarche marketing dans les services. Nous concluons ce chapitre par les axes et orientations requis pour mettre en place des stratégies marketing spécifiques aux activités de services, ce qui constitue la structure de notre ouvrage.

Pourquoi s'intéresser aux services ?

Il existe un paradoxe de taille. En effet, nous vivons dans une économie de services mais beaucoup d'écoles de commerce et de grandes universités, la recherche académique et l'enseignement, sont prioritairement axés sur l'industrie. Si vous avez déjà suivi un cours de marketing, vous avez sûrement dû apprendre plus de choses sur les produits que sur les services. Fort heureusement, un nombre de plus en plus important d'étudiants, de consultants, d'enseignants, notamment les auteurs de cet ouvrage, ont choisi de se spécialiser dans le marketing des services et continuer les recherches commencées il y a maintenant plus de trente ans. Vous pouvez être rassurés : cet ouvrage vous donnera tous les outils, toutes les méthodes et vous soumettra tous les axes de réflexion les plus récents sur la discipline du marketing des services.

1. Les services dominent l'économie française

Bien que l'économie mondiale, y compris l'économie française, soit aujourd'hui affectée par un contexte de crise qui touche les principaux secteurs économiques, la taille du secteur des services se développe dans l'ensemble des pays du monde. En effet, la part de l'emploi dans les services dépasse très largement celle de l'industrie et de l'agriculture, et ce, voire même surtout, dans les pays émergents où il n'est pas rare de constater que les services représentent plus de la moitié du PIB.

Pour se pencher plus spécifiquement sur l'économie française, malgré un contexte de crise important qui touche l'agriculture, l'industrie et les services, ces derniers parviennent à sortir leur épingle du jeu, notamment grâce aux services aux entreprises et ceux liés aux technologies de l'information. D'autres activités de services pâtissent davantage de la crise, en raison de la baisse du pouvoir d'achat des ménages, comme les services liés à l'industrie du loisir ou l'édition, fortement touchée par le phénomène de la mise en ligne des ouvrages.

Nous verrons successivement l'évolution de la part des services français dans la contribution de la valeur ajoutée, la production en volume par branche d'activité, la contribution sectorielle au PIB français, l'évolution de l'emploi par branche d'activité et enfin, la part des services dans l'économie mondiale.

1.1. Les premiers contributeurs à la valeur ajoutée

Comme dans toutes les économies développées, les services marchands occupent une place de plus en plus importante dans l'économie française. Le tableau 1.1 montre l'évolution de la part de la valeur ajoutée brute par branche à prix courants des trois grands secteurs économiques français.

Tableau 1.1	Valeur ajoutée brute par branche à prix courants (milliards d'euros)			
Branches d'activité (nomenclature abrégée) 2008	**2009**	**2010 (r)**	**2011 (r)**	**2012**
Agriculture, sylviculture et pêche	26,2	31,8	34,2	35,8
Industrie manufacturière, industries extractives et autres	221,6	222,7	227,6	228,3
Industries extractives, énergie, eau, gestion des déchets et dépollution	41,4	43,4	44,1	46,8
Fabrication de denrées alimentaires, de boissons et de produits à base de tabac	33,8	30,4	31,8	34,3
Cokéfaction et raffinage	1,6	2,3	2,1	1,9
Fabrication d'équipements électriques, électroniques, informatiques ; fabrication de machines	24,4	23,8	23,4	24,9
Fabrication de matériels de transport	14,7	17,4	16,8	16,0
Fabrication d'autres produits industriels	105,6	105,4	109,3	104,4
Construction	109,2	106,2	111,0	114,1
Services principalement marchands	960,6	987,0	1 017,8	1 030,6
Commerce de gros et de détail, transports, hébergement et restauration	311,7	320,2	329,4	332,7
Information et communication	84,6	86,7	84,8	82,5
Activités financières et d'assurance	75,8	84,0	85,5	87,5
Activités immobilières	227,9	229,0	236,7	239,9
Activités scientifiques et techniques ; services administratifs et de soutien	202,5	208,0	220,9	226,0
Autres services	58,2	59,1	60,5	61,9
Services principalement non marchands (1)	383,7	393,3	403,2	412,1
Total des branches	**1 701,2**	**1 741,0**	**1 793,8**	**1 820,9**

(r) : données révisées.

(1) : le poste « Services principalement non marchands » correspond au regroupement des items « Administration publique », « Enseignement », « Santé humaine et action sociale ».

Source : Insee, 2012.

Il faut noter que, comme à l'accoutumée, ce sont les services aux entreprises qui ont le plus contribué au dynamisme de l'ensemble des services, et que ce sont les activités informatiques et les services de télécommunications qui tiennent le haut du pavé. Cette tendance est confirmée dans un contexte de crise, en ce qui concerne la production en volume des services marchands non financiers pour l'année 2012 (voir tableau 1.2).

Tableau 1.2	La production en volume des services marchands		
Les services marchands		**Évolution 2011/2010 (r)**	**Évolution 2012/2011**
Activités juridiques et comptables – gestion, architecture, ingénierie		6,0	2,2
Activités de services administratifs et de soutien		4,1	–1,0
Autres activités spécialisées, scientifiques et techniques		1,7	–0,6
Télécommunications		7,2	4,6
Recherche-développement scientifique		3,1	2,9
Édition, audiovisuel et diffusion		0,3	–3,0
Activités informatiques et services d'information		0,9	1,9
Hébergement et restauration		0,7	–1,2
Activités immobilières		0,9	0,7
Autres activités de services (hors associations)		0,0	–2,0
Arts, spectacles et activités récréatives		–2,0	–2,7
Ensemble des services		**2,7**	**0,6**

(r) : données révisées.
Source : Les tableaux de l'économie française, Insee, 2012.

Pour l'année 2012, hormis les activités d'information et de communication, les chiffres de l'Insee montrent un net ralentissement des scores par rapport à 2011 (+ 0,6 % en 2012, contre + 2,7 % en 2011). En raison de la crise, les services sont affectés par le manque de ressort de la demande intérieure, de celle des entreprises, mais aussi des ménages. Il faut noter que la baisse du pouvoir d'achat pénalise largement les activités liées aux loisirs et à la culture. En revanche, le tableau 1.2 confirme la contribution des services aux entreprises au développement de la croissance des services en France.

Voyons à présent ce qu'il en est de la contribution des services à la formation du PIB français.

1.2. Les services : toujours contributeurs à la formation du PIB

Le tableau 1.3 ci-dessous montre l'évolution du PIB français des secteurs de l'économie française. Comme nous l'avons souligné précédemment, malgré le contexte de crise que nous connaissons aujourd'hui, les activités de services maintiennent une croissance certes timide mais supérieure à tous les autres secteurs.

Tableau 1.3	Production par branche – volume aux prix de l'année précédente chaînés en milliards d'euros					
Branches	**2012 T3**	**2012 T4**	**2013 T1**	**2013 T2**	**2013 T3**	**2013 T4**
Agriculture	18,6	18,5	18,5	18,6	18,7	18,7
Branches industrielles	202,5	199,5	200,4	204,2	201,9	201,2
Construction	54,2	53,6	53,2	52,9	52,7	53,0
Services marchands	418,2	418,7	419,0	421,9	422,5	424,1
Services non marchands	119,6	120,0	120,3	121,1	121,3	121,7
TOTAL	**812,0**	**809,2**	**810,2**	**817,4**	**815,8**	**817,4**

Source : adapté de l'Insee, février 2014.

Examinons à présent la part des services dans les emplois français.

1.3. Premiers employeurs devant l'industrie

Pour compléter notre analyse sur la contribution du secteur des services en France, nous vous invitons à consulter le tableau 1.4 qui montre en détail que les emplois dans les services augmentent, même de façon marginale, entre 2011 et 2012, alors que ceux dans l'industrie stagnent, voire diminuent, tout comme ceux dans l'agriculture.

Tableau 1.4	Emploi intérieur total par branche en nombre d'équivalents temps plein (en milliers de personnes équivalent temps plein)						
Intitulés	**2006**	**2007**	**2008**	**2009**	**2010**	**2011**	**2012**
Agriculture, sylviculture et pêche	954,2	933,9	912,6	885,9	866,0	847,6	837,2
Industrie manufacturière, industries extractives et autres	3 435,6	3 399,6	3 352,3	3 211,1	3 098,9	3 074,3	3 060,0
Industries extractives, énergie, eau, gestion des déchets et dépollution	278,2	281,0	274,9	289,6	290,1	292,7	298,6
Industries extractives	20,7	20,6	21,2	20,6	19,8	19,6	ND*
Production et distribution d'électricité, de gaz, de vapeur et d'air conditionné	132,3	131,4	126,3	134,8	134,6	134,9	ND
Production et distribution d'eau ; assainissement, gestion des déchets et dépollution	125,2	129,0	127,4	134,2	135,6	138,2	ND
Fabrication de denrées alimentaires, de boissons et de produits à base de tabac	606,8	603,2	599,9	587,9	587,6	587,8	584,3
Cokéfaction et raffinage	8,5	8,4	8,3	7,6	7,3	7,1	6,8

Intitulés	2006	2007	2008	2009	2010	2011	2012
Fabrication d'équipements électriques, électroniques, informatiques, fabrication de machines	439,0	437,3	435,2	392,1	368,1	361,9	360,2
Fabrication de produits informatiques, électroniques et optiques	142,0	141,3	138,7	120,1	112,8	110,8	ND
Fabrication d'équipements électriques	95,2	94,5	94,7	90,0	86,5	84,8	ND
Fabrication de machines et équipements NCA	201,9	201,4	201,9	181,9	168,8	166,3	ND
Fabrication de matériels de transport	295,7	289,4	281,9	264,8	250,5	249,5	252,9
Fabrication d'autres produits industriels	1 807,4	1 780,2	1 752,1	1 669,1	1 595,2	1 575,3	1 557,2
Fabrication de textiles, industrie de l'habillement, industrie du cuir et de la chaussure	162,5	154,8	145,6	128,7	121,3	118,1	ND
Travail du bois, industrie du papier et imprimerie	253,4	247,2	241,3	226,4	217,3	211,7	ND
Industrie chimique	133,4	130,3	127,6	121,5	116,6	116,0	ND
Industrie pharmaceutique	76,5	76,8	76,3	72,6	70,7	68,8	ND
Fabrication de produits en caoutchouc, en plastique et d'autres produits minéraux non métalliques	323,2	318,9	315,2	285,9	274,0	271,4	ND
Métallurgie et fabrication de produits métalliques, hors machines et équipements	473,5	472,9	468,1	453,7	429,6	427,1	ND
Autres industries manufacturières ; réparation et installation de machines et d'équipements	384,8	379,4	378,1	380,3	365,8	362,2	ND
Construction	1 759,2	1 835,4	1 885,3	1 884,7	1 857,8	1 857,8	1 855,1
Services principalement marchands	12 017,3	12 251,4	12 362,6	12 140,9	12 242,7	12 439,4	12 469,9
Commerce de gros et de détail, transports, hébergement et restauration	5 700,2	5 774,7	5 817,2	5 768,2	5 793,5	5 862,6	5 890,5
Commerce ; réparation d'automobiles et de motocycles	3 406,1	3 448,4	3 469,5	3 456,6	3 458,9	3 489,7	3 504,0
Transport et entreposage	1 317,3	1 326,7	1 340,3	1 305,3	1 299,5	1 312,4	1 311,3
Hébergement et restauration	976,7	999,7	1 007,4	1 006,3	1 035,1	1 060,6	1 075,2
Information et communication	715,2	732,8	751,2	740,2	737,8	748,7	757,7

Intitulés	2006	2007	2008	2009	2010	2011	2012
Édition, audiovisuel et diffusion	206,9	211,9	215,9	211,1	208,0	209,1	ND
Télécommunications	136,4	134,2	130,0	128,7	123,5	123,8	ND
Activités informatiques et services d'information	372,0	386,7	405,2	400,4	406,4	415,9	ND
Activités financières et d'assurance	764,8	780,3	783,6	798,6	800,1	805,3	811,2
Activités immobilières	257,6	262,9	265 ?6	246,3	245,9	251,2	249,6
Activités scientifiques et techniques ; services administratifs et de soutien	3 190,9	3 294,4	3 317,5	3 158,2	3 219,5	3 315,7	3 306,7
Activités juridiques, comptables, de gestion d'architecture, d'ingénierie, de contrôle et d'analyses techniques	906,5	940,4	966,5	974,2	982,1	1 016,9	ND
Recherche-développement scientifique	205,5	211,1	216,4	226,1	216,0	216,3	ND
Autres activités spécialisées, scientifiques et techniques	235,2	232,3	236,2	227,7	226,0	231,5	ND
Activités de services administratifs et de soutien	1 843,8	1 910,6	1 898,3	1 730,2	1 795,4	1 851,0	ND
Autres services	1 388,6	1 406,3	1 427,6	1 429,2	1 445,9	1 455,8	1 454,3
Arts, spectacles et activités récréatives	443,5	458,0	462,8	468,2	477,1	482,7	ND
Autres activités de services	652,9	657,2	668,3	685,6	695,8	706,3	ND
Activités des ménages en tant qu'employeurs	292,2	291,0	296,6	275,4	273,0	266,8	ND
Services principalement non marchands	7 090,8	7 175,5	7 172,3	7 167,0	7 216,8	7 249,0	7 235,0
Administration publique et défense – sécurité sociale obligatoire	2 313,3	2 332,4	2 282,5	2 248,2	2 276,9	2 252,8	ND
Enseignement	1 648,4	1 652,2	1 650,9	1 625,4	1 604,0	1 580,5	ND
Activités pour la santé humaine	1 536,6	1 557,6	1 568,7	1 581,6	1 604,2	1 643,6	ND
Hébergement médico-social et social et action sociale sans hébergement	1 592,5	1 633,3	1 670,2	1 711,8	1 731,8	1 772,0	ND
Total des branches	**25 257,1**	**25 595,8**	**25 685,2**	**25 289,6**	**25 282,2**	**25 468,1**	**25 457,2**

* ND : non disponible.
Source : Insee Comptes Nationaux, base 2005.

Voyons à présent, dans ce contexte de crise, la place des principaux acteurs du commerce des services dans le monde.

2. Les services et l'économie mondiale

Le contexte de crise a joué négativement sur la croissance du commerce mondial, qui est tombée en 2013 à 2,0 %, contre 5,2 % en 2012, et par voie de conséquence sur la performance des scores de la France compte tenu du ralentissement économique qui pèse sur la demande d'importation mondiale de l'ensemble des pays européens, ce qui nous donne des résultats et des scores très mitigés. Les exportations de services des États-Unis ont progressé de 4 %, tandis que celles de l'Allemagne ont reculé de 2 %, contre 7 % pour la France. Les économistes s'accordent à dire qu'il faut y voir les conséquences de la crise de la dette de l'Europe.

Le tableau 1.5 relate en détail les rangs des quinze premiers pays exportateurs et importateurs de services.

Tableau 1.5	Commerce mondial des services commerciaux : principaux exportateurs et importateurs en 2012 (en milliard de dollars et en %)								
Rang	Exportateurs	Valeur	Part	Variation annuelle (%)	Rang	Importateurs	Valeur	Part	Variation annuelle (%)
1	États-Unis	614	14,1	4	1	États-Unis	406	9,9	3
2	Royaume-Uni	278	6,4	−4	2	Allemagne	285	6,9	−3
3	Allemagne	255	5,9	−2	3	Chine	281	6,8	19
4	**France**	**208**	**4,8**	**−7**	**4**	Royaume-Uni	176	4,3	1
5	Chine	190	4,4	4	5	Japon	174	4,2	5
6	Inde	148	3,4	8	6	**France**	**171**	**4,2**	**−10**
7	Japon	140	3,2	−2	7	Inde	125	3,0	1
8	Espagne	140	3,2	−1	8	Singapour	117	2,8	3
9	Singapour	133	3,1	3	9	Pays-Bas	115	2,8	−5
10	Pays-Bas	126	2,9	−7	10	Irlande	110	2,7	−5
11	Hong-Kong	126	2,9	7	1	Canada	105	2,6	1
12	Irlande	115	2,6	2		Corée	105	2,6	7
13	Corée	109	2,5	16		Italie	105	2,6	−8
14	Italie	104	2,4	−1		Russie	102	2,5	16
15	Belgique	94	2,2	0		Belgique	90	2,2	−1

Source : OMC, avril 2013 (http://www.wto.org).

2.1. La structure du secteur des services

Comme nous l'avons vu, les services constituent la partie essentielle de l'économie d'aujourd'hui et dominent dans la création d'emplois. Ainsi, à moins que vous ne créiez votre propre entreprise, la probabilité que vous passiez votre vie professionnelle dans des entreprises de services est très forte. Or, le secteur des services est très fragmenté et comprend un ensemble très large d'activités différentes qui s'adresse aussi bien aux particuliers, aux entreprises, à l'État et aux organisations à but non lucratif. On y trouve les activités de commerce, l'administration, les transports, les activités financières et immobilières, les services aux entreprises et aux particuliers, l'éducation, la santé et l'action sociale.

Si nous voulons « comparer ce qui est comparable » et garder une ligne de conduite sur l'examen des statistiques disponibles sur les services, nous devons nous référer aux nomenclatures en vigueur dans les organismes et instituts de la statistique française. Afin de mieux comprendre ce que sont les services, le tableau 1.6 expose en détail ce que recouvre le secteur des services dans l'économie française pour l'Insee, organisme dont les travaux sont largement cités et exploités dans ce chapitre.

Tableau 1.6	La nomenclature des services selon l'Insee

N°	Code NAF (nomenclature d'activité française)	Libellés
1	0162Z	Activités de soutien à la production animale
2	0170Z	Chasse, piégeage et services annexes
3	0240Z	Services de soutien à l'exploitation forestière
4	0910Z	Activités de soutien à l'extraction d'hydrocarbures
5	0990Z	Activités de soutien aux autres industries extractives
6	1813Z	Activités de pré-presse
7	1814Z	Reliure et activités connexes
8	3311Z	Réparation d'ouvrages en métaux
9	3312Z	Réparation de machines et équipements mécaniques
10	3900Z	Dépollution et autres services de gestion des déchets
11	4669C	Commerce de gros (commerce interentreprises) de fournitures et équipements divers pour le commerce et les services
12	4759B	Commerce de détail d'autres équipements du foyer
13	4932Z	Transports de voyageurs par taxis
14	4939B	Autres transports routiers de voyageurs
15	4942Z	Services de déménagement
16	5110Z	Transports aériens de passagers
17	5221Z	Services auxiliaires des transports terrestres
18	5222Z	Services auxiliaires des transports par eau
19	5223Z	Services auxiliaires des transports aériens
20	5229B	Affrètement et organisation des transports
21	5310Z	Activités de poste dans le cadre d'une obligation de service universel
22	5320Z	Autres activités de poste et de courrier
23	5510Z	Hôtels et hébergement similaire
24	5520Z	Hébergement touristique et autre hébergement de courte durée
25	5530Z	Terrains de camping et parcs pour caravanes ou véhicules de loisirs
26	5610B	Cafétérias et autres libres-services
27	5621Z	Services des traiteurs
28	5629A	Restauration collective sous contrat
29	5629B	Autres services de restauration n.c.a.
30	5920Z	Enregistrement sonore et édition musicale
31	6110Z	Télécommunications filaires
32	6120Z	Télécommunications sans fil
33	6190Z	Autres activités de télécommunication
34	6202A	Conseil en systèmes et logiciels informatiques
35	6203Z	Gestion d'installations informatiques
36	6209Z	Autres activités informatiques
37	6311Z	Traitement de données, hébergement et activités connexes
38	6399Z	Autres services d'information n.c.a.

N°	Code NAF (nomenclature d'activité française)	Libellés
39	6430Z	Fonds de placement et entités financières similaires
40	6492Z	Autre distribution de crédit
41	6499Z	Autres activités des services financiers, hors assurance et caisses de retraite, n.c.a.
42	6512Z	Autres assurances
43	6619B	Autres activités auxiliaires de services financiers, hors assurance et caisses de retraite, n.c.a.
44	6621Z	Évaluation des risques et dommages
45	6629Z	Autres activités auxiliaires d'assurance et de caisses de retraite
46	6831Z	Agences immobilières
47	7022Z	Conseil pour les affaires et autres conseils de gestion
48	7112B	Ingénierie, études techniques
49	7120B	Analyses, essais et inspections techniques
50	7311Z	Activités des agences de publicité
51	7320Z	Études de marché et sondages
52	7490B	Activités spécialisées, scientifiques et techniques diverses
53	7911Z	Activités des agences de voyage
54	7990Z	Autres services de réservation et activités connexes
55	8010Z	Activités de sécurité privée
56	8030Z	Activités d'enquête
57	8110Z	Activités combinées de soutien lié aux bâtiments
58	8130Z	Services d'aménagement paysager
59	8211Z	Services administratifs combinés de bureau
60	8219Z	Photocopie, préparation de documents et autres activités spécialisées de soutien de bureau
61	8220Z	Activités de centres d'appels
62	8291Z	Activités des agences de recouvrement de factures et des sociétés d'information financière sur la clientèle
63	8299Z	Autres activités de soutien aux entreprises n.c.a.
64	8411Z	Administration publique générale
65	8412Z	Administration publique (tutelle) de la santé, de la formation, de la culture et des services sociaux, autre que sécurité sociale
66	8421Z	Affaires étrangères
67	8422Z	Défense
68	8423Z	Justice
69	8425Z	Services du feu et de secours
70	8610Z	Activités hospitalières
71	8622C	Autres activités des médecins spécialistes
72	8690A	Ambulances
73	8690B	Laboratoires d'analyses médicales
74	8690E	Activités des professionnels de la rééducation, de l'appareillage et des pédicures-podologues
75	8710A	Hébergement médicalisé pour personnes âgées
76	8710B	Hébergement médicalisé pour enfants handicapés
77	8710C	Hébergement médicalisé pour adultes handicapés et autre hébergement médicalisé
78	8720A	Hébergement social pour handicapés mentaux et malades mentaux

N°	Code NAF (nomenclature d'activité française)	Libellés
79	8730A	Hébergement social pour personnes âgées
80	8730B	Hébergement social pour handicapés physiques
81	8790A	Hébergement social pour enfants en difficultés
82	8790B	Hébergement social pour adultes et familles en difficultés et autre hébergement social
83	8810A	Aide à domicile
84	8810C	Aide par le travail
85	8891A	Accueil de jeunes enfants
86	8891B	Accueil ou accompagnement sans hébergement d'enfants handicapés
87	8899A	Autre accueil ou accompagnement sans hébergement d'enfants et d'adolescents
88	8899B	Action sociale sans hébergement n.c.a.
89	9002Z	Activités de soutien au spectacle vivant
90	9101Z	Gestion des bibliothèques et des archives
91	9491Z	Activités des organisations religieuses
92	9601B	Blanchisserie-teinturerie de détail
93	9602A	Coiffure
94	9603Z	Services funéraires
95	9609Z	Autres services personnels n.c.a.
96	9820Z	Activités indifférenciées des ménages en tant que producteurs de services pour usage propre

Source : Insee (http://www.insee.fr).

Ce tableau a le mérite de montrer les interférences qui existent entre les secteurs agricoles et industriels, et le secteur tertiaire. En effet, un grand nombre d'activités de services sont créées par des activités et des entreprises des secteurs primaires et secondaires. D'où l'importance des activités de services dites « business to business », ou services plus communément appelés « services aux entreprises ».

Mais le contexte de crise, l'évolution du comportement des consommateurs, les modifications environnementales et par voie de conséquence, les nouvelles préoccupations des entreprises et des instances politiques et sociales, génèrent l'apparition de nouveaux services, ainsi que le développement de services dits « anciens », qui ont dorénavant le vent en poupe.

L'objet du paragraphe suivant est de montrer les principaux changements apparus ces dernières années et leurs effets sur les activités de services existantes et en devenir.

2.2. Les facteurs qui modifient l'économie des services

Parmi les nombreux changements de ces dernières années, certains concernent la réglementation, d'autres les évolutions sociales, les habitudes de consommation, les avancées technologiques, et la globalisation des marchés et des échanges. La figure 1.1 explicite la nature de ces changements, ainsi que leurs incidences sur les activités et l'économie des services.

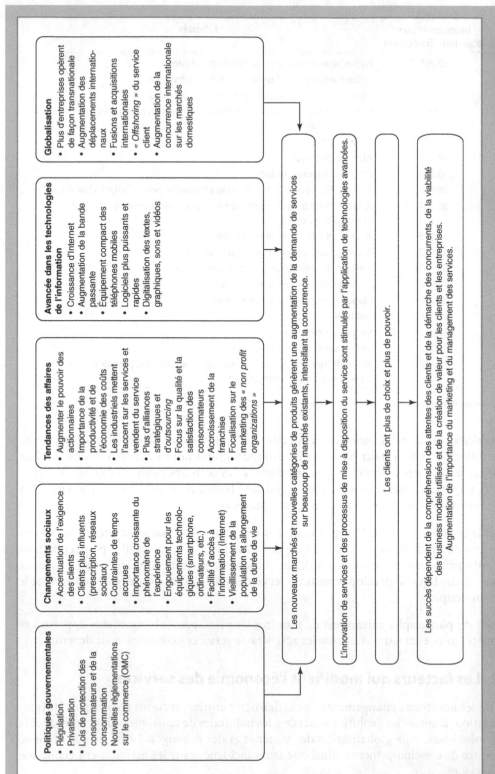

Figure 1.1 – Les facteurs modifiant l'économie des services.

Le tableau 1.7 suivant donne plus de détails et explicite la figure 1.1 en donnant des exemples d'actions engagées par des entreprises et secteurs de services pour faire face aux modifications décrites précédemment.

Tableau 1.7	Conséquences des modifications environnementales des services	
Politiques gouvernementales	**Exemples**	**Impacts sur l'économie des services**
Changements de législation	Interdiction de fumer dans les lieux publics	Améliorer la santé des consommateurs
Privatisation	Sociétés autoroutes	Renforcement de la concurrence ; création d'emplois et nouveaux entrants sur le marché
Nouvelles mesures pour protéger les clients, les employés et l'environnement	Accroissement des taxes (bonus-malus) sur les émissions de carbone	Augmentation des coûts du transport aérien et encouragement pour des transports moins polluants
Nouveaux accords de l'OMC (accord de Bali, 2013)	Agriculture ; réduction de la bureaucratie aux frontières ; aide au développement	Transfert d'expertise au-delà des frontières

Changements sociaux	**Exemples**	**Impacts sur l'économie des services**
Accroissement des attentes des consommateurs	Exigence supérieure en matière de qualité et de commodité	Formation du personnel ; extension des horaires d'ouverture
Affluence en hausse	Tourisme en hausse	Élargissement pour que l'offre de services « booste » l'économie
Personnel externalisé	Baby-sitting ; ménage ; soins de santé	Nouveaux services fournis par des grandes sociétés et des TPE locales
Accroissement du désir d'achat d'expériences plutôt que de produits	Accroissement des services de luxe, SPA ; club business ;	Nouveaux entrants ; nouveaux services dans des structures existantes (hôtels)
Accroissement de la possession de produits high-tech (ordinateurs, smartphones)	Demande plus importante de tablettes et téléphones 3G et 4G	Besoin d'ingénieurs, designers, marketeurs pour ce type de produits
Accès simplifié à l'information	Internet et podcasting	Opportunité pour les entreprises de créer une relation plus proche avec leurs clients
Migration	Par exemple, beaucoup d'Indiens qui avaient émigré aux États-Unis retournent au pays	Transfert de talents dans le pays d'origine pour le développement de l'économie locale
Population en hausse mais vieillissante	Les pays européens	Accroissement des services de santé à la personne et de structures pour les retraités

Tendances économiques	Exemples	Impacts sur l'économie des services
Efforts pour accroître la part des actionnaires	Pression de la part des actionnaires afin de dégager des profits plus importants	Recherche de nouvelles sources de revenus, accroissement des prix, stratégies de « *revenue management* » ; réduction des coûts
Focalisation sur la réduction des coûts et la productivité	Transfert vers les activités « self-service »	Réinvention de nouvelles façons de délivrer le service, investissement dans les nouvelles technologies pour remplacer le personnel
Accroissement de la valeur ajoutée des services dans les produits manufacturés	IBM consulting et « IT services » pour la finance	Concurrence accrue avec les fournisseurs de services traditionnels
Plus d'alliances stratégiques	Compagnies aériennes (« Star Alliance », « Flying Blue »)	Rationalisation des offres pour éviter les redondances ; billetterie et horaires coordonnés
Focalisation sur la qualité et la satisfaction client	Standards de qualité plus exigeants dans les hôtels	Programmes de formation du personnel ; investissement dans la modernisation des équipements existants
Accroissement du nombre de franchisés	Extension des chaînes de fast-food partout dans le monde	Exigence de maintien du même niveau de qualité partout dans le monde ; adaptation aux préférences locales
Marketing des « Non-Profit »	Les musées cherchent à étendre leur influence et encouragent les visites répétées	Nouveaux services tels que restaurants et programmes de collecte d'argent

Avancées dans le domaine des technologies de l'information et de la communication	Exemples	Impacts sur l'économie des services
Développement d'Internet	Information à portée de main des clients, les rendant mieux informés	Création de nouveaux services d'information « packagés »
Bande passante élargie	Contenus plus sophistiqués et plus interactifs	Reconsidération des processus de service
Équipements plus compacts	Smartphones de plus en plus légers, comportant de plus en plus de fonctions	Accroissement des besoins de services de maintenance
Réseaux sans fils	Cafés, hôtels offrant ces nouveaux services (wifi) payants ou gratuits pour attirer de nouveaux clients	Évolution du savoir-faire des sociétés existantes afin d'offrir le même service que les nouveaux entrants
Logiciels plus puissants et plus rapides		Accroissement d'offres de services packagés (prêtes à l'emploi) et de formation d'ingénieurs pour les développer
Digitalisation de texte, audio et video		Besoin de fournisseurs de services capables de maintenir des sites Web sécurisés, garantis sans virus

Globalisation	Exemples	Impacts sur l'économie des services
Plus d'entreprises multinationales	Banques, consulting (« Big four »), opèrent partout dans le monde	Accroissement de la gamme de services offerts aussi bien sur des marchés locaux qu'internationaux
Accroissement du trafic international	De plus en plus de places proposées sur le marché aussi bien pour les affaires que pour le tourisme	Plus de services fournis par les compagnies aériennes et les « croisiéristes » : concurrence accrue
Fusions et alliances internationales		Une meilleure couverture des marchés, plus d'efficacité, mais plus de pertes d'emplois
Délocalisation de services clients	« Call centers » localisés au Maghreb, en Inde ou aux Philippines	Les investissements en technologies et en infrastructures stimulent les économies locales
Marchés domestiques envahis par des entreprises étrangères	Des banques comme HSBC, ING s'implantent dans presque tous les pays	Construction de réseaux d'agences par le rachat de banques régionales et investissements massifs dans les canaux de livraison électroniques

2.3. Les services en développement

Les changements environnementaux étudiés dans le paragraphe précédent ont un impact sur le devenir de certains métiers et activités de services. Les travaux du CAS (Centre d'analyse stratégique) et de l'APCE (Agence pour la création d'entreprises), la presse et certains organismes spécialisés, tels que le Credoc ou *Les Echos*, se sont intéressés aux secteurs et activités porteurs dans les dix ou vingt ans à venir.

Et, bonne nouvelle, les services sont au centre de la réflexion. Les résultats de ces travaux montrent que les secteurs les plus porteurs dans les dix ans à venir sont le développement durable, l'écologie, les services aux personnes et aux entreprises, l'économie numérique, les nouvelles technologies, le secteur du bien-être et de la beauté, et enfin la santé.

D'autre part, sans parler de révolution, une tendance lourde se dégage : celle de la location et de l'usage plus que la propriété, qui peut ouvrir des champs à de nouvelles entreprises. Sans oublier le *low cost* qui épargne de moins en moins de secteurs (transports, coiffure, luxe), l'achat malin, le « faire soi-même », le fait de se passer d'intermédiaires (par exemple, se passer des banques en faisant du crédit de particulier à particulier, ou encore se passer d'agences immobilières par le biais d'agents indépendants ou en louant de particulier à particulier), et ce, aussi bien dans le domaine des services que des produits.

Le rapport Attali (2010)[1] précise quant à lui que l'avenir de la croissance française se situe dans le numérique, la santé, les chantiers navals, l'environnement, les services financiers, l'aéronautique, l'agroalimentaire, la distribution, le tourisme, les transports, les services éducatifs, la construction et les services à la personne.

L'ensemble de ces travaux montrent que le secteur des services s'annonce être la pierre angulaire et fortement porteur pour assurer la croissance et l'emploi de la France dans les dix ans à venir.

Voyons à présent dans une troisième section les questions marketing spécifiques qui se posent dans les activités de services.

3. Les services posent des questions marketing spécifiques

Dans son ouvrage célèbre *La Richesse des nations*, publié en Grande-Bretagne en 1776, Adam Smith distingue les *outputs* qu'il qualifie de productifs et ceux dits improductifs. La distinction produits/services vient d'être faite. Dans le cas des *outputs* productifs, il y a stockage et donc matérialité. Or, les *outputs* dits improductifs le sont pour Adam Smith car ils disparaissent aussitôt consommés, et c'est pour cette raison essentielle que, pour lui, ils ne contribuent pas à la richesse de la nation. Il faut attendre les travaux de Jean-Baptiste Say (1803)[2], qui s'est penché sur cette question somme toute bien embarrassante, pour *in fine* conclure que les *outputs* improductifs sont en fait des « produits immatériels », dont la particularité réside dans la simultanéité entre production et consommation. La scission produit et service est alors établie.

Autre distinction significative, dans le cas des biens, les avantages proviennent des propriétés de l'objet, alors que dans les services, les avantages sont créés par les actions et les performances[3] du système de distribution mis à disposition des clients (voir mémo 1.1). Et pour réussir et « performer » dans un environnement en perpétuelle évolution comme nous l'avons vu précédemment, les entreprises de services doivent maîtriser un ensemble d'outils spécifiques à la conduite d'une démarche marketing dans les activités de services.

Mémo 1.1

Comment définir un service ?

Originellement, le mot service est associé au métier de servant, à la disposition d'un maître vis-à-vis duquel il est corvéable à merci. D'autres associations sont faites, comme « aider quelqu'un », « adopter une attitude dans le but de faire plaisir ou de procurer des avantages à quelqu'un ». Les premières définitions marketing associaient le mot service à « des actes, des performances, des usages ou des efforts », par opposition aux produits qualifiés « d'articles, de matériels, d'objets ou de choses ».

Dans ces premières définitions, l'intangibilité et la périssabilité étaient les caractéristiques les plus usitées pour décrire un service et le distinguer d'un produit.

Mais comme beaucoup, nous pensons que les services ne doivent pas être définis par opposition aux produits, comme dans la fameuse définition « *quelque chose que vous pouvez acheter mais qui ne peut pas vous tomber sur les pieds[4]* », qui est certes amusante mais n'aide pas beaucoup à élaborer une stratégie marketing.

Pour définir le service, nous suggérons deux définitions :

- « Un service est une action ou une prestation offerte par une partie à une autre. Bien que le processus puisse être lié à un produit physique, la prestation est transitoire, souvent intangible par nature, et ne résulte pas normalement de la possession de l'un des facteurs de production[5]. »

- Un service est une activité économique qui crée de la valeur et fournit des avantages aux consommateurs à un moment et en un lieu donnés pour apporter le changement désiré, en faveur du bénéficiaire du service.   ...

...

Pour l'Insee, une activité de service se définit comme « la mise à disposition d'une capacité technique ou intellectuelle. À la différence d'une activité industrielle, elle ne peut pas être décrite par les seules caractéristiques d'un bien tangible acquis par le client ». L'Insee fait une différence entre les activités tertiaires et les activités de services qui n'incluent pas les transports et le commerce, la limite étant donnée par les nomenclatures citées précédemment.

Source : Evert Gummesson, « Lip Service : A Neglected Area in Services Marketing », *Journal of Consumer Services*, n° 1, 1987. Pour une liste plus large de définitions, consulter Christian Grönroos, *Service Management and Marketing*, 2ᵉ édition, New York, John Wiley & Sons, 2001, p. 26-27.

Mais en dépit de leur intangibilité, certains services ont la particularité de détenir une grande part d'éléments tangibles, comme les hôtels (mobilier et infrastructures), les restaurants (mobilier, couverts) ou les banques (locaux et cartes de crédit). Peu importe, car dans la perspective de la pleine propriété et des définitions données, c'est l'élément intangible qui prédomine dans la création de la valeur délivrée aux clients : le repos (hôtels), la satiété et le plaisir (restaurant), la sécurité (banque) et la praticité (carte de crédit).

Pour résumer, le tableau 1.8 dresse les principales différences entre les produits et les services.

Tableau 1.8	Principales différences entre les produits et les services

- On ne possède pas les services. On y accède temporairement.
- Les services sont des performances intangibles, pas des objets.
- Les clients sont souvent activement impliqués dans le processus de production/fabrication.
- D'autres personnes peuvent faire partie de l'expérience de service.
- Il est difficile de contrôler la qualité tout en améliorant la productivité.
- Souvent, le service est difficile à évaluer par le client.
- Les services ne peuvent pas être produits en avance pour être stockés.
- Le facteur temps est très important. La vitesse peut être capitale.
- Les systèmes de livraison comprennent des canaux physiques et électroniques.

Examinons à présent en détail les principales caractéristiques des services.

3.1. Les clients n'acquièrent pas la propriété des services

La distinction essentielle entre un produit et un service réside dans le fait que les clients apprécient la valeur des services sans en obtenir la propriété (hors nourriture, pièces de rechange, etc.). Nous sommes davantage dans le registre de l'usage, du bénéfice, que de la propriété. Il faut englober dans les activités de services, les entreprises qui louent du matériel tangible, qui mettent à disposition de leurs clients le travail et le savoir d'un expert, une somme d'argent (un prêt), un abonnement à des réseaux de télévision ou le paiement de droits d'entrée. Il n'en reste pas moins que ces éléments tangibles ne sont jamais la propriété des clients : ces derniers payent le droit d'y accéder sans en posséder la matière.

Concernant les services de locations, cinq grandes catégories sont identifiées.

Location de biens et de services : elle permet aux clients d'obtenir temporairement l'usage d'un bien physique qu'ils préfèrent utiliser qu'acheter (location de voitures, de vélos, de bateaux, de costumes, etc.).

Location d'un espace : dans ce cas, les clients peuvent utiliser la partie d'un immeuble ou d'un véhicule, d'un hôtel (salle de séminaire), d'une voiture, place d'avion ou table au restaurant.

Location d'une main-d'œuvre ou d'une expertise : c'est le cas des clients qui recourent à un cabinet de consultants, une entreprise de nettoyage ou toute autre expertise qu'ils ne détiennent pas.

Accès à des espaces partagés : ces espaces peuvent être en intérieur ou en extérieur. Ils ont la particularité d'être loués par plusieurs clients en même temps. Nous mettons dans cette catégorie les musées, les clubs de sport, de gymnastique, les stations de ski, les terrains de golf, etc.

Accès à l'usage de systèmes ou de réseaux : dans ce cas, les clients louent le droit de participer et d'utiliser un réseau particulier. C'est le cas des télécommunications, de la banque, de l'assurance ou de services d'informations particuliers.

Bien souvent, ces locations se combinent. Lorsque vous prenez un taxi, vous louez à la fois un conducteur et un véhicule.

3.2. Le résultat du service est intangible

Bien que, comme nous l'avons vu précédemment, certains services incluent souvent des éléments matériels, comme un lit d'hôtel, la nourriture commandée au restaurant ou l'outillage nécessaire à la réparation d'un véhicule, leurs résultats (l'*output*) sont intangibles. En effet, les sociétés de services délivrent des prestations (et non des biens) et les bénéfices client sont issus de la nature de ces prestations.

Les travaux de Lynn Shostack[6] ont fortement contribué à distinguer les produits des services en les plaçant sur une échelle allant de dominante tangible à dominante intangible (voir figure 1.2). Une autre façon est suggérée par la conduite d'un certain nombre de tests économiques dont le but est d'évaluer si plus de la moitié de la valeur provient du service lui-même[7]. Par exemple, dans un restaurant, le coût de la nourriture peut ne représenter que 20 à 30 % du prix du repas et la plus grande partie de la valeur ajoutée provient de la préparation, de la cuisine, du service en salle, des « extras » tels que le parking, les toilettes et la nature de l'environnement du restaurant lui-même, donc de services intangibles.

Pour mieux comprendre la notion de service comme prestation qui ne peut être emballée puis emportée, on peut établir une analogie avec le théâtre : la prestation de service est comme la mise en scène d'une pièce de théâtre, avec son personnel (les acteurs), son système de livraison (la scène) et son public (les clients)[8].

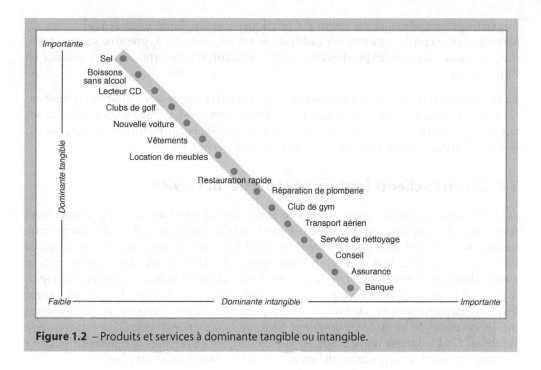

Figure 1.2 – Produits et services à dominante tangible ou intangible.

3.3. Les clients participent au processus de production

Pour être « délivrés », tous les services, quels qu'ils soient, requièrent la présence et la participation du client. Cette implication peut s'opérer grâce au libre-service (retirer de l'argent dans un distributeur automatique de billets, faire ses courses dans un hyper-marché, acheter sur Internet, etc.) ou une interaction en face à face avec le personnel en contact du prestataire de services (coiffeurs, hôtels, hôpitaux, universités). C'est pourquoi, dans les services, les consommateurs sont considérés comme des employés ponctuels qu'on doit former pour, à l'instar de n'importe quelle ressource, les rendre compétents. Pour que le client puisse obtenir le service attendu, l'entreprise de service met au point un processus d'accès à destination de ses clients, et en changer la nature modifie souvent les rôles qui lui sont affectés[9]. En tant que consommateur de services, vous devez savoir que votre satisfaction dépend de la manière dont vous allez être traité durant la prestation (pertinence du processus qui est proposé) et que l'intérêt principal recherché est la performance. Ainsi, si vous comprenez ce que vous devez faire, vous obtiendrez ce que vous voudrez (et inversement) et la performance sera alors au rendez-vous. À ce titre, lorsque la présence des clients est nécessaire sur le site de prestation du service, ce dernier doit être situé dans un endroit facile d'accès et offrir des horaires pratiques pour que les clients aient envie de revenir.

Eiglier et Langeard (1987) distinguent quatre formes de participation : la coopération, la participation physique, la participation intellectuelle et la participation affective.

La coopération : le client émet des informations (écrites, orales voire gestuelles) pour préciser sa demande. Par exemple, le diagnostic médical (émission d'informations sur les symptômes), le coiffeur (longueur, couleur, etc.).

La participation physique : le client est physiquement impliqué dans la réalisation du service. Par exemple, pousser un caddy dans un hypermarché, prendre ses produits, faire la queue, déposer les produits sur le tapis roulant, utiliser une pompe à essence en libre-service.

La participation intellectuelle : le client doit mémoriser, comprendre, analyser une situation ou un mode d'emploi spécifique pour obtenir son service. Par exemple, Ikea et ses notices de montage, le distributeur automatique de billets (introduire son code secret, suivre les instructions), faire une commande par Internet, etc.

3.4. D'autres clients font souvent partie du service

Si la différence de qualité entre un service et un autre dépend souvent des compétences spécifiques des employés en charge de délivrer le service aux clients, il est des cas où cette qualité dépend aussi des comportements et spécificités des clients présents sur le lieu de service. Par exemple, lors d'un événement sportif, l'enthousiasme des supporters peut ajouter du plaisir. Cependant, si quelques-uns d'entre eux deviennent agressifs et injurieux, le plaisir des autres spectateurs diminue. C'est également le cas de lieux de services comme les pubs irlandais connus pour leur ambiance spécifique liée aux comportements des clients ou des enseignes telles qu'Abercrombie et Fitch, où la présence d'autres clients participe à l'ambiance et à la satisfaction globale. B. Schneider écriera à cet effet une phrase révélatrice de l'importance des clients dans un lieu de services : « *People make the place.* »

Lorsque le service doit impérativement être délivré par du personnel en contact, les prestataires doivent accorder une attention toute particulière au recrutement, à la formation et à la motivation de leurs employés. En effet, en plus des compétences techniques, ces derniers doivent posséder de bons atouts relationnels. De la même façon, les entreprises doivent aussi veiller à gérer et à façonner le comportement de leurs clients pour que la mauvaise conduite de certains ne nuise pas aux autres. C'est pourquoi mélanger différents types de clientèles dans un même lieu de services n'est pas conseillé. Prenons l'exemple d'un homme d'affaires fatigué arrivant à l'hôtel tard le soir et confronté à de bruyants voisins de chambre en vacances, ou celui d'une maman qui voyage avec son nouveau-né en classe Zen dans l'iDTGV, afin de trouver le calme pour son nourrisson. Si ce dernier ne trouve pas le sommeil, il est fort à parier que les clients d'affaires ayant réservé de longue date leur place en classe Zen pour travailler seront contrariés et insatisfaits de leur voyage.

C'est pourquoi, pour éviter ou limiter toute forme de nuisance, les entreprises de services doivent veiller à faire des choix de clients pour endiguer les effets de concomitance de clientèles. Les lieux de services doivent être spécialisés : c'est une règle de base du marketing des services.

3.5. Les *inputs* et les *outputs* varient

La double présence humaine propre au système de fabrication du service (le personnel en contact et les clients) rend difficile la standardisation et le contrôle de la qualité des *inputs* et des *outputs* du service. Les biens manufacturés sont produits dans certaines conditions, contrôlés, conçus pour optimiser à la fois la productivité, la qualité, et pour vérifier la conformité avec les standards de qualité avant d'arriver chez le client. Cette situation s'applique uniquement pour les services réalisés en l'absence du client (procéder à des vérifications bancaires, réparer des automobiles ou nettoyer des bureaux la nuit).

En revanche, pour les services consommés en même temps qu'ils sont produits/délivrés, l'« assemblage final » – dont la durée peut varier d'un client à l'autre – ne peut se réaliser qu'en temps réel. C'est pour cette raison que la possibilité d'erreurs est plus probable et que l'entreprise de services doit protéger le client et anticiper la survenue de problèmes particuliers ou d'un risque d'échec. Tous ces éléments rendent difficiles l'amélioration de la productivité, le contrôle de la qualité et l'offre d'un service identique. Comme le disait un marketeur d'Holiday Inn venant d'une entreprise de fabrication :

Nous ne pouvons pas contrôler la qualité de nos produits autant que l'ingénieur de Procter & Gamble tout au long de la ligne de production. Quand vous achetez un paquet de lessive, vous pouvez raisonnablement être sûr à 99,99 % que ce produit conviendra pour nettoyer vos vêtements. Quand vous « achetez » une chambre à Holiday Inn, vous êtes sûr à un moindre pourcentage que ça conviendra et que vous pourrez passer une bonne nuit de sommeil sans histoire sans que personne ne claque une porte ou tout autre sorte de désagrément pouvant arriver dans un hôtel[10].

3.6. Les services sont difficilement évaluables par le client

Pour la plupart des marchandises, il est relativement facile d'évaluer les caractéristiques qui conviennent au client : la couleur, la forme, le prix, le poids, et plus généralement le ressenti vis-à-vis du produit. *A contrario*, d'autres biens et beaucoup de services mettent l'accent sur les « attributs d'expérience », qui ne peuvent être discernés qu'après l'achat ou pendant la consommation : le goût, la facilité d'utilisation, la tranquillité de l'endroit ou la qualité du traitement. Enfin, il y a les « attributs de croyance », les caractéristiques que les clients eux-mêmes trouvent difficiles à évaluer même après leur utilisation parce qu'elles sont liées à une certaine expertise dans des domaines qu'ils ne connaissent pas forcément. C'est le cas de la chirurgie, la comptabilité ou les réparations techniques[11].

Mais les marketeurs peuvent réduire les risques perçus par les clients avant l'achat d'un service en les aidant à faire coïncider leurs attentes avec les caractéristiques spécifiques des services qu'ils attendent, en les éduquant sur ce qu'ils attendent pendant et après la prestation de service. Une société qui a une bonne réputation en matière de traitement des clients, de considération et d'éthique, gagnera leur confiance et profitera des références positives communiquées par le bouche-à-oreille.

3.7. Le stockage après production n'est pas possible

Parce qu'un service est une action ou une performance, il est « périssable » et ne peut pas être stocké. Les locaux, les équipements et le personnel nécessaires pour la création d'un service peuvent être tenus prêts et disponibles, mais ne sont que des capacités productives, pas le service lui-même. C'est le cas d'une salle de classe avec chaises, bureaux, « barco », installations électriques, etc. Tant que les étudiants ne sont pas dans la salle en présence du professeur, il n'y a pas de service (transmission de la connaissance) qui se fait « en direct ». *Idem* pour les avions, bus et trains qui, en l'absence de passagers, ne sont pas des services mais des capacités productives de services. La difficulté majeure des services réside dans l'harmonisation entre l'offre (capacités productives) et la demande (les clients). Lorsque la demande dépasse la capacité de production, les consommateurs peuvent être déçus, voire éconduits, à moins qu'ils n'acceptent d'attendre ce qui est de moins en moins le cas, sauf pour des services dits « exceptionnels » comme les soldes ou les concerts par exemple.

C'est pourquoi l'une des attributions clés des marketeurs de services est de trouver les moyens de lisser la demande pour la faire correspondre à la capacité *via* les prix, la promotion et autres actions. En effet, les capacités productives inactives étant très coûteuses, les responsables doivent rechercher les possibilités d'augmenter ou de réduire cette capacité en jouant sur le nombre d'employés, l'espace physique et les équipements pour pouvoir s'adapter aux fluctuations prévisibles de la demande. Si la maximisation du profit est un but important, les praticiens du marketing doivent cibler les bons segments de marché, au bon moment, en se focalisant sur la vente pendant les périodes de pic pour parvenir le plus souvent possible à cet équilibre.

3.8. Le facteur temps a beaucoup d'importance

Un très grand nombre de services sont délivrés en temps réel pendant que les clients sont physiquement présents sur le lieu de « production ». Il y a des limites au temps inutilisé que ces derniers sont prêts à passer sur le lieu de la prestation et de plus en plus sont prêts à payer plus cher pour un service plus rapide ou disponible au moment qui les accommode. C'est par exemple l'une des raisons du développement et du succès des services « drive » des supermarchés et hypermarchés : ne plus perdre de temps à faire ses courses. C'est pourquoi de plus en plus de sociétés offrent des heures d'ouverture prolongées pouvant aller jusqu'à 24 h/24, 7 j/7. Idem pour les services rendus en ligne *via* Internet ou par téléphone souvent disponibles 24 h/24 et 7 j/7.

Dans d'autres cas, le client portera une attention toute particulière sur le temps nécessaire à obtenir sa prestation. Par exemple, lorsque les clients passent une commande pour un service qui ne nécessite pas leur présence sur le lieu de vente (exemples : réparer une machine, nettoyer un vêtement, préparer une commande), ils ont des attentes précises sur le temps de livraison et/ou de réalisation nécessaire pour accomplir la prestation. En effet, aujourd'hui, les consommateurs sont de plus en plus sensibles à la notion du temps et c'est pour cela que la rapidité est souvent considérée comme un élément clé du service et une façon d'attirer de nouveaux consommateurs. Pour répondre à cette demande, Carrefour n'a pas hésité à placer des « magasins virtuels » dans le métro ou les gares fréquentées. En attendant leur métro ou leur train, à l'aide de leur smartphone, les voyageurs scannent les marchandises qu'ils désirent et en demandent la livraison à domicile ou vont les chercher dans un Carrefour Drive, à leur convenance. Ce service est en test actuellement, mais est largement implanté en Asie par exemple, où la variable temps est particulièrement importante.

En conséquence, les responsables marketing des entreprises de services doivent prendre en considération les contraintes de temps qui peuvent varier d'un segment de marché à un autre et absolument chercher à être compétitifs sur la rapidité d'exécution de la prestation.

3.9. Les canaux de distribution prennent plusieurs formes

Dans le domaine des produits, la fabrication requiert la mise en place et le choix de canaux de distribution physiques pour amener les biens fabriqués de l'usine (lieu de production) aux clients (consommateurs finaux). Les services ont la particularité de combiner, sur le même lieu, la création, la distribution et la livraison du service. Parfois, comme c'est le cas des services bancaires, les sociétés offrent aux consommateurs plusieurs points de contact (canaux de mise à disposition du service), allant de l'agence bancaire au « call center », à l'automate, à son téléphone ou à Internet.

Les canaux à distance (téléphoniques, automatiques et électroniques) les plus utilisés par les clients sont ceux qui offrent la meilleure performance de temps. L'émergence des technologies de l'information n'a fait qu'accentuer cette requête des clients. Les progrès de l'informatique – ordinateurs, bases de données, télécommunications et en particulier le développement d'Internet – ont permis l'émergence et l'accroissement des canaux électroniques et téléphoniques. Mais une autre raison explique cette croissance : le fort contenu informationnel des services. En effet, le premier service que rendent toutes les entreprises de services est de de l'information : des horaires, des tarifs, des procédures, des diagnostics, de la documentation, des montants monétaires, etc. Rares sont les entreprises de services qui n'ont pas, au sein de leur offre de services, de l'information sous toutes ses formes. Certaines entreprises de services ne font d'ailleurs qu'exclusivement fournir de l'information à leurs clients (la banque, l'assurance, l'enseignement ou le conseil, par exemple). Ainsi, grâce aux technologies de l'information, tout service fondé sur l'information peut dorénavant être délivré instantanément partout dans le monde.

4. Des différences importantes existent entre les services

Bien qu'il faille distinguer le marketing des biens de celui des services, rappelons que des différences importantes existent entre les activités de services (transports, hôtellerie, banque, télécommunications, etc.). L'objet de cette section est de montrer et d'analyser la nature de ces grandes distinctions et leurs implications sur la démarche marketing.

4.1. Les processus peuvent différer

Beaucoup de travaux proposent des classifications de services et il serait vain d'en faire un inventaire exhaustif. L'un des premiers facteurs à prendre en compte pour distinguer les activités de services est la nature du processus de sa création et de sa mise à disposition.

Les responsables marketing qui s'intéressent aux produits n'ont généralement pas besoin de connaître les spécifications de leur production, cette tâche relevant de la responsabilité des personnes qui en ont la charge. La situation est toute différente dans les services. En effet, en raison de la participation du client et de sa présence sur le lieu de la « production » du service, le marketing a besoin de comprendre la nature des processus auxquels le client est exposé : comme nous l'avons vu précédemment, il s'agit de l'ensemble des actions et des étapes que le client devra exécuter, selon une séquence bien définie, pour obtenir le service. Les processus de services varient de la mise en place de procédures simples, comme faire le plein d'essence d'une voiture, à des procédures complexes, comme c'est le cas du transport aérien par exemple, où les passagers doivent arriver à l'aéroport, trouver un parking libre, s'y garer, retrouver le hall de l'aéroport, trouver le comptoir d'enregistrement du vol, faire la queue, présenter l'ensemble des papiers requis, fournir les informations nécessaires à l'embarquement, se diriger vers la zone internationale, se prêter aux contrôles de police, à la fouille des bagages, etc. Nous verrons plus en avant dans cet ouvrage comment l'ensemble de ces tâches peuvent être représentées dans des logigrammes qui en facilitent la compréhension et aident bien souvent à améliorer leur déroulement et ordonnancement.

Un processus implique la prise en compte d'un *input* jusqu'à sa transformation en *output*. Les questions qu'il convient alors de se poser sont : quelle(s) partie(s) du service se déroule(nt) et selon quelles séquences/étapes ? Et, comment les tâches qu'exécute le client sont-elles réalisées ? Deux grandes catégories de « choses » sont transformées dans les services : les personnes et les objets. Dans la plupart des cas, du transport de passagers à l'éducation, les clients eux-mêmes sont les principaux *inputs* du processus de service. Dans d'autres cas, l'*input* peut être un objet comme un ordinateur, un automate, un téléphone ou un ensemble de données financières. Dans certains services, le processus est physique et quelque chose de tangible se déroule, ce qui n'est pas vrai dans les services fondés sur l'information.

En regardant les processus de services dans une perspective purement opérationnelle, nous constatons qu'ils peuvent être classés en quatre groupes[12]. La figure 1.3 montre une classification à quatre entrées, établie sur des actions tangibles (ou non) sur les personnes ou sur leurs possessions physiques, et des actions intangibles (ou non) sur leur esprit/mental ou sur leurs biens intangibles.

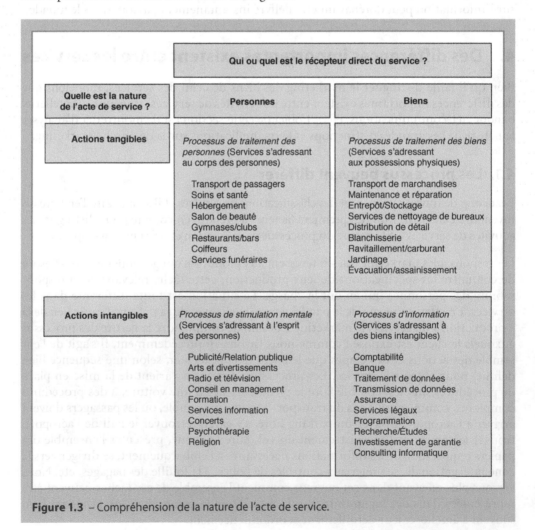

Figure 1.3 – Compréhension de la nature de l'acte de service.

L'intérêt de cette classification est de montrer que ces quatre catégories de services engagent des processus de fabrication très différents aux implications importantes pour le marketing, les opérations et les ressources humaines. Examinons à présent pourquoi ces quatre types de processus de services ont des implications distinctes en matière de stratégie marketing, de gestion des opérations et de ressources humaines.

Le processus de traitement des personnes

Depuis longtemps, les personnes ont accès à des services tels que le transport, la nourriture, l'hébergement, les soins. Pour bénéficier de l'ensemble de ces services, elles doivent physiquement « entrer » dans le système de fabrication du service. Parce qu'elles sont partie intégrante du processus (elles demandent à être traitées, transformées), elles ne peuvent bénéficier du service à distance et doivent, par conséquent, consacrer du temps à interagir et coopérer activement avec le prestataire de services. Le niveau d'implication attendu du client est très variable (monter dans un bus pour un trajet de 5 minutes jusqu'à entreprendre un long traitement hospitalier qui peut durer des semaines). L'*output* des services à la personne est par exemple : un client arrivé à destination dans le cas du transport, une guérison dans le cas d'une hospitalisation ou une meilleure condition physique dans le cas d'un club sportif.

Réfléchir sur le processus de services aide à identifier les coûts non financiers que les clients sont prêts à consentir en termes de temps, d'efforts physiques ou intellectuels. Cette prise en charge par le client est souvent source de productivité pour l'entreprise, mais aussi de satisfaction pour les clients, qui peuvent voir par exemple la durée de leur traitement raccourcir.

Le processus de traitement des biens

Les clients peuvent être amenés à demander à une entreprise de services de procéder à un traitement de leurs biens ou de leurs possessions physiques (maison, ordinateur, téléphone, voire leurs animaux domestiques, considérés encore comme des objets et non des êtres vivants). Ils sont alors physiquement moins impliqués que dans les services à la personne. Dans la plupart des services fondés sur les processus de traitement des biens, l'implication du client est généralement limitée à l'apport de l'objet, à sa reprise et au paiement de la facture. Si l'objet est impossible à déplacer, alors la réalisation du service doit se faire sur place et le personnel de services doit apporter les fournitures et matériels nécessaires. Dans tous les cas, le résultat doit fournir une solution satisfaisante au problème du client ou une amélioration concrète du bien en question.

Le processus de stimulation mentale

Les services qui interagissent avec l'esprit des gens incluent essentiellement la formation, l'éducation, l'information, le conseil aux entreprises, la psychothérapie, le divertissement et certaines pratiques religieuses. Ces composants ont le pouvoir de modifier les attitudes et d'influencer le comportement. C'est pourquoi des codes et des règles déontologiques sont nécessaires. Bénéficier de ces services demande un investissement en temps de la part des clients, sans pour autant que ces derniers n'aient à se déplacer physiquement dans l'entreprise. C'est pourquoi un grand nombre de ces services sont proposés par voie électronique, y compris les pratiques religieuses.

Des services comme le divertissement ou la formation sont souvent réalisés à un endroit et transmis par la télévision ou la radio aux personnes. Toutefois, ils peuvent être délivrés en direct à un groupe de clients en un lieu donné comme un cinéma ou une salle de cours ou de conférences. Mais regarder un concert en direct, chez soi, à la télévision, n'est pas la même expérience de service qu'assister à un concert en salle avec des centaines, voire des milliers d'autres personnes.

Comme le cœur du service de cette catégorie repose sur l'information (que ce soit la musique, la voix ou les images), ces services sont facilement digitalisables et rendus disponibles pour des réutilisations ultérieures au travers des canaux électroniques, ou transformés en produits manufacturés comme des CD ou DVD. Même si l'expérience de service « live » est différente d'un produit qui en retranscrit les moments forts, le risque de substitution service/produit existe.

Le processus d'information

Curieusement, l'information est très certainement la forme la plus intangible du service, mais elle peut aussi être transformée en produit comme des lettres, des rapports, des livres, des cassettes ou des disques. Parmi les services très dépendants des traitements de l'information, on trouve la comptabilité, le droit, l'analyse de marchés, l'audit ou le diagnostic médical.

Dans les services de processus basés sur l'information et la stimulation mentale, la rencontre client/prestataire se fait plus par tradition et/ou volonté que par nécessité. En effet, s'il s'agit d'opérations de services non complexes, le contact personnel/client est, dans la plupart des cas, inutile comme dans la banque ou l'assurance. Bon nombre d'entreprises l'ont compris et proposent dorénavant ces opérations par le biais des canaux électroniques, téléphoniques ou automatiques. Nous aurons l'occasion de revenir plus dans le détail sur les problèmes que pose la gestion du multi-canal et du cross-canal dans la relation client.

Mais il n'en reste pas moins que les services pâtissent d'habitudes et de traditions que clients et prestataires sont loin de vouloir abandonner. Les entreprises et les clients peuvent de concert convenir qu'ils préfèrent se rencontrer parce qu'ils ont ainsi l'impression de mieux communiquer et de mieux percevoir les attentes et la personnalité de l'autre partie. Cependant, l'expérience montre que des relations personnelles efficaces, construites sur la confiance, peuvent être créées et perdurer simplement grâce à des contacts téléphoniques, des sites Internet ou des e-mails.

4.2. Concevoir « l'outil de livraison du service »

La nature de l'implication des clients varie entre les quatre catégories de services décrites précédemment. Ainsi, rien ne peut changer le fait que dans le cas des processus de traitement des personnes le client doit physiquement être présent sur le lieu de service. Par exemple, si vous êtes actuellement à New York et que vous devez vous rendre à Paris, vous ne pouvez pas faire autrement que d'embarquer sur un vol et passer du temps dans un avion au-dessus de l'Atlantique. Même cas de figure si vous souhaitez vous faire couper les cheveux, personne ne peut aller chez un coiffeur à votre place. Si vous vous cassez une jambe, vous devrez personnellement subir les désagréments de la fracture, l'opération par un chirurgien orthopédique, puis vous devrez rester immobilisé pendant plusieurs semaines.

Lorsque les clients sont obligés de se rendre chez le prestataire pour obtenir le service, leur degré de satisfaction dépend de facteurs tels que l'apparence et les caractéristiques des installations de l'entreprise, à la fois extérieures et intérieures : la compétence technique et relationnelle du personnel, les interactions avec les équipements en libre-service, l'apparence et le comportement des autres clients.

Pour ces raisons, les responsables marketing doivent impérativement travailler de façon étroite avec les collaborateurs des services opérationnels (*back office* et gestion des opérations) pour optimiser la conception, l'interface et l'installation des équipements que le client doit utiliser pour obtenir son service. C'est le « prix » à payer pour une participation efficace du client et une meilleure productivité des processus de fabrication du service. S'il est vrai que l'aspect extérieur d'un immeuble est important pour le client (symboles, communication, esthétisme), l'intérieur doit également être pensé et conçu en termes de performances. Plus les clients restent longtemps dans l'entreprise, plus ils ont l'occasion d'acheter des services. Il est donc important de leur offrir des locaux confortables et attractifs pour leur « faciliter » le travail.

4.3. Les canaux alternatifs de livraison de service

Contrairement aux entreprises fondées sur un processus de traitement des personnes, les entreprises de services dont les processus impactent la stimulation mentale et/ou sont basés sur le traitement de l'information n'ont pas nécessairement besoin de la présence du client dans l'entreprise. Les dirigeants ont le choix entre : 1) laisser venir les clients dans un lieu conçu pour les recevoir ; 2) limiter le contact à un local annexe séparé de la maison mère ; 3) se rendre au domicile ou sur le lieu de travail du client et 4) travailler à distance (par téléphone, fax, e-mail ou Internet).

Prenez l'exemple du nettoyage de vêtements. Vous pouvez faire votre lessive chez vous, mais si vous n'avez pas le matériel, vous pouvez recourir à la laverie automatique où vous payerez pour utiliser des équipements en libre-service. Si vous préférez avoir recours à des professionnels pour laver et sécher votre linge, vous pouvez alors vous rendre dans une blanchisserie. Dans certaines villes, il existe un service qui emporte et livre les vêtements chez leur propriétaire. En raison des coûts supplémentaires engendrés, ce type de prestation est souvent onéreux. À ce sujet, compte tenu des nuisances inhérentes à la circulation urbaine, la variable temps et la recherche d'un meilleur confort de vie, de plus en plus de services sont proposés à domicile : apéritifs, petits-déjeuners, diners, animations, pressing, etc. C'est une nouvelle tendance de consommation très en vogue dans les grandes métropoles.

De nombreuses entreprises, qui délivraient leurs prestations *via* les canaux traditionnels, ont dorénavant de plus en plus recours aux canaux à distance. C'est majoritairement le cas de la grande distribution, de l'éducation, des activités de conseils, du transport, de l'assurance et des services publics. En effet, les entreprises proposent de télécharger les catalogues d'information et les logiciels sur les téléphones, tablettes ou ordinateurs. Par exemple, vous pouvez acheter des produits vendus dans une Fnac à distance (fnac.com), ou des articles vendus dans des boutiques Nike sur le site nike.com.

Depuis l'émergence des technologies de l'information et le développement du commerce électronique, les managers doivent redoubler de créativité pour générer toujours plus de valeur à leurs clients et valoriser la relation à distance. Des entreprises telles que UPS,

FedEx, Chronopost et autres acteurs de la livraison proposent des options attractives à leurs clients.

Par exemple, certains fabricants de petits équipements permettent aux clients d'éviter de se rendre chez le distributeur lorsqu'un produit a besoin d'une réparation. À la place, un coursier d'une des entreprises citées vient collecter le produit défaillant (en fournissant même l'emballage si nécessaire), le remet au site de maintenance et délivre le produit quelques jours plus tard une fois le problème résolu.

Repenser les procédures de mise à disposition du service permet à une entreprise de donner satisfaction à ses clients hors de ses murs et de transformer un service à « faible contact » en un service à « fort contact ». Aujourd'hui, un très grand nombre d'entreprises recourent à des centres d'appels délocalisés aux quatre coins du monde pour toujours être au plus proche de leurs clients 24 h/24. Il convient, dans ce cas, de veiller à limer tout indicateur d'expatriation qui pourrait générer un risque chez le consommateur : véracité de l'information, prise en charge de la requête. Nombreux sont les exemples qui témoignent d'un manque de rigueur chez certaines entreprises. Les responsables marketing ne doivent pas omettre que si le contact client n'est qu'oral, le client le « sent », l'expérimente et le « vit » tout autant, si ce n'est plus, qu'un contact direct.

Les chances de succès d'une telle approche dépendent de l'acceptation du client et seront d'autant plus importantes si les nouvelles procédures sont conviviales, réductrices de coûts et offrent une plus grande commodité aux clients.

4.4. Prendre le meilleur des technologies de l'information

Les services fondés sur l'information (un terme qui couvre à la fois les services de stimulus mental et de traitement de l'information) sont les grands « gagnants » de cette mutation technologique. En effet, la grande majorité des banques propose aujourd'hui aux clients un service Internet accessible depuis un téléphone portable pour qu'ils puissent consulter leurs comptes personnels et effectuer certaines transactions, quels que soient l'heure et le lieu où ils se trouvent. Aujourd'hui, Internet a un impact majeur sur les stratégies de distribution d'un grand nombre de secteurs d'activités[13]. Cependant, une distinction doit être faite entre promouvoir l'activité même de l'entreprise (par exemple, les assurances ou encore les agents de change) et la fourniture de services supplémentaires pour améliorer l'offre de produits (par exemple, commander des produits chez un distributeur en ligne ou bien réserver ses vacances). La plupart des utilisations d'Internet concernent les services supplémentaires de transfert d'informations liées au produit, et non le téléchargement du produit lui-même.

4.5. Équilibrer l'offre et la demande

Contrairement aux entreprises industrielles, qui ont la possibilité de stocker leur production et d'en prendre soin, dans les services, les fluctuations importantes de la demande et la recherche de l'équilibre avec l'offre et la demande sont un véritable casse-tête. Les entreprises industrielles ont de plus la possibilité de faire des économies d'échelles en planifiant des niveaux de production stables, mais très peu d'entreprises de services peuvent opérer de la sorte. Par exemple, le revenu potentiel d'un siège inoccupé à bord d'un avion est définitivement perdu dès que l'avion décolle. Il en va de même dans l'hôtellerie ou la restauration. Mais le risque existe aussi lorsque la demande excède l'offre. Par exemple, si une personne ne peut obtenir une réservation à bord d'un vol, une autre compagnie récupérera la demande. Pour conserver ce client, la compagnie pourra le mettre en liste d'attente jusqu'à ce qu'une capacité de production soit suffisante pour assurer son vol.

En général, les services qui s'adressent à des personnes et des objets physiques sont plus exposés à ces problématiques que ceux fondés sur l'information. En effet, les transmissions radio et télévisées, par exemple, atteignent quantité de foyers dans leur rayon de réception grâce aux satellites et réseaux câblés de distribution. Ces dernières années, les processus liés au traitement de l'information ont été largement améliorés par des systèmes informatiques plus puissants, la digitalisation du signal et le remplacement des câbles coaxiaux par des fibres optiques.

Cependant, les progrès de la technologie n'ont pas encore permis d'apporter des progrès semblables à des services qui concernent les individus et leurs possessions physiques. En conséquence, la gestion de la demande devient essentielle dans l'amélioration de la productivité dans ce type de services (compensations pour l'utilisation du service hors période de pointe, réservation, etc.). Par exemple, un club de golf peut utiliser ces deux stratégies en proposant un tarif préférentiel pendant la basse période et en offrant un service de réservation pendant les périodes de pointe.

La difficulté pour les services de traitement des personnes tient aussi au fait que le client impose à ses prestataires des limites de temps qu'il refuse de dépasser. En comparaison, les possessions physiques souffrent rarement si elles doivent attendre (excepté si elles sont hautement périssables). Le problème du management de la demande et de la capacité est si important (productivité des immobilisations et meilleure profitabilité) que nous y consacrerons un chapitre à part entière (chapitre 9).

4.6. Lorsque les personnes deviennent une part de l'*output*

Dans beaucoup de cas de services à la personne, les clients rencontrent de nombreux employés et clients, et interagissent avec eux pendant un temps donné. Un bus, un amphithéâtre, un restaurant, un salon de coiffure, un aéroport, un hypermarché, une salle de concerts, etc. tous ces lieux de services sont destinés à accueillir plusieurs clients en même temps. Lorsque d'autres personnes font partie de cette expérience de service, leur attitude, leur comportement et leur apparence peuvent la modifier en l'améliorant ou en la détériorant. En effet, le client porte aussi un jugement sur la pertinence de la présence d'autres clients sur le même lieu de service que lui et évalue l'attention que l'entreprise choisie lui porte dans sa capacité à rassembler sur ce même lieu des clients qui ont des comportements et des attitudes homogènes et qui lui ressemblent.

5. Le marketing doit être intégré aux autres fonctions

Cet ouvrage ne se limite pas exclusivement à l'étude du marketing des services. En effet, au fil des différents chapitres, vous trouverez des références à deux fonctions tout aussi importantes que le marketing : les opérations et les ressources humaines. Imaginez-vous responsable d'un petit hôtel ou si vous préférez, P-DG d'une grande banque. Dans les deux cas, vous serez concerné, un, par la satisfaction de vos clients, deux, par le fonctionnement régulier et efficace de vos activités opérationnelles, et trois, par le comportement de vos employés tant au niveau de leur efficacité qu'au niveau de leur empathie et de leur motivation à vouloir rendre un bon service aux clients.

Nous étudions dans cette section les spécificités du marketing mix appliqué aux services, les difficultés inhérentes à l'intégration de la fonction ressources humaines et gestion des opérations dans la fonction marketing, et le concept de création de valeur dans les services.

5.1. Le marketing mix des services

Dans les stratégies classiques de positionnement d'un produit, le marketing utilise généralement quatre éléments de base : le produit, le prix, la place (ou distribution) et la promotion (ou communication). De façon générale, on fait souvent référence aux « 4 P » du marketing mix[14]. Dans les services, les choses diffèrent quelque peu, car il faut ajouter trois éléments associés à la réalisation du service : l'environnement physique, le processus et les acteurs. Ces sept éléments du marketing des services représentent un jeu de variables décisionnelles interconnectées auxquelles sont confrontés les responsables des entreprises de services[15]. Attachons-nous à les décrire brièvement.

Le service

À l'instar des produits, les responsables marketing des entreprises de services doivent à la fois identifier et sélectionner les caractéristiques du service de base (service) et l'ensemble des services supplémentaires associés, en accord avec les bénéfices attendus par les clients et le positionnement du service par rapport à la concurrence. La difficulté se situe à plusieurs niveaux. Il faut en premier lieu tenir compte de la difficulté dans les services de se mettre d'accord sur ce que l'on offre, tant l'intangibilité est forte et la nécessité de tester indispensable. La deuxième difficulté consiste à définir les standards qui garantissent la répétitivité du service, quels que soient le lieu et les conditions de livraison. Enfin, la troisième concerne l'importance des processus de mise à disposition du service pour délivrer de la performance à la fois en interne (productivité) et en externe (le client peut-il faire ce que l'entreprise lui demande de faire ?).

Le lieu et le temps

La livraison des éléments du service aux clients implique des décisions aussi bien pour ce qui concerne le lieu et le temps d'exécution, que la méthode et les moyens employés. La livraison peut nécessiter des moyens de distribution physique ou électronique ou les deux selon la nature du service offert. Le recours aux services de messagerie et d'Internet permet la réalisation des services dans un cyberespace au choix du client. L'entreprise peut livrer le service directement, ou utiliser un intermédiaire (comme un représentant) qui reçoit une prime ou un pourcentage du prix de vente. La rapidité d'exécution et la commodité du lieu et du moment de livraison pour le client deviennent alors clés dans le design de l'offre. Le choix des canaux de distribution est aujourd'hui une décision essentielle des entreprises de services, d'autant que beaucoup pratiquent le cross-canal, la meilleure méthode pour mailler les réseaux de distribution sans forcément les rendre sélectifs. L'exemple d'Uniqlo est intéressant. Cette enseigne propose dans ses magasins (canal traditionnel) des ordinateurs et/ou des tablettes, que les clients peuvent utiliser pour passer une commande si la taille et/ou le modèle recherchés ne sont pas disponibles dans le magasin. La commande sera alors livrée soit dans un point relais, soit au domicile du client sans frais supplémentaires.

La promotion et la formation

Aucun programme marketing ne peut réussir sans une communication efficace, qui joue trois rôles essentiels : fournir les informations et les conseils nécessaires aux clients, convaincre les clients potentiels des avantages du produit et les encourager à l'acheter au bon moment. Or, dans les services, la communication est essentiellement basée sur l'éducation et la formation du client, et tout particulièrement lorsqu'il s'agit de rechercher de nouveaux clients. Les entreprises doivent alors informer leurs clients des bénéfices du service (attributs), où et quand l'obtenir, et les renseigner sur la façon de participer aux processus de services. Cette communication peut être effectuée par des personnes (comme des représentants ou des commerciaux) ou avec l'aide de médias comme la télévision, la radio, les journaux, les magazines, les affiches, les brochures et les sites Internet.

Le prix et les autres coûts des services

Les responsables d'entreprises de services ne décident pas seulement du prix de vente, des marges commerciales et des conditions financières ; ils recherchent aussi la minimisation des coûts associés à l'acte d'achat et d'utilisation du service par le client. Par exemple, dans le cas de la vente d'un séjour à l'étranger, les dépenses annexes, le temps et les efforts requis pour convertir une monnaie.

L'environnement physique

L'intangibilité du service influe de façon négative sur l'augmentation du risque perçu par le client lors de ses choix et de sa « consommation/destruction » du service. Ainsi, « tout va parler au client dans les services », ce dernier cherchant par tous les moyens à se rassurer et à valider son choix. Il va donc porter une attention toute particulière à l'apparence des immeubles, du paysage, des véhicules, des ameublements, des équipements, du personnel, des documentations et autres imprimés, et tout autre élément visible. À défaut de pouvoir se renseigner *ex ante* sur la qualité et le niveau de performance des services rendus par un prestataire, le client construit ses attentes et ses perceptions sur l'ensemble des éléments matériels auxquels il a accès. D'où la nécessité de porter le plus grand intérêt aux supports physiques à disposition ou non des clients. La difficulté réside ici dans l'entretien et la maintenance, car souvent le personnel, mais aussi la direction, ne voient plus ce que les clients voient toujours d'un œil nouveau : la lettre d'une enseigne en panne de néon, un automate « tagué » ou en panne, une moquette usée, des sièges affaissés, une peinture vieillie et jaunie par le temps, des teintes et des styles démodés.

Le processus

Délivrer un service nécessite la mise en place de processus dédiés, d'interfaces ergonomes, spécialisés et souvent standardisés pour un grand nombre d'activités de services. Mal définis, lents, bureaucratiques et inefficaces dans leur mise en place, ils ennuient les clients et rendent difficile la réalisation de leur travail, ce qui entraîne inéluctablement une baisse de la productivité de l'entreprise (mais aussi de celle du client) et un accroissement des échecs de mise à disposition effective du service. Citons, à titre d'exemple, les bornes de préenregistrement (*check in*) des vols aériens souvent peu visibles et mal disposées ; les pèse-légumes des hypermarchés souvent en nombre insuffisant, en panne d'étiquettes et encore trop souvent peu lisibles ; les sites de vente à distance complexes dans l'utilisation (taille de la police, style et interface), les automates en tous genres souvent multifonctions qui génèrent des files d'attentes interminables, etc.

Dans les services, la difficulté de concevoir des processus d'accès aux services est grande, en raison de l'ignorance des personnes en charge de définir ces processus, des comportements des utilisateurs finaux (clients) et du personnel en contact, ou de leur trop grande technicité. En effet, ce qui « marche en back » et sur le papier peut devenir inepte pour un client et indigeste pour le personnel en contact. Cette difficulté peut être renforcée lorsqu'il s'agit de mettre en place des processus à distance, où la technologie n'a point de limites, mais ignore celles des clients. Par exemple, proposer au téléphone un menu où le client doit choisir entre huit options associées à huit touches : au bout de la troisième option, le client ne retient plus rien et finit par raccrocher.

Les acteurs

Même si de plus en plus de services se délivrent à distance, encore beaucoup ne peuvent l'être sans le recours à un personnel en contact spécialisé et expert, comme un médecin, un coiffeur, un enseignant, un assureur, un banquier, un consultant, un opérateur téléphonique, etc. La nature, l'intensité, le déroulement, le ton, le rythme de l'interaction directe, la voix, la gestuelle et l'attitude de ce personnel en contact influencent fortement la perception des clients et conditionnent la qualité du service rendu, quelle qu'en soit l'issue[16]. C'est pourquoi une société de services qui délivre des prestations en recourant à du personnel en contact doit déployer des efforts considérables en recrutement, formation et motivation des employés[17] sous peine d'être boudée par ses clients en raison de la faible performance et attractivité du personnel. C'est, à notre sens, le problème principal des entreprises de services d'aujourd'hui, confrontées à l'attraction qu'offrent le développement des canaux à distance, la démocratisation d'Internet et la maîtrise croissante des clients en matière de technologies de l'information. Les entreprises de services à forte intensité informationnelle trouvent souvent dans les technologies de l'information le relais ou un ersatz d'une relation en face à face devenue coûteuse pour elle ou sans valeur pour le client.

Les choix doivent être faits en tenant compte de la complexité du service, d'un strict point de vue du client. Qu'est-ce qui est complexe pour un client et nécessite la présence d'un personnel qualifié ? Qu'est-ce qui est simple et facilement réalisable par le client ? *A priori*, la réponse semble simple mais il n'en est rien car ce qui est complexe pour la firme peut ne pas l'être pour un client et *vice versa*.

Cette question est récurrente dans les services, en raison de l'explosion des services en ligne, de l'édition, à la santé, au tourisme, à la culture, à l'éducation et bien d'autres encore. Nous aurons l'occasion de revenir plus en détail sur ce point dans le chapitre suivant.

5.2. Liens entre gestion du client, des opérations et des ressources humaines

Dans les services, trois fonctions managériales essentielles jouent un rôle central dans la satisfaction des besoins des clients : le marketing, la gestion des opérations et des ressources humaines. Les décisions prises pour chacune de ces composantes impactent de façon notoire la satisfaction des clients (marketing), l'efficacité (les opérations de services) et la productivité (les ressources humaines). Le marketing d'une activité de service ne peut être efficace et pertinent que si les décisions prises intègrent ces trois fonctions, qui ne peuvent être dissociées.

La figure 1.4 illustre ces interdépendances. Dans les chapitres suivants, nous nous demanderons comment les marketeurs devraient communiquer avec les collaborateurs en poste dans ces fonctions pour élaborer les plannings et la mise en place des stratégies marketing.

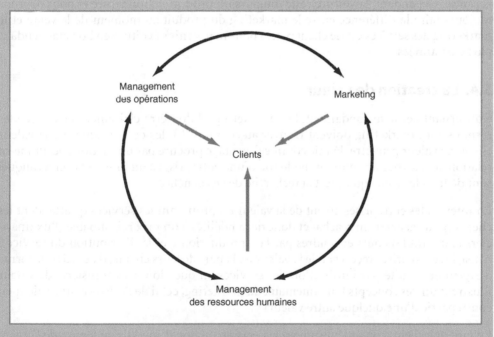

Figure 1.4 – Interdépendance entre le marketing, les opérations et les ressources humaines.

5.3. Les services associés aux produits

La place des services dans l'offre de produits, mais aussi l'émergence des technologies de l'information et d'un matériel de téléphonie de plus en plus développé et sophistiqué ne permettent plus de distinguer de façon claire le produit d'un service. En son temps, Theodore Levitt, l'un des experts les plus reconnus en marketing, écrivait : « *Il n'y a rien de comparable au secteur des services. Il existe seulement des secteurs dont les éléments de services sont meilleurs ou moins bons que ceux d'autres secteurs. Tout le monde est dans le service*[18]. » Plus récemment, Roland Rust, éditeur du *Journal of Service Research*, expliquait que les entreprises industrielles adoptaient une posture de plus en plus axée sur les services, car « *La plupart des entreprises de production se considèrent elles-mêmes comme étant d'abord des entreprises de services*[19]. » Même si ce qu'écrit Roland Rust est recevable, il est important d'insister et de montrer la différence entre la situation dans laquelle le service est l'élément central de l'offre et celle dans laquelle les « manufacturiers » adoptent une stratégie de services pour proposer et valoriser le produit qu'ils fabriquent. En effet, tout produit offre un service, mais tout service n'est pas produit et loin s'en faut.

Dans cet ouvrage, nous faisons la distinction entre le marketing des services, où le service est le « produit » en lui-même (l'*output*) et le marketing des produits *via* une offre de services associés. Dans ce dernier cas, une entreprise de production peut élaborer sa stratégie marketing et faire la différence « produit » en ajoutant des services associés au produit, mais ce produit reste un produit physique et donc, pas un service. D'ailleurs, beaucoup de services associés à la vente de produits ne sont pas facturés, mais inclus dans le produit. Par exemple, l'acheteur d'une voiture de luxe reçoit un niveau exceptionnel de services de la part du vendeur, qui propose également un excellent niveau de garantie. Cependant, la voiture reste toujours un produit manufacturé et nous devrons toujours faire la différence entre le marketing du produit au moment de la vente et le marketing des services que le client paiera pour maintenir sa voiture en bon état pendant plusieurs années.

5.4. La création de valeur

Concernant cet item fondamental en marketing, il doit être clairement établi que les responsables marketing doivent trouver au sein des 7 P les composantes de la valeur client. La valeur peut être définie comme l'avantage procuré par une action spécifique en relation avec les besoins d'un individu (ou d'une entreprise) à un moment donné, auquel sont déduits les coûts qu'induit la recherche de ces bénéfices.

En interne, les entreprises créent de la valeur en proposant les services qu'attendent les clients (pour générer un réachat et donc de la fidélité) à un prix raisonnable (flux financiers couvrant les coûts engendrés par la « production » et la distribution du service). Ainsi, les entreprises reçoivent de la valeur de la part de leurs clients, d'abord sous forme d'argent et ensuite par l'utilisation des services en question. Ces transferts de valeur illustrent un des concepts fondamentaux du marketing, celui de l'*échange* (une valeur en contrepartie d'une quelque autre valeur).

En tant que client, vous-même prenez la décision ou non d'investir du temps, de l'argent et des efforts pour obtenir un service qui vous promet les avantages spécifiques que vous recherchez. Peut-être que le service en question comble un besoin immédiat (manger une pizza, aller au cinéma…) ou un besoin à plus long terme (suivre une formation, investir). Si vous avez le sentiment d'avoir payé plus que nécessaire ou obtenu moins de bénéfices que ceux espérés ou que vous avez été traité de façon incorrecte lors de la livraison du service, la valeur reçue sera diminuée. Mais peut-être que l'entreprise traite mal ses employés (faible niveau de salaire, pas d'avantages sociaux, etc.) et si tel est le cas, il faut savoir que les clients détectent et perçoivent les insatisfactions et le mal-être du personnel en contact.

Toute entreprise qui recherche une relation durable avec ses clients, mais aussi ses employés ne peut se permettre de mal les traiter. Pour cette raison, les entreprises ont besoin d'un cadre juridique et de valeurs morales partagées par tous les collaborateurs, si possible sans exception, et surtout par ceux qui sont en contact avec les clients. Ces valeurs devraient être aussi expliquées aux clients potentiels afin de les convaincre, de les attirer, mais aussi de les retenir. Aujourd'hui plus qu'hier, nous constatons un fort engouement pour l'éthique des affaires et la présence d'une législation forte pour protéger à la fois les clients et les employés de traitements abusifs. Dans ce livre, nous reviendrons périodiquement sur les questions d'éthique puisqu'elles sont très étroitement liées aux différents aspects du management des services.

6. Le succès des services nécessite d'être attentif aux clients et à la concurrence

Ces dernières années, et de façon plus cuisante depuis la crise financière de 2007, la place et l'importance donnée aux actionnaires n'ont fait qu'augmenter et commander une grande partie des décisions prises par l'ensemble des dirigeants d'entreprises, qu'ils soient français ou américains. Les profits des entreprises peuvent probablement être améliorés sur le court terme par un effort vigoureux de réduction des dépenses, mais sur le long terme, il ne peut y avoir de création de valeur pour les actionnaires sans que, préalablement, il y ait eu création de valeur pour les clients. Le marketing est la seule fonction de management dans l'entreprise qui soit dédiée à la génération de revenus. Aucune entreprise ne peut espérer maintenir un courant de revenus sans attirer, puis conserver les clients d'accord pour continuer à acheter et payer des services à des prix qui couvrent l'ensemble des coûts et dégagent des marges suffisantes pour réaliser les investissements nécessaires et générer du profit. L'objectif de toute entreprise doit être de développer des stratégies marketing qui rendent compatibles les besoins des clients et leur potentiel d'achat avec les capacités et les objectifs à long terme de l'entreprise et sa ligne de conduite vis-à-vis des actionnaires.

Ce qui fait perdurer une entreprise est sa capacité à satisfaire ses clients et à les rendre fidèles, donc moins attirés par des offres concurrentes. La fidélité garantit un volume d'achat constant, voire en augmentation, et permet sur le long terme de dégager des marges et d'être compétitif (baisser les coûts pour demeurer attractif).

Le chapitre qui suit s'intéresse à un thème qui reviendra tout au long du livre : l'orientation client. Comprendre ses besoins et son comportement, s'assurer de l'adéquation entre ses besoins et l'offre de services et gérer les rencontres avec les clients de façon à les satisfaire pour les rendre fidèles. À ce sujet, nous insisterons sur la nécessité d'être sélectif lors du ciblage de certains types de clients, car conserver les clients intéressants dans une économie très concurrentielle exige de comprendre et de maitriser parfaitement la manière dont les relations clients sont créées et alimentées. En effet, dans le contexte de crise que nous connaissons, il faut plus que jamais faire un distinguo entre une transaction (de service) et une relation (de service). Historiquement, beaucoup d'entreprises de services étaient orientées transactions (la vente) plutôt que relation (le réachat et le choix délibéré du client d'un prestataire précis). Dans ce cadre de figure, un client est alors considéré de la même manière qu'un autre pourvu qu'il paie. Aujourd'hui, l'accent est davantage porté sur le développement de stratégies marketing relationnelles qui améliorent la satisfaction afin de construire sur de la durée, la fidélité des clients. Pour cela, les entreprises de services doivent développer une connaissance du client fondée sur la qualité du service attendu et s'assurer que chaque collaborateur au sein de l'entreprise comprend son rôle et mesure sa contribution à la satisfaction des attentes des clients.

Les gagnants sur des marchés très concurrentiels de services progressent par la révision constante de leurs pratiques managériales, la recherche de voies innovantes pour mieux servir les clients, et en particulier, l'utilisation intelligente des nouvelles technologies. Considérons les six entreprises décrites dans Meilleures pratiques 1.1, toutes leaders dans un secteur d'activité différent. Nous les retrouverons tout au long de ce livre.

Six entreprises focalisées sur le client qui prospèrent grâce à l'innovation et la croissance

Ryanair est la compagnie aérienne *low cost* la plus dynamique en Europe. Depuis sa base initiale de Dublin en Irlande, elle a su se positionner avec succès comme une compagnie à bas prix assurant simplement les courts et moyens-courriers à travers l'Europe. Les fondamentaux de son succès sont la ponctualité, la fréquence de ses vols offrant une excellente valeur pour le client, un service de réservation facile d'utilisation, une stratégie d'opération à faibles coûts et des pratiques financières innovantes et audacieuses.

Aggreko se décrit comme « le leader mondial de location d'équipement d'énergie ». Basée au Royaume-Uni, cette entreprise loue des générateurs électriques mobiles et des équipements de contrôle de température depuis ses 70 dépôts dans 20 pays différents. De grandes entreprises et des services publics sont ses clients clés. L'essentiel de son activité provient d'opérations de sécurité ou d'événements spéciaux – les Jeux olympiques, par exemple –, mais elle est aussi capable de répondre rapidement à des situations d'urgence, comme des catastrophes naturelles qui mettent hors d'usage les générateurs électriques traditionnels. Rapidité, flexibilité, sérieux et sensibilité environnementale sont parmi les points forts d'Aggreko.

eBay définit sa mission comme étant « d'aider les gens à échanger pratiquement tout sur Terre ». Créée en 1995, eBay n'a aucune autre présence physique que ses bureaux administratifs en Californie, que ses clients ne voient jamais. À la place, elle utilise Internet pour mettre en relation les acheteurs et les vendeurs, au niveau régional, national et même mondial, dans un format de vente aux enchères au travers du cyberespace. Ciblant des clients individuels, pas les entreprises, eBay permet aux gens de présenter des produits et de faire des offres d'achat dans plus de 4 300 catégories, comprenant voitures, antiquités, jouets, poupées, bijoux, objets de collections, livres, poteries, verres, pièces de monnaie, timbres et bien plus encore. Une partie de l'attraction d'eBay vient simplement du fait qu'il s'agit du plus important site mondial de commerce de personne à personne, offrant toujours plus de nouveaux articles à vendre et de nouveaux acheteurs potentiels que n'importe quel autre site de ventes aux enchères.

TLC Childs & Family Services est l'une des quelques start-up « dot.com » qui ont survécu et prospéré. Cette entreprise crée des pages Internet personnelles et sécurisées pour les patients hospitalisés, si bien que leur famille et leurs proches peuvent rester en contact avec eux pendant leur traitement médical et leur convalescence.

...

Meilleures pratiques 1.1

...

Les jeunes fondateurs en eurent l'idée lorsque leur premier enfant est né avec une grave malformation cardiaque. Un autre membre de la famille créa un site Internet afin que les proches puissent suivre les progrès du bébé après les diverses opérations sans avoir à téléphoner aux parents ou à l'hôpital. TLC possède maintenant des contrats avec un certain nombre d'hôpitaux aux États-Unis et au Canada, et offre une version espagnole de son service à Mexico.

Accor, présent dans 140 pays, est l'un des leaders mondiaux de l'hôtellerie. Créée en 1983, l'entreprise propose partout dans le monde des formules de séjours adaptées au besoin de chacun de ses clients grâce à une judicieuse stratégie de marques. Les activités de voyage, de restauration, et maintenant de loisirs grâce à sa prise de participation dans le Club Méditerranée, viennent compléter cette offre unique dans l'univers du loisir. Accor s'attache à concilier ses objectifs de croissance et de profit avec sa responsabilité sociale et environnementale en préservant l'avenir.

Steria est l'une des plus importantes sociétés de services en informatique en Europe. Présente dans la plupart des secteurs de l'économie, Steria a construit sa réputation sur une approche globale des services informatiques, des objectifs de croissance basés sur un service orienté client et des valeurs humaines solides (simplicité, créativité, indépendance, respect, ouverture).

Conclusion

Alors, pourquoi étudier les services ? Parce que les économies modernes sont dirigées par les activités de services. Les services sont responsables de la création d'une quantité substantielle de nouveaux emplois à travers le monde, aussi bien qualifiés que peu qualifiés. Ils incluent une variété importante d'activités, y compris le secteur public et les organisations à but non lucratif et sont prospères dans l'industrie.

Comme nous venons de le voir dans ce chapitre, les entreprises de services diffèrent des entreprises de production par bien des aspects et, pour cela, nécessitent une approche différente du marketing et des autres fonctions de l'entreprise. En conséquence, les responsables qui souhaitent voir leur entreprise réussir et prospérer doivent intégrer d'autres outils et postures que ceux développés dans et pour le secteur industriel. Plutôt que de se focaliser sur la frontière qui distingue les biens des services, il est plus utile et pertinent d'identifier les différentes catégories de services et d'étudier les défis que le marketing, les opérations et les ressources humaines relèvent dans chacun de ces groupes.

Nous avons vu que certains services nécessitent un contact physique direct avec les clients (coupe de cheveux et transport de passagers), alors que d'autres s'intéressent et sont destinés au mental du client (formation et divertissement). Ils peuvent intégrer et utiliser des objets physiques (nettoyage et livraisons), tandis que d'autres n'ont que le dessein de gérer de l'information (comptabilité et assurance). Les processus opérationnels qui sont à la base de la création et de la livraison de tout service ont un impact majeur sur les stratégies marketing, les ressources humaines, la rentabilité de l'entreprise et la valeur de service.

L'ensemble des outils disponibles pour les responsables marketing des entreprises de services est plus riche et diversifié que celui à disposition des responsables d'entreprises de produits manufacturés. En plus des décisions à prendre sur les éléments du service, de son prix, de sa localisation, du temps requis pour délivrer le service, les responsables marketing d'entreprises de services se trouvent confrontés à des difficultés supplémentaires en raison de l'importance de l'environnement physique qui abrite le processus de fabrication du service délivré au client. Nous pouvons les décrire comme les 7 P du marketing des services. Les managers employant ces outils doivent avoir à l'esprit les raisons pour lesquelles les clients ont choisi l'entreprise, ce qui la distingue des autres, afin de mieux les satisfaire et créer de la fidélité par l'instauration d'une relation durable dans le temps.

Questions de révision

1. Est-il possible qu'une économie soit totalement fondée sur les services ? Discutez.

2. Qu'est-ce qui différencie le marketing des services et justifie une approche particulière ?

3. Considérez-vous le marketing mix (les 4 P) traditionnellement appliqué au secteur des biens approprié aux services ? Pourquoi ?

4. Quelles sont les cinq forces qui transforment l'environnement et l'économie des services et quels impacts ont-elles sur l'emploi et les métiers de services ?

5. Un service est plus utilisé ou loué que possédé. Expliquez ce que cela veut dire et citez des exemples pour appuyer vos argumentations.

6. Décrivez les quatre grands « processus » de services et donnez des exemples pour chacun d'eux.

7. Qu'est-ce qui est si distinctif dans la pratique du marketing des services qui requiert une approche et des connaissances spécifiques ?

8. « Les 4 P sont tout ce qu'un responsable marketing doit savoir pour promouvoir et gérer un service. » Préparez une réponse qui démontre le contraire et justifiez vos positions.

9. Pourquoi la variable temps est-elle importante dans les services ?

10. Comment le développement des technologies de l'information a-t-il modifié la pratique de certains services ?

11. Pourquoi les fonctions marketing, ressources humaines et opérations doivent-elles être gérées conjointement dans les services et de façon moindre dans l'industrie ?

Exercices d'application

1. Sur la base d'exemples, expliquez comment, durant les dix dernières années, Internet et les technologies de télécommunications – à savoir *Interactive Voice Response Systems* (IVRS) et le commerce mobile (m-commerce) – ont modifié certains services que vous utilisez.

2. Choisissez une entreprise de services qui vous est familière et montrez comment chacun des sept éléments (7 P) du management des services est appliqué.

3. Constituez une liste d'au moins douze services que vous avez utilisés le mois dernier.

   a. Classez-les par type de processus.

   b. Dans quels cas auriez-vous pu éviter de vous rendre dans l'entreprise et obtenir le service à distance ? Commentez.

   c. De quelle façon votre propre expérience des services est-elle affectée par les autres clients – soit positivement, soit négativement ?

4. Visitez les locaux de deux entreprises de services concurrentes sur un même secteur d'activité que vous considérez comme ayant des approches du service différentes. Comparez-les en vous appuyant sur un ou plusieurs paragraphes de ce chapitre.

5. Identifiez deux entreprises qui vendent des produits et montrez dans quelles mesures les services offerts font la différence et rendent le produit plus attractif.

Notes

1. Rapport de la Commission pour la libération de la croissance française, « Une ambition pour 10 ans, un projet pour la France », La Documentation française, 2010, 273 pages.

2. Jean-Baptiste Say, *Traité d'économie politique, ou simple exposition de la manière dont se forment les richesses* (1803).

3. Leonard L. Berry, « Services Marketing is Different », *Business*, mai-juin 1980.

4. Jaishankar Ganesh, Mark J. Arnold et Kristy E. Reynolds, « Understanding the Customer Base of Service Providers: An Examination of the Differences between Switchers and Slayers », *Journal of Marketing*, 64, n° 3, 2000, p. 65-87.

5. Adapté de Christopher Lovelock, in Bo Edvardsson, Anders Gustafsson et Inger Roos, « Service Portraits in Service Research: A Critical Review », *International Journal of Service Industry Management*, 16, n° 1, 2005, p. 107-112.

6. Evert Gummesson, « Lip Service: A Neglected Area in Services Marketing », *Journal of Consumer Services*, n° 1, 1987. Pour une liste plus large de définitions, consulter Christian Grönroos, *Service Management and Marketing*, 2e édition, New York, John Wiley & Sons, 2001, p. 26-27.

7. G. Lynn Shostack, « Breaking Free from Product Marketing », *Journal of Marketing*, avril 1977. Président du directoire et actionnaire majoritaire de Joyce International Inc., Lynn Shostack a été primé par l'American Marketing Association pour la qualité de ses articles publiés dans la *Harvard Business Review* et le *Journal of Marketing*.

8. W. Earl Sasser, R. Paul Olsen et D. Daryl Wyckoff, *Management of Service Operations: Text, Cases, and Readings*, Boston, Allyn & Bacon, 1978.

9. Bonnie Farber Canziani, « Leveraging Customer Competency in Service Firms », *International Journal of Service Industry Management*, vol. 8, n° 1, 1997, p. 5-25.

10. Sur les rôles du client dans les services, voir M. Bitner, W. Faranda, A. Hubbert et V. Zeithaml, « Customer contributions and roles in service delivery », *International Journal of Service Industry Management*, vol. 8, n° 3, 1997, p. 19-31.

11. Gary Knisely, « Greater Marketing Emphasis by Holiday Inns Breaks Mold », *Advertising Age*, 15 janvier 1979.

12. Cette section s'appuie sur Valarie A. Zeithaml, « How Consumer Evaluation Processes Differ Between Goods and Services », in *Marketing of Services*, J. A. Donnelly et W. R. George (éd.), Chicago, American Marketing Association, 1981, p. 186-190.

13. Ces classifications sont issues de Lovelock, « Dealing with Inherent Variability: The Difference between Manufacturing and Service? », *International Journal of Production Management*, vol. 7, n° 4, 1987, p. 13-22.

14. A. Munos, *Technologies de l'information et activités de services*, Rapport soumis pour l'obtention de l'habilitation à diriger des recherches, Université Paul Cézanne, CERGAM, 2006. Leyland Pitt, Pierre Berthon et Jean-Paul Berthon, « Changing Channels: The Impact of the Internet on Distribution Strategy », *Business Horizons*, mars-avril 1999, p. 19-28.

15. La classification des 4 P des variables décisionnelles du marketing a été créée par E. Jerome McCarthy, *Basic Marketing: A Managerial Approach*, Homewood, Richard D. Irwin, Inc., 1960.

16. Adapté de Bernard H. Booms et Mary J. Bitner, « Marketing Strategies and Organization Structures for Service Firms », in *Marketing of Services*, J. H. Donnelly et W. R. George (éd.), Chicago, American Marketing Association, 1981, p. 47-51.

17. Sur ce sujet, voir aussi Michael D. Hartline et O. C. Ferrell, « The Management of Customer Contact Service Employees », *Journal of Marketing*, vol. 60, n° 4, octobre 1996, p. 52-70.

18. A. Munos, *L'interface client dans le multicanal : implications pour le management des services*, Thèse pour l'obtention du doctorat ès sciences de gestion, Université de la Méditerranée, CRETLOG, 2003.

19. Theodore Levitt, *Marketing for Business Growth*, New York, McGraw-Hill, 1974, p. 5.

Chapitre 2
Le comportement du consommateur
dans le contexte des services

« I can't get no satisfaction. » – Les Rolling Stones

*« Le monde entier est une scène et tous les hommes et toutes les femmes
sont des acteurs ; ils ont leurs entrées et leurs sorties et un homme
dans sa vie joue plusieurs scènes. »* – William Shakespeare, *As you like it*

Objectifs de ce chapitre

- Comprendre les quatre catégories de services et les raisons pour lesquelles chacune d'entre elles pose des problématiques marketing distinctives.

- Apprendre et comprendre comment les consommateurs évaluent et choisissent entre plusieurs prestataires de services, et pourquoi ils éprouvent des difficultés à faire ces évaluations.

- Quels risques perçoit le consommateur lors de la sélection, l'achat et l'usage des services ? Comment les firmes de services peuvent-elles réduire ces risques perçus ? Comprendre comment les clients forment leurs attentes de services et quelles en sont les composantes.

- Connaître la façon dont les consommateurs évaluent les expériences des services dits *high* et *low contact*.

- Se familiariser avec le système de fabrication du service, la servuction et comprendre les interactions entre ses différents composants (*inputs*).

- Comprendre pourquoi il faut voir la relation de service comme une forme de « théâtre ».

- Appréhender la théorie des rôles et des scripts pour comprendre le comportement durant l'interaction de services.

- Connaître la façon dont les clients évaluent le service et les éléments fondateurs de sa satisfaction.

Comprendre le comportement du consommateur est la base du marketing. Sans une bonne maîtrise de ses attentes et de ses réactions face à des situations d'achat, aucune entreprise ne peut durer sur un marché ouvert et fortement soumis à la concurrence. C'est pourquoi les entreprises de services doivent être capables de répondre aux questions suivantes : pourquoi mes clients choisissent « mon entreprise » et pas les autres (mes concurrents) ? Pourquoi les clients utilisent tel ou tel service et pas d'autres (connaître ce que les clients affectionnent mais aussi boudent ou refusent de consommer) ? S'intéresser au comportement du consommateur dans les interactions de services requiert une parfaite connaissance des différentes formes d'interactions possibles avec le client et des attitudes que le client développe vis-à-vis de chacune d'elles. Cela nécessite également de connaître les freins, réticences mais aussi « l'engouement » (ou non) dont le client fait preuve à chaque étape de la « production » et de la consommation du service, pour qu'*in fine*, il soit satisfait et choisisse de réitérer l'expérience (déclencher le réachat et donc la fidélité).

Un des thèmes majeurs de ce chapitre est de différencier les relations de services et d'anticiper les conséquences et implications à la fois managériales et marketing, qui s'appliquent à chacune d'elles. Comme nous l'avons vu dans le chapitre précédent, certains services nécessitent un contact et une implication très active du client, rendant indispensable sa présence sur le lieu de service pour qu'un personnel en contact qualifié puisse délivrer le service (compagnies aériennes, restauration à table, hôpitaux). A contrario, certains services ne nécessitent pas la présence de personnel en contact et peuvent être proposés aux clients par l'intermédiaire du téléphone, d'Internet, de l'e-mail ou bien par lettre (compagnies d'assurance, chaînes de télévision). Les relations établies entre l'entreprise et le client sont alors différentes, et nécessitent une organisation et une prise en charge distinctes, car les critères de satisfaction le sont également. Mais quel que soit le type de relation, et en dépit de leurs attentes, les clients éprouvent souvent de la difficulté à évaluer un service avant de l'avoir acheté. Cela est principalement dû à l'immatérialité du service, aux capacités productives (ou non) du client et à la pertinence (ou non) des processus d'accès aux services qui lui sont proposés par son prestataire. Pour optimiser les chances de répondre au mieux aux attentes des clients, les responsables marketing doivent les aider à révéler leurs attentes et donc analyser leur comportement : comment et quand le service est-il utilisé ? Comment se déroule l'interaction consommateur/personnel/autres consommateurs, surtout dans le cas de services à fort contact (*high contact*) ? Enfin, ces mêmes responsables doivent vérifier si l'expérience issue de la prestation a bien répondu aux attentes des clients.

Dans ce chapitre, nous étudierons ce qu'est une rencontre de service, ainsi que la manière de gérer les interactions qui en découlent pour satisfaire à la fois les clients et la trésorerie de la société. Nous montrerons comment le contact avec le client influence son comportement, agit sur la nature de la rencontre de service et renseigne sur les stratégies à adopter pour améliorer la productivité et la qualité du service.

1. L'interaction de service

Un client participe rarement à la production d'un bien, sauf lorsque ce dernier est conçu sur mesure. L'une des caractéristiques essentielles entre un produit et un service est justement qu'il ne peut y avoir de « création/distribution » de services sans interaction directe et participation active du client au système de fabrication.

Pour optimiser le déroulement de l'interaction de service, à la fois pour que l'entreprise anticipe tous les risques d'erreurs possibles ou puisse y répondre, et coller au plus près au comportement du client, les entreprises de services utilisent un outil, le « logigramme », que nous décrivons et analysons ci-dessous.

1.1. Appréhender et mieux gérer l'implication des clients grâce aux logigrammes

Le moyen le plus clair et le plus sûr pour décrire et mettre en place un service est bien souvent de recourir à la méthode dite du logigramme. D'une part, il permet une meilleure visualisation du service grâce au repérage systématique des points de rencontre client/prestataire de services (en *back office* et en *front office*) et des actions qui doivent être menées à la fois par le client et le prestataire pour délivrer le service. D'autre part, il permet d'identifier et de différencier le niveau de participation et d'implication du client à la réalisation du service dans chacune des quatre catégories décrites dans le chapitre 1 – processus de traitement des personnes, de traitement des biens, de stimulation mentale et d'information.

Prenons un exemple dans chaque catégorie : se loger à l'hôtel, faire réparer son lecteur de DVD, s'informer sur la météo et souscrire une assurance maladie. La figure 2.1 nous montre un logigramme qui décrit les moyens utilisés dans chacun des cas.

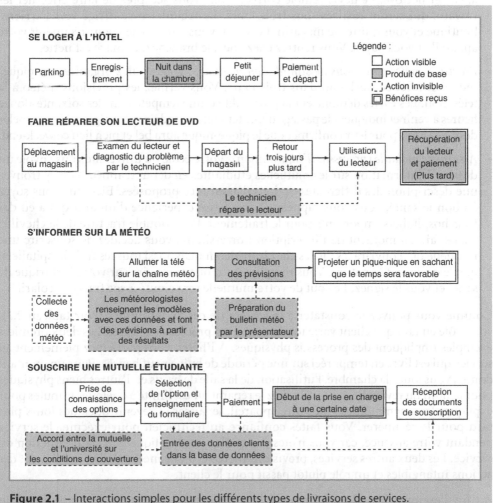

Figure 2.1 – Interactions simples pour les différents types de livraisons de services.

Imaginez que vous êtes le client et réfléchissez à l'ampleur et à la nature de votre implication dans le processus de livraison de service.

- *Loger à l'hôtel (processus de traitement des personnes).* Vous conduisez depuis un certain temps, la fatigue se fait sentir. Vous décidez de vous arrêter dans un hôtel au bord de la route. Vous vous garez et vous constatez que l'endroit est propre et les bâtiments repeints. À la réception, une personne aimable et souriante vous accueille et vous donne la clef de votre chambre. Vous traversez le hall avec votre sac et entrez dans votre chambre. Après vous être déshabillé et avoir utilisé la salle de bains, vous vous couchez. Le lendemain, vous vous levez et refaites vos bagages après vous être habillé en sortant de la douche. Ensuite, vous profitez du café et des pâtisseries proposés par la maison. Vous remettez votre clef à l'accueil, vous payez puis partez.

- *Réparer un lecteur DVD (processus de traitement des biens).* En utilisant votre lecteur DVD, vous vous rendez compte que la qualité de l'image est plutôt mauvaise. Vous cherchez dans les Pages Jaunes un réparateur dans votre quartier. Au magasin, le technicien vérifie votre appareil et vous informe qu'il a tout simplement besoin d'être ajusté et nettoyé. Le devis semble correct, donc vous acceptez de faire effectuer les travaux qui seront réalisés sous trois jours. Le technicien se dirige vers l'arrière-boutique et vous quittez le magasin. Le jour J, vous y retournez pour récupérer votre appareil et vous payez. Vous rentrez chez vous, le branchez. L'image est nette.

- *Prévision météo (processus de stimulation mentale).* Vous voulez organiser un pique-nique en forêt ce week-end dans trois jours. Vous vérifiez les prévisions météo à la télévision. Les cartes démontrent la probabilité d'une tempête dans les soixante-douze heures à venir et indiquent le passage d'une tempête au sud de votre région. Vous appelez donc vos amis pour leur confirmer que le pique-nique aura bel et bien lieu ce week-end.

- *Assurance maladie (processus d'information).* Votre école ou université vous envoie un dossier d'information sur les mutuelles étudiantes en début d'année. Vous y trouvez une description des différentes options d'assurance proposées. Bien que vous soyez en bonne santé, vous vous rappelez la mauvaise expérience d'un ami qui a eu des frais hospitaliers importants pour le traitement d'une double fracture de la cheville. De ce fait, au moment de l'inscription universitaire, vous décidez de souscrire une mutuelle qui couvrira les visites chez le médecin mais aussi tous les frais hospitaliers, quelle qu'en soit la nature. Vous remplissez un questionnaire sur votre historique de santé et vous le signez. Le coût de votre mutuelle sera ajouté à vos frais de scolarité.

Comme vous pouvez le constater à la lecture de ces logigrammes (voir tableau 2.1), votre rôle en tant que client varie totalement d'un processus à l'autre. Les deux premiers exemples impliquent des processus physiques. À l'hôtel, vous participez pleinement au service qui est livré en temps réel sur une période de huit à neuf heures. Pour un montant donné, vous louez la chambre, l'utilisation de la salle de bains et d'autres biens physiques pour la nuit. En revanche, votre rôle chez le réparateur est limité à quelques minutes pour expliquer les « symptômes » de votre appareil, le laisser et revenir quelques jours plus tard pour le récupérer. Vous faites confiance au technicien pour exécuter le service pendant votre absence, car vous n'êtes pas réellement impliqué dans la production du service. Les deux autres services, prévisions météo et assurance maladie, impliquent des actions intangibles et un rôle plutôt passif pour le client.

À titre d'exemple, le tableau 2.1 montre la complexité que requiert l'organisation d'un service en salle de l'arrivée du client jusqu'à son départ.

Tableau 2.1	Les principales étapes du service restauration		
Espaces de service	**Supports physiques**	**Personnel en contact**	**Relations autres clients**
Arrivée du client			
Stationnement	– Grandeur des stationnements – Espaces disponibles	–	– Abondance de véhicules – Conflits de stationnement
Arrivée au restaurant	– Porte d'entrée libre et dégagée – File d'attente	Gérer l'attente des clients	Attitudes des autres clients
Accueil du client			
Rencontre avec l'hôtesse	–	Accueillir les clients immédiatement	–
Arrivée à table	Propreté de la table, des chaises et des banquettes	– Remettre les menus en main propre dans la bonne langue – Mettre la carte des vins au centre de la table	Attitudes des clients aux tables à proximité
Consultation du menu	Menu propre, bien écrit, facile à comprendre	–	Influence du contenu des assiettes des autres clients
Eau et pain	–	Remplir les verres d'eau et apporter du pain	–
Proposition d'un apéritif	Disponibilité des boissons sur le menu	Proposer des choix et présenter les promotions	–
Réponses aux questions	–	Être à l'écoute et bien répondre aux questions	–
Mention des promotions du jour	–	Proposer un choix de plats en promotion ou décrire brièvement le plat du jour	–
Service de l'apéritif	Verre propre adapté à la boisson servie	Respecter l'ordre de service en déposant la bonne commande à la bonne personne	–
Repas			
Commande du repas	Disponibilités des plats sur le menu	– Être à l'écoute – Demander les précisions nécessaires – Répéter la commande	–
Service de l'entrée	Assiette propre, bien présentée, à la bonne température, avec les ustensiles adéquats	– Servir la bonne assiette à la bonne personne – Souhaiter « Bon appétit ! » – Revenir vérifier si le client ne manque de rien	–

Espaces de service	Supports physiques	Personnel en contact	Relations autres clients
–	–	Retirer les verres quand ils sont vides	–
Débarrassage de l'entrée	–	Retirer l'entrée lorsque tout le monde a terminé	–
Commande du vin	Disponibilité des vins sur la carte	– Proposer des accords mets et vins – Donner la possibilité de déguster les vins avant de commander	–
Service du vin	Verre à vin adéquat et propre	– Exécuter adéquatement le service du vin – S'assurer que les clients aient toujours au moins le tiers de leur verre rempli, sinon les resservir	–
Service du plat principal	Assiette propre, bien présentée, à la bonne température, avec les ustensiles adéquats	– Servir la bonne assiette à la bonne personne – Respecter les politesses élémentaires	–
Demande de satisfaction du client	–	Après 2 min., revenir à la table pour demander s'il manque quelque chose et si tout est au goût du client	Possibilité de dérangement par les autres clients
Débarrassage du plat principal	–	Retirer les assiettes lorsque tout le monde a terminé	–
Proposition/commande d'un dessert	Disponibilités des desserts sur le menu	Proposer un dessert en spécifiant le temps d'attente s'il y a lieu	–
Proposition/commande d'un café	Disponibilités des cafés sur le menu	Proposer un café ou un café spécial	–
Service du dessert	Assiette propre, bien présentée, à la bonne température, avec les ustensiles adéquats	Servir la bonne assiette à la bonne personne	–
Service du café	Tasse propre, bien présentée, à la bonne température	Servir le bon café à la bonne personne avec la crème, le lait et le sucre	–
Débarrasser le dessert	–	Retirer les assiettes à mesure qu'elles sont terminées	–

Espaces de service	Supports physiques	Personnel en contact	Relations autres clients
Départ du client			
Remise de l'addition	Addition claire et facile à lire	– Apporter l'addition au moment adéquat – Remettre l'addition face cachée	–
Utilisation des toilettes	Toilettes propres et bien équipées, en nombre suffisant	Vérifier régulièrement l'état des toilettes	Présence et attitude des autres clients
Remerciements et invitation à revenir (serveur)	–	Remercier les clients et leur dire « À bientôt » à la sortie	–
Sortie du restaurant	Porte d'entrée libre et dégagée	–	–
Récupération du véhicule	–	–	Bris quelconques sur l'automobile

Source : D'après la revue *Hôtels, Restaurants & Institutions*, vol. 11, n° 1, janvier-mars 2007 et Pierre Eiglier et Éric Langeard, *Servuction : Le marketing des services*, Éditions McGraw-Hill, Paris, 1987, p. 30.

1.2. L'importance des logigrammes

Les responsables marketing des entreprises de services trouvent les logigrammes particulièrement profitables et adaptés pour identifier et définir le(s) moment(s) où le client utilise le service principal, ainsi que pour repérer les services supplémentaires qui composent le service et prévoir de la même façon la nature des différentes interactions que le client aura avec les divers acteurs et éléments de la servuction tout au long de sa présence.

Certains services sont de courte durée et n'ont que quelques étapes (utilisation d'un taxi, coupe de cheveux), alors que d'autres peuvent se dérouler sur un laps de temps plus long avec de multiples étapes. Un déjeuner au restaurant peut prendre deux heures, tandis qu'une visite dans un parc d'attraction durer toute une journée. Si vous avez réservé, la première étape a pu avoir lieu plusieurs jours ou semaines avant le déroulement de la prestation sur le lieu de vente.

Tous les dirigeants des entreprises de services fortement impliqués dans une démarche marketing appropriée aux services s'accordent à dire qu'il est difficile d'améliorer la qualité et la productivité d'un service sans une compréhension à la fois globale et détaillée de l'implication du client dans le système de fabrication du service. L'intérêt du logigramme réside dans le fait qu'une entreprise peut améliorer la perception de la qualité du service rendu en corrigeant les processus (les simplifier), en éliminant le temps perdu, ainsi que les étapes inutiles pour gagner du temps.

Au cours des processus d'interaction avec les sociétés de services, les employés, les sous-traitants, les clients et non-clients utilisent les informations proposées par l'entreprise pour accéder à ses services. La pertinence, l'organisation et la *customization* (ou non) de ces informations influencent de façon positive ou négative leurs perceptions et leur évaluation du service proposé et rendu par l'entreprise. Ainsi, idéalement, les entreprises de services doivent fournir une information, mais aussi des formes et des processus d'interactions les plus adéquats possibles à chaque étape de mise en relation du client avec le prestataire.

À ce sujet, Richard B. Chase et Sriram Dasu, respectivement professeurs à la School Business Administration de l'université de Californie du sud-est, disent qu'il est plus important de terminer l'interaction (et le processus de livraison du service) sur un point fort que de commencer par un point fort[1]. Ce principe s'applique aux services *low contact* comme aux services *high contact*. Les auteurs soulignent que de nombreux sites Web commerciaux sont de prime abord très attrayants et créent de fortes attentes du côté du consommateur. Malheureusement, ils le sont de moins en moins au fur et à mesure que le processus se déroule pour arriver à l'achat effectif.

Les auteurs montrent que le processus d'achat dans les services est particulier et répond à d'autres règles que celles en vigueur dans le domaine des produits. Bien connaître ce processus, c'est aussi s'acquitter de l'absolue nécessité de bien connaître les attentes des clients.

Mais préalablement à l'étude du processus d'achat dans les services, il nous faut mieux comprendre comment se forment les attentes du consommateur de services. C'est ce que nous étudions dans la deuxième section de ce chapitre.

2. Comprendre les attentes de service du consommateur

Les attentes des consommateurs de services se décomposent en plusieurs éléments distincts : le service attendu, le service adéquat, le service prédit et une zone de tolérance qui se situe entre les niveaux de service attendu et proposé[2]. La figure 2.2 montre comment les attentes et le service proposé se forment.

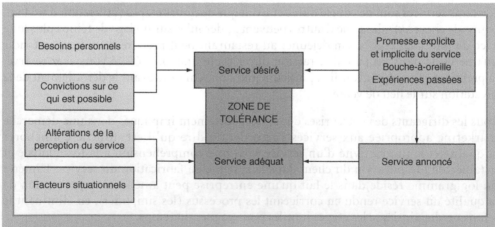

Figure 2.2 – Facteurs influençant les attentes des clients.

Source : V. A. Zeithaml, L. A. Berry et A. Parasuraman, « The Nature of Determinants of Customer Expectations of Service », *Journal of the Academy of Marketing Science*, n° 1, 1993, p. 1-12.

Nous étudions ci-après la formation du service attendu, du service adéquat, du service prédit et enfin, de la zone de tolérance.

2.1. Le niveau de service attendu

Le service que les clients espèrent recevoir est appelé le *service attendu*. C'est le niveau souhaité, une combinaison de ce qu'ils estiment pouvoir et devoir recevoir pour satisfaire leurs besoins personnels. Le service désiré ou attendu peut aussi être influencé par les promesses faites par le prestataire de façon plus ou moins explicite, le bouche-à-oreille et les expériences passées du client.

Néanmoins, la plupart des clients sont réalistes et comprennent que les entreprises ne peuvent pas toujours fournir le niveau exact de service attendu. Ils ont ainsi un seuil de niveau d'attente, appelé *service attendu* ou *adéquat*.

2.2. Le niveau de service adéquat

Comme son nom l'indique, c'est le niveau de service minimum que le client acceptera sans qu'il soit insatisfait. En deçà de ce niveau, sa satisfaction sera affectée et baissera.

2.3. Le niveau de service prédit

C'est le niveau de service que le client pense recevoir (anticipe) de la part de l'entreprise de services, compte tenu des promesses qu'elle a faites. Plus le niveau de service prédit est élevé, plus celui du service adéquat le sera. Les prédictions du niveau de service peuvent varier en fonction de la situation. Par exemple, les personnes qui se rendent au musée un jour pluvieux peuvent s'attendre à une foule bien plus importante que si le temps était ensoleillé. Ainsi, une attente de dix minutes pour se procurer les billets d'entrée lors d'une journée fraîche et pluvieuse ne mènera pas forcément à une chute du niveau de service adéquat. Ce niveau de service peut aussi varier en fonction de ce que proposent les concurrents pour le même service.

2.4. La zone de tolérance

Il est admis qu'il peut être très difficile pour une entreprise de services d'atteindre les mêmes niveaux de performance et de qualité dans l'intégralité des points de contact mis à la disposition de ses clients. L'ampleur de cette variation acceptable par les clients s'appelle la *zone de tolérance* (voir figure 2.2). Une performance au-dessous du niveau de service adéquat sera cause d'insatisfaction, au-dessus du niveau de service attendu, elle comblera les clients. La zone de tolérance est celle à l'intérieur de laquelle les clients ne prêtent pas attention à la performance du service[3]. Lorsque le service se situe à l'extérieur, les clients réagissent soit positivement, soit négativement.

La zone de tolérance peut varier en fonction des clients, de l'offre de la concurrence, des niveaux de prix pratiqués ou de l'importance de certains attributs de services. Ces facteurs affectent le plus souvent les niveaux de service adéquats, tandis que les niveaux de service attendus peuvent augmenter très lentement en fonction de l'accumulation d'expériences des clients. Considérez un patron de PME qui a besoin de l'avis de son comptable. Son niveau de service idéal est peut-être une réponse le lendemain. Mais s'il fait sa demande au moment où les comptables préparent les bilans et déclarations fiscales de leurs clients, il sait qu'il n'aura pas une réponse rapide. Même si son niveau de service idéal ne change pas, sa zone de tolérance en matière de temps de réponse est plus large car son seuil de service adéquat est plus bas.

Après avoir étudié la formation des attentes des clients, voyons à présent comment se forme le processus d'achat dans les services.

3. La décision d'achat dans les services : un processus en trois phases

Lorsque les consommateurs décident d'acheter un service pour satisfaire un besoin, à l'instar des produits, ils exécutent/déroulent un processus d'achat, processus complexe qui se compose de trois étapes identifiables – le préachat, l'interaction avec le service et le post-achat –, chacune ayant au moins deux sous-étapes (voir tableau 2.2). Elle montre les différentes étapes du processus d'achat du service corrélé avec les différentes formes d'interaction de services : *high contact* et *low contact*.

Étudions à présent dans le détail ce processus à trois phases.

3.1. La phase de préachat

Le processus de préachat démarre lorsque le client éprouve un besoin et commence à faire le recensement des solutions qui s'offrent à lui pour y répondre. Il continue lorsque le client est à la recherche d'informations et évalue les alternatives/solutions possibles.

3.1.1. La recherche de solutions

Une personne qui éprouve un besoin cherchera à l'assouvir. Pour cela, et préalablement à l'achat final, il recherche des informations sur le produit ou le service dont il a besoin (lieu de livraison, prix, produits ou services de substitution, etc.) et analyse les différentes alternatives et choix possibles qui s'offrent à lui. Toutes ces alternatives sont appelées l'ensemble de considération (tous les produits et/ou services que le client connaît et qu'il peut en conséquence retenir). Par exemple, un client peut vouloir acheter un sandwich parce qu'il a faim et avoir peu de temps à consacrer à son déjeuner ; devant la queue, il préférera aller chez McDonald's ou Burger King. De l'achat d'un produit, il opte *in fine* pour un service de restauration rapide.

Voyons à présent comment le consommateur de service évalue les différentes alternatives qui s'offrent à lui.

3.1.2. L'évaluation des alternatives : la recherche d'attributs

Comme nous l'avons vu, en raison de leur immatérialité, les services sont plus difficiles à évaluer que les produits. Pour contourner cette difficulté, les responsables marketing doivent connaître les facteurs/attributs qui facilitent leur évaluation par les clients. Les attributs liés aux services peuvent être divisés en plusieurs catégories : l'examen, l'expérimentation et la croyance[4]. En fonction de leurs attributs, tous les services peuvent être placés sur un *continuum* allant de « facile à évaluer » à « difficile à évaluer ».

Les attributs d'examen

Les biens matériels (vêtements, meubles, voitures, biens électroniques, aliments, etc.) ont tendance à mettre l'accent sur les attributs qui permettent aux consommateurs d'évaluer un produit avant de se le procurer (le style, la couleur, la texture, le goût, le

Tableau 2.2 Les processus d'achat dans les services

Services high contact	Services low contact	Processus d'achat du service	Concepts et décisions clés
		1. Le préachat	
Exploration et visite des lieux de services, observation	Surfer sur le Net, téléphoner	**Recherche d'information** – Clarifier les besoins – Explorer les solutions **Évaluation des alternatives** (solutions et prestataires)	– Recensement des besoins – Ensemble évoqué – Recherche, évocation des expériences passées, croyances – Évaluation des risques perçus – Formation des attentes
Rencontre de personnes et observation (possibilités de tester) : facilités, équipements, les opérations en action et en train de se dérouler, rencontrer et discuter avec des clients	Rencontres/contacts préliminaires : sites Web spécialisés, blogs, chats, e-mails, rapports et publications	– Consultations et études des informations existantes (brochures, sites Web, publicité, etc.) – Renseignements et discussions avec des employés – Rencontrer/discuter avec d'autres consommateurs clients et non clients **Prendre sa décision**	– Niveau de service désiré – Service attendu – Service reçu – Application des principes de la zone de tolérance
		2. La rencontre de service	
Présence sur le lieu de service	Néant	Rencontre de service chez le prestataire choisi	– Moment de vérité – Rencontre de service – Les *inputs* du système de fabrication du service (personnel en contact, support physique et autres clients présents sur le lieu de service) – Rôles, scripts et attitudes du personnel en contact – Environnement de service
Sur le lieu de service uniquement	Néant	Service délivré en self-service ou en interface directe	
		3. L'état post-achat	
		– Évaluation des performances du service – Intentions futures : réachat ou abandon	– Confirmation/disconfirmation des attentes – Satisfaction/dysatisfaction

son, etc.). Ces attributs tangibles aident les consommateurs à mesurer ce qu'ils auront en contrepartie de leur argent et à réduire le sentiment d'incertitude ou de risque lié à l'achat. Mais en raison de l'immatérialité du service, cette phase n'est pas souvent envisageable. Dans ce cas de figure, le client se reporte alors sur les attributs liés à l'expérience de service.

Les attributs d'expérience

Lorsque les attributs ne peuvent pas être évalués avant l'achat, les clients n'ont pas d'autre choix que d'expérimenter le service (voyages, concerts, rencontres sportives, restauration, etc.). Dans le cas de l'achat d'un voyage, même si le client lit des brochures ou des articles de presse, se rend sur des sites Web, regarde des documentations, il est dans l'impossibilité d'évaluer ou de ressentir la beauté d'un site, le plaisir de faire de la marche, les sensations de la plongée sous-marine aux Caraïbes sans auparavant s'y être rendu et avoir effectivement « consommé » l'ensemble de ces activités/expériences de services. Un service ne pouvant donc pas être évalué sans que le client l'ait expérimenté lui-même, il doit alors recourir aux attributs dits de croyance.

Les attributs de croyance

Les caractéristiques que le consommateur a du mal à évaluer, mais qu'il va « matérialiser » ou « mentaliser », s'appellent les attributs de croyance. Ce sont l'ensemble des attributs que le client est contraint de penser qu'ils existent forcément, sans s'en être assuré. C'est le cas, par exemple, d'un restaurant classé dont le prix des plats est élevé. Le client pensera que le prix se justifie par la qualité des produits alimentaires, celle du chef et du service en salle. Dans d'autres situations, le client sera contraint de faire confiance à une profession ou à un personnel en contact « forcément » qualifié et expert. Par exemple, lorsqu'un patient sort de chez son dentiste, il est dans l'incapacité de mesurer et de savoir si ce dernier a correctement fait son travail. Des situations similaires s'observent dans le cas d'un conseil donné par un consultant dans une entreprise, lors d'une opération chirurgicale ou lors d'un cours dispensé.

Les raisons pour lesquelles les services comptent une forte proportion d'attributs de croyance sont liées à la nature intangible du service et à la variabilité des inputs *et des* outputs *(causes principales des problèmes de contrôle de qualité). Ces caractéristiques posent des problèmes aux responsables marketing* (confiance, crédibilité) *les obligeant à trouver des moyens pour rassurer les clients sur les risques perçus associés à l'achat ou l'utilisation de services dont la performance et la valeur sont difficilement mesurables, même après la consommation. L'intangibilité étant une caractéristique centrale du service, étudions ci-après son influence sur le risque perçu par le client.*

3.1.3. L'intangibilité du service augmente le risque perçu

L'augmentation du risque perçu concerne surtout les services fondés sur une expérience importante qui rend difficile leur évaluation avant l'achat et la consommation. Ce risque augmente aussi pour les nouveaux clients qui ne connaissent pas le service et qui, par définition, ne l'ont jamais expérimenté. Plus la perception du risque est grande, plus la probabilité d'être victime d'une mauvaise prestation est grande. Les différents types de risques perçus dans les services sont mentionnés dans le tableau 2.3.

Tableau 2.3	Risques perçus à l'achat et lors de l'utilisation du service

Type de risque	Exemples de préoccupations client
Fonctionnel (résultat non satisfaisant) :	– Cette formation me donnera-t-elle le niveau suffisant pour obtenir un meilleur job ? – Cette carte de crédit me permettra-t-elle de faire des achats n'importe où, n'importe quand ? – Ce pressing arrivera-t-il à supprimer les taches sur cette veste ?
Financier (coûts non prévus, perte d'argent)	– Vais-je perdre de l'argent si je fais l'investissement que me recommande ma banque ? – Vais-je engager des dépenses imprévues si je pars en vacances ? – La réparation de ma voiture va-t-elle coûter plus cher que le montant du devis ?
Temporel (temps perdu, conséquence des délais)	– Devrais-je attendre avant d'accéder à cette exposition ? – Le service de ce restaurant est si lent que je vais être en retard à mon rendez-vous. – La réparation de notre salle de bains sera-t-elle effectuée avant l'arrivée de nos amis ?
Physique (brutalité ou dommage aux biens)	– Vais-je me blesser si je vais au ski ? – Le contenu de ce colis sera-t-il endommagé par la Poste ? – Vais-je tomber malade pendant mes vacances ?
Psychologique (crainte et émotions)	– Puis-je être sûr que cet avion ne va pas se crasher ? – Ce consultant va-t-il me considérer comme stupide ? – Le diagnostic du médecin va-t-il me perturber ?
Social (que pensent et comment réagissent les autres ?)	– Que vont penser mes amis s'ils apprennent que je dors dans un hôtel bon marché ? – Ma famille va-t-elle approuver le choix du restaurant ? – Mes collègues de travail vont-ils approuver le choix de ce fournisseur ?
Sensoriel (impact non souhaité sur les cinq sens)	– Aurai-je plutôt vue sur le parking que sur la plage ? – Le lit sera-t-il confortable ? – Ma chambre sentira-t-elle le tabac ?

Dans le cas où les clients sont peu familiarisés avec un service, ils peuvent recourir à différentes méthodes pour réduire les risques pendant l'étape de préachat :

- rechercher l'information à partir de ressources personnelles (famille, amis, etc.) ;
- se fier à la réputation d'une entreprise ;
- rechercher des garanties et assurances ;
- visiter le lieu du service ou essayer certains aspects du service avant de se le procurer ;
- poser des questions aux employés concernant la concurrence ;
- utiliser Internet pour comparer les différents services disponibles.

Devant l'étendue de la nature des risques perçus, les prestataires de services doivent redoubler de vigilance et tout mettre en œuvre pour parvenir à les réduire. Par exemple, en plus d'offrir des garanties aux clients et leur proposer de visiter les locaux de l'entreprise (si c'est envisageable), les prestataires doivent d'abord les écouter et déterminer leurs attentes et besoins avant de recommander une solution. Ils doivent aussi les informer des caractéristiques des services rendus, les renseigner sur les différents types d'utilisateurs de ces mêmes services, mais surtout les conseiller sur la manière d'obtenir les meilleurs résultats.

Réduire le risque perçu

Une des approches consiste aussi à proposer un essai gratuit. Certains fournisseurs d'accès à Internet ont adopté cette stratégie, en proposant un CD aux utilisateurs potentiels et l'essai gratuit de leurs services pendant un certain nombre d'heures. Cela réduit les craintes des clients et facilite leur souscription au service. Canal+ procède de la même manière, en proposant pendant une durée limitée dans le temps le recours gratuit à toutes ses chaînes.

La publicité est un autre moyen d'aider les consommateurs à visualiser les avantages d'un service. Par exemple, la seule chose tangible que reçoivent les utilisateurs de carte de crédit est un morceau de plastique, puis un relevé de compte tous les mois. Néanmoins, c'est loin d'être l'avantage principal que procure ce service. Réfléchissez aux publicités pour des cartes de crédit que vous avez pu voir. Ont-elles mis en avant la carte ou plutôt des avantages autres (des destinations exotiques accessibles grâce à la carte, etc.) ? Ces publicités sont censées stimuler l'intérêt du consommateur.

Les prestataires de services dont les attributs sont essentiellement fondés sur la croyance peuvent être confrontés à un défi encore plus grand. En effet, certains avantages peuvent être si immatériels que les clients sont incapables d'évaluer la qualité de ce qu'ils ont reçu après l'achat ou la consommation du service. Dans ce cas, les responsables marketing tentent de fournir aux clients des indices tangibles à propos de leurs services. À titre d'exemple, pour illustrer sa taille, sa force et sa capacité à aider les entreprises à se protéger des gros risques, une grande banque française utilise un logo représentant des anneaux de chaîne attachés entre eux. Les professionnels tels que les médecins, consultants, professeurs, architectes et avocats mettent souvent en valeur leurs diplômes, certifications et réalisations afin de montrer à leurs clients qu'ils sont hautement qualifiés et aptes à fournir le service proposé. De nombreuses entreprises ont développé des sites Web pour informer d'éventuels clients de leurs services, insister sur leur expertise et même illustrer certaines de leurs réussites[5].

Contrôler la qualité et sécuriser les clients

La qualité des produits est relativement facile à contrôler, car les erreurs peuvent être détectées et corrigées avant que le produit ne soit disponible sur le marché. Certains fabricants tels que Motorola se disent capables de garantir une qualité de produit à un niveau appelé « six sigma » – de 99,999 %.

En revanche, contrôler la qualité des services est difficile, en raison de la participation des clients dans le processus de fabrication. L'évaluation de ces services peut différer d'un client à un autre en raison de la nature, de la pertinence et de la performance des interactions que chaque client aura expérimentées avec les employés, les machines, les sites Internet et les autres clients présents sur le lieu de vente, s'il s'agit d'un canal traditionnel.

À titre d'exemple, l'évaluation de votre expérience chez un coiffeur peut combiner ce que vous pensez du salon, votre aptitude à décrire au styliste ou coloriste ce que vous voulez, mais aussi celle du styliste à réaliser ce que vous voulez ainsi que ce que vous pensez en bien mais aussi en mal des autres clients et des employés du salon. Dans le cas de l'expérience d'un salon de coiffure, le client a été en interaction avec un grand nombre d'éléments qui contribueront tous à évaluer la qualité du service reçu.

3.1.4. La difficulté d'évaluer le service en phase de préachat

Les attentes des clients pour un service de qualité varient d'un secteur à un autre (par exemple, une visite chez votre comptable pour vos impôts est très différente d'une visite chez le vétérinaire pour soigner votre animal). Les attentes peuvent aussi varier en fonction du positionnement des fournisseurs de services au sein du même secteur (par exemple, les voyageurs n'attendent pas le même service sur un vol long courrier, même en classe économique, que sur un court trajet).

L'évaluation de la qualité d'un service peut aussi dépendre de critères personnels antérieurs à la rencontre de service[6]. La qualité perçue du service correspond alors à la différence entre les attentes du client et ce qu'il a réellement reçu en fonction des informations qu'il aura obtenues par le biais du bouche-à-oreille ou des efforts marketing du prestataire (communication par exemple)...

Autre difficulté, les attentes varient au fil du temps : émergence de nouvelles attentes de consommation, actions menées par des organismes de défense des consommateurs, accélération du recours à Internet pour obtenir des informations et devenir plus « expert » sur tel ou tel environnement de service. Ainsi, les clients des secteurs de santé sont de nos jours mieux informés et cherchent souvent à être plus impliqués dans les décisions relatives aux soins prescrits. À titre d'exemple, l'encadré Questions de services 2.1 décrit un nouveau comportement parmi les parents d'enfants atteints de maladies graves.

Questions de services 2.1

Les parents veulent s'impliquer dans les décisions médicales concernant leurs enfants

De plus en plus de parents veulent être davantage impliqués dans les décisions relatives aux soins de leurs enfants. En partie grâce à la médiatisation des avancées de la médecine et aux associations de défense des consommateurs, ils sont mieux informés que les générations précédentes, plus sûrs d'eux et acceptent moins facilement les recommandations de spécialistes comme « paroles d'évangile ». Ils investissent plus de temps et d'énergie pour mieux comprendre la maladie de leur enfant. Certains ont même créé des associations à but non lucratif focalisées sur des maladies précises pour rapprocher les familles qui font face aux mêmes problèmes. Ces associations aident bien souvent aussi à collecter des fonds pour la recherche et les soins.

Norman J. Siegel, M.D., ancien directeur du service pédiatrique du Yale New Haven Children's Hospital, commentant le niveau élevé d'information des parents observe :

...

Questions de services 2.1

...

> *De nos jours, les pratiques sont très différentes. La formule d'autrefois,*
> *« Faites-moi confiance, je vais m'en occuper », ne s'applique plus. Je vois beau-*
> *coup de patients qui se rendent à mon cabinet avec un dossier rempli de pages*
> *Web imprimées. Ils veulent savoir pourquoi le docteur Untel a écrit ceci ou cela.*
> *Ils se rendent aussi sur les forums Internet. Ils veulent tout savoir à propos de la*
> *maladie, si elle est chronique ou pas, etc. Certains parents sont même presque*
> *aussi bien informés que des étudiants en médecine ou internes des hôpitaux.*

Le Dr Siegel avoue être ravi de cette tendance, mais ajoute que certains médecins ont du mal à s'adapter et à accepter cette situation tout à fait nouvelle dans le secteur de la santé.

Source : C. M. Ikemba *et al.*, « Internet Use in Families with children requiring Cardiac surgery for congenital heart disease », *Pediatrics*, n° 3, 2002, p. 419-422. Christopher Lovelock et Jeff Cregory, « Yale New Haven Children's Hospital », étude de cas de la Yale School of Management, 2003.

Les performances des services fortement intangibles sont difficiles à évaluer, avant et même après l'acte de consommation (achat). Le client peut alors se sentir, post-achat, dans un état d'insatisfaction et de frustration. Or, dans le cas de l'achat d'un bien, ce dernier peut être rendu, même si cela nécessite un effort supplémentaire de la part du consommateur. Cela n'est guère concevable dans le domaine des services, même si certains peuvent être reproduits (renettoyage de vêtements mal lavés), ce qui n'est pas envisageable dans le cas d'une pièce de théâtre mal jouée, d'un cours mal enseigné, d'un diagnostic mal conçu, d'un conseil non pertinent : les conséquences du service ont déjà altéré l'état du client (service à la personne) ou l'état du bien.

Étudions à présent la deuxième phase du processus d'achat d'un service : la rencontre de service.

3.2. La rencontre de service (l'achat)

Après avoir décidé du choix de son prestataire et être prêt à le rencontrer (acte d'achat), le client se rend donc sur le lieu de service, soit en face à face, soit par le biais d'un automate ou *via* une technologie à distance, qu'il s'agisse d'un téléphone ou d'une connexion Internet.

La rencontre de service est la période durant laquelle le client interagit avec le prestataire de services. Certaines interactions sont très brèves (téléphoner, retirer de l'argent dans un automate) ; d'autres au contraire se prolongent dans le temps et requièrent la réalisation d'actions multiples et/ou plus ou moins complexes, comme par exemple organiser un voyage touristique ou faire ses courses dans un hypermarché.

Plusieurs outils et/ou concepts sont utilisés pour mieux comprendre la façon dont le client se comporte pendant la rencontre de service. Le premier est « le moment de vérité ». Le deuxième est le modèle de services dits *high* et *low contact*. *Le troisième* est « la servuction », modèle qui décrit et analyse les *inputs nécessaires à la réalisation du service et leurs interactions. Et enfin, le quatrième* concept mis à contribution est la métaphore d'une scène de théâtre pour décrire l'expérience de service que vit le client. Ces quatre modèles sont étudiés ci-après.

3.2.1. Le moment de vérité

Pour montrer l'importance des moments de contact avec les clients, feu Richard Normann, professeur à l'université de Lund (Suède), a emprunté à la corrida la métaphore des moments de vérité.

> *[Nous] pouvons dire que la qualité est perçue lors du moment de vérité, lorsque le fournisseur de services et le client se « confrontent dans l'arène ». À ce moment précis, ils sont livrés à eux-mêmes… Ce sont les connaissances, la motivation et les pratiques utilisées par le représentant de l'entreprise, ainsi que les attentes et l'attitude du client qui, ensemble, créeront le processus de livraison du service[7].*

Dans la tauromachie, la vie du taureau ou celle du matador (ou les deux) sont mises en péril. Le moment de vérité est l'instant où le matador vainc le taureau avec son épée ; une analogie un peu hardie pour une entreprise de services ayant l'intention de créer des liens durables avec sa clientèle ! À l'instar de la tauromachie, Normann pense que la durée du lien avec le client est mise en péril lors de la rencontre. À l'inverse de la tauromachie, le but du marketing relationnel – que nous explorerons dans le chapitre 12 – est d'empêcher une rencontre de détruire ce qui est déjà, ou en voie de devenir, une relation durable.

Jan Carlzon, ancien P.-D.G. de Scandinavian Airlines System, a utilisé la métaphore du moment de vérité comme référence pour assurer le passage de SAS, entreprise dirigée par son système opérationnel, à SAS, une entreprise tournée vers la satisfaction de ses clients. À propos de sa compagnie aérienne, Carlzon a fait le commentaire suivant :

> *L'année dernière, chacun de nos dix millions de clients a été confronté, en moyenne, à cinq employés de la SAS. Ce contact a duré environ quinze secondes chaque fois. Ainsi, SAS s'est « créée » cinquante millions de fois par an en quinze secondes de temps. Ces cinquante millions de moments de vérité sont les moments qui, au bout du compte, déterminent la réussite ou l'échec de SAS. Ce sont des moments au cours desquels nous devons prouver à nos clients que SAS est leur meilleur choix[8].*

Toutes les entreprises de services sont confrontées au même challenge que celui décrit par Jan Carlzon au sein de SAS : définir et manager les moments de vérité que vivront les clients qui auront choisi leur entreprise.

Basons-nous à présent sur l'étude des services dits *high* et *low contact* pour mieux comprendre la rencontre de service.

3.2.2. Les services *high contact* et les services *low contact*

Comme nous l'avons vu, une rencontre de service est le moment durant lequel les clients interagissent directement avec le prestataire de services (personnel en contact, automates, firme en général). Au fur et à mesure que le contact s'intensifie entre le client et l'entreprise de services (niveau de complexité du service, personnalisation de la réponse au client incontournable, temps nécessaire pour expérimenter l'intégralité de l'offre de services, etc.), la durée requise pour obtenir le service s'accroît. Certains services sont délivrés grâce à la présence massive d'équipements physiques, très peu de personnel en contact et une offre standardisée. Ces services sont appelés des services *low contact*. D'autres, à l'inverse, requièrent la présence d'un personnel en contact qualifié et expert (expertise que ne détient pas le client), et chaque client est en mesure de demander un traitement différent, adapté et personnalisé. Ces services sont appelés des services *high contact*.

La figure 2.3 regroupe les services selon trois niveaux de contact avec le client, en fonction de la durée d'interaction du client dans l'entreprise de services, avec le personnel de service, avec les éléments physiques du service, ou avec les deux. Notez que les banques se situeront sur des positions différentes dans le tableau selon qu'elles utilisent le canal traditionnel (agence en dur), téléphonique, automatique ou électronique.

Les services high contact

Les services dits *high contact* regroupent ceux pour lesquels les clients se rendent dans les locaux de l'entreprise et qui nécessitent l'expertise d'un personnel en contact qualifié sans lequel le service ne peut être délivré. Les clients prennent part activement au développement du service (chez le coiffeur, dans les services médicaux). Ce sont tous les services de traitement des personnes (autres que ceux fournis chez soi). Les banques avec guichets, le commerce de détail et la formation sont des exemples de services qui, traditionnellement *high contact*, sont devenus *low contact*.

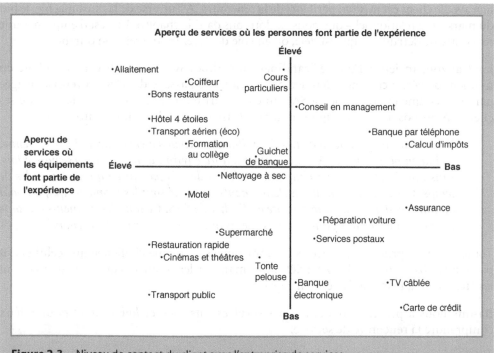

Figure 2.3 – Niveau de contact du client avec l'entreprise de services.

Les services low contact

Inversement, les services *low contact* impliquent très peu de contacts physiques entre client et fournisseur. Il peut s'agir de services délivrés en interaction avec les clients mais dont l'expertise du personnel en contact est faible, ainsi que le temps de présence du client sur le lieu de service. Prenons à titre d'exemple la restauration rapide ou les opérations courantes faites dans un guichet de banque. Les services *low contact* se déroulent aussi à distance grâce, notamment, à l'électronique.

L'émergence des technologies de l'information, le fort contenu informationnel des services, la maîtrise croissante de l'utilisation des technologies par les clients, l'effective mise en place des canaux distance et le développement de leur utilisation poussent de plus en plus de firmes de services à « transformer » des services dits *high contact* en services *low contact*[9].

Le multicanal et le cross-canal, l'accès à l'information, l'augmentation de l'éducation des clients, la baisse du prix des équipements électroniques et informatiques, ainsi que les objectifs de rentabilité des firmes de services constituent autant de facteurs favorisant l'émergence d'une société de services fortement basée sur de l'interaction à distance et donc encline à une mutation *low contact*, si elle n'est pas généralisée, en tout état de cause, fortement diffuse.

Voyons à présent le troisième modèle mobilisé pour mieux comprendre l'interaction de service : le système de fabrication du service, « la servuction », élaboré par Pierre Eiglier et Éric Langeard en 1987.

3.2.3. Le système de fabrication du service : la servuction

Le système qui opérationnalise la « fabrication », la livraison et la consommation du service par le client est un système composé de trois *inputs* (entrants nécessaires à la fabrication du service), dont l'issue de la combinaison génère un résultat, l'*output*, et dans ce cas précis, le service.

Les différents composants du système

Comme l'illustre la figure 2.4 empruntée aux travaux de Pierre Eiglier et Éric Langeard (1987), la servuction se compose de trois éléments (*inputs*) étroitement et intrinsèquement liés : le support physique, le personnel en contact et le client, partie intégrante du système de fabrication du service et ressource à part entière, à l'instar des deux autres *inputs* (personnel en contact et support physique).

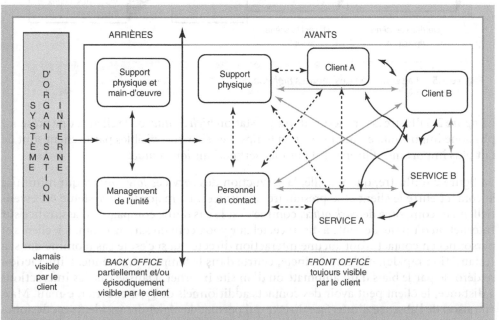

Figure 2.4 – Le système de fabrication du service.

Source : Adapté de Pierre Eiglier et Éric Langeard (1987).

La figure 2.4 montre que certaines parties de ce système sont visibles par les clients, d'autres non[10]. Certains auteurs utilisent les termes de *front office* et de *back office* pour faire référence aux parties visibles (*front office*) et invisibles (*back office*) de l'opération. D'autres parlent de *front office* (la scène) et de *back office* (les coulisses), en évoquant l'analogie avec le théâtre pour souligner le fait que le service est une performance[11]. Le système d'organisation (SOI) est l'organe central qui commande l'ensemble des servuctions d'une entreprise de services. Il est classiquement assimilé au siège social.

En revanche, comme le montrent les figures 2.5 et 2.6, selon qu'il s'agisse de services *high contact* ou *low contact*, ce modèle change.

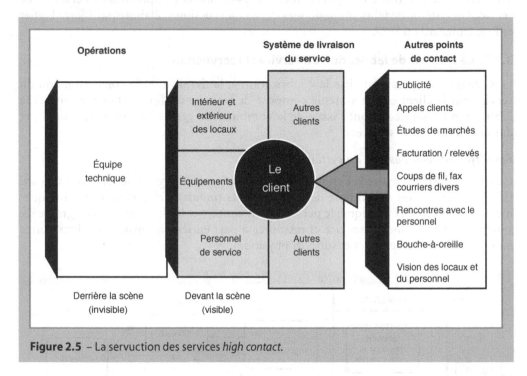

Figure 2.5 – La servuction des services *high contact*.

La figure 2.5 illustre la servuction d'une prestation *high contact* où le client a une présence physique importante en intensité et en temps. Les éléments visibles par le client sont de fait plus importants. Qu'en est-il pour les servuctions *low contact* ?

La figure 2.6 illustre, quant à elle, la servuction des services *low contact* qui minimise le contact entre le client et le prestataire de services. La majorité du système est essentiellement composée de *back office*, comme c'est le cas d'une compagnie d'assurance sur Internet ou d'un site de vente à distance, tel que yoox.com ou saranza.com. Ici, clients et personnel en contact n'ont aucune interaction directe ou, si c'est le cas (comme dans la restauration rapide), elle est succincte, courte dans le temps et très ténue. L'interaction se déroule par le biais d'un automate ou d'un site Internet. Dans le cas des interactions à distance, le client peut avoir des contacts additionnels de type courrier, e-mail. Mais en raison de l'absence d'interface directe qui permet de régler des incidents ou dysfonctionnements, tout incident dans une interaction *low contact* est très souvent rédhibitoire pour le client, plus que dans le cas des services *high contact* qui requièrent la présence de personnel en contact.

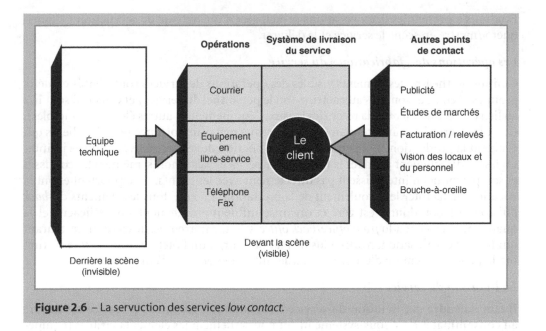

Figure 2.6 – La servuction des services *low contact*.

Le choix d'une servuction *low contact* ou *high contact* est un choix stratégique pour l'entreprise de services et totalement d'actualité. Comme nous l'avons vu, les clients sont de plus en plus familiarisés avec les technologies de l'information et recourent davantage à Internet pour réaliser des transactions de services ou des achats. Mais bien que le recours et l'équipement en technologies augmentent sans cesse, certains clients sont encore réfractaires à les utiliser, en raison de croyances et d'une perception accrue du risque lorsqu'une prestation est effectuée sans intermédiaire. Des recherches menées par Parasuraman montrent que certaines caractéristiques personnelles du client sont issues de son attrait (ou non) pour l'innovation et la nouveauté en général. Ce type de clients est persuadé que la technologie est fiable (plus que le personnel en contact, qui peut commettre des erreurs), qu'elle permet plus de contrôle, de flexibilité et de confort de vie. En raison de l'attrait grandissant pour les technologies, les entreprises de services ont aujourd'hui tendance à penser qu'une grande majorité de clients sont des innovateurs « nés », ce qui est loin d'être le cas. En effet, encore beaucoup de clients (des non-innovateurs) ont des croyances très différentes. Pour eux, la technologie n'est pas fiable, mais plutôt incontrôlable, ne permet pas d'être sûr que la transaction ait bien été effectuée, ne permet pas de prouver leur bonne foi en cas d'erreur de manipulation, s'utilise au détriment de leur confort et génère des nuisances de natures très diverses (baisse de la socialisation, entre autres).

Recourir à des servuctions *low contact* ou *high contact* doit faire l'objet d'une analyse très précise des caractéristiques des clients fidèles, de leurs attentes, de leurs préférences et de leur capacité à participer intellectuellement à la réalisation du service. Le risque perçu peut être lié aux technologies utilisées, mais aussi à la nature de la prestation. Par exemple, opte-t-on pour une agence de voyages en « dur » ou virtuelle ? Cette décision dépendra-t-elle de la destination ? Une étude de concurrence doit aussi être menée pour s'assurer des *best practices* dans la profession.

Étudions à présent les deux vocations principales d'un système de servuction : « fabriquer »/mettre en scène le service et le délivrer.

Les opérations de « fabrication » du service

Comme au théâtre, les éléments visibles des opérations de services sont divisés en deux groupes : ceux qui sont liés aux acteurs (ou le personnel du service) et ceux qui sont liés au lieu du déroulement de la pièce (les locaux, l'équipement et autres éléments tangibles). Ce qui se déroule en arrière-plan (les coulisses) a peu d'importance pour les clients qui évaluent la production et sa performance en fonction des éléments avec lesquels ils interagissent directement pendant la livraison du service. Néanmoins, même si les coulisses et son personnel n'interagissent pas directement avec les clients, ils supportent et ont la vocation de faciliter le déroulement de la prestation. En cela, tous les éléments du *back office* et la façon dont il est géré et organisé influent grandement sur l'efficacité et la qualité du service rendu *front office/back office*. C'est, par exemple, le cas d'un restaurant qui faute d'organisation, n'offre plus de plat du jour, d'un hôtel qui fournit une facture inadéquate au client ou d'un avion retardé suite à des erreurs d'enregistrement.

La livraison du service

Il faut entendre par livraison du service : où, quand et comment le service est délivré au consommateur. Ce sous-système inclut non seulement les éléments visibles (équipements, bâtiments, personnel) mais aussi, dans certains cas, l'interaction avec d'autres clients.

Pour reprendre l'analogie avec le théâtre, la distinction entre les services *high contact* et les services *low contact* est comparable aux différences qu'il y a entre le déroulement d'une pièce de théâtre sur scène (*high contact*) et celui d'une pièce créée pour la télévision (*low contact*). En effet, dans les services *low contact*, les clients ne voient généralement pas les locaux où le travail est effectué ; au mieux, ils parleront avec le fournisseur de services par téléphone. Sans locaux ni aménagements, ni même la présence d'employés pour fournir des indices tangibles, les clients doivent se faire leur propre avis sur la qualité d'un service en fonction d'une aisance au téléphone, d'une voix agréable et accueillante, et de la réactivité d'un représentant.

Lorsque le service est livré *via* les canaux à distance, tels que des distributeurs automatiques, des répondeurs téléphoniques préenregistrés ou bien par l'ordinateur personnel du client, la prestation est très peu « théâtralisée ». Cependant, certaines entreprises compensent en donnant des noms à leurs machines, en diffusant de la musique ou en installant des animations colorées sur des écrans vidéo, pour rendre l'expérience un peu plus humaine.

En plus de la livraison de service, d'autres éléments interviennent dans l'évaluation de la qualité et de la performance du service rendu. Il s'agit des efforts de communication, de la publicité, des courriers, des factures, de l'interaction éventuelle avec les employés ou les locaux, des articles dans la presse, du bouche-à-oreille et enfin, de la participation ou non à des études de marché.

En règle générale, la responsabilité de gérer la livraison de service incombe aux directeurs des opérations. Le marketing doit cependant être impliqué, afin de savoir comment les clients réagissent pendant la livraison de service et s'assurer que le système est conforme à leurs besoins et à leurs intérêts.

Étudions à présent le quatrième modèle mobilisé pour mieux comprendre la rencontre de service : la métaphore du théâtre comme approche intégrative de la livraison de service.

3.2.4. Le théâtre comme métaphore de la livraison de service : une approche intégrative

Le théâtre est une bonne métaphore pour décrire la livraison du service, car les deux comprennent une série d'événements que les clients vivent comme une performance[12]. C'est une approche particulièrement éclairante pour les fournisseurs de services *high contact* (médecins, professeurs, restaurants, hôtels, etc.) et pour les entreprises qui servent de nombreuses personnes simultanément (clubs de sport, hôpitaux, certains divertissements). En pratique, le degré jusqu'auquel les comparaisons théâtrales peuvent être utilisées par les responsables marketing dépend de la nature du processus de service mais aussi de l'offre elle-même. Le tableau 2.4 en résume l'essentiel.

Tableau 2.4	Considérations théâtrales pour différents types de services	
Catégorie de processus de service	**Niveau de contact**	**Implications dramatiques**
Processus de traitement des personnes	*High contact*	Puisque les acteurs et l'auditoire sont proches, le lieu et les performances sur scène influent sur la perception de la qualité de service du client. Les aspects théâtraux importants sont : le décor et l'ambiance, l'apparence et le comportement des acteurs, les accessoires, les costumes et les scripts. D'autres membres de l'auditoire (les clients) peuvent s'influencer les uns les autres en termes de perception de qualité.
Processus de stimulation mentale	*High contact* *Low contact*	Si les acteurs et l'auditoire sont physiquement proches, beaucoup d'implications existent pour les services à processus de traitement des personnes. Si la performance est effectuée à distance, les membres de l'auditoire ne ressentent pas d'interaction entre eux. Les apparences des acteurs et du lieu sont moins importantes. Les scripts peuvent toujours être utiles pour s'assurer que les acteurs et l'auditoire jouent leurs rôles correctement.
Processus de traitement des biens	*Medium contact* *Low contact*	La performance peut se passer soit dans les locaux de l'entreprise, soit chez le membre de l'auditoire. Le contact entre les acteurs et l'auditoire peut être limité au début et à la fin de la prestation de services. (À ces différents points de contact, les éléments décrits ci-dessus pour les services à processus de traitement des personnes rentrent en ligne de compte mais à un niveau moins élevé.) Dans certaines situations (services de jardinage, de nettoyage), la performance de service se déroule sans que l'auditoire soit présent. Les résultats de ces services sont habituellement tangibles et peuvent être utilisés comme indice pour juger de la qualité du service.

Catégorie de processus de service	Niveau de contact	Implications dramatiques
Processus d'information	*Low contact*	Il y a peu de contact entre les acteurs et les membres de l'auditoire. L'acte et le receveur sont intangibles et la performance se déroule en général sans que le client soit présent. À cause de ces facteurs, seuls les résultats peuvent être évalués, pas le processus ; néanmoins, même les clients peuvent avoir du mal à évaluer le résultat

Source : Développé à partir d'informations recueillies dans Stephen J. Grove, Raymond P. Fisk et Joby John, « Services as Theater : Guidelines and Implications », dans Teresa A. Schwartz et Dawn Iacobucci, *Handbook of Service Marketing and Management*, Thousand Oaks, Sage Publications, 2000, p. 31.

L'endroit où se déroule le service peut être comparé à la salle où le spectacle est joué. Parfois, le lieu change d'une scène à l'autre (par exemple, lorsque les passagers d'une compagnie aérienne se déplacent de l'entrée du terminal vers les guichets d'enregistrement, puis vers la salle d'embarquement puis enfin dans l'avion). La scène peut aussi n'avoir que peu de support comme dans une poste, ou au contraire un décor élaboré comme dans les hôtels modernes. De nombreuses scènes de service suivent un script très formel (le service dans un restaurant haut de gamme), tandis que d'autres sont plus improvisés (comme un cours à l'université).

À l'instar d'une pièce de théâtre, la livraison et la mise à disposition d'un service requièrent la présence d'acteurs qui doivent jouer des rôles précis (clients et personnel) et, pour y parvenir, utiliser des scripts *ad hoc* pour interagir avec les clients, deux points que nous étudions ci-après.

Les rôles

Si nous comparons la livraison de service à une expérience théâtrale, les employés et les clients jouent des rôles prédéfinis pour que chacun d'eux atteigne les performances souhaitées. Pour le personnel en contact, il s'agit de réussir un acte de vente, générer de la confiance, inciter le client à revenir et donc à procéder à un réachat, vendre son entreprise ainsi que son savoir-faire. Pour le client, cela consiste à obtenir le service souhaité en exécutant et réussir la réalisation des tâches qui lui sont confiées. Par exemple, dans un cours universitaire : avoir fait le travail demandé par le professeur, avoir lu le chapitre de la séance, être à l'heure, poser des questions de compréhension ou de débat pour enrichir le cours, garder le silence, etc.

Stephen Grove et Ray Fisk, respectivement professeur de marketing à l'université de l'État du Texas et responsable du département de marketing à l'université de New Orleans, définissent le rôle comme étant « une série de comportements appris à travers l'expérience et la communication, de façon à être exécutés par un individu dans une certaine interaction, afin d'obtenir une efficacité maximale dans l'accomplissement d'objectifs[13] ». Les rôles ont aussi été définis comme des combinaisons d'indices sociaux, ou des attentes de la société qui guident les comportements dans un contexte bien particulier[14].

La satisfaction et la productivité du client, mais aussi du personnel en contact dépendent de la congruence des rôles inhérents à chacun durant l'interaction de services. En effet, le personnel en contact doit veiller à se comporter et interagir en fonction des attentes des clients et de leurs caractéristiques spécifiques. Le client doit quant à lui réagir et suivre les règles que suggère le personnel en contact, à défaut de quoi une situation de conflit peut naître en raison du comportement dissident du client : il empêche le personnel en contact de faire son travail en n'exécutant pas les rôles et actions qu'il doit dispenser pendant l'interaction.

Le personnel de scène est composé des membres d'une équipe qui jouent un rôle, comme le feraient les acteurs d'une comédie. Ils sont supportés par une équipe de production qui se trouve en arrière-plan. Dans certains cas, on attend d'eux qu'ils portent des costumes spéciaux lorsqu'ils sont sur scène (blouses blanches des médecins, tenues élégantes des portiers d'hôtels, uniformes des hôtesses de sortie des hypermarchés, vestes couleur moutarde de l'enseigne Century 21, etc.). Lorsque les employés d'une entreprise de services portent des vêtements spécifiques, ils se distinguent des employés en fonction dans d'autres entreprises, mais aussi des clients présents sur le lieu de service. Ainsi, le « design des uniformes peut être interprété comme une forme de packaging ou assimilé à une image de marque[15] ». Beaucoup d'employés de *front office* doivent se plier aux règles vestimentaires et aux standards de propreté (comme la règle chez Disney qui stipule que les employés ne doivent pas avoir de barbe, sauf dans les rôles qui en nécessitent une).

Les scripts

À l'instar du scénario d'un film, le script d'un service spécifie les séquences et les modalités de l'interaction que le personnel en contact et le client doivent suivre pour donner une issue au service. Les employés ont généralement reçu une formation spécifique tandis que les clients apprennent leur script avec l'expérience et la répétition des interactions. S'ils ne sont pas en possession d'un « script », alors ils devront improviser (nouveaux clients notamment). Plus le client est fidèle à une firme de services, plus il aura une bonne connaissance du script, plus il sera efficace et plus il sera satisfait. Toute déviation au script handicape le personnel en contact, mais aussi le client et est source de non-satisfaction, voire de conflits.

Certains clients refusent de changer de prestataire pour ne pas avoir à réapprendre un script nouveau qui leur demandera du temps et de l'énergie.

Si une entreprise décide de modifier ses scripts, par exemple, en utilisant une technologie (passer d'un service *high contact* à un service *low contact*), le personnel et les clients doivent être formés à cette nouvelle approche ; la firme de services doit également montrer les avantages que ce changement procure au personnel mais aussi aux clients.

Certains services sont plus ritualisés que d'autres. Dans des environnements très structurés comme les cabinets dentaires, le schéma de fonctionnement peut définir comment les acteurs (dans ce cas, les réceptionnistes, les assistants dentaires, les prothésistes et les dentistes) doivent se déplacer en fonction de la scène (le bureau du dentiste), des éléments qui entourent la scène (meubles et équipements) et des autres acteurs.

D'autres scripts sont extrêmement structurés. Ils permettent aux employés d'effectuer leurs tâches rapidement et efficacement. Cette approche aide les entreprises à surmonter les problèmes auxquels elles ont à faire face, comme réduire la variabilité et avoir une qualité de service uniforme. Le risque est que la répétition fréquente entraîne une certaine lassitude et que la livraison de service ignore les besoins des clients.

Tous les services n'impliquent pas que les performances soient régies par un script hautement structuré. Pour les services fortement adaptés au client (médecins, formateurs, coiffeurs, consultants, etc.), le script de service est flexible et peut même varier en fonction de la situation et du client. Lorsque les clients sont novices face à un service, ils ne savent pas forcément à quoi s'attendre et peuvent redouter de ne pas participer correctement. Les entreprises doivent donc être prêtes à les former sur le rôle qu'ils doivent tenir dans la livraison du service.

Un logigramme peut fournir la base du développement d'un script bien conçu qui donne une description complète des événements à respecter pendant l'interaction de services en incluant les rôles joués par les clients et par le personnel aux différents moments du processus.

Toutes les firmes de services ne proposent pas à leurs clients un environnement « théâtral » et/ou de vivre des performances notamment dans un contexte *business to business*. Dans de nombreux cas, le personnel en contact se rend chez le client avec ses outils et équipements divers, tel un consultant fournissant un service spécialisé dans les locaux du client (même si cela peut être pratique pour les clients, cela ne l'est pas toujours pour les consultants qui se retrouvent parfois dans des sous-sols délabrés ou à faire des inventaires de produits congelés dans des chambres froides[16])= Les télécommunications offrent ici une alternative, en permettant l'implication des clients dans le scénario à partir d'un local éloigné. En effet, nombre de consultants ou techniciens spécialisés préfèrent travailler à distance de leur ordinateur et dans un confort de travail qui est le leur, plutôt que de se déplacer chez le client souvent moins bien installé que lui.

En fonction de la nature du travail, on peut imposer aux employés d'apprendre des textes, allant d'une annonce en plusieurs langues jusqu'à un « bla-bla » de vente (rappelez-vous du dernier télémarketeur qui vous a appelé !) ou même une prononciation distincte de « Passez une bonne journée ! » Tout comme au théâtre, les entreprises utilisent souvent des scripts pour définir le comportement des acteurs et leur discours. Le contact visuel, les sourires et le serrage de mains peuvent être également imposés, accompagnés d'une salutation verbale. D'autres règles de conduite peuvent être l'interdiction de manger, de boire ou de mâcher du chewing-gum, de s'asseoir pendant le service ou de passer des appels téléphoniques personnels pendant le service.

Même si les fournisseurs de services essaient de créer un niveau idéal de participation des clients, ce sont *in fine* les actions des clients qui en déterminent le niveau réel. La sous-participation engendre moins de bénéfices pour les clients (un étudiant qui apprend moins n'atteindra pas le niveau requis et ne validera pas son module – échec du service). En revanche, un client qui participe trop peut amener l'entreprise à utiliser plus de ressources qu'initialement prévu (une demande de préparation spéciale pour un hamburger dans un fast-food) ou déstabiliser le système mis en place.

Plus les clients sont supposés effectuer des tâches, plus leurs besoins d'information sur la manière de procéder est nécessaire. La formation requise peut être fournie de différentes manières. Les brochures et les notices d'instruction sont deux approches très courantes. Les machines automatiques contiennent souvent leurs propres instructions d'utilisation et des diagrammes détaillés (malheureusement, ceux-ci ne sont souvent compris que par les ingénieurs qui les ont rédigés) peuvent être mis à disposition. Certaines banques mettent un téléphone à côté de leurs distributeurs pour que les clients puissent appeler une personne physique en cas d'incompréhension des indications affichées à l'écran ou si la machine ne fonctionne pas correctement.

Pour minimiser le risque perçu et former les clients à être plus productifs et de meilleurs acteurs lors de la livraison du service, Schneider (professeur de psychologie à l'université du Maryland) et Bowen (professeur de management au département World Business de Thunderbird) proposent de donner aux consommateurs un avant-goût réaliste d'un service avant sa livraison. Selon eux, cela permettrait aux clients d'identifier clairement leur rôle dans la coproduction de service[17]. Par exemple, une entreprise peut montrer une présentation vidéo pour aider les clients à comprendre leur rôle dans l'interaction de services. Cette technique est utilisée par certains dentistes, pour faire comprendre aux patients le processus chirurgical qu'ils vont subir et leur indiquer comment ils doivent coopérer pour faciliter le travail du médecin.

Examinons à présent la troisième étape du processus « d'achat » du service : le post-achat.

3.3. L'étape post-achat

Lors de l'interface de service (*high contact* ou *low contact*), les clients évaluent la performance du service qu'ils ont reçu et la compare avec les attentes formulées lors du préachat. Voyons à présent comment le client réagit après l'achat ou la consommation du service, et forme ses intentions futures.

Deux scénarios sont possibles : le client est satisfait, on parle alors de confirmation ; le client n'est pas satisfait, on parlera alors de disconfirmation des attentes. Étudions chacun de ces scénarios.

3.3.1. La confirmation et la « disconfirmation » des attentes

Les termes « qualité » et « satisfaction » sont souvent confondus. Certains chercheurs pensent que la qualité perçue d'un service n'est qu'une composante de la satisfaction, à laquelle il faut ajouter le rapport qualité/prix et les facteurs personnels et situationnels du client[18].

La satisfaction peut être définie comme un jugement qui fait suite à un achat ou une série d'interactions entre le service/produit et le consommateur[19]. La plupart des études s'appuient sur la théorie que la confirmation/infirmation d'attentes et pré consommation sont les éléments essentiels qui déterminent la satisfaction[20]. Cela signifie que les clients ont certains « standards » de services en tête (leurs attentes) avant de les consommer, observent la performance et la comparent à ces « standards/normes », puis formulent des jugements de satisfaction en fonction du résultat de leur comparaison. Le jugement qui en résulte s'appelle la « disconfirmation » : négative si le service est plus mauvais qu'attendu, positive s'il est meilleur, et tout simplement la « confirmation » s'il est tel que prévu[21]. Lorsqu'il y a disconfirmation positive, née d'un certain plaisir associé à un élément de surprise, les clients ont toutes les chances d'être ravis. Étudions la disconfirmation positive.

La satisfaction et la disconfirmation positive : les enjeux

Une étude menée par Oliver (Owen Graduate School of Management de l'université de Vanderbilt), Rust (Centre de marketing des services, université du Maryland) et Varki (université de South Florida) montre que le plaisir est régi par trois composants :

une performance inhabituellement élevée, une émotion (surprise, excitation) et une impression positive (plaisir, joie)[22]. La satisfaction est donc une combinaison de disconfirmations positives (mieux que prévu) et d'impressions positives. D'où l'interrogation de ces chercheurs : « Si l'enchantement est une fonction inattendue du plaisir, peut-il alors se manifester dans des services et produits courants, tels que la livraison de journaux ou la collecte des déchets ? » Peut-il apparaître dans des domaines courants tels que l'assurance ou le service après-vente (voir encadré Meilleures pratiques 2.1). Mais quoi qu'il en soit, une fois que les clients ont été enchantés, leurs attentes augmentent et se situent à un niveau supérieur au précédent. Ils seraient insatisfaits si le niveau de service revenait au niveau antérieur[23].

Certaines entreprises comme Darty se sont faites connaître pour leur engagement dans la satisfaction du client, comme l'élaboration du « Contrat de confiance ».

Meilleures pratiques 2.1

Darty : le Contrat de confiance

La société Darty est fière de donner à ses clients une qualité de service exceptionnelle. Novatrice en matière de satisfaction client, Darty « inventa » le Contrat de confiance en 1973, alors qu'à cette époque peu d'entreprises se préoccupaient de satisfaction du client. En effet, l'affirmation initiale est sans équivoque : « Notre objectif : 100 % de clients satisfaits. Fidèles à notre engagement de vous satisfaire à 100 %, nous avons élaboré le Contrat de confiance. Ce dernier précise les prestations, les services et les garanties dont bénéficient les produits achetés chez Darty. » Pour être en accord avec les préoccupations environnementales, Darty a rajouté son intérêt et engagement pour la planète.

Article 1. Les prix : le remboursement de la différence.

Article 2. Le choix : le choix le plus large possible.

Article 3. La livraison : rapidité et gratuité.

Article 4. L'enlèvement de l'ancien matériel : un service gratuit lors de la livraison.

Article 5. L'assistance téléphonique : 7 jours sur 7.

Article 6. Les garanties : gratuité des interventions pièces, main-d'œuvre, frais de déplacement, de réglage et de réparation.

Article 7. Les interventions : 7 jours sur 7, le jour même de l'appel.

Article 8. Le prêt d'un appareil de remplacement.

Article 9. La prolongation de garantie en cas d'immobilisation.

Article 10. Les extensions de garantie : le contrat de dépannage.

Source : www.darty.com.

Voyons à présent pourquoi la satisfaction du client impacte tant la performance de l'entreprise.

Performance de l'entreprise et satisfaction du client

Pourquoi la satisfaction est-elle si importante pour les responsables des entreprises de services ? L'une des raisons est qu'il est existe des relations entre le niveau de satisfaction de la clientèle et la performance globale d'une entreprise. Les chercheurs de l'université du Michigan ont trouvé qu'en moyenne, pour une augmentation de 1 % de la satisfaction de la clientèle, le retour sur investissement (ROI)[24] d'une entreprise augmentait de 2,37 %. Fournier et Mick, tous deux professeurs à l'université d'Harvard, déclarent :

> *La satisfaction de la clientèle est le point central du concept marketing… Il est tout à fait courant de trouver dans les missions des entreprises la notion de satisfaction. Les plans marketing et les programmes d'incitation ciblent la satisfaction en tant qu'objectif et communiquent sur les récompenses obtenues en matière de satisfaction clients*[25].

En revanche, se fier seulement aux études de satisfaction – réalisées après la transaction – est une erreur, surtout lorsqu'il s'agit de services *high contact*. En effet, une telle approche ne permet pas de résoudre les problèmes qui se passent pendant que le consommateur est engagé dans le processus de fabrication du service (ses différentes étapes). L'entreprise manque ici l'occasion de résoudre des problèmes que le client aura omis à la fin de la transaction car ce dernier porte un jugement global qui n'explique pas les étapes/processus/tâches qui sont à la base de son mécontentement.

Or, les clients ont souvent une connaissance précise de ce qui va et de ce qui ne va pas dans le processus de fabrication du service. Trop souvent, les responsables des firmes de services oublient que la personne qui connaît le mieux l'entreprise est le client. En effet, c'est la seule personne qui expérimente/utilise l'intégralité de l'offre de service et de ses processus. Le personnel en contact n'expérimente que son poste de travail, les dirigeants restent bien souvent dans leurs bureaux et/ou au siège social, boudant quelque peu le réseau où finalement tout se passe.

Pour palier ce phénomène très connu dans les services, certaines entreprises de services mettent en place des programmes qui sont de véritables pistes du client.

C'est le cas du groupe Accor qui impose à l'ensemble de ses hôtels, toutes enseignes confondues, d'interchanger les rôles pendant une période donnée. Ainsi, la gouvernante devient un client le temps d'une nuit pour expérimenter le service qu'elle rend aux clients (le confort du matelas, l'aisance de la chambre, de la salle de bains, la propreté des mûrs que le client voit lorsqu'il est couché, le wattage des ampoules de chevet, etc.). La réceptionniste devient serveuse en salle et inversement, etc. Et tout dirigeant nouvellement nommé doit passer un mois dans un hôtel de l'enseigne dont il a charge.

Ce type de programme permet : de mieux comprendre les tâches de chacun, de diffuser une responsabilité collective de la satisfaction du client, de repérer les dysfonctionnements des différentes servuctions qui opérationnalisent l'ensemble de l'offre de services et, *in fine*, de servir et optimiser la performance globale de l'entreprise.

Une autre composante de l'étape post-achat dans les services est la capacité (ou non) de l'entreprise à donner du *feed-back* au client sur sa performance, point que nous étudions ci-après.

3.3.2. Donner du *feed-back* durant la relation de service

Il n'est pas toujours facile de réaliser des enquêtes formelles avec des questionnaires lorsqu'une transaction est en train de se réaliser. Pour mieux connaître le comportement du client au sein du système de fabrication du service, les responsables peuvent entraîner et former leurs employés à être plus observateurs sur le lieu de service. Nul n'est mieux placé que le personnel en contact pour relater les expériences du client lorsqu'il utilise les équipements mis à sa disposition. Ils sont plus que quiconque en mesure d'identifier les clients en difficulté, frustrés ou mal à l'aise face à un environnement ou une tâche à réaliser et de leur demander s'ils ont besoin d'aide. Il a ainsi été démontré que si un aspect particulier du service incommode les clients en permanence, c'est qu'il a besoin d'améliorations, voire d'une nouvelle conception/organisation. Or, trop souvent, peu d'actions sont conduites dans ce sens. Ces actions sont simples à mettre en place et peu coûteuses comparativement aux coûts que génère l'intervention de consultants spécialistes.

Spake *et al.* (1998) ont travaillé sur le niveau d'aisance des clients comme facteur déterminant de leur satisfaction et de la perception du risque associé aux services de type *high contact*. Les résultats de leurs travaux montrent que si le niveau d'aisance à chaque stade de la transaction est mesuré par l'entreprise (du préachat au post-achat), la perception du risque associé à la transaction de service diminue. Ces travaux montrent l'importance des études de satisfaction mais plus encore, des *feed-back* que l'entreprise envoie à ses clients pour minimiser le risque perçu, objectif majeur des entreprises de services pour générer de la confiance et de la fidélité.

Conclusion

Les services couvrent un large spectre d'opérations *high contact* et *low contact* qui reflètent les catégories de services et la nature des différents processus utilisés pour les créer et les livrer. L'utilisation de logigrammes nous aide à comprendre la nature de l'implication du client, ses points de contact dans l'ensemble du système de fabrication du service et les actions à mener aussi bien en *front office* et en *back office* pour délivrer le service.

Le service peut être divisé en trois systèmes qui se recoupent. Le système opérationnel comprend le personnel, les locaux et l'équipement nécessaires au bon fonctionnement et à la création du service. La seule partie de ce système que le client peut apercevoir s'appelle *front office* (la scène). Le système de livraison incorpore les éléments visibles et les clients eux-mêmes, qui prennent parfois un rôle actif dans la création du service, au lieu de se faire servir passivement. Plus le niveau de contact est élevé, plus nous pouvons appliquer des analogies théâtrales au processus de mise en scène de la livraison de service dans lequel les employés et les clients jouent des rôles et suivent parfois des scripts très précis. Enfin, le système marketing inclut non seulement le système de livraison, qui englobe surtout les éléments de production et de distribution du marketing mix, mais aussi d'autres composants tels que la facturation, les systèmes de paiement, la publicité, les vendeurs et le bouche-à-oreille.

Dans tous les types de services, la compréhension et la gestion des interactions de services entre les clients et le personnel sont indispensables et sont à la base du marketing des services. Cela permet de satisfaire les clients et de construire une relation durable entre clients et prestataires de services. Améliorer la compréhension de la manière dont les clients évaluent, choisissent et utilisent les services est primordial dans les stratégies de création et de livraison de services. Cela a aussi des effets sur le choix du processus de service, l'organisation et la présentation des réalités physiques qui constituent l'offre et l'utilisation de la communication marketing, au moins dans un but éducatif. Plusieurs caractéristiques distinctives des services (notamment l'intangibilité et les problèmes de contrôle de qualité) amènent les clients à adopter des procédures d'évaluation qui diffèrent de celles utilisées pour des biens physiques.

Activités

Questions de révision

1. Expliquez le processus en trois phases d'achat de services.

2. Clarifiez la différence entre les services *high contact* et les services *low contact* et expliquez de quelle manière la nature de ces deux expériences peut être différente. Donnez des exemples.

3. Décrivez les attributs d'examen, d'expérience et de croyance et donnez des exemples pour chacun d'entre eux.

4. Expliquez pourquoi l'évaluation du service a tendance à être plus difficile que celle de biens physiques.

5. Comment les attentes des clients se forment-elles ? Expliquez la différence entre le service attendu et le service adéquat par rapport à une expérience que vous avez vécue récemment.

6. Choisissez un service dont vous êtes familier et représentez-le sous forme de logigramme. Définissez les activités *front office* et *back office*.

7. Décrivez la relation entre les attentes des clients et la satisfaction client.

Exercices d'application

1. Choisissez trois services, un avec des attributs d'examens élevés, un avec des attributs d'expérience élevés et enfin, un dernier avec des attributs de croyance élevés. Spécifiez quelles caractéristiques les rendent faciles ou difficiles à évaluer et suggérez les stratégies spécifiques que les responsables marketing pourraient adopter dans chaque situation. En quoi facilitent-elles l'évaluation ? En quoi réduisent-elles le risque perçu ?

2. Élaborez un questionnaire simple dédié à la mesure des composants clés de la satisfaction d'un client (service désiré, servie adéquat et zone de tolérance).

3. Quels sont les éléments de *back office* (a) d'un centre de réparation de voitures, (b) d'une compagnie aérienne, (c) d'une université, ou (d) d'une entreprise de conseil ? Sous quelles conditions serait-il possible de permettre aux clients de voir ces éléments et comment organiseriez-vous cela ?

4. Quels rôles sont joués par le personnel de *front office* au sein des entreprises *low contact* ? Ces rôles sont-ils plus ou moins importants pour la satisfaction de la clientèle que dans les services *high contact* ?

5. Décrivez une interaction non satisfaisante que vous avez vécue avec (a) un service *high contact* et (b) un service *low contact*. Dans chaque situation, qu'aurait pu faire le prestataire de services pour améliorer la situation ?

6. Écrivez deux scripts de clientèle, un pour un service standard et l'autre pour un service personnalisé. Quelles sont les différences clés entre les deux ?

Notes

1. Richard B. Chase et Sriram Dasu, « Want to Perfect Your Company's Service ? Use Behavioral Science », *Harvard Business Review*, n° 79, juin 2001, p. 79-84.

2. Valarie A. Zeithaml, Leonard L. Berry et A. Parasuraman, « The Behavioral Consequences of Service Quality », *Journal of Marketing*, vol. 60, avril 1996, p. 35.

3. Robert Johnston, « The Zone of Tolerance : Exploring the Relationship between Service Transactions and Satisfaction with the Overall Service », *International Journal of Service Industry Management*, vol. 6, n° 5, 1995, p. 46-61.

4. Valarie A. Zeithaml, « How Consumer Evaluation Processes Differ Between Goods and Services », in J.H. Donnelly et W.R. George, *Marketing of Services*, Chicago, American Marketing Association, 1981.

5. Leonard L. Berry et Ineeli Bendapudi, « Clueing in Customers », *Harvard Business Review*, n° 81, février 2003, p. 100-107.

6. Voir Benjamin Schneider et David E. Bowen, *Winning the Service Game*, Boston, Harvard Business School Press, 1995 ; Valarie A. Zeithaml, Leonard L. Berry et A. Parasuraman, « The Nature and Determinants of Customer Expectations of Services », *Journal of the Academy of Marketing Science*, vol. 21, 1993, p. 1-12.

7. Normann a été le premier à utiliser le terme « moment de vérité » dans une étude suédoise en 1978, puis elle est apparue en anglais dans Richard Normann, *Service Management : Strategy and Leadership in Service Businesses*, Chichester, John Wiley & Sons, 2/E, 1991, p. 16-17.

8. Jan Carlzon, *Moments of Truth*, Cambridge, Ballinger Publishing Co., 1987, p. 3.

9. James G. Barnes, Peter A. Dunne et William J. Glynn, « Self-Service and Technology : Unanticipated and Unintended Effects on Customer Relationships », in Teresa A. Schwartz et Dawn Iacobucci, *Handbook of Service Marketing and Management*, Thousand Oaks, Sage Publications, 2000, p. 89-102.

10. Richard B. Chase, « Where Does the Customer Fit in a Service Organization ? », *Harvard Business Review*, vol. 56, novembre-décembre 1978, p. 137-142.

11. Stephen J. Grove, Raymond P. Fisk et Mary Jo Bitner, « Dramatizing the Service Experience : A Managerial Approach », in T. A. Schwartz, D. E. Bowen et S. W. Brown, *Advances in Services Marketing and Management*, vol. I, Greenwich, JAI Press, 1992, p. 91-122. Voir aussi B. Joseph Pine II et James H. Gilmore, *The Experience Economy*, Boston, Harvard Business School Press, 1999.

12. Stephen J. Grove, Raymond P. Fisk et Joby John, « Services as Theater : Guidelines and Implications », in Teresa A. Schwartz et Dawn Iacobucci, *Handbook of Service Marketing and Management*, Thousand Oaks, Sage Publications, 2000, p. 21-36.

13. Stephen J. Grove et Raymond P. Fisk, « The Dramaturgy of Services Exchange : An Analytical Framework for Services Marketing », in L. L. Berry, G. L. Shostack et G. D. Upah (éd.), *Emerging Perspectives on Services Marketing*, Chicago, The American Marketing Association, 1983, p. 45-49.

14. Michael R. Solomon, Carol Suprenant, John A. Czepiel et Evelyn G. Gutman, « A Role Theory Perspective on Dyadic Interactions : The Service Encounter », *Journal of Marketing*, vol. 49, hiver 1985, p. 99-111.

15. Michael R. Solomon, « Packaging the Service Provider », *The Service Industries Journal*, juillet 1986.

16. Elizabeth MacDonald, « Oh, the Horrors of Being a Visiting Accountant », *Wall Street Journal*, mars 1997, p. B1.

17. Benjamin Schneider et David E. Bowen, *Winning the Service Game*, Boston, Harvard Business School Press, 1995, p. 92.

18. Valarie A. Zeithaml et Mary Jo Bitner, *Services Marketing : Integrating Customer Focus Across the Firm*, 3/E, Burr Ridge, Irwin-McGraw-Hill, 2003.

19. Youjae Yi, « A Critical Review of Customer Satisfaction », in V. A. Zeithaml (éd.), *Review of Marketing 1990*, Chicago, American Marketing Association, 1990.

20. Richard L. Oliver, « Customer Satisfaction with Service », in Teresa A. Schwartz et Dawn Iacobucci, *Handbook of Service Marketing and Management*, Thousand Oaks, Sage Publications, 2000, p. 247-254 ; Jochen Wirtz et Anna S. Mattila, « Exploring the Role of Alternative Perceived Performance Measures and Needs-Congruency in the Consumer Satisfaction Process », *Journal of Consumer Psychology*, 11, n° 3, 2001, p. 181-192.

21. Richard L. Oliver, *Satisfaction : A Behavioral Perspective on the Consumer*, New York, McGraw-Hill, 1997. Richard L. Oliver, Roland T. Rust et Sajeev Varki, « Customer Delight : Foundations, Findings, and Managerial Insight », *Journal of Retailing*, vol. 73, 1997, p. 311-336.

22. Roland T. Rust et Richard L. Oliver, « Should We Delight the Customer ? », *Journal of The Academy of Marketing Science*, n° 1, 2000, p. 86-94.

23. Eugene W. Anderson et Vikas Mittal, « Strengthening the Satisfaction-Profit Chain », *Journal of Service Research* 3, novembre 2000, p. 107-120.

24. Susan Fournier et David Glen Mick, « Rediscovering Satisfaction », *Journal of Marketing*, vol. 63, octobre 1999, p. 5-23.

25. Deborah F. Spake, Sharon E. Beatty, Beverly K. Brockman et Tammy Neal Crutchfield, « Development of the Consumer Comfort Scale : A Multi-Study Investigation of Service Relationships », *Journal of Service Research* 5, n° 4, mai 2003.

Deuxième partie

Élaborer le modèle de service

La deuxième partie de l'ouvrage explique comment construire un modèle de service pertinent, différenciant, rentable et innovant.

La première étape consiste à souligner l'importance pour une entreprise de services de créer une valeur de service significative, spécifique et différenciante sur un ou des marchés de plus en plus concurrentiels. Cette valeur de service repose essentiellement sur trois éléments : un concept de service solide et innovant, une marque qui ait du sens, et le choix du ou des canaux de distribution, qu'ils soient physiques et/ou électroniques.

L'étape suivante impose l'élaboration d'un *business plan* qui intègre tous les coûts et dégage une marge profitable, en recourant à des stratégies de prix réalistes. Enfin, pour s'assurer que les clients ciblés perçoivent les bénéfices de cet échange de valeurs comme supérieurs aux coûts financiers, au temps et aux efforts qu'ils consentent à faire pour obtenir le service, la proposition de valeur sera diffusée de manière que les clients puissent faire les bons choix et rentabiliser le service pour en tirer le meilleur avantage. Pour terminer, ces choix stratégiques doivent permettre de défendre une position distinctive au sein du marché sur lequel l'entreprise de services officie et ce, au regard des alternatives concurrentielles possiblement envisageables par les clients ciblés.

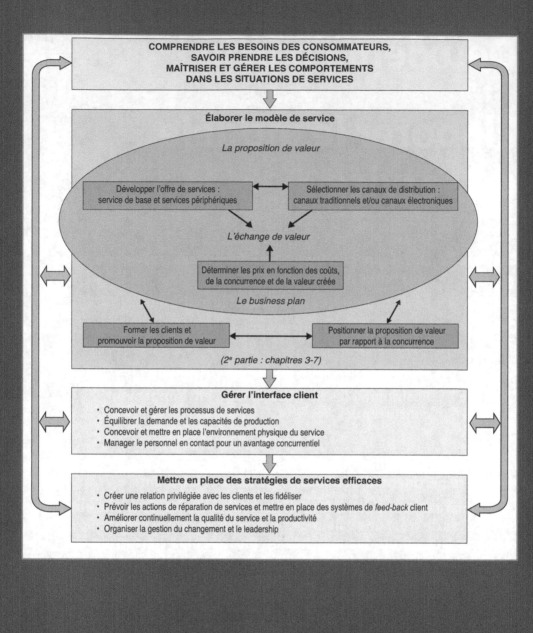

COMPRENDRE LES BESOINS DES CONSOMMATEURS,
SAVOIR PRENDRE LES DÉCISIONS,
MAÎTRISER ET GÉRER LES COMPORTEMENTS
DANS LES SITUATIONS DE SERVICES

Élaborer le modèle de service

La proposition de valeur

Développer l'offre de services :
service de base et services périphériques

Sélectionner les canaux de distribution :
canaux traditionnels et/ou canaux électroniques

L'échange de valeur

Déterminer les prix en fonction des coûts,
de la concurrence et de la valeur créée

Le business plan

Former les clients et
promouvoir la proposition de valeur

Positionner la proposition de valeur
par rapport à la concurrence

(2ᵉ partie : chapitres 3-7)

Gérer l'interface client

- Concevoir et gérer les processus de services
- Équilibrer la demande et les capacités de production
- Concevoir et mettre en place l'environnement physique du service
- Manager le personnel en contact pour un avantage concurrentiel

Mettre en place des stratégies de services efficaces

- Créer une relation privilégiée avec les clients et les fidéliser
- Prévoir les actions de réparation de services et mettre en place des systèmes de *feed-back* client
- Améliorer continuellement la qualité du service et la productivité
- Organiser la gestion du changement et le leadership

Chapitre 3

Développer l'offre globale de services : service de base et services périphériques

« C'est assurément ne pas connaître le cœur humain
que de penser qu'on peut le remuer par des fictions. »
– Voltaire

Objectifs de ce chapitre

- Que faut-il entendre par service et offre globale de services ?
- Comment pouvons-nous catégoriser les services périphériques/supplémentaires qui entourent le service de base ?
- Décrire et comprendre le concept de la *fleur des services*.
- Connaître les stratégies de marque auxquelles ont recours les entreprises de services.
- Se familiariser avec les facteurs clés de succès du développement d'un nouveau service.

Toutes les entreprises de services doivent choisir et proposer à leurs clients les services qui leur conviennent et établir les procédures opérationnelles à mettre en œuvre pour les créer. Afin de mieux comprendre la nature du service, il est utile et indispensable de faire une différence entre le service principal – la raison essentielle pour laquelle le client entre en contact avec une entreprise de services – et les services annexes, conçus pour en faciliter l'accès et/ou donner plus de valeur au client.

Mettre en place une offre de services n'est pas chose facile, car il faut bien comprendre comment le service principal et les services annexes doivent être choisis, délivrés et ordonnancés pour créer de la valeur et satisfaire les besoins des clients que l'entreprise a choisis. Elle doit, pour cela, penser et concevoir les processus adaptés aux attentes et comportements des clients, identifier les personnes impliquées (y compris et surtout les clients) et qualifier les expériences en termes d'*input* et d'*output*. Des opérations et des décisions lourdes de conséquences sur les systèmes existants et très coûteuses en raison des changements qu'elles requièrent. Les processus peuvent (doivent) être présentés à travers des *blueprints* qui ont la particularité de décrire de façon très précise les tâches des employés, celles des clients, ainsi que l'ensemble des séquences opérationnelles et ce, à chaque étape du déroulement du service. Par exemple, le recours à de nouveaux processus de livraison, *via* Internet notamment, permet aux entreprises de nouvelles formes de mise à disposition du service, qui changent la nature de l'expérience du service et offrent des avantages nouveaux pour les clients attirés par ces nouveaux modes d'interaction. L'expansion de la banque en ligne en est la plus parfaite illustration. Il s'agit d'une forme d'innovation de service qui entraîne, mais aussi nécessite l'exploitation et le développement de technologies capables de satisfaire des besoins non exprimés de façon explicite par les clients. Les choix faits sont souvent dictés par des facteurs issus du marché au sein duquel les entreprises doivent sans cesse différencier leurs offres de celles de leurs concurrents.

Dans ce chapitre, nous nous intéressons au concept d'offre de services, à la façon de créer et/ou ajouter de la valeur au service, et comment le concevoir (le « designer »).

1. Créer et planifier les services

Dans les chapitres précédents, nous avons établi qu'un service est plus une « performance » qu'une « chose » ou qu'une entité tangible. Quand les consommateurs achètent des produits manufacturés, ils prennent possession d'objets physiques, alors que les services, intangibles et éphémères, sont plus expérimentés que possédés. Il en est de même lorsque le service comprend des éléments matériels, comme un plat cuisiné, un hamburger dans un fast-food ou une pièce de rechange pour une voiture. Une part significative du prix payé par le client représente la valeur ajoutée des éléments qui accompagnent le service : la main-d'œuvre, les compétences et le recours à des équipements spécifiques.

Concevoir une offre de services passe par quatre phases principales étudiées ci-dessous. Il faut, tout d'abord, identifier et planifier les phases clés de la conception, puis définir le service global qui sera capable de répondre dans sa totalité aux attentes des clients. Cette phase est délicate, car elle demande une parfaite connaissance partagée par tous de la mission et du métier exercé à l'intérieur de l'entreprise. Il faut ensuite détailler, parmi les services que l'entreprise est capable d'offrir, ceux qu'elle a en portefeuille, ceux qui seront des services de base pour certains segments de clients et ceux qui seront périphériques. Il faut enfin penser et établir les processus de livraison pour chaque service identifié dans l'offre globale de services.

1.1. Les phases clés de la planification du service

Un des défis du marketing des services est de maintenir en permanence l'attention du client sur l'attractivité et l'intérêt des offres de services. Dans beaucoup d'entreprises, cette tâche essentielle est majoritairement affectée à la direction des opérations, afin que toute nouveauté ou changement soit compatible avec les processus et les structures en place, la question opérationnelle devant être réglée avant l'attractivité et la pertinence d'une « nouvelle idée » marketing. À ce stade, il faut comprendre que les directions marketing et opérationnelle doivent travailler ensemble pour, d'un côté, rencontrer les attentes des clients et créer de la différenciation sur le marché, et de l'autre, ne pas bouleverser les processus en place, ce qui serait trop coûteux pour l'entreprise. Il faut associer à cette réflexion la direction des ressources humaines, impliquée de fait si de nouveaux services requièrent des compétences nouvelles et donc du personnel en contact supplémentaire et/ou plus qualifié.

La figure 3.1 décrit les phases clés de la planification et de la création de services, et met en évidence les liaisons et la séquence des différentes directions impliquées dans la formation de l'offre.

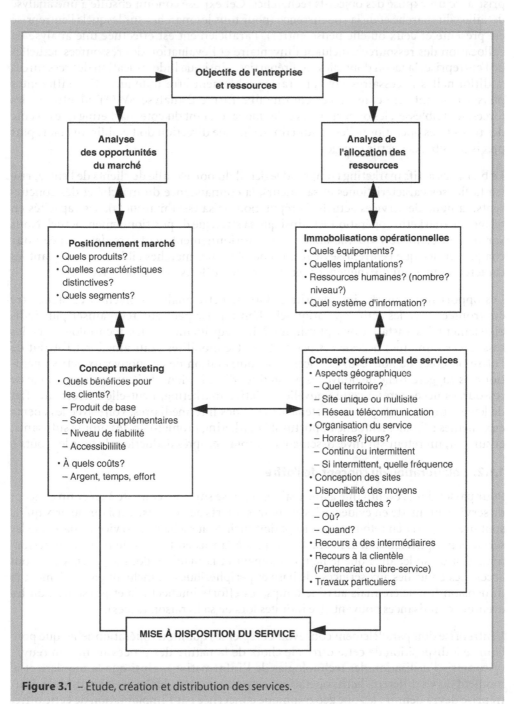

Figure 3.1 – Étude, création et distribution des services.

1.1.1. Objectifs, analyses, positionnement et évaluation des ressources

Comme le montre la figure 3.1, la tâche commence au niveau le plus élevé de l'entreprise avec un exposé des objectifs recherchés. Cet exposé conduit ensuite à une analyse détaillée du marché et de la concurrence (pour tous les marchés sur lesquels l'entreprise est présente et ceux où elle pense entrer). Parallèlement est effectuée une analyse de l'allocation des ressources, incluant l'inventaire et l'évaluation des ressources actuelles de l'entreprise, la façon dont elles sont réparties, ainsi que l'identification des ressources additionnelles nécessaires pouvant raisonnablement être obtenues. Ces différentes phases peuvent être considérées comme une forme d'analyse SWOT identifiant les forces, les faiblesses, les opportunités et les menaces, tant du côté marketing que du côté des ressources opérationnelles et humaines. Chaque direction doit établir un état le plus précis possible des actifs engagés.

Le bilan des actifs marketing comprend le détail du portefeuille de clients de l'entreprise (sa taille, ses caractéristiques et sa valeur), la connaissance du marché et des concurrents, la ligne de services actuels, la réputation de sa (ses) marque(s), ses capacités en termes de marketing opérationnel, ainsi que sa stratégie de positionnement actuel. Nous verrons au chapitre 7 qu'une analyse de positionnement peut être développée pour chaque service que l'entreprise offre à un ou plusieurs marchés cibles, en indiquant les caractéristiques qui distinguent ce service de ceux offerts par la concurrence.

Les opportunités marketing identifiées lors de cette analyse doivent à ce stade être confrontées avec les actifs opérationnels. L'entreprise peut-elle réorganiser plus judicieusement les installations physiques ? Les équipements, les technologies et les ressources humaines nécessaires peuvent-ils être mobilisés pour améliorer l'attrait de l'offre ou créer de nouveaux services ? La contribution de ces nouveaux actifs opérationnels suggère-t-elle de nouvelles possibilités d'utilisation ? Si l'entreprise manque de ressources nécessaires à cette nouvelle initiative marketing, peut-elle exercer un effet de levier sur ses actifs par un partenariat avec des intermédiaires, voire avec les clients eux-mêmes ? Finalement, une opportunité marketing promet-elle des profits suffisants, et surtout, un retour sur investissements acceptable, après déduction de tous les coûts ?

1.1.2. L'élaboration du concept de l'offre

Pour passer d'une éventualité à une réalité, la phase suivante consiste à créer un concept de service qui mette en évidence les avantages offerts aux clients, ainsi que le prix qu'ils sont prêts à payer en retour. Ce concept doit inclure aussi bien le service de base que les services périphériques, leurs caractéristiques à la fois en termes de niveau de performance et de style, ainsi que le lieu, le moment et la manière dont les clients y auront accès. Les coûts liés aux services (de base et périphériques) n'incluent pas seulement la dimension financière mais aussi le temps, les efforts intellectuels et physiques, ou les éventuelles nuisances pouvant être induites lors de sa livraison (accès).

L'entreprise doit parallèlement concevoir et régler les questions opérationnelles que pose la mise à disposition de cette offre : le choix de la nature des processus mis en œuvre (y compris l'utilisation des technologies de l'information), ainsi que la manière et le moment où les différents actifs opérationnels pourront être déployés. À partir de là, l'entreprise devra définir : la zone géographique concernée par l'implantation de cette offre, l'ordre des opérations, l'agencement des locaux, les équipements et enfin les ressources humaines nécessaires. La réflexion et les décisions opérationnelles prennent également en compte les opportunités d'optimisation des ressources en recourant éventuellement à des intermédiaires, voire les clients eux-mêmes. Enfin, elle devra identifier et clarifier les tâches et les ressources qui seront assignées aux opérations de *front office* et de *back office*.

Définir les concepts marketing et opérationnel est nécessairement un processus interactif, car les deux directions/cellules/départements doivent être harmonisés pour délivrer une offre de services cohérente, qui utilise au mieux les ressources de l'entreprise. Le travail de planification devient alors un ensemble de choix à faire par l'équipe managériale pour organiser le processus de livraison du service (voir chapitre 4).

Voyons à présent ce qu'il faut entendre par « service global » ou « métaservice ».

1.2. Le concept de l'offre globale (métaservice) et l'approche moléculaire

Comme nous l'avons vu au chapitre 1, les services sont généralement désignés et répertoriés par corps de métiers spécifiques – comme les services médicaux et de soins, les services de transport, les services logistiques, etc. – et intègrent l'ensemble des bénéfices offerts et/ou proposés aux clients. Les responsables marketing des entreprises de services de ces différents corps de métiers doivent dépasser l'approche sectorielle globale (ce que font tous les acteurs d'un même secteur) pour « se faire une place » difficilement convoitable par les concurrents. Pour cela, une approche marketing de l'offre est indispensable : ne pas appréhender le système d'offre comme une liste exhaustive de services, mais voir quel(s) service(s) global(aux) sera(seront) proposé(s) à quel(s) segment(s) de clientèle(s).

Afin de faciliter l'élaboration de ce service global, le recours à l'approche moléculaire de Lynn Shostack est conseillé. Nous examinons ces deux points ci-après.

1.2.1. L'offre globale

Le service de base (raison essentielle pour laquelle le client entre en contact avec l'entreprise de services) est offert par l'ensemble des entreprises de services présentes sur un marché. Il est clair que chacune de ces entreprises cherchera à se différencier pour devenir plus attractive que la concurrence. La voie de différenciation est sans conteste les services périphériques. En effet, ils ont la vocation de faciliter l'usage du service de base, mais aussi d'ajouter de la valeur et de la différence par rapport aux autres offres proposées par la concurrence. Mais une telle démarche n'a de sens que si l'entreprise a préalablement identifié des couples segments/marchés précis et fait ainsi un choix de segmentation affirmé.

Prenons l'exemple de Novotel, une chaîne d'hôtels spécialisée dans le tourisme d'affaires. Les différences que prône Novotel pour attirer et fidéliser ses clients ne sont pas les composantes de la nuitée (service de base pour la clientèle individuelle - la chambre), mais l'ensemble des services proposés (périphériques) pour le confort de l'homme d'affaires :

- la localisation (facile d'accès, sortie d'autoroute, pas besoin d'entrer dans le centre-ville que le client ne connaît généralement pas) ;

- le parking gratuit, sécurisé, gardé et fermé ;

- la possibilité de dîner jusqu'à minuit (la dernière commande est prise à minuit) ;
- le *early breakfast* à 4 heures du matin ;
- le petit déjeuner buffet : un « brunch » copieux, avec large choix, qui permet d'attendre l'heure d'un déjeuner tardif, voire d'un encas frugal ;
- la chambre wifi ;
- une formule restauration 24 h/24.

L'exemple de Novotel montre l'importance que cette chaîne a accordée aux services périphériques. Leur pertinence est due aux attentes très spécifiques d'un homme d'affaires. Les hôtels de tourisme « standard » peuvent difficilement offrir de tels services. S'ils sont situés en centre-ville, la question de la facilité d'accès se pose, comme celle du parking, de la possibilité de diner jusqu'à minuit ou de prendre un petit déjeuner à 4 heures du matin.

Aussi bien dans le domaine des services que dans celui des biens, plus la concurrence augmente, plus le secteur arrive à maturité, et plus la tendance est de considérer le service de base comme une commodité. En revanche, si une entreprise n'est pas en mesure d'offrir un service de base décent, elle ne se maintiendra probablement pas sur le marché. Bien que le service de base soit continuellement amélioré, un avantage compétitif se matérialise par des services périphériques performants.

1.2.2. L'approche moléculaire de Lynn Shostack

Pour modéliser le concept d'offre de services, Lynn Shostack, directeur du Coveport Group Inc., a fait une analogie avec la chimie pour proposer son modèle dit « moléculaire » (voir figure 3.2), qui doit aider les responsables marketing à élaborer et gérer ce qu'elle a appelé « une entité globale de marché »[1].

Au centre du modèle se trouve « l'avantage principal » (qui répond au besoin primaire du client – le service de base) qui est relié à une série d'autres composantes (les services périphériques). Shostack prétend qu'à l'instar d'une formule chimique, un changement opéré sur un seul élément peut altérer la nature de l'avantage principal.

Comme le montre la figure 3.3, Pierre Eiglier et feu Éric Langeard, tous deux professeurs à l'université d'Aix-Marseille III, ont eu une approche similaire[1].

Tout comme celle de Lynn Shostack, leur approche met l'accent sur l'interdépendance des divers composants de l'offre et l'interdépendance entre le service de base et les services périphériques. Les auteurs font la différence entre les éléments qui sont nécessaires pour faciliter l'utilisation du service de base (comme le comptoir de la réception d'un hôtel) et ceux qui rendent le service de base plus attrayant (comme la salle de musculation ou le bar de ce même hôtel).

Les travaux de Pierre Eiglier et Éric Langeard, ainsi que ceux de Lynn Shostack guident notre réflexion dans deux voies :

- Les services périphériques choisis sont-ils nécessaires pour faciliter l'utilisation du service de base ou pour ajouter un attrait supplémentaire ?
- Les clients doivent-ils payer séparément chaque élément du service ou tous les éléments regroupés sous un prix global ?

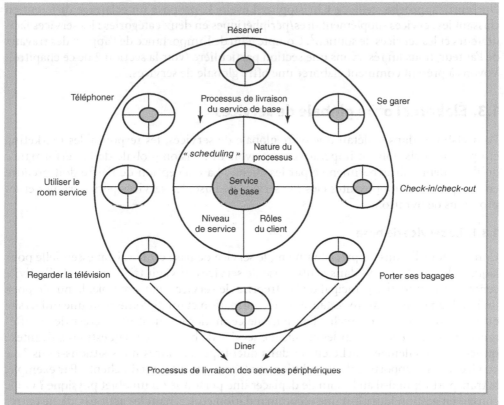

Figure 3.2 – Le modèle moléculaire de Shostack : services d'une nuitée dans un hôtel.

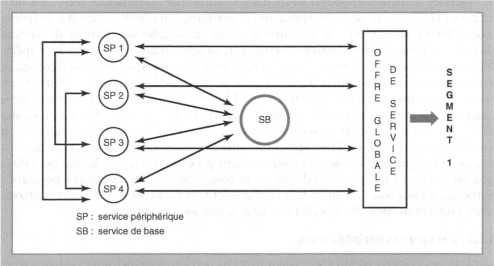

Figure 3.3 – L'offre globale de services vue par Pierre Eiglier et Éric Langeard (1987).

Une autre approche, celle de Christopher Lovelock, propose un éclairage différent en classant les services supplémentaires/périphériques en deux catégories : les services facilitateurs et les services de soutien[2]. Compte tenu de l'importance de l'apport des travaux de l'auteur, nous lui réservons une section particulière (voir la section 2 de ce chapitre). Voyons à présent comment élaborer une offre globale de services.

1.3. Élaborer l'offre globale de services

Pour élaborer dans le détail une offre globale de services, les responsables marketing et opérationnels doivent impérativement avoir une vision globale de la performance qu'ils veulent voir expérimentée par les clients. La conception de l'offre doit prendre en compte trois composantes clés : le service de base, les services périphériques et les processus de livraison.

1.3.1. Le service de base

Comme nous l'avons vu précédemment, le service de base est la raison essentielle pour laquelle le client se rend dans l'entreprise de services. Il s'agit très souvent de l'activité centrale ou du métier principal de l'entreprise de services. Par exemple, la nuitée pour un hôtel, un repas pour un restaurant, une formation et un diplôme pour une université ou une école, etc. En revanche, l'exercice de ce métier ne suffit pas à créer de la différence et à être attractif pour les clients. Le service de base pose les questions suivantes : qu'acquiert réellement l'acheteur et dans quel type d'affaires nous situons-nous ? Le service de base apporte-t-il une solution conforme aux attentes du client ? Par exemple, le transport répond-il au besoin de déplacer une personne ou un objet physique ? Ou le conseil en gestion fournit-il une recommandation concernant les actions qu'une entreprise devrait mettre en œuvre ? Ou encore, les services de réparation sont-ils capables de restaurer une mécanique détériorée ou défectueuse ?

Si le service de base correspond au métier de l'entreprise, la difficulté consiste à bien identifier la mission de cette entreprise, son savoir-faire, son positionnement et ce qu'elle a de différent par rapport à ses concurrents. Pour ce faire, toute entreprise de services doit choisir un « terrain » (marché) particulier, au sein duquel des attentes bien spécifiques sont identifiées. Nous avons pris l'exemple de Novotel, qui officie de façon quasi exclusive (ou du moins prioritaire) sur le marché de l'hôtellerie d'affaires. Dans ce cas, ses hôtels ne sont pas des concurrents directs d'hôtels 3 étoiles positionnés « tourisme », comme peuvent l'être un grand nombre d'hôtels de centre-ville. La sélection du ou des services de base (si l'entreprise sert plusieurs segments de clientèles) se fait en fonction des attentes particulières d'un segment de clientèle particulier. Cette démarche n'est pas facile lorsque l'entreprise est volontairement généraliste, comme les banques dites généralistes du même nom. Ces dernières devront identifier des segments « porteurs » particuliers pour leur activité et leur enseigne, et leur proposer des offres plus attractives, professionnelles, ciblées et/ou spécialisées que les concurrents.

1.3.2. Les services périphériques

Comme nous l'avons aussi vu précédemment, les services périphériques sont conçus et organisés autour du service de base pour l'améliorer, lui donner de la valeur, le rendre plus facile d'utilisation et augmenter son intérêt et son attractivité. La diversité des services périphériques joue souvent un rôle dans la différenciation et le positionnement de l'entreprise de services. Des éléments périphériques ou l'amélioration du niveau de performance peuvent accroître la valeur du service de base et permettre au fournisseur de le faire payer plus cher.

Toute offre de services détient des services périphériques obligatoires et d'autres non. Dans le premier cas, il peut s'agir par exemple de la réservation d'une place d'avion, de l'ouverture d'un compte courant pour une demande de crédit à l'habitat ou à la consommation, de l'inscription dans une école de commerce ou une université si l'on veut en être diplômé, etc.

1.3.3. Les processus de livraison

Élaborer une offre globale de services, c'est aussi concevoir et mettre en place les procédures et processus requis pour délivrer tant le service de base que chaque service périphérique. Dans son sens le plus large, la conception de l'offre globale de services doit présenter la façon dont les différents composants du service sont livrés au client, le rôle de ce dernier au sein de chacun de ces processus, les délais de livraison, ainsi que des recommandations relatives au niveau et au style que le service doit détenir pour pouvoir être proposé. En effet, chacune des quatre catégories de services (voir chapitre 1) – traitement des personnes, traitement des biens, stimulation mentale et information – requiert différents types de processus de livraison du service hautement impliquants pour la rentabilité de l'entreprise et son positionnement. Les processus choisis doivent décrire et organiser : les rôles que le client doit accomplir pour accéder au service de base et aux services périphériques, le degré et la nature du contact entre le personnel en contact et le client – si personnel il y a –, et entre le client et les équipements, le matériel requis pour le client et le personnel en contact, la nature des ressources nécessaires en *back office* (personnel, équipements, expertises), etc.

Une attention particulière doit aussi être portée sur le nombre de services périphériques qui composent l'offre globale de services. En effet, trop de services périphériques peut nuire à la rentabilité de l'entreprise : il faut pouvoir « suivre » les exigences en termes de ressources et dans le temps. Autre danger : le client ne fait pas la différence entre un service de base et un service périphérique. Il les évaluera de la même façon et avec le même degré d'exigence. Donc, si la qualité d'un service périphérique est défaillante, le client reportera son insatisfaction sur l'offre globale de services et pas uniquement sur la défaillance de l'un des périphériques de l'offre. Donc, ajouter des services périphériques ajoute de la complexité à la fois managériale et opérationnelle.

1.4. Organiser le processus de livraison

Concevoir une offre globale de services, c'est aussi prévoir et organiser l'ordre probable dans lequel les clients utiliseront chacun des services (de base et périphériques), ainsi que le temps que cela leur demandera. Ces informations sont indispensables, car les prendre en compte démontre une bonne compréhension des besoins des clients et de leurs habitudes. La difficulté réside justement dans la capacité de l'entreprise de services de connaître ces données, de les évaluer, et de réduire et/ou faire disparaître toutes les nuisances que chaque service peut occasionner.

À titre d'exemple, dans l'industrie hôtelière, ni le service de base, ni les services périphériques ne sont délivrés simultanément au cours de la prestation de services. Certains services doivent nécessairement être fournis avant d'autres. Dans de nombreux cas, la consommation du service de base alterne en fait avec celle de certains services périphériques.

La figure 3.4 ajoute une dimension temporelle aux différents éléments de l'offre globale de services, en identifiant à quel moment et pendant combien de temps ils sont consommés. L'exemple illustre un service hôtelier (processus de traitement des personnes à contact élevé). Le temps y joue un rôle clé, pas seulement d'un point de vue opérationnel, mais aussi du point de vue des clients eux-mêmes.

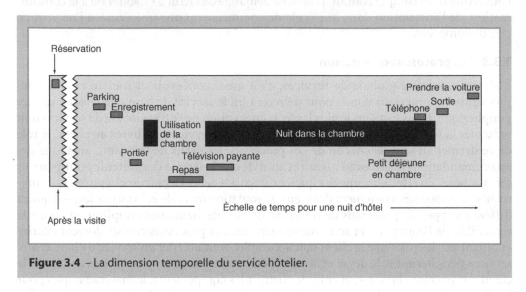

Figure 3.4 – La dimension temporelle du service hôtelier.

Déterminer combien de temps le client devrait consacrer aux différents services (base et périphériques) est un aspect important de la planification du service. Les études montrent que les clients d'un segment donné prévoient de consacrer un temps spécifique pour une activité précise et n'apprécient pas d'être pressés (par exemple, huit heures de sommeil, une heure et demie pour un repas d'affaires, vingt minutes pour un petit déjeuner). En revanche, au moment d'effectuer une réservation, un enregistrement, un paiement ou d'attendre sa voiture auprès du service de voituriers, ils souhaitent réduire, voire supprimer le temps consacré à des activités qu'ils perçoivent comme non productives. Comme le montre l'encadré Questions de services 3.1, la rapidité du service est souvent un attribut essentiel du service pour les clients, et sa mise en œuvre nécessite une bonne compréhension des considérations marketing et opérationnelles.

Planifier le service de restauration rapide

Le magazine de l'industrie de la restauration *Restaurant Hospitality* a formulé dix suggestions pour servir rapidement les clients sans laisser croire que l'on désire les mettre à la porte. Comme vous pourrez le remarquer, certaines de ces tactiques s'adressent aux processus de *front office* et d'autres de *back office*, mais ce sont les interactions entre l'opérationnel, les objectifs marketing et la façon dont les membres du personnel se comportent avec les clients, qui créent le résultat escompté.

1. Faire la distinction entre les clients pressés et ceux qui ne le sont pas.

2. Créer des menus spéciaux rapides.

3. Conseiller ces menus spéciaux aux clients pressés.   …

...

4. Placer les menus rapides et ceux qui génèrent la marge la plus importante au début ou à la fin de la carte.

5. Proposer des plats pouvant être servis en continu.

6. Prévenir les clients lorsqu'ils commandent des plats longs à préparer.

7. Penser aux buffets, aux tables roulantes pour le service et accroître l'offre de sandwiches.

8. Offrir des sandwiches complets, copieux et rapides à préparer.

9. Utiliser des équipements conçus pour faire gagner du temps comme les fours combinés.

10. Éliminer les étapes de préparation qui obligent les cuisiniers à stopper la cuisson.

Source : Adapté de Paul B. Hertneky, « Built for Speed », *Restaurant Hospitality*, janvier 1997, p. 58.

Étudions à présent la *fleur des services*, élaborée par Christopher Lovelock.

2. La fleur des services

Si les services de base diffèrent entre eux, les services périphériques sont souvent identiques. En effet, quels que soient les métiers exercés et les services rendus, nous retrouvons, associés au service de base, des services tels que l'information client, la facturation, les réservations, la prise de commande et la résolution des problèmes particuliers. À titre d'exemple, dans un restaurant de luxe, les services périphériques incluent les réservations, les voituriers, le vestiaire, le placement à la table, la commande du menu, le sommelier, la note, les moyens de paiement et l'utilisation des toilettes.

Pour mieux comprendre le rôle et la place des services périphériques dans l'offre globale de services, Christopher Lovelock les a répartis en deux groupes : les services périphériques facilitants et les services périphériques de soutien, dont nous trouvons le détail ci-dessous.

Services facilitants	Services de soutien
Information	Conseil
Commande	Hospitalité
Facturation	Sécurité
Paiement	Exceptions

Chaque service de base n'est pas systématiquement accompagné des huit services périphériques. Comme nous le verrons, la nature de l'offre centrale (service de base) aide à déterminer les services périphériques qui doivent être offerts et ceux qui pourraient être ajoutés afin d'en améliorer la commercialisation et la valeur. En général, les services de traitement des personnes tendent à être accompagnés de plus de services périphériques que les trois autres. Parallèlement, ceux qui nécessitent un niveau de contact élevé seront accompagnés par davantage de services périphériques que ceux qui nécessitent un niveau de contact faible.

La stratégie de l'entreprise, ainsi que son positionnement aident à déterminer les services périphériques qui doivent être choisis (voir chapitre 7). Une stratégie qui vise à fournir plus d'avantages pour améliorer la perception de qualité chez les clients nécessitera probablement davantage de services périphériques (ainsi qu'un niveau de performance plus élevé pour tous les éléments) qu'une stratégie de concurrence sur les prix. Les entreprises qui offrent différents niveaux de services, comme la première classe, la classe affaires et la classe économique pour une compagnie aérienne, les différencient souvent en ajoutant à chaque catégorie des services périphériques.

La figure 3.5 illustre ces huit services périphériques, représentés sous forme de pétales entourant le centre d'une fleur (service de base), que nous appelons la *fleur des services*. Les rubriques sont placées dans l'ordre dans lequel les clients y sont en général confrontés (même si des variantes sont possibles, par exemple le paiement avant/après la fourniture du service) et en suivant le sens des aiguilles d'une montre. Dans une entreprise de services bien organisée, les pétales (les services périphériques) et le cœur (le service de base) sont « bien formés » et se complètent les uns les autres. Une organisation de service mal gérée peut se comparer à une fleur avec des pétales manquants, fanés ou décolorés. Même si le cœur est parfait, l'aspect global de la fleur n'est pas attractif. Pensez à votre propre expérience en tant que consommateur (ou quand vous achetez pour le compte d'une entreprise). Quand vous n'êtes pas satisfait d'un achat en particulier, est-ce imputable au cœur (service de base) ou à un (ou plusieurs) pétale(s) (services périphériques) ?

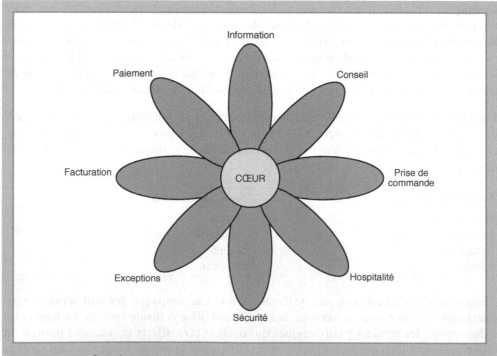

Figure 3.5 – La fleur des services : le service de base entouré de groupes de services périphériques.

Pour une meilleure compréhension, étudions ci-après ce que recouvrent les services périphériques facilitants et les services périphériques de soutien au travers du concept de la *fleur des services*.

2.1. Les services périphériques facilitants

Comme leur nom l'indique, les services facilitants sont ceux qui vont permettre un accès plus aisé au service de base. Ils ont aussi la vocation de l'enrichir et de lui donner de la valeur. Ils sont au nombre de quatre : l'information, la commande, la facturation et le paiement.

2.1.1. L'information

Pour tirer la valeur maximale d'un bien ou d'un service, les clients ont besoin d'informations pertinentes (voir tableau 3.1). Les nouveaux clients et les prospects en sont particulièrement demandeurs. Ils veulent en savoir plus sur le lieu où le service est vendu (ou bien des détails sur la façon de le commander), les horaires, les prix, les instructions d'utilisation. D'autres informations, parfois obligatoires, précisent les conditions de vente, d'utilisation et de garantie, les précautions d'emploi, etc. Enfin, les clients veulent recevoir des documents matérialisant la commande, la confirmation de réservation, des attestations de paiement et éventuellement des relevés réguliers d'activité.

Tableau 3.1	Exemples d'éléments d'information

Direction de l'emplacement du lieu de service
Horaires
Prix
Données sur l'utilisation du service de base et des services périphériques
Rappels
Avertissements
Conditions de ventes et de services
Notification de modifications
Documentation
Confirmation des réservations
Résumé de l'activité du compte
Reçus et factures

L'information fournie par une entreprise doit être exacte et pertinente, sous peine de tromper ou contrarier les clients. Ce sont prioritairement les employés au contact de la clientèle qui informent (même s'ils ne sont pas toujours aussi bien documentés que les clients pourraient le désirer). Nous trouvons également les imprimés, les catalogues, les manuels d'utilisation, sans oublier les cassettes vidéo, les logiciels de démonstration, les ordinateurs à écrans tactiles, les messageries vocales commandées à distance, etc. L'innovation la plus récente et la plus significative est l'utilisation d'Internet et de la téléphonie mobile dans le cadre de l'entreprise. Les horaires de train ou d'avion, les prestations des hôtels, l'aide à la localisation de lieux spécifiques (restaurants, magasins, etc.) ou l'information sur les services de certaines entreprises sont autant d'exemples d'applications d'Internet et de téléphonie mobile réussies. De nombreuses entreprises de logistique offrent par exemple aux expéditeurs la possibilité de suivre la progression de leurs colis qui sont identifiés par des numéros personnalisés.

2.1.2. La prise de commande

Quels que soient les circonstances, le service et le canal utilisé, le processus de commande doit être courtois, rapide et efficace pour que les clients ne perdent pas de temps et ne fassent pas d'efforts inutiles, de quelque nature que ce soit.

La clé du problème réside dans le fait de minimiser autant que possible les efforts requis par chacune des parties, tout en assurant l'exactitude et l'intégralité des informations.

La technologie peut être utilisée pour rendre la prise de commande plus rapide tant pour les vendeurs que pour les acheteurs. Aujourd'hui, par exemple, un grand nombre de compagnies aériennes recourent aux technologies de l'information pour faciliter la réservation (prise de commande) et améliorer la rentabilité de l'entreprise et de ce type d'opérations. Un numéro de commande est attribué au client (par téléphone ou Internet) et il lui suffit de le montrer au guichet d'enregistrement. Plus aucune commission n'est à verser aux agences de voyage. Mais certains clients n'apprécient pas ces processus sans papier. Bien qu'ils reçoivent un numéro de confirmation au téléphone et qu'ils n'aient besoin que de montrer leur pièce d'identité pour obtenir leur place, ils ne sont pas convaincus s'ils n'ont pas une preuve tangible de leur réservation d'un siège sur un vol particulier. Dans le cadre de voyages d'affaires, certains se plaignent également que les reçus arrivent parfois plusieurs jours, voire plusieurs semaines après le voyage, ce qui pose des problèmes pour le remboursement de leurs frais. Certaines compagnies aériennes envoient par mail les billets au moment où le vol est réservé.

D'autres activités de services facilitent la réservation, comme « La fourchette.com » qui permet de passer *via* Internet une réservation gratuitement dans les restaurants des plus grandes villes de France.

2.1.3. La facturation

La facturation est le dénominateur commun à tous les services. Des factures inexactes, illisibles ou incomplètes risquent de décevoir les clients jusqu'alors plutôt satisfaits et d'accroître le mécontentement de ceux déjà insatisfaits.

La facturation doit aussi être contrôlée dans le temps, être émise rapidement pour stimuler la rapidité du règlement. Les procédures de facturation vont de l'indication du prix de vive voix à une gestion informatisée (voir tableau 3.2). L'approche la plus simple consiste peut-être à faire de l'autofacturation, c'est-à-dire payer à la commande, comme lorsque le client règle le montant d'une commande avec sa carte de crédit. Dans ces cas-là, la facturation et le paiement sont combinés en un seul acte.

Tableau 3.2	Exemples d'éléments de facturation

Relevés périodiques de l'activité du compte
Facture pour chaque transaction
Rappel verbal du solde
Affichage du solde sur ordinateur
Autofacturation

Dans une très grande majeure partie des cas, la facturation est informatisée. Bien que ce procédé améliore la productivité, il peut générer des mécontentements mais aussi des désavantages – notamment lorsqu'un client conteste une facture inexacte et se voit enseveli sous une avalanche de factures au montant de plus en plus élevé (composé d'intérêts et de pénalités), accompagnées de menaces croissantes envoyées automatiquement par ordinateur.

Les clients attendent des factures claires, informatives et formulées de manière que le calcul du montant total à payer soit aisé à comprendre. Les symboles insolites, pas plus que les impressions floues ou les écritures illisibles, ne suscitent chez le client une disposition favorable. Les imprimantes lasers produisent aujourd'hui des formulaires plus lisibles dans lesquels l'information est organisée de façon plus fonctionnelle. C'est ici que la recherche marketing peut intervenir, en demandant aux clients quelles informations ils souhaitent recevoir et comment ils veulent les voir organisées.

Les clients répugnent à attendre que leur facture soit élaborée dans un hôtel, un restaurant, une agence de location de voitures. De nombreux hôtels, ainsi que des agences de location ont mis au point des possibilités de paiement express, en prenant à l'avance les détails des cartes de crédit et en envoyant ensuite les documents nécessaires par la poste. La précision est alors essentielle. À partir du moment où les clients utilisent les paiements express pour gagner du temps, ils ne veulent pas en perdre plus tard pour faire apporter des corrections ou se faire rembourser. Aux États-Unis, certaines agences de location de voitures ont recours à une procédure intermédiaire : un agent rencontre les clients lorsqu'ils ramènent le véhicule, enregistre le kilométrage et le niveau de la jauge de carburant, puis imprime une facture en utilisant un terminal portable sans fil. De nombreux hôtels mettent le matin sous la porte de leurs clients le montant total des charges, d'autres offrent la possibilité de visionner la facture avant de partir sur le téléviseur de leur chambre.

2.1.4. Le paiement

Dans la plupart des cas, un paiement implique un acte de la part du client, et un tel acte peut être lent. De plus en plus de clients souhaitent obtenir des facilités de paiement ou un crédit lorsqu'ils font des achats, aussi bien dans leur propre pays que lorsqu'ils voyagent à l'étranger.

Un ensemble de possibilités existe pour faciliter le paiement des factures (voir tableau 3.3). Les systèmes de paiement automatique, par exemple, nécessitent que les clients insèrent des pièces, des billets, des jetons ou des cartes dans des automates. Mais leurs pannes peuvent réduire à néant l'objectif principal. Cela signifie qu'une maintenance régulière, ainsi qu'une intervention rapide sont essentielles. De nombreux paiements sont encore effectués en argent liquide ou par chèques, mais les cartes de crédit prennent de plus en plus d'importance. Les jetons, les bons, les coupons ou les tickets prépayés constituent d'autres possibilités. Les paiements rapides sont essentiels pour les entreprises et les clients. Pour les encourager, certaines envoient périodiquement des lettres de remerciement aux clients qui acquittent leurs factures dans les délais.

Pour s'assurer que les gens paient réellement leur dû, un système de contrôle est mis en place pour certains services, comme le péage d'autoroute. Il lie un paiement automatique (ou par l'intermédiaire d'un salarié) à un système de contrôle mécanique : la barrière ou la vérification des billets avant l'accès à une salle de spectacle ou à bord d'un train. Les contrôleurs doivent toutefois combiner tact, politesse et fermeté dans le cadre de leur travail, afin que les clients honnêtes ne se sentent pas agressés ou importunés. Leur présence visible a souvent un effet dissuasif sur les éventuels fraudeurs.

Tableau 3.3	Exemples de paiement

Libre-service
- Mettre l'appoint dans la machine
- Machine rendant la monnaie
- Carte de crédit
- Transfert électronique de fonds
- Chèque

Paiement direct ou à un intermédiaire
- Maniement d'argent
- Maniement de chèques
- Maniement de cartes de crédit
- Rachat de coupons
- Bons de réduction
- Déduction automatique sur les dépôts

Contrôle et vérification
- Système automatique (portique de détection)
- Système de personnel (contrôleurs, surveillants aux portes)

2.2. Les services de soutien

Comme leur nom l'indique, les services de soutien sont ceux qui aident le client à choisir les options qu'il peut prendre, rendent la prestation plus confortable et proposent des options non prévues dans l'offre initiale. Ils sont au nombre de quatre : le conseil, l'hospitalité, la sécurité et les exceptions.

2.2.1. Le conseil

Contrairement à l'information qui propose une réponse simple et neutre aux questions des clients (ou une information imprimée qui anticipe leurs besoins), le conseil implique un dialogue, un échange pour sonder les désirs des clients et proposer une solution sur mesure. Il consiste à donner un avis souvent immédiat mais fondé sur une réelle connaissance du service en réponse à la question : « Que me suggérez-vous ? » (Par exemple, vous pourriez demander des conseils sur les différents styles de coupes de cheveux, ainsi que sur les services capillaires à votre coiffeur, *idem* pour contracter un abonnement téléphonique qui corresponde à votre style de vie et attentes, etc.) Pour être efficace, un conseil doit s'appuyer sur une réelle compréhension de la situation de chaque client. De bonnes informations (à jour) sur les clients, leur profil sont alors souvent d'une grande utilité, en particulier si les données pertinentes peuvent être consultées rapidement, *via* un terminal informatique par exemple. Le tableau 3.4 fournit quelques exemples de services périphériques appartenant à cette catégorie.

Tableau 3.4	Exemples de conseils

Conseil
Écoute
Conseils personnels
Conseils techniques
Formation à l'utilisation des services

Le conseil peut aussi prendre des formes plus subtiles. Il peut consister à d'aider les clients à mieux comprendre leur situation pour qu'ils puissent trouver leurs propres solutions et programmes d'action. C'est le cas pour des services liés à la santé, quand il s'agit de convaincre les personnes d'avoir une vision à long terme et d'adopter des comportements plus bénéfiques pour leur santé, souvent au prix d'un sacrifice initial. Par exemple, des centres d'amincissement comme Weight Watchers ont recours au conseil pour aider leurs clients à changer leurs comportements, afin que leur perte de poids demeure effective même après la fin de la cure.

Enfin, il existe des formes de conseil plus formelles, telles que le conseil en management ou la « vente de solutions », qui inclut les services et les équipements nécessaires à leur mise en œuvre. Dans ce dernier cas de figure, les ingénieurs commerciaux évaluent la situation du client et lui donnent ensuite des conseils objectifs sur l'ensemble des systèmes et équipements à mettre en œuvre pour obtenir les meilleurs résultats. Certains services de conseil sont offerts dans l'espoir de réaliser une vente. Dans d'autres cas, le service n'est pas inclus et est facturé au client. Le conseil peut aussi être fourni à l'aide de supports pédagogiques, de programmes de formation et de démonstrations publiques.

2.2.2. L'hospitalité

Les services liés à l'hospitalité devraient idéalement refléter le plaisir de rencontrer de nouveaux clients et/ou d'en retrouver d'anciens. Les entreprises bien gérées essaient de s'assurer que leurs employés traitent les clients comme des invités. Courtoisie et considération des besoins s'imposent donc lors de rencontres en tête à tête comme lors d'échanges téléphoniques (voir tableau 3.5). L'hospitalité trouve son expression la plus complète dans les rencontres en tête à tête. Elle peut par exemple commencer (et finir) avec un service de transport gratuit aller-retour vers l'emplacement du service. Si les clients doivent attendre à l'extérieur avant que le service ne soit délivré, prévoir une protection contre les intempéries fait aussi partie de l'hospitalité. S'ils doivent attendre à l'intérieur, il faut leur proposer un espace aménagé avec des sièges, voire des distractions (télévision, journaux, magazines). Certains grands magasins (et d'autres plus modestes) proposent, par exemple, des fauteuils au rayon pour Dames, afin que les époux attendent dans de bonnes conditions que leurs épouses aient fait leurs courses.

Tableau 3.5	Exemples d'hospitalité

Salutations
Nourriture et boissons
Sanitaires
Salle d'attente agréable (sièges, magazines, etc.)
Transport
Sécurité

Recruter des employés naturellement chaleureux, accueillants et soucieux du client, aide à créer une atmosphère hospitalière et agréable.

La qualité des services d'hospitalité peut augmenter ou réduire la satisfaction relative au service de base. C'est particulièrement vrai pour les services à processus de traitement des personnes. À titre d'exemple, les hôpitaux et cliniques privées cherchent souvent à se rendre plus attractifs en proposant un niveau de service en chambre, repas compris, qui pourrait être celui d'un bon hôtel. Des compagnies aériennes cherchent à se différencier avec de meilleurs repas et une équipe de cabine plus attentive. Singapore Airlines est une compagnie aérienne connue pour être un modèle de référence en la matière. Plus récemment, l'entreprise Nespresso s'est distinguée par la présence d'hôtesses, de salons de dégustation et d'attente.

Si on reprend l'exemple de la compagnie aérienne, le service fourni ne s'achève pas forcément avec l'arrivée à destination des passagers. British Airways (BA) s'est démarquée en proposant aux passagers de première classe et de classe affaires, ainsi qu'aux détenteurs d'une « BA Executive Club Gold Card » (accordée aux clients les plus fidèles), un salon à l'arrivée dans les terminaux des aéroports d'Heathrow et de Gatwick à Londres, tôt le matin après un long vol en provenance d'Amérique, d'Asie, d'Afrique et d'Australie. BA propose ainsi à ces clients particuliers la possibilité de prendre une douche, se changer, prendre un petit déjeuner, passer des coups de fil, consulter Internet ou envoyer des e-mails avant d'achever leur voyage. C'est un bel avantage, dont BA a activement fait la promotion. Les autres compagnies aériennes ont depuis suivi l'exemple. C'est aussi cela l'hospitalité.

Les problèmes relatifs à l'accueil sont souvent imputables à la conception des espaces au sein desquels les clients attendent avant de recevoir le service. Une étude a montré par exemple que des bureaux peu accueillants, ainsi que le manque de confort des cabinets de chirurgie esthétique peuvent rebuter les clients et les dissuader d'y avoir recours dans des endroits aussi peu chaleureux et hospitaliers.

2.2.3. La sécurité

Aujourd'hui plus qu'hier, la sécurité devient pour les clients un facteur décisif et différenciateur. Une étude réalisée par Jean Philippe et Pierre-Yves Léo (Philippe et Léo) a montré que l'une des raisons essentielles de la fréquentation des centres commerciaux (au détriment du centre-ville) était la sécurité offerte et ambiante : présence de maîtres-chiens, parkings gardés, éclairage, discipline induite par l'ensemble des dispositifs sécuritaires, etc.

La liste des services de sécurité possibles est longue. Elle peut inclure un vestiaire, un service de transport des bagages, la mise en sûreté des objets de valeur et éventuellement la surveillance des enfants ou des animaux de compagnie (voir tableau 3.6). Citons à titre d'exemple Ikea, qui propose à ses clients parents de garder leurs enfants, afin qu'ils puissent faire leurs courses tranquillement et en toute quiétude. Carrefour a fait de même en proposant le « service Kids » dans les Carrefour Planète.

Aujourd'hui, beaucoup d'entreprises accordent une réelle attention à la sécurité des clients. Autre exemple, celui des banques qui veulent apprendre à leurs clients comment protéger leur carte de retrait ou eux-mêmes en cas de vol ou d'agression physique, *via* des brochures d'information. Pour renforcer ce sentiment de sécurité, les banques implantent leurs machines dans des endroits éclairés, fréquentés et visibles. Ces dispositions ont été rendues obligatoires suite au mouvement des convoyeurs de fonds, qui avaient décidé de ne plus approvisionner les distributeurs placés dans des lieux dangereux.

Tableau 3.6	Exemples de dispositions pour la sécurité

Prendre soin de ce qui appartient aux clients
- Garde des enfants
- Garde des animaux
- Parking
- Vigile dans le parking
- Vestiaire
- Coffre-fort
- Local à bagages

Prendre soin des marchandises achetées ou louées
- Emballage
- Transport
- Livraison
- Installation
- Inspection et diagnostic
- Nettoyage
- Maintenance préventive
- Réparation et rénovation
- Mise à niveau

2.2.4. Les exceptions

Il faut entendre par exceptions les services que l'entreprise propose à ses clients et qui sont hors du cadre standard de l'offre existante et proposée à tous. Le tableau 3.7 en donne des exemples. Les entreprises les plus inventives les anticipent et développent des actions particulières et des solutions adéquates. De cette façon, les employés ne sont pas pris au dépourvu et sont prêts quand les clients ont besoin d'une assistance particulière. Des procédures bien définies leur permettent de répondre rapidement et avec efficacité aux demandes.

Tableau 3.7	Exemples d'éléments exceptionnels

Demandes spéciales avant la livraison du service
- Besoins des enfants
- Régime diététique
- Besoins médicaux
- Pratique religieuse
- Exception par rapport aux procédures standards

Traitement de communications particulières
- Plaintes
- Compliments
- Suggestions

Résolution de problèmes
- Garantie contre les malfaçons
- Résolution des problèmes d'utilisation du service
- Résolution des problèmes causés par les personnels ou d'autres clients
- Assistance aux clients ayant souffert de problèmes médicaux

Restitution
- Remboursement
- Compensation amiable
- Réparation gratuite des marchandises défectueuses

Il y a de nombreux et différents types d'exceptions :

- *Les demandes spéciales.* Nombreuses sont les circonstances au cours desquelles un client peut demander un service « extra ». Elles sont souvent liées à des besoins personnels exceptionnels : s'occuper des enfants, respecter un régime alimentaire ou diététique particulier, recevoir des soins médicaux spéciaux, observer certaines pratiques religieuses, etc. Ce type de requêtes spéciales est, par exemple, fréquent dans le tourisme et la santé (hôpitaux).

- *La résolution des problèmes.* Le cas se présente quand le processus normal de livraison (ou la performance du service) échoue en raison d'accidents, de non-respect des délais, de défauts dans les équipements, ou lorsque les clients rencontrent des difficultés à utiliser le service.

- *Le traitement des plaintes, les suggestions et compliments.* Cette activité nécessite des procédures bien définies. Les clients doivent pouvoir facilement exprimer leur insatisfaction, proposer des améliorations ou faire un compliment. Les fournisseurs de services doivent être capables de recevoir la plainte et d'y apporter une réponse appropriée rapidement pour que le client se sente compris et éprouve un sentiment d'équité.

- *La restitution.* De nombreux clients s'attendent à recevoir une compensation en cas de déficiences graves. Cette compensation peut prendre la forme de réparation sous garantie, d'accords juridiques, de remboursements, d'offres de services gratuits ou d'autres formes de dédommagement.

Si proposer des exceptions est un service périphérique différenciateur et apprécié des clients, les responsables marketing doivent cependant garder un œil sur la quantité des demandes exceptionnelles. Trop élevée, cela peut signifier que les procédures doivent être revues, car elles ne correspondent plus aux besoins du plus grand nombre. Par exemple, si un restaurant reçoit constamment des demandes de plats végétariens alors qu'il n'en a pas au menu, c'est le signe qu'il est temps de revoir celui-ci et d'y ajouter au moins un plat de ce type. Une approche flexible des exceptions est en général conseillée, car cela reflète une prise en compte scrupuleuse des besoins des clients. D'un autre côté, trop d'exceptions peuvent compromettre la sécurité, la rentabilité, le positionnement, l'organisation générale de l'offre globale de services et des processus en place, et avoir *in fine* un impact négatif sur les autres clients (relations de concomitance) et provoquer un surcroît de travail pour les employés.

2.3. Les implications managériales

Les huit catégories de services périphériques qui forment la *fleur des services* fournissent collectivement de nombreuses options pour améliorer le service de base. La plupart des services périphériques représentent (ou devraient représenter) des réponses aux besoins des clients. Certains sont des services facilitant, comme l'information et les réservations, permettant aux clients d'utiliser le service de base de façon plus efficace. Les autres sont des « extras » qui améliorent le service de base ou même réduisent ses coûts non financiers (repas, magazines et éléments de divertissement et d'accueil qui aident à passer le temps). Certains éléments, en particulier la facturation et le paiement, sont imposés par le prestataire de services : même s'ils ne sont pas réellement désirés par le client, ils constituent une partie de l'expérience globale de service. Un élément auquel on n'a pas suffisamment prêté attention peut affecter la perception de la qualité du service chez le client. Les pétales « information » et « conseil » illustrent l'accent mis dans cet ouvrage sur le besoin de formation et de promotion pour une meilleure communication avec les clients.

Tous les services de base ne sont pas entourés par un grand nombre de services périphériques issus des huit pétales. Les services à processus de traitement des personnes tendent à être les plus demandeurs en services périphériques. Quand les clients ne se rendent pas sur le lieu de livraison du service, le besoin d'accueil est limité à la courtoisie dans les lettres et les communications téléphoniques.

Les services classés dans la catégorie des processus de traitement des biens mettent souvent l'accent sur les éléments de sécurité, mais on peut très bien ne pas en avoir besoin dans le cas d'un service lié aux processus d'informations où clients et fournisseurs négocient en tête à tête. Les services financiers qui sont fournis électroniquement constituent une exception, mais les entreprises doivent s'assurer que les actifs financiers intangibles de leurs clients sont réellement sécurisés lors des transactions par téléphone ou *via* Internet.

Les responsables marketing sont confrontés à de nombreuses possibilités dans les types de services périphériques qu'ils doivent offrir, en particulier dans le cadre de l'élaboration d'une politique de service et de positionnement. En ce qui concerne la politique de prix des services de base et périphériques, il n'existe pas de règles simples et universelles. Les dirigeants doivent revoir en permanence leurs politiques de prix et celles de leurs concurrents, pour s'assurer qu'ils sont bien alignés sur le marché et en cohérence avec les besoins des clients. Nous en parlerons plus en détail au chapitre 9, en partie consacré aux prix.

En résumé, les tableaux 3.1 à 3.7 peuvent servir de check-list dans le cadre d'une recherche continue d'amélioration des services de base et périphériques et d'élaboration de nouvelles offres. Ils ne prétendent pas être exhaustifs dans la mesure où certaines offres globales de services peuvent requérir des services périphériques spéciaux. Le rajout de services périphériques peut jeter les bases d'une gamme de services différents, un peu comme les différentes classes des compagnies aériennes. Quels que soient les services périphériques offerts, les éléments de chaque pétale doivent être considérés avec soin pour rencontrer constamment des standards de service définis. Ainsi, la « fleur » aura toujours une apparence régulière et attractive.

Étudions à présent la troisième phase de l'élaboration d'une offre globale de services : établir le portefeuille d'offres et gérer la marque de service.

3. Le portefeuille d'offres et la gestion de la marque de service

Ces dernières années, de plus en plus d'entreprises de services ont commencé à parler de leurs services comme étant des « produits », terme auparavant associé aux services manufacturés. Certaines parlent même de leurs *produits et services*, une expression aussi utilisée par les entreprises dont la production est dirigée par les services. Quelle est la distinction entre ces deux termes ?

Un *produit* implique un ensemble d'*outputs* défini et cohérent, bien distinct. Dans un contexte industriel, le concept est facile à comprendre et à visualiser. Les entreprises de services peuvent différencier leurs « produits/services » de la même façon avec leurs différents, modèles. La restauration rapide est souvent décrite comme un service quasi industriel car il produit un *output* fortement tangible. Les adeptes de burgers font facilement la différence entre un Whopper de chez Burger King et un Whopper au fromage, ou entre un Whopper et un Big Mac. Or, le service existe bien : il s'agit de la livraison rapide d'un aliment fraîchement préparé, de la possibilité (dans certains cas) de commander et d'emporter des plats frais sans sortir de la voiture, de la mise à disposition dans le restaurant de boissons, de condiments et de serviettes, ainsi que de la possibilité de s'asseoir à une table pour manger son repas.

Cette approche « produits » du métier peut se comprendre lorsque l'activité de l'entreprise de services est de délivrer et/ou proposer des produits tangibles (comme dans le cas de la restauration rapide). En revanche, des entreprises de services qui proposent des services très intangibles (comme la banque, l'assurance ou l'éducation) adoptent également cette posture « produits ». Par exemple, les banques offrent une variété de « produits » tels que le compte chèque, l'assurance, le prêt à la consommation ou prêt à l'habitat, les « produits » retraite et placement, etc. Les assurances proposent différents types de polices d'assurance et les universités et ou écoles de commerce différents diplômes ou programmes chacun composés de cours et d'électifs spécifiques.

3.1. La gamme de services et les stratégies de marque

La plupart des entreprises de services offrent non pas un service mais une gamme de services. L'entreprise de services a le choix entre la marque ombrelle, les sous-marques, la marque propre ou la marque générique.

3.1.1. La marque ombrelle

David Aacker et E. Joachimsthaler (2000) utilisent le terme « marque ombrelle » pour décrire une société comme Virgin Group qui applique son nom de marque à de multiples offres dans des secteurs d'activité très différents : Virgin Aviation, Virgin Télévision, Virgin Mobile, Virgin Radio, Virgin Travel, Virgin Games, Virgin Australia, Virgin Holidays, Virgin Money Going, Virgin Red Room, et anciennement Virgin Megastores qui a déposé son bilan en 2013. De par son exposition, une politique de marque ombrelle court le risque de se diluer et de perdre du sens chez les consommateurs (trop d'activités différentes = où est le savoir-faire ?). En revanche, l'avantage tient dans l'absence de risque de cannibalisation, tant les domaines d'activités sont différents.

3.1.2. Les sous-marques

C'est le cas des entreprises de services qui conservent le nom de la marque, tout en y ajoutant une appellation pour différencier les offres. Par exemple, FedEx détient plusieurs sous-marques : FedEx Home Delivery, FedEx Freight, FedEx Custom Critical, FedEx Trade Network, FedEx Supply Chains Services et FedEx Kinko's. L'avantage est de conserver la notoriété de l'enseigne en l'adjoignant à ses « sous-marques » dans le but de promettre pour chacune d'elles la rapidité et la fiabilité, les deux traits fortement distinctifs de cette enseigne.

Chacune de ces sous-marques s'adresse à des segments de clientèle différents et propose des services adaptés à chacun d'eux :

- FedEx Home Delivery : service de livraison rapide qui s'adresse, comme son nom l'indique, à des personnes physiques. Les colis sont livrés à domicile.

- FedEx Freight : service de livraison et de transport de « colis » lourds ou de matériels spécifiques.

- FedEx Custom Critical : service non stop, 24 h sur 24 h, porte-à-porte qui assure de délivrer des objets dans des temps dits « critiques » (très rapides).

- FedEx Trade Network : concerne la livraison et le suivi international. Il vient en appui de toutes les entreprises qui font du commerce international.

- FedEx Supply Chain Services : offre qui propose des solutions pour une meilleure synchronisation des mouvements de marchandises.

- FedEx Kinko's : service de bureau, photocopies, impressions, services appuyés par des technologies de l'information proposés en centre-ville ou dans des quartiers d'affaires.

3.1.3. Les marques propres

Lorsqu'une entreprise est positionnée sur différents secteurs d'activité, chacun est distinct. Une entreprise peut choisir de proposer de nombreux produits/services qui ont des noms et des positionnements différents. Pour illustrer ce cas, prenons l'exemple, en France, du groupe Accor qui propose différentes marques d'hôtellerie sous l'ombrelle de la marque Accor. Parmi ces marques on trouvera :

- *Sofitel*. Très grands hôtels dans lesquels le service est le plus complet possible dans les centres-villes, offrant des zones accessibles à des groupes nombreux, ainsi que des installations pour organiser des réunions.

- *Mercure* et *Novotel*. Grands hôtels dans lesquels le service est le plus complet possible dans des zones résidentielles et/ou d'affaires, offrant des installations pour faire des réunions, ainsi que des accès à des installations de sport et de loisirs.

- *Ibis*. Hôtels de taille moyenne sans installations prévues pour faire des conférences, destinés aux voyageurs d'affaires qui ont besoin de chambres confortables, ainsi que de quelques services axés sur les affaires. Récemment, le groupe Accor a créé deux types d'Ibis : l'Ibis Budget et l'Ibis Styles.

- *Ibis Budget* : chambre au prix abordable conçue pour 2, 3 voire 4 personnes avec des services limités mais attractifs. C'est en quelque sorte le Formule 1 revisité, modernisé et repositionné

- *Ibis Style* : chambre à prix attractif avec des services adaptés à une clientèle de passage au budget compté. Ce sont les anciens Etape Hotel.

- *Formule* 1. Chambres peu chères avec des services limités

Chaque marque promet un ensemble distinct de bénéfices destiné à des segments de clientèle différents. Les niveaux de services (et donc de prix) varient d'une enseigne à l'autre. Les chambres sont bien évidemment différentes, à la fois dans le style et la superficie, mais la ligne directrice du design est la modernité. La stratégie d'extension de marque est suggérée lorsque les clients sont enclins à utiliser les différents « produits » d'une même enseigne ombrelle en fonction de leurs situations d'achat. En effet, une étude des comportements de passage d'une marque à une autre de 5 400 clients d'hôtels a montré que les extensions de marques favorisent la captation des clients, mais que cette stratégie a ses limites notamment lorsque le nombre de marques dérivées est de quatre ou plus[3].

3.1.4. La marque générique

Cette stratégie de marque est assimilée à Procter & Gamble, entreprise connue pour détenir un très grand nombre de marques génériques. Prenons l'exemple de la marque Yum! Brands Inc. Si vous ne la connaissez pas, vous connaissez certainement les enseignes suivantes : Kentucky Fried Chicken, Pizza Hut, Taco Bell ou Long John's Silver, qui toutes appartiennent à Yum! Brands.

Étudions à présent comment les entreprises peuvent valoriser leur marque.

3.2. Valoriser le sens de la marque de service

La marque peut être employée tant au niveau de l'entreprise (corporate) que du « produit » (enseigne). La marque d'une entreprise bien dirigée n'est pas seulement facilement reconnaissable, elle est aussi porteuse de sens pour les clients : elle représente une relation commerciale spécifique. Certaines entreprises choisissent d'associer leur marque d'entreprise avec des marques de « produits » (souvent décrites comme étant des marques dérivées). Elles véhiculent les valeurs de l'entreprise mais aussi tout ou partie de la promesse client. Elles doivent proposer des expériences spécifiques, ainsi que des bénéfices associés à un processus de service donné.

Forum Corporation, un cabinet de conseil, fait la différence entre (1) l'expérience aléatoire d'un client avec une forte variabilité, (2) une expérience de marque générale dans laquelle la majorité des prestataires offrent des expériences plus ou moins similaires qui se différencient uniquement par la marque (celles des distributeurs de banque sont de bons exemples), et (3) une « expérience de marque de la part du client » qui est modelée de façon spécifique et sensée[4] (voir mémo 3.1).

Se rapprocher de l'expérience de marque du client

Forum Corporation identifie huit étapes de base pour développer et valoriser l'expérience de marque du client :

1. Cibler des clients rentables, employer une segmentation liée au comportement plutôt que des considérations démographiques.

2. Avoir une connaissance approfondie de ce que les clients ciblés valorisent.

3. Créer une promesse de marque – une évocation de ce que les clients cibles peuvent espérer retirer de leur expérience avec votre entreprise – qui réponde à un besoin, sur laquelle on puisse jouer, qui puisse être intégrée aux standards de l'entreprise et qui attire l'attention des clients sur l'entreprise et ses employés.

4. Utiliser cette connaissance pour construire une expérience réellement différente pour le client.

5. Donner aux employés les connaissances, les outils, ainsi que les supports nécessaires pour délivrer l'expérience définie au client.

6. Faire de chacun un gestionnaire de marque.

7. Faire des promesses que vos processus peuvent tenir et dépasser.

8. Mesurer et contrôler. Le respect des délais de livraison est très important.

Mémo 3.1

Partout dans le monde, de nombreuses entreprises de services financiers continuent de créer des noms de marques pour distinguer les différents services qu'elles offrent. Leur objectif est de transformer une série d'éléments de services et de processus en une expérience de service cohérente et reconnaissable, offrant un rendement défini et annoncée à un prix spécifique. Malheureusement, indépendamment du nom, il y a souvent une différence à peine perceptible entre les offres de marque, car la valeur de la proposition n'apparaît pas clairement. Don Shultz, professeur émérite de communication et marketing à la Medill School of Journalism (Northwestern University), met l'accent sur le fait que « La promesse de la marque ou la valeur de la proposition n'est pas un slogan, une icône, une couleur ou un élément graphique, bien que tout cela y contribue. C'est, en fait, le cœur et l'âme de la marque[5]… »

Un challenge important pour les responsables marketing des entreprises de services est de maîtriser parfaitement tous les aspects de la marque dont ils ont la responsabilité, d'en être familier et de la construire en cohérence avec chacun des aspects de l'expérience de service du client. Nous pouvons établir un lien entre la notion d'expérience de marque et la métaphore de la *fleur des services* en mettant l'accent sur le besoin de cohérence dans la couleur et la texture de chaque pétale. Malheureusement, de nombreuses expériences de services demeurent très hasardeuses et donnent le sentiment d'être face à une fleur composée de pétales d'autres fleurs !

Nous reviendrons sur la marque dans le contexte des stratégies de communications marketing[6] au chapitre 6.

Étudions à présent comment une entreprise développe des nouveaux services.

4. Le développement de nouveaux services

Au fil du temps, la concurrence s'intensifie dans tous les secteurs d'activité de services et les attentes des clients évoluent dans le temps et l'espace. Afin d'être toujours en accord avec leur environnement et leur(s) marché(s), toutes les entreprises, même les plus fameuses, doivent réajuster leurs offres, proposer de nouveaux services et/ou revoir les processus de mise à disposition de leurs offres globales de services existantes.

Ces deux points sont analysés ci-après.

4.1. Les catégories de nouveaux services

Nous avons identifié sept catégories de nouveaux services, allant des innovations majeures aux simples changements de style.

1. *Les innovations majeures.* Il s'agit de nouveaux services de base encore jamais définis et qui n'existent pas. Ils incluent généralement des caractéristiques et des processus radicalement nouveaux. Citons à titre d'exemple, l'introduction par FedEx de la livraison express de colis de nuit dans l'ensemble des États-Unis en 1971, ou la naissance du service global d'informations de CNN, ou encore le lancement des services en ligne d'eBay en sont quelques exemples[7].

2. *Les innovations de processus.* Elles consistent à utiliser de nouveaux processus pour fournir des services de base (ou périphériques) qui existent déjà. Citons à titre d'exemple l'Open University en Grande-Bretagne, qui concurrence d'autres universités en proposant des programmes d'études supérieures ou non de manière non traditionnelle. Elle n'a pas de campus permanent, mais dispense ses cours en ligne ou le soir dans des locaux en location. Ses étudiants ont presque tous les avantages d'un diplôme en deux fois moins de temps et pour un prix bien inférieur aux autres universités[8]. Beaucoup d'écoles de commerce, mais aussi d'universités proposent maintenant des cours à distance (*distance learning*) voire des MOOC. Ces pratiques ont de nombreux avantages : économie de déplacement pour les étudiants, meilleure utilisation des locaux, augmentation du nombre d'étudiants par promotion, meilleure utilisation du corps enseignant, internationalisation des enseignements et augmentation du nombre d'étudiants sans augmenter la ressource du corps enseignant. Ces dernières années, l'expansion d'Internet a entraîné la création de nombreuses entreprises qui proposent des nouveaux modèles de vente qui excluent l'utilisation de magasins traditionnels et font gagner du temps aux clients en leur évitant de se déplacer. Souvent, ces modèles ajoutent de nouveaux avantages, principalement la fourniture d'informations périphériques, la possibilité de dialoguer avec d'autres clients (*chat*) et d'émettre des avis et suggestions sur les « produits » et les services de l'entreprise. Citons par exemple Yoox.com, Netaporter.com, Sarenza et bien d'autres encore. Ici, les innovations sont de nature processorale, supportées par des technologies de l'information avant-gardistes aussi bien en *front office* qu'en *back office*.

3. *Les extensions de gammes de services.* Comme son nom l'indique, il s'agit de nouveaux services qui s'ajoutent à l'offre globale de services existante. Ces nouveaux services peuvent être destinés à répondre à un plus grand nombre de clients existants ou à en attirer de nouveaux ayant différents besoins (ou les deux). Delta Airlines est l'un des principaux transporteurs à tenter le lancement séparé d'un modèle de transport à bas prix pour concurrencer d'autres compagnies, telles que Jet Blue et Southwest

Airlines. Les entreprises de téléphonie ont introduit de nombreux services à valeur ajoutée, tels que l'attente en ligne, ainsi que le transfert d'appel. Dans le milieu bancaire, de nombreuses banques proposent à présent des services d'assurance dans l'espoir d'augmenter le nombre de relations rentables avec les clients déjà existants. La première entreprise sur un marché précis à offrir un service peut être perçue comme innovatrice ; les autres seront vues davantage comme suiveuses, agissant souvent de manière défensive.

4. *Les extensions de processus d'accès.* Ces innovations sont moins novatrices que les innovations sur les processus eux-mêmes, mais elles proposent réellement de nouvelles façons de délivrer des services existants. Plus communément, elles entraînent l'ajout d'une chaîne de distribution réduisant les contacts à une chaîne de distribution à contacts plus fréquents, comme la création des services bancaires par téléphone ou par Internet. La Fnac, la plus importante enseigne de vente de livres en France, a ajouté à son activité un site Internet, Fnac.com, pour faire concurrence à Amazon.fr. Créer des options en libre-service pour compléter la livraison du service par les employés est une forme d'extension de lignes de processus. Citons également l'enseigne Auchan, avec la création de Auchan Drive (d'autres enseignes concurrentes ont suivi, tant la formule a eu du succès), ou Carrefour, avec ses boutiques virtuelles dans les métros et les gares qui proposent aux clients de scanner des articles qu'ils pourront retirer dans un des Carrefour de proximité déjà présélectionnés ou dans un point relais. McDonald's s'est aussi distingué en proposant la prise de commande sur une borne interactive.

5. *Les innovations des services périphériques.* C'est le cas lorsqu'une entreprise décide d'ajouter de nouveaux services périphériques ou d'en améliorer la qualité ou la pertinence. Par exemple, Wanadoo offre aux clients plusieurs possibilités d'accès à haute vitesse à Internet en moins d'une heure, sept jours par semaine dans la plupart de ses lieux d'implantation. Des innovations sur un service déjà existant et nécessitant peu de technologie peuvent être aussi simples que l'installation d'un parking sur un lieu de vente, ou le fait d'accepter les cartes de crédit comme moyen de paiement. Des améliorations multiples peuvent transformer ce que les clients perçoivent comme une nouvelle expérience, même si elle est construite sur la même base. Les restaurants à thème tels que les Blue Elephants améliorent le service de base de nourriture à l'aide de nouvelles expériences. Les cafés sont conçus pour distraire les clients avec des aquariums, des perroquets, des chutes d'eau, des singes en fibre de verre, des arbres parlant qui donnent des informations sur la sauvegarde de l'environnement.

6. *Les améliorations de services.* Comme son nom l'indique, la nouveauté consiste à améliorer le service existant (qu'il soit de base ou périphérique). Ces améliorations entrainent des changements mineurs dans la performance des services déjà existants.

7. *Les changements de style.* Ils représentent le plus simple des types d'améliorations : ils n'entraînent aucun changement tant sur le processus que sur la performance. Cependant, ils sont souvent très visibles, suscitent l'intérêt et peuvent servir à motiver les employés. Citons par exemple : repeindre les lieux de vente ou les véhicules, changer les uniformes des employés, introduire un nouveau type de mobilier ou effectuer des changements mineurs dans les procédures utilisées par les employés.

Comme le montre cette typologie, une innovation de service peut apparaître à différents niveaux ; tous les types d'innovations n'ont pas un impact sur les caractéristiques du service ou ne sont pas expérimentés par les clients. Une entreprise de services peut choisir d'innover sur les sept catégories. Toute décision doit se faire en fonction : des pratiques du ou des marchés sur lesquels l'entreprise officie, d'une réelle compréhension des nouvelles attentes des consommateurs et de leur capacité à coproduire la nouveauté, des capacités de l'entreprise et de ses savoir-faire distinctifs, et enfin du nombre de marques et de sous-marques que l'entreprise a en portefeuille pour éviter tout risque de cannibalisation (par exemple, que le site Fnac.com diminue la fréquentation des Fnac installées en centre-ville ou en centres commerciaux).

4.2. Les produits comme source de nouveaux services

Les produits et les services peuvent être des substituts concurrents quand ils offrent les mêmes bénéfices. Par exemple, si votre pelouse a besoin d'être tondue, vous pouvez acheter une tondeuse à gazon et le faire vous-même, ou engager un jardinier pour s'en occuper. Le choix des clients peut être fondé sur leurs connaissances, leurs capacités physiques et leur temps disponible, en comparant le coût de l'achat du matériel et celui de l'utilisation, la place requise pour le stockage des objets achetés ou l'estimation de la fréquence d'utilisation. Le tableau 3.8 montre les quatre possibilités qui s'offrent au client dans le cas d'un trajet en voiture et dans le cas de la dactylographie d'un texte. Trois d'entre elles présentent des opportunités de services.

Tableau 3.8	Les services en tant que substitut à la possession et/ou à l'utilisation de biens	
	Posséder un bien matériel	**Louer un bien matériel**
Faire le travail soi-même	Conduire sa voiture Utiliser son traitement de texte	Louer une voiture et la conduire
Embaucher quelqu'un pour faire le travail	Se faire conduire par un chauffeur Embaucher une secrétaire pour saisir et mettre en forme un texte	Prendre un taxi ou louer une limousine Faire faire le travail par une entreprise spécialisée

Chaque produit physique détient l'opportunité de créer un service et plus particulièrement, si le service est à forte valeur ajoutée et durable dans le temps. Un équipement industriel peut nécessiter des services au cours de son cycle de vie, commençant par le transport et l'installation et continuant avec la maintenance, le nettoyage, les conseils d'utilisation, la résolution des problèmes, l'amélioration, la réparation et la destination finale. Historiquement, de tels services après-vente génèrent d'importants revenus au cours des années qui suivent la vente pour des produits comme les camions, le matériel de production industriel, les locomotives, les ordinateurs, voire les voitures.

Aujourd'hui, nous remarquons une tendance lourde : les clients préfèrent la location ou le recours aux services à l'achat d'un produit. De nombreuses entreprises sont nées suite à l'émergence et au développement de cette nouvelle façon de consommer. On loue des robes de mariée, des vêtements de luxe, du matériel, des résidences secondaires, etc. Des entreprises comme Airbnb ont bien compris ces nouveaux comportements : au lieu d'acheter une résidence secondaire, des clients choisissent d'échanger leur maison ou appartement. Les bénéfices sont les suivants : plus de diversité de destinations, des maisons entièrement équipées et prêtes à vivre, ce qui n'est pas toujours le cas des appartements mis en location estivale, souvent sommairement équipés.

Une autre façon de développer de nouveaux services consiste à revoir les processus de livraison du service.

4.3. Réorganiser les processus de service

La conception et la mise en place des processus de livraison du service ont des conséquences non seulement sur les clients (la contribution attendue), mais aussi sur les coûts, la vitesse de mise à disposition du service et la productivité de l'entreprise, ainsi que celle du client. Améliorer la productivité dans les services (objectif de toutes les entreprises de services) nécessite souvent d'accélérer l'ensemble des processus conçus pour délivrer le service (ou le cycle du temps). Leur réorganisation nécessite d'analyser et de repenser les processus pour accomplir plus rapidement une meilleure performance[9]. Pour réduire la durée du processus de mise à disposition du service, il faut identifier chaque étape, mesurer sa durée, regarder quelles sont les possibilités de réduire le temps nécessaire à son achèvement (ou même l'éliminer) et supprimer les temps morts. Pour accélérer ces processus, des tâches peuvent être effectuées en parallèle plutôt qu'en séquence. Les entreprises de services peuvent utiliser la technique du *blueprint* pour représenter sur des logigrammes les opérations de services d'une manière systématique.

C'est le cas, par exemple, de Domino's Pizza qui a fait de son processus de fabrication de pizza l'un de ses facteurs clés de succès. En effet, la prise de commande du client et la fabrication de la pizza sont faites en simultané. Il ne faut pas plus de 2 minutes pour prendre la commande et enfourner la pizza. Il en reste donc 28 pour la livrer. Le défi de la livraison en 30 minutes est donc réalisable.

L'examen des processus peut aussi entraîner la création de méthodes alternatives et différentes de livraison, d'où peuvent naître des concepts de services entièrement nouveaux. Ces nouvelles options peuvent éliminer certains services périphériques, en rajouter de nouveaux, promouvoir des formules en libre-service, mais aussi repenser la façon et le moment de livraison du service.

Nous pouvons citer, à titre d'exemple, le cas des machines de caisses de sortie en libre-service dans les hypermarchés et supermarchés, ou l'utilisation du scan (les clients scannent eux-mêmes leurs articles lorsqu'ils les mettent dans leur caddy).

Le secteur de la santé a lui aussi fortement contribué à créer de nouveaux services en modifiant les processus d'accès. Il existe des centres de dialyse en libre-service, des suivis de malades à distance avec le recours du wifi et la télésurveillance. Nous pouvons aussi citer l'exemple de la télémédecine ou du diagnostic médical en ligne.

Les centres sportifs ont aussi innové en organisant des cours individualisés programmables sur chaque machine.

Les technologies de l'information ont fortement contribué à innover dans les processus de livraison du service. La figure 3.6 illustre ce principe à l'aide de simples logigrammes présentant quatre modèles de fourniture de repas (type restauration rapide, vente à emporter, livraison à domicile, traiteur). Du point de vue client, qu'a-t-il été ajouté ou supprimé à ce qui était proposé par un restaurant proposant un service complet ? Et dans chaque situation, comment ces changements affectent-ils les activités de *back office* ?

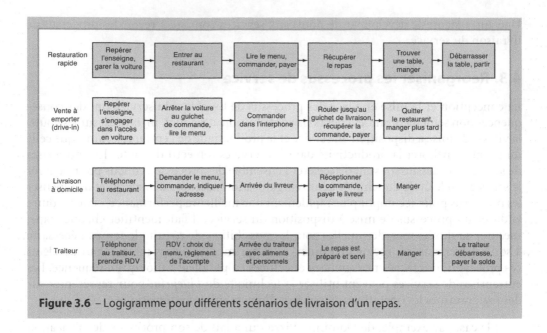

Figure 3.6 – Logigramme pour différents scénarios de livraison d'un repas.

Voyons à présent comment la recherche peut contribuer à créer de nouveaux services.

4.4. Recourir à la recherche et aux experts pour créer de nouveaux services

Si une entreprise crée un nouveau service à partir de rien (aucun antécédent, aucun service concurrent), comment peut-elle savoir quelles caractéristiques et quel prix crée-ront la meilleure valeur pour le consommateur ciblé ? Pour apporter des réponses à ces questions, elle doit s'adresser aux clients potentiels, d'où la nécessité de recourir à des recherches particulières qui requièrent des techniques particulières. Examinons comment Marriott Corporation a eu recours à des experts en recherches marketing pour l'aider dans le développement de nouveaux services : une nouvelle chaîne d'hôtels baptisée Courtyard by Marriott[10] pour les hommes d'affaires en déplacement. Le but de la recherche était d'obtenir, de la part des personnes interrogées, des réponses et des impressions sur les différents services hôteliers afin de savoir lequel avait à leurs yeux le plus de valeur, et déterminer ainsi ce qui pouvait leur être offert, en fonction du prix, pour arriver au meilleur compromis possible, en termes de rentabilité et de satisfaction client. L'entreprise voulait savoir s'il existait une niche entre les hôtels luxueux et ceux bon marché, particulièrement là où la demande était insuffisante pour justifier l'implantation d'hôtels du même type que les siens.

Un échantillon de 601 clients venant de quatre zones urbaines a participé à cette étude. Les chercheurs ont utilisé une technique sophistiquée connue sous le nom d'analyse conjointe, qui demande aux enquêteurs de faire des comparaisons entre différents groupes d'attributs[11]. L'objectif est de déterminer quel ensemble d'attributs, à des prix donnés, offre un plus grand intérêt. Les 50 attributs de l'étude de Marriott furent divisés en sept catégories (ou ensembles d'attributs) composés chacune d'une variété d'élé-ments différents, eux-mêmes fondés sur l'étude détaillée des offres de la concurrence :

1. *Facteurs extérieurs.* Forme du bâtiment, paysage, taille et emplacement de la piscine, taille de l'hôtel.

2. *Caractéristiques des chambres.* Taille et décor des chambres, air conditionné, emplacement et type de la salle de bains, choix des divertissements et autres agréments.

3. *Services liés à la nourriture.* Type et emplacement des restaurants, menus, repas servis dans les chambres, distributeurs automatiques, magasins, cuisines dans les chambres.

4. *Caractéristiques du salon.* Emplacement, atmosphère, type de clientèle.

5. *Services.* Réservations, enregistrement, règlement de la note, navette vers l'aéroport, réception (service de bagagistes), service de messagerie, secrétariat, location et maintenance de voitures, blanchisserie, valets de chambre.

6. *Équipements de loisirs et détente.* Sauna, bain bouillonnant, salle de sport, courts de tennis et de squash, salle de jeux, espace récréatif pour les enfants.

7. *Sécurité.* Vigiles, détecteurs de fumées, surveillance vidéo 24 h/24.

Pour chacune de ces sept catégories, une série de *stimuli* proposant différents niveaux de performance pour toutes les composantes de l'offre était présentée aux répondants. Par exemple, pour la chambre les propositions suggéraient neuf attributs. Durant la seconde phase de l'analyse, on montrait différents profils d'hôtels aux répondants. Chaque profil se caractérisait par des niveaux de performance variés selon les différentes caractéristiques contenues dans les sept facteurs ; dans certains cas, des services de premier ordre furent volontairement omis.

Les enquêtés devaient indiquer, sur une échelle de 1 à 5, leur probabilité de rester dans un hôtel présentant ces caractéristiques, pour un prix donné par nuit. La figure 3.7 montre l'une des cinquante cartes développées pour cette recherche. Chaque répondant recevait cinq de ces cartes.

La recherche effectuée a fourni des indications détaillées pour la sélection d'environ 200 éléments de services, représentant les attributs les plus appréciés par les segments ciblés et les prix qu'ils étaient prêts à payer compte tenu de la concurrence. Un aspect important de l'étude fut qu'elle ne se concentrait pas seulement sur ce que les voyageurs désiraient, mais également sur ce qu'ils n'apprécieraient pas ou n'étaient pas prêts à payer (il y a une différence entre vouloir quelque chose et accepter de payer pour l'obtenir). L'utilisation de ces données a permis de définir des prix spécifiques en retenant les éléments les plus appréciés par le marché cible.

L'entreprise Marriott fut suffisamment encouragée par ces résultats pour construire trois prototypes d'hôtels Courtyard by Marriott. Après avoir testé le concept dans des conditions réelles et y avoir apporté quelques améliorations, elle a développé une grande chaîne hôtelière dont le slogan publicitaire devint « Courtyard by Marriott – l'hôtel conçu pour les hommes d'affaires par les hommes en voyage d'affaires ». Ce nouveau style d'hôtels combla un vide avec un service correspondant aux désirs des clients et présentant un équilibre entre le prix qu'ils étaient prêts à payer et les caractéristiques physiques et de services qu'ils recherchaient. Le succès de ce projet a incité l'entreprise Marriott à développer de nouveaux services destinés à des segments de clients particuliers, tels que Fairfield Inn et SpringHill Suites, en utilisant les mêmes méthodes de recherche.

PRIX DE LA NUIT : 55 euros

TAILLE DE L'HÔTEL, BAR, SALON
Vaste (600 chambres, 12 étages)
- Bar-salon paisible
- Couloirs centraux et ascenseurs
- Chambres avec grandes fenêtres

ASPECT AMÉNAGEMENT
- Forme de l'immeuble, larges ouvertures
- Paysage vu des chambres
  - Arbres et plantations
  - Piscine, fontaine
  - Terrasses ensoleillées pour manger, bronzer

ALIMENTATION
- Brasserie aux prix modérés et restaurant gastronomique
- Petit-déjeuner continental ou buffet
- Déjeuner, soupes, sandwiches
- Dîner comprenant soupes, salades, 6 plats chauds

QUALITÉ DES CHAMBRES DE L'HÔTEL
Qualité des meubles, tapis, confort du lit comparable à :
- Hyatt Regencies
- Westin Plaza Hôtels

TAILLE DES CHAMBRES ET FONCTIONNALITÉS
Chambre plus grande que dans la majorité des chambres de même catégorie
- Espace permettant la mise en place d'un lit, un canapé et 2 chaises
- Grand bureau
- Table de salon
- Nécessaire à café et réfrigérateur

SERVICES STANDARDS
- Enregistrement rapide
- Service de messages fiable
- Blanchisserie
- Portier
- Quelqu'un qui fournit gratuitement les réservations extérieures, tickets, etc.
- Propreté, tenue comparable à :
  - Hyatts
  - Marriotts

LOISIRS
- Piscines intérieure et extérieure
- Jacuzzi, sauna
- Salle de sport
- Salle de jeu pour enfant

SÉCURITÉ
- Gardien de nuit
- Extincteurs en nombre et bien disposés dans l'hôtel

Mettre une croix dans la case ci-dessous décrivant le mieux votre envie de rester à l'hôtel pour ce prix.

Souhaitez-vous séjourner presque tout le temps	Souhaitez-vous séjourner régulièrement	Souhaitez-vous séjourner de temps en temps	Souhaitez-vous rarement séjourner	Vous ne souhaitez pas séjourner
☐	☐	☐	☐	☐

Figure 3.7 – Offre simple de services hôteliers.

Examinons enfin comment assurer le succès dans le développement de nouveaux services.

4.5. Assurer le succès dans le développement de nouveaux services

Les produits de consommation sont connus pour détenir le plus haut niveau d'échec : sur 30 000 produits mis sur le marché, plus de 90 % ne passent pas l'année de leur mise en circulation. Les services n'échappent pas à l'échec de la formule. Rappelons ici le nombre d'entreprises de services qui ont tenté une percée dans la livraison de services sur Internet et qui n'ont jamais abouti ou qui ont fermé dans l'année de leur création. Hormis les raisons inhérentes à l'incompatibilité entre les services proposés et les attentes des clients, les raisons de l'échec sont majoritairement dues à la charge des coûts comparée au volume des revenus et aux difficultés de faire ce qu'elles avaient promis aux clients.

Storey et Easingwood affirment que dans le développement de nouveaux services, le service de base n'a qu'une importance secondaire. C'est la qualité de l'offre globale de services, ainsi que le support marketing qui va avec qui ont une importance capitale. Le succès viendrait donc prioritairement de la connaissance du marché :

> *Sans compréhension du marché, sans connaissance des clients et sans connaissance des concurrents, il est très improbable qu'un nouveau service puisse être un succès*[12].

Tax et Stuart, tous deux professeurs associés à l'université de Victoria, affirment que les nouveaux services devraient être définis en fonction des possibilités d'extension du système de services existant, ou repensés autour des interactions entre le personnel en contact et les clients, ou dans la mise en place de nouveaux processus de mise à disposition du service ou la refonte des éléments physiques[13] du ou des services.

Jusqu'à quel point les processus de développement de nouveaux services peuvent-ils être conduits et contrôlés pour assurer leur réussite ? Une étude d'Edgett et de Parkinson, respectivement professeur à l'université Hamilton à Ontario et professeur au centre de gestion de l'université de Bradford, s'est concentrée sur les facteurs discriminants entre les nouveaux services financiers qui ont eu du succès et ceux qui n'en ont pas eu[14]. Nous trouvons ainsi par ordre d'importance :

1. *La synergie avec le marché.* Le nouveau service est cohérent avec l'image existante de l'entreprise, lui procure un avantage sur les concurrents en termes de rencontre des besoins connus des clients, et reçoit un support efficace de l'entreprise et de ses filiales pendant et après le lancement ; de plus, l'entreprise a une bonne connaissance des comportements d'achat de ses clients.

2. *Les facteurs organisationnels.* Coopération et coordination doivent exister entre les différents secteurs de l'entreprise ; le personnel chargé du développement est totalement impliqué et convaincu de l'importance du nouveau service.

3. *Les facteurs de recherche marketing.* Des études de marché détaillées et menées scientifiquement sont réalisées tôt dans le processus de développement avec une idée claire du type d'informations qu'il faut obtenir ; une bonne définition du concept du service doit être développée avant de lancer l'étude.

Une autre étude sur les services financiers a apporté des résultats plus ou moins similaires[15]. Pour ces entreprises, les facteurs clés – dont dépendait le succès – étaient identifiés comme la *synergie* (en termes d'expérience, d'existence d'un lien entre le service, l'entreprise et les ressources proposées) et le *marketing interne* (le support apporté au personnel avant le lancement des nouveaux « produits »).

Dans un secteur tout autre que la finance, le succès de Courtyard by Marriott (un service à processus de traitement des personnes avec de nombreux éléments tangibles) renforce l'idée selon laquelle un processus de développement hautement structuré augmentera les chances de succès d'une innovation. Cependant, il peut y avoir des limites inhérentes à la rigidité et à la structuration des méthodes employées. À ce sujet, Edwardson, Haglund et Mattson ont passé en revue les processus de développements de nouveaux services dans les télécommunications, les transports et les services financiers. Ils en ont conclu que :

> Les processus complexes tels que le développement de nouveaux services ne peuvent pas être formellement planifiés. La créativité et l'innovation ne peuvent pas seulement s'appuyer sur la planification et le contrôle. Il doit y avoir certains éléments d'improvisation, d'anarchie et de compétition interne dans le développement de nouveaux services... Nous croyons qu'une approche contingentée est nécessaire et que la créativité, d'un côté, la planification formelle ainsi que le contrôle, de l'autre, peuvent être combinés et avoir pour résultats de nouveaux services qui seront des succès[16].

Conclusion

Créer un service est une tâche complexe qui nécessite de comprendre comment les services de base et périphériques doivent être combinés, ordonnés et programmés pour créer une offre qui rencontre les besoins des segments cibles du marché. De nombreuses entreprises créent un éventail d'offres avec des attributs ayant des performances différentes, et donnent à chaque ensemble une marque ou un nom différent. Cependant, si aucune de ces marques dérivées n'apporte une valeur chargée de sens, cette stratégie sera inefficace d'un point de vue concurrentiel. En particulier, la création de marques de services distinctes nécessite une certaine cohérence de tous les éléments à tous les niveaux du processus de livraison du service.

Les innovations majeures de services sont relativement rares, alors qu'elles sont l'élément central d'une action marketing efficace. Le recours aux nouvelles technologies pour délivrer différemment un service existant est beaucoup plus courant. La recherche d'avantages concurrentiels se concentre souvent sur des améliorations portant sur la création de valeur grâce aux services périphériques qui entourent le service de base. Dans ce chapitre, nous avons regroupé les services périphériques en huit catégories. Gravitant autour du service de base comme les pétales autour d'une fleur, l'ensemble se nomme la *fleur des services*. Un des éléments clés de la *fleur des services* réside dans le fait que plusieurs services de base dans un système d'offre peuvent se partager des services périphériques similaires.

La pertinence de certains services périphériques proposés dans une entité de services et pas dans une autre suggère au client de procéder à des différences de services rendus.

À titre d'exemple, « Si mon gestionnaire de portefeuille peut me donner une information claire sur l'activité de mon compte, pourquoi le magasin dans lequel je fais mes courses ne le pourrait-il pas ? », ou « Si ma compagnie aérienne préférée peut prendre des réservations efficacement, pourquoi mon restaurant chinois favori ne le pourrait-il pas ? » Les questions de ce type devraient inciter les responsables à étudier le monde des affaires, au-delà de leur type d'activité, en recherchant le meilleur prestataire pour un service supplémentaire donné.

Activités

Questions de révision

1. Expliquez ce qu'est un service de base et un service périphérique.

2. Expliquez la différence entre services périphériques de soutien et services périphériques facilitants. Donnez plusieurs exemples tirés de services que vous avez récemment utilisés.

3. Comment la stratégie de marque est-elle utilisée dans les services ? Quelle est la différence entre une marque d'entreprise comme Accor et les noms de ses différentes chaînes hôtelières ?

4. Quel est l'objectif de techniques telles que l'analyse conjointe dans la création de nouveaux services ?

5. Pour quelles raisons de nouveaux services mis sur le marché échouent-ils ?

6. Quelles techniques une entreprise de services peut-elle utiliser pour créer de nouveaux services ?

Exercices d'application

1. Quels échecs de services avez-vous rencontrés au cours des deux dernières semaines ? Mettent-ils en cause le service de base ou des éléments de services périphériques ? Identifiez les causes possibles de tels échecs, et comment ils pourraient être évités à l'avenir.

2. Identifier quelques exemples réels de marques de « produits » financiers pris dans la banque ou les assurances. Définissez leurs caractéristiques. Quelles significations et quelles valeurs ces marques aimeraient-elles transmettre aux clients ?

Notes

1. Pierre Eiglier et Éric Langeard, « Services as Systems : Marketing Implications », in *Marketing Consumer Services : New Insights*, P. Eiglier, É. Langeard, C. H. Lovelock, J. E. G. Bateson et R. F. Young (dir.), Cambridge, Institut des sciences du marketing, 1977, p. 83-103. Note : une version antérieure de cet article a été publiée en français dans la *Revue française de gestion*, mars-avril 1977, p. 72-84.

2. Christian Grönroos, *Service Management and Marketing*, Lexington, Lexington Books, 1990, p. 74.

3. Weizhong Jiang, Chekitan S. Dev et Vithala R. Rao, « Brand Extension and Customer Loyalty : Evidence from the Lodging Industry », *Cornell Hotel and Restaurant Administration Quarterly*, août 2002, p. 5-16.

4. Joe Wheeler et Shaun Smith, *Managing the Experience*, Upper Saddle River, Prentice Hall, 2003.

5. Don E. Shultz, « Getting to the Heart of the Brand », *Marketing Management*, septembre-octobre 2001, p. 8-9.

6. Des informations périphériques concernant la marque pourront être consultées dans les textes suivants : Annabel Salerno, « Le rôle de la congruence des valeurs marque-consommateur et des identifications sociales de clientèle dans l'identification de la marque », *Actes du congrès de l'Association française de marketing de Lille*, 2002 ; Jean-Marc Ferrandi et Pierre Valette-Florence, « Premiers test et validation de la transposition d'une échelle de personnalité humaine aux marques », *Recherche et applications en marketing*, vol. 17, n° 3, 2002.

7. Frédéric Jallat, « Innovation dans les services : les facteurs de succès », *Décisions marketing*, n° 2, 1994, p. 23-30.

8. Voir James Traub, « Drive-Thru U. », *The New Yorker*, 20 et 27 octobre 1997 ; Joshua Macht, « Virtual You », *Inc. Magazine*, janvier 1998, p. 84-87.

9. Voir, par exemple, Michael Hammer et James Champy, *Reengineering the Corporation*, New York, HarperBusiness, 1993.

10. Jerry Wind, Paul E. Green, Douglas Shifflet et Marsha Scarbrough, « Courtyard by Marriott : Designing a Hotel Facility with Consumer-Based Marketing Models », in *Interfaces*, janvier-février 1989, p. 25-47.

11. Paul E. Green, Abba M. Krieger et Yoram (Jerry) Wind, « Thirty Years of Conjoint Analysis : Reflections and Prospects », *Interfaces*, 31, mai-juin 2001, S56-S73.

12. Chris D. Storey et Christopher J. Easingwood, « The Augmented Service Offering : A Conceptualization and Study of Its Impact on New Service Success », *Journal of Product Innovation Management*, vol. 15, 1998, p. 335-351.

13. Stephen S. Tax et Ian Stuart, « Designing and Implementing New Services : The Challenges of Integrating Service Systems », *Journal of Retailing*, vol. 73, n° 1, 1997, p. 105-134.

14. Scott Edgett et Steven Parkinson, « The Development of New Financial Services : Identifying Determinants of Success and Failure », *International Journal of Service Industry Management*, vol. 5, n° 4, 1994, p. 24-38.

15. Christopher Storey et Christopher Easingwood, « The Impact of the New Product Development Project on the Success of Financial Services », *Service Industries Journal*, vol. 13, n° 3, juillet 1993, p. 40-54.

16. Bo Edvardsson, Lars Haglund et Jan Mattsson, « Analysis, Planning, Improvisation and Control in the Development of New Services », *International Journal of Service Industry Management*, vol. 6, n° 2, 1995, p. 24-35 (34) ; voir également Bo Edvardsson et Jan Olsson, « Key Concepts for New Service Development », *The Service Industries Journal*, vol. 16, avril 1996, p. 14-164.

Chapitre 4
La distribution des services et le multicanal

« Les entreprises les mieux équipées pour le 21ᵉ siècle sont celles
qui considéreront l'investissement dans des systèmes temps réel comme essentiel
pour maintenir leur compétitivité et conserver leurs clients. »
– Regis Mc Kenna

Objectifs de ce chapitre

- Comment peut-on délivrer les services et quels sont les principaux modes de mise à disposition ?

- Quels sont les principaux défis que pose la distribution des services orientés vers les personnes, les biens ou l'information ?

- Connaître les trois principaux modes de distribution des services et comment ils fonctionnent.

- Connaître les déterminants du choix des canaux de distribution des clients.

- Quelles sont les implications pour une entreprise délivrant des services à travers des canaux physiques et électroniques ?

- Quels rôles jouent les intermédiaires dans la livraison des services ?

- Quels sont les principaux « moteurs » de la globalisation des services et de leur distribution ?

Délivrer un service à des clients implique de savoir : quoi ? Comment ? Où ? Quand ? Répondre à ces quatre questions permet d'élaborer une stratégie de distribution dans les activités de services.

Lorsqu'on parle communément de distribution, beaucoup de gens pensent à du transport de marchandises : transporter un colis ou un objet d'un endroit à un autre, d'un fabricant chez un fournisseur, puis vers un distributeur, qui fournit un détaillant chez lequel vient le client. Or, dans les services, bien souvent, il n'y a rien à transporter puisqu'il y est exclusivement question de délivrer de l'expérience, de la performance ou des solutions qui ne se stockent pas. En ce qui concerne les services informationnels, les canaux à distance (électroniques et téléphoniques, notamment) sont largement mobilisés. Mais qu'en est-il pour les autres types de services ? Les solutions sont-elles toujours sous-jacentes à la nature du service ?

En tout état de cause, la croissance rapide d'Internet, ainsi que la mise sur le marché de téléphones portables aux fonctions de plus en plus variées et étendues nous montrent que les stratégies marketing doivent prendre en considération le *cyberespace* (comme support), le facteur temps (variable déterminante pour le client), et s'intéresser à la livraison *via* le canal électronique et les canaux traditionnels. À cela, il faut ajouter que la globalisation galopante qui touche tous les secteurs des services pose d'importantes questions sur les modes de livraison de services internationaux, auxquelles les choix des canaux de distribution devront apporter des réponses.

Dans ce chapitre, nous allons aborder le rôle que joue la livraison dans la définition d'une stratégie de services, globalement et localement, et l'impact du multicanal et du cross-canal dans la performance marketing de l'entreprise de services et la valeur apportée aux clients.

1. La distribution dans le contexte des services

Mettre le service à disposition du client signifie deux choses : la première est de savoir ce que recouvre le vocable « distribuer le service », et la deuxième, de faire une distinction entre le service de base et les services périphériques. En effet, la fleur des services nous informe que la nature de la majeure partie d'entre eux invite à l'utilisation des canaux à distance, ce qui n'est pas forcément le cas du service de base. Ces deux points sont étudiés ci-après.

1.1. Qu'est-ce que distribuer un service ?

Dans un cycle normal de vente, la distribution s'articule autour de trois éléments indissociables :

1. *La promotion et l'information.* Il s'agit ici des informations nécessaires à la réalisation du service de base, mais aussi des services périphériques. Il faut alors prendre en compte et décider des équipements et des moyens qui seront utilisés pour diffuser ces informations, ainsi que les matériels nécessaires à la promotion de ces informations, pour que le client s'intéresse à l'offre de services et déclenche l'acte d'achat.

2. *La négociation.* Elle recouvre ce que l'entreprise de services a conçu dans l'offre pour favoriser et optimiser un accord possible entre elle et ses clients sur la configuration du service (contenu et processus d'accès), mais aussi sur les conditions financières pour finaliser le contrat d'achat. L'enjeu est ici de vendre le droit d'utilisation du service (une réservation ou un billet).

3. *Le flux du « produit »/service.* De nombreux services, surtout ceux qui impliquent une intervention humaine ou qui nécessitent une implantation physique, demandent des installations pour leur mise en œuvre. Dans ce contexte, la stratégie de distribution nécessite le développement d'un réseau de sites locaux. En ce qui concerne un service de traitement de l'information, comme les prévisions météo, les opérations bancaires sur Internet, l'enseignement à distance, l'information ou les programmes de télévision, le flux du « produit » (contenant du service) peut être effectué par des canaux électroniques centralisés sur un ou plusieurs sites.

Mais comme nous l'avons vu au chapitre 3, une offre de services est constituée d'un service de base et de services périphériques. Voyons donc comment dans les services, la livraison de chacun d'eux s'opère.

1.2. Distinguer la distribution des services périphériques et du service de base

Les décisions relatives à la distribution du service concernent à la fois le service de base et les services périphériques. Le flux d'information concerne alors la connaissance de l'existence de ces périphériques. La question de la négociation devra se résoudre en recourant aux services périphériques, tels que la prise de commande, la facturation et le paiement. Et la mise à disposition concerne l'ensemble des pétales de la *fleur des services*, y compris le service de base.

Faire une distinction entre le service de base et les services périphériques est important, car beaucoup de services de base exigent un emplacement physique (ce qui représente une contrainte), ce qui n'est pas forcément le cas des services périphériques. Par exemple, les vacances au Club Méditerranée ne peuvent être prises qu'au Club Méditerranée, et les représentations d'un spectacle de Broadway doivent obligatoirement avoir lieu dans un théâtre à Manhattan (sauf s'il part en tournée). En effet, un grand nombre de services périphériques sont par nature informationnels et peuvent être distribués à moindre coût par d'autres moyens et canaux de distribution. Par exemple, les clients potentiels du Club Méditerranée ont accès à l'information (service périphérique) *via* leur agence de voyages, Internet, le téléphone ou par courrier, à la suite de quoi ils pourront réserver en utilisant le même canal. De la même manière, les places de théâtre peuvent être achetées à distance et ne demandant pas nécessairement de se rendre sur place.

En regardant les huit pétales de la *fleur des services*, on peut observer que pas moins de cinq pétales se rapportent à l'information (voir figure 4.1). Les services d'information, de conseil, de commande, de réservation, de paiement et de facturation (carte de crédit) peuvent tous s'effectuer par voie informatique et/ou électronique et/ou téléphonique. Même les entreprises de services pour lesquelles le service de base est essentiellement composé d'éléments tangibles, tels que la vente au détail et les réparations, déplacent vers Internet l'accès à de nombreux services périphériques, ferment des agences et s'appuient sur des moyens logistiques rapides pour mettre en œuvre de nouvelles stratégies de traitement à distance de leurs clients.

Dans certains secteurs de services, la distribution de l'information, les moyens de consultation et la prise de commande (ou la réservation et la vente de billets) ont atteint un niveau très sophistiqué. Par exemple, le groupe Accor dont les 4 000 hôtels incluent des enseignes aussi prestigieuses que Sofitel, Novotel ou Mercure, a vu ses ventes par Internet augmenter considérablement.

Étudions à présent le poids des types de contact et de leur nature dans le choix des canaux de distribution.

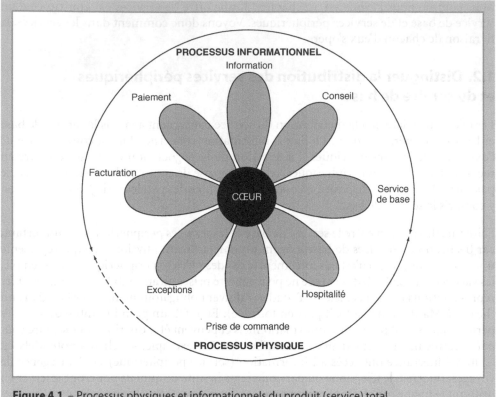

PROCESSUS INFORMATIONNEL
Information

Conseil

Paiement

Facturation

CŒUR

Service de base

Exceptions

Hospitalité

Prise de commande
PROCESSUS PHYSIQUE

Figure 4.1 – Processus physiques et informationnels du produit (service) total.

2. Les choix des canaux dépendent des types de contact

Décider quoi, où, quand et comment effectuer et délivrer une prestation de services a une incidence importante sur la nature de l'expérience de service. Cette dernière peut s'en trouver modifiée compte tenu du type de contact (s'il y a lieu) qui caractérise l'offre entre le personnel en contact et le client, mais aussi de la tarification choisie et des efforts demandés au client pour obtenir son service.

Plusieurs facteurs doivent être pris en compte dans la stratégie de distribution du service. La question clé est de savoir si la nature du service ou la stratégie de l'entreprise exige que le client soit en contact physique direct avec le personnel, l'équipement ou les installations. Si tel est le cas, les clients doivent-ils se rendre chez le prestataire de services, ou bien ce dernier enverra-t-il ses employés et ses équipements ? Ou encore, est-il possible d'effectuer les opérations à distance grâce aux outils de télécommunications ou à des canaux de distribution physique ? L'une des réponses possibles est intimement liée au caractère plus ou moins complexe relatif aux opérations de services, mais aussi aux aptitudes et expertises du client à réaliser entièrement la transaction de service. Le problème ici réside dans le fait que l'entreprise de services peut détenir une définition de la complexité de l'opération différente de celle du client et inversement.

Ce point est lié à la question centrale : l'entreprise de services veut/doit-elle fonctionner à partir d'un site unique ou proposer à ses clients plusieurs points de vente dans des lieux différents ? Les choix possibles combinant les types de contacts et le nombre de sites, figurent au tableau 4.1.

Tableau 4.1	Méthode de distribution des services	
Nature des interactions entre le client et le prestataire de service	**Disponibilité des installations de services**	
	Site unique	**Sites multiples**
Le client va chez le prestataire de service	• Théâtre • Coiffeur	• Transport en commun • Restauration rapide
Le prestataire de services va chez le client	• Jardinier • Service de dératisation • Taxi	• Distribution du courrier
Le client et le prestataire de services traitent à distance (courrier ou liaisons électroniques)	• Carte de crédit • Chaîne de télévision	• Stations de radio • Compagnie de téléphone

Plusieurs scénarios de mise à disposition du service existent : le client se rend chez le prestataire, le prestataire se rend chez le client, la transaction se fait à distance. Ces trois scénarios sont étudiés ci-après.

2.1. Le client se rend chez le prestataire de services

La facilité d'accès au lieu de service et l'amplitude des heures d'ouverture ont une grande importance lorsque le client doit se rendre chez le prestataire, soit pour effectuer une transaction, soit tout simplement pour entamer ou conclure une opération. À ce titre, des analyses statistiques complexes sont utilisées pour optimiser la localisation et l'implantation finale des supermarchés et hypermarchés en fonction de l'emplacement des lieux de travail ou de résidence des clients potentiels. (Pour ce genre de décision, la méthode Delphi est efficace[1].) L'analyse de la circulation routière et piétonnière permet aussi d'établir le nombre de clients potentiels qui passent tous les jours devant un site donné. La construction d'une voie express ou l'ouverture d'une nouvelle ligne de bus ou de train peuvent avoir un impact significatif et aider à définir les sites qui deviennent plus propices et attractifs, ou ceux qui le sont moins.

La tradition selon laquelle les clients se rendent chez le prestataire pour des services autres que le traitement des personnes est désormais remise en cause en raison des avancées technologiques des télécommunications, de l'organisation des entreprises – qui tend de plus en plus à fournir une prestation de services à distance – et de l'amélioration des « connaissances » des consommateurs quels que soient les domaines. L'augmentation des équipements technologiques et leur baisse de prix, l'augmentation des connexions Internet par ménage, les effets intergénérationnels, le gommage des frontières lieu de travail/lieu de résidence, l'hybridation des technologies (le téléphone portable avec connexion Internet), ainsi que l'accès croissant à tout type d'information sur Internet sont autant de facteurs qui développent l'autonomie des clients vis-à-vis de leurs prestataires, mais également concourent à réfuter/refuser/remettre en cause l'hégémonie de certains métiers de services et une relation de dépendance largement entretenue par un certain nombre d'entreprises de services. Les clients ne sont plus ce qu'ils étaient et ont largement compris les avantages qu'ils pouvaient tirer d'une liberté retrouvée.

Figure 4.2 – Étudiants à l'université (© Shutterstock/Auremar).

2.2. Le prestataire de services se rend chez le client

Dans certains cas, c'est le prestataire de services qui se déplace chez le client. La société Sodexho, par exemple, fournit des services de restauration et d'entretien à une gamme de clients très variée, écoles, hôpitaux, stades et prisons. Elle doit envoyer ses employés et leurs équipements, car, par définition, le besoin est spécifique au lieu d'intervention. Se rendre chez le client est inévitable lorsque l'intervention concerne un objet inamovible (arbre à élaguer, machines à réparer, insectes nuisibles à éliminer, etc.).

Dans d'autres cas, se rendre chez le client est facultatif. Pour le prestataire de services, il est en effet plus coûteux en temps et en argent de se rendre avec ses équipements chez le client plutôt que l'inverse, d'où la tendance actuelle à faire déplacer le client (de moins en moins de médecins se rendent à domicile). Néanmoins, dans les endroits très éloignés comme l'Alaska ou le nord-ouest du Canada, les prestataires prennent couramment l'avion pour aller chez leurs clients car ceux-ci ont plus de difficultés à voyager. L'Australie est connue pour son « Royal Flying Doctor Service » qui expédie ses médecins jusqu'aux fermes les plus reculées.

En règle générale, les prestataires de services auront plutôt tendance à se déplacer auprès des entreprises que chez les particuliers compte tenu de l'importance, en termes de volume, des opérations de services *B to B*. Le service aux particuliers peut devenir néanmoins une niche de marché lucrative si ces derniers sont prêts à payer un supplément pour un service personnalisé. Par exemple, une jeune vétérinaire s'est constituée une clientèle à partir du concept d'intervention à domicile pour animaux domestiques.

Elle a remarqué que ses clients préféraient payer davantage pour un service qui, non seulement leur fait gagner du temps, mais est aussi moins stressant pour les animaux – ceux-ci n'ont pas à attendre dans une salle d'attente bondée d'animaux et de maîtres angoissés. Le lavage de voiture « sur place », la restauration à domicile et en entreprise, la confection sur mesure ou les soins esthétiques sont d'autres exemples de ce type de services qui ont aujourd'hui le vent en poupe.

Citons un autre exemple : la location d'équipements et de main-d'œuvre, pour des événements ponctuels ou pour répondre à la demande de clients qui souhaitent augmenter leur capacité de production pendant des périodes de forte activité, est également une prestation de services en pleine croissance.

Examinons à présent le cas des prestations de services effectuées à distance.

2.3. Les opérations de services sont effectuées à distance

Un client qui effectue ses opérations de services à distance et uniquement à distance ne connaît pas les locaux de son prestataire, ni le personnel en contact. Il y aura donc peu de contacts interpersonnels et s'il y en a, ils se feront le plus souvent par téléphone, courrier, fax ou e-mail.

Pour la réparation de petits matériels, on pourra demander au client d'expédier l'objet à un centre de services après-vente où il sera dépanné, puis renvoyé à l'expéditeur (avec la possibilité de payer plus cher pour une livraison rapide). De nombreux prestataires de services ont mis en place un système de livraison intégré en partenariat avec des entreprises de transports express dont certaines proposent des solutions très intéressantes, telles que le stockage et la livraison express de pièces détachées d'avion (*B to B*), ou la collecte à domicile de téléphones portables défectueux et leur retour au consommateur après réparation (*B to C*, ramassage et livraison). De nombreuses initiatives heureuses sont prises ces derniers temps par de petits entrepreneurs : livraison de petits déjeuners, d'apéritifs, de repas à thème, etc. ; pressing à domicile (le prestataire vient chercher vos vêtements et vous les ramène chez vous), et bien d'autres services encore.

La plupart des services informationnels peuvent aujourd'hui être délivrés presque instantanément grâce aux outils de télécommunications vers n'importe quelle partie du monde. C'est pourquoi les services postaux ou autres prestataires logistiques sont dorénavant en concurrence avec les services de télécommunications.

Après avoir décrit les différents types de rencontre de services, étudions à présent les préférences des clients en matière de réseau de distribution.

2.4. Les préférences des canaux diffèrent selon les consommateurs

L'utilisation de différents circuits de distribution pour un même service (par exemple, les services bancaires peuvent être dispensés par Internet, téléphone portable, répondeur automatique, centre d'appel, distributeur automatique, au guichet ou par visite à domicile) a non seulement une incidence sur le coût du service pour le prestataire, mais aussi sur la façon dont le service est ressenti/vécu par le client. De récentes études ont porté sur la préférence des consommateurs envers les canaux de distribution de services (personnel, impersonnel ou libre-service) et ont dégagé des principes généraux qui sont toujours d'actualité[2] :

- Plus le service ou l'achat sera perçu comme complexe et à haut risque, plus le consommateur recherchera le contact personnel. Par exemple, si les clients d'une banque utilisent volontiers le télétraitement pour commander une carte de crédit, ils préféreront un entretien personnel pour un crédit immobilier.

- Les clients ayant un bon niveau de familiarité et de confiance envers un service et/ou un canal de distribution tendent à utiliser les canaux à distance (automatiques, téléphoniques, électroniques).

- Les clients qui cherchent simplement à concrétiser une opération recherchent avant tout la facilité généralement associée aux canaux à distance et au libre-service. Ceux qui ont des préoccupations d'ordre social utiliseront de préférence les canaux personnels.

- La commodité est le facteur décisif quant au choix du mode de service auprès de la majorité des consommateurs. Elle se traduit pour eux par un minimum d'effort et de perte de temps plutôt que par des économies d'argent. Cela concerne non seulement l'opération elle-même mais également la facilité d'accès au service à tout moment. Les clients veulent aussi pouvoir accéder aux services périphériques, en particulier l'information, les réservations et les réponses à leurs problèmes, sans y passer trop de temps.

La commodité est sur la même échelle que le « faire soi-même ». Faire soi-même est l'inverse du confort et de la réduction d'effort et cette pratique place le rôle du client en concurrence avec l'entreprise (un client qui décide de faire sa vidange de voiture lui-même). Plusieurs raisons expliquent pourquoi le client recourt à cette pratique : la recherche d'économie, mais surtout la recherche d'une expérience et d'un contrôle sur sa vie. À l'inverse, la commodité maximale consiste à tout faire pour le client en lui évitant tout effort. Entre ces deux bornes, il y a une participation commune qui conduit à la coproduction avec, pour l'entreprise, en plus de la production, l'assistance au client et le contrôle de la réalisation.

La figure 4.3 montre les scénarios envisageables lorsqu'on prend comme référentiel la complexité de l'opération et le niveau d'expertise requis pour réaliser l'opération de service.

		Niveau d'expertise requis par le client	
		Élevé	Bas
Nombre de critères à prendre en compte avant la décision	Élevé	Face-à-face	Distance et face-à-face
	Bas	Face-à-face	Distance

Figure 4.3 – La complexité et le choix des canaux de distribution.

Examinons à présent les décisions relatives au lieu et aux horaires de mise à disposition des services.

3. Les décisions sur le lieu et les horaires

Sur quels critères les responsables doivent-ils s'appuyer pour décider du lieu et des horaires de livraison des prestations de services ? La réponse dépend des besoins et des attentes des clients, de leur maîtrise des technologies, des pratiques de la concurrence, de la nature du service (expertise/risques associés), de l'ergonomie des sites (dans le cas du canal électronique), de la complexité des procédures à suivre dans l'utilisation du téléphone, de l'encombrement des lignes. Comme on l'a vu, les stratégies de distribution de certains services périphériques sont parfois différentes de celles utilisées pour le service de base. Par exemple, si le client trouve normal d'avoir à se rendre à un endroit spécifique et à une heure précise pour un événement sportif ou un spectacle, il peut souhaiter plus de souplesse dans les horaires et les moyens d'accès pour réserver sa place, ce qui implique l'élargissement des heures d'ouverture du service des réservations, l'acceptation de celles-ci et leur paiement par carte bancaire, téléphone ou Internet, et l'expédition des billets par courrier ou e-mail.

3.1. « Click et mortar » : où délivrer les services ?

Décider du choix d'implantation d'un service demande de prendre en compte des considérations très différentes de celles prises pour implanter le *back office* de ce même service. Des éléments tels que la maîtrise des coûts, la productivité et la localisation de la main-d'œuvre sont essentiels.

Prioritairement, ce sont les préférences du client qui prédominent. Les services peu différents de ceux de la concurrence doivent être facilement accessibles depuis le domicile ou le lieu de travail des clients (services bancaires, restauration rapide, etc.). En revanche, les consommateurs pourront accepter de faire le déplacement pour un service dont ils ont particulièrement besoin ou envie.

3.1.1. Le recours aux « mini-stores »

Une innovation intéressante pour élargir le nombre de points de contacts à moindre coût est l'installation de boutiques électroniques ou d'automates en tous genres.

L'enseigne Casino développe dans les grandes capitales françaises de plus en plus de boutiques virtuelles (les clients scannent dans la rue les produits qu'ils désirent acheter et choisissent dans leur application iPhone l'endroit où ils viendront chercher leurs courses). Carrefour a développé le même concept. Le recours aux automates est aussi une option largement utilisée. Les banques ont été les premières entreprises de services à les utiliser à grande échelle.

Les restaurants *Le Poivrier* en France sont souvent cités en exemple pour leur stratégie innovante fondée sur de petits restaurants sans cuisine. Le groupe centralise la préparation des repas en un seul site, qui livre des plats précuisinés aux restaurants qui n'ont plus qu'à les réchauffer avant de les servir.

La solution des « mini-stores » a l'avantage de mailler des réseaux de services, par exemple, en implantant ces mini-stores dans les aéroports, universités, centres commerciaux et autres endroits très fréquentés.

3.1.2. L'antenne multiactivités

Les localisations d'antennes de services les plus pertinentes pour les clients sont celles qui sont proches de l'endroit où ils vivent ou travaillent. Ainsi, se trouver sur les lieux de passage des clients est porteur de valeur et de commodité. À titre d'exemple, les stations-services Carrefour sont devenues aujourd'hui de petits *convenience stores*, où l'on trouve de la nourriture, des boissons, des sandwichs, des toilettes, de la presse, des machines à café et bien entendu, des articles automobiles.

3.1.3. Les contraintes liées à la localisation

Malgré l'importance du facteur « commodité » pour le client, la recherche d'économies d'échelle et de réduction des coûts peut limiter les choix d'implantation. Les aéroports sont par exemple souvent mal situés par rapport au domicile, lieu de travail ou destination des passagers. Pour des raisons liées au bruit et à l'environnement, trouver un site pour un nouvel aéroport ou pour en agrandir un existant est une tâche bien difficile (on demanda un jour à un ministre du gouvernement français quel serait le meilleur endroit pour construire un troisième aéroport pour desservir Paris ; il réfléchit, puis répondit : « Le plateau du Larzac »). Leur situation, loin des centres-villes où la plupart des passagers souhaitent pourtant se rendre, implique la construction de lignes ferroviaires express (Orlyval en région parisienne ou la liaison expresse entre Paris et l'aéroport Roissy-Charles-de-Gaulle). D'autres contraintes sont liées à des facteurs géographiques, comme le climat et la nature du terrain.

Autre exemple, celui des grands centres hospitaliers qui fournissent une gamme étendue de prestations médicales et même des facultés de médecine, et qui ont donc besoin de bâtiments spacieux, souvent éloignés des centres-villes et des lieux de résidence. Les patients qui doivent suivre un traitement particulier et qui ne peuvent pas être soignés chez eux sont contraints de s'y rendre avec les pires difficultés : éloignement, lourdeur et intensité du trafic, complexité de l'itinéraire, etc. Une ambulance, voire un hélicoptère, peut être mise à leur disposition pour les y conduire. Cela est d'autant plus nécessaire dans les cas où les équipements ou les compétences ne se trouvent que dans quelques hôpitaux. Les chirurgiens auront tendance à habiter à proximité afin de pouvoir s'y rendre facilement en cas d'urgence.

Il faut cependant relever que les progrès technologiques, la recherche médicale et les récentes innovations en matière de télécommunications ont permis au secteur hospitalier (et médical au sens large du terme) d'être extrêmement innovant en matière de localisation mais aussi de prestations de services.

Certains hôpitaux ont développé des centres de dialyse en « libre-service » au sein des antennes hospitalières, mais aussi à domicile, ainsi que des suivis de malades à distance. Un exemple très intéressant est celui de la maternité de Villefranche-sur-Saône, qui a résolu des problèmes de stress de la maman (qui amoindrit les montées de lait), mais aussi des problèmes de parking, en recourant aux technologies de l'information. Pour réduire ce stress souvent occasionné lorsque le bébé lui est retiré pour être mis en « nurserie », des caméras balayantes ont été posées au-dessus des berceaux que la maman peut voir sur sa télévision. Les chambres ont été équipées de wifi et d'un ordinateur portable avec webcam. Cet équipement permet à la maman de montrer son enfant à la famille qui ne peut pas se déplacer pour voir le nouveau-né. La maman est moins dérangée et le parking est moins surchargé.

3.1.4. Quand le service devrait-il être délivré ?

Dans le passé, la plupart des commerçants et prestataires de services des pays industrialisés avaient des horaires traditionnels et plutôt restrictifs qui limitaient la disponibilité du service quarante à cinquante heures par semaine. Dans un certain sens, cette pratique cadrait avec les usages (mais aussi les contraintes légales et syndicales) de ce qui était considéré comme convenable en matière d'horaires de travail des employés et d'ouverture des magasins. Cette situation causait beaucoup de problèmes aux clients qui devaient faire leurs achats soit pendant la pause déjeuner, en supposant que les magasins restent ouverts, soit le samedi. Historiquement, l'ouverture le dimanche était réprouvée dans les pays de culture chrétienne et même interdite par la loi, reflétant une longue tradition fondée sur les pratiques religieuses. De nos jours, la législation est moins virulente mais se maintient. Parmi les services, seules quelques distractions et activités de loisirs comme le cinéma, les restaurants et les salles de sport restaient disponibles le soir en semaine et pendant le week-end, mais avec certaines restrictions en termes d'horaires d'activité, surtout le dimanche.

Aujourd'hui, la situation est en pleine évolution. Dans les activités pour lesquelles une réponse instantanée est requise, la règle est devenue le service 24 h/24, 7 j/7, partout dans le monde (voir Mémo 4.1). Néanmoins, il existe des oppositions à l'ouverture sept jours par semaine. Aujourd'hui, en 2014, selon une enquête du *Figaro*, 72 % des Français déclarent être favorables à l'ouverture des magasins le dimanche et ceci correspond à une réalité sociale. Toujours selon *Le Figaro*, les commerçants ouverts le dimanche disent réaliser ce même jour 40 % de leur chiffre d'affaires hebdomadaire.

Les facteurs qui encouragent les horaires étendus

Cinq facteurs contribuent à l'extension des horaires d'ouverture. La tendance est plus accentuée aux États-Unis et au Canada, mais également dans d'autres pays européens comme l'Allemagne.

- *Pression économique des consommateurs.* Le nombre croissant de ménages à deux revenus et de personnes vivant seules n'ayant pas de suffisamment de temps disponible pour faire leurs courses et profiter de certains services. Ainsi, un magasin qui souhaite satisfaire les besoins et les désirs de ses clients et également s'aligner sur la concurrence devra prendre cette donnée en considération.

- *Changements de législation.* Un deuxième facteur est le déclin, regretté par certains, du traditionnel point de vue religieux voulant qu'un jour (le dimanche dans les cultures chrétiennes prédominantes) soit chômé, indépendamment de ses affinités religieuses. Évidemment, dans une société multiculturelle, c'est un point très discutable que de désigner un jour spécial. Pour les juifs et les adventistes du septième jour, le sabbat est le samedi ; pour les musulmans, le jour saint est le vendredi. Quant aux athées et aux agnostiques, ils ne sont pas concernés.

...

Mémo 4.1

...

Dans les pays industrialisés, il y a eu une lente et graduelle érosion d'une telle législation, bien que ces règles persistent encore dans certains pays. En Suisse, par exemple, tout est fermé le dimanche à l'exception des boulangeries.

- *Incitation économique pour rentabiliser l'utilisation des actifs.* Une grande part du capital des entreprises est généralement consacrée aux emplacements et aux équipements de service. Le coût incrémental de l'extension des heures d'ouverture est relativement modeste (en particulier, lorsqu'il s'agit d'employés à temps partiel). L'extension des heures d'ouverture réduit l'affluence et accroît les revenus. Les coûts liés à la fermeture et la réouverture des magasins s'en trouvent réduits. Même si le nombre de clients supplémentaires liés à l'extension des horaires d'ouverture est faible, il y a à la fois des avantages opérationnels et marketing à rester ouverts 24 h/24.

- *Disponibilité des employés pour travailler hors des heures ouvrables.* Le changement des styles de vie et l'accroissement du travail à temps partiel ont contribué à créer un ensemble de personnes « souhaitant » travailler le soir et la nuit. Certains de ces travailleurs sont des étudiants cherchant un emploi en dehors de leurs heures de cours, des mères de famille souhaitant composer entre vie de famille et vie professionnelle. D'autres, tout simplement, préfèrent travailler la nuit pour profiter de la journée.

- *Libre-service.* Les équipements de libre-service sont devenus de plus en plus fiables et faciles à utiliser. Beaucoup de machines acceptent les cartes de paiement et sont économiquement intéressantes, car sans coûts de personnel. En revanche, elles requièrent de fréquentes interventions et ne sont pas protégées contre le vandalisme. Le coût incrémental de fonctionnement 24 h/24 est encore ici marginal. En fait, il est beaucoup plus simple de laisser fonctionner une machine tout le temps, plutôt que de l'interrompre et de la remettre en marche.

Examinons à présent une autre façon de proposer le service aux clients : la voie électronique, Internet.

3.2. Les services en ligne

Les avancées technologiques de ces vingt dernières années ont eu un impact considérable sur les prestations de services tant au niveau de la « production » (en *back* et *front office*) que de la livraison (en *front office*). Elles sont à l'origine de nombreuses innovations, notamment dans la livraison du service. Dans de nombreux pays, par exemple, les banques ont fermé des agences et déplacé la clientèle vers des canaux bancaires électroniques moins coûteux, dans le seul but d'améliorer leur productivité et de rester compétitives dans un marché de plus en plus concurrentiel.

Dans le domaine de la santé, des réservations, de l'éducation, du tourisme, des assurances, de la banque et bien d'autres, les technologies ont apporté des réponses à la productivité des entreprises, aux contraintes environnementales et financières, mais aussi aux attentes et contraintes des clients. Récemment, Swissôtel Hotels & Resorts a procédé à une large campagne publicitaire pour encourager les réservations en ligne destinées plus spécifiquement à son segment de clientèle affaires. Après sept mois de campagne, le nombre de réservations en ligne a plus que doublé.

Cependant, tous les clients n'apprécient pas les nouvelles approches en libre-service et/ou à distance. Comme nous venons de le voir avec l'exemple de Swissôtel Hôtels & Resorts, pour les inciter à adopter les canaux à distance, des stratégies ciblées sur chaque catégorie de clientèle peuvent être nécessaires[3]. Par ailleurs, il faut admettre que certains clients ne changeront jamais leurs habitudes et préféreront toujours les relations personnelles. Une alternative qui reste acceptable est le service bancaire par téléphone, car il fait appel à un outil qui est familier aux clients. Beaucoup d'entre eux (notamment les personnes âgées représentant souvent une grande partie de l'argent stocké) veulent conserver un contact avec le guichet pour des opérations et mises à jour réalisables sur un GAB ou par téléphone. La mise en place de dispositifs fondés sur la technologie entraîne une modification des habitudes des consommateurs, pas forcément souhaitée. Ceci influence inévitablement la qualité perçue des prestations et, de fait, la satisfaction des clients (les évolutions technologiques constituent la plus grande cause d'insatisfaction d'une banque).

Examinons à présent comment les technologies au sens large du terme sont à la base de l'innovation du processus de livraison et de mise à disposition du service au client.

3.2.1. Les technologies et les innovations du processus de livraison du service

De nos jours, de plus en plus d'entreprises de services ont saisi les avantages d'Internet, mais aussi des technologies de l'information et de la communication, et de la grande diffusion des téléphones portables (devenus aujourd'hui pour certains de véritables ordinateurs ambulants), pour agir et innover sur les processus de mise à disposition de leurs services.

Quatre innovations intéressent plus particulièrement les dirigeants d'entreprises de services :

1. Le développement des téléphones portables de quatrième génération, des PDA (*Personal Digital Assistants*), de la présence du wifi, qui permettent aux usagers d'avoir un accès à Internet où qu'ils soient.

2. L'utilisation des technologies de reconnaissance vocale qui permettent au client de fournir des informations ou passer commande simplement en parlant au téléphone ou dans un micro.

3. La création de sites Web capables de fournir des informations, de prendre des commandes, et même de servir de moyen de livraison pour des services fondés sur l'information.

4. La commercialisation de cartes à puce dans lesquelles sont enregistrées des informations détaillées concernant le propriétaire et qui peuvent servir de porte-monnaie digital (Monéo).

Seuls, ou associés à d'autres, les canaux électroniques représentent un complément ou une alternative aux canaux traditionnels physiques pour la livraison de services d'information.

L'encadré Meilleures pratiques 4.1 décrit une application multicanal dans la banque électronique.

First Direct, une banque multicanal sans agences

First Direct, une filiale d'HSBC, est devenue célèbre grâce à l'invention de la banque sans agences. Elle sert plus d'un million de clients à travers le Royaume-Uni et au-delà, grâce à ses centres d'appel éloignés de la puissante place financière de Londres, grâce à son site Web, ses messages sur téléphones mobiles (SMS) et l'accès au vaste réseau de distributeurs d'HSBC.

Créée en 1989 comme la première banque par téléphone accessible 24 h/24, First Direct stimula un secteur d'activité en réorientant un service à contact fort vers un service à faible contact grâce au téléphone et aux distributeurs bancaires. Répondant à la demande de banque à domicile, elle introduisit progressivement un service de banque à domicile (nécessitant pour le client d'avoir un PC mais sans abonnement Internet) et migra vers Internet en 1999.

Stimulée par la concurrence d'autres entreprises de services financiers offrant les mêmes services à des tarifs très compétitifs, la banque fit alors un nouveau bond. En janvier 2000, First Direct, en se proclamant « première banque virtuelle au monde », annonça qu'elle voulait se transformer en e-banque et créer les standards de l'e-banking. Le cœur de la stratégie est une approche multicanal qui combine l'expérience de la banque par téléphone avec les atouts d'Internet, du téléphone mobile et des technologies WAP (Wireless) pour délivrer un service de meilleure qualité à des prix forcément concurrentiels. Comme le remarque Alan Hughes, le directeur général : « Nous sommes la première banque au monde à reconsidérer l'ensemble de notre activité dans le contexte de l'ère digitale. L'enjeu de cette initiative est de créer une nouvelle catégorie d'e-banques et d'être une référence pour l'ensemble du secteur dans le monde. Plus qu'une banque, FirstDirect.com devient la première banque Internet. »

Un élément essentiel de cette stratégie est d'offrir la possibilité aux Britanniques d'accéder à un service plus pratique grâce à leur téléphone mobile, constatation faite que plus de 70 % des adultes possèdent un mobile. Grâce à des messages SMS, les clients ont accès à de mini-relevés sur trois comptes et sont informés des opérations de débit et de crédit. Ils sont automatiquement alertés lorsque leur compte passe dans le rouge. De plus, ce service est complété par la technologie Internet WAP permettant de visualiser les transactions sur leur mobile. En 2003, plus de 55 % des contacts clients étaient électroniques.

Le service téléphonique vocal reste encore le principal moyen de communications avec les clients, mais la banque teste un nouvel agent interactif en ligne, appelé Cara, qui par gestes et brefs messages répond aux questions des utilisateurs. Jonathan Etheridge, chef du département e-Futur remarque : « Depuis de nombreuses années, nous sommes les leaders du service au téléphone. Maintenant, Cara nous offre l'occasion d'apprendre comment donner une personnalité au site Web de First Direct. Cara est la première pierre du pont que nous construisons entre le monde relativement impersonnel d'Internet et l'expérience infiniment plus riche d'une conversation téléphonique. »

Source : d'après l'étude de cas de Delphine Parmenter, Jean-Claude Larréché et Christopher Lovelock, « First Direct : Branchless Banking », Fontainebleau, INSEAD, 1997, et diverses coupures de presse parues en 2001, 2002, 2003 et consultables sur www.firstdirect.com.

3.2.2. E-commerce : la transition vers le cyberespace

Comme outil de distribution, Internet facilite les quatre catégories de « flux » qui transitent entre l'entreprise et ses clients (*B to C* ou *B to B*) : l'information, la négociation, les services, les transactions et la promotion. Comparé aux canaux traditionnels, Internet facilite les recherches et offre la possibilité de transférer aux clients des informations dans un délai très court, d'obtenir presque instantanément leurs réactions et de créer des communautés en ligne pour commercialiser des types de services et de produits[4].

Parmi les facteurs qui attirent le consommateur vers les magasins virtuels, il faut citer la commodité, la facilité de recherche (obtenir l'information, ou localiser le produit ou service désirés), l'attractivité des prix et l'étendue du choix. En effet, la possibilité de bénéficier d'un service 24 h/24 avec une livraison rapide est une caractéristique particulièrement séduisante pour une clientèle qui généralement ne consacre que peu de temps aux achats.

De nombreux détaillants, comme la Fnac et la chaîne de vente de livres Barnes & Noble, ont fortement développé leur présence sur Internet comme support à leurs magasins, notamment pour contrer les « détaillants Internet » comme Amazon qui n'ont pas de lieux de vente. Cependant, cette stratégie est à double tranchant. En effet, elle demande un investissement lourd sans certitude qu'il débouchera sur une rentabilité suffisante à long terme et un taux de croissance élevé[5]. Une autre chaîne de vente de livres, Borders, a préféré s'associer à Amazon en lui donnant la responsabilité de l'exploitation de leur site Web.

Les sites Web deviennent de plus en plus perfectionnés et accessibles aux consommateurs. Ils agissent souvent à la manière de bons vendeurs par téléphone en dirigeant le client vers des solutions susceptibles de l'intéresser. Quelques sites permettent de dialoguer en direct avec le service clientèle par messagerie électronique, comme l'a fait l'enseigne Ikea. L'aide à la recherche est un outil très apprécié sur certains sites, qui, pour l'industrie du livre, peut aller de la liste de tous les livres en stock d'un auteur donné, aux horaires de vol entre deux villes à une date précise pour les transports aériens.

Des nouvelles évolutions particulièrement passionnantes sont le développement de liens entre sites Web, les systèmes de CRM (*Customer Relationship Management*) et le téléphone portable. L'intégration du portable dans l'infrastructure de la prestation de services peut être utile à plusieurs niveaux : 1) rendre les services plus accessibles ; 2) déclencher des alertes en fournissant l'information pertinente au bon moment ; 3) mettre à jour les informations en temps réel pour actualiser les bases de données[6]. Par exemple, les clients d'un agent de change peuvent bénéficier d'une procédure qui leur permet d'être avertis, par e-mail ou par texto lorsque leurs actions atteignent un certain seuil ou qu'une opération a été conclue (alerte). Ils peuvent aussi avoir accès en temps réel aux derniers cours de Bourse (mise à jour). Ils ont ainsi la possibilité de réagir et donner des ordres sur le champ en utilisant leur téléphone portable (accessibilité). La compagnie aérienne Singapore Airlines (SIA) a récemment mis à la disposition de ses clients un système d'alerte par texto pour l'heure de départ des vols. Les clients n'ont qu'à faire la demande sur le site Web de SIA et sont avisés en cas de retard.

Le coût des nouvelles technologies est devenu si bas et leur champ d'application si large que les prestataires de services doivent saisir toutes les occasions de les incorporer dans le développement de leur stratégie de distribution. Frances Cairncross, éditeur du magazine *The Economist*, pense que pour y parvenir, les cadres supérieurs devront redéfinir leur vision de la structure de leur entreprise et se préparer à en modifier la culture[7].

Voyons à présent quel rôle jouent les intermédiaires dans la distribution et la mise à disposition du service au client.

4. Le rôle des intermédiaires

De nombreuses entreprises de services ont constaté qu'elles pouvaient réduire leurs coûts en déléguant certaines tâches. Le plus souvent, cela concerne les éléments annexes du service. Par exemple, malgré l'utilisation croissante des numéros de téléphone centralisés et d'Internet, les organisateurs de croisière, de séjours de vacances et les hôtels dépendent encore largement des agences de voyages dans leur contact avec la clientèle, en particulier pour tout ce qui concerne l'information, les réservations, les paiements et la billetterie. Comment le prestataire de services doit-il s'y prendre pour travailler en partenariat avec un ou plusieurs intermédiaires et pour assurer à la clientèle un ensemble complet de services ? À la figure 4.4, nous utilisons la *fleur des services* pour décrire un exemple de service de base fourni par le prestataire d'origine, ainsi que les services périphériques d'information, de consultation et de traitement des exceptions, alors que la livraison des autres services périphériques compris dans l'offre de services est confiée à un intermédiaire. Dans d'autres cas, des aspects spécifiques de la prestation peuvent être sous-traités à des spécialistes. Le prestataire de base doit se considérer comme responsable de l'ensemble du processus et s'assurer que la contribution de chacun des intermédiaires s'intègre dans la conception générale du service de manière à fournir un produit de qualité homogène représentatif de sa marque.

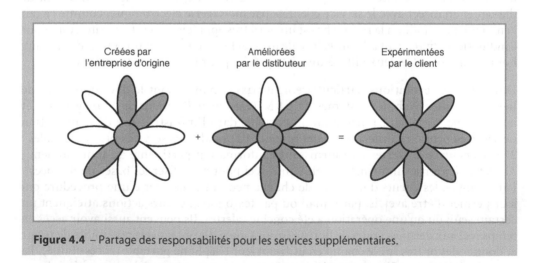

Figure 4.4 – Partage des responsabilités pour les services supplémentaires.

Deux modèles d'intermédiaires sont très largement usités dans la distribution du service : la franchise et les contrats de licence et de distribution. Ces deux cas de figure sont étudiés ci-après.

4.1. La franchise

Même la livraison du service de base peut être confiée à un intermédiaire. C'est là l'essence même du concept de la franchise qui est devenue une méthode très courante pour développer un réseau de services et une offre qui intègre l'ensemble des pétales de la *fleur des services*, sans avoir recours aux financements qu'aurait exigé la même expansion grâce à des sites propriétaires détenus et gérés par l'entreprise.

C'est une stratégie attrayante pour les sociétés qui privilégient la croissance car les franchisés sont généralement très motivés pour bien cibler leur clientèle et garantir la qualité de la prestation[8]. La franchise, associée souvent aux chaînes de restauration rapide, est également appliquée pour une gamme étendue de services *B to C* mais aussi *B to B* (voir les Pages Jaunes).

Pourtant, les recherches de Scott Shane et Chester Spell ont démontré un taux de perte significatif des franchiseurs dans les premières années du développement d'une franchise, avec une défaillance d'un tiers des franchisés dans les quatre premières années et la disparition de pas moins des trois quarts des franchiseurs après douze ans[9]. Pour assurer le succès d'une franchise, il faut une taille suffisante qui s'appuie sur une marque reconnue, une offre simple, peu de salariés et peu de tâches logistiques à effectuer. Étant donné l'importance du taux de croissance requis pour atteindre le seuil de rentabilité, certains franchiseurs délèguent à des franchisés principaux (*master franchising*) pour une zone géographique déterminée, la responsabilité du recrutement, de la formation et du support logistique des franchisés. Ces délégués sont souvent des franchisés qui ont déjà fait leurs preuves dans la gestion d'un point de vente sous franchise.

Le franchiseur[10] recrute des entrepreneurs qui acceptent d'investir leur temps et leurs propres ressources dans le droit d'exploiter un concept de service déjà développé. En échange, il fournit la formation à la gestion et la commercialisation du produit, vend les fournitures nécessaires et apporte un soutien publicitaire au niveau national ou régional pour appuyer la publicité locale (qui est à la charge du franchisé mais doit se conformer aux instructions du franchiseur en ce qui concerne le texte, le graphisme et l'utilisation des médias).

L'inconvénient de la délégation d'activités au franchisé est la perte de contrôle sur l'exécution de la prestation et, de ce fait, sur la façon dont le service lui-même est perçu par le consommateur. En effet, il est difficile d'avoir l'assurance que l'intermédiaire applique rigoureusement les procédures imposées par le franchiseur, et c'est pourtant essentiel pour l'efficacité du contrôle qualité. Pour renforcer le contrôle sur tous les aspects de la prestation de services, le contrat de franchise exige généralement la stricte application de normes, procédures, textes et styles de présentation. Le franchiseur surveille non seulement les spécifications du produit et du service, mais aussi l'environnement, la prestation du personnel et d'autres éléments tels que les horaires d'ouverture.

Un problème récurrent provient du fait qu'à mesure que les franchisés acquièrent de l'expérience, ils éprouvent du ressentiment face aux diverses charges payées au franchiseur et estiment que la concession serait mieux exploitée sans les contraintes imposées par le contrat. Très fréquemment, les désaccords qui s'ensuivent débouchent sur des actions en justice.

Pour cela, il existe une alternative à la franchise : les contrats de licence et de distribution.

4.2. Les contrats de licence et de distribution

Comme alternative à la franchise, il est possible pour un fournisseur d'accorder à un autre fournisseur une licence de distribution du produit de base à sa place et pour son compte. Par exemple, les entreprises de transports font régulièrement appel à des transporteurs indépendants, plutôt que d'ouvrir des agences locales dans toutes les villes de leur zone d'influence. Elles peuvent aussi travailler avec des indépendants qui conduisent leurs propres camions, plutôt que de financer l'acquisition d'une flotte de camions et de recruter des conducteurs à plein-temps. Dans un tout autre domaine, les universités accordent parfois sous licence à d'autres établissements des cours qu'elles ont développés.

Les services financiers font aussi partie des activités qui peuvent être couvertes par des contrats de distribution. Les banques qui veulent élargir la gamme de leurs produits pour y inclure les placements financiers se chargent de la distribution de fonds communs de placement créés par des établissements financiers qui ne disposent pas de leur propre réseau de distribution. De nombreuses banques vendent également des polices pour le compte de compagnies d'assurance. Elles perçoivent une commission sur la vente, mais ne s'occupent pas de la gestion des sinistres.

Si les antennes de distribution se développent sur le territoire national, de nos jours, de plus en plus de services sont développés et distribués dans un contexte international. C'est le point que nous étudions ci-après.

5. Délivrer le service dans un environnement international

Un grand nombre d'entreprises de services ont une implantation internationale. Nous étudions dans cette section les moyens qu'elles utilisent pour accéder aux marchés internationaux. Mais nous verrons que cette décision dépend principalement de la nature du service mais aussi, et surtout, de son processus de « livraison ».

5.1. Comment la nature du service affecte-t-elle le développement international des services ?

La question est de savoir si certains types ou catégories de services sont plus simples à internationaliser que d'autres ou, en d'autres termes, si certains services sont plus « globalisables » ou globalisés que d'autres. Comme le montre le tableau 4.2, c'est encore le cas aujourd'hui.

Tableau 4.2 L'impact des facteurs de la globalisation sur les différentes catégories de services

Facteurs de globalisation	Catégorie de services		
	Services aux personnes	Services aux biens	Services basés sur l'information
Concurrence	La simultanéité de production et de consommation limite l'effet de levier de l'avantage concurrentiel que créent les implantations à l'étranger. L'entreprise de services, mais davantage dans les systèmes de gestion, peut être une base pour la globalisation.	Le rôle de leader de la technologie crée un moyen de conduire à la globalisation des concurrents avec l'industrie de pointe (par exemple les services techniques de Singapore Airlines sous-traitant pour d'autres transporteurs aériens).	Très vulnérables à la domination des concurrents possédant le monopole ou un avantage concurrentiel dans l'information (par exemple, BBC, Hollywood, CNN), sauf restrictions gouvernementales.
Marché	Les individus sont économiquement et culturellement différents, donc les besoins en services et leurs possibilités financières peuvent varier. La culture et l'éducation peuvent influencer la volonté d'utiliser le libre-service.	Moindre variation pour le service aux biens, mais le niveau de développement économique a de l'impact sur la demande de services s'adressant aux biens personnels.	La demande pour de nombreux services est dérivée, à un degré significatif, des niveaux d'économie et de formation. Les problèmes culturels peuvent affecter la demande de produits de divertissements.
Technologie	L'utilisation des technologies de l'information pour délivrer des services supplémentaires est fonction du degré de familiarisation avec la technologie, y compris les télécommunications et les terminaux intelligents.	Le besoin de systèmes de livraison de services fondés sur la technologie est fonction des types de biens qui demandent un service, des coûts de substitution de main-d'œuvre.	La capacité à livrer des services de base à travers des terminaux éloignés peut être fonction des investissements dans l'informatique, de la qualité de l'infrastructure des télécommunications et des niveaux de formation.
Coûts	Les taux variables de main-d'œuvre peuvent avoir un impact sur la fixation des prix dans les services à main-d'œuvre intensive (prendre en compte le libre-service sur les localisations où les coûts sont élevés).	Les taux variables de main-d'œuvre peuvent favoriser les localisations à bas coût si les coûts de transport n'annulent pas l'avantage. (Considérer l'équipement de substitution pour remplacer la main-d'œuvre.)	Les éléments majeurs du coût peuvent être centralisés et les éléments mineurs délocalisés.
Gouvernement	Les politiques sociales (par exemple la santé) varient largement et peuvent affecter le coût du travail, le rôle des femmes dans les emplois de contact avec le client, et les horaires pendant lesquels le travail peut être effectué.	Les lois sur les taxes, les réglementations sur l'environnement, et les standards techniques peuvent diminuer/augmenter les coûts, et encourager/décourager certains types d'activité.	Les règles de formation, de censure, de propriété des communications et des infrastructures peuvent avoir un impact sur l'offre et la demande et sur la tarification.

Comme nous l'avons étudié précédemment, les processus de mise à disposition du service diffèrent selon qu'il s'agisse de services rendus aux personnes, de services destinés aux biens des clients ou de services informationnels. Chaque catégorie de services est étudiée ci-dessous.

5.1.1. Les services rendus à la personne

Ce type de services demande un contact direct et physique avec le consommateur. Trois possibilités sont à prendre en compte :

- *Exporter le concept*. Seule ou en partenariat avec un fournisseur local, la société crée un centre de services dans un pays étranger. L'objectif recherché peut être d'atteindre de nouveaux clients ou de suivre les clients existants (particuliers ou entreprises) ou bien les deux à la fois. C'est une pratique courante pour les chaînes de restaurants, les hôtels, les sociétés de location de voitures ou les centres de soins, où une présence à proximité des consommateurs est nécessaire en raison de la concurrence locale.

- *Importer la clientèle*[11]. Dans ce contexte, ce sont les clients étrangers qui se rendent dans le pays du prestataire. À titre d'exemple, des consommateurs se rendant dans une station de ski particulière et renommée (Davos en Suisse ou Vail dans le Colorado). Dans le domaine des soins médicaux, certains patients peuvent aussi décider de se faire soigner, s'ils en ont les moyens, dans des établissements spécialiséss et reconnus, comme la clinique Mayo dans le Massachusetts ou à l'Hôpital américain de Neuilly.

- *Transporter les clients dans de nouveaux endroits*. Dans le cadre du transport de passagers, le service international implique l'ouverture de nouvelles liaisons vers des destinations attrayantes. Cette stratégie a pour but d'attirer de nouveaux clients et d'élargir le choix des anciens clients.

5.1.2. Les services s'adressant aux biens des clients

Cette catégorie de services porte sur les biens physiques des clients et couvre la réparation, l'entretien, le transport, le stockage et le nettoyage. En général, une présence permanente à proximité de la clientèle est nécessaire. C'est vrai pour les services pour lesquels le client se déplace pour déposer ses articles comme pour ceux pour lesquels c'est le prestataire qui se rend chez le client. Parfois, des experts peuvent être envoyés sur place ou c'est l'article, s'il est transportable, qui est expédié à l'étranger pour être réparé. Comme le transport de passagers, celui du fret permet d'accéder à de nouveaux marchés grâce à de nouvelles liaisons.

5.1.3. Les services informationnels

Cette catégorie de services se divise en deux parties : les services qui s'adressent à « l'esprit ou l'intellect » des personnes (informations, films, cours, programmes de télévision) et ceux qui s'appliquent aux biens intangibles du consommateur (banque, assurance). Ceux-ci peuvent être distribués à l'échelle internationale par un des trois moyens suivants :

- *Exporter le service vers un site de prestation local*. Le service est ainsi accessible au client sur un site qui lui est proche et qu'il visite. Par exemple, un film produit à Hollywood sera diffusé dans les salles de cinéma du monde entier, ou encore un programme universitaire pourra être conçu dans un pays pour être enseigné ailleurs par des professeurs qualifiés.

- *Importer les clients.* Les clients ont la possibilité d'aller à l'étranger ou dans un centre spécialisé. Dans ce cas, l'approche s'apparente à celle du service s'appliquant aux personnes. Par exemple, un grand nombre d'étudiants étrangers se rendent à l'Insead pour suivre un cursus particulier en management.

- *Exporter l'information grâce aux outils de télécommunications et la transformer sur place.* Plutôt que de transporter d'un pays à l'autre des services s'appliquant aux biens, les données peuvent être téléchargées ou gravées sur CD ou DVD à partir du pays d'origine pour être exportées et exploitées dans le pays destinataire (dans certains cas par le client lui-même).

En théorie, aucun de ces services d'information ne nécessite un contact direct avec le client, puisque tous sont accessibles à distance au travers des outils de télécommunications ou par la poste. Les services bancaires et d'assurance sont l'exemple type de services à fort contenu informationnel qui n'ont pas de frontière. Dans la pratique, il peut être nécessaire d'assurer une présence locale afin de créer des relations personnelles, d'effectuer des études sur place (comme du conseil ou de l'audit), ou même de se conformer aux obligations légales.

C'est peut-être le type de services qui se prête le plus à une stratégie d'internationalisation, car il consiste à transmettre non pas des biens, mais des informations. L'avènement des télécommunications modernes à un niveau mondial, reliant des ordinateurs perfectionnés et « intelligents » à de puissantes bases de données, rend de plus en plus facile la livraison de services fondés sur l'information partout dans le monde. Des entreprises telles que les banques, les assurances, la presse, le divertissement, mais aussi l'éducation, l'enseignement, le consulting, l'audit et bien d'autres encore, sont toutes potentiellement candidates à la globalisation de leur « distribution ». Beaucoup d'universités ont déjà des campus internationaux, des sites d'e-learning, un corps enseignant international et des programmes internationaux en ligne (recours aux MOOCS) ou in situ. À titre d'exemple, l'université de Phoenix Arizona aux États-Unis et l'Open University au Royaume-Uni sont les leaders nationaux incontestés dans la distribution électronique de programmes. Recourir à l'enseignement à distance et/ou aux MOOCS limite considérablement le besoin d'une présence physique. Les infrastructures nécessaires se limitent souvent à un terminal (téléphone, fax, ordinateur). Si l'infrastructure locale est insuffisante en termes de qualité, alors l'utilisation d'un « mobile » ou de communications par satellite est un moyen de résoudre le problème.

Étudions à présent les facteurs qui favorisent l'internationalisation des services.

5.2. Les facteurs favorisant l'adoption de stratégies transnationales

Toutes disciplines confondues, les chercheurs s'accordent unanimement sur le fait qu'aujourd'hui, la tendance est à la mondialisation et à la création de stratégies transnationales[12]. Dans le cas des services, l'impulsion de ces courants provient des marchés, de la concurrence, des progrès technologiques, des réductions de coûts du transport et des politiques gouvernementales. L'importance relative de chacun de ces facteurs varie en fonction du type de service. L'ensemble de ces points sont étudiés ci-après.

5.2.1. Les caractéristiques du marché

Les facteurs liés au marché et qui favorisent une stratégie transnationale sont : la similarité des besoins de la clientèle au plan international, l'exigence de ces clients d'obtenir un service uniforme partout dans le monde, et l'existence de canaux internationaux (réseaux physiques ou électroniques). Les entreprises impliquées dans un processus d'internationalisation cherchent prioritairement à standardiser et à simplifier leurs relations avec leurs fournisseurs, démarche qui facilite les transactions, l'implantation et accélère l'implantation et le développement. À titre d'exemple, les grands groupes internationaux cherchent à réduire le nombre de cabinets d'audit auxquels ils font généralement appel, préférant contracter avec les grands cabinets d'audit internationaux (*Big Four*) dont les représentants locaux appliquent les mêmes approches partout dans le monde (bien qu'adaptées à la réglementation de chaque pays). Un autre exemple est la tendance à une gestion mondiale des télécommunications, comme nous le démontre l'offre d'AT&T et BT avec leur service « concert », qui permet aux multinationales de sous-traiter la gestion de leurs télécommunications internationales. Les banques d'affaires, les compagnies d'assurances et les cabinets de conseil en sont d'autres exemples. Dans une même optique, les voyageurs d'affaires internationaux, mais aussi les touristes, préfèrent recourir à des compagnies aériennes et des hôtels internationaux qui garantissent une qualité constante sans surprise partout dans le monde. En outre, le développement des compétences en logistique internationale de groupes tels que DHL, FedEx et UPS ont incité de nombreux industriels à sous-traiter tous les aspects de leur logistique à une seule entreprise qui ensuite se charge de la coordination de l'ensemble des activités de transport et de stockage.

5.2.2. La concurrence

La concurrence étrangère, l'interdépendance des pays et la politique transnationale des concurrents sont des facteurs qui influencent considérablement la progression des firmes de services dans un environnement international. Pour mieux les gérer et les appréhender, certaines entreprises suivent leurs concurrents sur de nouveaux marchés pour protéger leur positionnement et les positions acquises sur d'autres territoires. Suivant la même logique, dès qu'un acteur majeur décide de s'attaquer à un nouveau marché à l'étranger, une bataille peut s'ensuivre pour ce territoire avec les principaux concurrents, surtout si l'expansion se fait de préférence en rachetant les entreprises locales les plus performantes ou en passant des accords de licence avec elles.

5.2.3. Les progrès technologiques

L'amélioration des performances des télécommunications, de l'informatique, des logiciels, de la miniaturisation des équipements et de l'avènement de l'ère digitale par le son, la vidéo et le texte, n'offre aujourd'hui quasiment plus aucune limite dans le stockage des informations qui peuvent transiter par la voie numérique. Pour les services fondés sur l'information ou ceux à fort contenu informationnel, les canaux de télécommunications à haut débit qui peuvent transporter des données à grande vitesse mais aussi Internet, jouent un rôle majeur dans l'ouverture de nouveaux marchés à l'international. Les entreprises « informationnelles » ont dorénavant la possibilité de faire des économies considérables d'implantation et de développement en mettant en place des « nœuds d'information » par continent ou même au niveau mondial. Elles font ainsi des économies considérables sur les frais de personnel, d'expatriation et sur les taux de change avantageux en centralisant la gestion de services annexes (comme les réservations) tout comme leurs opérations de *back office* (comme la comptabilité) dans un seul ou un nombre limité de pays prédéterminés. Nous ne comptons plus aujourd'hui le nombre d'entreprises de services, toutes activités confondues, qui ont développé des *call centers* à l'étranger pour bénéficier d'un coût de main-d'œuvre moins élevé. Les décalages horaires ont aussi l'avantage d'offrir un service 24 h/24 à moindre coût.

5.2.4. La réduction des coûts

Au niveau des coûts, être grand et gros est parfois intéressant. D'une part, avoir une activité internationale ou même mondiale peut faciliter l'obtention d'économies d'échelle et le rendement des approvisionnements lorsque les conditions logistiques sont favorables et les prix plus bas dans certains pays. D'autre part, la réduction des coûts de télécommunications et de transport dynamise et accélère l'entrée sur les marchés internationaux. L'incidence de ces facteurs est fonction du niveau et du montant de charges fixes requis pour exercer une nouvelle activité et de la capacité de l'entreprise à profiter de ces économies potentielles. Mais les barrières à l'entrée issues du coût initial des équipements et des installations peuvent être minimisées, voire contournées, en recourant au crédit-bail, ce qui est le cas par exemple pour les compagnies aériennes. L'entreprise peut aussi rechercher des installations qui appartiennent à des investisseurs et mettre en place des contrats de gestion, de concession ou de franchise avec des entrepreneurs locaux.

En revanche, ces facteurs de coûts s'appliquent moins pour les entreprises de services à la personne, qui nécessitent un contact direct. En effet, dès lors que la plupart des éléments qui constituent le système de fabrication du service doivent être reproduits sur plusieurs sites/pays, les économies d'échelles deviennent moins importantes et la courbe d'expérience moins prononcée.

5.2.5. Les incitations gouvernementales

Les politiques gouvernementales peuvent encourager, mais aussi décourager le développement d'une entreprise à l'international. Parmi les facteurs qui favorisent les échanges internationaux, il faut compter l'existence de normes techniques compatibles et une réglementation commerciale commune. Les actions entreprises par la Commission européenne qui visent à créer un marché unique à travers l'UE (Union européenne) favorisent l'adoption de stratégies de services paneuropéennes pour beaucoup de secteurs industriels. Dans une optique plus mondiale, on peut s'attendre à ce que les dynamiques gouvernementales soient plus favorables aux services qui s'adressent aux personnes et aux biens des clients, ces derniers ayant l'avantage d'exiger une forte présence locale et de créer des emplois nouveaux.

Par ailleurs, l'OMC (Organisation mondiale du commerce) qui met l'accent sur la globalisation des services a incité les gouvernements à libéraliser leur environnement réglementaire vis-à-vis de stratégies transnationales de services. L'influence des incitations à l'internationalisation peut être observée dans l'exemple de l'arrivée à Hongkong de la compagnie aérienne Qantas (voir Questions de services 4.1).

Mais les facteurs qui favorisent l'internationalisation et l'adoption de stratégies transnationales incitent également certaines entreprises locales à obtenir une dimension nationale. Les marchés, les coûts, les forces technologiques et concurrentielles qui encouragent la création d'entreprises de services ou de chaînes de franchises nationales sont souvent les mêmes qui, par la suite, mèneront ces entreprises vers une activité transnationale.

Après avoir étudié les facteurs qui favorisent l'internationalisation des services, nous allons pour terminer ce chapitre étudier ceux qui sont encore aujourd'hui considérés comme des freins.

Vol pour Hongkong : un aperçu de la globalisation

Après un vol de dix heures en provenance d'Australie, un Boeing 747 rouge et blanc reconnaissable au kangourou volant représentant la Qantas vire au-dessus du port de Hongkong. Une fois à terre, l'avion passe devant un kaléidoscope de queues d'avions peintes aux couleurs d'une dizaine de pays différents. Un exemple du nombre de transporteurs qui desservent cette ville.

Les passagers sont aussi bien des résidents que des touristes ou des hommes d'affaires. Qu'apportent les voyageurs d'affaires à cette région administrative particulière de la Chine ? Beaucoup viennent négocier des contrats de fourniture de produits manufacturés comme des vêtements, des jouets, des composants informatiques tandis que d'autres tentent de vendre leurs propres marchandises ou services aussi bien dans le domaine des télécommunications que des loisirs. Le propriétaire d'une grande agence de voyages australienne est venu négocier un « package » de vacances au Queensland sur la fameuse Côte d'Or. Le partenaire canadien basé à Bruxelles d'une des « Big Four » est à mi-chemin de son périple autour du monde pour persuader les agences d'un conglomérat international de renforcer les audits avec son seul cabinet dans une optique de globalisation. Un cadre américain et son collègue anglais travaillant pour le compte d'un partenariat américano-européen dans le domaine des télécoms, espèrent vendre à une multinationale locale le management de toutes ses activités de télécommunications à travers le monde et enfin plusieurs passagers travaillent pour le compte de banques et de services financiers et viennent à Hongkong, l'une des places financières mondiales parmi les plus dynamiques, pour rechercher des financements pour leurs propres affaires.

Dans le fret du Boeing, il n'y a pas seulement les bagages des voyageurs mais aussi des marchandises pour Hongkong et d'autres destinations chinoises (du courrier, du vin australien et des pièces de rechange pour un ferry australien, un container de brochures et affiches sur le tourisme australien et toutes sortes de marchandises). Attendent à l'aéroport l'arrivée de l'avion, le personnel local de la compagnie Qantas, les bagagistes, les mécaniciens et personnels techniques, les personnels de ménage, la douane, la police aux frontières et ceux qui viennent accueillir des passagers. Peu sont Australiens, la plupart sont des Chinois de Hongkong qui n'ont jamais voyagé bien loin. Ils sont clients des banques, de fast-foods, de compagnies d'assurance, etc., dont les noms de marques sont promus par de grandes campagnes de publicité internationales. Ils regardent CNN sur le câble, écoutent la BBC à la radio, téléphonent grâce à Hong Kong Telecom et regardent les films hollywoodiens en anglais ou doublés en chinois. Bienvenue dans le monde global du marketing des services !

6. Les obstacles à l'internationalisation des services

Bon nombre d'entreprises de services ont pour objectif une présence marquée à l'international. Les différentes stratégies menées ont pour but de constituer des réseaux *in situ* ou à distance dans les pays où l'entreprise a décidé d'être présente. Les barrières à l'entrée, nombreuses il y a quelques années, sont en train de disparaître. En effet, les récentes lois en faveur du libre-échange ont contribué à l'expansion des activités transnationales et internationales. Parmi les développements les plus marquants, on notera l'Alena (liant le Canada, le Mexique et les États-Unis), en Amérique latine les blocs économiques comme le Pacte andin et le Mercosur, ainsi que l'Union européenne élargie en mai 2004 (voir Mémo 4.2).

Cependant, pour certains services il est encore difficile de travailler dans un contexte international. Malgré les efforts de l'OMC (*Organisation mondiale du commerce*) et de son prédécesseur le GATT (*General Agreement on Trade and Tariffs*), qui ont essayé de négocier l'ouverture des marchés de services, il reste encore bien du chemin à parcourir. Le libre accès aux lignes aériennes reste un point particulièrement épineux. Beaucoup de pays exigent la signature d'accords bilatéraux avant de permettre l'ouverture de nouvelles liaisons aériennes. Or, si un pays est d'accord pour accueillir un transporteur étranger, l'autre ne l'est pas toujours et il n'est donc pas possible d'exploiter cette ligne. Des restrictions gouvernementales ainsi que l'engorgement de certains grands aéroports ont conduit à refuser aux compagnies aériennes étrangères la possibilité de faire atterrir des vols supplémentaires. Les transports des passagers et du fret sont également affectés par ces restrictions.

Mais il faut noter d'autres types de contraintes telles que : les retards administratifs, le refus par des agents de l'immigration d'accorder un permis de travail à des dirigeants ou ouvriers étrangers, une lourde imposition des sociétés étrangères, une politique qui favorise et protège les fournisseurs locaux, une réglementation complexe des procédures commerciales et opérationnelles (y compris le flux des données depuis et vers l'étranger) et l'absence de règles clairement définies pour la comptabilisation des services. Autant de dispositions qui freinent considérablement le processus d'internationalisation des services. De plus, les différences culturelles et de langage peuvent générer des modifications coûteuses dans la nature d'un service et dans son mode de livraison et promotion.

L'Union européenne : vers un commerce sans frontières

Mémo 4.2

Beaucoup de décisions stratégiques qui impliquent les responsables marketing d'entreprises de services implantées sur le territoire européen sont en fait des extensions de décisions déjà mises en place sur le territoire domestique. Bien que physiquement plus petits que les États-Unis, les 28 pays de l'Union européenne ont une population plus nombreuse (505,7 millions contre 285 millions) et sont culturellement et politiquement plus diversifiés, avec des différences en termes de goûts, styles de vie et langues (nationales et régionales).

Avec l'arrivée des nouveaux pays, le marché européen est encore plus vaste. L'admission des pays de l'Europe de l'Est ajoutera encore plus de diversité et rapprochera le marché européen de la Russie et des pays d'Asie centrale.

À l'intérieur de l'Union européenne, la Commission a fait un énorme travail en harmonisant certains standards pour améliorer le niveau de concurrence et décourager les efforts individuels de certains pays membres qui voudraient protéger leur propre industrie et leur propre secteur de services. C'est le cas pour des entreprises allemandes qui exploitent des services de téléphonie mobile en Grande-Bretagne, des Anglais qui exploitent des lignes aériennes en Belgique et des services de distribution d'eau français qui opèrent dans différents pays européens.

...

Mémo 4.2

...

Un autre pas important a été franchi avec l'union monétaire, qui facilite les échanges paneuropéens. Le prix des services s'exprime maintenant en euros, de la Finlande au Portugal.

Malgré le potentiel commercial pour les services, dans une Europe qui croît rapidement, un certain nombre de pays n'adhèrent pas à l'Union. Certains, comme la Suisse ou la Norvège, se réjouissent de relations commerciales plus étroites avec des pays à l'intérieur de l'Union. Pourtant les « États-Unis d'Europe » restent une issue improbable et contestée. Du point de vue du marketing des services, l'Union européenne se rapproche toutefois de plus en plus du modèle US en termes de taille et de liberté de mouvements.

Conclusion

Où, quand et comment ? Les réponses à ces trois questions forment la base de la stratégie de livraison d'un service. La façon dont le service sera perçu par le client dépend de la qualité du service lui-même, mais aussi de la manière dont il est délivré. « Où ? » a bien sûr trait au lieu où le client prend livraison du service de base, d'un ou de plusieurs services périphériques, ou d'une offre unique qui englobe le tout. Le découpage par catégorie de services permet de mieux cerner les choix de localisation, que ce soit le client qui se rende sur le lieu de service ou qu'il se déplace chez le prestataire, ou enfin que des solutions proposent des opérations à effectuer à distance.

« Quand ? » concerne les décisions relatives aux horaires de livraison du service. Une plus grande commodité réclamée par les clients pousse de nombreux prestataires vers l'élargissement des heures et des jours d'ouverture, le summum en matière de flexibilité étant le service 24 h/24, tous les jours de l'année.

« Comment ? » porte sur les canaux et les procédures utilisés pour délivrer les services de base et périphériques. Les avancées technologiques ont un impact déterminant sur les disponibilités et modalités et sur leurs aspects économiques. Pour répondre à plus de flexibilité de la part du consommateur, beaucoup d'entreprises proposent plusieurs moyens et canaux de distribution qui ne se concurrencent pas forcément mais, au contraire, concourent à offrir un large spectre de services dont la complexité varie en fonction des canaux dans lesquels ils sont offerts. Les moins complexes sont proposés dans les canaux à distance, les plus complexes dans les canaux traditionnels.

Bien que le secteur tertiaire ait généralement plus tendance à contrôler ses canaux de distribution que le secteur industriel, les intermédiaires peuvent aussi jouer un rôle important dans la livraison du service de base et des services périphériques.

De plus en plus de prestataires proposent leurs services au-delà des frontières de leur pays. Il y a cinq moteurs clés qui poussent les sociétés à développer des stratégies transnationales (ou qui les freinent) : le marché, la réduction des coûts, les progrès technologiques, la politique gouvernementale et la concurrence. Cependant, il existe une différence importante dans l'impact de ces facteurs suivant qu'ils s'appliquent aux personnes, à leurs biens, ou aux services à forte intensité informationnelle.

Questions de révision

1. Que veut dire « distribuer le service » ?

2. Pourquoi est-il important de faire la différence entre la livraison du service de base et celle des services périphériques ?

3. Quelles sont les différentes options dans la distribution des services ? Pour chaque option, quels facteurs les entreprises de services doivent-elles prendre en compte ?

4. Quels sont les facteurs clés qui déterminent les décisions relatives à la place et au temps de livraison des services ?

5. Quels sont les risques (et opportunités) qu'encourt une entreprise de vente au détail qui ajoute des canaux électroniques (a) parallèlement aux canaux physiques ; (b) en remplacement des canaux physiques ? Donnez des exemples.

6. Pourquoi les responsables marketing des entreprises de services sont-ils concernés par le développement des technologies de l'information et des téléphones mobiles nouvelle génération ?

7. Quels sont les facteurs qui accroissent la globalisation des services ?

8. De quelle manière la nature du service peut-elle affecter les opportunités de globalisation ?

Exercices d'application

1. Choisissez une entreprise de services et analysez en quoi l'utilisation de la technologie facilite la livraison du service. Y a-t-il d'autres occasions de bénéficier des apports de la technologie ? Si oui, quelles sont-elles ?

2. Identifiez trois situations dans lesquelles vous utilisez un canal à distance. Quelle est votre motivation pour utiliser cette approche plutôt qu'une autre ?

3. Pensez à trois services que vous achetez ou utilisez exclusivement par Internet. Quelle est pour vous la valeur de ce canal comparé aux autres canaux (téléphone, mails, agence, etc.) ?

4. Sélectionnez deux exemples de franchise (excepté dans le domaine des fast-foods), l'un ciblant prioritairement le marché grande consommation et le second, le *B to B*. Décrivez le profil de chacun, leur stratégie et évaluez leur positionnement concurrentiel.

Notes

1. Éric Vernette, « La méthode Delphi : une aide à la prévision marketing », *Décisions marketing*, n° 1, 1994, p. 97-101.

2. Études fondées sur les recherches suivantes : Nancy Jo Black, Andy Lockett, Christine Ennew, Heidi Winklhofer et Sally McKechnie, « Modelling Consumer Choice of Distribution Channels : An Illustration from Financial Services », *International Journal of Bank Marketing*, 20, n° 4, 2002, p. 161-173 ; Jinkook Lee, « A Key to Marketing Financial Services : The Right Mix of Products, Services, Channels and Customers », *Journal of Services Marketing*, 16, n° 3, 2002, p. 238-258 ; Leonard L. Berry, Kathleen Seiders et Dhruv Grewal, « Understanding Service Convenience », *Journal of Marketing*, 66, n° 3, juillet 2002, p. 1-17.

3. Anne-Sophie Cases et Christophe Fournier, « L'achat en ligne : utilité et/ou plaisir, le cas de Lycos France », *Décisions marketing*, n° 32, 2003, p. 83-96.

4. P. K. Kannan, « Introduction to the Special Issue : Marketing in the E-Channel », *International Journal of Electronic Commerce*, 5, n° 3, 2001, p. 3-6.

5. Inge Geyskens, Katrijn Gielens et Marnik G. Dekimpe, « The Market Valuation of Internet Channel Additions », *Journal of Marketing*, 66, n° 2, avril 2002, p. 102-119.

6. Katherine N. Lemon, Frederick B. Newell et Loren J. Lemon, « The Wireless Rules for e-Service », *New Directions in Theory and Practice*, Roland T. Rust et P. K. Kannan (éd.), New York, Armonk, M. E. Sharpe, 2002, p. 200-232.

7. Frances Cairncross, *The Company of the Future*, Boston, Harvard Business School Press, 2002.

8. James Cross et Bruce J. Walker, « Addressing Service Marketing Challenges Through Franchising », *Handbook of Services Marketing & Management*, Teresa A. Swartz et Dawn Iacobucci (éd.), Thousand Oaks, Sage Publications, 2000, p. 473-484.

9. Scott Shane et Chester Spell, « Factors for New Franchise Success », *Sloan Management Review*, printemps 1998, p. 43-50.

10. Gérard Cliquet, « Les réseaux mixtes franchise/succursalisme : apports de la littérature et implications pour le marketing des réseaux de points de vente », *Recherche et applications en marketing*, vol. 17, n° 1, 2002, p. 57-73.

11. Ce terme a été inventé par Curtis P. McLauglin et James A. Fitzsimmons, « e-Service : Strategies for Globalizing Service Operations », *International Journal of Service Industry Management*, 7, n° 4, 1996, p. 43-57.

12. Johny K. Johansson et George S. Yip, « Exploiting Globalization Potential : US and Japanese Strategies », *Strategic Management Journal*, octobre 1994, p. 579-601 ; Christopher H. Lovelock et George S. Yip, « Developing Global Strategies for Service Businesses », *California Management Review*, 38, hiver 1996, p. 64-86 ; Rajshkhar G. Javalgi et D. Steven White, « Strategic Challenges for the Marketing of Services Internationally », *International Marketing Review*, 19, n° 6, 2002, p. 563-581 ; May Aung et Roger Heeler, « Core Competencies of Service Firms : A Framework for Strategic Decisions in International Markets », *Journal of Marketing Management*, 17, 2001, p. 619-643.

Chapitre 5
Explorer les « business models » : le prix et le *yield management*

*« Qu'est-ce qu'un cynique ? Un homme qui connaît
le prix de tout et la valeur de rien. »* – Oscar Wilde

*« Dans la vie, les choses qui ont le plus de valeur
sont celles qui n'ont pas de prix. »* – Guillaume Musso

Objectifs de ce chapitre

- Quelles sont les trois principales approches pour déterminer le prix d'un service ?

- Pourquoi la détermination du prix fondé sur les coûts est-elle si difficile pour les entreprises de services et comment l'*Activity-Based Costing* (méthode ABC : mesure des coûts de chaque activité) facilite-t-elle la détermination des coûts ?

- Quelles sont les stratégies clés pour augmenter la valeur nette auprès des consommateurs ? En quoi les coûts non monétaires sont liés à la valeur des services ?

- En quelles circonstances les marchés de services sont-ils moins sensibles à la concurrence au niveau des prix ?

- En quoi le management des revenus peut-il radicalement améliorer la rentabilité ? Comment proposer des prix différents à des segments différents sans que le consommateur ait l'impression d'être abusé ?

- Quelles sont les sept questions auxquelles les marketeurs doivent répondre lors de la mise au point d'un barème de prix ?

Déterminer le prix d'un service est chose complexe. Les entreprises de services le savent bien. Avez-vous déjà fait attention au nombre de termes différents que les entreprises de services utilisent pour nommer leurs prix ? Dans les grandes écoles, on parle de frais de scolarité, dans les universités, de droits d'inscription, les professions libérales font payer des honoraires, les banques demandent des commissions, les courtiers en Bourse ont des frais de courtage, les sociétés d'autoroutes prélèvent un péage, les services publics fixent des tarifs, les compagnies d'assurance parlent de primes et la liste est encore longue…

Une stratégie de prix efficace doit conduire à l'obtention de revenus qui permettent d'atteindre les objectifs de rentabilité de l'entreprise. Pour cela, celle-ci doit avoir une bonne connaissance de ses coûts, de la valeur qu'elle crée et des prix proposés par ses concurrents. Ce constat paraît simple, mais c'est un véritable défi dans les entreprises de services, là où la détermination du coût unitaire peut être difficile et l'allocation des frais fixes complexe tant l'offre de services est multiple et complexe. La valeur d'un service pour les clients peut être différente selon les segments et parfois dans le temps à l'intérieur d'un même segment. Pour compliquer les choses, la demande peut considérablement varier, tandis que la capacité (de production) est le plus souvent fixe. De plus, les prix des concurrents ne peuvent être comparés à l'euro près, tant les services sont spécifiques d'un point de vue géographique et temporel.

Dans ce chapitre, nous allons passer en revue le rôle de la détermination du prix dans le domaine des services et proposer des éléments d'actions qui permettent de développer une stratégie de prix efficace.

1. L'établissement du prix : condition essentielle au succès économique[1]

Le marketing est la seule fonction qui procure des revenus à l'entreprise. Toutes les autres fonctions du management créent des coûts. La fixation du prix est le mécanisme grâce auquel les ventes sont transformées en recettes. Dans beaucoup de secteurs d'activité de services, le prix est traditionnellement établi dans une perspective comptable et financière qui, le plus souvent, est fondée sur une surévaluation des coûts. Les barèmes de prix sont souvent encadrés par des réglementations gouvernementales et c'est encore souvent le cas. Cependant, encore beaucoup d'entreprises jouissent d'une totale liberté dans la fixation des prix et ont une bonne connaissance des prix pratiqués par la concurrence et de la valeur des produits, d'où des systèmes de tarification astucieux et innovants et des systèmes de yield management (management des revenus) sophistiqués.

La détermination du prix est toujours plus complexe dans les services que dans le secteur industriel. Parce que le service échappe au concept de propriété, il est difficile pour les responsables de déterminer les coûts financiers de la création d'un processus ou de ses performances. De plus, l'impossibilité de stocker les services oblige à accorder une plus grande importance à l'équilibre entre l'offre et la demande, une tâche dans laquelle le prix joue un rôle clé. L'importance du facteur temps dans la livraison du service fait que la rapidité de la livraison et donc l'absence d'attente augmentent le plus souvent sa valeur. Avec une hausse de la valeur, les consommateurs sont prêts à payer plus pour le service.

Qu'apporte une perspective marketing à la détermination du prix ? Les stratégies de prix cherchent à accroître (voire maximiser) le niveau des revenus, en faisant la distinction entre les divers segments de marché selon leur perception de la valeur, leur solvabilité et entre différentes périodes basées sur les variations de la demande dans le temps.

2. Objectifs et bases de la détermination des prix

Toute stratégie de prix doit être établie sur une connaissance claire et précise des objectifs de prix de l'entreprise. Les objectifs prix les plus courants sont liés aux revenus et profits, à la clientèle, à la part de marché et au taux de pénétration (voir tableau 5.1).

Tableau 5.1	Objectifs alternatifs pour la détermination du prix

Objectifs de revenu et de profit

Rechercher le profit
- Faire le plus de bénéfices possible.
- Atteindre un objectif déterminé, sans chercher à maximiser les profits.
- Maximiser les profits à partir d'une capacité de production fixe en faisant varier dans le temps les prix et les segments ciblés, en utilisant le plus souvent les principes du yield management.

Couvrir les coûts
- Couvrir en totalité les coûts alloués (y compris les frais institutionnels).
- Couvrir les coûts de fourniture d'un service donné (à l'exclusion de tout autre coût).
- Couvrir les coûts incrémentaux pour vendre une unité de service supplémentaire ou à un client particulier.

Objectifs de gestion de la base de clientèle

Établir la demande
- Maximiser la demande (lorsque la capacité n'est pas une contrainte), sous réserve d'atteindre un niveau minimum de revenu.
- Atteindre une capacité maximale d'utilisation, en particulier lorsque cette forte capacité d'utilisation ajoute de la valeur pour les clients (une salle comble augmente l'intérêt d'une pièce de théâtre ou d'un match de basket-ball).

Construire une base de clientèle
- Encourager les essais pour faire adopter le service. Cela est particulièrement valable pour de nouveaux services avec des coûts d'infrastructure élevés, et pour des services où l'on retrouve la notion d'adhésion et qui génèrent un certain niveau de revenu grâce à une utilisation permanente des services (abonnement à un service de téléphonie mobile, contrats d'assurance).
- Accroître sa part de marché ou sa base d'utilisateurs, en particulier si de grosses économies d'échelle peuvent procurer un avantage sur les coûts par rapport à ceux de la concurrence (si le niveau de développement ou les frais fixes sont élevés).

2.1. Générer des profits

Avec certaines limites, les entreprises qui recherchent prioritairement le profit visent à maximiser les revenus et les bénéfices sur le long terme. Les dirigeants peuvent être impatients d'atteindre un objectif financier précis ou bien chercher un certain pourcentage de retour sur investissement. Les sources de revenus peuvent être altérées en raison de la dispersion géographique des unités, des types de services, et même des différents segments de consommateurs pouvant remettre en cause les objectifs prévisionnels. C'est pourquoi il est nécessaire d'avoir une bonne connaissance des coûts, de la concurrence, de l'élasticité prix/marché et de la perception de la valeur pour fixer les prix. Nous en discuterons ultérieurement dans ce chapitre.

Lorsque la capacité de production est limitée, la réussite financière de l'entreprise est souvent conditionnée par son utilisation optimale à n'importe quel moment. Les hôtels, par exemple, cherchent à remplir leurs chambres, dans la mesure où une chambre vide représente un actif non productif. Parallèlement, les entreprises veulent que leurs employés soient occupés. Ainsi, lorsque le niveau de la demande est faible, elles peuvent proposer des rabais ou remises pour attirer des clients supplémentaires. À l'inverse, lorsque la demande est supérieure à la capacité, elles augmentent leurs prix et se concentrent sur les segments de clientèle qui sont prêts à payer plus cher. Nous reparlerons de ces pratiques dans la partie concernant le management des revenus (*yield management*).

2.2. Consolider la demande

Dans certaines situations, étendre la clientèle, sous réserve d'atteindre un niveau minimum de profits, peut être plus important que maximiser les profits. Faire salle comble dans un théâtre, un stade ou sur un circuit, entraîne en général une émotion qui enrichit l'expérience du client. Cela crée aussi une image de succès propice à l'attraction de nouveaux clients.

Attirer de nouveaux clients

Dans les secteurs d'activité où il existe une relation contractuelle avec les clients sous forme d'abonnements et où de lourds investissements d'infrastructure doivent être réalisés (téléphonie mobile ou service à grande échelle), il est vital de conquérir un certain nombre de clients rapidement. Être leader sur un marché signifie souvent un faible coût par utilisateur, et c'est ce qui permet de générer des revenus suffisants pour couvrir les investissements futurs. Il existe cependant des limites à de telles pratiques : générer de l'infidélité. En effet, de nos jours, les entreprises de téléphonie mobile se livrent une lutte acharnée pour prendre les clients des concurrents en proposant des rabais et l'offre de portable à l'abonnement. Devant la complexité des offres et le peu d'attractivité d'une offre par rapport à une autre, les clients n'hésitent plus à s'abonner chez un concurrent pour bénéficier d'un portable gratuit. C'est souvent le résultat des politiques de conquête de clients à « tous prix ». La guerre des prix dans les services est souvent une grave erreur. Nous aurons l'occasion d'y revenir plus dans le détail dans ce chapitre.

Les nouveaux services ont la particularité d'avoir du mal à attirer de nouveaux clients. Aussi, il est important que l'entreprise donne l'impression de réaliser un gros volume d'affaires avec les bons clients, tout en améliorant son image. Des rabais sur les prix de lancement peuvent être mis en place pour stimuler des essais et démonstrations et attirer des clients, souvent à travers des actions promotionnelles comme des remises, des cadeaux ou des concours[2].

2.3. Les trois piliers de la stratégie de prix

Les fondements sous-tendant une stratégie de prix s'inscrivent dans un triangle : les coûts, la concurrence et la valeur pour le client. Les coûts, qui doivent être couverts, définissent la limite inférieure du prix (prix plancher) qui peut être demandé pour un produit donné ; la valeur du produit aux yeux des clients définit, elle, la limite supérieure (prix plafond) ; le prix fixé par la concurrence pour des produits semblables, ou de substitution, peut déterminer, entre ces prix plancher et plafond, le niveau du prix qui devrait raisonnablement être fixé.

3. Les coûts du service

Il est plus complexe de déterminer les coûts d'une performance intangible que d'identifier le travail, les matériaux, la capacité des machines, la capacité de stockage et les frais de transport liés à la production d'un bien matériel. Cependant, sans une bonne connaissance des coûts, comment un manager peut-il fixer un prix de manière qu'il apporte une certaine marge de profit ? La main-d'œuvre et les infrastructures nécessaires font qu'un grand nombre d'entreprises de services ont des coûts fixes supérieurs aux coûts variables.

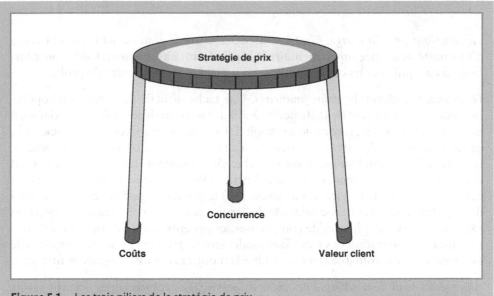

Figure 5.1 – Les trois piliers de la stratégie de prix.

3.1. Le coût de la livraison du service

Le mémo 5.1 explique comment le prix des services peut être estimé, en utilisant les coûts, fixes, variables ou semi-variables, ainsi que les notions de contribution à la marge et d'analyse du seuil de rentabilité. Ces approches traditionnelles de comptabilité des coûts sont efficaces pour des entreprises de services avec des coûts semi-variables ou variables significatifs (comme c'est le cas de nombreux services professionnels).

Pour des unités de production de services complexes où les infrastructures sont partagées (produits vendus aux guichets des banques par exemple), il est peut-être plus judicieux d'utiliser la méthode d'*Activity-Based Costing* (ABC).

Comprendre les coûts, la contribution à la marge et l'analyse du seuil de rentabilité

Dans un théâtre, ce coût additionnel est proche de zéro. Les coûts variables significatifs sont associés aux activités liées à la distribution de nourriture et de boissons, ou à l'installation de nouvelles pièces lors d'une réparation, sachant que cela entraîne le stockage de biens matériels coûteux en plus de la main-d'œuvre. Ce n'est pas parce qu'une entreprise a vendu un service à un prix excédant ses coûts variables qu'elle est bénéficiaire, car il y a des coûts fixes et semi-variables à intégrer.

Coûts semi-variables. Ils se situent entre les coûts fixes et les coûts variables. Ils représentent les dépenses qui augmentent ou diminuent en fonction de la hausse ou de la baisse du niveau d'activité. Par exemple, l'ajout d'un vol supplémentaire pour faire face à la hausse de la demande sur un trajet particulier ou l'embauche d'un employé à temps partiel dans un restaurant lors des week-ends chargés.

...

Mémo 5.1

...

La contribution à la marge. C'est la différence entre le coût variable lié à la vente d'une unité de service supplémentaire et le prix facturé à l'acheteur. Cette contribution sert à équilibrer les coûts fixes et semi-variables avant de créer du profit.

Déterminer et allouer les coûts financiers. Une tâche difficile dans certaines opérations de service à cause de la difficulté à allouer et répartir les coûts fixes dans un ensemble multiservices, comme un hôpital. Certains coûts fixes sont associés à la gestion du service des urgences, mais il y a aussi des coûts fixes qui proviennent de la gestion de l'hôpital auquel il est rattaché. Quel montant de coûts fixes l'hôpital doit-il allouer aux urgences ? Le calcul peut s'effectuer en se fondant sur : (1) la surface qu'occupe le service des urgences ; (2) le pourcentage des heures de travail des employés ou de la masse salariale du service par rapport au reste de l'hôpital ; (3) le nombre total d'heures de contact avec les patients. Chacune de ces méthodes produira une allocation des frais fixes totalement différente : l'une trouvera la salle des urgences très profitable alors que l'autre la montrera comme un gouffre financier.

Analyse du seuil de rentabilité des coûts du service. Les responsables doivent savoir à partir de quel niveau de vente un service devient rentable. Cela s'appelle le seuil de rentabilité. Il faut diviser le total des frais fixes plus les coûts semi-variables par l'unité de contribution obtenue sur chaque unité de service. Par exemple, si un hôtel de 100 chambres a besoin de couvrir des coûts fixes et semi-variables de deux millions d'euros par an, et que la contribution pour une nuit soit en moyenne de 100 euros, l'hôtel devra vendre 20 000 « nuits » pendant l'année pour une capacité annuelle de 36 500 « nuits ». Si les prix baissent en moyenne de 20 euros par nuit (ou si les coûts variables augmentent d'autant), la contribution va chuter à 80 euros par nuit et le seuil de rentabilité atteindra 25 000 « nuits ». Le volume de ventes peut alors être relié à la sensibilité aux prix (les clients seront-ils disposés à payer autant ?), à la taille du marché (le marché est-il assez vaste pour ce niveau de clientèle, après avoir pris en considération la concurrence ?), à la capacité maximale (l'hôtel dans notre exemple possède une capacité de 36 500 « nuits » à l'année, si et seulement si aucune des chambres ne doit subir des travaux d'entretien).

Coûts fixes. Souvent comparés aux frais généraux. Ce sont les coûts qu'un fournisseur peut supporter (du moins à court terme) même si aucun service n'est vendu (loyers, dépréciation du matériel, impôts, assurances, salaires des managers et des employés des services fonctionnels, sécurité, intérêts des emprunts).

Coûts variables. Ceux associés à la réalisation d'une vente supplémentaire, comme une nouvelle transaction bancaire ou la vente d'un siège supplémentaire sur un vol. Dans beaucoup de services, ils ont tendance à être très faibles. Par exemple, le transport d'un passager supplémentaire demande peu de kérosène ou de main-d'œuvre en plus.

3.2. La méthode « *Activity-Based Costing* » dite ABC

Un nombre grandissant d'entreprises ont réduit leur dépendance vis-à-vis des systèmes de comptabilité des coûts traditionnels et développé un système de gestion en fonction des coûts (ABC) qui établit que virtuellement toutes les activités ayant lieu au sein de l'entreprise peuvent supporter directement ou indirectement la production, le marketing et la livraison des biens et des services. Cette méthode, la plus compatible avec une entreprise de services, affecte les dépenses à la variété et à la complexité des produits et pas seulement au volume produit. Une activité est un ensemble de tâches qui, combinées, créent le processus ayant pour objectif la livraison du service. Chaque étape représentée dans un logigramme constitue une activité à laquelle des coûts peuvent être associés.

L'approche ABC bien mise en place donne des informations relativement précises sur les coûts des activités et des processus, sur les coûts liés à la création de services spécifiques, à l'exploitation d'activités déplacées dans d'autres lieux (même dans différents pays), ou relatives à des clients particuliers[3]. Le résultat est un outil de gestion qui peut aider les entreprises à repérer la rentabilité des différents services, canaux de livraison, segments de marchés et clients individuels.

Il est essentiel de faire la distinction entre les activités qui sont nécessaires aux opérations liées à un service et celles qui sont discrétionnaires. L'approche traditionnelle du contrôle des coûts a souvent pour résultat une réduction de la valeur créée pour les clients, car l'activité qui est supprimée est en fait indispensable pour assurer un certain niveau de qualité de service. Par exemple, un grand nombre d'entreprises se sont elles-mêmes créé des problèmes marketing lorsqu'elles essayaient de faire des économies en licenciant un grand nombre d'employés du service après-vente. Cette stratégie s'est souvent traduite par un déclin rapide du niveau de service obligeant les clients mécontents à aller voir ailleurs. (Pour plus de détails sur la méthode ABC, voir le mémo 5.2).

Activity-Based Costing

Mémo 5.2

Dans la détermination du prix, les systèmes de coûts traditionnels apportent des données utiles lorsqu'une seule opération crée un produit homogène pour des clients qui se comportent tous de la même manière. Cependant, quand les entreprises de services rencontrent une grande diversité d'*inputs* ou *outputs*, il est irrationnel d'affecter une même proportion de coûts indirects à chaque unité d'*output*. Les clients eux aussi varient en termes de demande vis-à-vis de l'entreprise.

Selon Cooper et Kaplan, respectivement professeur de management à la Claremont Graduate School et professeur de comptabilité à la Harvard Business School, les coûts ne sont pas intrinsèquement fixes ou variables* :

> *Un grand nombre de produits, de marques, de clients, de canaux de distribution créent un nombre de demandes différentes aux ressources d'une entreprise. L'analyse ABC autorise les contrôleurs de gestion à découper le marché de différentes manières, par rapport à un produit ou à des groupes de produits semblables, par rapport à un client isolé ou à des groupes de clients, ou par rapport à un canal de distribution, leur donnant une vue précise de la tranche d'activité prise en considération. L'analyse ABC montre aussi quelles activités sont en relation avec telle ou telle source de revenu et comment elles contribuent à la génération de revenu et à la consommation de ressources.*

...

---

*Robin Cooper et Robert S. Kaplan, « Profit Priorities from Activity-Based Costing », *Harvard Business Review*, 69, n° 3, mai-juin 1991, p. 130-135.

...

Au lieu de se concentrer sur les catégories de dépenses, l'analyse ABC s'intéresse d'abord à l'identification des différentes activités développées par l'entreprise et détermine ensuite le coût de chacune en relation avec chaque catégorie de dépense. Quand les contrôleurs de gestion isolent les activités de cette façon, une hiérarchie des coûts apparaît, montrant le niveau à partir duquel le coût est engagé.

D'autres types d'activités donnent la possibilité à une entreprise de produire un type de service différent [mettre en place des standards de performance dans la gestion du compte client, de communiquer sur les gammes de produit (publicité), de gérer ses infrastructures (l'entretien des immeubles, l'assurance)]. Les dépenses sont liées à chaque activité en fonction des estimations du temps passé, par les employés pour les différentes tâches et du pourcentage d'autres ressources (consommation d'électricité) prélevé par chaque activité.

En bref, la hiérarchie ABC est une approche structurée par la relation entre les activités et les ressources qu'elles consomment. Toute la question est de savoir si chaque activité prise en compte ajoute de la valeur aux services que l'entreprise vend.

Déterminer la rentabilité du client est une question essentielle pour un grand nombre d'entreprises. L'analyse traditionnelle des coûts a tendance à aboutir à l'affectation des frais généraux aux clients. Cela laisse supposer qu'un plus grand nombre d'acheteurs est plus rentable. À l'inverse, l'analyse ABC peut faire ressortir des différences de coûts selon les clients, pas seulement par identification des types d'activité associés à chacun d'eux, mais aussi en déterminant le montant que chaque activité demande.

Par exemple, un client qui achète en grande quantité, mais qui est extrêmement exigeant sur le montant et le niveau d'assistance, peut en réalité être moins rentable qu'un petit consommateur qui n'a besoin que d'une faible assistance.

Source : Robin Cooper et Robert S. Kaplan, « Profit Priorities from Activity-Based Costing », *Harvard Business Review*, mai-juin 1991 ; Robert S. Kaplan, *Introduction to Activity-Based Costing*, note #9-197-076, Boston, Harvard Business School Publishing, 1997 ; Jerold L. Zimmerman, *Accounting for Decision Making and Control*, 3e éd., McGraw-Hill, 2000.

3.3. Les implications de la détermination du prix sur l'analyse des coûts.

Réaliser des bénéfices implique de fixer un prix de vente suffisamment élevé pour couvrir les frais de marketing et de production d'un service, puis d'ajouter une marge suffisante pour atteindre le niveau de bénéfice souhaité, et ce, en fonction de la prévision d'un certain volume de vente. Les entreprises de services ayant des coûts fixes élevés sont celles qui ont des infrastructures très coûteuses (hôpitaux ou universités), ou une flotte d'appareils (compagnies aériennes ou entreprises de transport routier), ou un réseau (les télécommunications, un réseau ferré ou un gazoduc). Pour ce type de services, les coûts variables liés au service d'un client supplémentaire peuvent être minimes.

Dans ces conditions, les responsables peuvent avoir l'impression qu'ils ont une flexibilité sur les prix importante et être tentés de fixer des prix très bas afin de réaliser des ventes supplémentaires. Certaines entreprises parlent de *loss leaders*, qui sont des services vendus moins chers qu'ils ne coûtent afin d'attirer les clients qui seront ensuite enclins à acheter des services à des prix rentables à la même entreprise. Cependant, les bénéfices à la fin de l'année seront nuls car les coûts n'auront pas été couverts. Beaucoup d'entreprises ont mis la clé sous la porte par ignorance de cette logique. De plus, les entreprises concurrentes qui pratiquent un faible niveau de prix doivent avoir une bonne connaissance de leurs coûts de structure et des volumes nécessaires afin d'atteindre leur seuil de rentabilité.

Idéalement, toutes les activités et les coûts engendrés créent de la valeur pour le client. Les responsables doivent cesser de percevoir les coûts d'un point de vue purement comptable. Ils devraient voir les coûts comme une part intégrante des efforts de l'entreprise pour créer de la valeur pour les clients. Carù et Cugini, toutes deux professeurs à l'université de Bocconi à Milan, expliquent les limites des systèmes traditionnels de mesure des coûts. Elles recommandent de relativiser les coûts de n'importe quelle activité en fonction de la valeur qu'ils génèrent :

> *Les coûts n'ont aucun rapport avec la valeur qui, elle, est déterminée par le marché et au final par le degré d'acceptation du client. A priori, le client n'est pas intéressé par le coût d'un produit… mais par sa valeur et son prix…*

> *Le contrôle de gestion qui se limiterait à la surveillance des coûts sans s'intéresser à la valeur est inutile… Le problème des entreprises n'est pas tant un contrôle des coûts qu'un abandon des activités à forte valeur des autres activités. Les entreprises qui ont des activités non rentables sont destinées à être rachetées par des concurrents qui se sont déjà séparés de ces activités[4].*

4. Les prix fondés sur la valeur

Personne n'accepte de payer un service qu'il considère comme mauvais. C'est pourquoi les marketeurs doivent déterminer comment les clients perçoivent le service afin de lui donner un prix adéquat. Gerald Smith (professeur associé à Boston College) et Thomas Nagle (président du Strategic Pricing Group) insistent sur l'importance de la compréhension de la valeur de la plus-value créée par un service, une tâche qui requiert souvent une recherche marketing poussée, surtout sur les marchés *B to B*[5].

4.1. Comprendre la valeur nette

Lorsque les clients achètent un service, ils pèsent le pour (les bénéfices obtenus par l'achat du service) et le contre (les coûts de l'achat). En tant que client, vous jugez les bénéfices que vous êtes censé recevoir en contrepartie de l'évaluation de votre investissement en temps et en effort. La plupart des gens sont prêts à payer plus pour gagner du temps, réduire un effort trop important, obtenir plus de confort. En d'autres termes, ils sont prêts à payer plus pour réduire les coûts non monétaires d'un produit ou d'un service.

Reconnaître les différents arbitrages que les clients sont prêts à faire entre ces différents coûts conduit certaines entreprises à créer différents niveaux de service. Par exemple, les compagnies aériennes et chaînes hôtelières proposent des « classes » de services différentes, offrant ainsi au client la possibilité de payer plus pour des services supplémentaires. Les clients qui se rendent dans un hôtel Formule 1 renoncent au confort et aux services qui augmentent la valeur d'un séjour dans un hôtel 3*** de la même chaîne qui, évidemment, coûte plus cher. En parallèle, une entreprise qui commande des logiciels et du matériel de la catégorie « argent » de chez Sun Microsystems ne pourra pas compter sur la rapidité de réponse, les heures de service et les avantages supplémentaires dont bénéficient les clients de la catégorie « platine » (voir figure 3.6).

Une recherche de Valérie Zeithaml montre que la définition qu'un client donne à la valeur peut être très personnelle et subjective. Quatre façons d'exprimer la valeur émanent de sa recherche :

1. la valeur est un prix faible ;

2. la valeur est tout ce que je veux dans un service ;

3. la valeur est la qualité que j'obtiens pour le prix que je paie ;

4. la valeur est ce que j'ai pour ce que je donne[6].

Dans ce livre, nous fondons notre définition de la valeur sur cette quatrième catégorie et utilisons le terme de *valeur nette* : c'est la somme de tous les bénéfices perçus moins la somme de tous les coûts. Plus la différence (positive) entre les deux est grande, plus la valeur nette est importante. Les économistes utilisent le terme de *surplus consommateur* pour définir la différence entre le prix que le consommateur paie et celui qu'il aurait été prêt à payer pour bénéficier d'un produit/service spécifique.

Si les coûts perçus d'un service sont supérieurs aux bénéfices perçus, alors le service aura une valeur nette négative, et le consommateur n'achètera pas. On peut ainsi comparer les calculs que le consommateur fait dans sa tête aux poids et produits de chaque côté de la balance : d'un côté les avantages et de l'autre les coûts (voir figure 5.2). Quand les consommateurs comparent les services, ils comparent leurs valeurs nettes.

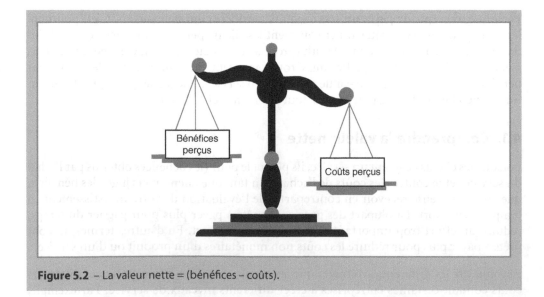

Figure 5.2 – La valeur nette = (bénéfices – coûts).

4.2. Améliorer la valeur brute

Hermann Simon, consultant international, estime que les stratégies de prix de services sont souvent un échec car il n'y a aucune association claire entre le prix et la valeur[7]. Comme nous l'avons mentionné dans le chapitre 3, un marketeur peut augmenter la valeur brute d'un service en ajoutant des avantages au noyau du produit/service et en améliorant les services supplémentaires. Il existe quatre stratégies différentes, néanmoins en relation, pour attirer l'attention et communiquer sur la valeur d'un service : la réduction de l'incertitude, l'amélioration du relationnel, le leadership sur les coûts, le management de la valeur perçue[8].

Réduire l'incertitude

Si les consommateurs ne sont pas sûrs de la valeur qu'ils sont prêts à attribuer à un service, ils demeurent avec leur fournisseur habituel ou ils n'achètent pas. Pour réduire cette incertitude, on peut avoir recours à un prix proportionnel aux bénéfices perçus ou à un taux fixe.

Prix calculés en fonction des bénéfices. Il s'agit de déterminer le prix des aspects du service qui bénéficient directement au consommateur (cela oblige les marketeurs à rechercher les aspects du service que les consommateurs apprécient le plus et le moins). Par exemple, le prix des services d'information sur le Net est souvent calculé en fonction de la durée de connexion, mais la personne attribuera une plus grande valeur à l'information qu'elle trouvera et retiendra. Les sites Internet mal conçus font perdre leur temps aux clients car la navigation y est difficile et l'utilisateur a du mal à trouver ce qu'il recherche. Le résultat est que la création de valeur et le prix sont en décalage. Quand ESA-IRS, un fournisseur européen de services sur le Web, a mis en place une nouvelle stratégie de prix baptisée « prix à payer pour l'information » fondée sur l'information extraite, l'entreprise s'est aperçue que les consommateurs étaient plus enclins à utiliser une fonctionnalité coûteuse en temps appelée ZOOM. Cette dernière permet d'effectuer des recherches d'une grande précision simultanément dans plusieurs bases de données relativement complexes. Ainsi, les consommateurs restèrent connectés plus longtemps, et l'utilisation de ZOOM tripla car les consommateurs effectuaient des recherches de plus en plus précises. L'objectif marketing passa de la vente de temps à la vente d'information.

Prix fixes. Il s'agit de déterminer un prix fixé avant la livraison du service afin d'éviter les surprises. Dans ce cas, le risque est transféré du client au fournisseur si le délai de livraison ou les coûts sont supérieurs aux prévisions. Les prix fixes peuvent être rassurants dans les situations où les fournisseurs ont peu de visibilité sur leurs coûts et la vitesse de production.

Le prix comme variable relationnelle

Comment la stratégie de prix permet-elle de développer et de maintenir une relation à long terme avec le client ? Faire des rabais n'est généralement pas la meilleure des solutions lorsqu'on lance un nouveau produit et que l'entreprise cherche à attirer et fidéliser des clients. Certaines recherches montrent que ceux qui sont attirés par des prix bas peuvent se tourner très rapidement vers un autre concurrent qui pratique lui aussi une politique de prix bas[9]. Des stratégies plus innovantes se concentrent sur le fait de proposer aux clients aussi bien une incitation monétaire que non monétaire pour consolider leurs échanges avec un seul fournisseur. Dans le cas d'achats en grande quantité, cette volonté de baisser les prix peut être profitable aux deux parties, car le client bénéficie de prix bas et le fournisseur de coûts variables plus faibles dus aux économies d'échelle réalisées. Une alternative au rabais grâce au volume acheté est d'offrir une remise aux clients lorsque plusieurs services sont achetés ensemble. Plus le nombre de services différents achetés par un client au même fournisseur est grand, plus forte sera la relation entre les deux. Une relation de confiance permet à l'entreprise d'en savoir plus sur ses clients et donc de rendre le service de façon plus personnalisée. Pour le client, traiter avec la concurrence présente alors plus d'inconvénients que d'avantages.

Le leadership fondé sur des prix bas

Les services à faible prix attirent les clients qui ont des budgets limités et peuvent aussi intéresser ceux qui achètent en grande quantité. Il faut alors faire comprendre au consommateur qu'il ne doit pas associer prix et qualité, et qu'il tirera une bonne valeur du service. Il faut aussi s'assurer que les coûts liés à l'achat permettent de retirer des bénéfices. Certaines entreprises de services ont développé toute leur stratégie sur un leadership fondé sur des prix bas : Southwest Airlines aux États-Unis propose des prix équivalents à ceux des cars, du train ou de la voiture. Cette stratégie a été étudiée partout dans le monde et a maintenant de nombreux imitateurs : Ryanair et Easyjet en Europe, Westjet au Canada.

Gérer la perception de la valeur

La valeur est quelque chose de subjectif et peu de consommateurs sont des experts dans l'art d'apprécier et de justifier la qualité et la valeur qu'ils reçoivent. Cela est particulièrement vrai pour les services à forts attributs de croyance, où le client ne peut juger de la qualité même après consommation. Pensez à une opération chirurgicale, à un conseil juridique ou de gestion[10]. L'invisibilité d'un travail de *back office* rend difficile au consommateur l'évaluation de ce qu'il obtient pour le prix qu'il paie. Par exemple, un particulier appelle un électricien pour qu'il vienne réparer un dommage. Cette réparation demande vingt minutes et quelques jours plus tard le client reçoit une facture de 90 euros, liée aux frais de main-d'œuvre.

C'est une somme qui peut paraître élevée. Mais ce serait oublier tous les frais fixes que le fournisseur de services doit couvrir : le bureau, le téléphone, l'essence, l'assurance, le véhicule, les outils, etc. Les coûts variables de la visite sont supérieurs à ce qu'ils paraissent. Aux vingt minutes passées dans la maison, il faut ajouter les trente minutes de l'aller et retour, plus dix minutes pour charger et décharger les outils dans le véhicule. Le temps effectif de travail est donc de soixante minutes pour cette intervention. À cela l'entreprise doit ajouter une marge afin de dégager des bénéfices.

Les consommateurs ont souvent le sentiment d'avoir été abusés. Une communication efficace et des explications personnalisées sont nécessaires pour leur permettre de se rendre compte de la valeur réelle du service. Les marketeurs des sociétés de conseil doivent également trouver des arguments forts pour justifier le temps, la recherche et l'expertise professionnelle qui ont été nécessaires à la réalisation du projet.

4.3. Réduire les coûts monétaires et non monétaires

Du point de vue du client, le prix pratiqué par le fournisseur correspond à une partie des coûts liés à l'achat et à l'utilisation du service. Il existe d'autres coûts : les coûts financiers et les coûts non monétaires.

Parmi les coûts financiers d'un service, il y a les dépenses occasionnées par la recherche, l'achat et/ou l'utilisation d'un service. Par exemple, le coût d'une séance de cinéma pour un couple avec des enfants en bas âge dépasse largement le prix des deux billets. Il faut en effet prendre une baby-sitter, payer le parking et l'essence, la nourriture et les boissons.

Les coûts non monétaires reflètent le temps, l'effort et l'inconfort associés à la recherche, l'achat et l'utilisation du service. Les clients qualifient ces coûts « d'effort » ou de « tracas ». L'entreprise MMA a parfaitement compris l'importance de ces coûts en en ayant fait son slogan publicitaire « MMA, zéro tracas, zéro blabla ».

Ces coûts ont tendance à être plus élevés quand le client est directement impliqué dans la production du service (services s'adressant aux personnes et libres-services), notamment lorsqu'ils doivent se déplacer, attendre le service, en comprendre le mode de livraison et participer à sa « fabrication ». Les services qui nécessitent un gros savoir-faire peuvent entraîner des coûts psychologiques, comme l'anxiété. Les coûts non monétaires peuvent être regroupés en quatre catégories :

1. *Les coûts en temps* sont inhérents à la distribution d'un service. Pour les clients, il y a un coût d'opportunité qui est fonction du temps passé pour obtenir un service, ce dernier pouvant être consacré à d'autres activités. Les internautes sont souvent frustrés par le temps nécessaire pour trouver une information spécifique sur un site Web. Un grand nombre de personnes hésitent à aller faire faire leur passeport ou leur permis de conduire non pas à cause des coûts mais de l'attente. Le temps passé à attendre n'est en général pas agréable et augmente considérablement les coûts perçus, si élevés que parfois le client préfère ne pas acheter. De plus, ces coûts liés au temps ont souvent lieu à des moments peu pratiques (horaires de travail).

2. *Les coûts liés aux efforts physiques* peuvent être nécessaires pour obtenir certains services, surtout si le client doit se rendre dans les locaux de l'entreprise fournissant le service ou si sa distribution est en libre-service.

3. *Les coûts psychologiques* comme un effort intellectuel, un risque perçu, un sentiment d'incompétence ou même de peur, sont parfois liés à l'achat et à l'utilisation de certains services.

4. *Les coûts sensoriels* font référence à des sensations désagréables affectant l'un des cinq sens comme des bruits, des odeurs désagréables, une chaleur ou un froid excessif, des sièges inconfortables, un environnement, voire des goûts désagréables.

Comme mentionné à la figure 5.3, les consommateurs peuvent être confrontés à des coûts lors des trois phases du processus d'achat et les entreprises doivent prendre en compte (1) les coûts de recherche ; (2) les coûts d'achat et d'utilisation et (3) les coûts postérieurs à la consommation. Quand vous recherchiez une université ou une école, combien de temps et d'argent étiez-vous prêt à dépenser pour savoir où vous alliez déposer un dossier ? Combien de temps et d'efforts seriez-vous prêt à mettre dans la recherche d'une nouvelle banque ou d'un nouvel opérateur de téléphonie mobile ?

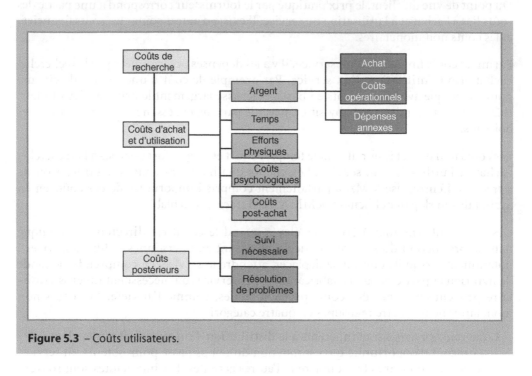

Figure 5.3 – Coûts utilisateurs.

D'un point de vue managérial, chercher à minimiser ces coûts non monétaires et monétaires pour augmenter la valeur attribuée par le consommateur est une bonne idée. Plusieurs approches sont possibles :

- réduire les coûts liés à la durée de l'achat, sa livraison et sa consommation ;
- minimiser les coûts psychologiques superflus lors de chaque étape du processus en éliminant ou en réorganisant les étapes désagréables du processus ;
- éliminer les coûts physiques superflus subis par le client, en particulier lors des phases de recherche et de livraison ;
- faire baisser les coûts sensoriels en créant des environnements visuels plus attractifs, en réduisant les bruits, en installant du mobilier plus agréable, plus confortable, etc. ;
- identifier clairement les autres coûts monétaires et préciser comment les réduire ou proposer des alternatives (par exemple, gestion des comptes bancaires en ligne *via* Internet pour éviter les déplacements).

Les perceptions de la valeur nette peuvent varier entre les clients et d'une situation à une autre pour le même client. L'une des façons de segmenter un marché est de le faire par la sensibilité aux gains de temps et à la praticité[11] en opposition à la sensibilité au prix. À la figure 5.4, une personne doit choisir entre trois cliniques afin d'y effectuer une radio des poumons. En plus des différences de prix possibles, il faut prendre en compte les coûts temporels et d'efforts liés à l'utilisation de chaque service. Les coûts non monétaires peuvent être, pour un client donné, aussi importants que les coûts monétaires.

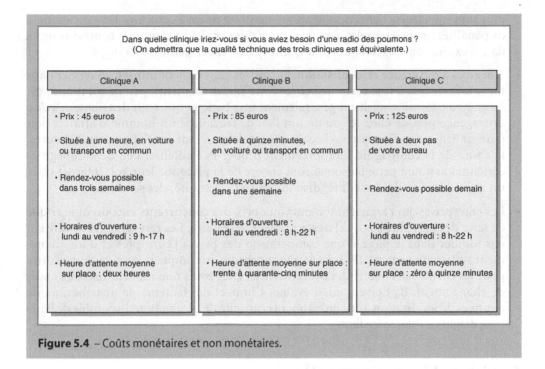

Dans quelle clinique iriez-vous si vous aviez besoin d'une radio des poumons ?
(On admettra que la qualité technique des trois cliniques est équivalente.)

Clinique A	Clinique B	Clinique C
• Prix : 45 euros	• Prix : 85 euros	• Prix : 125 euros
• Située à une heure, en voiture ou transport en commun	• Située à quinze minutes, en voiture ou transport en commun	• Située à deux pas de votre bureau
• Rendez-vous possible dans trois semaines	• Rendez-vous possible dans une semaine	• Rendez-vous possible demain
• Horaires d'ouverture : lundi au vendredi : 9 h-17 h	• Horaires d'ouverture : lundi au vendredi : 8 h-22 h	• Horaires d'ouverture : lundi au vendredi : 8 h-22 h
• Heure d'attente moyenne sur place : deux heures	• Heure d'attente moyenne sur place : trente à quarante-cinq minutes	• Heure d'attente moyenne sur place : zéro à quinze minutes

Figure 5.4 – Coûts monétaires et non monétaires.

5. Les prix fondés sur la concurrence

Des entreprises offrant des services peu différenciés de ceux de leurs concurrents ont intérêt à aligner leurs prix sur ceux-ci, les clients achetant de préférence le moins cher. Dans cette situation, l'entreprise qui peut pratiquer les prix les plus bas possède un sérieux avantage marketing sur ses concurrentes. Elle fixe un prix de référence sur lequel les autres se calquent. On peut observer ce phénomène à l'échelon local lorsque plusieurs stations-service sont en concurrence sur le prix de l'essence. Dès qu'une station baisse ses prix, toutes celles qui sont à proximité suivent[12].

La concurrence sur les prix augmente avec (1) le nombre de concurrents ; (2) la hausse du nombre d'offres de substitution ; (3) l'existence d'un réseau de distributeurs des concurrents important ; et (4) l'accroissement de la capacité de production dans le secteur concerné. Même si certains services peuvent se livrer une concurrence féroce (compagnies aériennes, services bancaires en ligne, téléphonie mobile), la majorité des autres le font beaucoup moins, surtout lorsque l'une des situations suivantes fait baisser la concurrence par les prix :

- **Coûts non monétaires plus importants que le prix.** Lorsque la réduction de temps et d'effort est égale ou supérieure à l'impact du prix lors du choix d'un fournisseur.

- **Personnalisation, sur mesure et coûts de changement significatifs.** Dans les services hautement personnalisés ou sur mesure, comme la coiffure, le conseil, les soins, la relation est fondamentale entre le fournisseur et le client, n'incitant pas celui-ci à se tourner vers la concurrence. Dans d'autres types de services, les coûts de changement demandent du temps et de l'argent. Les opérateurs de téléphonie mobile demandent le plus souvent à leurs clients des engagements allant de un à deux ans, les « menaçant » de pénalités financières relativement élevées s'ils venaient à rompre le contrat avant sa date d'expiration. Les banques pratiquent également ce genre de stratégie.

- **Horaires d'ouverture et localisation.** Quand les gens veulent utiliser un service dans un lieu donné ou à une certaine heure (voire simultanément), peu de solutions s'offrent à eux. Ainsi, choisit-on généralement une banque qui a un distributeur et/ou une agence près de chez soi ou de son lieu de travail. Si un homme d'affaires doit faire un trajet San Francisco – Séoul sans escale mercredi prochain après 20 heures, le choix de la compagnie sera forcément limité. Par ailleurs, peu de compagnies aériennes assurant cette liaison auront encore de la place sur leur vol. Internet offre un nouvel enjeu à l'accessibilité (disponibilité et proximité) des services.

- Les entreprises qui réagissent toujours aux prix des concurrents encourent le risque de fixer des prix plus bas qu'il n'est vraiment nécessaire. Les responsables ne doivent pas tomber dans le piège d'une comparaison des prix à l'euro près et d'un alignement systématiquement. Ils doivent plutôt prendre en compte le coût de chaque offre pour les clients sans oublier les coûts financiers, les coûts non monétaires et les coûts de changement. Ils doivent aussi évaluer l'impact des facteurs de distribution, de temps et de localisation ainsi qu'estimer la capacité de production disponible de leurs concurrents à chaque instant.

6. Le *yield management*[13]

Un grand nombre d'entreprises de services se concentrent aujourd'hui sur des stratégies leur permettant de maximiser le revenu qui peut être généré par la capacité disponible à tout moment. Le management du revenu (aussi appelée *yield management*) est une forme perfectionnée de la gestion de l'offre et de la demande. Les compagnies aériennes, les hôtels et les loueurs de voitures en sont devenus de fervents adeptes en faisant varier leurs tarifs en fonction de la sensibilité au prix des différents segments de marché, à différents moments du jour, de la semaine ou de la saison. Le défi auquel elles ont à faire face est de concrétiser un nombre suffisant d'affaires afin de rentabiliser au mieux la capacité de livraison de service sans pour autant refuser les clients qui sont prêts à payer plus cher.

6.1. Comment fonctionne le *yield management*[14] ?

Dans la pratique, le management du revenu consiste à fixer des prix en fonction du niveau de la demande des différents segments du marché. Le segment le moins sensible au prix se voit tout d'abord attribuer une capacité au prix le plus élevé, suivi du segment un peu plus sensible mais à un prix moindre et ainsi de suite. Comme les segments qui paient le plus cher achètent au plus près de la date de consommation, les entreprises doivent réserver une partie de leur capacité de production et ne pas réagir en permanence dans une logique de premier venu, premier servi. Par exemple, les hommes d'affaires réservent le plus souvent leurs chambres d'hôtel, billets d'avion ou voitures de location au dernier moment, alors que les touristes le font plusieurs mois à l'avance. Un bon système de *yield management* est capable de déterminer à l'avance et avec précision le nombre de clients qui voudront utiliser un service précis à un moment donné et ainsi bloquer la capacité nécessaire à chaque niveau.

Réserver une part de la capacité aux clients à fort potentiel

Des logiciels complexes permettent aux entreprises de mettre en place des modèles mathé-matiques très sophistiqués pour analyser le *yield management*. Dans une compagnie aérienne, ces modèles prennent en compte des bases de données qui intègrent l'historique des passagers et la prévision de la demande pour chaque vol et ce presque un an à l'avance. À intervalles fixes, le responsable observe la vitesse des réservations et la comparera avec les prévisions. Indirectement, cette pratique prend en compte les prix des concurrents. S'il y a une grosse différence entre la demande réelle et la demande prévisionnelle, des ajustements sont réalisés et ce, en rééchelonnant les « allocations prévisionnelles ».

Par exemple, si le rythme de réservations pour un segment à prix élevé est plus important que prévu, une capacité supplémentaire, déduite des segments les moins rentables sera allouée à ce segment. L'objectif est d'avoir un vol complet, chaque place ayant été vendue au prix le plus élevé. Idéalement, aucune des personnes prêtes à payer cher (hommes d'af-faires payant plein tarif) ne doit être refusée et si le vol est complet, seuls les clients voulant payer le moins cher possible seront mis en attente. L'encadré Meilleures pratiques 5.1 montre comment la méthode du *yield management* a été mise en place chez American Airlines, un leader dans ce domaine[15]. Ce système est plus efficace s'il est appliqué à des opérations ayant une capacité relativement fixe, des coûts de structure élevés, un stock périssable, une demande variable et incertaine et une sensibilité prix du consommateur variable (compagnies aériennes, loueurs de voitures, hôtels et récemment les hôpitaux, les restaurants, les clubs de golf et les associations à but non lucratif[16]).

Meilleures pratiques 5.1

Tarification des sièges sur le vol AA 2015

Les services en charge du *yield management* utilisent des logiciels sophistiqués et de puissants ordinateurs pour prévoir, suivre et gérer chaque vol séparément. Prenons l'exemple du vol American Airlines 2015, qui relie Chicago à Phœnix dans l'Arizona et décolle chaque jour à 17 h 30 pour un trajet long de 2 200 km.

La classe économique comprend 125 sièges divisés en sept catégories de prix, appe-lées en yield management des « buckets ». Le prix des billets varie énormément entre les différentes catégories : 238 dollars pour un aller-retour bon marché (avec des restrictions et des frais d'annulation) jusqu'à 1 404 dollars pour un billet sans restrictions. Des places sont aussi disponibles en première classe à des prix supé-rieurs. Scott McCartney nous explique comment une analyse informatique continue change l'allocation des sièges entre les sept catégories de prix en classe économique :

> *Dans les semaines précédant le vol entre Chicago et Phœnix d'un jour donné, nos ordinateurs ajustent en permanence le nombre de sièges disponibles dans chaque catégorie, en prenant en compte le nombre de billets vendus, l'historique du vol, et en ajoutant sur ce vol les gens qui l'utiliseront comme l'une des étapes d'un voyage.*

> *Si les réservations sont faibles, nous ajoutons des sièges dans les catégories à faible prix. Si des hommes d'affaires achètent des billets sans restriction plus tôt que prévu, l'ordinateur enlève des sièges dans les catégories les moins chères et les garde pour les hommes d'affaires qui les achètent, selon les prévisions, au dernier moment.*

> ...

...

> *Récemment, soixante-neuf des cent vingt-cinq sièges de la classe économique avaient déjà été vendus quatre semaines à l'avance. On commença à limiter le nombre de sièges à bas prix. Et une semaine après on ne vendait plus de billets pour les trois dernières catégories, dont les prix sont inférieurs à trois cents dollars. Pour un habitant de Chicago cherchant une place bon marché, le vol était complet.*

> *Un jour avant le départ, cent trente personnes avaient réservé pour cent vingt-cinq sièges disponibles, mais nous proposions toujours cinq billets plein tarif car d'après l'ordinateur, dix passagers en moyenne ne se présenteraient pas à la porte d'embarquement ou prendraient un autre vol. Au final, l'avion était complet et personne ne resta à Chicago.*

Toutes les données de ce vol particulier sont de surcroît stockées dans la mémoire du programme de *yield management* pour permettre à la compagnie d'être encore plus efficace dans le futur.

Source : Scott McCartney, « Ticket Shock: Business Fares Increase Even as Leisure Travel Keeps Getting Cheaper », *The Wall Street Journal*, 3 novembre 1997, p. A1, A10.

Pricing dynamique : pourquoi les prix des trains ou des avions varient d'une minute à l'autre. L'IP (*Internet Protocol*) tracking

Oui, l'IP tracking, cette technique qui consiste à pister l'adresse IP de votre ordinateur, pour vous inciter à acheter un billet d'avion ou de train, existe bien !

« L'IP tracking n'est qu'une technique au service d'une stratégie, le *yield management* », explique M. Nantel. « Cette stratégie est pratiquée par la majorité des compagnies aériennes - où nombre de mes anciens étudiants sont d'ailleurs partis travailler », assure-t-il.

« Nous enseignons les algorithmes depuis une dizaine d'années – ces derniers ont été mis au point à partir de 1995 ; ils ont accompagné le développement du commerce électronique et de l'Internet. »

Le *yield management*, ou optimisation de la recette tarifaire, vise à rentabiliser les voyages : « éviter qu'un avion ou un train ne parte avec des places vides, essayer de vendre un maximum de sièges au prix fort ». Son principe est le suivant : quand un opérateur sait qu'un vol est vide, il baisse les prix ; quand le vol se remplit, il les augmente.

L'IP tracking est la technique qui permet de donner à l'internaute l'illusion que le vol se remplit. « Lorsque celui-ci se connecte une première fois pour consulter les horaires de train, le Paris-Londres est à 40 euros. S'il n'achète pas tout de suite et qu'il revient plus tard, le Paris-Londres est à 55 euros, ce signal devant lui laisser penser que la prochaine fois il sera à 70 euros. »

...

...

Comment est-ce possible ? « Lorsque vous vous connectez sur le site du voyagiste, celui-ci suit votre recherche pas à pas, et l'associe à l'adresse IP de votre terminal (ordinateur, smartphone, etc.). Si vous vous déconnectez et que vous revenez un peu plus tard, pour faire la même recherche, il vous repère et vous propose un prix plus élevé. Il vous laisse croire que le nombre de places diminue et que le prix augmente. »

Pour vérifier que cette pratique existe, il suffit de simuler la même recherche de billets plusieurs fois successivement, sur un même terminal. Le prix va ainsi passer de 100, à 105, puis 115 euros. Si l'on réalise alors la même simulation depuis un autre terminal, avec une connexion distincte (attention aux smartphones en wifi qui peuvent partager la même connexion), le prix est revenu à 100 euros.

Cette pratique est-elle légale ? Pour M. Nantel, elle n'a rien d'illégal : « un marchand de chaussures peut très bien n'exposer que quelques paires d'un modèle dans son magasin, pour vous faire croire que ce sont les dernières », observe-t-il.

Alexis Selinger, le président de l'association SOS Voyages, tout en « réprouvant moralement cette manipulation du consommateur », constate « qu'elle ne viole aucun texte régissant l'activité du transport aérien passagers et ne permet donc en conséquence aucun recours contentieux ».

M. Selinger rappelle « qu'au terme de la Convention de Montréal et du règlement européen 1008/2008, les transporteurs, sauf exception liée à une obligation de service public, ont toute latitude de fixer à la hausse ou à la baisse le prix de vente de leur billetterie ». La Commission européenne, pour sa part, ne nous a pas répondu.

Et la protection des données personnelles ? Les adresses IP sont considérées comme des « données personnelles » par le groupe de travail « article 29 », qui regroupe les organismes européens de protection de données (lire son avis de juin 2007). On ne peut donc pas les utiliser n'importe comment.

Le Contrôleur européen de la protection des données assure que « les règles de protection des données doivent être respectées » : il faut que leur utilisation soit prévue par une « base légale », qu'elle se limite aux « finalités initiales », et que les personnes en soient « informées ».

En clair, cela signifie que les voyagistes ou les hôteliers devraient indiquer dans leurs conditions générales de vente que l'adresse IP des internautes sera utilisée dans le but de faire grimper les prix. « Ils ne le feront jamais ! », prédisent les juristes du Centre européen de la consommation (CEC). « Ils diront que l'adresse IP est utilisée dans le but de faire 'varier les prix' et de proposer la meilleure offre commerciale possible. » Le CEC estime que « seules les autorités de contrôle de la concurrence pourraient alors intervenir, afin de vérifier si ces variations de prix sont normales ou abusives, et si elles n'entraînent pas une concurrence déloyale ».

...

...

De son côté, le Contrôleur européen de la protection des données rappelle que seules « les autorités de contrôle nationales peuvent être saisies d'une réclamation » : en France, ce serait la Commission nationale de l'informatique et des libertés. « Un consommateur s'estimant lésé du fait que les prix ont augmenté entre deux connexions pourrait lui demander dans quel but son adresse IP a été utilisée. Elle pourrait alors diligenter une inspection - ce qui supposerait d'examiner le système informatique de l'entreprise. »

Source : Jacques Nantel, professeur à HEC Montréal, auteur notamment de *On veut votre bien et on l'aura*, éditions Transcontinental, 2011.

Comment le prix des concurrents affecte le *yield management* ?

Par le biais des systèmes de *yield management* qui observent le rythme des réservations, le prix des concurrents est indirectement relevé. Si une entreprise propose des prix trop bas, elle va connaître un rythme de réservation très élevé, et ses places les moins chères seront vite vendues. C'est en général mauvais signe car certains clients qui réservent à la dernière minute, le plus souvent à plein tarif, n'auront pas de confirmation pour leur siège et iront voir la concurrence. Si le prix de départ est trop élevé, les réservations à un prix élevé seront peu nombreuses et l'on se retrouvera dans la situation où des sièges seront vendus à la dernière minute à des prix cassés afin de couvrir tout de même les frais fixes.

6.2. L'élasticité prix[17]

Pour que le système de *yield management* fonctionne efficacement, il faut avoir deux segments ou plus qui attribuent une valeur différente à un service et avec des élasticités prix différentes. Le manager doit déterminer la sensibilité de la demande par rapport au prix et les revenus nets générés à des prix différents pour chaque segment. Le concept d'élasticité décrit le degré de réaction de la demande aux changements de prix. On le calcule de la façon suivante :

$$\text{Élasticité prix} = \frac{\text{Pourcentage de variation de la demande}}{\text{Pourcentage de variation du prix}}$$

Si l'élasticité des prix est proche de 1, les ventes de services augmentent ou diminuent du même pourcentage que les prix montent ou baissent. Quand un petit changement de prix a un grand effet sur les ventes, la demande pour ce produit est dite « élastique » par rapport au prix. Mais lorsqu'un changement de prix a peu d'effet sur les ventes, la demande est décrite comme « inélastique » (voir figure 5.5).

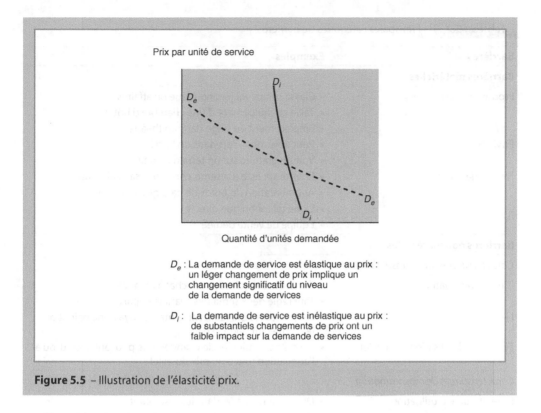

Figure 5.5 – Illustration de l'élasticité prix.

6.3. Les barrières tarifaires

Le concept de prix « sur mesure » est propre au *yield management* : on fait payer à chaque client un prix différent pour le même produit. Hermann Simon (P.-D.G. de la société de conseil en stratégie et marketing Simon, Kutcher & Partner) et Robert Dolan (professeur d'administration des affaires à la Harvard Business School) l'expliquaient de la façon suivante :

> *L'idée de base de prix personnalisable est simple : faire payer aux gens le prix correspondant à la valeur qu'ils attribuent à un produit. On ne peut évidemment pas afficher un panneau disant : « Payez ce que vous pensez que ça vaut » ou « C'est 80 euros si vous pensez que ça vaut ce prix-là, sinon c'est 40 euros ». Vous devez trouver un moyen de segmenter les consommateurs par la valeur qu'ils donnent au produit. Dans un sens, il faut mettre une barrière entre ceux qui lui donnent une valeur faible et ceux qui lui donnent une valeur élevée, afin que ces derniers ne tirent pas avantage d'une situation où les prix sont faibles[18].*

Les barrières peuvent être matérielles ou non matérielles. Les premières font référence à des différences tangibles entre les services par rapport à des prix différents, comme le prix d'un billet de théâtre ou la taille et l'équipement d'une chambre d'hôtel. Les secondes se réfèrent à la consommation, à la transaction ou aux caractéristiques de l'acheteur. Par exemple, la durée du séjour à l'hôtel, une partie de golf un après-midi de semaine, les frais d'annulation ou de changement, la réservation longtemps à l'avance. Le tableau 5.2 montre des exemples de barrières tarifaires.

Tableau 5.2	Principales catégories de barrières

Barrières	Exemples
Barrières matérielles	
Produit de base	• Classe sur un vol (économique ou affaires)
	• Taille et équipement d'une chambre d'hôtel
	• Emplacement du siège dans un théâtre
Privilèges	• Petit déjeuner offert dans un hôtel
	• Voiture gratuite sur un terrain de golf
Niveau de service	• Priorité sur liste d'attente, comptoirs sans file d'attente
	• Augmentation du poids de bagages autorisés
	• Ligne téléphonique directe
	• Équipe de vente dédiée
Barrières non matérielles	
Caractéristiques des transactions	
Date de réservation	• Conditions requises pour achat à l'avance
	• Tarif réglé deux semaines avant le départ
Lieu de réservation	• Les passagers qui réalisent le même voyage ne paient pas le même tarif selon le pays
Flexibilité d'utilisation d'un billet	• Frais d'annulation et de changement, pouvant aller jusqu'à l'annulation totale du prix du billet
Caractéristiques de consommation	
Date et durée d'utilisation	• Dîner avant 20 h 00 dans les restaurants
	• Obligation de rester la nuit du samedi pour bénéficier d'un tarif avantageux pour une compagnie aérienne, un hôtel
	• Obligation de rester cinq nuits
Lieu de consommation	• Le prix dépend de la localité de départ, en particulier pour les vols internationaux
	• Les prix varient selon le lieu (entre les villes, entre le centre-ville et la périphérie)
Caractéristiques de l'acheteur	
Volume et fréquence de consommation	• Les partenaires privilégiés (carte Platine) ont des prix avantageux, des rabais, etc.
Appartenance à un club	• Réductions pour les étudiants, enfants, personnes âgées
	• Affiliation à certaines associations (anciens élèves)
Taille du groupe	• Rabais en fonction de la taille du groupe

Les barrières physiques reflètent des différences palpables dans le service (il est plus agréable de voler en classe affaires qu'en économique), alors que les barrières non matérielles font référence au même service de base (qu'une personne achète son ticket de classe économique sur Internet à moitié prix ou qu'une autre l'achète plein tarif, le résultat est le même, elles obtiendront toutes les deux le même service).

En résumé, le *yield management* requiert une connaissance parfaite des besoins et des préférences du consommateur, et de ses dispositions à payer. Ainsi le chef de produit et le « revenu manager » peuvent créer des offres de services combinant un service de base avec ses caractéristiques et particularités matérielles et des caractéristiques non matérielles gravitant autour. Ensuite, une bonne connaissance de la courbe de la demande est nécessaire afin que les buckets puissent être alloués aux différentes catégories de produits et de prix. La figure 5.6 montre un exemple dans le transport aérien. La conception de systèmes de *yield management* nécessite, à l'évidence, la présence de garde-fous pour les consommateurs[19].

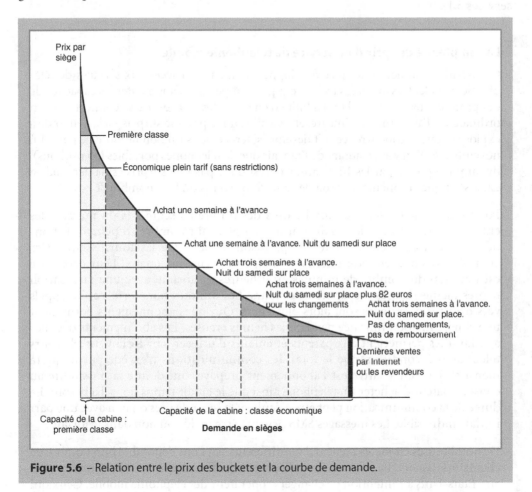

Figure 5.6 – Relation entre le prix des buckets et la courbe de demande.

7. Principes éthiques et honnêteté des politiques de prix dans les services

Les consommateurs ont parfois du mal à évaluer ce que va coûter l'utilisation d'un service. De plus, ils ne sont pas sûrs à l'avance de ce qu'ils vont recevoir. Il y a une règle implicite pour les clients : un service coûteux doit être plus bénéfique et de meilleure qualité qu'un service moins cher. Par exemple, un professionnel aux honoraires élevés, comme un avocat, est supposé être plus qualifié qu'un autre moins cher. Alors que le prix peut servir de gage de qualité, il est parfois difficile d'être sûr que la valeur supplémentaire est réelle.

7.1. La complexité des barèmes de prix dans les services

Ils ont tendance à être complexes, voire incompréhensibles, et les comparaisons entre les fournisseurs passent par des tableaux sophistiqués et des formules mathématiques. C'est le cas par exemple pour les opérateurs de téléphonie mobile (voir encadré Questions de services 5.1).

Questions de services 5.1

La complexité des prix d'un service de téléphonie mobile

Ces dernières années ont vu se développer rapidement l'accès aux services de téléphonie mobile. Des avancées technologiques ont permis d'augmenter les capacités de ces produits, par exemple la possibilité d'envoyer des images, de se connecter à son ordinateur, d'avoir un GPS intégré, etc. Ce n'est donc pas une surprise si la demande a explosé et que la concurrence soit devenue si féroce dans un bon nombre de pays. En novembre 2007, il y avait autant de Français que de téléphones portables (53 millions), dynamique portée par les 12-24 ans. Ce n'est donc pas une surprise si la demande a explosé et que la concurrence soit devenue féroce dans un bon nombre de pays.

Pour adapter leurs services aux besoins des différents segments du marché, les entreprises de téléphonie mobile ont mis en place un nombre stupéfiant d'abonnements qui empêchent toute comparaison facile entre les fournisseurs. Ces abonnements peuvent être internationaux, européens, nationaux. Leur prix varie est fonction du nombre de minutes ou d'heures du forfait, avec une tarification heures pleines/heures creuses tous les jours. Les minutes hors forfait et les appels vers d'autres opérateurs sont alors plus chers. Quelques abonnements permettent une consommation illimitée pendant les heures creuses. Les abonnements destinés aux familles permettent aux parents et enfants d'utiliser leur forfait sur plusieurs téléphones à condition que le total des communications n'excède pas le quota mensuel. Une alternative est l'abonnement prépayé, qui donne la possibilité au consommateur d'acheter un téléphone ainsi que le crédit temps dont il a besoin. La durée de la communication peut être calculée à la seconde près ou non avec une part initiale indivisible. Les messages SMS peuvent être inclus ou non dans le forfait !

De nombreuses enquêtes menées dans différents pays ont dénombré bon nombre de clients insatisfaits. Le site ConsumerReports.org affirme qu'un utilisateur sur trois aux États-Unis a l'intention de changer d'opérateur de téléphonie mobile. Ceux qui avaient déjà changé expliquaient qu'ils recherchaient un service plus adéquat et des prix plus avantageux.

En plus d'une qualité de réception souvent mauvaise, d'appels interrompus, de services inaccessibles, les clients font aussi référence aux prix et facturations excessifs, en particulier des « texto », aux erreurs de facturation, etc. Ce qui aggrave le problème est la difficulté de changer d'opérateur. En général, le client signe un contrat de un ou deux ans qui mentionne des frais d'annulation.

Les associations de défense du consommateur demandent un contrôle plus strict de l'industrie de la téléphonie mobile afin de protéger les clients contre les pratiques abusives, et ce par le biais d'un standard de présentation des offres, abonnements et frais agréés par les gouvernements.

Beaucoup de gens ont du mal à évaluer et à décrire leur profil d'utilisateur avec précision, ce qui rend difficile les comparaisons de prix quand les fournisseurs fondent les leurs sur une variété de facteurs d'utilisation. Ce n'est pas une coïncidence si l'humoriste Scott Adams (le père de Dilbert) n'utilisait dans ses dessins que des exemples de services lorsqu'il qualifiait le futur des prix de « confusiologie ». Il faisait remarquer que les compagnies de télécommunications, les banques, les compagnies d'assurance et autres fournisseurs de services proposaient pratiquement le même genre de services :

> *Vous pourriez croire que cela engendrerait une guerre des prix et mettrait les prix au niveau de leurs coûts, mais cela ne se passe pas comme çà. Les entreprises créent des confusiopôles afin que le consommateur ne puisse pas déterminer qui a les prix les plus bas. Les entreprises ont appris à utiliser les complexités de la vie comme un outil économique[20].*

Un des rôles d'une réglementation efficace serait de décourager cette tendance à aller vers des « confusiopôles ».

Préoccupations éthiques et honnêteté de tarification sont essentielles, en particulier dans les activités de conseil où il est difficile d'évaluer les bénéfices et la qualité de la prestation, même après la « livraison ».

Quand les consommateurs ne savent pas ce qu'ils obtiennent du fournisseur, quand ils ne sont pas présents lorsque le travail est réalisé, qu'ils n'ont pas les qualités techniques suffisantes pour juger de la bonne réalisation d'une opération, ils se retrouvent dans une situation où ils peuvent se sentir floués.

Compte tenu de la complexité des listes de prix, un comportement antiéthique est facile pour les entreprises. Ainsi, aux États-Unis, le secteur de la location de voitures avait amélioré ses chiffres grâce à de la publicité sur des locations bon marché. Mais, lorsque le client se présentait au comptoir, on lui expliquait que les frais liés au risque d'accident et l'assurance personnelle étaient obligatoires. Les équipes de vente n'expliquaient pas non plus le coût élevé du kilométrage parcouru au-delà du faible kilométrage offert... En fait, on pouvait ironiser : « La voiture est gratuite, il faut juste payer pour les clés. »

Dans un contexte de *yield management*, la surdépendance des *outputs* vis-à-vis des modèles économiques informatiques peut entraîner des politiques de prix encadrés de règles, de réglementations, de frais d'annulation et des stratégies cyniques de surbooking sans aucune considération pour le client. Le *yield management* doit être utilisé lorsque l'entreprise peut proposer différents niveaux de prix sans susciter et générer chez le consommateur une perception d'inégalité de traitement. Par exemple, les augmentations de prix en périodes pleines sont souvent vues comme injustes, alors que les remises et promotions en périodes creuses modifient souvent les références des clients en matière de prix et rendent injustes les prix pratiqués en période normale. De même, il n'est pas rare de se voir infliger dans certaines chaînes d'hôtels aux États-Unis, des surtaxes au seul prétexte que vous êtes touriste, ou que vous n'êtes pas ressortissant américain. De même si l'on fait une réservation à caractère professionnel, on paiera plus que si l'on effectue une réservation pour sa famille. Ces pratiques sont très discutables[21] mais malheureusement courantes.

7.2. Intégrer justice et honnêteté dans la stratégie de prix

Les listes de prix doivent être conçues avec en mémoire la perception de ce que le client considère comme juste. De même, une bonne stratégie de *yield management* ne signifie pas maximisation aveugle et court terme du revenu. Les approches suivantes peuvent aider à réconcilier les tarifications et le *yield management* avec la satisfaction des clients et le maintien du capital confiance[22] :

- *Concevoir des tarifs, des barrières claires, logiques et justes.* Les entreprises doivent annoncer spontanément les prix, dépenses, etc. à l'avance de sorte qu'il n'y ait ni surprises ni problèmes. Une autre approche est de mettre en place une structure de prix simple que le client peut comprendre facilement ainsi que les implications financières spécifiques à sa situation. Pour qu'un prix barrière soit juste, il doit être visible, transparent, compréhensible par le consommateur, logique et difficile à contourner. Les entreprises doivent aussi mettre en place des politiques de prix moins complexes. Les plaisanteries abondent, concernant les fréquentes dépressions nerveuses des agents de voyage qui, chaque fois qu'ils interrogent une compagnie aérienne, se voient fournir un tarif différent accompagné d'offres spéciales et de conditions d'exclusions.

- *Utiliser les prix affichés et les barrières comme des rabais.* Les prix barrières censés offrir des gains de consommation (rabais) sont en général perçus comme plus justes que ceux représentant des pertes de consommation (tarification), même si le contexte économique est instable. Par exemple, un client qui fréquente un gymnase le samedi est prêt à accepter un prix plus élevé le week-end, si le gymnase annonce celui-ci comme prix d'appel et offre une réduction pour une fréquentation en semaine. De plus, afficher un tarif élevé permet d'augmenter le prix de référence et donc la perception de qualité, en plus du sentiment de faire une bonne affaire en semaine.

- *Annoncer aux consommateurs les avantages dus au* yield management. La communication marketing doit positionner le *yield management* comme une situation gagnant-gagnant. Donner des prix différents et mettre en valeur la différence permet à un plus grand nombre de clients de se segmenter et d'apprécier le service. Par exemple, le fait que les sièges les mieux placés dans un théâtre soient vendus plus cher indique que certains clients sont prêts à payer plus pour une meilleure vue et rend possible la vente d'autres places à un prix plus bas[23].

- *Utiliser le* bundling *pour dissimuler des rabais.* Si l'on inclut le service dans un package, on rend le rabais moins « visible ». Lorsqu'une croisière prend en compte dans son prix global le trajet en avion ou les déplacements en voiture, on ne connaît pas le prix de chacun des composants. Le *bundling* rend la comparaison entre les différents packages et leurs composants impossibles, ce qui évite le sentiment d'injustice et la réduction des prix de référence.

- *Prendre soin des clients les plus fidèles.* Pour maintenir un climat de confiance et bâtir un bon relationnel avec ses clients, l'entreprise doit mettre en place des stratégies pour garder ceux qui procurent le plus de valeur, au point même parfois de ne pas leur faire payer le prix normal lors d'une transaction. Un système de *yield management* mis en place sans discernement risque de s'intéresser aux clients qui paient le plus, mais pas forcément aux plus fidèles. Cela peut entraîner frustration et colère chez ces derniers et remettre en jeu leur fidélité. Il faut donc programmer les systèmes de *yield management* pour prendre en compte des « paramètres de fidélité » et que les logiciels de réservation donnent des accès privilégiés aux clients réguliers, les traitent mieux, même s'ils ne paient pas le prix fort.

- *Utiliser le* recovery *pour compenser le surbooking.* Chaque entreprise, dans sa politique de *yield management*, utilise le surbooking pour compenser d'éventuelles annulations de dernière minute ou la non-présentation de personnes (« *no show* »). Par ce système, la diminution du « gaspillage de stocks » augmente les revenus, mais aussi le risque que l'entreprise ne puisse honorer les réservations de ses clients. Ceci peut entraîner une chute de la fidélité et même porter préjudice à la réputation de l'entreprise. Il faut donc mettre en place des procédures de réparation si l'entreprise se retrouve dans une situation de surbooking :

  1. donner le choix au consommateur de garder sa réservation ou d'être déplacé avec une compensation financière pour la gêne occasionnée ;
  2. informer suffisamment à l'avance afin que le consommateur puisse envisager d'autres solutions ;
  3. si possible, offrir un service de substitution qui satisfasse le consommateur.

     Une station de sport d'hiver qui se retrouve parfois dans une situation de surventes a découvert qu'elle pouvait libérer de la capacité en offrant à ses clients qui partent le lendemain une nuit dans un hôtel de luxe à proximité de l'aéroport ou dans le centre-ville. La gratuité de la chambre, le surclassement du service et une nuit en ville après des vacances à la neige ont eu de très bons échos. Du point de vue de la station de ski, cela coûte moins cher de loger un client pour une nuit dans un hôtel de luxe que de perdre un client qui arrive le même jour et qui a l'intention de rester plusieurs jours.

8. Mettre en pratique le prix des services

Une autre décision doit être prise en matière de fixation de prix du service : celle de savoir combien l'entreprise doit facturer. Le tableau 5.3 résume les questions que les marketeurs doivent se poser lorsqu'ils mettent au point une stratégie de prix. Regardons les une par une.

Tableau 5.3	Quelques questions concernant les prix

1. Combien doit-on facturer ce service ?
- Quels coûts l'entreprise essaye-t-elle de couvrir ?
- L'entreprise essaye-t-elle de réaliser une marge bénéficiaire fixée ou un retour sur investissement en vendant ce service ?
- Quelle est la sensibilité aux prix de la clientèle ?
- Combien facturent les concurrents ?
- Quel(s) rabais peut-on proposer sur les prix de base ?
- Des prix « magiques » (4,95 au lieu de 5) sont-ils une habitude ?

2. Quelles doivent être les bases de facturation ?
- L'exécution d'une tâche spécifique
- L'accès à un service
- L'unité de temps (heure, semaine, mois, année)
- Une commission en pourcentage de la valeur d'une transaction

- Les ressources physiques utilisées
- La distance géographique parcourue
- Le poids ou la taille des objets
- Chaque constituant du service doit-il être facturé séparément ?
- Un prix unique doit-il être facturé pour un ensemble de services

3. Qui doit encaisser les paiements ?
- L'organisation qui fournit le service
- Un intermédiaire spécialisé (agent de change, banque, revendeur, etc.)
- Comment l'intermédiaire doit-il être rétribué pour son travail : fixe ou commission en pourcentage ?

4. Où les paiements doivent-ils être effectués ?
- Sur le lieu où le service est fourni
- À un détaillant aisément accessible ou un intermédiaire financier (par exemple, une banque)
- Au domicile de l'acheteur (par courrier ou téléphone)

5. Quand le paiement doit-il être fait ?
- Avant ou après la fourniture du service ?
- À quel moment du jour ?
- Quel jour de la semaine ?

6. Comment le paiement doit-il être effectué ?
- En espèces (montant exact ou non ?)
- Cartes privatives
- Chèques (comment contrôler ?)
- Transfert électronique de fonds
- Cartes de paiement (crédit ou débit)
- Compte chez le fournisseur de service
- Bons
- Paiement à un tiers (compagnie d'assurance)

7. Comment les prix doivent-ils être communiqués au marché ?
- Par quels moyens de communication (publicité, panneau électronique, vendeurs, service clientèle, étiquettes) ?
- Contenu du message (quelle importance doit-on donner au prix ?)

8.1. Combien doit-on facturer ?

Le triangle des prix dont nous avons parlé nous donne un point de départ. Les coûts économiques que l'on doit couvrir selon différents niveaux de vente doivent d'abord être fixés puis, si possible, la marge qui permet de fixer le prix plancher.

Ensuite, on évalue la sensibilité du marché avec différents prix qui prennent en compte, à la fois, la valeur que les clients accordent au service aussi bien que leur capacité financière. Cette étape détermine le prix plafond pour n'importe quel segment du marché. Il est essentiel d'évaluer, à ce stade, les volumes de vente par niveau de prix.

Le prix de la concurrence fournit une troisième donnée. Plus le nombre d'offres semblables est grand, plus la pression sur le management commercial pour maintenir les prix au même niveau ou plus bas que la concurrence est grande. Rappelez-vous cependant les raisons pour lesquelles la concurrence est réduite sur certains marchés de service, une comparaison des prix à l'euro près est à proscrire[24].

Il faut aussi convenir de la façon dont on va présenter le prix au client. Doit-il être arrondi ou donner l'impression qu'il est légèrement inférieur à ce qu'il est réellement ? Si les concurrents proposent 5,95 ou 9,95 , un prix fixe à 6 ou 10 peut véhiculer l'image d'un coût un peu plus élevé qu'il ne l'est réellement. En revanche, des prix arrondis peuvent paraître plus simples et plus pratiques (avantages qui peuvent être appréciés à la fois des consommateurs et des vendeurs). Une question éthique concerne également les promotions dont le prix ne prend pas en compte la TVA et d'éventuels autres frais. C'est trompeur si le client s'attend à un prix TTC.

8.2. Quelles bases prendre pour élaborer le prix du service ?

Il n'est pas toujours facile de définir une unité de service. Le prix doit-il être fondé sur l'exécution d'une tâche spécifique comme nettoyer un vêtement ou réaliser une coupe de cheveux ou donner un cours ? Être un droit d'admission à un service tel qu'un programme de formation, un film, un concert ou un événement sportif ? Être fondé sur le temps, comme c'est souvent le cas pour la réparation automobile, l'occupation d'une chambre d'hôtel, la location d'une voiture, l'abonnement au câble ? Être lié à la valeur, comme lorsqu'une compagnie d'assurances fixe le montant de la prime en fonction de la valeur de la couverture fournie, ou qu'un agent immobilier perçoit une commission en pourcentage du prix de vente d'une maison ?

Le prix de certains services dépend de la consommation de certaines ressources physiques comme la nourriture, la boisson, l'électricité ou le gaz. Plutôt que de facturer l'utilisation d'une table, de deux chaises, de la vaisselle, les restaurants préfèrent augmenter fortement les prix de la nourriture et des boissons consommées. Dans certains pays, on ajoute au prix du repas une taxe qui couvre les différents frais fixes, comme une nappe propre pour chaque service. Un niveau de consommation minimum peut être exigé au-dessous duquel des frais fixes seront ajoutés. Les entreprises de transport facturent habituellement en fonction de la distance, mais utilisent pour le transport de fret une combinaison entre le poids, le volume et la distance pour établir leurs tarifs. Une telle politique a le mérite d'être cohérente et de refléter le calcul du prix moyen au kilomètre. Mais la recherche de simplicité peut favoriser la mise en place d'un taux unique par tranche de poids comme pour l'affranchissement du courrier, ou la mise en place de zones géographiques.

Certains services ont des coûts séparés pour leur accès et leur utilisation. Des recherches récentes montrent que des droits d'accès, d'adhésion, de souscription sont des éléments importants de conquête et de fidélisation des clients alors qu'une facturation à l'utilisation répond davantage à une utilisation courante.

Les prix groupés (*bundling*)[25]

Une importante particulière est mise dans ce livre sur l'offre globale de services (service de base et services périphériques). Les repas et le bar dans une croisière en sont un exemple, comme le service des bagages à la descente de l'avion. Ces services doivent-ils être facturés ensemble ou chaque service doit-il être isolé et facturé séparément ? Les prix groupés sont un avantage car faciles à mettre en place, si on admet l'idée que les gens n'aiment pas faire de petits (et nombreux) paiements. Cependant, c'est préférable de faire payer au client les services séparément s'il a le sentiment de payer pour des activités qu'il ne pratique pas.

Les prix groupés pour un ensemble de services offrent à l'entreprise une garantie de revenu pour chaque client tout en lui indiquant à l'avance quel sera le montant de sa facture. En revanche, les prix non groupés permettent au client de choisir et donc de payer « à la carte ».

Les rabais

Ce point avait été évoqué dans le contexte du *yield management*. Les rabais destinés à des segments de marché spécifiques peuvent attirer de nouveaux clients et remplir une capacité non utilisée. Sans barrières de prix, cette stratégie doit être employée avec précaution : elle aurait pour effet de réduire le prix, donc les revenus, et l'entreprise ne récupérerait que des clients cherchant toujours les prix les plus bas. Les rabais sur les volumes sont destinés à s'assurer de la fidélité des gros acheteurs et des clients fidèles afin d'éviter qu'ils répartissent leurs achats entre différents fournisseurs.

8.3. Les modèles de « gratuité »

Longtemps apanage des services publics (l'éducation, les transports, la santé, la culture, les radios, la télévision), la gratuité investit aujourd'hui les espaces privés et marchands. Internet décuple son potentiel. Le téléchargement et la téléphonie gratuite sur Internet (Skype) se développent. En 2001 a été créée Wikipédia, première encyclopédie gratuite en ligne. Si le Web est un terrain particulièrement propice à la gratuité, y compris pour son propre développement (logiciels Open source), il n'en a pas l'exclusivité, comme en témoigne la presse gratuite (*Metro*, *20 minutes…*).

Le terme « gratuit » peut signifier : sans valeur d'échange (sans prix), sans valeur d'usage (sans utilité), généreux, gracieux (cadeau) et enfin, pour celui qui donne, sans exigence de retour.

Du point de vue des entreprises, les problématiques de prix et de gratuité interviennent à plusieurs niveaux. La proposition de gratuité ou de « low cost » fait évoluer la relation entre le client et le fournisseur par un processus de coconstruction de service : le client devient acteur de l'offre. Dans les économies du numérique, la gratuité génère des flux croissants qui procèdent à la construction de valeur pour l'entreprise.

Sources : Patricia Coutelle-Brillet, Université François Rabelais/IAE de Tours ; Marine Le Gall-Ely, Université de Bretagne-Sud ; Caroline Urbain, Université de Nantes/EMN ; « Gratuité et prix : remise en cause des pratiques et modèles », *Revue française de gestion*.

8.4. Les modèles sponsorisés

Quels sont les modèles économiques et les sources de revenus des réseaux sociaux et autres entreprises dont le prix est gratuit pour le client ?

- **La publicité**

C'est le meilleur moyen pour le réseau de faire des profits.

- **Le réseau social comme plateforme e-commerce**

Cette solution consiste à vendre des services ou des produits aux utilisateurs. C'est notamment le cas du site 1800-flowers.com qui utilise Facebook comme plateforme e-commerce. Ce site permet aux utilisateurs de Facebook d'acheter des fleurs *via* son application.

- **Les vidéos sponsorisées**

Elles visent principalement la monétisation des comptes et des pages de fan. Elles consistent à rémunérer chaque visualisation.

- **Les tweets sponsorisés**

Le principe est de rémunérer chaque tweet en installant une application sur le compte Twitter qui permettra à une régie de poster des messages sponsorisés.

- **L'affiliation adaptée aux réseaux sociaux**

D'un côté, des annonceurs souhaitent obtenir des leads sur leurs sites ; de l'autre, des affiliés désirent monétiser leur audience ; entre les deux, une plateforme d'affiliation assure le relais. L'avantage de l'affiliation est d'intégrer les rémunérations liées à une communauté à celles liées à l'audience du site.

- **Le compte « Freemium »**

L'inscription est gratuite mais l'internaute ne dispose que d'un nombre limité de fonctionnalités. Afin d'avoir accès à toutes les fonctionnalités, il doit payer un abonnement. Ce modèle économique est principalement utilisé par les sites de réseaux sociaux professionnels comme Viadeo ou LinkedIn[1].

8.5. Qui doit encaisser les paiements ?

Dans le chapitre 3, nous avons vu que les services périphériques comprenaient l'information, la prise de commande, la facturation et le paiement. Les clients apprécient qu'une entreprise donne des informations sur ses prix et les possibilités de réservation. Ils s'attendent aussi à recevoir des factures claires. Souvent, les entreprises délèguent ces tâches à des intermédiaires (agences de voyage et divers points de vente de billetterie) qui perçoivent le paiement et encaissent une commission. Cela représente en général une économie importante sur les coûts administratifs et donne au client une plus grande souplesse en termes de lieu et de moyen de paiement. Aujourd'hui, certaines entreprises utilisent Internet, évitant ainsi le paiement de commissions.

8.6. Où le paiement doit-il avoir lieu ?

Les lieux de livraison de service sont parfois mal situés, loin du lieu d'habitation ou de travail de la clientèle. Lorsque les clients doivent payer un service avant de l'utiliser, ils doivent pouvoir utiliser des intermédiaires mieux placés ou payer par chèque, virement bancaire ou courrier. Aujourd'hui, de plus en plus d'entreprises acceptent les paiements par carte bancaire, Internet ou téléphone.

8.7. Quand le paiement doit-il être effectué ?

Il existe deux possibilités : payer avant l'utilisation (billet d'avion ou timbre-poste) ou après (l'addition au restaurant ou une facture de réparation). Parfois, un prestataire de services peut demander un paiement initial (acompte) avant la livraison du service. Cette approche est assez répandue pour des travaux coûteux, quand l'entreprise (surtout

---

1.*Source* : Overblog.com.

si elle est petite) doit commander et régler à l'avance des fournitures pour un montant élevé.

Demander au client d'acquitter un service à l'avance signifie qu'il paie avant de l'utiliser et d'en recevoir les bénéfices. Cela peut être un avantage aussi bien pour le client que pour le fournisseur. En effet, il est parfois peu pratique de payer chaque fois qu'on utilise un service (La Poste, les transports publics…). Pour gagner du temps, les clients préfèrent acheter un carnet de timbres ou une carte mensuelle de transport. Les entreprises artistiques avec des moyens financiers limités et de lourds investissements initiaux offrent souvent des abonnements à prix réduits.

8.8. Comment les paiements doivent-ils être effectués ?

Comme le montre le tableau 5.3, il y a beaucoup de formes de paiement différentes. Le paiement en espèces peut sembler la méthode la plus simple mais soulève le problème de la sécurité, tout en étant peu pratique quand il faut introduire une somme exacte pour faire fonctionner une machine. Le paiement par chèque (à l'exception des petits achats) est maintenant généralisé et présente des avantages pour le client comme pour le fournisseur, bien que cela nécessite un contrôle pour éliminer les chèques sans provision.

Les cartes de crédit et les cartes bancaires sont utilisées pour de nombreux types d'achats et sont de plus en plus souvent acceptées. Leur utilisation est de plus en plus répandue, mettant en position concurrentielle désavantageuse les commerces qui les refusent. Certaines entreprises offrent aux clients un crédit en comptabilisant leurs achats périodiques en échange d'un règlement à périodicité fixe (créant ainsi un lien dépendance entre le client et l'entreprise).

D'autres modes de paiement peuvent être mentionnés comme les bons en complément (ou en remplacement) d'espèces (Ticket-Restaurant), ou l'envoi de la facture à un tiers pour le paiement (ce qui est souvent le cas pour diverses réparations). Des jetons dont la valeur a été prédéterminée peuvent faciliter le paiement dans les transports en commun aux péages et aux stations de lavage de voiture. Les badges émetteurs du système automatique de péage Liber-t de l'ensemble des autoroutes françaises, collés sur les pare-brise des voitures, permettent de s'acquitter du péage. Des coupons, des bons, peuvent parfois être fournis par des organismes sociaux. Ils offrent les mêmes bénéfices que le rabais, mais évitent de rendre public un ensemble de prix différents.

Les systèmes de prépaiement fondés sur des cartes qui enregistrent un montant sur une piste magnétique, ou une puce, deviennent d'un usage de plus en plus fréquent. Les entreprises qui acceptent ce mode de paiement doivent cependant installer des lecteurs de cartes. Les marketeurs doivent se souvenir que plus le paiement est simple et rapide, plus la perception d'un service de qualité sera grande chez le consommateur.

8.9. Comment communiquer les prix aux marchés cibles ?

Lorsque tous les problèmes de détermination du prix ont été résolus, il reste à choisir la façon dont la politique de prix de l'entreprise sera communiquée aux marchés cibles. Les individus doivent connaître le prix des services proposés bien avant l'achat ; ils peuvent aussi désirer savoir où et quand ce prix est en vigueur. Cette information doit être présentée de manière non ambiguë afin de ne pas dérouter les clients et mettre en doute la déontologie de l'entreprise[26].

Les responsables doivent décider d'inclure ou non des informations sur les prix dans la publicité du service. Il peut être adroit de mentionner un prix pour que le consommateur le compare à celui des concurrents. Les vendeurs et les responsables de clientèle doivent être capables de donner des réponses rapides et précises aux questions des clients concernant les prix, le paiement et le crédit. Une bonne signalétique sur le point de vente donne une bonne information du consommateur et évite ainsi au personnel de devoir répondre à des questions élémentaires sur les prix.

Enfin, si le prix est présenté avec des explications détaillées, les marketeurs doivent s'assurer qu'il est exact et compréhensible. Les factures d'établissements hospitaliers qui parfois tiennent sur plusieurs pages sont souvent difficilement déchiffrables (mal présentées et avec des libellés énigmatiques[27]). La clarté des prix, des consommations effectuées, leur facilité de compréhension sont des facteurs déterminants dans le capital confiance du client vis-à-vis de son prestataire de services.

Conclusion

Pour mettre en place une stratégie de prix efficace, une entreprise doit connaître ses coûts, la valeur créée pour les clients et les prix pratiqués par la concurrence. Les coûts dans les services sont plus difficiles à définir que dans la production de produits manufacturés. Faute de les appréhender, les responsables ne peuvent pas savoir si les prix pratiqués couvrent les prix engagés par l'entreprise.

L'autre défi est de mettre en rapport la perception de la valeur du service des clients, avec le prix qu'ils s'attendent à payer. Cette étape nécessite une bonne connaissance des autres coûts que le client peut rencontrer, comme l'effort à fournir ou la durée de la transaction, c'est-à-dire les coûts non financiers. Les responsables doivent aussi prendre en compte le fait que tous les consommateurs n'évaluent pas la valeur d'un service de la même façon.

Les prix de la concurrence ne doivent pas être comparés à l'euro près. Les services tendent à être spécifiques en fonction du lieu, de l'heure, et les concurrents ont leurs propres coûts monétaires et non monétaires, au point que le prix peut devenir secondaire lorsqu'on compare les entreprises.

Une stratégie de prix doit soulever la question centrale qui est : « Quel prix doit-on demander pour vendre une unité de service à un moment donné ? » Parce que les services sont composés de multiples éléments, les stratégies de prix doivent être créatives et innovantes. Enfin, les entreprises doivent veiller à rendre leurs tarifs clairs et transparents pour permettre aux clients une comparaison aisée. Une politique délibérée de complexité tarifaire et de dissimulation de frais n'apparaissant qu'au moment du règlement peut conduire à des manquements relatifs à l'éthique commerciale, une perte de confiance et un mécontentement du client.

Activités

Questions de révision

1. Comment les trois approches de la détermination du prix d'un service peuvent être utilisées pour l'établissement du bon prix ?

2. Comment une entreprise peut-elle informatiser ses coûts pour déterminer le prix ? Comment la capacité d'utilisation prévue affecte les coûts unitaires et la rentabilité ?

3. Pourquoi le prix pratiqué par l'entreprise n'est pas le seul composant et souvent pas le plus important des coûts à la charge du client ? Quand faut-il réduire les coûts qui n'ont pas d'incidence directe sur les prix, même si cela peut entraîner un prix plus élevé ?

4. Pourquoi ne peut-on pas comparer à l'euro près les prix entre les concurrents ?

5. Quels types d'opérations de services bénéficient le plus de systèmes de *yield management* et pourquoi ?

6. Comment peut-on faire payer des prix différents selon les segments sans que le client ne se sente lésé ? Comment peut-on faire payer à ce même client un prix différent à un moment différent ou lors d'occasions différentes, tout en préservant une certaine justice ?

Exercices d'application

1. Du point de vue du client, qu'est-ce qui permet de définir la valeur des services suivants :

   a. un salon de coiffure ;

   b. un cabinet comptable et juridique ;

   c. une discothèque.

2. Prenez une entreprise de services de votre choix et analysez sa politique de prix. Est-ce différent de ce qui a été expliqué dans ce chapitre ? Si oui expliquez pourquoi

3. Regardez vos dernières factures de téléphone, d'électricité, etc. Comparez-les en fonction des critères suivants : (a) apparence générale et clarté de présentation ; (b) compréhension facile des délais et conditions de paiement ; (c) absence de termes complexes ; (d) niveau de détail adéquat ; (e) absence de frais non prévus ; (f) précision ; (g) facilité d'accès au service ; (h) relations clients en cas de litige.

4. Comment le management du revenu peut-il être appliqué à : un cabinet conseil, un restaurant, un club de golf ? Quelles barrières de prix utiliseriez-vous et pourquoi ?

5. Prenez les tarifs de trois opérateurs de téléphonie mobile. Comparez : la durée du forfait, les frais d'abonnement, les minutes offertes, les coûts à la minute ou à la seconde, le prix de la minute si dépassement du forfait, etc., et comparez les niveaux de prix. Déterminez les forfaits les plus appropriés pour différents segments cibles

(un jeune cadre en entreprise, un étudiant, etc.). Enfin, proposez des solutions à l'opérateur le plus petit afin qu'il redéfinisse son barème de prix pour qu'il soit plus attractif pour l'un des segments choisis.

6. Quelles sont les réponses probables des consommateurs à des barèmes de prix trop complexes ? Comment peut-on améliorer l'honnêteté perçue des tarifs et qu'impliquent ces recommandations ?

7. Prenez le service de votre choix et mettez en place un barème de prix. Répondez aux sept questions que le marketeur se pose lorsqu'il met en place un barème de prix.

Notes

1. Christian Dussart, « Questions de prix », *Décisions marketing*, n° 6, 1995, p. 23-32.

2. Brigitte Misse, « Promotion et prix », *Décisions marketing*, n° 6, 1995, p. 129-137.

3. Daniel J. Goebel, Greg W. Marshall et William B. Locander, « Activity Based Costing : Accounting for a Marketing Orientation », *Industrial Marketing Management*, 27, n° 6, 1998, p. 497-510 ; Thomas H. Stevenson et David W. E. Cabell, « Integrating Transfer Pricing Policy and Activity-Based Costing », *Journal of International Marketing*, 10, n° 4, 2002, p. 77-88.

4. Antonella Carù et Antonella Cugini, « Profitability and Customer Satisfaction in Services : An Integrated Perspective between Marketing and Cost Management Analysis », *International Journal of Service Industry Management*, 10, n° 2, 1999, p. 132-156.

5. Gerald E. Smith et Thomas T. Nagle, « How Much Are Customers Willing to Pay ? », *Marketing Research*, hiver 2002, p. 20-25.

6. Valarie A. Zeithaml, « Consumer Perceptions of Price, Quality, and Value : A Means-End Model and Synthesis of Evidence », *Journal of Marketing*, 52, juillet 1988, p. 2-21.

7. Hermann Simon, « Pricing Opportunities and How to Exploit Them », *Sloan Management Review*, 33, hiver 1992, p. 71-84.

8. Cette discussion s'appuie sur : Leonard L. Berry et Manjit S. Yadav, « Capture and Communicate Value in the Pricing of Services », *Sloan Management Review*, 37, été 1996, p. 41-51.

9. Frederick F. Reichheld, *The Loyalty Effect*, Boston, Harvard Business School Press, 1996, p. 82-84.

10. Anna S. Mattila et Jochen Wirtz, « The Impact of Knowledge Types on the Consumer Search Process – An Investigation in the Context of Credence Services », *International Journal of Service Industry Management*, 13, n° 3, 2002, p. 214-230.

11. Pour une excellente synthèse et un cadre conceptuel pour comprendre la commodité des services, se référer à Leonard L. Berry, Kathleen Seiders et Dhruv Grewal, « Understanding Service Convenience », *Journal of Marketing*, 66, juillet 2002, p. 1-17.

12. Voir notamment Jordan Hamelin, « Le prix de référence : un concept polymorphe », *Recherche et applications marketing*, vol. 15, n° 3, 2002, p. 75-88.

13. Voir notamment Véronique Guilloux, « Le yield en marketing : concept, méthodes et enjeux stratégiques », *Recherche et applications marketing*, vol. 15, n° 3, 2000, p. 55-73.

14. Voir notamment Pierre-Louis Dubois et Marie-Christine Frendo, « Yield management et marketing des services », *Décisions marketing*, n° 4, 1995, p. 47-54.

15. Voir notamment Jean-Marc Lehu, « Internet comme outil de yield marketing dans le tourisme », *Décisions marketing*, n° 19, 2000, p. 19.

16. Pour s'informer sur les travaux récents en matière de yield management dans le transport aérien, l'hôtellerie et la location de voitures, consulter : Sheryl E. Kimes, « Revenue Management on the Links : Applying Yield Management to the Golf Industry », *Cornell Hotel and Restaurant Administration Quarterly*, 41, n° 1, 2000, p. 120-127 ; Sheryl E. Kimes et Jochen Wirtz, « Perceived Fairness of Revenue Management in the US Golf Industry », *Journal of Revenue and Pricing Management*, 1, n° 4, 2003, p. 332-344 ; Sheryl E. Kimes et Jochen Wirtz, « Has Revenue Management Become Acceptable ? Findings from an International Study and the Perceived Fairness of Rate Fences », *Journal of Service Research*, 6, novembre 2003 ; Richard Metters et Vicente Vargas, « Yield Management for the Nonprofit Sector », *Journal of Service Research*, 1, février 1999, p. 215-226 ; Anthony Ingold, Una McMahon-Beattie et Ian Yeoman (éd.), *Yield Management Strategies for the Service Industries*, 2e éd., Londres, Continuum, 2000.

17. Voir notamment Christophe Bénavent, « Élasticité-prix et structure concurrentielle », *Décisions marketing*, n° 6, 1995, p. 119-128.

18. Hermann Simon et Robert J. Dolan, « Price Customization », *Marketing Management*, automne 1998, p. 11-17.

19. Pour des compléments d'information sur les stratégies de yield management, vous pouvez consulter Sheryl E. Kimes et Richard B. Chase, *The Strategic Levers of Yield Management*.

20. Scott Adams, *The Dilbert™ Future-Thriving on Business Stupidities in the 21st Century*, New York, Harper Business, 1997, p. 160.

21. Sheryl E. Kimes, « A Retrospective Commentary on Discounting in the Hotel Industry : A New Approach », *Cornell Hotel and Restaurant Administration Quarterly*, 43, août 2002, p. 92-93.

22. Certaines parties de cette section sont fondées sur Jochen Wirtz, Sheryl E. Kimes, Jeannette P. T. Ho et Paul Patterson, « Revenue Management : Resolving Potential Customer Conflicts », *Working Paper Series*, 9 mars 2002, Ithaca, The Center for Hospitality Research, Cornell University.

23. Peter J. Danaher, « Optimal Pricing of New Subscription Services : An Analysis of a Market Experiment », *Marketing Science*, 21, printemps 2002, p. 119-129 ; Gilia E. Fruchter et Ram C. Rao, « Optimal Membership Fee and Usage Price Over Time for a Network Service », *Journal of Services Research*, 4, 2001, p. 3-15.

24. Voir notamment Nicolas Gueguen et Patrick Legoherel, « Encodage numérique et prix à terminaison "9" : l'effet d'un contraste sur la perception de remise », *Actes de l'Association française de marketing*, vol. 17, Congrès de Deauville, 2001.

25. Yann Dufresnne, ATER à l'EREM, réalise sa thèse sur le bundle et offres liées (projet de communication en cours).

26. « Needed : Straight Talk about Cellphone Calling Plans », *Consumer Reports*, février 2003, p. 18.

27. Voir, par exemple, Anita Sharpe, « The Operation Was a Success ; The Bill Was Quite a Mess », *Wall Street Journal*, 17 septembre 1997, p. 1.

Chapitre 6
Communiquer dans les services et éduquer les clients

« Celui qui exécute de bonne grâce les ordres échappe au côté pénible de la soumission : faire ce qui nous rebute. » – Sénèque

« Étudier coûte de l'argent, mais l'ignorance aussi. » – Sir Claus Moser

« C'est encore peu de vaincre, il faut savoir séduire. » – Voltaire

Objectifs de ce chapitre

- Connaître le rôle, les particularités et les challenges de la communication marketing dans les services.

- Identifier les différents éléments du mix de communication marketing ainsi que leurs forces et leurs faiblesses dans le contexte des services.

- Comprendre le rôle d'Internet et des technologies de la communication dans la communication des services.

- Connaître le mix de la communication applicable dans les différents canaux de mise à disposition des services.

- Connaître l'importance de l'intégration de la politique de communication dans la formation d'une identité d'une marque de service forte.

- Comprendre comment le degré de contact avec le client affecte la stratégie de communication.

Par le biais de la communication, les responsables marketing informent les clients actuels ou potentiels des caractéristiques et avantages du service proposé, de ses différents coûts, de ses canaux de distribution et de sa disponibilité géographique et temporelle.

La communication est la plus visible, la plus perceptible, la plus audible, voire la plus prégnante de toutes les activités marketing. Cependant, sa valeur reste limitée si elle n'est pas intelligemment coordonnée avec les autres. Un vieil adage marketing dit que le moyen le plus rapide de « tuer » un produit déjà pas très bon est de le promouvoir à outrance. De la même façon, une stratégie marketing cohérente et planifiée échouera si les prospects ne connaissent pas ce que l'entreprise propose (produits/services/valeur), à quel prix et dans quels canaux.

Beaucoup de confusions sont faites sur la politique de communication et/ou beaucoup en donnent encore aujourd'hui une définition restrictive[1]. Certains la définissent encore comme le simple recours à l'achat d'espaces publicitaires dans les médias, aux relations publiques et à l'action de commerciaux bien formés. La considérer ainsi, c'est négliger bien d'autres moyens. Il existe, en effet, beaucoup d'autres moyens pour une entreprise de services de communiquer avec ses clients actuels et futurs. En effet, l'emplacement et l'atmosphère des locaux, l'identité visuelle et graphique de l'entreprise, l'apparence et le comportement des employés ou la conception du site Internet sont autant de facteurs qui influencent le consommateur et qui renforcent ou contredisent les messages délivrés par les moyens classiques de la communication.

Ces dernières années ont vu l'émergence de nouveaux moyens pour entrer en contact avec des clients et prospects, notamment grâce à Internet et à des techniques très fines et adaptées pour contacter et attirer les clients visés par les entreprises.

Ces nouveaux outils, somme toute intéressants, doivent cependant s'accompagner d'informations sur les processus requis pour y recourir et y accéder.

Étudions à présent les rôles et caractéristiques spécifiques de la communication dans les services.

1. Rôles et spécificités de la communication dans les services

Une communication marketing efficace, quelle que soit sa forme, est essentielle au succès de l'entreprise. Sans elle, les clients potentiels ignorent l'existence de l'entreprise et ce qu'elle leur offre, et les clients actuels peuvent être attirés par une entreprise concurrente et en devenir de nouveaux clients. Pour les services, les outils de communication marketing sont d'autant plus importants qu'ils contribuent à créer des images puissantes et à construire de la crédibilité et de la confiance plus que nécessaires lorsqu'une entreprise propose à ses clients des *outputs* intangibles.

Ainsi, une communication marketing dans les services est réussie si elle prend en compte et promotionne : le positionnement et la différenciation du service, l'importance du personnel en contact aussi bien en *front office* qu'en *back office*, la valeur dans les messages délivrés aux clients, la participation des clients dans le processus de « fabrication » du service et, enfin, la demande pour qu'elle corresponde mieux aux capacités productives de l'entreprise.

L'ensemble de ces points est étudié ci-dessous.

1.1. Positionner et différencier le service

Les entreprises ont recours à la communication marketing afin de persuader leurs segments cibles que les services qu'elles proposent et offrent sont ce qu'il y a de mieux pour satisfaire leurs besoins en comparaison des offres concurrentes présentes qui leur sont suggérées.

Les politiques de communication ne servent pas uniquement à attirer de nouveaux clients, mais à maintenir le contact et construire de solides relations avec les clients existants. En d'autres termes, elles ont pour dessein de convaincre les clients actuels et potentiels que l'entreprise détient des capacités et des performances dont sont dépourvus ses concurrents. En effet, même si les clients comprennent ce qu'un service est capable d'apporter, faire clairement la différence entre tous les services qui proposent une offre en apparence comparable est une tâche particulièrement difficile. À cet effet, les entreprises de services doivent recourir à des outils spécifiques pour communiquer clairement sur les éléments différenciateurs de leurs services comme : la qualité, la performance et la modernité des équipements, les caractéristiques distinctives du personnel en contact, telles que leurs qualifications, expérience et professionnalisme. Certains éléments inhérents à la performance du service sont plus faciles que d'autres à communiquer. Par exemple, les compagnies aériennes ne communiquent pas sur la sécurité car suggérer qu'elle existe peut encourager les clients à penser au pire. En revanche, elles vantent le professionnalisme et l'expertise de leurs pilotes, la modernité et la nouveauté de leurs avions et la politique de maintenance de toute leur flotte.

1.2. Louer la contribution du personnel en contact et des opérations de *back office*

La qualité et les compétences distinctives du personnel en contact et l'organisation du *back office* sont des facteurs fortement distinctifs dans les services. Par exemple, dans les services *high contact*, nous avons pu voir que le personnel en contact joue un rôle déterminant dans la livraison du service. Sa présence rend le service plus tangible et personnalise la prestation. Une publicité qui valorise ce type de personnel au travail aide le client à se projeter dans la prestation, comprendre ce qu'il va effectivement recevoir et formaliser la promesse de l'attention particulière que son prestataire lui promet.

Insister et montrer l'expertise du personnel de *back office* (que le client ne voit jamais) peut renforcer le lien de confiance entre le prestataire et ses clients et les promesses de qualité qui lui sont faites. Par exemple, Starbucks fait de la publicité et des pages Web qui montrent le personnel de *back office* en action – culture des caféiers, cueillette, production, triage – et qui mettent en avant sa quête incessante dans le choix des meilleures qualités de grains.

Comme la communication contribue, dans une très large mesure, à poser et générer les attentes des clients, les promesses doivent demeurer réalistes et raisonnables. Elles doivent aussi être communiquées et expliquées au personnel en contact pour qu'il sache ce que le client attend de lui.

1.3. Ajouter de la valeur de service dans le contenu du message

L'information contribue largement à donner de la valeur au produit ou service vendu. Les clients et prospects ont besoin d'informations et de conseils sur les options qu'offrent les services proposés par une entreprise de services qu'ils ne connaissent pas. Par exemple : où et quand le service est disponible, quel en est le prix, quelles sont ses caractéristiques, comment se délivre-t-il et quels sont les bénéfices procurés ? Reportez-vous ici au chapitre 4 sur la fleur du service.

1.4. Faciliter la participation du client à la fabrication du service

Être plus productif et plus rentable requiert souvent des innovations, et donc des modifications, dans le processus de mise à disposition du service. C'est pourquoi, à l'instar du personnel en contact, si les clients sont largement impliqués dans le processus de fabrication du service et si celui-ci subit des modifications aussi ténues soient-elles, ils doivent être formés. En effet, si l'on occulte cette formation, les bénéfices escomptés par des changements éventuels ne seront jamais atteints car les clients peuvent refuser les nouveautés proposées ou manifester de la résistance qui allongera d'autant l'adoption des nouveaux processus de livraison du service. C'est pourquoi les responsables marketing ont recours à la promotion des ventes pour inciter les clients à modifier leur comportement. Par exemple, des réductions de prix encouragent les clients à essayer un service à distance. Dans le meilleur des cas, du personnel en contact est mobilisé pour montrer aux clients comment recourir aux services proposés à distance.

Une des actions que recommandent largement les experts de la communication est de présenter en temps réel le déroulement d'une prestation de service. L'utilisation de la télévision ou de vidéos aide à former et à rassurer les clients. Par exemple, des dentistes montrent à leurs patients des vidéos de l'intervention qu'ils vont subir afin de les tranquilliser. Ces techniques réduisent le stress, rassurent et matérialisent les sensations et douleurs éventuelles que le patient ressentira en temps réel.

1.5. Stimuler et faire correspondre la demande aux capacités productives de l'entreprise

Beaucoup de services sont délivrés en temps réel et ne peuvent être stockés. C'est le cas d'un grand nombre de services à la personne : la restauration, le divertissement, l'hôtellerie et bien d'autres activités encore. Ce type d'activités est confronté à des pics de fréquentation qui, pour être gérés et absorbés, requièrent des moyens coûteux qui mettent en péril la rentabilité de l'entreprise, tout comme les périodes de sous-activité. Pour éviter d'y être confrontés, certaines entreprises encouragent les clients à consommer en dehors de ces pics de fréquentation en agissant sur le prix ou la qualité de la prestation : surclasser une chambre d'hôtel, offrir le petit déjeuner.

Voyons à présent, dans une deuxième section, les défis que relève une politique de communication dans les services.

2. Défis et opportunités de la communication dans les services

Après avoir vu les rôles de la communication dans les services, étudions à présent les défis auxquels doivent faire face les entreprises de services dans l'élaboration de leur politique de communication.

Les stratégies de communication marketing classiques ont été largement conçues pour correspondre aux produits manufacturés. Elles sont utilisées dans le marketing des services mais adaptées aux différences entre services et produits[2]. Les politiques de communication dans les services doivent particulièrement tenir compte de l'intangibilité du service, de l'implication du client dans sa production, de l'importance du contact avec le client, de la difficulté à évaluer nombre de services et du besoin d'équilibrer l'offre et la demande. Étudions ces points ci-dessous.

2.1. Les problèmes de l'intangibilité[3]

Parce que les services sont plus performants que des produits tangibles, communiquer sur leurs avantages est plus complexe, difficulté d'autant plus renforcée lorsque le service a très peu d'éléments tangibles. Banwari Mittal, professeur de management et de marketing à l'université du Kentucky, identifie quatre problèmes majeurs liés à l'intangibilité des services : l'abstraction, la généralité, l'impossibilité d'examen et l'intangibilité mentale[4].

L'abstraction. Les responsables marketing peuvent avoir des difficultés à communiquer sur des « objets » fortement abstraits, comme la sécurité financière ou la sécurité des transports qui n'ont pas de correspondance avec des objets physiques.

La généralité fait référence aux services fondés sur des types d'objets, personnes ou événements déjà connus des consommateurs – par exemple les sièges d'avion, les stewards et le service en cabine. Toute la difficulté pour les responsables marketing est de montrer clairement ce qui différencie et valorise l'offre par rapport à celle de la concurrence.

L'impossibilité d'examen découle directement de l'intangibilité des services qui ne peuvent être évalués avant d'être achetés. Les caractéristiques physiques d'un service – son apparence par exemple (les appareils de musculation d'un club de sport) – peuvent être vérifiées à l'avance, mais le travail effectué avec les entraîneurs ne peut être évalué que par une expérience concrète.

L'intangibilité mentale. Beaucoup de services sont suffisamment complexes, pluridimensionnels et novateurs pour que les consommateurs, et plus particulièrement les prospects, rencontrent des difficultés à comprendre leur utilisation et à évaluer leurs avantages.

Tout en affirmant que les responsables marketing des entreprises de services doivent mettre au point des messages clairs sur les caractéristiques intangibles des services, Banwari Mittal et Julie Baker identifient les implications et actions pour remédier à ces problèmes[5] en proposant des stratégies de communication adaptées (voir tableau 6.1).

Tableau 6.1	Diverses stratégies publicitaires pour surmonter l'intangibilité	
Problème d'intangibilité	**Stratégie publicitaire**	**Description**
Immatérialité du service	**Représentation physique**	**Montrer les composants physiques du service**
Généralité		
• Pour une distinction objective	Documentation sur le système en place	Fournir un document objectif montrant les capacités du système
	Documentation sur la performance	Proposer un document donnant des statistiques sur les performances
• Pour une distinction subjective	Épisode sur la performance du service	Présenter un incident de fonctionnement du service

Problème d'intangibilité	Stratégie publicitaire	Description
Immatérialité du service	Représentation physique	Montrer les composants physiques du service
Impossibilité d'examen	Documentation sur la consommation	Obtenir et présenter le témoignage d'un client
Abstraction	Documentation sur la réputation	Citer une source indépendante de mesure de la performance
	Épisode de consommation du service	Montrer un client type bénéficiant du service
Difficulté de représentation	Épisode de processus de service	Présenter une documentation vivante sur le processus de service, étape par étape
	Épisode de consommation par un client	Présenter un exemple récent de ce que peut faire l'entreprise pour un client
	Anecdote d'utilisation	Raconter ou décrire l'expérience subjective d'un client

Source : Banwari Mittal et Julie Baker, « Advertising strategies for hospitality services », *Cornell Hotel and Restaurant Administration Quarterty*, 43, 2002, p. 53-71.

2.2. Surmonter les problèmes de l'intangibilité

Les problèmes de l'intangibilité peuvent être surmontés de deux façons : en insistant sur les aspects tangibles du service et en recourant à la métaphore.

Les stratégies publicitaires alors utilisées font appel à des combinaisons d'éléments concrets, particulièrement pour les services à faible contact qui n'incluent que quelques éléments tangibles[6]. Le recours à une communication plus spectaculaire, qui capte l'attention et réveille les sens, est cependant plus pertinent, notamment dans le cas de services complexes et abstraits[7].

À titre d'exemple, la SSII Steria, comme beaucoup d'autres sociétés de conseil, matérialise le service par la présence d'individus extrêmement expressifs dans ses publicités. Dans le même registre, des publicités « MasterCard » montrent un ensemble de produits concrets pouvant être achetés avec la carte. Chaque produit est accompagné de son prix exact tout en étant associé à une expérience vécue « qui n'a pas de prix » (un exemple intelligent et qui a fait date dans l'adaptation à l'intangibilité).

Certaines entreprises ont recours à des slogans « réalistes » pour faciliter la communication sur les avantages d'une offre de service, notamment les compagnies ou mutuelles d'assurance : la Macif clame « Près de vous, loin de vous, nous sommes prêts ».

2.3. Recourir aux métaphores

Ainsi, autant que possible, les messages publicitaires doivent informer sur la manière dont les avantages du service sont fournis[8]. Certaines entreprises de services ont imaginé des métaphores tangibles pour faciliter et expliciter les avantages et la valeur de l'offre globale de service.

À titre d'exemple, Trend Micro, spécialiste de logiciels antivirus pour les entreprises, a utilisé des diablotins ou des insectes venimeux pour représenter les virus informatiques. La société a cependant pris soin de ne jamais montrer les dégâts qu'ils pouvaient faire dans un univers informatique, car il n'est pas facile d'expliquer clairement le problème et les solutions qu'apporte Trend Micro. Pour promouvoir ses logiciels antivirus, cette entreprise a fait une analogie avec les dispositifs de sécurité antiterrorisme déployés dans les aéroports. La publicité met en scène un avion (légendé « c'est votre entreprise »), une valise contenant une bombe (« c'est un virus ») et deux agents de sécurité contrôlant le bagage aux rayons X (« c'est Trend Micro »).

Chubb a employé de son côté l'effrayante mais humoristique métaphore du baigneur inconscient sur le point de se faire happer par un tourbillon pour matérialiser les risques judiciaires encourus par les chefs d'entreprise qui n'auraient pas souscrit un contrat d'assurance efficace.

DHL, l'entreprise internationale de livraison, voulait montrer l'efficacité de son service. Elle communiqua en montrant d'un côté un énorme nœud, illustrant la complexité à laquelle doivent faire face ses concurrents avec la légende « sans DHL », et, de l'autre côté, une corde lisse (sans nœud) dont la légende est « Avec DHL Import Express ».

Étudions à présent une autre composante de la politique de communication : la planification.

3. Planifier la communication marketing

Après avoir étudié le rôle de la communication marketing et comment affronter la question de l'intangibilité du service, nous abordons maintenant comment planifier et concevoir une stratégie de communication dans les entreprises de services.

Comme nous le verrons, une politique de communication doit procurer au(x) segment(s) cible(s) une bonne compréhension du service et faciliter la projection de ces segments dans son utilisation. Pour ce faire, l'entreprise doit connaître les médias que lisent les clients visés et leurs attitudes vis-à-vis du ou des services proposés. Les décisions se prendront sur le contenu du message, son style et sa structure et les choix des médias les plus à même de toucher les segments visés. Les questions budgétaires, comme celle de l'échelonnement dans le temps de la campagne, doivent être réglées .

En somme, les cinq questions ci-après (connues sous le nom des « cinq W ») sont incontournables, même si elles ne sont pas la garantie d'une communication efficace. Les réponses manquantes ou approximatives poseront les jalons d'une communication inappropriée.

- Quelle est notre cible ? (*Who*)
- Que devons-nous communiquer ? (*What*)
- Comment devons-nous le communiquer ? (*HoW*)
- Où devons-nous le communiquer ? (*Where)*
- Quand doit avoir lieu la communication ? (*When*)

Considérons d'abord la question du choix des segments cibles. Nous étudierons ensuite les différents outils dont disposent les responsables marketing pour y parvenir.

3.1. Définir le segment cible

Les audiences cibles peuvent être réparties sommairement en trois grandes catégories : les clients potentiels, les utilisateurs et les employés.

Les prospects. Parce que les responsables marketing ne connaissent pas toujours les clients potentiels, ils emploient généralement les méthodes classiques de la communication comme la publicité, les relations publiques et les fichiers clients disponibles *via* les adresses électroniques et le télémarketing.

Les utilisateurs. Les informations sont disponibles dans la base du fichier clients, mais aussi auprès du personnel en contact qui peut directement agir lors de rencontres de service.

Les employés. La communication ne doit pas omettre le personnel en contact, directement concerné par la publicité faite aux clients qui s'adresseront à eux pour se renseigner ou acheter. Sans leur participation active, les campagnes de communication peuvent se révéler inutiles ou coûteuses au regard des résultats obtenus. En effet, subsiste toujours le risque que les employés perçoivent mal ces publicités ou ne se démotivent si le niveau de performance promis leur paraît trop élevé et irréaliste. Comme on l'a vu précédemment, les communications qui leur sont spécifiquement destinées font plus généralement partie de campagnes marketing utilisant des canaux propres à l'entreprise et ne sont alors pas vues par les clients.

3.2. Spécifier les objectifs de la communication[9]

Après avoir identifié les cibles, l'entreprise de services doit déterminer le contenu/l'objectif du message. Ces objectifs doivent être clairs, sans quoi il sera difficile de les formuler en points précis et de choisir les messages et les outils de communication les plus appropriés pour les atteindre. Le tableau 6.2 présente une liste d'objectifs informatifs et promotionnels. Ils peuvent intégrer la formation et la prise en compte du comportement des clients à différentes phases du processus de consommation, en l'occurrence, le préachat, la découverte du service ou la post-utilisation (voir chapitre 2).

Tableau 6.2	Objectifs informatifs et promotionnels classiques dans un environnement de services

- Créer une image mémorisable de l'entreprise et de ses marques
- Développer la notoriété et l'intérêt d'un service ou d'une marque peu familiers
- Développer la préférence en communiquant les forces et les avantages d'une marque spécifique
- Comparer un service avec l'offre concurrente et contrer l'argumentation de la concurrence
- Repositionner un service en fonction de l'offre concurrente
- Stimuler la demande en période creuse et la stabiliser en période de pointe
- Encourager la découverte du service par des offres promotionnelles
- Réduire l'incertitude et le risque perçus en fournissant des informations et des conseils
- Générer la réassurance (en mettant en avant la garantie du service)
- Familiariser les clients avec le service en amont de son utilisation
- Apprendre aux clients à utiliser le service et à profiter de ses avantages
- Identifier et récompenser les bons clients et les employés performants

Afin d'illustrer les spécificités de développement d'une campagne pour un service, inté-ressons-nous au cas d'une entreprise de location de voitures. Cette campagne a pour objectif d'augmenter le nombre d'hommes d'affaires fidèles et assidus recourant à ce service. À cet effet, l'entreprise décide de leur offrir systématiquement un surclassement et de mettre en place un système de prise en charge et de retour automatisé des véhicules dans certaines agences. Afin que le programme fonctionne, il faut que les clients soient avertis de son existence et qu'ils sachent comment, où et quand ils pourront en bénéfi-cier. Les objectifs de communication pourraient alors être :

1. créer la notoriété de la nouvelle offre auprès des clients existants ;

2. attirer l'attention de clients potentiels sur le segment des hommes d'affaires, les informer des nouvelles caractéristiques du service et leur apprendre comment l'uti-liser efficacement ;

3. stimuler la demande et augmenter les préréservations ;

Étudions à présent, dans une quatrième section, les composantes du mix de la commu-nication marketing dans les services.

4. Le mix de la communication marketing

La plupart des responsables marketing de services ont accès à de nombreux outils de communication, généralement regroupés sous l'appellation de mix de la communica-tion marketing. Les différents éléments utilisés ont des capacités distinctes en fonction du message qu'ils peuvent transmettre ou des segments auxquels ils sont destinés. Comme le montre la figure 6.1, le mix regroupe le personnel en contact, la publicité et les relations publiques, les offres promotionnelles, les moyens d'information et le design communicationnel spécifique à l'entreprise.

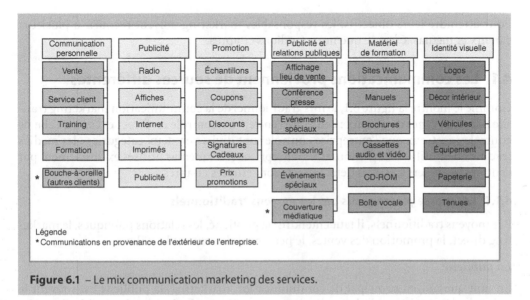

Figure 6.1 – Le mix communication marketing des services.

Il est important de clarifier l'origine des communications. Comme le montre la figure 6.2, tous les messages de communication reçus par une audience cible ne proviennent pas uniquement du prestataire de services. Ainsi, le bouche-à-oreille et les articles dans les médias sont issus de sources extérieures à l'entreprise et échappent à son contrôle. Les messages provenant d'une source interne doivent être distincts selon qu'ils proviennent des canaux de production ou marketing.

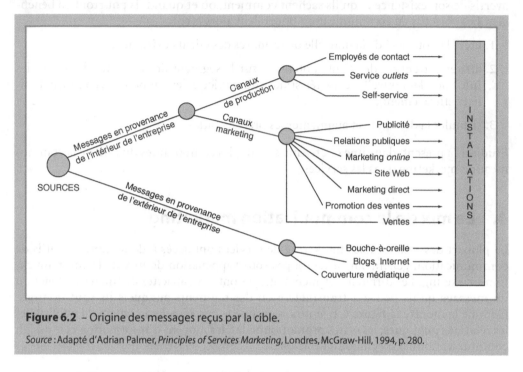

Figure 6.2 – Origine des messages reçus par la cible.

Source : Adapté d'Adrian Palmer, *Principles of Services Marketing*, Londres, McGraw-Hill, 1994, p. 280.

Pour atteindre leurs objectifs, les responsables marketing doivent recourir à plusieurs canaux et médias. C'est ce que nous étudions ci-après.

4.1. Les communications proviennent de sources différentes

Comme le montre la figure 6.1, le mix traditionnel de la communication marketing transite par deux types de canaux : ceux que l'entreprise contrôle en direct et ceux qu'elle ne contrôle pas. Ceux que l'entreprise contrôle sont divisés en deux catégories : les médias traditionnels utilisables par toutes les entreprises et les médias utilisés exclusivement par l'entreprise de services. Ces deux aspects sont étudiés ci-après.

4.1.1. Les messages transmis par les moyens traditionnels

Par moyens traditionnels, il faut entendre : la publicité, les relations publiques, le marketing direct, la promotion des ventes, le personnel de vente et les salons.

La publicité

En tant que moyen principal de communication marketing, la publicité est souvent le point de départ de la relation entre le responsable marketing (mais aussi la firme) et ses clients. Elle développe la notoriété, informe, persuade et remémore. Elle a un rôle primordial dans la diffusion d'informations relatives aux caractéristiques et capacités d'un produit ou d'un service. Pour démontrer l'importance de ce rôle, Grove, Pickett et Laband ont réalisé une étude comparant la publicité dans les journaux et à la télévision pour les biens et les services[10]. De l'analyse de 11 543 publicités télévisuelles sur dix mois et de 30 940 annonces publicitaires dans des journaux sur douze mois, ils ont conclu que les publicités pour les services contenaient souvent davantage d'informations factuelles sur le prix, les garanties, les performances et la disponibilité du service (ou, quand et comment se le procurer) que les produits.

L'une des difficultés majeures des publicitaires est de trouver comment mettre en évidence leurs messages. Les émissions de télévision et de radio sont entrecoupées de publicités, alors que les pages des journaux renferment parfois plus de publicités que de réelles informations. Que peut alors faire une entreprise pour sortir du lot ? Des publicités plus longues, plus bruyantes ou de plus grandes tailles ne sont pas forcément une bonne solution. Certains publicitaires se démarquent en employant des designs accrocheurs ou très différents des standards habituels. Pour capter l'attention du lecteur, la Ligue des droits de l'homme utilisait le dessin noir et blanc d'un petit chiot attendrissant dans un magazine où toutes les publicités étaient en couleurs.

Une large gamme de médias publicitaires est disponible : les émissions (télévision et radio), la presse (magazines et journaux), les cinémas et tous les supports extérieurs (panneaux d'affichage, panneaux électroniques, transports publics, etc.). Certains médias sont plus spécialisés que d'autres, visant des secteurs géographiques spécifiques ou des audiences qui ont un intérêt particulier. Les messages publicitaires transmis au travers de médias de masse sont souvent renforcés par des outils de marketing direct.

Les relations publiques

Les relations publiques (RP) consistent à stimuler un intérêt positif pour une entreprise et ses produits et services en publiant des informations récentes, en tenant des conférences de presse, en organisant des événements extraordinaires ou en sponsorisant des activités médiatiques. Leur élément de base est la préparation et la distribution de communiqués de presse (comprenant photos et vidéos) qui relatent des histoires en rapport avec l'entreprise, ses produits/services et ses employés. Les responsables des relations publiques peuvent également organiser des conférences de presse et distribuer des dossiers de presse lorsqu'une histoire leur paraît particulièrement digne d'intérêt. Ils peuvent aussi préparer les chefs d'entreprises de services à répondre avec adresse et élégance aux questions pièges.

Les autres techniques souvent employées sont par exemple l'organisation de prix et la remise de récompenses, la recherche de témoignages de personnes célèbres, une implication dans des œuvres caritatives. Ces outils sont de nature à favoriser le développement d'une opinion favorable de l'entreprise *via* des événements exceptionnels et peuvent l'aider à asseoir sa réputation et sa crédibilité, à former des liens solides avec ses employés, ses clients et l'opinion publique.

Les entreprises peuvent également profiter d'une bonne exposition médiatique dans le cadre de sponsoring d'événements sportifs, où bannières, emblèmes et autres éléments visuels offrent une visibilité continue du nom de l'entreprise et de son logo. Par exemple, le service postal aux États-Unis (US Postal) était le sponsor principal d'une formation cycliste qui participait au Tour de France. Cet événement est l'occasion d'une véritable flambée publicitaire et de relations publiques grâce à l'édition de timbres, d'articles de presse, d'informations diffusées à la télévision et des photos de l'équipe cycliste arborant des maillots « US Postal Service ». US Postal a acquis une notoriété mondiale grâce aux succès du leader de l'équipe : Lance Armstrong.

Autre exemple. Celui de FedEx qui a transporté deux pandas géants de Chengdu en Chine au zoo national de Wahsington D.C. dans un avion nommé pour la cisconstance « FedEx Panda One ». En plus des communiqués de presse, l'entreprise présenta cette livraison particulière sur son site Internet.

Le marketing direct

Il s'agit ici d'outils tels que les courriers, les e-mails et les messages téléphoniques. Bien utilisés, ces outils permettent de toucher des clients ciblés à condition que l'entreprise détienne une base de données à jour sur ses clients et prospects. Ils sont en outre particulièrement efficaces pour construire de solides relations clients/prestataires de services. Plus récemment, les entreprises ont recours à des techniques telles que les « pop-up stores » qui ont l'avantage de créer l'événement, de surprendre et d'attirer éventuellement de nouveaux clients. On retrouvera également toutes les techniques du « street marketing ».

La promotion des ventes[11]

La promotion des ventes peut être assimilée à une communication avec incitation à l'achat[12]. Elle est généralement ciblée dans le temps, promeut un prix spécifique pour une période donnée et s'adresse à un groupe de clients particuliers. Son objectif est d'accélérer l'intention d'achat de clients ou de les inciter à utiliser un service plus rapidement, en plus grande quantité ou plus fréquemment. Dans les entreprises de services, elle peut prendre la forme de bons de réduction et autres rabais, de cadeaux, de jeux concours. Utilisée sous ces formes, elle crée de la valeur ajoutée, donne un avantage concurrentiel, augmente les ventes en périodes creuses, accélère l'introduction et l'assimilation de nouveaux services et pousse généralement les clients à « consommer » le service plus rapidement[13].

Il y a quelques années, SAS International Hotels conçut une promotion des ventes qui ciblait les personnes âgées. Si l'hôtel n'était pas complet, les clients de plus de 65 ans pouvaient obtenir une réduction en corrélation avec leur âge (pour une personne de 75 ans, 75 % de réduction par rapport au tarif normal). Cette offre connut un certain succès jusqu'au jour où un client suédois âgé de 102 ans réclama au SAS de Vienne qu'on lui reverse 2 % du prix de la chambre. Sa requête fut satisfaite, tout comme sa proposition de match de tennis face au directeur de l'hôtel. Ce genre d'événement fait rêver les spécialistes des relations publiques. Dans ce cas précis, une promotion savamment menée s'est transformée en histoire drôle qui a fait le tour des hôtels de la chaîne.

La vente

Les rencontres interpersonnelles durant lesquelles les efforts visent à éduquer le client et à promouvoir sa préférence pour une marque ou un produit en particulier relèvent de la catégorie « vente personnelle » (de personne à personne). De nombreuses entreprises, en particulier celles spécialisées en services *B to B*, conservent une force de vente spécialisée ou sous-traitent la prise en charge de la vente personnelle. Pour des services utilisés ponctuellement (agences immobilières, compagnies d'assurance, pompes funèbres), le représentant de l'entreprise tient aussi un rôle de consultant en aidant le client à faire son choix.

Les stratégies de marketing relationnel s'appuient souvent sur des programmes de gestion de comptes. Un gestionnaire, intermédiaire entre client et fournisseur, intervient. Ces programmes de gestion de comptes sont plus fréquents dans les entreprises industrielles qui proposent des services relativement complexes, nécessitant un haut degré d'information et de conseil. La plupart des programmes de gestion de comptes pour particuliers se rencontrent dans les assurances, la gestion financière et les services médicaux.

Cependant, vendre en face à face à de nouveaux clients coûte cher. Le télémarketing, fondé sur le démarchage des prospects par téléphone, constitue une alternative moins onéreuse.

Les salons

Sur le marché des services *B to B*, les salons sont une forme de communication appréciée et présentent d'importantes occasions de vente personnelle[14]. Dans beaucoup de secteurs d'activité, ils bénéficient d'une importante couverture médiatique et permettent aux clients professionnels de découvrir un grand nombre de fournisseurs. C'est aussi l'occasion pour les prestataires de services de matérialiser leurs produits et services par des démonstrations, présentations, échantillons et brochures. Le salon est un outil marketing très puissant puisque c'est l'une des seules occasions où les prospects viennent au contact des responsables marketing et commerciaux, et non l'inverse. Un commercial, qui réussit en général à contacter quatre ou cinq clients potentiels par jour, peut espérer le même résultat sur un salon en seulement une heure. Le salon des vins organisé par les supermarchés en est un exemple. Sur invitation personnalisée, les clients sont conviés à une dégustation et une rencontre avec les producteurs. Ils peuvent commander sur le salon ou acheter les vins lors de leur prochaine visite au supermarché (les producteurs ne peuvent pas vendre directement). Ce salon est très communicant : relayé dans la presse, soutenu par les producteurs, il joue sur le bouche-à-oreille.

Examinons à présent les messages et la communication qui transitent par Internet.

4.1.2. Les messages transmis *via* Internet

Faire de la publicité *via* Internet permet aux entreprises d'ajouter un outil de communication à moindre coût. Mais, à l'instar des outils traditionnels, ce média doit s'intégrer à une politique globale ciblée et planifiée. Les entreprises peuvent communiquer sur leur propre site ou faire de la publicité en ligne, deux possibilités étudiées ci-dessous.

Les messages transmis par le site de l'entreprise

Les responsables marketing utilisent le site Web de leur entreprise pour une grande variété d'informations et d'actions publicitaires à destination des clients actuels et potentiels. Des entreprises innovantes n'hésitent pas à améliorer sans cesse leur site Web pour susciter l'intérêt et l'utilité de leurs services (et produits). Les politiques de communication qui transitent par le site Web du prestataire varient grandement d'une entreprise de services à l'autre. À titre d'exemple, une entreprise de services *B to B* peut permettre à des visiteurs l'accès à une librairie technique sur les produits qu'elle vend (exemple, SAP) mais aussi l'accès à des forums de « discussion » et de conseils fréquentés par des clients et des non-clients. Pour promouvoir son MBA, une université ou école de commerce (*B to C*) présentera quant à elle des photographies d'étudiants satisfaits, des différents sites et équipements dans lesquels se déroule la formation, communiquera sur les modalités d'inscription, le programme et postera des témoignages d'anciens étudiants. Elle pourra aussi poster la vidéo de la remise de diplômes, de cours enseignés ou d'événements particuliers.

Un site attractif détient les caractéristiques suivantes :

- *Contenu de qualité :* utile, pertinent, utile. Les visiteurs doivent y trouver ce qu'ils recherchent.

- *Utilisation facile :* navigation facile, simple, bien disposée. Les visiteurs se repèrent aisément.

- *Téléchargement rapide :* les visiteurs abandonnent si les pages s'affichent trop lentement. Les bons sites se téléchargent rapidement. L'inverse est vrai pour les mauvais sites.

- *Mise à jour fréquente :* un bon site doit paraître récent, révisé et moderne. Les visiteurs doivent fréquemment trouver de nouvelles informations, preuve que le site est rafraîchi de façon continuelle.

Les entreprises de transport comme les compagnies aériennes et ferroviaires proposent sur des sites interactifs aux voyageurs d'évaluer les trajets à des dates spécifiques, de télécharger des informations et de réserver leurs billets en ligne. Certains sites proposent même des rabais sur des chambres d'hôtel et des billets d'avion si les réservations sont effectuées en ligne, une méthode utilisée pour éloigner les clients des intermédiaires comme les agences de voyage.

La nature interactive d'Internet augmente considérablement le degré d'implication du client. Le Web crée un marketing libre-service dans lequel les clients contrôlent la nature et l'amplitude de leur contact avec le site qu'ils visitent. Beaucoup de banques permettent à leurs clients de payer leurs factures électroniquement, de faire une demande de prêt par Internet et d'accéder au solde de leurs comptes. Au Canada, une station de ski se sert de son site Web pour promouvoir les préventes en ligne de forfaits à un meilleur prix, tout en répondant aux questions les plus fréquentes.

Permettre aux responsables marketing de communiquer et d'établir un rapport individualisé avec des clients est l'une des grandes forces d'Internet. Ses caractéristiques se prêtent à une nouvelle stratégie de communication appelée *permission marketing*[15], qui s'oppose au principe d'interruption de la publicité traditionnelle. En effet, un spot publicitaire de trente secondes interrompt le programme favori d'un téléspectateur, un appel de télémarketing interrompt un repas et une publicité dans la presse interrompt le flux de lecture d'un article. Dans le modèle du *permission marketing*, le but est de convaincre le consommateur de prêter volontairement son attention. En clair, les clients sont encouragés à « lever la main » afin d'apprendre davantage sur une entreprise et ses produits en acceptant de recevoir une information ou un élément auquel ils accordent de la valeur.

Aux États-Unis, l'institut de recherche en communication sur la santé offre des cartes téléphoniques dans les hôpitaux et cabinets médicaux pour mesurer la satisfaction des patients. Ceux-ci téléphonent à un service automatique qui enregistre leurs avis sur l'intervention subie et l'hospitalisation. En remerciement, le patient reçoit trente minutes gratuites de communications longue distance[16].

Les messages sont transmis via Internet

Internet est devenu en peu de temps un vecteur important des campagnes de publicité. Après un démarrage rapide, le volume de publicités en ligne a fortement diminué. Les sites Web offrent cependant aux publicitaires des avantages bien distinctifs[17].

Beaucoup d'entreprises paient pour avoir des bannières publicitaires sur des portails comme Yahoo!, Netscape ou sur les sites Web d'autres entreprises, afin d'orienter le trafic des internautes vers leur propre site Web. Dans beaucoup de cas, les sites affichent les messages publicitaires de sociétés proposant des services complémentaires mais pas concurrents. La page de cotations boursières de Yahoo!, par exemple, compte bon nombre de publicités pour des prestataires de services financiers. De la même manière, beaucoup de pages Web dédiées à un sujet en particulier contiennent un petit message d'Amazon.fr invitant les lecteurs à cliquer sur le lien vers la librairie en ligne pour y chercher des ouvrages sur le sujet. Dans ce cas, le publicitaire peut facilement mesurer combien de connexions à son propre site ces liens ont générées.

Pourtant, Internet ne se révèle pas aussi efficace que prévu. L'expérience montre que le temps d'affichage des bandeaux et des bannières publicitaires sur une page n'a pas forcément d'impact sur la notoriété, la préférence ou les ventes. Le fait que les internautes cliquent sur le lien et se connectent au site ne garantit pas non plus la vente. Par conséquent, les entreprises se montrent moins intéressées par l'achat de bannières publicitaires et davantage friandes d'informations sur les comportements des internautes.

Certaines entreprises pratiquent le *marketing réciproque* : un magasin en ligne permet à ses clients de recevoir des messages d'un autre magasin, et inversement[18]. Le site de l'entreprise RedEnvelope.com, dont l'activité porte sur la réalisation de cadeaux publicitaires personnalisés, offrait à ses visiteurs des bons de réduction pour Starbucks, la célèbre chaîne de café américaine récemment implantée en France ; en échange, Starbucks.com proposait un lien publicitaire pour inciter ses propres visiteurs à se connecter au site RedEnvelope.com.

Voyons dans l'encadré Questions de services 6.1 l'exemple de Google.

Le *business model* publicitaire de Google

Larry Page et Sergey Brin, tous deux fascinés par les mathématiques, les ordinateurs et la programmation depuis leur plus jeune âge, fondèrent Google en 1998 lorsqu'ils étaient tous deux étudiants en doctorat à la prestigieuse université de Stanford. Sept ans plus tard, ils étaient multimillionnaires et Google devint l'une des sociétés les plus puissantes et les mieux cotées du monde.

Cette entreprise eut la vision « d'organiser l'information du monde entier et de la rendre universellement accessible et utile ». L'utilité et la facilité de ce moteur de recherche sont à la base de l'immense réussite de cette entreprise qui a bénéficié d'un bouche-à-oreille positif planétaire de la part de ses utilisateurs. Le nom de la compagnie est même devenu un verbe anglais communément utilisé, « *to google* », qui veut dire « rechercher sur Google ». La popularité de Google lui a permis de devenir un nouveau média de communication hautement convoité par les responsables de

...

Questions de services 6.1

...

communication. En effet, Google offre aux entreprises deux grandes opportunités de contacter leurs clients : au travers de liens sponsorisés et de contenus publicitaires.

Les liens sponsorisés apparaissent lors de recherches effectuées sur le site. Google tarifie ses liens sponsorisés « cost per click ». Mais le prix dépend aussi de la popularité du terme de la recherche. Par exemple, le mot MBA sera plus coûteux que des termes plus populaires comme « MSc in Business » qui en comptent des milliers sur terre contrairement aux MBA. Les responsables de communication ont ensuite la possibilité de suivre facilement les résultats de leurs publicités sur leur compte en ligne « Google Control Center ».

Google permet aux contenus publicitaires d'être très ciblés grâce à l'application « Google AdWords » qui offre aux marques de nombreuses options publicitaires. Les publicités peuvent être placées à côté des résultats de la recherche de l'internaute sur Google.com, être des bannières (technique très différente du lien sponsorisé) ou permettre de générer des affaires en permettant à l'internaute de se connecter directement sur un site marchand. Dans ce cas de figure, les entreprises paient l'opportunité d'être associées à des termes ou catégories de recherches. Pour mieux voir et comprendre le nouveau *business model* publicitaire de Google, « googlez » quelques mots et observez ce qui apparaît sur votre écran en plus des résultats de votre recherche.

AdWords permet aussi aux publicitaires de déposer leurs publicités sur des sites qui font partie du réseau de Google, et pas uniquement sur Google.com. Autrement dit, les publicités ne sont pas initiées uniquement par des recherches effectuées par l'internaute sur Google.com, mais aussi lorsque ce dernier visionne un site. Ce type de publicité est appelé « Placement Targeted Ads ». Les publicitaires peuvent également choisir des sites uniques ou des contenus relatifs aux recherches de l'internaute.

Examinons à présent le cas où l'entreprise utilise son réseau pour communiquer

4.1.3. Les messages transmis par le réseau de l'entreprise

Comme les entreprises industrielles, les entreprises de services disposent d'un réseau de distribution puissant pour communiquer à moindre coût : le personnel en contact et les services clients, les clients, les équipements (locaux et automates).

Le service clients et le personnel en contact

Les employés de *front office* servent les clients en interface directe ou par téléphone. Ils sont responsables de la prestation principale et peuvent également être en charge d'une multitude d'autres services périphériques, comme l'apport d'informations, la prise de rendez-vous, le paiement et la résolution de problèmes. Les nouveaux clients, en particulier, y sont sensibles.

Lorsque plusieurs produits/services différents sont proposés, les entreprises encouragent leurs employés à vendre d'autres services (*up selling*). Néanmoins, cette méthode risque d'échouer si les stratégies de communication ne sont pas parfaitement planifiées et exécutées avec efficacité[19]. L'apparition des nouvelles technologies, par exemple, a obligé les banques, un marché de plus en plus concurrentiel, à se diversifier pour tenter d'augmenter leur profitabilité. Dans la plupart des cas, les employés, initialement chargés des opérations des clients, ont désormais pour mission de promouvoir et de vendre les nouveaux services. Bien que formés, nombreux sont ceux qui ne se sentent pas à l'aise dans cette tâche et ne sont pas aussi performants que les commerciaux. Dans ce cas de figure, les clients ne comprendront pas que ce que vantent les divers supports de communication ne se concrétise pas sur le terrain.

Les clients

Certaines entreprises, en particulier celles qui vendent des services *B to B* complexes, proposent des formations à leurs clients afin de les familiariser avec le service et à en tirer le maximum. Cette formation peut être prise en charge par le personnel de *front office* qui se charge de la prestation. Beaucoup d'entreprises de téléphonie mobile proposent ce type de formation à leurs clients.

Les locaux et les automates

Planifiés ou non, les messages atteignent les clients dans l'environnement du service lui-même. Des messages impersonnels peuvent être transmis par des affiches, des panneaux d'information, des brochures, des écrans vidéo et des annonces audio. L'apparence physique du service transmet également des messages aux clients[20]. Des designs d'entreprise particulièrement élaborés peuvent, grâce à un agencement interne ou externe spécifique, véhiculer des messages. Ces agencements complètent et renforcent le positionnement d'une entreprise et rendent le service proposé attirant pour le client.

Examinons à présent les messages non transmis par l'entreprise mais qui jouent un rôle important dans la communication marketing.

4.2. Les messages en provenance de l'extérieur de l'entreprise

Certains des messages les plus efficaces d'une entreprise sur ses produits et/ou services sont externes et non contrôlés par les responsables marketing[21].

4.2.1. Le bouche-à-oreille[20]

Les recommandations d'autres clients sont généralement mieux perçues que les activités promotionnelles initiées par l'entreprise et peuvent avoir une forte influence sur les décisions des acheteurs potentiels d'un service. En effet, plus le risque associé à un achat est élevé, plus les acheteurs potentiels essaient *via* le bouche-à-oreille d'en savoir davantage sur le service[22]. Les clients qui connaissent peu un service s'appuient davantage sur ce mode d'information que les clients bien informés[23]. Son efficacité pousse les responsables marketing à employer des stratégies qui encouragent des commentaires positifs[24]. Ces stratégies peuvent :

- Se fonder sur d'autres acheteurs qui connaissent le produit ou le service : « Nous avons fait du bon travail pour l'entreprise ABC. Si vous voulez, vous pouvez contacter M. Martin, leur responsable des systèmes d'informations, qui supervisait le projet. »

- Lancer des campagnes promotionnelles qui encouragent les gens à discuter du service que l'entreprise propose. Virgin Atlantic et Air France (slogan « Le ciel est le plus bel endroit de la terre », accompagné d'une musique du groupe « Chemical Brothers ») ont lancé plusieurs campagnes qui donnèrent lieu à de nombreux commentaires et discussions.

- Développer un système de parrainage offrant aux clients existants des remises ou des cadeaux pour les remercier d'amener de nouveaux clients à l'entreprise.

- Faire des promotions qui encouragent les clients à convaincre d'autres personnes d'utiliser le service, comme « amener deux amis au restaurant et le troisième mange gratuitement ».

- Présenter et publier des témoignages qui encouragent le bouche-à-oreille. Les publicités et les brochures diffusent ainsi parfois les commentaires de clients satisfaits.

Des recherches effectuées aux États-Unis et en Suède montrent que l'ampleur et le contenu du bouche-à-oreille sont corrélés au niveau de satisfaction. Des clients qui ont une opinion favorable d'un service sont plus enclins à parler de leurs expériences que ceux qui ont une opinion plus neutre. Les clients les moins satisfaits se manifestent généralement plus que les clients très satisfaits[25]. En constatant l'importance du rôle du personnel en contact dans la satisfaction du client, Gremler, Gwinner et Brown[26] suggèrent que l'amélioration de la qualité des interactions clients-employés pourrait être une stratégie appropriée à la stimulation de bouche-à-oreille positif. Il est intéressant de noter que même les clients qui sont initialement insatisfaits du service peuvent transmettre un message positif s'ils apprécient la manière dont l'entreprise a résolu le problème[27]. Avec le développement d'Internet, la diffusion des opinions personnelles s'est accrue, engendrant même un phénomène de « marketing viral » que les entreprises ne peuvent ignorer[28]. C'est d'ailleurs devenu une activité à part entière[29]. Des start-up comme Epinions.com ont développé leurs concepts et leurs sites Internet sur le bouche-à-oreille entre clients[30]. Ce bouche-à-oreille est véhiculé et amplifié par les *chats*, les blogs, les forums, les réseaux sociaux et la communication en ligne.

Le tableau 6.3 retrace les principaux outils utilisés par le Web. Les informations qui y transitent échappent pour une grande partie à l'entreprise de services.

Tableau 6.3	Nouveaux médias et implications marketing
Outils	**Utilisations**
TiVo	Le TiVo est un magnétoscope numérique à disque dur qui permet d'enregistrer les programmes télévisés sur disque dur pour une lecture différée (appelée aussi *timeshifting*). Le TiVo enregistre également des programmes auxquels l'utilisateur pourrait s'intéresser. En outre, les programmes regardés en direct peuvent être mis en pause ou lus de nouveau afin de répéter une séquence qui vient juste d'être vue (*Source :* Wikipédia).
Podcasting	Le terme « podcasting » (contraction des mots « ipod » et « broadcasting »), parfois appelé « podcast », est une technologie de diffusion de fichiers multimédias (audio ou vidéo) basée sur l'utilisation d'un fil de diffusion RSS *(Really Simple Syndication)* ou Atom. Les termes francisés « baladodiffusion », « baladiffusion » ou encore « podiffusion » ont également été proposés pour les pays francophones. Le principe du podcasting. Contrairement aux modes de diffusion traditionnels où un diffuseur envoie un flux *(streaming)* à des auditeurs multiples, le principe du podcasting consiste à s'abonner à un podcast pointant vers un ou plusieurs fichiers multimédias et à télécharger ces fichiers. L'utilisateur doit donc synchroniser régulièrement son lecteur de podcast afin de récupérer les nouveautés. Ainsi, le site diffuseur ne pousse plus le contenu vers les utilisateurs *(push)*, ce sont les utilisateurs qui viennent récupérer le contenu multimédia lorsqu'ils synchronisent leur lecteur *(pull)* (*Source :* Comment ça marche).

Outils	Utilisations
Mobile Advertising	Mobile Advertising est une forme de publicité qui transite par les téléphones portables. Elle est complexe car elle peut associer Internet, la vidéo, du texte, des jeux, de la musique et bien plus encore. Par exemple, en se promenant dans des galeries marchandes, on peut recevoir des SMS, des bons de réduction des magasins devant lesquels nous passons si nous décidons de nous y arrêter.
Web 2.0	Le Web 2.0 est l'évolution du Web vers plus de simplicité (ne nécessitant pas de connaissances techniques ni informatiques pour les utilisateurs) et d'interactivité (permettant à chacun, de façon individuelle ou collective, de contribuer, d'échanger et de collaborer sous différentes formes). L'expression « Web 2.0 » désigne l'ensemble des techniques, des fonctionnalités et des usages du World Wide Web qui ont suivi la forme originelle du *Web*, en particulier les interfaces permettant aux internautes ayant peu de connaissances techniques de s'approprier les nouvelles fonctionnalités du Web. Ainsi, les internautes contribuent à l'échange d'informations et peuvent interagir (partager, échanger, etc.) de façon simple, à la fois avec le contenu et la structure des pages, mais aussi entre eux, créant ainsi notamment le Web social. L'internaute devient, grâce aux outils mis à sa disposition, une personne active sur la toile. L'expression « 2.0 » est maintenant utilisée comme un terme générique pour appliquer le concept du Web 2.0 à d'autres domaines d'application (*Source :* Wikipédia).
YouTube	YouTube est un site Web d'hébergement de vidéos sur lequel les utilisateurs peuvent envoyer, regarder et partager des séquences vidéo. Il a été créé en février 2005 par Steve Chen, Chad Hurley et Jawed Karim, trois anciens employés de PayPal. Le service est situé à San Bruno, en Californie. En 2006, Google rachète YouTube. En 2009, 350 millions de personnes visitent chaque mois ce site de partage de vidéos. En mai 2010, YouTube annonce avoir franchi le cap des deux milliards de vidéos vues quotidiennement. Le 28 octobre 2010, l'ensemble des chaînes de YouTube atteint le milliard d'abonnés. Le 23 janvier 2012, la barre des quatre milliards de vidéos vues quotidiennement est franchie. La vidéo la plus vue est le clip de la chanson pop coréenne *Gangnam Style* de Psy en 2012-2013, avec plus d'un milliard huit cent cinquante millions de vues.
Social Network	Social Network = networking social = l'ensemble des sites qui permet de mettre en relation des personnes (ami, collègue, tribu, etc.). Le networking social ou social networking est une plateforme de mise en relation sur Internet. Elle se caractérise par la présence des fonctionnalités suivantes : – système de qualification des contacts par degré de séparation – moteurs de recherche – système de contrôle des données (qui est visible ; qui ne l'est pas) – reconnaissance automatique des personnes appartenant à son réseau et déjà inscrites sur le site – système de cartographie pour les critères non accessibles *via* le moteur de recherche. Ce système permet de communiquer avec ses connaissances, de catalyser son réseau et de rencontrer des personnes non connues directement, mais par proches interposés ou de proches en proches. Le réseau social induit : – une notion de proximité pour des rencontres professionnelles ou de centres d'intérêts *via* Internet – une relation crédibilisée par le phénomène de cooptation : j'ai confiance en ma relation directe, donc je me lie plus facilement à l'une de ses relations. Une définition très « business » : « Un site Web de *business networking* permet à ses utilisateurs de trouver et d'atteindre les hommes d'affaires qu'ils veulent contacter à travers des références de personnes qu'ils connaissent et en qui ils ont confiance » (Scott Alen, onlineBusinessnetorks.com) (*Source :* ADProxima).

Outils	Utilisations
Twitter	Twitter est un outil de microblogage géré par l'entreprise Twitter Inc. Il permet à un utilisateur d'envoyer gratuitement de brefs messages, appelés tweets (« gazouillis ») sur Internet par messagerie instantanée ou par SMS. Ces messages sont limités à 140 caractères. Twitter a été créé le 21 mars 2006 par Jack Dorsey et lancé en juillet de la même année. Le service est rapidement devenu populaire, jusqu'à réunir plus de 500 millions d'utilisateurs en février 2012 (*Source :* Wikipédia).
Facebook	Facebook est un service en ligne de réseautage social, qui permet à ses utilisateurs de publier du contenu et d'échanger des messages. Il compte aujourd'hui plus d'un milliard d'utilisateurs actifs et est le deuxième site le plus visité au monde après Google. Facebook est né en 2004 à l'université de Harvard ; d'abord réservé aux étudiants de cette université, il s'est ensuite ouvert à d'autres universités américaines avant de devenir accessible à tous en septembre 2006. Le nom du site s'inspire d'ailleurs des albums photo (« trombinoscopes » ou « facebooks » en anglais) regroupant les photos des visages de tous les élèves prises au début de l'année universitaire (*Source :* Wikipédia).
LinkedIn	LinkedIn est un service en ligne qui permet de construire et d'agréger son réseau professionnel. Il se définit comme un réseau de connaissances qui facilite le dialogue entre professionnels. Pour ses membres, c'est aussi un outil de gestion de réputation en ligne et de personal branding (Source : Wikipédia).
Instagram	Cette application permet de partager ses photographies et ses vidéos avec son réseau d'amis, de noter et de laisser des commentaires sur les clichés déposés par les autres utilisateurs. Les applications telles qu'Instagram contribuent à la pratique de la phonéographie, ou photographie avec un téléphone mobile. Le service a rapidement gagné en popularité, avec plus de 100 millions d'utilisateurs actifs en avril 2012 (Source : Wikipédia).

4.2.2. La couverture éditoriale

Bien que la couverture médiatique des entreprises et de leurs services soit souvent assurée par des activités de RP, les chaînes de télévision et les éditeurs de presse peuvent s'en charger. En plus des reportages sur une entreprise et ses services, la couverture éditoriale peut revêtir plusieurs aspects. Des reporters peuvent effectuer des enquêtes approfondies sur telle ou telle entreprise, surtout s'ils pensent qu'elle met en danger la vie de ses clients, si elle les bafoue, si elle fait de la publicité mensongère ou si elle les exploite. Certains organes de presse sont spécialisés dans la protection et l'assistance aux clients qui n'ont pu obtenir réparation directement auprès de l'entreprise.

Les journalistes en charge des rubriques « consommation » ou « nouveaux produits » comparent souvent les différentes offres proposées, identifient leurs points forts et leurs points faibles et donnent leur avis sur le meilleur produit à acheter. Plus spécialisés, *Que choisir ?* ou *60 millions de consommateurs*, en France, évaluent régulièrement les services proposés à l'échelle nationale, comme les télécommunications ou les services financiers. Ces magazines ont récemment étudié en détail le secteur de la téléphonie mobile, en indiquant les forces et faiblesses des différents opérateurs et en essayant de déterminer le coût réel de leurs abonnements aux tarifs souvent confus[31].

Ils ont aussi révélé les tarifs souvent abusifs des banques françaises relatifs auxdits « frais bancaires » et agios en pratique. L'issue a bien souvent été positive : certains clients n'ont pas hésité à faire un recours en justice et ont obtenu gain de cause.

Examinons à présent, dans une cinquième section, le rôle du design d'entreprise dans la communication marketing de l'entreprise.

5. Le rôle du design d'entreprise

Après avoir étudié les outils spécifiques à la communication marketing, il convient de se pencher sur l'importance du design d'entreprise fortement contributif aux objectifs de communication que l'entreprise s'est fixée.

Beaucoup d'entreprises de services adoptent une apparence visuelle unique et distinctive pour faciliter sa reconnaissance, renforcer la mémorisation, créer de la différence et renforcer son image de marque. Le design de l'entreprise est généralement mis au point par des spécialistes extérieurs et sert à identifier les brochures, documents promotionnels et autres supports écrits. Des associations de couleurs sont savamment étudiées pour établir le logo, les uniformes, les équipements des points de vente, les véhicules et les bâtiments. L'objectif est de créer un thème unificateur et reconnaissable qui rassemble et fédère tous les aspects de l'entreprise sous une marque de service au travers d'éléments physiques spécifiques que l'on retrouvera dans l'ensemble des points de vente traditionnels mais aussi virtuels.

Le design est particulièrement important pour les entreprises qui opèrent sur des marchés très concurrentiels où il est nécessaire, pour se distinguer, de sortir du lot et d'être immédiatement reconnaissable dans différents endroits. Par exemple, les stations-service ont des différences de design très marquées : de l'étincelant vert et jaune de BP à la coquille jaune bordée de rouge de Shell en passant par le bleu, blanc, rouge de Carrefour.

Les entreprises du secteur très concurrentiel de la livraison rapide utilisent de plus en plus leur nom comme élément central de leur design d'entreprise. Lorsque Federal Express a fait évoluer son nom vers le plus moderne « FedEx », il a également changé son logo pour mettre en valeur son nouveau nom. Ce nouveau design fut décliné sous différentes formes pour être utilisé sur des supports allant des cartes de visite aux emballages en carton, en passant par les casquettes des employés et le fuselage des avions. Il a également créé FedEx Services, qui regroupe les services commerciaux, marketing et technologiques venant en aide à la « famille » d'entreprises.

Beaucoup d'entreprises utilisent des symboles déposés, et notamment leur logo[32], plutôt que des noms. Shell « joue » de son nom anglais en le remplaçant par ce coquillage jaune entouré de rouge. Cela a l'avantage de rendre ses véhicules et stations-service immédiatement identifiables quels que soient la langue ou le pays. Les « arches dorées » de McDonald's sont supposées être le symbole le plus connu dans le monde. Néanmoins, les multinationales doivent choisir leur logo avec précaution pour éviter de transmettre un message culturellement inapproprié à cause d'un mauvais choix de noms, couleurs ou images.

À un moindre degré, certaines entreprises ont réussi à créer des symboles tangibles et reconnaissables qui s'associent à la marque de l'entreprise. Les motifs d'animaux sont des symboles classiques pour les services : le cheval de Déméco (déménagement), l'hippopotame d'Hippopotamus, le kangourou de la compagnie aérienne Qantas, l'aigle de United States Postal Services, le taureau de Merrill Lynch, le lion des fonds Dreyfus, de la Banque Royale du Canada, de la LCL, le dragon chinois de Dragonair (compagnie aérienne de Hong Kong), l'écureuil de la Caisse d'Épargne, le chat de Feu Vert. Facilement identifiables, les symboles d'entreprise sont particulièrement importants lorsque les services sont proposés sur des marchés où la langue principale n'utilise pas l'alphabet romain ou lorsqu'une partie de la population est illettrée.

Avant de conclure ce chapitre, examinons un dernier point particulièrement sensible et important : celui de l'éthique dans les politiques de communication marketing.

6. Éthique et communication marketing

Certains des outils usités dans les politiques de communication marketing comme la publicité, la vente ou la promotion des ventes se prêtent volontiers à des abus qui peuvent avoir des effets dévastateurs pour les clients, les non-clients et l'entreprise elle-même.

Comme nous avons pu le voir, l'intangibilité du service augmente le risque perçu car les clients ont du mal à évaluer le service avant leur consommation effective. Cette situation les rend plus dépendants de la communication marketing de l'entreprise, notamment lorsqu'il est question de recueillir des informations (fleur du service) ou des conseils (choix). Lorsque des promesses sont faites à la légère, ou lorsque l'entreprise fait des promesses qu'elle ne tiendra pas, les clients sont désappointés et très déçus dès lors que le prestataire n'a pas répondu à leurs attentes[33]. Leur déception et leur colère augmentent s'ils ont gaspillé de l'argent, du temps, et fourni des efforts sans obtenir quoi que ce soit en retour, ou obtenu ce qu'ils ne voulaient pas, ou encore autre chose que ce qui avait été promis. Le personnel en contact, en première ligne, est souvent la première « victime » de ces désagréments et désappointements. C'est auprès d'eux que les clients se plaignent, expriment leur frustration et leur déception. Cette situation est particulièrement inconfortable et renforce le stress inhérent à la relation en face à face. Le personnel en contact ne dispose pas de toutes les informations pour répondre aux clients et doit néanmoins avancer des arguments à la fois compatibles avec les intérêts de l'entreprise et susceptibles d'apporter aux clients une réponse satisfaisante.

Certaines promesses irréalistes résultent souvent d'une mauvaise communication interne entre les équipes techniques et marketing quant au niveau de performance promis aux clients. Dans d'autres cas, des publicitaires et vendeurs malhonnêtes font volontairement des promesses irréalistes pour assurer leur niveau de ventes. Enfin, il existe des offres qui trompent les clients sur leurs chances réelles de remporter des prix lors de jeux et concours. Heureusement, de nombreuses autorités sont en charge de la surveillance de ces pratiques marketing douteuses. On retrouve les associations de défense du consommateur, des organismes professionnels et des journalistes qui enquêtent suite aux plaintes de clients floués et rendent publics les fraudes et les abus[34]. L'intrusion des responsables marketing dans la vie personnelle des clients et des prospects soulève un autre problème éthique. Le télémarketing et les courriers publicitaires, en forte croissance, suscitent l'agacement de ceux qui les reçoivent. Comment réagissez-vous lorsque vous recevez, au moment du dîner, un appel d'un inconnu qui essaie de vous vendre un service dont vous n'avez que faire ? Même si vous êtes intéressé, vous percevez cet appel comme une violation de votre vie privée. Des dispositifs particuliers permettent aujourd'hui aux consommateurs de retirer leurs noms des listes de télémarketing et des courriers.

Une autre technique utilisée pose un problème éthique manifeste. En effet, quand vous faites par exemple une recherche de billets *via* Internet, l'opérateur enregistre cette recherche et l'associe à l'adresse IP du terminal que vous utilisez (ordinateur, smartphone, etc.). Il vous propose alors un prix « p » [...]. Si vous réalisez la transaction, vous payez ce prix « p », fin de l'histoire. Mais si vous n'achetez pas immédiatement vos billets et que vous réitériez votre recherche un peu plus tard, l'opérateur a gardé en mémoire que vous aviez manifesté un intérêt pour ce trajet, et il vous propose alors un prix un peu supérieur, « p + e ». L'objectif est de susciter l'achat immédiat en vous laissant penser que le nombre de places diminue et que le prix augmente, et ce, même si aucun changement n'a eu lieu et si aucun autre client ne s'est manifesté. Il s'ensuit une logique incrémentale : plus vous allez réitérer la simulation, plus le prix va augmenter – toujours par petits paliers. L'objectif est très clair : provoquer la vente. Et cela fonctionne très bien.

Le développement des technologies de l'information amène à se poser la question de la protection des données personnelles des clients. En effet, les progrès de la technologie ont fait d'Internet une véritable menace pour nos données personnelles. En effet, celles-ci ne sont pas captées uniquement si nous nous enregistrons sur un site ou si nous commandons un produit ou un service ; elles le sont même simplement si nous « surfons », intervenons sur des blogs ou participons à des discussions sur les réseaux sociaux. Il existe plusieurs façons de les protéger :

- fournir de fausses informations ;

- utiliser des antispams, des « cookie busters » afin d'empêcher les adresses de nos ordinateurs d'être repérées et identifiées par ces systèmes ;

- éviter les sites qui demandent des informations personnelles et refuser de les fournir.

Ces façons de répondre vont alimenter des bases « CRM » de fausses informations et donc rendre moins efficace le système de marketing relationnel des entreprises qui les utilisent. Afin de réduire l'inquiétude des clients sur le piratage de leurs données personnelles, les entreprises peuvent s'y prendre de plusieurs façons :

- Les marketeurs doivent être prudents sur la façon dont ils collectent et utilisent les données personnelles des clients. En particulier, ils doivent s'assurer de l'honnêteté de leur utilisation et fournir à leurs clients des avantages personnalisés grâce à l'obtention de ces informations.

- En particulier, si les informations demandées sont sensibles, l'entreprise devra démontrer qu'elles sont nécessaires pour la transaction.

- Les entreprises doivent avoir une ligne de conduite claire, par rapport aux informations personnelles, lesquelles doivent être accessibles facilement dans un langage simple et compréhensible de tous.

- Ces pratiques relatives aux informations personnelles doivent être intégrées aux conditions générales de vente. Il convient de s'assurer que les employés ne pourront pas utiliser ces informations de manière inappropriée.

- Les standards éthiques de ces entreprises doivent être exigeants en matière de protection des données et connus de tous. Elles peuvent s'adjoindre les services d'entreprises spécialisées dans ces domaines.

Conclusion

La communication marketing pour les services diffère de celle développée pour vendre des produits. Les objectifs des responsables marketing d'entreprises de services sont de mettre en évidence les éléments concrets du service difficiles à évaluer, de clarifier la nature et le déroulement de ce service, de valoriser le contact avec le client et de le former pour optimiser et développer sa participation à la réalisation du service.

De nombreux éléments de communication marketing sont à la disposition des entreprises pour se positionner sur le marché et atteindre les clients potentiels. *Les* différentes options du mix communication marketing sont la communication interpersonnelle comme la vente directe et le service clients, la communication impersonnelle comme la publicité, la promotion des ventes, les relations publiques, l'identité visuelle de l'entreprise et les éléments concrets qui distinguent le lieu de prestation du service. Les supports d'information, des brochures aux sites Web, jouent souvent un rôle *majeur pour aider le*s clients à faire les bons choix et à tirer le meilleur parti du service acheté. Les nouvelles technologies, Internet en particulier, sont en train de bouleverser l'aspect de la communication marketing, notamment en rendant le client plus acteur (les chats, les témoignages) et en mettant en scène des personnages et des scénarios pour convaincre de la valeur du service.

Questions de révision

1. En quoi les objectifs de communication des services diffèrent-ils de ceux de produits manufacturés ?

2. Quels sont les défis de la communication marketing dans les services et comment peuvent-ils être résolus ?

3. Pourquoi le mix communication dans les services est plus étendu que dans les produits ?

4. Quels rôles jouent la vente directe, la publicité et les relations publiques dans l'attraction et la captation de nouveaux clients ?

5. Quels sont les différents outils du marketing en ligne ?

6. Décrivez le rôle de la vente directe dans la communication des services. Donnez des exemples de trois situations dans lesquelles vous y avez été confronté.

7. Comparez l'efficacité relative de brochures et de sites Web pour la promotion (a) d'une station de ski, (b) d'une école de commerce, (c) d'un club de sport, (d) d'un courtier en ligne.

8. Pourquoi le bouche-à-oreille est-il si important dans le marketing des services ? Comment un prestataire, leader en termes de qualité sur son marché, pourrait-il le stimuler et le gérer ?

9. Comment les entreprises de services peuvent-elles utiliser leur design interne pour communiquer avec leurs clients ?

Exercices d'application

1. Identifiez une publicité (ou un autre moyen de communication) visant à modifier le comportement du consommateur au cours des phases de (a) sélection, (b) consommation et (c) postconsommation d'un service. Expliquez comment elle essaie d'atteindre ses objectifs et évaluez son efficacité.

2. Expliquez la signification des attributs d'examen, d'expérience et de croyance dans la stratégie de communication d'un prestataire de services, en faisant l'hypothèse que l'objectif de cette stratégie est d'attirer de nouveaux clients.

3. Identifiez une publicité qui risque d'attirer à l'entreprise de services des segments de clientèle partiellement imbriqués. Comment cela peut-il se produire et quelles en seront les conséquences ?

4. Analysez plusieurs actions de relations publiques menées par des entreprises de services.

5. Quels éléments concrets une école de plongée et un cabinet dentaire pourraient-ils mettre en avant pour se positionner dans un créneau haut de gamme ?

6. Visitez les sites Web d'une entreprise de conseil en management, d'un commerçant en ligne et d'une compagnie d'assurance. Pour chacun d'entre eux, analysez et critiquez la facilité de navigation, le contenu et le design. Que modifieriez-vous sur ces différents sites ?

Notes

1. Voir notamment Christian Michon, « La double mutation de la communication publicitaire », *Actes de l'Association française du marketing*, vol. 16, Congrès de Montréal, 2000.

2. Voir Kathleen Mortimer et Brian P. Mathews, « The Advertising of Services : Consumer Views v. Normative Dimensions », *The Service Industries Journal*, vol. 18, juillet 1998, p. 14-19.

3. Voir notamment Jean-Marc Décaudin et Denis Lacoste, « La communication de service : entre théorie et pratique », *Actes de l'Association française de marketing*, vol. 16, Congrès de Montréal, 2000.

4. Banwari Mittal, « The Advertising of Services : Meeting the Challenge of Intangibility », *Journal of Service Research*, 2, août 1999, p. 98-116.

5. Banwari Mittal et Julie Baker, « Advertising Strategies for Hospitality Services », *Cornell Hotel and Restaurant Administration Quarterly*, 43, avril 2002, p. 51-63 (Julie Baker est professeur associé de marketing à l'université du Texas).

6. William R. George et Leonard L. Berry, « Guidelines for the Advertising of Services », *Business Horizons*, juillet-août 1981.

7. Donna Legg et Julie Baker, « Advertising Strategies for Service Firms », in C. Surprenant (éd.), *Add Value to Your Service*, Chicago, American Marketing Association, 1987, p. 163-168.

8. Banwari Mittal, « The Advertising of Services : Meeting the Challenge of Intangibility », *Journal of Service Research*, vol. 2, août 1999, p. 98-116.

9. C. Derbaix, J. Brée, S. Masson, A. Amine, F. Graby et B. Heilbrunn, « Communication : du cognitif à l'affectif », *Actes de l'Association française de marketing*, vol. 10, Congrès de Paris, 1994.

10. Stephen J. Grove, Gregory M. Pickett et David N. Laband, « An Empirical Examination of Factual Information Content among Service Advertisements », *The Service Industries Journal*, vol. 15, avril 1995, p. 216-233.

11. Voir notamment Jean Pierre Bernardet, Pierre Chandon, Pierre Desmet, Florence Fargette, Francis Guilbert, Laurent Gilles, Claude Oustlant, Michel Toporkoff, Pierre Volle, « La promotion des ventes en France : évolution et révolution », *Décisions marketing*, n° 12, 1997, p. 21.

12. Laurent Gilles, « Richesse de la communication promotionnelle », *Actes de l'Association française de marketing*, vol. 14, congrès de Bordeaux, 1998, p. 1-3.

13. Ken Peattie et Sue Peattie, « Sales Promotion – a Missed Opportunity for Service Marketers », *International Journal of Service Industry Management*, vol. 5, n° 1, 1995, p. 6-21 ; Paul W. Farris et John A. Quelch, « In Defense of Price Promotion », *Sloan Management Review*, automne 1987, p. 63-69.

14. Dana James, « Move Cautiously in Trade Show Launch », *Marketing News*, 20 novembre 2000, p. 4 et 6 ; Elizabeth Light, « Tradeshows and Expos – Putting Your Business on Show », *Her Business*, mars-avril 1998, p. 14-18 ; Susan Greco, « Trade Shows versus Face-to-Face Selling », *Inc.*, mai 1992, p. 142.

15. Seth Godin et Don Peppers, *Permission Marketing : Turning Strangers into Friends and Friends into Customers*, New York, Simon & Schuster, 1999.

16. Kathleen V. Schmidt, « Prepaid Phone Cards Present More Info at Much Less Cost », *Marketing News*, 14 février 2000, p. 4.

17. Heather Green et Ben Elgin, « Do e-Ads Have a Future ? », *Business Week E.Biz*, 22 janvier 2001, EB44-49.

18. Dana James, « Don't Wait – Reciprocate », *Marketing News*, 20 novembre 2000, p. 13-17.

19. David H. Maister, « Why Cross Selling Hasn't Worked », *True Professionalism*, New York, The Free Press, 1997, p. 178-184.

20. Mary Jo Bitner, « Servicescapes : The Impact of Physical Surroundings on Customers and Employees », *Journal of Marketing*, vol. 56, avril 1992, p. 57-71.

21. Voir notamment Jean-Louis Moulins, « De la communication interpersonnelle à la fidélité à la marque : essai de modélisation », *Recherche et applications marketing*, vol. 13, n° 3, 1998, p. 21-42.

22. Harvir S. Bansal et Peter A. Voyer, « Word-of-Mouth Processes Within a Services Purchase Decision Context », *Journal of Service Research*, 3, n° 2, novembre 2000, p. 166-177.

23. Anna S. Mattila et Jochen Wirtz, « The Impact of Knowledge Types on the Consumer Search Process – An Investigation in the Context of Credence Services », *International Journal of Research in Service Industry Management*, 13, n° 3, 2002, p. 214-230.

24. Jochen Wirtz et Patricia Chew, « The Effects of Incentives, Deal Proneness, Satisfaction and Tie Strength on Word-of-Mouth Behaviour », *International Journal of Service Industry Management*, 13, n° 2, 2002, p. 141-162.

25. Eugene W. Anderson, « Customer Satisfaction and Word of Mouth », *Journal of Service Research*, vol. 1, août 1998, p. 5-17 ; Magnus Soderlund, « Customer Satisfaction and Its Consequences on Customer Behaviour Revisited : The Impact of Different Levels of Satisfaction on Word of Mouth, Feedback to the Supplier, and Loyalty », *International Journal of Service Industry Management*, vol. 9, n° 2, 1998, p. 169-188 ; Srini S. Srinivasan, Rolph Anderson et Kishore Ponnavolu, « Customer Loyalty in e-Commerce : An Exploration of its Antecedents and Consequences », *Journal of Retailing*, 78, n° 1, 2002, p. 41-50.

26. Dwayne D. Gremler, Kevin P. Gwinner et Stephen W. Brown, « Generating Positive Word-of-Mouth Communication through Customer-Employee Relationships », *International Journal of Service Industry Management*, 12, n° 1, 2000, p. 44-59.

27. Jeffrey G. Blodgett, Kirk L. Wakefield et James H. Barnes, « The Effects of Customer Service on Consumers Complaining Behavior », *Journal of Services Marketing*, 9, n° 4, 1995, p. 31-42 ; Jeffrey G. Blodgett et Ronald D. Anderson, « A Bayesian Network Model of the Consumer Complaint Process », *Journal of Service Research*, 2, n° 4, mai 2000, p. 321-338.

28. Sandeep Krishnarmurthy, « Viral Marketing : What Is It and Why Should Every Service Marketer Care ? », *Journal of Services Marketing*, 15, 2001.

29. Voir notamment Brodin Oliviane, « Les communautés virtuelles : un potentiel marketing peu exploré », *Décisions marketing,* n° 21, 2000, p. 47-56.

30. Renee Dye, « The Buzz on Buzz », *Harvard Business Review*, novembre-décembre 2000, p. 139-146.

31. « Three Steps to Better Cellular », *Consumer Reports*, février 2003, p. 15-27.

32. Abbie Griffith, « Product Decisions and Marketing's Role in New Product Development »," *Marketing Best Practices*, Orlando, The Dryden Press, 2000, p. 253.

33. Louis Fabien, « Making Promises : The Power of Engagement », *Journal of Services Marketing*, vol. 11, n° 3, 1997, p. 206-214.

34. Voir notamment Richard Ladwein, *Le Comportement du consommateur et de l'acheteur*, Paris, éditions Economica, 1999, p. 16-20.

Chapitre 7

Positionner les services dans un environnement concurrentiel

« Fortement pressé sur ma droite, mon centre commence à céder.
Situation excellente. J'attaque. » – Ferdinand Foch

« L'essence de la stratégie est de choisir de performer
de façon très active différemment de ses concurrents. » – Michael Porter

Objectifs de ce chapitre

- Pourquoi les entreprises de services doivent-elles adopter des stratégies spécifiques et concentrées sur des choix de marchés et de services ?

- Quelle est la distinction entre les attributs importants et déterminants dans la décision du consommateur de services ?

- Quels sont les concepts clés de la stratégie de positionnement dans les services ?

- Quand faut-il repositionner une offre de services ?

- Dans quelles mesures les cartes de positionnement permettent de mieux comprendre et de mieux répondre aux dynamiques et environnements compétitifs ?

« **Q**uel est votre meilleur atout face à la concurrence ? » Posez cette question à un groupe de managers issus du secteur des services. Dans la plupart des cas, ils vous répondront " le service ". Ceux qui approfondiront leur réponse ajouteront " le rapport qualité/prix (la rentabilité) », "la qualité de service », "le personnel » ou encore "la facilité d'utilisation ".

Pour rendre opérationnelles ces orientations marketing et en faire des avantages concurrentiels distinctifs qui apportent de la valeur au client, une identification pertinente des éléments du service attractifs pour le client est nécessaire. Pour cela, le « marketeur » dispose d'un ensemble de caractéristiques propres au service vis-à-vis desquelles le consommateur réagit positivement. Nous pouvons d'ores et déjà citer des facteurs tels que : la vitesse d'exécution du service, la qualité relationnelle, la diversité et la pertinence des services annexes/périphériques qui gravitent autour du service principal/base, la praticité et la facilité d'accès au service, l'étendue, la diversité et la pertinence des canaux de distribution.

En effet, dans un environnement concurrentiel où la présence des acteurs et des offres est forte, l'absence de différenciation entre les produits et les services amène souvent le consommateur à choisir en fonction du critère prix. Une telle orientation est dangereuse pour la rentabilité de la firme et handicape la construction d'un lien durable entre l'entreprise et ses clients, ces derniers ne réagissant qu'aux stimuli monétaires. Pour rétablir ce lien, l'entreprise doit décider de placer son offre de façon différente par rapport à ses concurrents : suggérer et proposer des univers de consommation, d'usage et de valeur distinctifs. C'est ce que nous appelons : le positionnement.

Une stratégie de positionnement consiste donc à créer des avantages concurrentiels visibles et à maintenir ces différences dans l'esprit du client pour développer et renforcer le lien entreprise-client sur le long terme. Un positionnement réussi nécessite de la part des managers une connaissance approfondie des préférences de leurs clients ainsi que des offres concurrentes.

Dans ce chapitre, nous montrons la nécessité pour les entreprises de services de prendre en compte l'environnement concurrentiel dans lequel elles évoluent avant d'établir leur stratégie de positionnement. Une attention particulière sera portée aux divers problèmes pouvant survenir lors de l'élaboration de cette même stratégie.

1. La recherche d'avantages concurrentiels

Au fur et à mesure que la concurrence s'intensifie dans le secteur des services, les entreprises de services doivent impérativement s'attacher à différencier leurs offres de façon significative. Dans les pays fortement développés, la croissance des activités de services telles que la banque, les assurances, le tourisme et la formation ralentissent. Par conséquent, les entreprises concernées ne pourront prospérer qu'en prenant des parts de marché aux concurrents locaux ou en prenant des orientations d'internationalisation. Mais quels que soient les choix effectués, ces entreprises doivent sélectionner de la façon la plus précise possible leurs clients et se distinguer des concurrents. En somme, opter pour une stratégie concurrentielle qui peut revêtir diverses formes. Comme Georges Day, professeur à la Wharton School of Business de l'université de Pennsylvanie, le fait remarquer :

> *La diversité des chemins qu'une entreprise peut emprunter pour asseoir son/ses avantage(s) concurrentiel(s) résiste à toute généralisation comme aux prescriptions faciles... La première chose qu'une entreprise se doit de faire est de se différencier de la concurrence. Pour réussir, elle doit s'identifier et se faire connaître comme étant le fournisseur de services le plus approprié pour le consommateur ciblé[1].*

En bref, les responsables doivent recenser l'ensemble des facettes du ou des services qu'ils proposent et mettre clairement en évidence les avantages concurrentiels de chacune d'elles aux yeux des clients du/des segment(s) cible(s).

Une entreprise ne peut pas attirer tous les acheteurs potentiels d'un marché, ces derniers ayant nécessairement des besoins et des habitudes d'achat et de consommation différents. Chaque entreprise doit donc concentrer ses efforts sur les clients qu'elle est la plus apte à servir. En termes marketing, la focalisation consiste à délivrer un mix produit relativement étroit à un segment particulier/groupe d'acheteurs ayant des caractéristiques, des besoins, des habitudes d'achat et de consommation communs et homogènes. Ce concept se trouve au cœur de la stratégie de toutes les entreprises qui ont identifié les éléments importants de leurs services et concentré leurs ressources pour y parvenir.

Il se décline à deux niveaux : *focalisation sur le marché* et *focalisation sur le service*[2]. La première représente la taille et le nombre de marchés qu'une entreprise va servir. La seconde est la capacité d'une entreprise à offrir un plus ou moins grand nombre de services. Le croisement de ces deux dimensions définit les quatre stratégies de base de focalisation qu'illustre la figure 7.1.

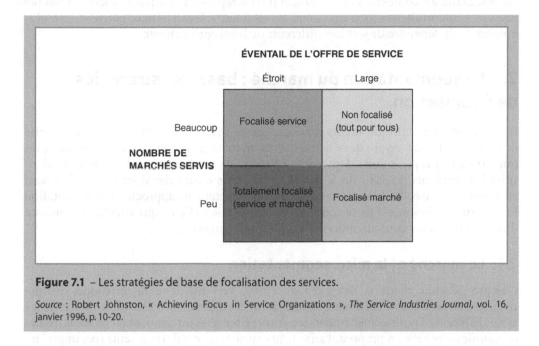

Figure 7.1 – Les stratégies de base de focalisation des services.

Source : Robert Johnston, « Achieving Focus in Service Organizations », *The Service Industries Journal*, vol. 16, janvier 1996, p. 10-20.

Une entreprise *totalement focalisée* sur ses activités n'offre que très peu de services (voire qu'un service de base) et s'adresse à un segment étroit et spécifique. Une entreprise *focalisée sur le marché* va avoir une activité fondée sur un petit segment du marché, mais aura un large éventail de services. Les entreprises *focalisées sur les services* offrent peu de services à un marché assez large. Enfin, beaucoup d'entreprises de services appartiennent à une catégorie *non focalisée*, puisqu'elles essaient de servir de nombreux et vastes marchés avec un grand nombre de services.

Adopter une stratégie de focalisation totale présente à la fois des risques et des opportunités. Développer une expertise reconnue au sein d'une niche très spécifique peut protéger l'entreprise de ses concurrents potentiels et lui permettre de fixer des prix haut de gamme. En contrepartie, elle risque de se retrouver sur un marché trop étroit pour générer un volume de ventes suffisant pour lui assurer le succès financier. D'autres risques peuvent provenir de la substitution de ses services par des services alternatifs génériques ou encore de l'exposition de ses clients à une récession économique. L'une des solutions consiste à être active sur plusieurs segments (*focalisation des services*) par la création d'un portefeuille de clients qui permet de réduire ce risque. Cependant, le nombre d'activités augmentant, l'entreprise aura besoin de développer en parallèle des expertises supplémentaires. Cela entraînera nécessairement des efforts de vente accrus ainsi que des investissements en marketing et communication plus importants (particulièrement dans un contexte de *B to B*).

Offrir une grande quantité de produits à un segment très spécifique paraît souvent attrayant, car cela implique la vente potentielle de multiples services à un seul acheteur. Toutefois, avant d'adopter une telle stratégie, les responsables doivent s'assurer des capacités opérationnelles de leur entreprise à livrer les services sélectionnés de façon irréprochable. Ils doivent aussi comprendre les habitudes d'achat et les préférences des clients. Dans un contexte *B to B*, beaucoup d'entreprises n'ont pas le succès escompté dans la vente multiservice à un client, les décideurs à convaincre peuvent être plus nombreux et dépendre de services différents de l'entreprise cliente.

2. La segmentation du marché : base des stratégies de focalisation

La capacité à satisfaire différents types de clients varie énormément d'une entreprise de services à l'autre. Avant de se lancer sur un marché global avec des concurrents plus puissants, l'entreprise doit adopter une stratégie de segmentation de marché et identifier les segments qu'elle peut le mieux servir. Une entreprise dont les services sont en adéquation avec les besoins des clients peut adopter une approche de segmentation fondée sur ces besoins. Elle se concentrera alors sur les clients qui attachent beaucoup d'importance à certains attributs du service qu'elle lui offre.

2.1. Le marché et la microsegmentation

Chaque individu, chaque acheteur en entreprise, présente des caractéristiques distinctives (parfois uniques). Par conséquent, chacun devient potentiellement un « segment » cible différent. Traditionnellement, les entreprises avaient pour objectif de faire des économies d'échelle en proposant aux clients appartenant à des segments spécifiques un service unique. Une stratégie de *mass customization*[3] (ou sur mesure de masse) offrant un service plus ou moins individualisé à un grand nombre de clients, à bas prix, pouvait être mise en place : offrir un produit de base standard avec, en parallèle, des services supplémentaires individualisés. La création de bases de données clients et de logiciels d'analyse sophistiqués (notamment en statistiques) permet aujourd'hui aux entreprises d'adopter des stratégies de *microsegmentation*. Celles-ci visent de petits groupes de clients partageant des caractéristiques communes à un moment précis (voir la stratégie employée par la Banque Royale du Canada, dans l'encadré Meilleures pratiques 7.1).

Meilleures pratiques 7.1

Segmentation continue à la Banque Royale du Canada

Au moins une fois par mois, les analystes de la Banque Royale du Canada (la plus importante banque du pays) basée à Toronto utilisent des logiciels de modélisation de données pour segmenter leurs 10 millions de clients. Les variables prises en compte incluent le risque crédit, la profitabilité présente et future, l'âge, la possibilité de quitter la banque, le canal de distribution préféré (par exemple, le client préfère utiliser les guichets, les distributeurs automatiques, le centre d'appel ou Internet), l'activation du produit (combien de temps faut-il au client pour utiliser le produit qu'il vient d'acheter ?) et la possibilité d'acheter un nouveau produit (potentiel pour *cross-selling*). Comme l'explique le vice-président, « Le temps où nous avions des paniers entiers de clients prêts à recevoir le même traitement ou la même offre mois après mois est révolu. Notre stratégie marketing est (maintenant) beaucoup plus personnalisée. Bien entendu, cela n'a été rendu possible que grâce à la technologie. »

...

…

La source principale de données est le dossier d'informations marketing, qui enregistre le type de services utilisés par les clients, leurs canaux de distribution privilégiés, leurs réponses face aux campagnes publicitaires passées, leur type de transactions.

La base de données de l'entreprise est une autre source importante d'informations qui stocke les éléments de facturation et les informations que tout client ou prospect remplit lors de chaque entrevue.

Les analystes de la Banque Royale créent des modèles, s'appuyant sur des algorithmes très complexes, qui peuvent découper l'immense base de données de clients en microsegments. Ceux-ci ont été définis préalablement à l'aide de nombreuses variables telles que la probabilité qu'un client « cible » réponde positivement à une offre particulière. Des programmes marketing personnalisés peuvent être développés pour chaque microsegment, offrant l'apparence d'une offre personnelle pour chaque client. Ces données peuvent aussi être utilisées pour améliorer les performances de la banque (identification des comptes peu profitables auxquels sont proposés des canaux moins chers).

L'un des objectifs les plus importants de la Banque Royale est de maintenir et mettre en valeur les relations profitables avec certains de ses clients. Elle s'est aperçue que ceux qui ont souscrit à des packages de services sont plus profitables que les autres et restent fidèles en moyenne trois ans de plus. Grâce à des pratiques de segmentation très sophistiquées, elle a augmenté le taux d'efficacité de ses programmes de marketing direct de 3 à 30 %.

Source : Meredith Levinson, « Slices of Lives », *CIO Magazine*, 15 août 2000.

2.2. Identifier et sélectionner les segments cibles

Un *segment de marché* est composé de groupes d'acheteurs potentiels qui partagent des caractéristiques sociodémographique, géographique, etc., des besoins, des habitudes d'achat et de consommation communs, voire homogènes. Une segmentation efficace devrait regrouper les acheteurs présentant les traits majeurs les plus semblables et les segments devraient être vraiment différents les uns par rapport aux autres.

Un *segment cible* est sélectionné par une entreprise parmi tous ceux identifiés sur un marché. Il peut être défini par rapport à différentes variables. Par exemple, un supermarché dans une ville donnée peut cibler les résidents de la ville (segmentation géographique), ayant des revenus d'un certain niveau (segmentation démographique), habitués à recevoir les services d'un personnel qualifié et peu sensibles à la variable prix (segmentation selon les attitudes exprimées et les intentions comportementales).

Les concurrents de la même ville cibleront probablement les mêmes consommateurs, donc le supermarché devra créer des avantages distinctifs (mettre en valeur une catégorie de produits, un grand choix au sein de cette catégorie, des services supplémentaires comme la livraison à domicile, les facilités de paiement, le remboursement intégral sans justificatif et sans condition, etc.). Les consommateurs peuvent aussi être segmentés selon leur degré de compétences et la facilité avec laquelle ils utilisent les systèmes de livraison high-tech.

Pour les entreprises, les segments cibles doivent offrir de meilleures opportunités que d'autres : compatibilité des savoir-faire, rentabilité, expertise, importance (nombre de clients), durée de vie, attractivité commerciale et marketing, pouvoir d'achat, etc. Ils devraient être sélectionnés non seulement par rapport à leur aptitude à dégager du profit, mais aussi à celle de l'entreprise à égaler ou dépasser les offres de la concurrence. Les recherches montrent que, parfois, certains segments de marché sont « sous-servis » et que leurs besoins ne sont pas satisfaits. De tels marchés sont souvent très larges et peuvent constituer des segments cibles.

Dans de nombreux pays aux économies émergentes, il existe un très grand nombre de consommateurs dont les revenus sont trop faibles pour attirer l'attention des entreprises de services, habituées à concentrer leurs activités sur les besoins de consommateurs plus aisés. Cependant, les petits revenus représentent en général un très gros marché et sont susceptibles d'offrir un potentiel supérieur dans le futur, la majorité d'entre eux progressant vers des statuts de classe moyenne. L'encadré Meilleures pratiques 7.2 décrit une approche innovatrice pour délivrer des services financiers aux foyers mexicains ayant des revenus modestes.

Meilleures pratiques 7.2

Banco Azteca s'occupe des « petites gens »

Banco Azteca, créée en 2002, est la première nouvelle banque mexicaine depuis presque une décennie. Elle cible les seize millions de foyers du pays qui gagnent entre 250 et 1 300 dollars par mois (chauffeurs de taxi, ouvriers, enseignants…). Malgré leur revenu total de 120 milliards de dollars, ces personnes avec ces petits comptes n'intéressaient aucune banque. Un Mexicain sur douze seulement dispose d'un compte épargne.

Banco Azteca est l'enfant spirituel de Ricardo Salinas Pliego, PDG d'un empire de commerces de détail, médias et télécommunications incluant Grupo Elektra, le plus gros vendeur d'appareils électroniques au Mexique. Les guichets de la Banco Azteca se trouvent dans les magasins Elektra et sont aux couleurs du drapeau mexicain vert, blanc et rouge. Ils cherchent à créer une atmosphère accueillante et les murs portent des affiches au slogan de la banque, qui se traduit : « Une banque sympathique et qui vous traite bien ». Les prêts sont souvent consentis en contrepartie d'une garantie sur les biens déjà acquis des clients.

Azteca s'appuie sur les cinquante années de données cumulées sur l'état des finances des clients d'Elektra. Cette société a une bonne expérience de la vente à crédit (70 % de ses produits sont vendus à crédit), avec un taux de remboursement de 97 % et une base de données très riche sur l'historique des clients à crédit. Ses responsables ont pensé que convertir le département crédit dans chaque magasin Elektra en guichet Azteca offrirait ainsi un plus grand nombre de services. La nouvelle banque a investi lourdement dans les technologies de l'information (notamment des lecteurs d'empreintes digitales, qui évitent au client de présenter chaque fois une pièce d'identité). Azteca délivre aussi ses services directement chez le client grâce à un corps de 3 000 agents motorisés.

Source : Geri Smith, « Buy a Toaster, Open a Banking Account », _Business Week_, 13 janvier 2003, p. 54.

2.3. Attributs importants et attributs déterminants

D'une façon très générale, les consommateurs font leur choix sur la base des différences qu'ils perçoivent mais aussi sur les attributs effectifs du service. Mais les attributs qui distinguent un service d'un service identique d'un concurrent ne sont pas toujours perceptibles ni aussi saillants. Par exemple, beaucoup de voyageurs placent la sécurité au premier plan pour les transports aériens. Ils préféreront éviter les compagnies qu'ils ne connaissent pas ou celles à la réputation douteuse. Les compagnies restant en lice pour un voyage vers une destination donnée seront donc celles dont l'aspect « sécurité » sera perçu de la même façon.

Les *attributs déterminants*, comme le nom l'indique, sont ceux que le consommateur juge incontournables, essentiels, voire prioritaires et vis-à-vis desquels il attribue des différences significatives par rapport aux offres concurrentes. À titre d'exemple, pour la clientèle affaires d'une compagnie aérienne, il convient de citer : la fréquence des horaires de départ et d'arrivée, la possibilité de cumuler des miles, de bénéficier de certains privilèges, la qualité de la nourriture et des boissons à bord ou la commodité des réservations. En revanche, pour la clientèle tourisme, le prix aura la plus grande importance.

Pour bénéficier d'une plus grande attractivité vis-à-vis de leurs clients mais aussi du marché sur lequel elles évoluent, les spécialistes marketing des entreprises de services doivent identifier auprès des clients du segment cible, l'importance relative des différents attributs et ceux qui ont été déterminants lors de récentes décisions. Ils doivent aussi connaître les niveaux de satisfaction requis sur chaque attribut de service et les mettre en rapport avec la performance des services sur ces attributs. Les résultats de ces recherches constitueront la base du développement d'une campagne de positionnement (ou de repositionnement)[4].

La problématique réside dans le fait que certains attributs sont facilement quantifiables alors que d'autres le sont moins car purement qualitatifs et reposant fortement sur le jugement mais aussi la perception. Le prix, par exemple, est une mesure totalement quantifiable de même que la ponctualité qui peut être exprimée en termes de pourcentages de trains, bus ou avions arrivant en retard. Cependant, des caractéristiques telles que la qualité du personnel ou le luxe d'un hôtel sont qualitatives et donc moins quantifiables et/ou mesurables et donc sujettes à l'interprétation des individus, même si, dans le cas des hôtels, le voyageur peut avoir confiance en des services d'évaluation indépendants tels que le *Guide Michelin*.

3. Le positionnement ou comment distinguer une marque de ses concurrentes

La stratégie de positionnement concurrentiel (concept émanant du marketing des produits) s'appuie sur l'établissement et le maintien d'une place distinctive sur le marché de l'entreprise et/ou de ses offres produit. Jack Trout, consultant de « Trout et Partners » a traduit l'essence du positionnement en quatre principes[5] :

1. Une entreprise doit établir une position dans l'esprit des clients cibles.

2. La position doit être singulière, avec un message simple et cohérent.

3. La position doit différencier l'entreprise de ses concurrents.

4. L'entreprise ne peut pas tout proposer à tout le monde. Elle doit focaliser ses efforts.

Ces principes s'appliquent à n'importe quel type d'entreprise en situation de concurrence, cherchant à gagner des clients.

Comprendre les principes du positionnement est essentiel pour développer une position efficace et concurrentielle. Cela apporte des éclairages aux responsables des entreprises de services, par l'analyse des offres existantes, et donne des réponses spécifiques aux questions suivantes :

- Comment l'entreprise est-elle perçue par les clients actuels et potentiels ?

- Quels clients servons-nous maintenant et quels sont ceux que nous voudrions servir à l'avenir ?

- Quelles sont les caractéristiques de nos offres de services actuelles (service de base et services supplémentaires/périphériques), et à quels segments de marché s'adressent-elles ?

- En toutes circonstances, en quoi nos offres se différencient-elles de celles de la concurrence ?

- Comment les clients des différents segments perçoivent-ils nos offres et comment répondent-elles à leurs besoins ?

- Quels sont les changements nécessaires dans nos offres pour renforcer notre position concurrentielle au sein du/des segment(s) de marché qui nous intéresse(nt).

Dans le domaine des marques par exemple, le choix des clients reflète le souvenir de celles qu'ils connaissent, mais aussi la façon dont elles sont positionnées dans leur esprit. Les personnes prennent leur décision en fonction de la perception de la réalité et non de la réalité elle-même.

Beaucoup de marketeurs associent le positionnement aux éléments de communication du marketing mix, notamment la publicité, la promotion et les relations publiques dans le but de créer des images et des associations pour des produits sensiblement identiques dans l'esprit des consommateurs et, ainsi, les distinguer. Cette approche est communément appelée « positionnement comparatif ». Un exemple classique est le cow-boy Marlboro créé pour une grande marque de cigarettes. L'image n'a rien à voir avec les qualités intrinsèques du tabac ; c'est juste une façon de se différencier et d'ajouter du glamour à ce qui n'est qu'un simple produit de consommation. Mahajan et Wind affirment que les consommateurs qui tirent une satisfaction émotionnelle d'une marque prêteraient moins attention au prix[6]…

Quelques exemples illustrent comment l'image d'une marque peut être utilisée, avec pour objectifs un positionnement dans le secteur des services :

- Pour paraître sympathique aux enfants, McDonald's met en avant le clown Ronald McDonald.

- Une marque peut développer une réputation sur le long terme grâce au cumul des associations. Ainsi, des recherches ont montré que Virgin, l'une des marques britanniques les plus connues, est associée à l'amusement, la qualité, la confiance et l'innovation[7].

- Pour différencier l'entreprise de ses concurrents, certains slogans promettent un bénéfice spécifique. C'est le cas du slogan de Maximo : « Faire ses courses en ligne est mieux que faire la queue », Stanford Executive Program : « Idées puissantes, pratiques innovantes » ou du crédit Suisse First Boston : « Vision globale. Le savoir-faire européen ». « MMA 0 blabla, 0 tracas », « SNCF, prenez le temps d'aller vite », « Quick, nous c'est le goût ! »…

Cependant, comme Sally Dibb et Lyndon Simkin, professeurs à l'université de Warwick, le soulignent :

> *L'évidence de l'importance de certaines marques dans le secteur des services ne s'arrête pas à ce genre de phrases d'accroche. [Les entreprises leader dans différents secteurs] ont déjà une image de marque dans le sens où les consommateurs savent généralement précisément ce qu'elles représentent. Elles sont déjà clairement positionnées dans l'esprit des consommateurs[8].*

Le rôle du positionnement dans l'élaboration de la stratégie marketing de développement des services, au-delà de l'image ou de vagues promesses, implique de décider quels attributs sont importants pour les consommateurs, sont liés à la performance du produit, à son prix et à son accessibilité. Pour accroître l'attrait d'un service sur un segment précis, il peut être nécessaire de changer la performance de certains attributs, en réduisant son prix, en modifiant les temps et endroits de disponibilité ou les formes de livraison offertes. Dans de tels cas, la tâche première de la communication est de s'assurer que les clients potentiels connaissent les nouveaux positionnements du service. Un intérêt supplémentaire peut être créé en évoquant, à travers la publicité, certaines images, mais celles-ci ne joueront probablement qu'un rôle secondaire dans la prise de décision du consommateur, sauf si les services concurrents sont perçus de la même façon en termes de performance, prix et disponibilité.

3.1. Le rôle du positionnement dans la stratégie marketing

Le positionnement a un rôle pivot, car il lie les analyses du marché, de la concurrence et les analyses internes à l'entreprise. De ces trois analyses peut résulter une proposition de positionnement qui permettra à l'entreprise de services de répondre aux questions suivantes : « Quel est notre produit (ou concept de service), que voulons-nous qu'il devienne et quelles actions doivent être prises pour que nous y arrivions ? » Le tableau 7.1 résume les principales utilisations pouvant être faites de l'analyse du positionnement, véritable outil de diagnostic.

Selon le type d'entreprise, le positionnement pourra être développé à différents niveaux. Pour les entreprises de services ayant plusieurs succursales et plusieurs services, il concernera l'entreprise dans sa globalité, une succursale précise ou un service particulier offert dans une succursale. Avoir une certaine adéquation entre le positionnement de différents services offerts en un même endroit est primordial, car l'image de l'un peut affecter celle des autres. Par exemple, si un hôpital a une excellente réputation pour ses services obstétriques, cela peut être perçu comme un gage de qualité pour les services de gynécologie, de pédiatrie, de chirurgie, etc. Par contre, le positionnement conflictuel de deux services se fera au détriment des deux.

Tableau 7.1	Les principales utilisations de l'analyse de positionnement comme outil de diagnostic

1. Définir et comprendre les relations entre services et marchés :
- Quelles comparaisons peut-on établir entre le service offert et les offres concurrentes sur des éléments spécifiques ?
- La performance du service correspond-elle aux besoins et attentes du consommateur sur des critères de performance spécifiques ?
- Quel est le niveau de consommation prévu pour un service accompagné d'un ensemble de caractéristiques proposé à un prix donné ?

2. Identifier les opportunités du marché pour :
a. Présenter de nouveaux services
- Quels segments cibler ?
- Quels éléments proposer par rapport à la concurrence ?

b. Redéfinir (repositionner) les produits existants
- Compter sur les mêmes segments ou en attirer d'autres ?
- Quels éléments ajouter, enlever ou modifier ?
- Quels éléments accentuer dans la publicité ?

c. Éliminer les services
- Quels sont ceux qui ne satisfont pas les besoins des consommateurs ?
- Quels produits font face à une concurrence excessive ?

3. Prendre d'autres décisions de marketing mix pour devancer ou répondre à certains mouvements de la concurrence :
a. Stratégies de distribution
- Où proposer les services (endroits, types de débouchés) ?
- Quand rendre les services disponibles ?

b. Stratégies de prix
- Quel prix fixer ?
- Quelles procédures de facturation et de paiement employer ?

c. Stratégies de communication
- Quelles firmes/enseignes sont plus facilement convaincues que tel ou tel service offre un avantage concurrentiel significatif ?
- Quel(s) message(s), quels attributs doivent être mis en valeur et quels concurrents (s'il y en a) doivent être retenus comme base de comparaison pour ces éléments ?
- Quels moyens de communication : vente à domicile contre plan média ? (Sélectionnés non seulement pour leur capacité à véhiculer le message vers le public cible, mais également pour leur capacité à renforcer l'image du produit.)

Du fait de la nature intangible de nombre de services et de l'expérience que le client peut en avoir, une stratégie de positionnement explicite aidera les consommateurs à se faire une idée précise du produit. Une erreur de positionnement sur le segment cible peut avoir des conséquences néfastes :

- L'entreprise (ou l'un de ses services) est amenée dans une position où elle est confrontée à une concurrence très vive (exemple : lorsqu'une banque grand public et d'État revendique le fonctionnement et les conditions de traitement d'une banque privée ou d'affaires).

- L'entreprise (ou le service) a une position que personne ne convoite, car la demande est trop faible (exemple : lorsqu'une banque de masse convoite une clientèle haut de gamme).

- Les clients ne différencient pas le service ou l'entreprise de ses concurrents et ne se sentent alors pas concernés.

- L'entreprise (ou le service) n'a pas de position sur le marché car personne n'en a jamais entendu parler.

L'analyse interne, le marché et l'analyse de la concurrence. Les recherches et analyses qui sous-tendent le développement d'une stratégie de positionnement efficace ont pour but de mettre en valeur les opportunités et les menaces d'une entreprise sur un marché concurrentiel, en prenant en compte les concurrents offrant des produits génériques ou de substitution. La figure 7.2 identifie les étapes à suivre dans le processus d'identification d'une position adaptée sur le marché, ainsi que celles à suivre pour atteindre cette position.

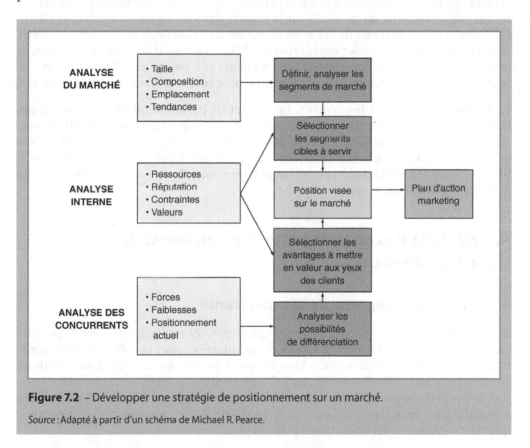

Figure 7.2 – Développer une stratégie de positionnement sur un marché.

Source : Adapté à partir d'un schéma de Michael R. Pearce.

L'analyse du marché. Cette analyse prend en compte des facteurs tels que le niveau général de la demande, ses fluctuations et sa répartition géographique. La demande augmente-t-elle ou diminue-t-elle ? Varie-t-elle selon la localisation (régionale, internationale…) ? D'autres hypothèses de segmentation du marché devraient-elles être prises en considération, au même titre qu'une approximation de la taille et du potentiel de ces divers segments de marché ? Des recherches approfondies peuvent être nécessaires pour avoir une meilleure approche, non seulement des besoins et préférences des clients au sein de chaque segment, mais aussi de la façon dont chacun perçoit la concurrence.

L'analyse interne de l'entreprise. L'objectif ici est d'identifier les ressources de l'entreprise (capitaux, personnel, savoir-faire et biens), ses limites ou contraintes, ses objectifs (profitabilité, croissance, préférences professionnelles, etc.), et la façon dont les valeurs qu'elle véhicule détermineront la manière dont elle va gérer son activité. En se servant des informations fournies par cette analyse, les responsables doivent être capables de sélectionner un nombre limité de segments cibles sur le marché, qui pourront les intéresser pour des services nouveaux ou existants.

L'analyse concurrentielle. L'identification et l'analyse des concurrents quantitative (évolutions de chiffres clés comme la part de marché, le CA en chiffre et en volume, la largeur et la profondeur des gammes de services) et qualitative (analyse du mix des concurrents, perception de la marque et des services offerts par les concurrents…) aideront les marketeurs à évaluer leurs forces et faiblesses. Cela doit leur permettre de définir les axes de différenciation possibles sur le marché dans lequel les entreprises évoluent. Ces informations serviront dans l'analyse interne de l'entreprise qui permet de mieux comprendre et d'appréhender quels types de différenciation et d'avantages concurrentiels sont viables et, par conséquent, ceux à retenir et à mettre en valeur pour chaque segment cible. Cette analyse doit prendre en compte la concurrence directe et indirecte.

La formulation du positionnement. Le résultat de l'intégration de ces trois formes d'analyse est une formulation qui va définir la position que l'entreprise voudrait avoir sur le marché (et, si elle le désire, la position de chaque composant des services qu'elle offre). Grâce à cela, les marketeurs seront capables de développer un plan d'action spécifique. Le coût de l'implantation de ce plan doit bien entendu être mis en balance avec les retombées financières espérées.

4. Réaliser des analyses internes, du marché, de la concurrence

4.1. Anticiper la réponse de la concurrence

Avant de se lancer dans un plan d'action spécifique, les responsables doivent prendre en compte l'éventualité qu'un ou plusieurs concurrents visent la même position sur le marché. Une entreprise de services concurrente a peut-être mené les mêmes analyses et est arrivée aux mêmes conclusions ? Ou un concurrent peut se sentir menacé par une nouvelle stratégie et essaie de repositionner ses services ? Un nouvel entrant sur le marché peut aussi suivre le leader et être capable d'offrir un service de plus grande qualité sur plusieurs attributs et/ou à plus bas prix.

La meilleure façon d'anticiper est d'identifier tous les concurrents (existants ou potentiels), et de tenter de se mettre à la place de leurs responsables en faisant une analyse interne de chacun d'entre eux[9]. En mêlant les informations issues de l'analyse de données existantes concernant le marché et l'analyse concurrentielle, les responsables auront une bonne idée de la façon dont les concurrents sont susceptibles d'agir et sauront alors s'il est judicieux de reconsidérer la situation.

Certaines entreprises développent des modèles de simulation sophistiqués pour analyser l'impact potentiel des mouvements de la concurrence. Quels effets une baisse des prix soudaine pourrait-elle avoir sur la demande, les parts de marché et les profits ? Comment les consommateurs appartenant à différents segments sont-ils susceptibles de répondre à une hausse ou baisse de qualité d'un attribut de service spécifique ? Combien de temps cela prendrait-il aux clients pour répondre à une nouvelle campagne publicitaire dont le but est de changer leur perception des services ?

4.2. Le positionnement évolutif

Les positions sont rarement statiques et définitives. En effet, elles évoluent dans le temps en réponse aux changements de structure des marchés, de la technologie, de l'activité concurrentielle et de l'évolution de l'entreprise elle-même. Beaucoup d'entreprises adoptent une stratégie dite de repositionnement évolutif, qui vise à ajouter ou à supprimer des services mais aussi des segments cibles. Certaines entreprises sont contraintes ou choisissent de diminuer leurs offres pour rester le plus possible sur leurs activités principales (exemple : l'abandon par Casino de son site Internet de commande et de livraison à domicile). D'autres, au contraire, ont étendu leur offre dans l'espoir d'augmenter leurs ventes et d'attirer de nouveaux consommateurs (exemple : Carrefour avec le développement du voyage, de la banque, de l'assurance). Par exemple, les stations-service ont installé de petites supérettes dont les horaires d'ouverture sont très pratiques. En parallèle, des supermarchés et commerces ont créé des services bancaires. Les avancées technologiques offrent la possibilité d'introduire beaucoup de nouveaux services ou de nouveaux systèmes de livraison.

Une entreprise dont la marque connaît un franc succès et en laquelle les consommateurs ont confiance, peut étendre sa position, fondée sur la qualité perçue d'un service précis, à une variété de services associés sous cette marque ombrelle. L'encadré Meilleures pratiques 7.3 présente l'exemple de Bouygues, un fournisseur de services diversifié, qui a su tirer avantage de la tendance croissante du développement de services à la fois *B to B* et grand public.

Bouygues : positionner une marque à travers de multiples services

Depuis sa création en 1952, le groupe Bouygues a beaucoup évolué. Centrées, à l'origine, sur le bâtiment en Île-de-France, ses activités se sont rapidement étendues à certaines activités de services comme l'immobilier. Grâce à une croissance importante dans le bâtiment et les travaux publics dans les années 1970, le groupe Bouygues a engagé une politique ambitieuse de diversification dans les services et est maintenant présente dans plus de 80 pays avec à son actif de prestigieux chantiers comme le pont de l'île de Ré, le musée d'Orsay, la Grande Arche de la Défense.

En 1987, Bouygues devient opérateur de télévision avec TF1, la première chaîne de télévision française et, en 1996, lance Bouygues Telecom, son service de téléphonie. La société a construit un réseau en un temps record et connaît un succès commercial impressionnant (notamment avec son offre multimédia mobile i mode). TF1, alliée à des partenaires majeurs, lance en 1996 le bouquet numérique par satellite TPS. La chaîne développe plusieurs chaînes thématiques dont Eurosport et LCI, première chaîne d'informations en continu. La profitabilité de l'entreprise a augmenté fortement d'années en années.

Meilleures pratiques 7.3

...

...

Selon Martin Bouygues son P.-D.G. :

> *Nous sommes fidèles à nos valeurs, celles qui ont fait la réussite et le développement de notre groupe depuis plus de cinquante ans. Elles s'expriment par un comportement d'entrepreneur prudent dans ses choix, créatif dans ses propositions et responsable dans ses engagements. Nous sommes en effet soucieux de la satisfaction de nos clients, condition de la satisfaction de nos actionnaires. Leur confiance dépend de la capacité de nos équipes à travailler harmonieusement pour répondre davantage à leurs attentes. C'est cette forte culture d'entreprise, partagée par tous nos métiers, qui a fait la force du groupe.*

L'essence du succès de Bouygues réside en sa capacité à positionner chacune de ses nombreuses activités et chacun de ses services commerciaux de manière à mettre en évidence les valeurs de la marque, qui sont cohérentes avec la nature et la qualité du service fourni. Dans le cas d'acquisitions, l'amélioration des résultats exige souvent le repositionnement des attributs du service nouvellement acquis, afin de refléter ces valeurs de marque ; les stratégies qui s'y rapportent visant en particulier à tirer profit des économies d'échelle, des qualités techniques et managériales.

Source : Site Internet www.bouygues.fr.

5. Utiliser des cartes de positionnement pour établir une stratégie concurrentielle

Développer une carte de positionnement ou une cartographie perceptuelle est une façon simple de traduire la perception qu'ont les consommateurs de certains services. Comme son nom l'indique, une carte est souvent limitée à deux attributs (bien que des modèles tridimensionnels existent). Lorsque plus de trois dimensions sont nécessaires pour décrire la performance/qualité/spécificité d'un service sur un marché donné, pour une meilleure visualisation, nous suggérons de réaliser une série de graphiques distincts.

Les informations concernant un service (ou la position relative de l'entreprise par rapport à un attribut) peuvent être soit déduites des données du marché, soit dérivées des estimations des consommateurs représentatifs ou les deux. Si les perceptions des caractéristiques du service par le consommateur diffèrent trop de la « réalité » définie par les responsables de l'entreprise, alors des efforts de vente devront être entrepris pour changer ces perceptions.

5.1. Un exemple de carte de positionnement appliqué à l'industrie de l'hôtellerie

L'hôtellerie est un secteur d'activité très concurrentiel, particulièrement lorsque l'offre excède la demande. Au sein de chaque catégorie d'hôtels, les clients vont avoir un vaste choix. Les niveaux de luxe et de confort seront des critères de sélection. Des recherches ont montré que certains voyageurs d'affaires sont sensibles non seulement au confort et à l'équipement de leur chambre (où ils veulent à la fois dormir et pouvoir travailler), mais aussi à d'autres lieux comme le hall de réception, les salles de réunion, le centre d'affaires, les restaurants, les piscines et salles de sport.

La qualité et la gamme de services offerts par le personnel de l'hôtel sont d'autres critères décisifs : le client peut-il bénéficier d'un service d'étage 24/24 h ? Y a-t-il une blanchisserie ? Un réceptionniste ? Un wifi ? L'ambiance de l'hôtel peut également constituer un critère (architecture et décor…). Des caractéristiques comme le calme, la sécurité, la propreté, la mise à disposition d'une place de parking et les cadeaux aux clients fidèles sont aussi pris en compte.

Imaginons un hôtel 4 étoiles, très réputé, le *Palace*, situé dans une grande ville que nous appellerons Belleville et dont les managers sont parvenus à mieux saisir les menaces susceptibles d'affecter leur position sur le marché, grâce au développement d'un *mapping* de positionnement de leur hôtel et des concurrents.

Développer la carte de positionnement

Implanté en périphérie du quartier financier, le *Palace* était un hôtel élégant, rénové et modernisé il y a quelques années. Il avait pour concurrents huit hôtels 4 étoiles, et un 5 étoiles, le *Grand Hôtel*, l'un des plus anciens de la ville. Chaque année, le *Palace* enregistrait un très bon taux de fréquentation. Il était complet en semaine, plusieurs mois par an, preuve de sa grande attractivité auprès des voyageurs d'affaires, plus disposés que les touristes ou congressistes à payer une chambre plus chère. L'avenir s'annonçait cependant incertain : des permis de construire venaient juste d'être octroyés à quatre grands nouveaux hôtels tandis que le *Grand Hôtel* entrait dans des travaux de rénovation et d'agrandissement, prévoyant la construction d'une aile nouvelle.

Les managers du *Palace* ont fait appel à un consultant pour élaborer des graphiques montrant la position de leur hôtel sur le marché des voyageurs d'affaires avant et après l'arrivée des nouveaux concurrents. Quatre attributs furent retenus pour l'étude : le prix des chambres, le niveau de luxe, celui des services personnels et l'emplacement. Plutôt que de faire des recherches sur de nouveaux clients potentiels, les responsables ont préféré construire la perception des clients à partir des informations dont ils disposaient, des données émanant de recherches passées, des dossiers d'agences de voyages et des informations collectées auprès du personnel en contacts réguliers avec les clients. Les renseignements sur l'emplacement des hôtels concurrents furent évidemment faciles à obtenir. Les forces de vente se tenaient informées des politiques de prix pratiquées par la concurrence ainsi que de leurs promotions. Pour évaluer le niveau de service, c'est le nombre de chambres par employé qui a servi de mesure. Le ratio était simple à calculer grâce aux chiffres des statistiques officielles. Les indices portant sur la qualité du personnel ont été fournis par les agences de voyage.

Pour chaque attribut, des échelles furent créées. L'attribut prix était simple, car le montant moyen d'une chambre simple standard pour voyageur d'affaires était connu. Le ratio de chambres par rapport au nombre d'employés formait la base de l'échelle du niveau de service, qui a été légèrement modifiée par la suite, à la lumière de ce qui était déjà connu concernant la qualité de service réellement fournie. Le niveau de luxe était plus subjectif. Les managers estimèrent que l'hôtel le plus luxueux était le *Grand Hôtel* et que l'hôtel 4 étoiles le moins luxueux était l'*Airport Plaza*. Tous les autres hôtels 4 étoiles ont alors vu leur niveau évalué à partir de ces deux repères.

Les emplacements furent classés selon leur proximité avec la Bourse, au cœur du quartier financier. Les études montraient que la majorité des clients du *Palace* appréciaient cette proximité. L'échelle d'emplacement positionnait donc chaque hôtel en fonction de son éloignement par rapport à la Bourse. Les dix hôtels en concurrence s'étendaient sur un rayon de 6 km, qui allait de la Bourse à la banlieue proche et à l'aéroport voisin en passant par le quartier commerçant de la ville (où se trouvait aussi le Palais des congrès). Deux mappings de positionnement ont été créés pour matérialiser la situation concurrentielle existante. Le premier (voir figure 7.3) montrait les dix hôtels par rapport à leur prix et leur niveau de service ; le second (voir figure 7.4) les montrait par rapport à leur emplacement et leur degré de sophistication.

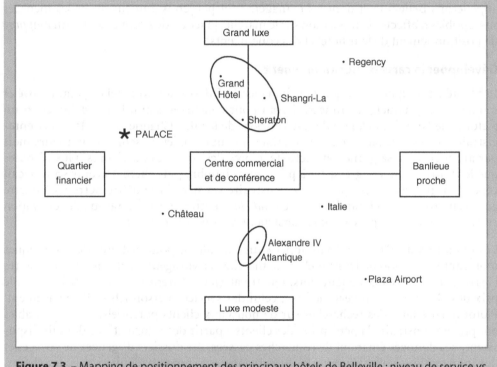

Figure 7.3 – Mapping de positionnement des principaux hôtels de Belleville : niveau de service *vs* prix.

Un rapide coup d'œil à la figure 7.3 montre une corrélation évidente entre le prix et le niveau de service. Les hôtels offrant le plus haut niveau de service étaient les plus chers. La barre grisée, partant du coin haut gauche du schéma et allant jusqu'au coin droit inférieur du schéma, met en valeur cette corrélation qui n'est pas surprenante (et est censée se prolonger diagonalement vers le bas pour les 3 étoiles et autres hôtels de rang inférieur). D'autres analyses montrent qu'il existe deux groupes d'hôtels au sein de ce marché très haut de gamme. En haut à gauche, le 4 étoiles *Regency* est proche du 5 étoiles *Grand Hôtel* ; au milieu, le *Palace* est groupé avec quatre autres hôtels et en bas à droite, il y a un autre groupe de trois hôtels. L'un des éléments surprenants est que le *Palace* apparaît comme pratiquant des prix élevés (sur une base relative) par rapport à son niveau de service.

À la figure 7.4, nous voyons comment le *Palace* est positionné par rapport à son emplacement et son degré de sophistication. En toute logique, ces deux variables ne sont pas liées. Le *Palace* occupe un emplacement vide de la carte. C'est le seul hôtel dans le quartier financier, ce qui justifie les prix pratiqués par rapport à son niveau de service (ou son degré de luxe). Il y a deux groupes d'hôtels dans le quartier commerçant et proches du Palais des congrès : un groupe luxueux de trois hôtels, mené par le *Grand Hôtel*, et un second groupe de deux hôtels offrant un degré de luxe modéré.

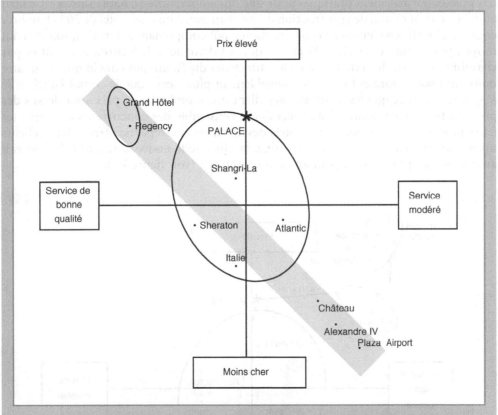

Figure 7.4 – Mapping de positionnement des principaux hôtels de Belleville : emplacement *vs* luxe.

Réaliser la carte des scénarios futurs pour identifier les réponses à la compétition

Que se passera-t-il dans le futur ? L'objectif suivant pour les responsables était d'anticiper la position des quatre nouveaux hôtels construits à Belleville, par rapport à celle du *Grand Hôtel* repositionné (voir figures 7.5 et 7.6). Les sites de construction sont déjà connus ; deux d'entre eux seront dans le quartier financier et les deux autres proches du Palais des congrès, lui-même en pleine expansion. Les communiqués de presse du *Grand Hôtel* indiquent déjà les intentions de ses managers : il sera non seulement plus grand mais les rénovations le rendront encore plus luxueux. De nouveaux services seront aussi créés.

Prévoir le positionnement des quatre nouveaux hôtels n'était pas difficile. Cependant, les managers étaient conscients que les clients auraient du mal à estimer le niveau de performance de chacun des attributs, en particulier s'ils n'étaient pas familiers avec ces chaînes d'hôtels. Des détails concernant les nouveaux hôtels avaient déjà été publiés. Les propriétaires de deux d'entre eux visaient le statut de 5 étoiles, malgré les années de démarches nécessaires pour y parvenir. Trois des nouveaux venus seraient des filiales de chaînes internationales. Leurs stratégies pouvaient être devinées en examinant les hôtels récemment ouverts dans d'autres villes par ces mêmes chaînes.

Les prix étaient également faciles à prévoir. Les nouveaux hôtels appliquaient des prix fixes (ceux normalement pratiqués pour une nuit en semaine en haute saison). Ce tarif était lié au coût moyen de construction d'une chambre. Ainsi, un hôtel de 200 chambres coûtant 25 millions d'euros à la construction (coût comprenant le terrain), soit un coût moyen par chambre de 125 000 euros, devrait demander 125 euros par nuit et par chambre. À partir de cette formule, les directeurs du *Palace* ont conclu que les quatre nouveaux hôtels auraient des tarifs sensiblement plus élevés que le *Grand Hôtel* ou le *Regency*, créant ce que les acheteurs appellent une « ombrelle de prix » au-dessus des prix existants. Cela donne alors l'occasion à l'ensemble des concurrents d'augmenter leurs propres prix. Les nouveaux hôtels devraient en contrepartie offrir à leurs clients un niveau très élevé de service et de luxe, tandis que le nouveau *Grand Hôtel* devrait augmenter ses propres prix pour amortir ses travaux (voir figure 7.5).

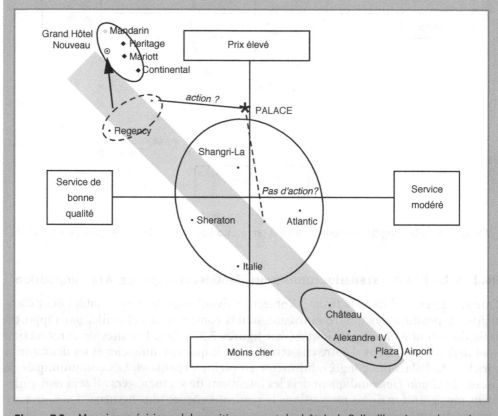

Figure 7.5 – Mapping prévisionnel du positionnement des hôtels de Belleville : niveau de service *vs* prix.

L'impact des nouveaux arrivants semblait constituer une menace significative pour le *Palace*, qui risquait de perdre son avantage géographique unique et d'être relégué au même rang que les autres futurs hôtels proches du quartier financier (voir figure 7.6). La force de vente pensait que beaucoup de clients « business » du *Palace* seraient attirés par le *Continental* et le *Mandarin* et disposés à payer plus pour obtenir des services supplémentaires. Les deux autres nouveaux venus paraissaient plus menaçants pour le *Shangri-La*, le *Sheraton* et le *Grand Hôtel* dans le quartier commercial et près du Palais des congrès. Parallèlement, le *Grand Hôtel* et les nouveaux venus allaient créer un groupe caractérisé par un haut niveau de service et des prix élevés (et un haut niveau de luxe) à l'extrémité supérieure du marché, laissant le *Regency* à l'écart.

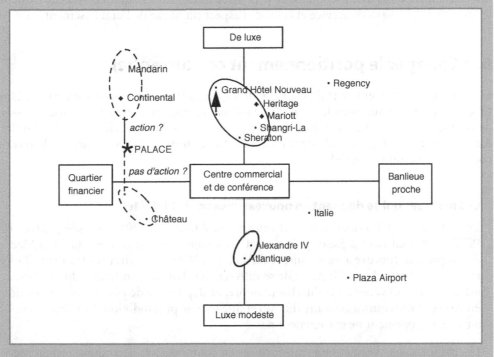

Figure 7.6 – Mapping prévisionnel du positionnement des hôtels de Belleville : emplacement *vs* luxe.

5.2. Utiliser les cartes de positionnement pour mieux visualiser la stratégie

L'exemple du *Palace* met en évidence l'intérêt de la visualisation de situations concurrentielles. L'un des défis pour les stratèges est de s'assurer que tous les dirigeants comprennent clairement la situation de leur entreprise avant de discuter de changements stratégiques. Chan Kim, consultant au prestigieux Boston Consulting Group, et Renée Mauborgne, professeur associé de stratégie et management à l'Insead, affirment que les représentations graphiques du profil stratégique d'une entreprise et du positionnement sont nettement plus faciles à comprendre que des tableaux de données quantitatives et la prose qui, en général, les accompagne. Les logigrammes et les cartes facilitent ce qu'ils appellent « l'éveil visuel », en permettant aux managers de comparer leur entreprise avec celles de leurs concurrents et de comprendre la nature des menaces et opportunités. Les présentations visuelles soulignent les écarts entre la manière dont les clients (ou éventuels clients) perçoivent l'entreprise et la vision que la direction en a. Ainsi, il sera possible de confirmer ou d'infirmer le fait qu'un service ou une entreprise occupe une certaine niche sur le marché[10].

En anticipant la modification de la carte de positionnement, la direction du *Palace* a pu se rendre compte que celui-ci n'aurait plus le même positionnement une fois l'avantage géographique perdu. N'ayant pas prévu d'améliorer son niveau de service et de luxe (et donc pas augmenté ses tarifs pour financer de telles améliorations), l'hôtel était en passe de se retrouver dans une fourchette de prix assez basse. Cela risquait de rendre difficile le maintien du niveau de service et celui de l'aspect physique de l'établissement.

6. Changer le positionnement concurrentiel

Les entreprises doivent parfois changer de façon radicale leur positionnement. Une telle stratégie, connue sous le nom de *repositionnement*, peut engendrer une révision des caractéristiques du service ou la redéfinition des segments ciblés sur le marché. Au niveau de l'entreprise, cela peut induire l'abandon de certains services et le retrait complet sur certains marchés.

Meilleures pratiques 7.4

Ces marques qui se donnent un nouveau visage : le Club Med

Les villages 4 et 5 Tridents se sont multipliés. Amorcé en 2001 par son nouveau PDG, Henry Giscard d'Estaing, le repositionnement haut de gamme du Club Med a marqué une rupture avec la culture du « club ». Volonté de tirer un trait sur l'héritage « des Bronzés », obligation de se différencier dans une industrie du tourisme affectée par les évènements du 11 septembre, et déphasage de plus en plus marqué entre la culture communautaire du club et une société plus individualiste, les raisons à un tel changement ne manquaient pas.

Les paillotes spartiates se sont transformées en chambres à la décoration recherchée, alors que les villages d'entrée de gamme ont laissé place aux luxueux villages 4 et 5 Tridents. Près d'un milliard d'euros ont ainsi été investis pour procéder à l'ouverture de 20 nouveaux villages, la fermeture de 50 et la rénovation de 70. Un investissement avec pour objectif d'offrir « tous les bonheurs du monde ». Telle est la nouvelle signature d'un groupe qui souhaite donner une dimension humaine au luxe.

Source : JDN Média Marketing, Nicolas Jaimes.

6.1. Changer les perceptions à travers la publicité

Améliorer les perceptions négatives d'une marque peut nécessiter une refonte complète du cœur du service et de ses services supplémentaires. Pourtant, bien souvent, les faiblesses sont parfois plus perceptuelles que réelles. Ries et Trout relatent le cas de la

Long Island Trust, la première banque de l'histoire à servir cette vaste banlieue située à l'est de la ville de New York[11].

Lorsque les banques ont eu le droit d'avoir des antennes à travers l'État de New York, beaucoup de grands établissements de Manhattan se sont installés dans Long Island. Des études ont montré que Long Island Trust était moins évaluée que des banques telles que Chase Manhattan, Citibank…) sur des critères tels que le nombre d'agences, la gamme de services proposés, la qualité de service et les ressources en capital. Néanmoins, Long Island Trust était reconnue pour être la première à aider les résidents de Long Island et à soutenir l'économie de l'île.

L'agence publicitaire de la banque développa une campagne publicitaire qui mettait en avant « la position de Long Island », en insistant sur ses forces, au lieu de tenter d'améliorer la perception d'attributs mal perçus. La teneur de la campagne peut être saisie *via* l'extrait suivant de la publicité :

> *Pourquoi envoyer votre argent vers la ville si vous vivez sur l'île ? Il paraît intelligent de garder votre argent près de chez vous. Pas dans une banque de ville, mais à Long Island Trust. Où votre argent peut travailler en faveur de l'économie de Long Island. Après tout, nous concentrons nos efforts pour développer Long Island. Pas l'île de Manhattan ou une île au large du Koweït…*

D'autres publicités de cette campagne ont promu des thèmes similaires tels que « la ville de New York est un superbe endroit à visiter, mais voudriez-vous y avoir votre banque ? ».

Lorsque la même étude fut répétée quinze mois plus tard, la position de Long Island Trust s'était très nettement améliorée, tous attributs confondus. La campagne avait réussi à redresser l'image de marque, en déplaçant le cadre de référence des clients d'une perspective globale vers une perspective locale. Même si la société n'avait pas changé son cœur de service ou ses services complémentaires, le fait d'être perçue comme une banque de Long Island pour les habitants de Long Island avait créé un effet de halo très positif sur tous ses autres attributs.

Conclusion

La plupart des entreprises de services font face à une concurrence active. Les marketeurs doivent trouver les moyens de créer un avantage concurrentiel pour leurs produits. Idéalement, une entreprise doit cibler des segments qu'elle peut satisfaire mieux que d'autres fournisseurs, en proposant un niveau plus élevé de performance sur les attributs importants pour le client. La nature des services offre un grand nombre de possibilités de se différencier de la concurrence, parmi lesquels : le lieu, l'organisation temporelle, la rapidité de livraison, la qualité du personnel… et toute une gamme d'options impliquant le client dans le processus de production.

Le concept de positionnement a une grande valeur. Il pousse à l'identification explicite de tous les attributs inclus dans le concept de service et met l'accent sur le besoin, pour les marketeurs, de déterminer ceux qui influencent le choix du client. Les cartes de positionnement sont une manière visuelle de résumer les résultats d'études et de montrer comment différentes entreprises sont perçues les unes par rapport aux autres, en fonction d'attributs clés. Lorsqu'on leur ajoute des données sur les préférences de divers segments et sur le niveau de demande qui peut être anticipé, elles peuvent montrer les occasions de création de nouveaux services ou de repositionnement de ceux qui existent déjà pour tirer parti des besoins insatisfaits sur les marchés.

Questions de révision

1. Pourquoi les entreprises de services doivent-elles concentrer leurs efforts ? Décrivez les options de focalisation de base et illustrez-les par des exemples.

2. Quelle est la distinction entre les attributs importants et les attributs déterminants dans le choix des consommateurs ? Quel type de recherche peut vous aider à faire la différence entre ces deux notions ?

3. Décrivez la stratégie de *positionnement* et les concepts marketing qui la sous-tendent

4. Identifiez les circonstances dans lesquelles il conviendrait de repositionner un service existant.

5. Comment les cartes de positionnement peuvent-elles aider les responsables à mieux comprendre les dynamiques concurrentielles et à y répondre ?

Exercices d'application

1. Trouvez des exemples d'entreprises qui illustrent chacune des quatre stratégies de concentration vues au début de ce chapitre.

2. Choisissez une industrie que vous connaissez bien (comme la restauration rapide, les chaînes de télévision, etc.) et créez une carte perceptuelle montrant les positions de différents concurrents de l'industrie, en utilisant des attributs que vous considérez comme des clés dans les critères de choix des consommateurs.

3. Le secteur des agences de voyages perd des parts de marché par rapport aux réservations en ligne proposées sur les sites Internet de compagnies aériennes. Identifiez quelques stratégies de concentration que les agences de voyages peuvent adopter pour compenser ce manque à gagner.

4. Imaginez que vous êtes consultant au *Palace Hôtel*. Considérez les options de l'hôtel selon les quatre attributs des diagrammes de positionnement (voir figures 7.3 et 7.4). Quelles actions pouvez-vous recommander dans ces circonstances ? Justifiez vos recommandations.

Notes

1. George S. Day, *Market Driven Strategy*, New York, The Free Press, 1990, p. 164.

2. Robert Johnston, « Achieving Focus in Service Organizations », *The Service Industries Journal*, vol. 16, janvier 1996, p. 10-20.

3. B. Joseph Pine, II, « Mass customizing products and services », *Strategy & Leadership*, 21, juillet-août 1993, p. 6-13 ; Francis Salerno, « Personnalisation et connexion identitaire dans la relation du consommateur à l'organisation de service », *Acte de l'AFM Deauville*, 2001 ; Jerry Wind et Arvind Rangaswany, « Customerization : The Next Revolution in Mass-customization », *Marketing Science Institute Working Paper No 00-108*, Cambridge, Marketing Science Institute, 2000, p. 13-32 ; Deborah A. Leishman, « Solution Customization », *IBM Systems Journal*, 38, 1, 1999, p. 76-91.

4. Pour des informations complémentaires sur la modélisation de multiples attributs, voir William D. Wells et David Prensky, *Consumer Behavior*, New York, John Wiley & Sons, 1996, p. 321-325.

5. Jack Trout, *The New Positioning : The Latest on the World's #1 Business Strategy*, New York, McGraw-Hill, 1997.

6. Vijay Mahajan et Yoram (Jerry) Wind, « Got Emotional Product Positioning ? », *Marketing Management*, mai-juin, 2002, p. 36-41.

7. Richard Branson, « Why We Stretch the Virgin Brand », *Evening Standard*, Londres, 4 août 1997.

8. Sally Dibb et Lyndon Simkin, « The Strength of Branding and Positioning in Services », *International Journal of Service Industry Management*, vol. 4, n° 1, 1993, p. 25-35.

9. Pour des approches plus détaillées, voir Michael E. Porter, *Competitive Strategy*, chapitre 3, « A Framework for Competitor Analysis », New York, The Free Press, 1980, p. 47-74.

10. W. Chan Kim et Renée Mauborgne, « Charting Your Company's Future », *Harvard Business Review*, 80, juin 2002, p. 77-83.

11. Al Ries et Jack Trout, *Positioning : The Battle for Your Mind*, 1re édition révisée, New York, Warner Books, 1986.

Troisième partie

Gérer l'interface client

La troisième partie de l'ouvrage s'intéresse à la gestion de l'interface entre les clients et l'organisation du service. Elle commence avec la conception d'un processus efficace de distribution des services, en précisant comment les systèmes d'exploitation et de distribution sont liés pour créer la proposition de valeur promise. Les clients sont souvent activement impliqués dans la création de services, en particulier s'ils agissent en coproducteurs, et que le processus devient leur propre expérience. Sur des marchés où les demandes sont largement fluctuantes, une tâche subséquente est d'équilibrer le niveau et le timing de la demande des clients par rapport à la capacité productive disponible.

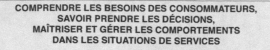

**COMPRENDRE LES BESOINS DES CONSOMMATEURS,
SAVOIR PRENDRE LES DÉCISIONS,
MAÎTRISER ET GÉRER LES COMPORTEMENTS
DANS LES SITUATIONS DE SERVICES**

Élaborer le modèle de service

- Développer l'offre de services : service de base et services périphériques
- Sélectionner les canaux de distribution : canaux traditionnels et/ou canaux électroniques
- Déterminer les prix en fonction des coûts, de la concurrence et de la valeur créée
- Former les clients et promouvoir la proposition de valeur
- Positionner la proposition de valeur par rapport à la concurrence

Gérer l'interface client

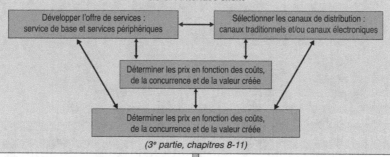

Développer l'offre de services :
service de base et services périphériques

Sélectionner les canaux de distribution :
canaux traditionnels et/ou canaux électroniques

Déterminer les prix en fonction des coûts,
de la concurrence et de la valeur créée

Déterminer les prix en fonction des coûts,
de la concurrence et de la valeur créée

(3ᵉ partie, chapitres 8-11)

Mettre en place des stratégies de services efficaces

- Créer une relation privilégiée avec les clients et les fidéliser
- Prévoir les actions de réparation de services et mettre en place des systèmes de *feed-back* client
- Améliorer continuellement la qualité du service et la productivité
- Organiser la gestion du changement et le leadership

Chapitre 8

Dessiner et manager les processus de services

*« Un grand restaurant ne se résume pas aux clients et aux belles voitures.
Derrière, il y a de la rigueur, de la passion, de l'amour du travail bien fait,
de la discipline. »* – Alain Ducasse

*« En fin de compte, une seule chose compte vraiment dans le contact client :
ce que le client a perçu de ce qui s'est passé. »*
– Richard C. Chase et Sriram Dasu

Objectifs de ce chapitre

- Comment utiliser la méthode du *blueprint* pour concevoir et créer une expérience satisfaisante pour les clients ?

- Comment réduire les échecs pendant la livraison du service ?

- Comment la redéfinition du service peut-elle améliorer tant la qualité que la productivité ?

- Dans quelles circonstances les clients doivent-ils être perçus comme coproducteurs du service, et quelles en sont les implications ?

- Pour quelles raisons les clients adoptent-ils ou rejettent-ils les nouvelles technologies de libre-service ?

- Que devraient faire les responsables pour contrôler les clients abusifs ou récalcitrants ?

Les processus sont l'architecture des services. Ils décrivent la méthode et les étapes selon lesquelles les systèmes de services fonctionnent, ainsi que la façon dont ils s'articulent et interagissent pour créer l'expérience de service et le résultat final soumis à l'évaluation des clients. Dans le cas de services qui requièrent un niveau élevé de contacts, la clientèle elle-même devient une partie intégrante de cette opération. Les clients sont insatisfaits lorsque les processus sont mal conçus, car ils doivent faire face à une livraison lente et frustrante d'un service de mauvaise qualité. De même, les processus inadaptés empêchent le personnel en contact de mener à bien les tâches qu'ils doivent réaliser entraînant *de facto*, une baisse de productivité et un accroissement du risque d'échec dans la livraison du service.

De nombreux services se distinguent par la façon dont le client est impliqué dans la création et la livraison. Trop souvent, la conception du service et son exécution opérationnelle ignorent la perspective du client : chaque étape du processus est présentée comme un événement distinct au lieu d'être intégrée dans un processus fluide.

Dans ce chapitre, nous mettrons l'accent sur l'importance, pour les marketeurs des services, de comprendre comment les processus fonctionnent et comment les clients sont impliqués dans l'opération.

1. « Blueprinting » : pour créer des opérations de services productives

Concevoir un service n'est pas une tâche facile[1], en particulier si celui-ci doit être fourni en temps réel et en présence des clients. Pour que les services donnent toute satisfaction aux clients, les marketeurs et les spécialistes des opérations doivent travailler ensemble. Dans le cas de services à haut niveau de contact, où les employés interagissent directement avec les clients, il est souhaitable d'impliquer des experts en ressources humaines. Pour mettre au point un processus de services, le *blueprint*, version plus sophistiquée du logigramme (voir chapitre 2), se révèle être un outil particulièrement utile.

Les plans d'un nouveau bâtiment ou d'un bateau sont traditionnellement reproduits sur un papier spécial où annotations et dessins apparaissent en bleu. Baptisés *blueprints*, ces modèles montrent à quoi le produit devrait ressembler et détaillent les spécificités auxquelles il devrait se conformer. Contrairement aux immeubles, aux bateaux ou aux machines, les processus de services ont une structure intangible, et sont donc plus difficiles à visualiser. C'est également vrai pour les processus comme la logistique, l'ingénierie industrielle, les théories de la décision et l'analyse des systèmes d'information, qui emploient tous des techniques semblables au *blueprint* pour décrire les processus qui impliquent des flux, un ordre, des relations et des dépendances[2].

1.1. Concevoir un *blueprint*

Comment devrait-on concevoir le *blueprint* d'un service ? Dans un premier temps, il faut identifier toutes les activités et transactions impliquées dans la création et la livraison du service, puis spécifier les liens qui existent entre elles[3]. À ce stade, mieux vaut regrouper largement les activités afin de dégager une image globale. Une activité donnée, déjà matérialisée par le *blueprint*, peut être redessinée afin d'obtenir un niveau de détail plus élevé. Dans le cadre d'une compagnie aérienne, par exemple, embarquer à bord de l'avion peut être décomposé en plusieurs étapes : attendre l'appel de sa rangée de siège ; présenter sa carte d'accès au personnel d'embarquement pour vérification ; franchir la passerelle ; entrer dans l'avion ; présenter de nouveau sa carte d'embarquement ; trouver son siège ; ranger ses bagages ; s'asseoir.

Le *blueprint* matérialise la distinction faite entre ce que les clients expérimentent (*front office*) et les activités qu'ils ne voient pas (*back office*). Entre les deux se situe ce que l'on appelle la ligne de visibilité. Les entreprises plutôt orientées vers l'opérationnel focalisent souvent leur *blueprint* sur la gestion des activités de base arrière et négligent trop souvent la perception du client sur les activités au-delà de la ligne de visibilité. Les cabinets comptables, par exemple, ont des procédures documentées et élaborées ainsi que des standards qui décrivent la bonne manière de conduire un audit, mais reconnaissent avoir des lacunes dans leur façon d'accueillir les clients pour une réunion, ou de leur répondre au téléphone.

Les *blueprints* mettent en évidence les interactions entre employés et clients, les processus opérationnels et les technologies de l'information. Ils peuvent au sein de l'entreprise faciliter les interactions entre la fonction marketing, la gestion des opérations et de la ressource humaine. Il n'y a pas une seule et unique façon de concevoir un *blueprint*, mais il est recommandé d'adopter une approche adaptée à chaque entreprise. Nous verrons un peu plus loin dans ce chapitre un exemple de *blueprint* en adaptant et simplifiant une approche proposée par Jane Kingman-Brundage[4], présidente de Kingman-Brundage Inc.

Le *blueprint* donne également aux responsables l'opportunité d'identifier les points de défaillance potentiels dans le processus qui sont susceptibles de porter atteinte à la qualité du service. Les étapes du processus qui entraînent régulièrement une attente pour les clients peuvent être identifiées avec précision. Des standards peuvent alors être développés pour l'exécution de chaque activité, en prenant en compte le temps nécessaire à l'accomplissement d'une tâche et le temps d'attente maximal entre deux tâches. Des scénarios pour guider les interactions entre les membres de l'équipe et les clients peuvent être définis. Cette connaissance leur permet d'élaborer des procédures pour limiter les risques ou mettre au point des plans d'urgence (voire les deux) et/ou des actions de *service recovery* si nécessaire.

1.2. Créer un script pour les employés et les clients

Un script bien conçu et bien planifié décrit de façon précise et exhaustive la rencontre de service dans son intégralité et a pour but d'identifier les problèmes potentiels ou réels qui peuvent subvenir durant le déroulement de son processus. Soit le script d'un examen et d'une séance d'hygiène dentaire impliquant trois personnes, le patient, la secrétaire et le dentiste. Chacun a un rôle spécifique à jouer. Dans ce cas, le script est dicté par le besoin d'exécuter une tâche technique avec compétence et en toute sécurité.

En examinant les scénarios existants, les protagonistes en question peuvent découvrir des moyens de modifier la nature des rôles des clients et des employés afin d'améliorer la livraison du service, d'augmenter la productivité et de parfaire la nature de l'expérience du client. Chacun peut être amené à revoir le script en repérant des étapes superflues, en changeant l'ordonnancement des actions à mener ou en identifiant si le recours à des technologies ou des informations de nature dentaire ou hygiénique peuvent améliorer le service rendu mais également l'efficacité du processus global.

1.3. Le *blueprint* d'une visite au restaurant : une performance en trois actes

Pour illustrer le *blueprint* d'un service de traitement à la personne ayant un niveau de contact élevé, examinons l'expérience d'un dîner en tête-à-tête dans un restaurant haut de gamme, « Chez Jean », qui améliore son service de base de restauration par un ensemble de services périphériques (voir figure 8.1). Dans un restaurant offrant un service complet, l'une des règles fondamentales est que le coût d'achat des aliments représente environ 20 à 30 % du prix du repas. Le reste peut être vu comme le coût de ce que le client est prêt à payer pour louer une table et des sièges dans un endroit agréable, profiter du savoir-faire de cuisiniers expérimentés ainsi que des équipements de leur cuisine, et disposer de personnel à l'intérieur et à l'extérieur de la salle à manger.

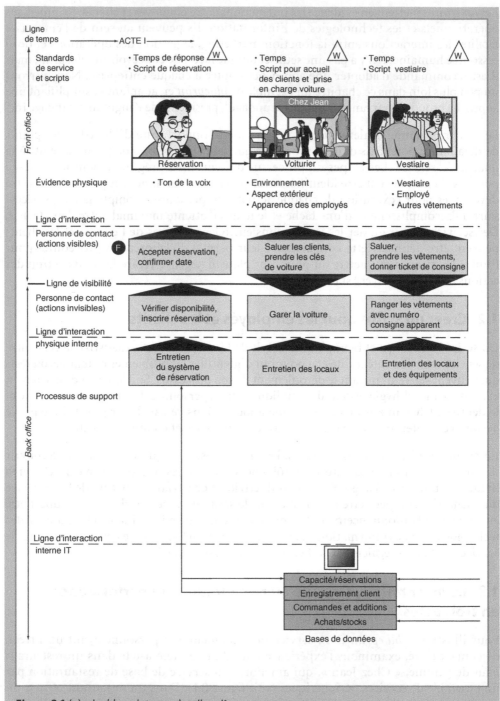

Figure 8.1 (a) – Le *blueprint* complet d'un dîner au restaurant.

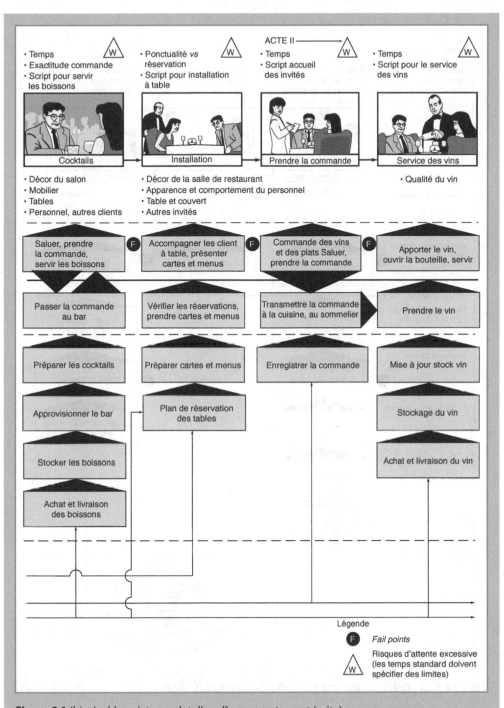

ACTE II

- Temps
- Exactitude commande
- Script pour servir les boissons

- Ponctualité *vs* réservation
- Script pour installation à table

- Temps
- Script accueil des invités

- Temps
- Script pour le service des vins

| Cocktails | Installation | Prendre la commande | Service des vins |

- Décor du salon
- Mobilier
- Tables
- Personnel, autres clients

- Décor de la salle de restaurant
- Apparence et comportement du personnel
- Table et couvert
- Autres invités

- Qualité du vin

Saluer, prendre la commande, servir les boissons — F — Accompagner les client à table, présenter cartes et menus — F — Commande des vins et des plats Saluer, prendre la commande — F — Apporter le vin, ouvrir la bouteille, servir

Passer la commande au bar — Vérifier les réservations, prendre cartes et menus — Transmettre la commande à la cuisine, au sommelier — Prendre le vin

Préparer les cocktails — Préparer cartes et menus — Enregistrer la commande — Mise à jour stock vin

Approvisionner le bar — Plan de réservation des tables — Stockage du vin

Stocker les boissons — Achat et livraison du vin

Achat et livraison des boissons

Légende

F *Fail points*

W Risques d'attente excessive (les temps standard doivent spécifier des limites)

Figure 8.1 (b) – Le *blueprint* complet d'un dîner au restaurant (suite).

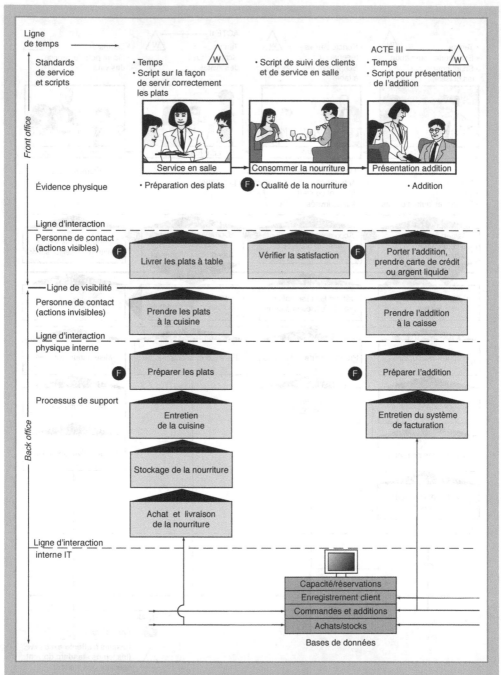

Figure 8.1 (c) – Le *blueprint* complet d'un dîner au restaurant (suite).

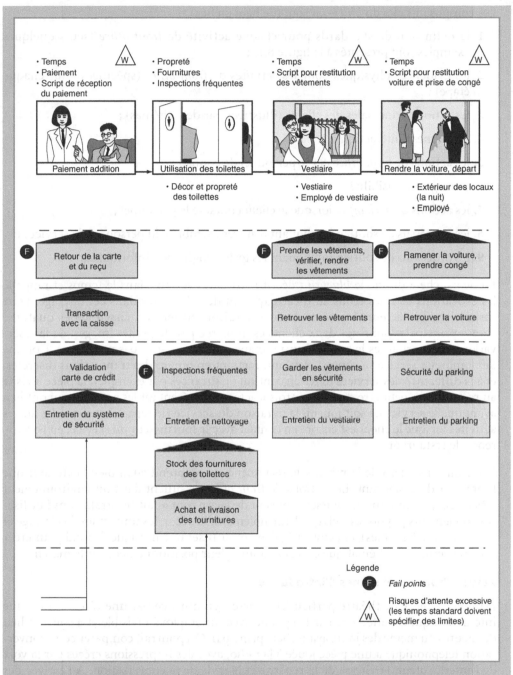

Figure 8.1 (d) – Le *blueprint* complet d'un dîner au restaurant (suite).

Les composants clés du *blueprint* sont (de haut en bas) :

1. la définition de standards pour chaque activité de *front office* (seuls quelques exemples sont présentés à la figure 8.1) ;

2. les évidences physiques pour les activités de *front office* (spécifiées pour chaque étape) ;

3. les actions principales des clients (illustrées par des schémas) ;

4. une ligne d'interaction ;

5. les actions de *front office* par le personnel de contact ;

6. une ligne de visibilité ;

7. les actions de *back office* lorsque le client contacte le personnel ;

8. les processus de soutien impliquant d'autres membres du personnel de services ;

9. les processus de soutien impliquant les technologies de l'information.

Lu de gauche à droite, le *blueprint* décrit l'ordre des actions dans le temps et rappelle les évocations de rôles tenus au théâtre qui ont déjà été faites dans cet ouvrage. Pour insister sur les facteurs humains dans la livraison du service, chacune des quatorze étapes principales pour nos deux clients est illustrée par de petites images, de la réservation au départ après le repas (d'autres étapes encore ne sont pas montrées). Comme de nombreux services à contact élevé qui mettent en œuvre des transactions discrètes, et à la différence des services livrés en continu (assurances par exemple), la pièce « visite au restaurant » peut être divisée en trois « actes », représentant les activités qui ont lieu avant que le service ne soit fourni, la livraison du service (le repas), ainsi que les autres activités lorsque le client est encore en contact avec le fournisseur du service, en l'occurrence, le restaurant.

L'endroit où se déroule la pièce, « la serviscène », comprend aussi bien l'extérieur que l'intérieur du restaurant. Les actions de *front office* se situent dans un environnement très visuel ; les restaurants agissent souvent de façon tout à fait théâtrale dans l'utilisation d'éléments physiques (tels que l'ameublement, le décor, les uniformes, l'éclairage et la décoration des tables), et peuvent également diffuser une musique de fond pour créer un environnement thématique correspondant à leur positionnement sur le marché.

Acte I – Prologue et scènes d'introduction

Dans cette pièce de théâtre particulière, l'acte I commence par une réservation : une interaction qui est effectuée par téléphone avec un employé invisible et a souvent lieu des heures ou même des jours avant l'acte principal. On pourrait comparer cette conversation téléphonique à une pièce jouée à la radio, avec des impressions créées par la voix de l'interlocuteur, la vitesse de la réponse et le style de la conversation. À l'arrivée des clients au restaurant, un voiturier prend en charge leur véhicule, leurs manteaux sont déposés au vestiaire et le bar les accueille pour un verre le temps que leur table soit prête. L'acte I se termine quand un serveur les conduit à la table et les y installe.

Ces cinq étapes constituent la première expérience de la performance du restaurant pour le client, impliquant chaque fois une interaction avec un employé (au téléphone ou en face à face). Avant que les clients n'arrivent à leur table dans la salle de restaurant, ils ont été exposés à plusieurs services périphériques et ont également rencontré un certain nombre de personnes, cinq membres du personnel ou plus et d'autres clients.

On peut définir des standards pour chaque activité, mais il convient de bien connaître les attentes des clients. Au-dessous de la ligne de la visibilité, le *blueprint* identifie les différentes actions nécessaires, pour s'assurer que chaque étape de *front office* est exécutée de façon à répondre à ces attentes. Ces actions incluent les réservations, le vestiaire, la livraison et la préparation de la nourriture, l'entretien des locaux, l'équipement, la formation et la répartition du personnel pour chaque tâche ainsi que l'utilisation des technologies de l'information pour obtenir, rentrer, stocker et transférer les données adéquates.

Acte II – Livraison du service de base

Lorsque le rideau se lève sur l'acte II, nos clients sont sur le point de faire l'expérience du service pour lequel ils sont venus. Pour simplifier, nous avons condensé le repas en seulement quatre scènes. Dans la pratique, passer en revue le menu et passer la commande sont deux activités séparées ; en même temps, on considérera que le service du repas a lieu sur une base active et rapide. Il faut s'assurer que tout se déroule parfaitement, que les deux clients font un excellent repas, sans doute accompagné d'un vin fin dans une atmosphère plaisante. Mais si le restaurant ne satisfait pas les attentes des clients pendant l'acte II, les choses peuvent se compliquer et engendrer de sérieux problèmes. En effet, les points d'échec potentiels sont nombreux. L'information donnée par le menu est-elle complète ? Est-elle compréhensible ? Tous les plats annoncés sont-ils disponibles ? Les explications et conseils seront-ils fournis d'une façon polie, sans condescendance ni impatience vis-à-vis des questions des clients ou de leur hésitation dans le choix du vin ?

Une fois le choix fait, les clients confient leur commande au serveur, qui doit alors en transmettre le détail au personnel de cuisine, au bar et à la caisse. Les erreurs dans la transmission de l'information à ce niveau sont une cause fréquente des échecs de qualité. Une mauvaise écriture ou des commandes verbales peu claires peuvent entraîner la livraison de mauvais plats ou de bons plats préparés de la mauvaise manière.

Dans les scènes suivantes de l'acte II, nos clients évalueront non seulement la qualité de la nourriture et des boissons, mais également la vitesse (un service trop rapide pourrait suggérer des aliments surgelés réchauffés au micro-ondes) et le style du service. Une performance techniquement correcte de la part du serveur peut se trouver dévalorisée par des erreurs humaines telles que le désintérêt, le manque de chaleur humaine ou des manières par trop désinvoltes.

Acte III – Conclusion et dénouement de la pièce

Le repas terminé, il se passe encore beaucoup de choses tant en *front office* qu'en *back office* avant que la pièce ne touche à sa fin. Le service a été fourni, et nous supposerons que nos clients sont heureux. L'acte III devrait être court. L'action dans chacune des scènes restantes devrait se passer sans à-coup, rapidement, et agréablement, sans mauvaises surprises. Les espérances de la plupart des clients tiendraient probablement dans ce qui suit :

- Une facture précise et compréhensible présentée dès que le client la demande.
- Un encaissement prompt et aimable (cartes de crédit acceptées) ; des remerciements et une invitation à revenir.

- Des toilettes propres et bien équipées.
- Les manteaux déposés au vestiaire préparés pendant que les clients sont aux toilettes.
- La voiture mise à disposition devant la porte du restaurant.

1.4. Identifier les points d'échec (*fail points*)

Diriger un bon restaurant est une affaire complexe et les points d'échec potentiels sont nombreux. Un bon *blueprint* devrait attirer l'attention sur les points à risque. Les plus sérieux, marqués dans notre modèle par un *F* dans un cercle, sont ceux qui auront pour conséquence l'impossibilité d'obtenir ou d'apprécier le produit central. Ils comprennent la réservation (le client a t-il pu la faire par téléphone ? Une table était-elle disponible à l'heure et à la date voulues ? La réservation a-t-elle été enregistrée correctement ?) et l'allocation des places (la table promise était-elle disponible ?).

Puisque la livraison du service a lieu dans le temps, il y a également des risques de retard – et donc d'attente pour les clients – entre certaines actions (points identifiés par un W dans un triangle). Les attentes trop longues gêneront les clients. Dans la pratique, chaque étape dans le processus, tant en *front office* qu'en *back office*, présente un certain risque pour que des échecs et des retards se produisent. En fait, les échecs entraînent souvent et directement des retards, reflétant des ordres qui n'ont jamais été transmis, ou le temps dépensé à corriger des erreurs.

C'est à David Maister, autrefois professeur d'administration des affaires à la Harvard Business School et maintenant président de Maister Associates, auteur du best-seller *Practice What you Preach* (Free Press, 2001), que l'on doit le sigle OTSU (*Opportunity To Screw Up*, « occasion de tirer vers le haut ») pour pointer tout ce qui est susceptible de mal se passer lors de la livraison d'un type particulier de service[5]. En identifiant tous les OTSU du processus de livraison, les responsables de services peuvent élaborer un système qui permette d'anticiper et d'éviter les problèmes.

1.5. Fixer des standards de service

Par le biais d'études et d'expériences de terrain, les responsables peuvent cerner les espérances des clients à chaque étape du processus. Comme nous l'avons vu au chapitre 2, ces espérances couvrent un spectre assez large – la zone de tolérance –, qui va du service souhaité (un idéal) au service adéquat (voir figure 2.2). Les fournisseurs de services devraient concevoir des standards suffisamment élevés et précis pour chaque étape pour satisfaire au mieux les clients, voire de dépasser leurs attentes. Ces standards peuvent inclure des paramètres de temps, un scénario conçu pour une exécution techniquement correcte, des recommandations concernant le style et le comportement approprié. Ils doivent être exprimés de manière à permettre une mesure objective.

Les scènes d'ouverture d'une pièce sont primordiales car les premières impressions des clients affectent l'évaluation de la qualité des étapes suivantes, leurs expériences de service tendant à être cumulatives. En d'autres termes : si dès le début, les choses se passent mal, les clients peuvent tout simplement s'en aller. En revanche, s'ils restent, ils peuvent par la suite être plus critiques et chercher à relever d'autres points de dysfonctionnement. À l'inverse, si les premières étapes se passent bien, leur zone de tolérance augmente, de sorte qu'ils sont ensuite plus disposés à ne pas s'attarder sur des erreurs mineures. Les recherches effectuées par les hôtels Marriott indiquent que quatre des cinq plus importants facteurs contribuant à la fidélité des clients apparaissent pendant les dix premières minutes de la livraison du service[6]. D'autres résultats mettent également l'accent sur l'importance d'une finition de qualité. Ils révèlent qu'un service qui est mal perçu lorsqu'il débute mais qui s'améliore au fur et à mesure de son déroulement sera mieux évalué qu'un service qui commence bien mais dont la qualité décline et qui se termine mal[7].

À titre d'exemple, la recherche sur la conception des bureaux de médecins ainsi que sur les procédures employées prouve que de mauvaises impressions initiales peuvent amener des patients à annuler leurs rendez-vous ou même à changer de médecin[8].

Nos propres enquêtes ont établi que la source de mécontentement la plus souvent citée par rapport aux restaurants est la lenteur de la facturation (alors que le repas est fini et que les clients souhaitent partir). Cet échec, mineur en apparence, indépendant du service de base, peut néanmoins laisser un goût amer au client, et modérer l'expérience globale du dîner, même si tout s'est bien passé par ailleurs. Quand les clients sont pressés, les faire attendre inutilement à une étape quelconque du processus est particulièrement malvenu.

L'exemple du restaurant a été choisi pour illustrer un service humain à haut niveau de contact. Pour les services orientés vers le traitement des biens (réparation, entretien, etc.) et le traitement de l'information (assurances, comptabilité, etc.), les contacts humains sont moins importants puisqu'une grande partie de l'action se déroule en *back office*, mais le moindre faux pas dans les contacts avec le client peut être extrêmement préjudiciable.

1.6. Améliorer la fiabilité des processus à partir de l'étude des défauts

L'analyse soigneuse et méthodique des raisons d'échecs dans le processus de services révèle les moyens d'atténuer cet échec, voire de l'éviter. Les méthodes « anti-échec » doivent être conçues non seulement pour les employés mais aussi pour les clients, particulièrement dans les services où ces derniers participent de façon active aux processus de création et de livraison du service.

Des méthodes pour le personnel en contact

La mission des responsables de services consiste à éviter les erreurs suivantes : mauvaise manière d'exécuter certaines tâches, erreur dans l'ordre d'exécution, lenteur, exécution de tâches inutiles, etc. Les solutions dépendent beaucoup du secteur d'activité. Par exemple, dans un restaurant de type fast-food, on peut installer des microphones pour mieux entendre les clients ainsi que les appels des serveurs, apposer des touches de couleurs différentes sur les caisses enregistreuses pour un repérage plus facile. Dans les hôpitaux, les plateaux pour les instruments chirurgicaux disposent d'emplacements spécifiques pour chaque instrument, et tous les instruments nécessaires à une opération doivent être présents sur le plateau. Le chirurgien est alors assuré d'avoir sous la main tout ce qu'il lui faut, et un éventuel oubli d'instrument dans le corps d'un patient serait détecté sur-le-champ.

Parmi les erreurs les plus fréquentes qui se passent durant l'interface personnel en contact/client, on trouve l'absence de courtoisie et de professionnalisme – par exemple, ne pas reconnaître le client, ne pas l'écouter, ou ne pas réagir convenablement. En ce qui concerne les éléments physiques du service, parmi les mesures préventives qui permettent d'éviter des erreurs, nous trouvons l'existence de normes pour le nettoyage des équipements et des uniformes, le contrôle permanent du niveau de bruit, des odeurs, de la lumière et de la température. Pour l'édition de documents imprimés, il existe des logiciels qui corrigent les fautes d'orthographe, et détectent les erreurs de présentation et de calcul. Autre mesure, l'installation de miroirs à des endroits stratégiques permet aux employés de vérifier leur aspect avant de saluer un client. Un exemple hôtelier : les serviettes sont souvent entourées de bandes de papier pour aider le personnel de ménage à repérer rapidement celles qui ont été utilisées et qu'il faut remplacer et celles qui n'ont pas été utilisées et qui peuvent rester en place.

Des méthodes pour le client

Les erreurs du client peuvent se produire durant la phase de préparation du service, bien avant sa livraison du service. La communication marketing aide à informer le client sur la façon d'accéder correctement au service. Par exemple, les marketeurs de la division services d'un fabricant d'ordinateurs fournissent des consignes simples sur la meilleure manière d'accéder aux services de dépannage par téléphone. En guidant les clients par un jeu de questions fermées, ils les préparent à donner les informations nécessaires pour être rapidement orientés vers le technicien approprié.

Les erreurs des clients pouvant aussi se produire pendant la livraison du service. Ce type d'erreur ralentit les processus de services, fait perdre du temps aux employés, et peut gêner les autres clients. Par exemple, le fait d'oublier les différentes étapes d'un processus de services, de ne pas suivre les étapes dans le bon ordre, d'ignorer les instructions, ou de ne pas exprimer des besoins suffisamment clairs peut relever d'un manque d'attention, de compréhension, ou simplement d'un trou de mémoire. Des instructions claires dans des endroits fortement visibles et des annonces enregistrées sont deux manières de rappeler aux clients ce qu'ils doivent faire.

Parmi les dispositifs susceptibles de contrôler le comportement des clients, on trouve des bandes pour former et guider les files d'attente, des portes de toilettes équipées de serrures reliées à l'éclairage et au voyant libre/occupé à l'extérieur, des toises pour vérifier la taille (et la sécurité) des enfants dans les parcs de loisirs. Les instruments de mesure et les balances dans les aéroports permettent aux passagers de contrôler le volume de leur bagage de cabine, et les signaux sonores des distributeurs automatiques rappellent aux clients de retirer leur carte et leurs billets de la machine.

Les clients peuvent également commettre des erreurs lors de la rencontre de services. Par exemple, dans certains centres de pédiatrie, les formes des jouets sont reproduites sur les murs ou le sol pour montrer aux enfants où ils doivent être rangés. Dans les restaurants de type fast-food et les cantines d'école, des affichettes rappellent aux clients de rapporter leur plateau. Dans nombre d'hôtels, les badges qui ouvrent les chambres doivent être insérés dans une prise spéciale pour enclencher l'électricité. En partant, plus de risque de laisser une lampe allumée…

2. Le *redesign* des processus de services

Le *redesign* des processus de services s'impose lorsqu'ils vieillissent, ne conviennent plus et deviennent obsolètes pour la firme mais aussi pour les clients. Cela ne signifie pas nécessairement que les processus ont été mal conçus au départ, mais que des changements technologiques, de nouveaux dispositifs, de nouvelles offres ou de nouvelles attentes de la part des clients remettent en question les processus préalablement établis[9]. Mitchell T. Rabkin MD, ancien président de l'hôpital de Beth Israël de Boston, nomme ce problème la « rouille institutionnelle » : « Les institutions sont comme l'acier ; elles rouillent. Ce qui était par le passé lisse, brillant et beau tend à devenir rouillé[10]. » Il évoque deux raisons principales à cette situation. La première concerne les changements de l'environnement externe, qui rendent des pratiques existantes désuètes et nécessitent une nouvelle conception du processus fondamental, ou même la création d'un processus nouveau, pour que l'organisation reste cohérente et réactive. Les facteurs environnementaux dans le domaine de la santé incluent des changements d'activité, de législation, de technologie, de politique d'assurance maladie et des besoins des clients.

La seconde cause de la rouille institutionnelle est intérieure et reflète souvent une détérioration naturelle des processus internes, une bureaucratie rampante ou une application de standards non officiels et/ou erronés. Ainsi, l'échange intensif d'informations, la redondance des données, un nombre d'activités de contrôle trop élevé, l'augmentation de la mise en place de processus d'exception et l'accroissement des plaintes des clients relatives à l'existence de procédures inutiles, indiquent souvent qu'un ou plusieurs processus en place ne fonctionnent pas bien et qu'ils requièrent une nouvelle conception.

Examiner les *blueprints* de services existants peut aussi suggérer des possibilités d'améliorations : modification des systèmes de livraison, ajout ou suppression d'éléments spécifiques, repositionnement du service pour faire appel à d'autres segments. Par exemple, les Canadian Pacific Hotels (qui font à présent partie de la chaîne Fairmont Hotels) ont décidé de remodeler leurs services hôteliers. Ils avaient déjà réussi avec les clients « conventions », « réunions de travail », « voyages de groupes », mais ont voulu établir une plus grande fidélité à la marque parmi les voyageurs d'affaires. La compagnie a donc entièrement modelé l'« expérience de l'hôte » de l'arrivée à l'hôtel à la récupération des clés de voiture en partant. Pour chaque rencontre, les Canadian Pacific Hotels ont défini un niveau de service souhaité, basé sur l'expérience de la clientèle et ont créé des systèmes pour surveiller l'exécution du service. Ils ont également remodelé quelques processus de services pour fournir aux clients un service plus personnalisé. Le résultat de la mise en application de cette nouvelle conception a été une augmentation de 16 % du nombre de voyageurs d'affaires en seule année.

Les responsables en charge des projets de *redesign* des processus de services ne souhaitent généralement pas allouer trop de budget même pour obtenir une qualité meilleure. Ils cherchent plutôt à augmenter la productivité tout en maintenant la qualité même si nous savons que la restructuration ou la remodélisation des façons dont les tâches sont accomplies augmente de manière significative le rendement dans nombre de tâches en *back office*[11]. Les efforts de *redesign* consistent avant tout à remplir les critères de performance suivants :

1. réduire le nombre d'échecs dans les processus de services ;

2. réduire la durée du cycle de production d'un processus de services entre son initialisation par le client et son accomplissement ;

3. augmenter la productivité ;

4. accroître la satisfaction du client.

Dans le meilleur des cas, les efforts de *redesign* devraient permettre d'accomplir ces quatre objectifs simultanément.

Le *redesign* des processus de services comprend la reconstitution, la remise en ordre, ou la substitution des processus de services[12]. Ces efforts peuvent être regroupés en plusieurs catégories :

- *Élimination des étapes qui n'ajoutent pas de valeur.* Souvent, des activités ayant lieu au début et à la fin des processus de services peuvent être améliorées. Le but est de se concentrer sur la partie bénéfice et production de chaque service. Par exemple, un client qui veut louer une voiture n'est pas très intéressé par les formulaires à remplir ou la vérification de l'état du véhicule à la restitution. La nouvelle conception du service améliore ces tâches en essayant d'éliminer les étapes qui n'ajoutent pas de valeur. Les résultats sont une croissance de la productivité et de la satisfaction du client.

- *Évolution vers le libre-service.* Une productivité significative et parfois même des gains de qualité de service peuvent être réalisés en augmentant la part laissée au libre-service. FedEx, par exemple, a réussi à déplacer plus de 50 % des transactions de ses centres d'appel vers son site Web, réduisant ainsi de façon sensible ses coûts liés au centre d'appel.

- *Offre d'un service direct.* Cette nouvelle conception implique de porter le service vers le client au lieu d'amener le client vers la société de services. Ceci améliore les aspects pratiques pour le client, mais peut également avoir comme conséquence des gains de productivité si les compagnies font l'économie d'emplacements et de locaux onéreux.

- *Groupement de services (bundling).* Il s'agit d'élaborer une offre de services multiples en se concentrant sur un segment bien défini de clients. Le groupement de services peut aider à augmenter la productivité (l'offre est déjà conçue pour un segment particulier, ce qui rend la transaction plus rapide, et les frais de commercialisation de chaque service sont souvent réduits), alors qu'en même temps on améliore la valeur ajoutée vis-à-vis du client en réduisant le coût de la transaction.

- *Redesign des aspects physiques des processus de services.* Le *redesign* physique se concentre sur les éléments tangibles d'un processus de services. Il inclut le changement des infrastructures et des équipements à destination du client pour améliorer son expérience. Si le *redesign* permet de gagner en fonctionnalité, alors la satisfaction des clients comme du personnel en *back office* peut augmenter tout comme la productivité.

Le tableau 8.1 récapitule les cinq types de *redesign*, fournit une vue d'ensemble de leurs avantages potentiels pour l'entreprise et ses clients et met en exergue les défis ou limites potentielles. Il est important de noter que ces nouveaux types de *redesign* sont souvent employés en association. Par exemple, la base du succès d'Amazon.com est la combinaison du libre-service, du service marchand et de la minimisation des étapes qui n'ajoutent pas de valeur au service par la mémorisation des préférences du client, des conditions d'expédition et des moyens de paiement.

Tableau 8.1   Cinq types de remodélisation du service

Approche et Concept	Bénéfices potentiels pour l'entreprise	Bénéfices potentiels pour le client	Défis/Limites
Élimination des étapes n'ajoutant pas de valeur : améliore toutes les étapes impliquées dans la transaction du service de l'achat au paiement	• Améliore l'efficacité • Augmente la productivité • Augmente la capacité d'adapter le service aux besoins du client • Différencie l'entreprise	• Augmente la vitesse du service • Améliore l'efficacité • Transfère les tâches du client à l'entreprise de service • Sépare la mise en route du service de la livraison • Adapte le service aux besoins du client	• Exige de fournir une meilleure information au client ainsi qu'une meilleure formation du personnel pour le mettre en application sans à-coup et efficacement
Libre-service : le client joue un rôle de producteur	• Coûts plus faibles • Améliore la productivité • Améliore la réputation de la technologie • Différencie l'entreprise	• Augmente la vitesse du service • Améliore l'accès • Économise de l'argent • Augmente la sensation de contrôle	• Nécessite une préparation du client sur son rôle • Limite les interactions et le face à face • Crée des difficultés pour obtenir des informations de la part des clients • Crée des difficultés pour établir une fidélité de la part des clients
Service direct : le service est livré au client là où il se trouve	• Élimine les inconvénients liés aux emplacements commerciaux • Augmente la base clientèle • Différencie l'entreprise	• Améliore la praticité • Améliore l'accès	• Impose des contraintes logistiques • Peut nécessiter des investissements coûteux • Nécessite de la crédibilité et de la confiance
Bundling : combine plusieurs services dans une offre	• Différencie l'entreprise • Aide à retenir les clients • Augmente l'utilisation du service par personne	• Améliore la praticité • Personnalise le service	• Nécessite une grande connaissance des clients ciblés • Peut être perçu comme du gaspillage
Service physique : manipulation d'éléments tangibles associés au service	• Améliore la satisfaction des employés • Améliore la productivité • Différencie l'entreprise	• Améliore la praticité • Améliore la fonctionnalité • Cultive l'intérêt	• Facile à imiter • Nécessite des dépenses pour le maintenir efficace • Augmente l'attente des clients vis-à-vis du service

Source : Adapté de « Teaching an Old Service New Tricks : The Promise of Service Redesign », de Leonard L. Berry et Sandra K. Lampo, *Journal of Service Research 2*, n° 3, 2000, p. 265-275.

3. Le client coproducteur du service

Le *blueprint* aide à préciser le rôle des clients dans la livraison du service et à identifier l'ampleur du contact entre eux et les fournisseurs de services. Il indique également si le rôle du client dans un processus donné est plutôt passif ou plutôt actif.

3.1. Les niveaux de participation du client

La participation du client se réfère aux actions et aux ressources fournies par les clients pendant la production et/ou la livraison du service et inclut les caractéristiques mentales, physiques et même émotives du client[13]. Un certain degré de participation du client dans la livraison du service est inévitable dans des services de traitement des personnes et dans n'importe quel service qui implique un contact en temps réel entre clients et fournisseurs. Dans nombre de cas, l'expérience et les résultats reflètent tout à la fois les interactions entre les clients, les équipements, les employés et les systèmes. Cependant, le niveau de cette participation peut changer considérablement selon le type de services. Le tableau 8.2 regroupe le niveau de participation des clients dans trois catégories[14].

Tableau 8.2	Niveau de participation des clients selon différents types de services	
Bas (présence du client nécessaire pendant la livraison du service)	**Modéré (informations du client nécessaires pour la création du service)**	**Élevé (le client coproduit le service)**
Services standardisés	Les informations du client personnalisent le service	La participation active du client guide la personnalisation du service
Le service est fourni indépendamment des achats	La fourniture du service nécessite l'achat du client	Le service ne peut être créé indépendamment de l'achat du client et de sa participation active
Exemples de grande consommation		
Trajet en bus	Coiffeur	Mariage
Séjour à l'hôtel	Examen de santé annuel	Entraînement personnel
Pièce de théâtre	Restaurant	Cure d'amaigrissement
Exemples Business to Business		
Nettoyage industriel	Agence de publicité	Mission de conseil
Contrôle sanitaire	Établissement de la paie	Séminaire de formation
Entretien de plantes d'intérieur	Transport de marchandise	Installation d'un réseau informatique

Source : Adapté de Leonard L. Berry et Sandra K. Lampo, « Teaching an Old Service New Tricks : The Promise of Service Redesign », *Journal of Service Research 2*, n° 3, 2000, p. 265-275.

Niveau bas de participation

Dans ce cas de figure, le personnel en contact et les employés d'une façon générale ainsi que les systèmes d'information effectuent tout le travail. Les services tendent à être normalisés et sont fournis indépendamment de l'achat. Le paiement peut être le seul acte exigé du client. Dans les situations où les clients viennent sur le site de production du service, tout ce qui est exigé d'eux est leur présence physique. Se rendre dans un cinéma pour voir un film en est un exemple. Dans des services à processus de traitement des biens tels que le nettoyage ou l'entretien, les clients peuvent ne pas être impliqués dans le processus, et doivent juste faciliter l'accès aux fournisseurs de services et effectuer le paiement.

Niveau modéré de participation

Dans ce cas de figure, le client doit fournir un certain nombre d'informations pour aider l'entreprise à créer et à fournir le service en apportant un certain degré de personnalisation. Il peut s'agir de transmettre des données, de fournir un effort personnel, de manipuler des objets ou d'être physiquement sollicité. À titre d'exemple, chez un coiffeur, le client doit expliquer ce qu'il souhaite et coopérer pour se faire laver et couper les cheveux. Autre exemple : si la déclaration de revenus est confiée à un comptable, le client doit d'abord rassembler les informations ainsi que toute la documentation nécessaires.

Niveau élevé de participation

Dans ce cas de figure, les clients travaillent activement avec le fournisseur pour coproduire le service. Le service ne peut pas être créé indépendamment de l'achat et de la participation active du client. Ici, si les clients n'assument pas ce rôle efficacement et s'ils n'accomplissent pas certaines tâches obligatoires de production, ils compromettent la qualité du service et/ou la réalisation effective du service. Quelques services relatifs à la santé entrent dans cette catégorie, particulièrement ceux qui sont liés à l'amélioration de l'état physique du patient, tels que la rééducation ou la perte de poids, où les clients travaillent sous une surveillance professionnelle. La livraison réussie de beaucoup de services en *B to B* exige des clients et des fournisseurs qu'ils travaillent étroitement ensemble.

3.2. Les technologies de libre-service[15]

Le degré ultime de participation dans la production de services est celui où les clients entreprennent eux-mêmes une activité spécifique, en utilisant les équipements ou des systèmes mis en place par le fournisseur de services. Le temps et les efforts du client remplacent alors ceux d'un employé de l'entreprise. Dans le cas des services délivrés par téléphone ou *via* Internet, les clients fournissent même leurs propres équipements.

Le concept du libre-service n'est pas nouveau. La variation la plus radicale dans l'histoire de la vente au détail s'est peut-être produite avec la création des supermarchés dans les années 1930. Pour la première fois, des clients ont été invités à choisir et à prendre leurs achats dans les rayons, à les mettre dans un chariot, et à les transporter à la caisse. Clients et détaillants ont vu les avantages de la coproduction. Le concept s'est développé, s'élargissant par la suite à d'autres types d'activités de vente au détail.

Néanmoins, les premiers essais de scanner en libre-service aux caisses des supermarchés ont échoué, à cause de la résistance des consommateurs. Ce n'est qu'au début des années 2000 qu'un nombre significatif de supermarchés ont commencé, aux États-Unis, à proposer à leurs clients d'effectuer leur paiement en employant une caisse enregistreuse en libre-service, où ils pourraient scanner et régler leurs achats. Ce développement est non seulement le reflet de l'amélioration de la technologie et de la fiabilité des processus, mais également de la différence croissante entre le coût de ces systèmes de libre-service (peu élevé) et celui du travail. Les clients de supermarché semblent désormais plus disposés à accepter cette approche, ce qui reflète leur plus grande familiarité avec la technologie[16]. Aujourd'hui, des supermarchés proposent des caisses en libre-service. Les clients effectuent eux-mêmes le scanning des articles, la mise en sachet et le paiement par carte bancaire. Ce système est préféré au scanning dans l'enceinte du magasin.

Les consommateurs ont aujourd'hui un choix important de technologies en libre-service (SST en anglais : *Self Service Technologies*) qui leur permettent de produire un service en totale autonomie, sans la présence d'employés[17]. Les SST incluent les terminaux bancaires, les pompes à essence, les systèmes automatisés par téléphone tels que les dispositifs permettant les opérations bancaires, le contrôle d'entrée dans les hôtels, et les nombreux services *via* Internet. Les services basés sur la fourniture et le traitement des informations se prêtent particulièrement bien à l'utilisation des SST et incluent non seulement des services périphériques comme l'obtention d'informations diverses, le passage de commandes, la réservation et les paiements, mais également l'accès aux services de base dans des domaines aussi variés que la banque, la recherche, l'industrie du divertissement et la formation. L'une des innovations les plus significatives de l'ère d'Internet a été le développement des ventes aux enchères en ligne, mené par eBay, qui supprime les intermédiaires entre l'acheteur et le vendeur.

Facteurs psychologiques et participation du client

La logique du libre-service est historiquement fondée sur un raisonnement économique qui privilégie les gains de productivité et les économies générées par la prise en charge totale de la réalisation du service par le client. Dans nombre de cas, une partie des économies réalisées est partagée avec les clients sous forme de rabais pour les inciter à changer leurs comportements. Cependant, les chercheurs Neeli Bendapudi et Robert Leone, tous deux professeurs en marketing à l'université de l'État de l'Ohio, estiment que les réponses psychologiques des clients à la participation et à la production du service devraient être étudiées dans des environnements de libre-service, en particulier leur tendance à accepter les récompenses pour des succès mais pas les blâmes pour des échecs[18]. Leur recherche a révélé que cette tendance faiblit quand les clients ont le choix de participer ou non à la production de services.

L'investissement en temps et en argent nécessaire pour concevoir, mettre en application et faire fonctionner les SST étant important, il est nécessaire pour les marketeurs des services de comprendre si les clients décideront d'employer une option de SST ou s'ils continueront de préférer l'interface humaine. Les SST présentent des avantages et des inconvénients. Au-delà des bénéfices tels que des économies de temps et d'argent, plus de flexibilité, de confort, de praticité et de personnalisation, les clients peuvent trouver cela amusant[19]. Cependant, pour ceux qui ne sont pas familiarisés avec les SST, ces dernières peuvent être synonymes d'inquiétude et de stress[20]. En effet, certains consommateurs conçoivent la rencontre de service comme une expérience sociale et préfèrent avoir affaire à des personnes, alors que d'autres cherchent à éviter les contacts, notamment s'ils ont une mauvaise image des employés de l'entreprise.

Les recherches menées par James Curran, Matthew Meuter et Carol Surprenant (professeurs au Bryant College, à l'université de Chico en Californie et à l'université de Rhode Island) ont révélé que de multiples attitudes peuvent inciter ou non les clients à employer une SST spécifique, notamment les attitudes globales à l'encontre des technologies de services, de l'entreprise de services elle-même et de ses employés[21]. D'autres recherches montrent que l'adoption des SST passe aussi par les conséquences positives des effets intergénérationnels : les enfants aident les parents à adopter les technologies.

Les clients ne sont pas égaux face à la volonté de participation. Si chez certains, il y a une volonté proactive de participation et de contrôle, chez d'autres la tendance est à la délégation. L'entreprise doit avoir une approche segmentée de la clientèle sur la base de leurs intentions et/ou de leurs capacités et expertises de participation[22].

Ce que les clients apprécient ou pas dans le recours aux STT (*Self Service Technologies*)

La recherche met en évidence les situations dans lesquelles les clients aiment ou détestent les SST[23]. Ils apprécient les SST quand celles-ci les sortent de situations difficiles, par exemple, les distributeurs automatiques qui sont accessibles 24 h/24 et 7 j/7 contrairement aux agences en dur soumises aux horaires d'ouverture de bureau. Les clients aiment également les SST quand elles sont plus efficaces qu'un employé de services, lorsqu'elles permettent d'obtenir des informations détaillées et de faire des transactions complètes plus rapidement qu'ils ne le pourraient par un contact en tête à tête ou par téléphone. Beaucoup sont admiratifs devant les possibilités étendues de la technologie… quand elle fonctionne bien. Ainsi, de nombreuses chaînes d'hôtels en France proposent d'économiser le temps de l'enregistrement et des formalités de sortie. Il suffit lorsque l'on se présente d'introduire dans l'automate une carte de crédit et vous obtenez en retour le numéro de votre chambre, le code d'accès et votre facture.

De même, la SNCF a installé dans presque toutes les gares des automates qui permettent d'obtenir des billets de train instantanément, sans avoir à faire la queue au guichet. Dans les grandes villes, ces distributeurs ont même été installés dans des grands magasins (Monoprix notamment).

A contrario, les clients détestent les SST quand la technologie est défaillante. Les utilisateurs se fâchent lorsqu'ils constatent que les machines sont hors-service, que leurs numéros de code ne sont pas reconnus, que les sites Web ne fonctionnent pas ou que le téléchargement des pages est démesurément long, que le suivi des transactions n'est pas assuré ou que les produits ne sont pas acheminés comme prévu. Même lorsque cela fonctionne, les clients sont frustrés par les technologies mal conçues qui rendent les processus de services difficiles à comprendre et à employer. Un système de navigation peu ergonomique est un sujet fréquent de plainte à propos des sites Web. Les utilisateurs sont également frustrés quand ils perdent du temps sur des problèmes comme l'oubli du mot de passe, l'incapacité à fournir les informations demandées, ou simplement le fait de se tromper de bouton. Le libre-service implique que les clients peuvent être eux-mêmes à l'origine de leur mécontentement. Cependant, même si la faute leur revient, les clients peuvent en partie blâmer le fournisseur de services de ne pas proposer un système plus simple et plus facile à utiliser. Ils peuvent alors préférer revenir au contact humain traditionnel.

Concevoir un site Web sans défaut n'est pas une tâche facile et peut se révéler très coûteux. Pourtant, c'est grâce à de tels investissements que les entreprises fidélisent les utilisateurs. L'encadré Meilleures pratiques 8.1 décrit l'accent mis par TLContact sur la facilité d'emploi de son site.

TLContact.com crée une expérience d'utilisateur exceptionnelle

Quand son neveu âgé de cinq jours a dû subir une lourde opération du cœur dans le Michigan, début 1998, Mark Day, étudiant en technologies, se trouvait à Stanford, à des milliers de kilomètres. Se sentant isolé, ne connaissant rien aux problèmes cardiaques et voulant se rendre utile, il a cherché des renseignements sur Internet alors en plein développement. En quelques jours, il a créé un site Web auquel la famille et les amis pouvaient accéder. Il a regroupé toute l'information recueillie et l'a mise en ligne sur le site, avec des bulletins concernant l'état du petit Matthew et ses réactions au traitement. Mark a raconté plus tard : « Le site était très simple, si j'avais payé quelqu'un pour le faire, cela n'aurait probablement pas coûté plus de quelques centaines de dollars. » Afin de communiquer avec plus d'efficacité que par courrier électronique, Mark avait ajouté un forum où chacun pouvait laisser un message.

À la surprise de tous, le site est devenu particulièrement populaire. Les nouvelles étaient diffusées par le bouche-à-oreille et le site a enregistré des centaines de visites quotidiennes, avec plus de deux cents personnes différentes laissant des messages pour la famille. Des personnes qui ont admis qu'elles n'avaient jamais utilisé Internet auparavant ont trouvé la manière d'accéder au site, de suivre les progrès de Matthew et de lui envoyer des messages.

Deux ans et trois opérations plus tard, Matthew était un petit enfant en bonne santé et heureux. Ses parents, Eric et Sharon Langshur, ont décidé de créer une entreprise, TLContact.com, pour faire du concept de Mark un service aux patients et à leurs familles. Ils ont invité Mark à se joindre à eux en tant que directeur technique. Pour assurer le contrôle de qualité et garder un capital intellectuel, Mark a décidé de créer les systèmes de logiciels nécessaires au sein de l'entreprise, plutôt que de sous-traiter la tâche à des fournisseurs extérieurs. Il a engagé une équipe de techniciens, de programmeurs et de concepteurs.

Comprenant que les sites des patients de TLC, baptisés *CarePages*, seraient consultés par un grand nombre d'individus, dont la plupart seraient sous l'effet du stress ou feraient leur première expérience d'Internet, Mark et son équipe se sont concentrés sur la facilité d'utilisation, un objectif pourtant ambitieux : « Il est très difficile de créer un logiciel qui soit vraiment facile à utiliser. Il faut une quantité incroyable de compétences, d'efforts et d'heures pour développer un produit fonctionnel et évolutif. » Le coût de création du site Web initial était de près d'un demi-million de dollars.

Au fil du développement de l'entreprise, les investissements ont été continus afin d'améliorer la fonctionnalité du service pour les patients, les visiteurs et les hôpitaux commanditaires, d'éliminer tous les problèmes que les utilisateurs avaient signalés, et d'augmenter le capital de sympathie des utilisateurs. Les perfectionnements incluaient une option pour obtenir des informations sur les utilisateurs, l'ajout d'un service de mailing pour annoncer de nouvelles mises à jour sur une *CarePage*, et la possibilité d'accéder aux *CarePages* à partir du site Web de l'hôpital. Informé de ce

...

Meilleures pratiques 8.1

...

que de nombreux utilisateurs avaient du mal à saisir le nom exact de la CarePage et donc n'y accédaient pas, TLC a ajouté un logiciel de logique pour relever les erreurs les plus fréquentes, ce qui a du coup réduit le volume des requêtes au service clients. En 2003, TLC continuait à se développer rapidement. Les remerciements réconfortants des utilisateurs satisfaits affluaient. Mais le travail s'est poursuivi de façon à augmenter l'expérience CarePage, avec des changements de logiciel et des améliorations toutes les six à huit semaines. Pour cela, la société a investi plus de deux millions de dollars dans la technologie.

Source : Christopher Lovelock, « TLContact.com », étude de cas, 2003.

Le principal problème avec les SST est que trop peu d'entre elles intègrent un système de sauvegarde. Dans trop de cas, quand le processus échoue, il n'y a aucune manière simple de récupérer les informations. De façon générale, les clients sont forcés de téléphoner ou de se déplacer en personne pour résoudre le problème, ce qui peut être exactement ce qu'ils essayaient d'éviter au départ ! Mary Jo Bitner, qui enseigne le marketing des services et dirige le centre de recherches de cette discipline à l'université de l'État d'Arizona, propose que les responsables des entreprises mettent les SST de leurs entreprises à l'essai en se posant les questions de base suivantes[24] :

- *La SST fonctionne-t-elle de manière fiable ?* Elle doit fonctionner comme prévu, être fiable et facile d'utilisation. Les services de billetterie en ligne de la compagnie aérienne Southwest Airlines présentent un niveau élevé de simplicité et de fiabilité. La compagnie revendique le pourcentage le plus élevé de ventes en ligne de billets de toutes les compagnies aériennes.

- *La SST est-elle meilleure que la solution traditionnelle ?* Si elle ne permet pas de gagner du temps, de l'argent, ou si elle n'est pas particulièrement facile d'accès, alors les clients continueront d'employer les processus qui leur sont familiers, en l'occurrence, le canal traditionnel et l'interface directe. Le succès d'Amazon.com s'explique par son offre fortement personnalisée et très efficace par rapport au déplacement dans une librairie.

- *Si la SST échoue, quels systèmes sont mis en place pour récupérer l'information ?* Il est dramatique pour des sociétés de fournir des systèmes, des structures et des technologies de sauvegarde qui ne garantissent pas un rétablissement rapide du service quand il se produit une défaillance. Aux États-Unis, quelques banques ont un téléphone près de chaque distributeur automatique, permettant aux clients un accès direct à un centre de services à la clientèle disponible 24 h/24. Les supermarchés qui ont installé des caisses enregistreuses en libre-service affectent d'ordinaire un employé à la surveillance du bon déroulement des opérations ; cette pratique combine la sécurité, la participation du client et une bonne productivité. Dans les entreprises qui recourent au réseau téléphonique, les annonces enregistrées des répondeurs incluent en général une option pour que les clients puissent joindre un représentant du service clientèle. Dans un tout autre domaine, le système de péage automatique « liber-t » sur l'ensemble du réseau autoroutier français permet le franchissement des barrières de péage sans avoir à s'arrêter, grâce au badge collé sur le pare-brise du véhicule.

Si le capteur qui permet de relever les caractéristiques du voyageur ne fonctionne pas, vous avez toujours la possibilité de vous rendre à un poste de péage différent où, grâce à votre carte de crédit ou à de l'argent liquide, vous pourrez continuer votre route.

3.3. L'entreprise de services doit former ses clients

Bien que les fournisseurs de services essaient de connaître et d'appliquer le niveau idéal de participation du client dans le système de livraison du service, en réalité ce sont les actions des clients qui déterminent le niveau réel de participation. Un manque de participation diminue souvent les bénéfices de l'expérience de service (par exemple, un étudiant qui ne travaille pas apprendra moins, une personne qui ne suit pas son régime correctement perdra probablement moins de poids). En revanche, un excès de participation peut détourner les employés de leur tâche et modifier la forme initiale du service (pensez aux conséquences sur la productivité d'un fast-food si chaque client insiste pour faire modifier son hamburger). Les entreprises de services doivent enseigner et montrer à leurs clients les rôles qu'ils doivent jouer ainsi que les tâches qu'ils doivent accomplir pour obtenir le service et optimiser leur niveau de participation pendant la production et la consommation du service.

Plus on attend des clients qu'ils effectuent un travail, plus grand est leur besoin d'informations. La formation nécessaire peut être fournie de nombreuses manières. Les brochures et les instructions affichées sont deux méthodes largement répandues. Les machines automatisées contiennent souvent des consignes d'utilisation et des procédures détaillées (malheureusement pas toujours compréhensibles). Les publicités pour de nouveaux services dispensent souvent une initiation à ces services. Beaucoup de sites Web incluent une rubrique rassemblant les questions les plus fréquemment posées et leurs réponses. Le site d'eBay (www.ebay.fr) fournit des instructions détaillées pour démarrer, notamment sur la façon de mettre un article aux enchères et de surenchérir pour un article intéressant. La rubrique d'aide se présente sous forme d'un index des thèmes de A à Z, avec de nombreux conseils pour résoudre les problèmes liés aux transactions.

Dans beaucoup d'entreprises, les clients s'adressent aux employés pour obtenir des conseils et de l'aide et sont frustrés, voire mécontents, s'ils ne les obtiennent pas. Dans les entreprises de services, le personnel en contact – vendeurs, employés au service clientèle, stewards, infirmières… – doit être préparé à remplir ces fonctions de « formateurs ». Les clients peuvent aussi se tourner vers d'autres clients pour obtenir de l'aide, lorsque cela est possible, et mieux encore, lorsque l'entreprise l'organise. À titre d'exemple, le centre d'aide d'eBay propose une rubrique « Demandez aux membres d'eBay », qui précise que les membres de la communauté eBay sont toujours heureux de s'entraider. On y trouve un centre de réponse (« Obtenez les réponses de la communauté des membres, rapidement ») et des groupes de discussion (« Partagez vos centres d'intérêt, obtenez de l'aide des membres de la Communauté, ou aidez-en d'autres[25] »).

Les chercheurs Benjamin Schneider et David Bowen (respectivement professeur en psychologie à l'université du Maryland et doyen de l'école de management international de Thunderbird) suggèrent de donner aux clients une vision réaliste du service avant sa livraison pour leur apporter une image claire de leur rôle dans la coproduction du service[26]. L'entreprise peut par exemple montrer une vidéo aux clients afin qu'ils comprennent bien leur rôle dans un processus spécifique de services. Cette technique est notamment employée par quelques dentistes pour familiariser les patients avec les interventions qu'ils sont sur le point de subir, leur expliquer comment ils doivent coopérer et contribuer ainsi à ce que tout se passe le mieux possible.

3.4. Considérer les clients comme employés temporaires

Certains chercheurs suggèrent de considérer les clients comme des employés à temps partiel, ce qui peut influencer la productivité et la qualité des processus et des résultats des services[27]. Pour Schneider et Bowen, cette approche exige un changement de mentalité chez les managers :

> *Si vous pensez aux clients en tant qu'employés temporaires, vos attentes seront très différentes. Non seulement ils continueront d'apporter leurs attentes et leurs besoins, mais ils devront également remplir leur rôle d'employés en ayant des compétences en production de services. Le défi du management des services devra donc s'adapter en conséquence[28].*

Les chercheurs estiment que les clients à qui on offre une participation active sont plus facilement satisfaits, et ce, qu'ils choisissent ou non d'accepter ce rôle, la satisfaction découlant prioritairement de la liberté de choisir.

Le management des clients, comme des employés temporaires, implique d'adopter les mêmes principes de gestion des ressources humaines que pour les salariés de l'entreprise. Il devrait suivre ces quatre étapes :

1. Réaliser une « analyse des postes de travail » dans lesquels les clients jouent un rôle, et comparer cette analyse avec les rôles que la société voudrait qu'ils jouent.

2. Déterminer si les clients savent ce que l'on attend d'eux et connaissent les qualifications requises pour exécuter les tâches qu'on leur demande.

3. Motiver les clients en s'assurant qu'ils seront récompensés s'ils exécutent bien leur tâche (par exemple, par la satisfaction gagnée d'une meilleure qualité de service et d'un rendement plus personnalisé, par le plaisir de participer au processus, par la conviction que leur propre productivité accélère le processus et réduit les coûts).

4. Évaluer régulièrement la performance des clients. Si elle est insuffisante, chercher à changer les rôles et les procédures dans lesquels ils sont impliqués. Ou alors, « éliminer » ces clients (avec tact, bien sûr !) et en chercher de nouveaux.

Une gestion efficace des ressources humaines commence dès le recrutement. Il devrait en être de même pour les « employés temporaires ». La coproduction nécessitant certaines qualifications, les entreprises devraient cibler leurs efforts marketing sur le recrutement de clients disposant de ces qualifications[29].

4. Les problèmes de comportement du client

Les clients qui agissent de manière peu coopérative ou abusive sont un problème pour n'importe quelle entreprise. Mais ils ont un plus grand potentiel de nuisance dans les entreprises de services, en particulier celles dans lesquelles le client vient à l'usine de production du service. Comme vous l'avez probablement expérimenté vous-même, le comportement des autres clients peut affecter le plaisir que vous retirez d'un service.

Si vous aimez la musique classique et assistez à des concerts, vous vous attendez à ce que les membres de l'assistance se taisent pendant la représentation, plutôt que de gâcher la musique en parlant, téléphonant ou en toussant fort. En revanche, une assistance silencieuse serait mortelle pendant un concert de rock ou un événement sportif, où la participation active de l'assistance ajoute à l'excitation. Il y a cependant une frontière étroite entre l'enthousiasme des spectateurs et le comportement abusif des supporters des équipes sportives rivales. Les sociétés qui ne traitent pas efficacement les risques de mauvais comportement des clients détériorent leurs rapports avec les autres.

4.1. Que faire avec les clients malhonnêtes ou indisciplinés (*jaycustomers*) ?

Les Américains ont un terme spécifique pour décrire les personnes qui traversent les rues aux endroits non autorisés ou d'une façon dangereuse : « jaywalkers ». Le préfixe « jay » vient de l'argot du 19e siècle et désigne une personne stupide. Il se prête à une infinité de combinaisons. Pourquoi alors ne pas parler de « jaycustomer » pour désigner quelqu'un qui utilise un service de façon malhonnête ou consomme de façon anormale un produit physique[30] ? Nous définissons un jaycustomer comme une personne qui agit d'une manière irréfléchie ou abusive, causant des problèmes à l'entreprise, à ses employés et à d'autres clients.

Chaque service a sa part de *jaycustomers*, mais les avis sur le sujet semblent se polariser autour de deux visions contradictoires. L'une proclame : « Le client est roi et ne peut rien faire de mal. » L'autre voit la masse des clients comme une population où les personnes malintentionnées, au comportement peu digne de confiance, et manquant de respect aux individus sont surreprésentées. Le premier point de vue a bénéficié d'une large publicité dans les ouvrages de gung-ho et dans les séminaires de motivation des employés. Mais le second point de vue est plus dominant parmi les responsables et les employés qui ont été exposés à un certain degré à des comportements indélicats de la part de clients. Les deux visions ont leur part de vérité. Ce qui est clair, cependant, c'est qu'aucune entreprise ne souhaite entretenir de rapports avec un client abusif. Comme le remarquent Lloyd Harris et Kate Reynolds, respectivement professeur et chercheur à l'université de Cardiff, le comportement des clients a des conséquences sur les employés, les autres clients et l'organisation du service lui-même[31].

4.2. Les clients indésirables : les *jaycustomers*

Les *jaycustomers* sont indésirables. Au pire, une entreprise doit contrôler ou empêcher leur comportement abusif. Au mieux, elle cherchera d'abord à ne pas les attirer. Comme définir un problème est toujours la première étape à franchir pour le résoudre, commençons par définir les différents segments de *jaycustomers* qui s'attaquent aux entreprises de biens et de services. Nous avons identifié six catégories et leur avons donné des noms génériques, mais de nombreuses personnes au contact des clients ont proposé leurs propres termes. Vous en trouverez certainement d'autres vous-même.

Le voleur

Ce *jaycustomer* n'a aucune intention de payer et vole des marchandises et des services (il permute des étiquettes de prix, conteste les factures sans raison valable, etc.). Le vol à l'étalage est un problème important dans les magasins de vente au détail. C'est ce que les détaillants appellent par euphémisme « la démarque inconnue » et qui leur coûte chaque année des sommes astronomiques. Beaucoup de clients se prêtent à d'intelligents stratagèmes pour éviter de payer. Pour ceux qui ont des connaissances techniques, il est parfois possible d'avoir l'électricité gratuite, d'accéder sans frais aux lignes téléphoniques ou de détourner le réseau normal du câble. Prendre les transports en commun sans billet, « resquiller » dans les cinémas, ou « oublier » de régler son repas au restaurant sont des pratiques assez fréquentes. Sans omettre l'utilisation frauduleuse des moyens de paiement tels que les cartes de crédit volées ou les chèques sans provision. Découvrir comment les gens volent un service est le premier pas pour empêcher les abus ou attraper les coupables, en les poursuivants le cas échéant. Cependant, les responsables doivent faire en sorte de ne pas pénaliser les clients honnêtes. Des dispositions particulières doivent être prises pour ceux qui sont distraits mais pas malhonnêtes.

Celui qui ne respecte pas les règles

De la même façon que les autoroutes imposent des règles de sécurité (ne pas les traverser à pied, par exemple), beaucoup d'entreprises de services doivent établir des règles de comportement pour que les employés puissent guider et servir sans risques les clients au travers des différentes étapes du service. Pour des raisons d'hygiène et de sécurité, certaines de ces règles sont dictées par des organismes gouvernementaux. Ainsi, les employés dans la restauration doivent porter des toques et des gants pour manipuler la nourriture. Les voyages en avion fournissent le meilleur des exemples de soumission à de règles strictes conçues pour assurer la sécurité.

En dehors d'imposer des règles de comportement, les entreprises établissent souvent des règles particulières pour garantir que les opérations se déroulent sans heurts, pour éviter que les clients n'aient des exigences irraisonnables vis-à-vis des employés, pour empêcher la mauvaise utilisation des produits et des équipements, pour se protéger légalement et pour décourager certains clients de mal se conduire. Les responsables de stations de sports d'hiver, par exemple, sont de plus en plus sévères avec les skieurs négligents qui mettent leur vie et celle des autres en danger[32]. Les équipes de surveillance des pistes doivent rester vigilantes et parfois même jouer un rôle de maintien de l'ordre : de la même façon qu'un conducteur dangereux peut perdre son permis, un skieur dangereux peut perdre ses forfaits de remontées mécaniques.

Comment une société devrait-elle traiter ceux qui ne respectent pas les règles ? Tout dépend des règles qui ont été transgressées. Dans le cas de transgressions tombant sous le coup de la loi (vol, créances non recouvrables, tentative d'embarquement en avion avec une arme, etc.), les lignes de conduite doivent être claires pour protéger les employés, et punir ou décourager les actes répréhensibles des clients. Les cas de transgressions des règles de l'entreprise sont plus délicats. Avant tout, ces règles sont-elles vraiment nécessaires ? Si ce n'est pas le cas, l'entreprise devrait s'en débarrasser. Sont-elles liées à la santé ou à la sécurité ? Si oui, former les clients sur ces règles devrait réduire le besoin de prendre des mesures de coercition. C'est également vrai pour les règles destinées à garantir le confort et le plaisir de tous les clients. Il y a des normes sociales non écrites, telles que « ne pas dépasser les autres clients dans une file d'attente », et on peut souvent compter sur les clients eux-mêmes pour aider le personnel de services à faire respecter les règles qui concernent tout le monde.

Imposer des règles présente aussi certains risques. Celles-ci peuvent donner de l'entreprise une image bureaucratique et insupportable. Elles transforment parfois les employés, qui devraient être au service des clients, en officiers de police qui considèrent (ou à qui l'on demande de considérer) que leur principale tâche est de faire respecter toutes les règles. Moins il y a de règles et plus celles qui sont essentielles trouvent leur légitimité.

Le querelleur

Vous avez probablement déjà vu dans un magasin, un aéroport, un hôtel, un restaurant un homme ou une femme, le visage rouge, hurlant de colère, ou peut-être l'air calme et glacial, proférant des insultes, des menaces, et jurant du bout des lèvres[33]. Les choses ne se passent pas toujours comme elles le devraient : les machines tombent en panne, le service est maladroit, des clients sont ignorés, un vol est retardé, une commande est inexacte, des membres du personnel sont inutiles, une promesse n'est pas tenue. Ou peut-être le client en question n'apprécie-t-il pas de devoir respecter des règles. Le personnel de services est souvent maltraité, même lorsqu'il n'est pas à blâmer. Si l'employé n'a pas les moyens de résoudre le problème, le belligérant peut devenir plus agressif, voire en venir aux gestes. L'abus d'alcool ou de drogue entraîne des complications supplémentaires. Les entreprises qui prennent soin de leurs employés font en sorte de les préparer à affronter ces situations difficiles. Les séances de formation basées sur la participation des employés à des jeux de rôles aident souvent à développer la confiance en soi et l'autorité nécessaire pour faire face à des clients énervés et agressifs. Les employés doivent également apprendre à faire tomber la colère, à calmer l'inquiétude, et à réconforter les personnes qui ne se sentent pas bien (en particulier quand il y a une bonne raison pour que le client soit énervé par la performance de l'organisation).

Depuis quelques années, le problème de la « rage de l'air » retient toute l'attention des autorités, car il met en danger la vie d'innocents. Depuis les attentats du 11 septembre 2001, aux États-Unis, les passagers violents sont considérés comme le problème numéro 1 pour la sécurité des passagers en avion (voir encadré Questions de services 8.1).

Rage de l'air : les passagers indisciplinés posent un problème croissant

Après l'invention en 1988 de l'expression « *road rage* » (rage de la route) pour décrire le comportement de conducteurs énervés et agressifs qui menacent les autres usagers de la route, l'expression « *air rage* » (rage de l'air) est apparue à son tour. Les personnes atteintes de la rage de l'air sont des passagers violents et indisciplinés qui mettent en danger le personnel de vol et les passagers. Les incidents liés à la rage de l'air sont commis par une fraction infime de passagers – environ 5 000 par an –, mais chaque incident dans le ciel peut affecter le confort et la sécurité de centaines d'autres. Bien que le terrorisme reste une menace réelle, les passagers incontrôlables constituent eux aussi une sérieuse menace. Sur un vol d'Orlando (Floride) à Londres, un passager ivre brise un écran vidéo et tente de défoncer une fenêtre, hurlant aux passagers qu'ils vont être aspirés et mourir. L'équipage parvient à le maîtriser, le ligote et l'avion fait un atterrissage imprévu à Bangor (Maine), où des

...

...

officiers de police arrêtent cet « enragé de l'air ». Autre cause d'atterrissage forcé, toujours à Bangor : le débarquement d'un convoyeur de drogue entre la Jamaïque et les Pays-Bas. Rendu fou furieux par la rupture d'un sachet de cocaïne dans son estomac, le passager enfonce la porte des toilettes et agresse une passagère en la prenant à la gorge. Sur un vol de Londres vers l'Espagne, un homme déjà ivre à l'embarquement devient brusquement furieux quand un membre du personnel de vol le prie de ne pas fumer dans les toilettes et refuse de lui servir une autre boisson. Le passager casse une bouteille de vodka (achetée en duty-free) sur la tête du steward avant d'être maîtrisé par d'autres passagers (dix-huit points de suture pour le steward). Lors d'un incident à l'issue tragique, un passager violent est attaché puis bâillonné après qu'il a donné un coup de pied dans la porte du cockpit d'un avion de ligne vingt minutes avant l'atterrissage à Salt Lake City. Divers incidents dangereux se produisent régulièrement : boissons chaudes renversées sur le personnel de vol ; pilotes frappés à la tête, intrusion de force dans le cockpit, personnel de vol bousculé dans les rangées de sièges par un passager qui tente d'ouvrir une issue de secours en plein vol. Un nombre croissant de compagnies aériennes traîne les « furieux de l'air » devant les tribunaux. La Northwest Airlines a interdit de manière permanente à trois voyageurs agressifs d'embarquer sur ses avions. British Airways inflige des « cartes d'avertissement » aux passagers devenant dangereusement incontrôlables. Les célébrités ne sont pas immunisées contre la rage de l'air. Plusieurs vedettes bien connues du cinéma ou de la chanson française ont eu à répondre devant les tribunaux de leur attitude violente et inconvenante en avion, pouvant aller jusqu'à gifler une hôtesse ! Certaines compagnies prévoient à bord les moyens de neutraliser physiquement les passagers incontrôlables jusqu'à ce qu'ils puissent être remis aux autorités d'un aéroport.

Aux États-Unis, le Congrès a fait passer l'amende pour actes de « rage de l'air » de 1 100 dollars à 25 000 dollars. Des peines allant de 10 000 dollars à vingt ans d'emprisonnement peuvent également être appliquées pour les incidents les plus sérieux. Des passagers français en ont fait récemment la cruelle expérience. Certaines compagnies se refusent à diffuser l'information, de crainte de perdre des clients. Cependant, l'augmentation évidente des dispositifs antiterrorisme rend plus acceptable l'application de procédures destinées à contrôler et à punir la rage de l'air.

Quelles sont les causes de la rage de l'air ? Les chercheurs estiment que les voyages en avion sont devenus de plus en plus stressants en raison du manque de place et de la durée allongée des vols ; les compagnies ont contribué au problème en rapprochant trop les sièges les uns des autres et en n'expliquant pas les raisons des retards. Les résultats suggèrent que l'anxiété et une personnalité colérique sont des facteurs favorables à la rage de l'air. Ils prouvent également que les déplacements sur des itinéraires peu familiers augmentent le stress. L'interdiction de fumer peut être aussi un facteur de risque, mais l'abus d'alcool reste la cause principale de la majorité des incidents.

...

Questions de services 8.1

...

Les compagnies forment leurs employés à repérer les passagers risquant de poser des problèmes et à contrôler les individus violents. Quelques transporteurs donnent des conseils aux voyageurs sur la façon de se détendre pendant les vols de longue durée. D'autres offrent des patches à la nicotine aux fumeurs en manque.

Sources : Basé sur des informations issues de sources multiples, dont : « Acting Up in the Air », de Daniel Eisenberg, paru dans le *Time* du 21 décembre 1998 ; « Air Rage Capital : Bangor Becomes Nation's Flight Problem Drop Point », paru dans *The Baltimore Sun*, en septembre 1999 ; « Airlines Strangely Mum About New Fine », paru dans *The Omaha World-Herald* le 25 septembre 2000 ; « Passenger's Death Prompts Calls for Improved "Air Rage" Procedures », de Melanie Trottman et Chip Cummins, paru dans *The Wall Street Journal*, le 26 septembre 2000.

Que devrait faire un employé lorsqu'un client agressif repousse toutes les tentatives d'apaisement de la situation ? Dans un lieu public, la priorité devrait être d'éloigner la personne indisciplinée des autres clients. Parfois, les chefs de services peuvent avoir à arbitrer des conflits entre les clients et les membres du personnel ; le reste du temps, ils doivent se tenir en retrait derrière les employés. Si un client a physiquement agressé un employé, alors il peut être nécessaire d'appeler le service de sécurité ou les forces de l'ordre. Certaines sociétés tentent de cacher de tels événements, craignant une mauvaise publicité. Mais d'autres prendront publiquement la défense de leurs employés. Le gérant d'un Body Shop, par exemple, a prié un client désagréable de sortir du magasin, en lui disant : « Je ne tolérerai pas votre grossièreté envers mon personnel. ».

La grossièreté au téléphone pose un problème différent. Le personnel de services est réputé pour raccrocher au nez des clients énervés, mais cela ne résout pas le problème. Les clients des banques, par exemple, ont tendance à s'énerver lorsqu'ils apprennent que leurs chèques n'ont pas été payés parce qu'ils étaient à découvert (ils avaient donc enfreint les règles), ou qu'une demande de prêt leur a été refusée. Pour contrôler les clients qui se répandent en remontrances par téléphone, l'employé peut suggérer avec fermeté que la conversation ne mène nulle part et proposer de rappeler le client un peu plus tard, lorsque l'effet de la nouvelle se sera estompé. Dans beaucoup de cas, une pause consacrée à la réflexion est exactement la bonne réponse.

La famille en conflit

Lorsque les incidents impliquent des clients qui sont les membres d'une même famille en pleine conversation ou en pleine altercation, l'intervention des employés peut calmer la situation ou, au contraire, l'aggraver. Certaines situations exigent une analyse détaillée et une réponse soigneusement mesurée. D'autres, comme le cas de clients qui se lancent dans une bataille de nourriture dans un restaurant chic, exigent une réponse instantanée. Les responsables de services qui se trouvent dans de telles situations doivent avoir les pieds sur terre et être préparés à agir rapidement.

Le vandale

Les dégradations physiques que des personnes indisciplinées commettent sur des infrastructures et des équipements de services sont très diverses : liquides versés dans des distributeurs automatiques de billets ; graffitis à l'intérieur et à l'extérieur des locaux ; brûlures de cigarettes sur les tapis, nappes et dessus-de-lit ; sièges d'autobus lacérés ;

mobilier d'hôtel détérioré ; combinés de téléphone cassés ou volés ; voitures d'autres clients abîmées, verres brisés, tissus déchirés… la liste est sans fin. Naturellement, les dommages ne sont pas toujours imputables aux clients, on a déjà vu des employés contrariés commettre des sabotages. Les gens ivres ou qui tout simplement sont désœuvrés se trouvent à la source de la plupart des actes de vandalisme extérieurs. L'abus d'alcool et de drogues est souvent en cause, auquel on peut ajouter les problèmes psychologiques, la négligence, le mécontentement, le désir de vengeance…

La meilleure parade contre le vandalisme est la prévention. Une sécurité améliorée, un bon éclairage peuvent aider à décourager les vandales. Les entreprises peuvent choisir d'utiliser des surfaces résistantes, de protéger les équipements et d'installer du mobilier très solide. Expliquer aux clients comment utiliser correctement les équipements (plutôt que de se battre avec eux) et signaler les objets fragiles contribue à réduire les risques d'abus ou de manipulations négligentes. Les sanctions économiques sont également envisageables : dépôts de garanties ou accords signés dans lesquels les clients s'engagent à payer pour les dommages qu'ils pourraient causer.

Que doit faire le chef d'entreprise qui subit des dommages ? Si le vandale est attrapé, il faut d'abord établir si l'acte était volontaire ou involontaire. Les sanctions pour des dommages délibérés peuvent aller du simple avertissement aux poursuites judiciaires. En ce qui concerne la réparation des dommages physiques, il est préférable de procéder rapidement (dans le respect des contraintes imposées par la loi ou les polices d'assurance). Le directeur général bien inspiré d'une compagnie d'autobus déclare :

> *Si l'un de nos autobus est saccagé, si une fenêtre est cassée, un siège détruit, ou s'il y a un graffiti sur le plafond, nous le retirons aussitôt du service, et ainsi personne ne s'en rend compte. Sinon, vous suggérez la même idée à cinq autres personnes qui étaient trop stupides pour y penser seules*[34] !

L'exploiteur

Sans compter les clients qui n'ont jamais eu l'intention de payer (voir plus haut la section « Le voleur »), de nombreuses raisons font que le service reçu n'est pas payé. Là aussi, la prévention reste la meilleure des tactiques. Un nombre croissant d'entreprises exige un paiement anticipé. Toutes les formes de vente de billets en sont un bon exemple. Les entreprises de vente en ligne demandent un numéro de carte de crédit à la commande, de même que la plupart des hôtels à la réservation. Dans les autres cas, le mieux est de présenter au client une facture immédiatement après la consommation du service. Si la société doit expédier la facture par la poste, elle doit le faire très vite, tant que le souvenir du service est encore frais dans l'esprit du client.

Tous les clients en situation irrégulière ne sont pas forcément des exploiteurs enragés. Certains peuvent avoir de bonnes raisons pour un retard de paiement, et des arrangements sont toujours possibles. La question clé est de savoir si une approche plus personnalisée est justifiée en termes de coûts, notamment par rapport aux résultats obtenus en sous-traitant la tâche à une société de recouvrement. D'autres éléments entrent aussi en ligne de compte. Si les problèmes du client sont seulement provisoires, quelle est la valeur à long terme du maintien de la relation ? Apporter une aide au client créera-t-il un sentiment et un bouche-à-oreille positifs pour l'entreprise ? Tout dépend de la valeur que l'entreprise accorde à la création et au maintien de relations durables.

Conclusion

Ce chapitre a souligné l'importance de la conception des processus et du management des services, qui sont au cœur du produit et forment de manière significative l'expérience du client. Nous avons étudié en détail l'intérêt du *blueprint* pour comprendre, rendre tangible, analyser et améliorer les processus de services. Le *blueprint* aide à identifier et à réduire les risques d'échec du service, et fournit des indications précieuses pour la conception de nouveaux processus de services.

Une part importante de la conception du processus consiste à définir les rôles que les clients devraient jouer dans la production des services. Le niveau de participation que l'on attend d'eux doit être évalué, et les clients doivent être informés et motivés pour bien jouer leur rôle dans la livraison du service.

Questions de révision

1. Quel est le rôle du *blueprint* dans la conception, la gestion et le *redesign* des processus de services ?

2. Comment des procédures fiables peuvent-elles réduire les échecs du service ?

3. Décrivez comment le *blueprint* aide à identifier les rapports entre le service de base et les services supplémentaires.

4. Comment la création et l'évaluation d'un *blueprint* de services peut-il aider les responsables à comprendre le rôle du temps dans la livraison du service ?

5. Pourquoi un *redesign* périodique du processus est-il nécessaire, et quels sont les principaux types de *redesign* de processus de services ?

6. Pourquoi le rôle du client en tant que coproducteur doit-il être déterminé dans les processus de services ? Quelles sont les implications du fait de considérer les clients comme des employés temporaires ?

7. Expliquez les facteurs qui font que les clients détestent ou apprécient les technologies de libre-service.

8. Quels sont les différents types de *jaycustomers*, et comment une société de services peut-elle faire face au comportement de tels clients ?

Exercices d'application

1. Passez en revue le *blueprint* du dîner au restaurant à la figure 8.1. Identifiez plusieurs OTSU possibles pour chaque étape du processus de *front office*. Considérez les causes fondamentales de chaque échec potentiel et suggérez des façons d'éliminer ou de réduire au minimum ces problèmes.

2. Préparez le logigramme d'un service qui vous est familier. Recherchez (a) quels sont les indicateurs de qualité du point de vue du client d'après la ligne de visibilité, (b) si toutes les étapes du processus sont nécessaires, (c) les séquences où la standardisation est possible dans l'ensemble du processus, (d) les points d'échecs potentiels et comment ils pourraient être éliminés ou faire l'objet de procédures particulières, (e) quelles sont les mesures potentielles de la performance du processus.

3. Choisissez un site Web particulièrement facile à utiliser et un autre qui ne l'est pas. Quels éléments conduisent à une utilisation satisfaisante dans le premier cas et à une frustration dans le second ? Faites des recommandations portant sur des améliorations pour le second site Web.

4. Choisissez un service et identifiez le comportement potentiel de *jaycustomers*. Comment le processus de services peut-il être conçu pour réduire au minimum ou contrôler le comportement de ces *jaycustomers* ?

Notes

1. Véronique Cova, « Le design des services », *Décisions marketing*, n° 34, avril-juin 2004, p. 29-40.

2. G. Lynn Shostack, « Understanding Services Through Blueprinting », *in* T. Schwartz et al., *Advances in Services Marketing and Management, 1992*. CT : JAI Press, Greenwich, 1992, p. 75-90.

3. G. Lynn Shostack, « Designing Services That Deliver », *Harvard Business Review*, janvier-février 1984, p. 133-139.

4. Jane Kingman-Brundage, « The ABCs of Service System Blueprinting », in M.J. Bitner and L.A. Crosby, eds, *Designing a Winning Service Strategy.* American Marketing Association, Chicago, 1989.

5. David Maister, président de Maister Associates, a inventé le terme OTSU lorsqu'il était professeur à la Harvard Business School, dans les années 1980.

6. « How Marriott Makes a Great First Impression », *The Service Edge*, vol. 6, mai 1993, p. 5

7. David E. Hansen et Peter J. Danaher, « Inconsistent Performance during the Service Encounter : What's a Good Start Worth ? », *Journal of Service Research*, vol. 1, février 1999, p. 227-235 ; Richard B. Chase and Sriram Dasu, « Want to Perfect Your Company's Service ? Use Behavorial Science », *Harvard Business Review 79*, 2001, p. 78-85.

8. Lisa Bannon, « Plastic Surgeons Are Told to Pay More Attention to Appearances », *Wall Street Journal*, 15 mars 1997.

9. Jochen Wirtz et Monica Tomlin, « Institutionalizing Customer-driven Learning Through Fully Integrated Customer Feedback Systems », *Managing Service Quality*, n° 4, 2000, p. 205-215.

10. Mitchell T. Rabkin, MD, cité in Christopher H. Lovelock, *Product Plus*, McGraw-Hill, New York, 1994, p. 354-355.s

11. Voir, par exemple, Michael Hammer and James Champy, *Reeingineering the Corporation*, Harper Business, New York, 1993.

12. Cette section est en partie basée sur Leonard L. Berry et Sandra K. Lampo, « Teaching an Old Service New Tricks – The Promise of Service Redesign », *Journal of Service Research 2*, n° 3, février 2000, p. 265-275. Berry et Lampo identifient les cinq concepts de *redesign* des services suivants : libre-service, service direct, pré-service, bundle, service physique. Nous élargissons certains de ces concepts de façon à intégrer quelques-uns des aspects permettant d'améliorer la productivité, comme l'élimination des tâches sans valeur ajoutée tout au long du processus de livraison des services.

13. Amy Risch Rodie et Susan Schultz Klein, « Customer Participation in Services Production and Delivery », in T. A. Schwartz et D. Iacobucci, *Handbook of Service Marketing and Management*, Thousand Oaks, Sage Publications, Californie, 2000, p. 111-125.

14. Mary Jo Bitner, William T. Faranda, Amy R. Hubbert, et Valarie Zeithaml, « Customer Contributions and Roles in Service Delivery 3 », *International Journal of Service Management 8*, n° 3, 1997, p. 193-205.

15. Deny Belisle, Line Ricard, « L'impact du degré d'utilisation des technologies bancaires libre-service sur la perception des jeunes consommateurs du niveau relationnel de leur banque », Acte du congrès de l'AFM, vol. 18, Lille, 2002.

16. Pratibha A. Dabholkar, L. Michelle Bobbitt, et Eun-Ju Lee, « Understanding Consumer Motivation and Behavior Related to Self-Scanning in Retailing », *International Journal of Service Industry Management 14*, n° 1, 2003, p. 59-95.

17. Matthew L. Meuter, Amy L. Ostrom, Robert I. Roundtree et Mary Jo Bitner, « Self-Service Technologies : Understanding Customer Satisfaction with Technology-Based Service Encounters », *Journal of Marketing 64*, juillet 2000, p. 50-64.

18. Neeli Bendapudi et Robert P. Leone, « Psychological Implications of Customer Participation in Co-Production », *Journal of Marketing 67*, janvier 2003, p. 14-28.

19. Curran J. M. & Meuter M. L., 2007, « Encouraging Customers to Switch to Self Service Technologies : Put a Little Fun in Their Lives », *Journal of Marketing Theory and Practice*, vol. 15, n° 4, fall, p. 283-298.

20. David G. Mick et Susan Fournier, « Paradoxes of Technology : Consumer Cognizance, Emotions, and Coping Strategies », *Journal of Consumer Research 25*, septembre 1998, p. 123-143.

21. James M. Curran, Matthew L. Meuter et Carol G. Surprenant, « Intentions to Use Self-Service Technologies : A Confluence of Multiple Attitudes », *Journal of Service Research 5*, février 2003, p. 209-224.

22. Annabel Salerno, « Personnalisation et connexion identitaire dans la relation du consommateur à l'organisation de service », *Acte de l'AFM de Deauville*, 2001.

23. Meuter et al. 2000 ; Mary Jo Bitner, « Self-Service Technologies : What Do Customers Expect ? », *Marketing Management*, 2001, p. 10-11.

24. Bitner, 2001, *op. cit.*

25. www.ebay.com, avril 2003.

26. Benjamin Schneider et David E. Bowen, « Winning the Service Game », *Harvard Business School Press*, Boston, 1995, p. 92.

27. David E. Bowen, « Managing Customers as Human Resources in Service Organizations », *Human Resources Management,* vol. 25, n° 3, 1986, p. 371-383.

28. Benjamin Schneider et David E. Bowen, *op cit,* p. 85.

29. Bonnie Farber Canziani, « Leveraging Customer Competency in Service Firms », *International Journal of Service Industry Management*, vol. 8. n° 1, 1997, p. 5-25.

30. Cette section est adaptée de Christopher Lovelock, *Product Plus*, McGraw-Hill, New York, 1994, chapitre 15.

31. Lloyd C. Harris et Kate L. Reynolds, « The Consequences of Dysfunctional Customer Behavior », *Journal of Service Research*, 6 novembre 2003, p. 144-161.

32. Basé sur Rob Ortega et Emily Nelson, « Skiing Deaths May Fuel Calls for Helmets », *Wall Street Journal*, 7 janvier 1998.

33. Pour une description amusante et explicite de différents types de querelleurs, voir Ron Zemke et Kristin Anderson, « The Customers from Hell », *Training*, vol. 26, février 1990, p. 25 31.

34. Christopher Lovelock, *Product Plus*, McGraw-Hill, New York, 1994, p. 236.

Chapitre 9
Équilibrer la demande et la capacité de production

« Équilibrer la demande et la fourniture de services n'est pas facile. C'est sur ce point qu'un manager qui y parvient fait la différence. » – Earl Sasser

« Ils servent aussi ceux qui sont là et attendent. » – John Milton

Objectifs de ce chapitre

- Que signifie le terme « capacité » dans l'univers des services et comment est-elle mesurée ?

- Peut-on prévoir les fluctuations de la demande et identifier leurs causes ?

- Comment les techniques de gestion de la capacité peuvent-elles être utilisées pour être en adéquation avec les variations de la demande ?

- Quelles stratégies marketing les entreprises de services peuvent-elles utiliser afin d'atténuer les fluctuations de la demande ?

- Si les clients doivent attendre pour obtenir un service, comment peut-on rendre cette attente moins ennuyeuse ?

- Que doit-on prendre en compte dans la mise en place d'un système de réservation efficace ? Faire face aux variations de la demande est un défi auquel les différents types d'entreprises de services doivent faire face. Ces fluctuations, qui peuvent avoir différentes fréquences (une saison, une heure...), désorganisent de façon significative l'entreprise et empêchent l'utilisation efficace des actifs de production. En travaillant étroitement avec les collaborateurs des opérations et des ressources humaines, les marketeurs peuvent mettre en place des stratégies d'équilibrage de la demande et de la capacité de production, afin qu'elles génèrent des bénéfices aussi bien pour les clients que pour les fournisseurs de service.

1. Les fluctuations de la demande menacent la productivité des services

Contrairement aux biens manufacturés, les services sont périssables et ne peuvent être stockés pour être vendus à une date ultérieure. Cela est un problème pour tout service possédant une capacité de production limitée et devant faire face à des variations de la demande. La question se pose le plus souvent dans les services relatifs au traitement des personnes ou des biens, comme dans les transports, le logement, la restauration, l'entretien et la réparation, les divertissements et la santé. Cela touche aussi les services à forte main-d'œuvre et les services de traitement de l'information, qui rencontrent des modifications cycliques de la demande. La comptabilité et la fiscalité en sont deux exemples.

L'utilisation efficace des capacités de production est la clé du succès dans ce type d'activités. Le but n'est pas d'utiliser au maximum le personnel, la main-d'œuvre ou les machines, mais de maximiser leur productivité. Cette recherche de productivité ne doit pas être faite aux dépens de la qualité, ni entraîner une dégradation de l'expérience du consommateur.

1.1. D'une demande excessive à une capacité excessive

Le cas est fréquent. Un directeur explique : « Pour nous, c'est soit un festin, soit la famine. Lors des périodes de pic, nous refusons des clients. Quand l'activité baisse, nos installations fonctionnent en sous régime, nos employés s'ennuient et nous perdons de l'argent. » À n'importe quel moment, un service à capacité de production fixe peut faire face à quatre situations :

- *Une demande excessive :* le niveau de demande excède la capacité disponible, entraînant le refus de servir des consommateurs et parfois la perte d'affaires.

- *Une demande supérieure à la capacité optimale :* tout le monde est servi, mais chacun est susceptible de ressentir une détérioration de la qualité du service.

- *Un équilibre entre demande et capacité au niveau de capacité optimal :* le personnel et les installations tournent à plein régime, sans pour autant être débordés, et les clients reçoivent des services de qualité sans délai.

- *Une capacité supérieure à la demande :* la demande est inférieure à la capacité optimale, et des ressources de production restent sous-utilisées ; l'entreprise court le risque (dans certains cas) de voir ses clients déçus et émettre des doutes quant à la viabilité et la pertinence du service.

Parfois, les capacités optimales et maximales se rejoignent. Dans une situation où la performance est immédiate, comme dans un théâtre ou un stade, une occupation maximale est exceptionnelle. Elle stimule les acteurs et crée une atmosphère d'excitation et d'interactivité qui améliore la qualité du service. Avec d'autres services, on peut penser que la qualité sera au rendez-vous si l'entreprise n'opère pas à plein rendement. La qualité de la restauration, par exemple, se détériore souvent lorsque la salle est pleine, car le personnel est surchargé, ce qui entraîne un plus grand nombre d'erreurs et des délais allongés. Dans un avion, on est plus à l'aise lorsque le siège à côté du sien est vide. Quand les agendas des ateliers de réparation sont pleins, il en résulte souvent des délais supplémentaires si des ajustements du système pour gérer les difficultés inattendues n'ont pas été prévus.

Il existe deux approches possibles au problème des fluctuations de la demande. L'une est d'ajuster la capacité afin de supporter les variations de la demande. Cette approche nécessite de bien connaître ce qui compose la capacité de production et de savoir comment elle peut être augmentée ou diminuée. La seconde approche consiste à gérer le niveau de la demande en utilisant des stratégies marketing pour lisser les pics et combler les creux dans le but de créer une demande constante pour ce service. Un grand nombre d'entreprises utilisent un mix des deux approches[1].

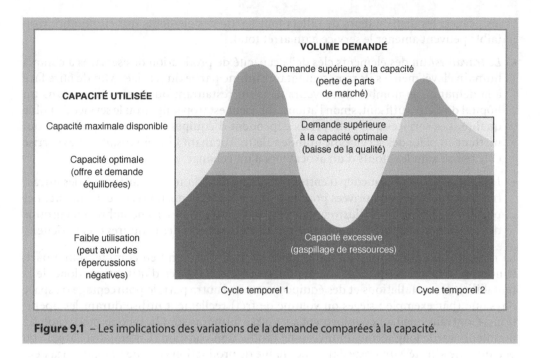

Figure 9.1 – Les implications des variations de la demande comparées à la capacité.

2. Un grand nombre d'entreprises de services ont des capacités de livraison limitées

À un moment donné, les entreprises se retrouvent limitées quant à leur capacité de traiter un client supplémentaire. Ces entreprises peuvent également se trouver dans l'impossibilité de réduire leur capacité de production lorsque la demande est faible. En général, les entreprises de services basées sur le traitement des personnes ou des biens sont plus exposées aux situations de contraintes que celles qui utilisent des processus basés sur l'information.

2.1. Définition de la capacité de production

Que voulons-nous dire par capacité de production ? Nous faisons ici référence aux ressources que l'entreprise doit mobiliser pour créer des biens et/ou des services. Dans le contexte des services, cette capacité peut prendre plusieurs formes :

- *Les installations physiques destinées à recevoir des personnes :* les hôtels, les cliniques, les avions, les salles de classe. La première contrainte repose sur les fournitures : lits, sièges ou chambres disponibles. Dans certains cas, des règles peuvent fixer une capacité maximale de places pour respecter des impératifs de sécurité ou d'hygiène.

- *Les installations physiques destinées à stocker ou à produire des biens* appartenant aux clients ou qui leur sont proposés : les oléoducs, les hangars, les parkings ou le transport ferroviaire de marchandises.

- *Les équipements physiques utilisés pour traiter les informations, les biens ou les personnes elles-mêmes* sont divers et très nombreux : les détecteurs d'armes dans les aéroports, les péages, les distributeurs de billets font partie des éléments qui en nombre trop faible peuvent amener le service à un arrêt total.

- *Le travail est* un des éléments clés de la capacité de production des services à contact humain élevé, même s'ils représentent une infime partie du service. Afin de faire face à la demande, le nombre de serveurs dans un restaurant ou d'infirmières dans un hôpital doit être suffisant, sinon l'attente du client est trop longue ou le service de faible qualité. Les services aux entreprises dépendent d'équipes hautement qualifiées qui mettent en place des services de grande valeur. Abraham Lincoln disait : « L'expertise et le temps sont les atouts d'un avocat lors d'un échange. »

- *Les infrastructures :* beaucoup d'entreprises dépendent d'un accès suffisant à des infrastructures publiques ou privées pour apporter à leurs clients un service de qualité. Les problèmes de capacité s'illustrent dans le cas d'un trafic aérien encombré qui entraîne des restrictions de vol, des bouchons sur les autoroutes et des coupures d'électricité.

La mesure de l'utilisation de la capacité de production prend en compte, d'une part, le nombre d'heures disponibles ou le pourcentage de la durée d'utilisation, donc de la rentabilité des installations et des équipements, et d'autre part, le pourcentage d'espace physique (par exemple : sièges ou volume de fret) réellement utilisé durant les opérations. Contrairement aux équipements, les êtres humains sont beaucoup moins aptes à maintenir sur le long terme un niveau de production constant. Un employé fatigué ou peu qualifié affecté à un poste dans une chaîne de production comme une cafétéria peut ralentir l'ensemble du service.

Un grand nombre de services dans le secteur médical, les réparations ou la maintenance consistent en un ensemble d'actions effectuées séquentiellement. Cela veut dire que la capacité d'une entreprise de services à donner satisfaction est limitée par ses infrastructures, ses équipements, son personnel et par le nombre de services proposés. Dans une société de services bien organisée et bien gérée, la capacité des installations et des équipements est en adéquation avec le personnel. De même, l'ordonnancement en séquences des opérations doit être organisé afin de minimiser les risques de goulot d'étranglement à tout moment durant le processus.

La réussite financière dans une activité à capacité limitée est dans une large mesure fonction de la capacité du management à utiliser un personnel, des équipements et des installations productives de la façon la plus efficiente et la plus profitable possible. Toutefois, cette situation idéale peut se révéler difficile à atteindre. Le niveau de demande n'est pas le seul à varier sur la durée (le plus souvent aléatoirement), le temps et l'effort requis pour traiter chaque personne ou objet peuvent également varier à tout moment du processus. En général, les temps de traitement sont plus variables pour les personnes (tempéraments coopératifs ou pas, besoins de préparation différents, etc.) que pour les objets. De plus, les tâches des services ne sont pas forcément homogènes. Dans les services techniques et les services de réparation, les délais de diagnostic et de traitement varient en fonction de la nature du problème rencontré par le client.

2.2. Augmenter ou réduire la capacité

Certaines capacités sont élastiques et capables d'absorber la demande. Un wagon de métro, par exemple, peut offrir 40 places assises et 60 places debout en trafic normal. Néanmoins, aux heures de pointe, ou lorsque des retards ont lieu sur la ligne, on peut quand même y faire entrer 200 personnes. Dans certains cas, le personnel de service peut augmenter son niveau d'efficacité sur de courtes périodes, mais la conséquence directe sera une fatigue accrue et très certainement un service de qualité inférieure.

Quand la capacité est fixe, par exemple lorsqu'elle est liée au nombre de sièges, il est toujours possible de la faire varier en rajoutant des sièges aux heures de pointe. Certaines compagnies aériennes augmentent la capacité de leurs avions en réduisant l'écart entre deux sièges dans toute la cabine, ce qui leur permet d'obtenir deux rangs supplémentaires. De même, un restaurant peut rajouter des tables et des chaises. Ces pratiques sont souvent limitées par des consignes de sécurité et par la capacité des services annexes, comme les cuisines.

Une autre stratégie pour augmenter la capacité consiste à utiliser les installations sur des périodes plus longues : par exemple, proposer des dîners à des horaires tardifs ou mettre en place des sessions de cours durant l'été ou en soirée.

En général, le temps moyen passé par les clients (ou leurs biens) lors du processus peut-être réduit, notamment par une réduction du délai d'attente par exemple lorsque l'addition est rapidement présentée aux clients une fois le repas terminé. Cette diminution des délais peut être atteinte en réduisant le service : par exemple en proposant un menu plus simple lors des heures d'affluence.

2.3. Ajuster la capacité pour répondre à la demande

Une autre solution réside dans la possibilité d'adapter le niveau global des capacités de production aux variations de la demande. Pour cela, les responsables peuvent prendre plusieurs dispositions[2] :

- *Programmer l'entretien et la maintenance des équipements pendant les périodes de faible demande.* Afin de garantir la disponibilité de 100 % de la capacité durant les pics d'activité, il faut gérer les activités de réparation et de maintenance quand la demande est faible. Il convient également que les employés prennent leurs congés pendant cette période.

- *Employer du personnel à temps partiel.* Beaucoup d'entreprises ont recours au service de travailleurs extérieurs à l'entreprise quand elles sont confrontées à des pics d'activité : postiers, commerçants pendant la période de Noël, hôtels et restaurants pendant les périodes de vacances ou lors de manifestations importantes.

- *Louer ou cogérer des équipements ou installations supplémentaires.* Pour limiter ses investissements, une société de services peut avoir recours à la location de locaux ou de machines supplémentaires lors de périodes de forte activité. Des entreprises dont les segments de demande sont complémentaires peuvent ainsi conclure des accords de cogestion formels.

- *Polyvalence des employés.* Même lorsque le système de production de services semble opérer à plein rendement, certains éléments physiques, mais aussi les employés qui y sont affectés, peuvent demeurer sous-employés. Si les compétences des employés sont diversifiées, ils peuvent être redirigés en fonction des besoins vers les postes où leur savoir-faire est utile, ce qui augmente la capacité totale du système. Dans les supermarchés, par exemple, le responsable peut affecter des employés de rayons aux caisses lorsque les files d'attente deviennent trop longues. De même, durant les périodes calmes, les caissiers peuvent être amenés à aider dans les rayons et *vice versa*.

Parfois, le problème ne réside pas dans le niveau de capacité globale mais dans le mix en place pour répondre aux besoins des différents segments du marché. Par exemple, sur un vol donné, une compagnie peut avoir un nombre trop faible de sièges libres en classe économique, même s'il y a des sièges vides en classe affaires ; ou bien un hôtel peut se retrouver en manque de suites alors que des chambres standard sont encore à disposition. Une solution passe par la mise en place d'installations flexibles. Des hôtels possèdent des chambres communicantes. Si l'hôtelier condamne la porte entre les deux pièces, il peut vendre deux chambres ; à l'inverse, l'une des deux chambres peut servir de salon et permettre ainsi de mettre une suite à disposition.

En pleine concurrence avec Airbus Industries, Boeing a reçu ce qui fut décrit comme des demandes excessives de la part de clients se renseignant sur le B 777. Les compagnies voulaient un avion où les cuisines et les toilettes pouvaient être déplacées, tuyauterie comprise, et ce, en quelques heures. Boeing a résolu le problème. Les compagnies peuvent désormais reconfigurer la cabine du « Triple 7 » en peu de temps, en affectant le nombre de sièges voulu dans chacune des trois classes selon leurs souhaits.

Toute la capacité de production non vendue n'est pas forcément gaspillée. Un grand nombre d'entreprises ont une approche stratégique d'anticipation de la surcapacité, l'allouant à l'avance afin de créer des relations avec les clients, les fournisseurs, les employés et les intermédiaires. Des essais gratuits pour les clients ou les intermédiaires, des récompenses pour les employés et l'échange de capacité avec les fournisseurs de l'entreprise peuvent être des solutions positives[3]. Les services les plus échangés sont l'espace publicitaire, le temps d'antenne, les sièges d'avion et les chambres d'hôtel.

3. Modèles et déterminants de la demande

Regardons maintenant de l'autre côté de l'équation. Afin de contrôler les variations de la demande pour un service donné, les responsables doivent connaître les facteurs qui influencent cette demande.

3.1. Comprendre les modèles de demande

Répondre à la série de questions proposées dans le tableau 9.1 permet de comprendre les modèles de demande et de mieux y faire face.

La plupart des variations cycliques de la demande pour un service particulier se produisent sur une durée qui va de 1 jour à 12 mois. L'impact des changements saisonniers est bien connu et influence la demande d'un grand nombre de services. La faible demande lors des périodes hors saison est un problème pour les offices de tourisme.

Dans beaucoup de cas, plusieurs cycles ont lieu en même temps. Par exemple, la demande en transports en commun varie en fonction de l'heure (au plus haut aux heures d'ouverture et de fermeture des bureaux), du jour de la semaine (départs en week-end), et de la saison (plus de touristes en été). Autrement dit, la demande pour ce type de service un vendredi soir en période estivale aura tendance à être supérieure à celle d'un lundi après-midi en hiver.

Tableau 9.1	Questions en relation avec les modèles de demande et leurs causes[4]

1. Le niveau de demande suit-il un cycle prévisible ?
Si c'est le cas, le cycle dure-t-il :
- un jour (variations en heures) ;
- une semaine (variations en jours) ;
- un mois (variations en jours ou en semaines) ;
- une année (variations en mois ou saisons, ou encore en fonction des vacances scolaires) ;
- toute autre périodicité.

2. Quelles sont les causes qui sous-tendent ces variations cycliques ?
- le calendrier des embauches ;
- le paiement des impôts et taxes ;
- les échéances de paiement des salaires ;
- les vacances et horaires scolaires ;
- les modifications saisonnières du climat ;
- les jours fériés ou fêtes religieuses ;
- les cycles naturels, comme les marées.

3. Les niveaux de demande changent-ils aléatoirement ?
Si c'est le cas, les causes peuvent-elles être :
- des changements météorologiques quotidiens ;
- des événements liés à la santé que l'on ne peut exactement prévoir ;
- des accidents, des incendies et certaines activités délictueuses ;
- les catastrophes naturelles, comme les tremblements de terre, les tempêtes ou les éruptions volcaniques.

4. La demande pour un service particulier peut-elle se modifier dans le temps à cause des changements de comportement de certains segments de marché ?
L'accent sera mis sur des composantes comme :
- les comportements de consommation par un type particulier de client ou dans un but particulier ;
- les variations de bénéfices nets pour chaque affaire menée à terme.

3.2. Analyser les moteurs de la demande

Aucune stratégie pour lisser la demande ne peut être un succès si elle n'est pas basée sur la connaissance et la motivation des clients d'un segment de marché spécifique. Il est difficile pour les hôtels de convaincre leur clientèle d'affaires de rester les samedis, sachant que peu de professionnels voyagent le week-end. À l'inverse, ils devraient faire plus de publicité sur la possibilité d'utiliser leurs installations pour des conférences ou bien en tant que lieu de détente le week-end. Essayer de faire voyager les gens en dehors des périodes de pointe serait un échec, car ces périodes sont déterminées par leurs horaires de travail. On pourrait cependant essayer de convaincre les employeurs de rendre leurs horaires plus flexibles. Les entreprises concernées admettent que des prix faibles en basse saison ne permettent pas à l'activité de se développer, mais qu'il peut être profitable de développer d'autres activités. Les stations balnéaires, par exemple, peuvent mettre en place des activités telles que la marche, la découverte de la faune et de la flore ou les visites de musées lors des saisons « creuses », comme le printemps et l'automne. Elles changent alors le mix et l'objectif des services pour cibler différents types de clientèles.

Garder une trace des transactions passées peut être aussi utile pour mieux étudier les facteurs déterminants de la demande. Il existe des systèmes sophistiqués qui permettent de déterminer différents modèles de consommation des clients en fonction de la date et du moment de la journée. Enregistrer les conditions météorologiques et tout facteur susceptible d'influencer la demande (une grève, un accident, une exposition en ville, un changement de prix, le lancement d'un service concurrent, etc.) peut également être instructif.

3.3. Répartir la demande en fonction des segments de marché

Les fluctuations aléatoires trouvent généralement leurs causes hors du champ du management. Mais l'analyse révèle parfois qu'un cycle de demande prévisible valable pour un segment dissimule un ensemble plus aléatoire. D'où la nécessité de détailler la demande segment par segment. Par exemple, le responsable d'une entreprise de réparation et de maintenance d'équipements électriques industriels peut avoir une certaine part de son travail alimentée par une série de contrats de maintenance préventive. En parallèle, il peut gérer des affaires « imprévues » et des réparations d'urgence.

Bien qu'il puisse sembler difficile de prévoir ou de contrôler le temps et le volume des imprévus, des analyses plus poussées peuvent montrer qu'ils sont plus fréquents certains jours de la semaine, ou encore que les réparations d'urgence sont souvent nombreuses après un orage ou une tempête (événements plutôt saisonniers qui peuvent souvent être anticipés un jour ou deux jours à l'avance). Toutes les demandes urgentes ne sont d'ailleurs pas désirables. Certaines demandes de services sont mal formulées et il est difficile de répondre correctement aux besoins pourtant légitimes des clients. Comme le relate l'encadré Meilleures pratiques 9.1, un grand nombre d'appels vers les centres d'urgence 15, 17 ou 18 ne nécessitent pas l'envoi du SAMU, des pompiers ou de la police. Décourager ces demandes indésirables à travers des campagnes publicitaires ou des systèmes de filtrage ne réduira pas les fluctuations aléatoires de la demande, mais permettra de réduire les pics d'activité et de les rapprocher des capacités des entreprises.

Meilleures pratiques 9.1

Décourager les appels non urgents

Vous êtes-vous déjà interrogé sur le travail des centres de secours 15, 17 ou 18 ? La nature des urgences diffère selon les personnes.

Au standard téléphonique de la police parisienne, un employé de permanence répond à une femme qui appelle parce que son chat est perché sur un arbre et qu'elle a peur qu'il ne sache pas descendre : « Madame, avez-vous déjà vu le squelette d'un chat dans un arbre ? » lui demande-t-il. « Tous les chats descendent à un moment ou un autre, non ? » La femme raccroche et le policier se retourne vers un visiteur : « Ce genre d'appel se produit tout le temps. Qu'est-ce qu'on peut y faire ? » Le problème est que lorsque des gens appellent pour des soirées trop bruyantes, des chats perchés, ou bien des fuites d'hydrocarbures, ils empêchent parfois de répondre à des appels concernant des incendies, des arrêts cardiaques ou bien des crimes.

…

Meilleures pratiques 9.1

...

À New York, la situation était tellement critique que les hauts responsables ont dû mettre en place une campagne visant à décourager le recours au 911 (numéro d'appel d'urgence) pour ce type d'appels. Le problème est qu'un chat perché ou bien une soirée qui dérange le sommeil d'un voisin ne représentent pas une situation vitale du ressort des services d'urgence de la ville. La campagne de communication, relayée dans différents médias et affichée sur les bus et dans les stations de métro, avait pour objectif de sensibiliser les gens à n'appeler que si l'urgence était vitale (ou vraiment grave). Dans le cas contraire, ils étaient incités à appeler le commissariat le plus proche ou les autres services de la ville.

Les efforts marketing peuvent-ils aplanir les variations aléatoires de la demande ? La réponse est le plus souvent négative, puisque ces fluctuations se trouvent en général hors du contrôle des sociétés de services. L'analyse révèle cependant qu'un cycle de demande prévisible pour un segment se trouve perdu dans un ensemble plus grand, apparemment aléatoire. Par exemple, un magasin peut avoir des fluctuations de revenu quotidiennes, mais constater qu'un noyau dur de clients est passé tous les jours et a acheté des journaux ou des confiseries.

C'est la nature des enregistrements conservés par la société de services qui conditionne la facilité avec laquelle on peut prévoir la demande. Si chaque commande de client est conservée séparément, et documentée par des notes détaillées (comme lors d'une consultation médicale ou d'un bilan comptable), cela simplifie grandement la compréhension de la demande. Dans les services par abonnement, lorsque l'identité de chaque client est connue et que des factures spécifiques lui sont envoyées mensuellement, les responsables peuvent accéder à certaines informations concernant leurs habitudes de consommation. Certains services, comme la téléphonie, peuvent même déterminer les habitudes de consommation des abonnés en fonction de l'heure. Bien que ces données ne fournissent pas toujours les renseignements spécifiques que l'on recherche, il est souvent possible d'en tirer des conclusions quant au volume de ventes généré par les différents groupes d'utilisateurs.

4. Il est possible de gérer la demande[5]

Il existe cinq approches traditionnelles pour gérer la demande. La première, qui n'a que l'avantage de la simplicité, implique de *ne conduire aucune action et de laisser la demande se stabiliser toute seule*. Les clients finiront bien par apprendre avec l'expérience ou grâce au bouche-à-oreille quand ils doivent s'attendre à faire la queue et quand le service est rapidement disponible. Le seul problème, c'est qu'ils peuvent également apprendre à s'adresser à la concurrence pour obtenir satisfaction, et qu'une sous-utilisation des capacités de production ne peut être enrayée sans rien faire. Des approches plus interventionnistes cherchent à influencer le niveau de la demande soit pour la *réduire* en période pleine, soit pour l'*augmenter* en période creuse. Deux autres approches impliquent, elles, de faire l'inventaire de la demande jusqu'à l'indisponibilité des capacités de production. Cela peut être accompli en mettant en place un *système de réservation* qui assure aux clients un accès au service en temps voulu, ou alors *en créant un système formalisé de liste d'attente* (les deux pouvant être combinés).

Le tableau 9.2 rapproche les cinq possibilités aux deux problèmes liés à un excès de demande et un excès de capacité. Il est accompagné de commentaires stratégiques. Un certain nombre de sociétés de services rencontrent ces deux situations à un moment du cycle de la demande et doivent, dans la mesure du possible, utiliser les approches interventionnistes décrites et suggérées ci-dessus.

Tableau 9.2	Stratégies de gestion de la demande selon les différents niveaux de capacité	
Approche pratiquée pour gérer la demande	**Capacité insuffisante (demande en excès)**	**Capacité excessive (demande insuffisante)**
Aucune réaction.	Attente désorganisée. (Peut irriter les clients et les décourager pour de futures affaires.)	Capacité sous-employée. (Les clients peuvent être déçus, par exemple au théâtre.)
Réduire la demande.	Augmenter les prix fera croître les bénéfices. On peut utiliser la communication pour encourager une utilisation différente dans le temps. (Cet effort peut-il être centré sur des segments moins porteurs ?)	Aucune action (voir ci-dessous).
Augmenter la demande.	Aucune mesure à prendre, à moins que des segments porteurs ne puissent être stimulés.	Fixer des prix relativement bas (éviter la cannibalisation des autres produits ; s'assurer que le seuil de rentabilité est atteint). Utiliser la promotion et les variations entre produits et distribution (mais attention aux coûts supplémentaires et s'assurer d'un compromis entre parts de marché et rentabilité).
Inventorier la demande par un système de réservations.	Considérer le système le mieux adapté aux segments importants. Déplacer les autres clients vers les périodes creuses ou des pics à venir.	Bien montrer que des places sont disponibles et qu'aucune réservation n'est nécessaire.
Inventorier la demande par une liste d'attente formelle.	Penser à ne cibler éventuellement que les segments les plus porteurs. Chercher à occuper et à mettre à l'aise les clients durant l'attente. Essayer de donner un ordre d'idées concernant l'attente.	Inapplicable.

4.1. Les stratégies marketing pour remodeler la demande

Certains éléments du mix marketing jouent un rôle dans la stimulation de la demande ou la diminution des capacités de production quand elles sont trop importantes. Le prix est souvent la variable mise en avant lorsqu'il faut équilibrer la demande et l'offre, mais des modifications du produit, de la stratégie de distribution et de la communication peuvent également jouer un rôle important. Bien que chaque élément soit déterminé séparément, des efforts efficaces de gestion de la demande nécessitent des changements simultanés de deux ou plusieurs de ces variables.

Utilisation du prix et des coûts pour influencer la demande

La manière la plus simple pour réduire l'excédent de demande lors des périodes de forte activité est d'augmenter le prix du service durant ces périodes. D'autres coûts pour le client peuvent avoir des effets similaires. Par exemple, si en plus du prix le temps d'attente augmente lors des périodes de forte activité, les plus impatients seront probablement découragés. De même, des prix bas et l'absence d'attente peuvent encourager certains clients à modifier leur comportement, que ce soit pour du shopping, un voyage ou la visite d'un musée.

Pour que les prix soient efficaces en tant qu'outil de gestion de la demande, le marketeur doit avoir une certaine idée de la forme et de la pente de la courbe de demande de service, c'est-à-dire de la manière dont le volume de services demandé répond aux augmentations et diminutions du prix à l'unité, à un moment donné (voir figure 9.2). Il est important de déterminer si la courbe de la demande d'un service spécifique varie beaucoup d'une période à une autre (le client est-il prêt à payer plus pour une nuit de week-end à Biarritz en été qu'en hiver ?). Si c'est le cas, des systèmes de tarification variables peuvent se révéler nécessaires pour utiliser pleinement la capacité, quelle que soit la période. Pour compliquer encore les choses, on peut rencontrer des courbes de demande distinctes pour différents segments à l'intérieur de chaque période (les professionnels, lors de leurs déplacements, sont moins sensibles aux prix que les vacanciers).

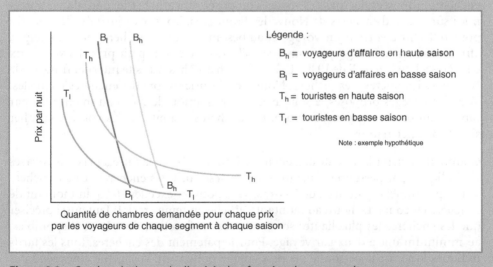

Figure 9.2 – Courbes de demande d'un hôtel en fonction du segment de consommateur et de la saison.

L'une des tâches les plus ardues pour les experts en marketing est la détermination de la nature de ces différentes courbes de demande. Les études, les expériences et l'analyse de situations semblables ou de services comparables sont tous des moyens valables pour parvenir à comprendre la situation. Beaucoup de sociétés de services reconnaissent explicitement l'existence de différentes courbes de demande pour différents segments sur la même période en établissant des catégories de services, chacune ayant un prix sur la courbe de demande d'un segment particulier. En fait, chaque segment reçoit une variation du produit de base, qui comprend un service de base assorti de services supplémentaires différents de façon à attirer les segments les plus porteurs. Par exemple, dans les entreprises d'informatique, le « plus produit » prend la forme d'un temps de retour sur investissement plus rapide ; et dans les hôtels, les chambres sont différenciées par leur taille, leurs aménagements et leurs vues.

Dans tous les cas, l'objectif est de maximiser les revenus sur chaque segment. Toutefois, lorsque la capacité est limitée, une entreprise à but lucratif veut s'assurer que ce sont les segments porteurs qui utilisent la majorité des capacités de production. Les compagnies aériennes, par exemple, disposent d'un certain nombre de places plein tarif pour les professionnels et imposent des conditions de restriction sur les voyages touristiques (comme payer à l'avance ou bien rester la nuit du samedi) afin de décourager les professionnels de profiter des offres pour touristes et de remplir au mieux les avions. Ces stratégies de prix sont connues sont le nom de *yield management* et ont été abordées au chapitre 5.

Meilleures pratiques 9.2

Les enchères Nouvelles Frontières

Les enchères sur Nouvelles Frontières permettent d'obtenir des réductions très appréciables sur vos destinations de voyages. Pour participer aux ventes aux enchères sur le site internet Nouvelles Frontières, vous devez vous inscrire, votre inscription est sécurisée, et elle vous permettra ensuite de participer toutes les semaines aux enchères proposées. La liste des voyages proposés sera affichée le lundi dans l'après-midi sur le site d'enchères de Nouvelles Frontières. Vous avez jusqu'au lendemain pour réfléchir à votre futur voyage et au besoin suivre les enchères et y participer, afin de gagner le voyage que vous avez sélectionné à tout petit prix. La vente aux enchères a lieu le mardi de 10 h à 12 h et de 15 h à 17 h, sur le site internet français de Nouvelles Frontières. Les enchères Nouvelles Frontières sont des enchères virtuelles. Tous les voyages proposés le sont avec une réduction de 75 % au maximum par rapport au prix fixé sur la brochure. Les enchères se font sur des vols avions aller simple ou aller-retour.

Comment se déroule la vente aux enchères ? Tout d'abord, la mise à prix des voyages est indiquée par personne, dans un tableau descriptif des enchères. La surenchère se fait par tranche minimale de 5 euros, sans pouvoir excéder 10 % du montant de l'enchère en cours. Le nouveau montant s'affiche en temps réel. Il faut aussi préciser que les enchères les plus hautes sont retenues en fonction des places disponibles, au minimum une à deux par voyage. Pour le paiement des enchères, tous les tarifs indiqués le sont par personne ; le prix adjugé pour votre voyage ne comprend pas les taxes d'aéroport, les frais de réservation qui vont être de 10 euros par personne ; vous devrez régler la totalité du prix adjugé en euros à l'issue de la vente, par carte bancaire. Aucun remboursement ne sera effectué en cas de non-utilisation du billet. Les billets d'avion et bons d'échange seront à votre disposition, le jour de votre départ, au comptoir Nouvelles Frontières situé dans l'aéroport de votre lieu de départ.

Source : http://encheres.nouvelles-frontieres.fr.

Modifications du service

Bien que la fixation du prix reste la méthode d'équilibrage de l'offre et de la demande la plus courante, elle n'est pas aussi efficace pour les services que pour les biens. Un exemple évident est le cas des problèmes respectifs d'un fabricant de skis et d'un organisme gérant de stations de sports d'hiver en été. Le premier peut soit produire pour stocker, soit essayer de vendre des skis à bas prix en été. Si ses articles sont suffisamment bon marché, certains clients les achèteront avant la haute saison de façon à faire une bonne affaire. Toutefois, en l'absence de possibilité de skier, aucun skieur ne voudra payer un forfait de remonte-pente à quelque prix que ce soit en été. Ainsi, pour encourager l'utilisation des installations en montagne l'été, l'opérateur doit modifier son offre de produit (voir encadré Meilleures pratiques 9.3).

L'été sur les pistes de ski

Il fut un temps où les stations de ski fermaient quand la neige avait fondu et que les pistes étaient devenues impraticables. Les télésièges s'arrêtaient, les restaurants et les volets des chalets se fermaient jusqu'à l'approche de l'hiver suivant et des premières chutes de neige. Certains ont compris pourtant que la montagne offrait également des plaisirs en été et ont laissé chalets et restaurants ouverts pour les randonneurs et les promeneurs. Les stations ont créé des pistes artificielles et des toboggans sinueux où l'on s'amusait avec une luge sur roues, créant ainsi une demande pour les remontées mécaniques. Avec la construction d'ensembles résidentiels, la demande d'activités estivales a augmenté puisque les propriétaires s'y rendaient pendant l'été et au début de l'automne.

L'engouement pour le VTT a amené les adeptes à acheter des forfaits ou bien à louer du matériel. Dans plusieurs stations des Alpes, on encourage les gens à monter en altitude, à profiter de la vue et à manger au restaurant du sommet. Aujourd'hui, les stations engrangent des bénéfices supplémentaires en louant des vélos et certains accessoires (casques). Au pied des pistes, le client a maintenant à sa disposition des rangées de vélos et non plus de skis. Des équipements spéciaux permettent aux cyclistes d'amener leur vélo au sommet, puis de descendre par des chemins balisés ou des pistes aménagées à cet effet. Le randonneur prend le chemin inverse, tout en évitant les cyclistes qui descendent, se désaltère au restaurant et redescend à la station par télésiège. Certains essaient parfois de monter jusqu'au sommet à vélo !

La plupart des grandes stations de ski cherchent de nouvelles façons d'attirer les clients dans leurs hôtels ou dans leurs résidences pendant l'été. Le mont Tremblant, au Québec, est situé à côté d'un lac sublime. En dehors des activités aquatiques, la station propose un terrain de golf, des courts de tennis, de pistes de rollers et un centre d'activités pour enfants. Et randonneurs et cyclistes viennent emprunter les remontées…

…

Meilleures pratiques 9.3

...

Figure 9.3 – Les remontées mécaniques servent aussi aux cyclistes (© Shutterstock/Leenvdb).

Des raisonnements semblables sont transposables à un grand nombre d'activités saisonnières. Les cabinets comptables et fiscaux proposent des services de comptabilité ou de conseil lors des périodes de faible activité, les écoles et universités proposent des cours d'été pour les adultes ou les personnes âgées, et les petits bateaux de plaisance proposent des croisières en été et des événements le long des quais en hiver. Toutes ces entreprises reconnaissent que des prix bas ne permettent pas de développer l'activité mais que de nouvelles idées ciblant des segments divers le peuvent.

Beaucoup de propositions de services demeurent inchangées tout au long de l'année, pendant que d'autres subissent des modifications importantes en fonction de la saison. C'est le cas des hôpitaux, qui proposent les mêmes services toute l'année. Certains hôtels touristiques, au contraire, changent sensiblement leur manière de procéder et se concentrent sur les services périphériques comme la restauration, les loisirs et le sport pour s'adapter aux préférences des clients selon les saisons.

Modifications du moment et du lieu de livraison du service

Au lieu de modifier la demande pour un service toujours localisé au même endroit au même moment, certaines sociétés s'adaptent aux besoins du marché en changeant le moment ou le lieu de la livraison. Trois options sont alors possibles.

La première représente une stratégie de *statu quo* : quel que soit le niveau de demande, on continue à délivrer le service au même moment et au même endroit. La deuxième implique au contraire de *varier les moments de disponibilité* du service afin de suivre les changements de préférences de la clientèle selon les jours et les saisons. Les théâtres proposent souvent des représentations en matinée pendant les week-ends, lorsque les gens ont du temps libre dans la journée. Pendant l'été, sous les climats chauds, les banques ferment en début d'après-midi, à l'heure de la sieste, mais restent ouvertes tard le soir en même temps que d'autres commerces restent actifs.

La dernière stratégie consiste à proposer le service à un nouvel endroit. Il est possible de mettre en place des unités mobiles qui livrent le service aux clients plutôt que d'attendre que ces derniers se déplacent jusqu'à lui. Les bibliobus, le nettoyage de voiture à domicile, la livraison de nourriture et les unités hospitalières mobiles sont des exemples qui peuvent être reproduits dans d'autres secteurs. Une société de nettoyage et d'entretien qui désire faire des affaires en période creuse peut proposer des ramassages de vieux papiers et d'encombrants. Parallèlement, des sociétés de services dont les moyens de production sont mobiles peuvent décider de suivre le marché lorsque lui aussi est mobile. Ainsi, certaines sociétés de location de voitures établissent des bureaux saisonniers dans les lieux touristiques. Elles modifient alors les horaires de travail de même que certaines caractéristiques de son offre pour se conformer aux besoins spécifiques et préférences locales.

Communication et éducation du client

Même si les autres variables du mix marketing demeurent inchangées, la communication à elle seule peut aider à aplanir la demande. La signalisation, l'affichage et les messages de promotion peuvent rappeler aux clients d'une part les périodes de pic, d'autre part qu'ils peuvent utiliser le service sans affluence aux périodes creuses dans des conditions plus rapides ou plus confortables. Quelques exemples : les offres « postez vos vœux de Noël en avance » des services postaux ; les messages des transports en commun, qui incitent les usagers occasionnels, comme les touristes ou ceux qui font du lèche-vitrine, à éviter les conditions pénibles des heures de pointe ; Disneyland Paris, qui propose un ticket à l'entrée spécifiant l'heure de passage aux diverses attractions surtout les plus populaires (les clients qui acceptent sont prioritaires à l'heure prévue de leur passage à l'attraction ; ainsi il y a une régulation et un raccourcissement du temps d'attente – maximum 15 minutes au lieu d'une heure, parfois plus). De plus, la direction peut avoir recours à des catégories de personnel hors entreprise (des intermédiaires tels que des agences de voyages) pour encourager la clientèle à souscrire à des programmes sélectifs qui favorisent la fréquentation en période creuse.

Les modifications du niveau du prix, des caractéristiques de l'offre et de la distribution doivent être clairement communiquées. Si la firme cherche à obtenir une réponse particulière aux variations des éléments du mix marketing, elle doit bien sûr fournir aux clients une information complète sur les possibilités offertes. Comme nous l'avons vu au chapitre 6, les promotions à court terme, qui combinent des éléments du prix et des éléments de communication, voire d'autres récompenses, peuvent constituer des motivations suffisamment attrayantes pour que les clients utilisent différemment le service.

5. Inventorier la demande grâce aux files d'attente et aux réservations

Les services ne peuvent être stockés. Un coiffeur ne peut préparer la veille une coupe pour le lendemain : elle doit être faite en temps réel. Dans un monde parfait, personne ne devrait attendre l'exécution et/ou la livraison d'un service. Mais comme nous l'avons vu les entreprises ne peuvent se permettre d'avoir une capacité de production à moitié utilisée et il existe différents processus pour équilibrer l'offre et la demande. Cependant, quelles sont les mesures qu'un manager doit prendre lorsque toutes les possibilités pour quantifier la demande ont été utilisées sans pour autant atteindre un équilibre entre offre et demande ? Ne rien faire et laisser les clients se débrouiller par eux-mêmes n'est pas souhaitable en termes de qualité de service et de satisfaction de la clientèle. Plutôt que de tomber dans une situation incontrôlable, les entreprises doivent développer des stratégies de maintien de l'ordre, d'équité et de prévision.

Pour les services où la demande est régulièrement supérieure à l'offre, les responsables peuvent prendre la décision de recenser la demande. Cela peut se faire de deux façons : (1) en demandant aux clients de se mettre en file d'attente sur la base du « premier arrivé, premier servi » ; (2) en offrant la possibilité de réserver à l'avance.

5.1. L'attente est un phénomène universel

Selon le *Washington Post*[6], les Américains passent 37 milliards d'heures dans l'année à faire la queue (soit, en moyenne, 150 heures par personne), attente « durant laquelle ils s'agitent, s'impatientent et sont de mauvaise humeur ». Ce genre de situation se rencontre partout. Le professeur Richard Larson du MIT explique que si l'on cumule tous les facteurs d'attente, une personne passe en moyenne 30 minutes par jour à faire la queue, ce qui représente près de 20 mois sur une vie de 80 ans[7].

Personne n'aime attendre. C'est ennuyeux, fait perdre du temps, et est parfois physiquement inconfortable. Et pourtant, les sociétés de services sont pour ainsi dire toutes confrontées au problème des files d'attente à un moment ou un autre de leur fonctionnement. Les gens sont mis en attente au téléphone, font la queue aux caisses des supermarchés et attendent l'addition au restaurant. Ils sont assis dans leur voiture à attendre qu'une place de lavage manuel se libère ou bien pour payer le péage.

Des éléments concrets attendent eux aussi d'être traités. Par exemple, les e-mails des clients patientent dans les boîtes mails des employés, les appareils électriques attendent d'être réparés, les chèques attendent d'être encaissés, l'appel d'un client est placé en attente jusqu'à ce que la ligne d'un responsable clientèle se libère. Dans chacun de ces cas, un client attend le dénouement d'une situation, d'un travail, la réponse à un e-mail, le fonctionnement d'une machine, l'encaissement d'un chèque ou un entretien avec un employé du service clientèle.

5.2. Pourquoi y-a-t-il des files d'attente ?

Les files d'attente se forment dès que le nombre d'« arrivants » sur un lieu excède la capacité maximale du système mis en place pour s'occuper d'eux. En bref, une file résulte d'une mauvaise gestion de la capacité d'accueil. Les théories sur les files d'attente remontent à 1917, lorsqu'un ingénieur en télécommunications fut chargé de déterminer quel devait être le temps d'attente raisonnable pour entrer en communication avec son interlocuteur[8].

Toute file d'attente n'est pas physique. Quand les clients sont en relation avec des fournisseurs éloignés *via* des systèmes d'information, ils appellent de chez eux, de leur bureau ou de l'université en utilisant des canaux de télécommunications comme le téléphone ou Internet. Les appels étant pris en fonction de leur heure d'arrivée, ceux qui patientent forment alors une file virtuelle. Parfois, les files physiques sont géographiquement dispersées.

Certains sites Internet permettent aux individus de faire les choses par eux-mêmes, comme obtenir des informations ou faire des réservations qui nécessitaient auparavant un coup de téléphone ou bien un déplacement. Les entreprises utilisent souvent la notion de gain de temps comme outil de promotion. Même si la connexion à Internet est parfois lente, le client est au moins confortablement installé et peut faire ou penser à autre chose en attendant.

Mettre à la disposition des clients plus de guichetiers pour augmenter sa capacité d'accueil fut l'une des résolutions de la banque de Chicago. Mais augmenter le nombre de serveurs dans un restaurant n'est pas forcément la meilleure solution lorsque l'on met en balance satisfaction du client et coûts supplémentaires. Comme dans cette banque, les managers doivent réfléchir à diverses solutions :

- repenser le système d'attente ;
- réfléchir à une réduction de la durée de chaque opération ;
- comprendre les comportements des clients et leur perception de l'attente ;
- mettre en place un système de réservation.

5.3. Les différentes formes de files d'attente

Il existe différents types de files d'attente et le travail du responsable est de déterminer laquelle fera patienter le moins longtemps le client. La figure 9.4 illustre au travers de diagrammes les différents types de files que vous avez sûrement déjà dû rencontrer vous-même. *En file indienne,* les clients passent par différents points comme dans un libre-service. Des goulots d'étranglement peuvent avoir lieu aux étapes qui sont moins rapides que les autres. Beaucoup de cafétérias ont des files d'attente aux caisses, car cela prend plus de temps pour calculer le prix de votre plateau et vous rendre la monnaie que pour préparer votre assiette en cuisine.

Des lignes parallèles menant à plusieurs interlocuteurs permettent au client de faire son choix de file. Les guichets des banques ou les salles de concert en sont des exemples parfaits. Dans les fast-foods, on retrouve plusieurs files aux heures de pointe, chacune proposant tous les menus. Un système en parallèle peut lui aussi avoir une ou plusieurs étapes. L'inconvénient est que toutes les files n'avanceront pas à la même vitesse. Combien de fois avez-vous pensé avoir choisi la file la plus rapide et regardé avec frustration les files voisines avancer plus vite car l'un des clients devant vous avait une longue opération à effectuer ? Une solution est de mettre en place *une seule file vers plusieurs guichets* (ou « serpent »). On retrouve le plus souvent cette configuration au bureau de poste ou bien dans les aéroports pour l'enregistrement.

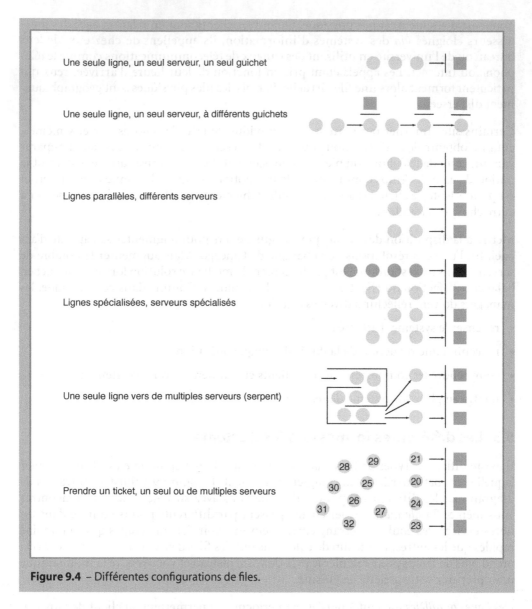

Une seule ligne, un seul serveur, un seul guichet

Une seule ligne, un seul serveur, à différents guichets

Lignes parallèles, différents serveurs

Lignes spécialisées, serveurs spécialisés

Une seule ligne vers de multiples serveurs (serpent)

Prendre un ticket, un seul ou de multiples serveurs

Figure 9.4 – Différentes configurations de files.

Les lignes personnalisées répartissent les clients en fonction de leurs besoins. Les caisses « moins de 10 articles » dans les supermarchés en sont un exemple, tout comme la séparation entre les classes Économique, Affaires et Première dans les aéroports. *Prendre un numéro* épargne au client de faire la queue, car il sait qu'il sera appelé. Ce système lui permet de s'asseoir, de se détendre (si des sièges sont disponibles) ou bien de calculer le temps qu'il aura à patienter et d'envisager de faire autre chose entre-temps, mais au risque de perdre sa place s'il s'absente trop longtemps et que les opérations des clients le précédant soient vite expédiées. Ce système est en place dans les agences de voyages, les organismes publics (impôts, préfecture, Sécurité sociale) ou dans les rayons boucherie et boulangerie des supermarchés.

Il existe également des configurations hybrides. On retrouve par exemple des cafétérias avec une file indienne se terminant par deux caisses. L'enseigne Auchan de Villeneuve-d'Ascq propose une file d'attente pour quatre caisses, permettant ainsi un gain de temps pour les clients. Les études montrent que le choix du type de file est important pour la satisfaction du client. Rafaeli, Barron et Haber, chercheurs au Technion Institute of Technology (Israël), ont prouvé que l'agencement d'une salle d'attente peut parfois provoquer un sentiment d'injustice ou d'inégalité chez les clients. Ainsi, les clients patientant en lignes parallèles sont plus agités et plus insatisfaits que ceux qui patientent en file indienne (« serpent ») vers plusieurs guichets, et ce, même si le temps d'attente est le même et le traitement des opérations identique[9].

Meilleures pratiques 9.4

Les files d'attente virtuelles

Disney est réputé pour bien informer de la durée d'attente des différentes attractions dans ses parcs à thème et de distraire ses visiteurs durant ce temps d'attente. Cependant, Disney est conscient que ces temps d'attente souvent exagérément longs à ses attractions les plus populaires sont une source importante d'insatisfaction et a décidé de tester une solution innovante.

Le concept de file d'attente virtuelle a été testé en premier lieu à Disneyworld. Aux attractions les plus populaires, les clients peuvent s'enregistrer sur une console d'ordinateur et restent libres de vaquer à d'autres attractions et occupations dans le parc. Des enquêtes de satisfaction ont montré que les clients utilisant ce nouveau système dépensent plus d'argent, profitent de davantage d'attractions et ont un niveau de satisfaction globale plus élevé. Le système, dont le nom est FASTPASS, a été introduit sur les cinq attractions les plus populaires du parc californien, puis étendu aux autres.

FASTPASS est simple à utiliser. Lorsqu'un visiteur s'approche d'une attraction FASTPASS, il a le choix entre deux options : obtenir un ticket et revenir à l'heure indiquée, ou attendre dans la file avec le temps d'attente affiché en permanence. Le temps d'attente est assez différent selon que l'on choisit de faire la queue ou de revenir. Cela incite les visiteurs à choisir l'option où l'attente est la moins longue. En réalité, le temps d'attente dans le choix « queue virtuelle » est légèrement plus long, du fait que les visiteurs ont une fenêtre de 60 minutes pour se présenter.

De la même façon, les « call centers » utilisent un système semblable à FASTPASS. Lorsqu'un client appelle, un message l'informe d'un temps approximatif d'attente. Le client a le choix d'attendre ou d'être rappelé. Dans ce cas, il prend son tour dans une queue d'attente virtuelle. Il est rappelé souvent plus tard que s'il avait attendu, mais il ne s'est pas énervé à attendre ; il a pu faire autre chose et est en général plus disponible pour la conversation et au final plus satisfait. Cette situation est aussi plus satisfaisante pour le « call center » qui perd moins d'appels et bénéficie d'un personnel plus disponible, car perdant moins de temps à écouter les clients râler.

Source : Duncan Dickson, Robert C. Ford et Bruce Laval, « Managing Real and Virtual Waits in Hospitality and Service Organizations », *Cornell Hotel and Restaurant Administration Quarterly* 46, février 2005, p. 52-68 ; « Virtual Queue », Wikipédia, http://en.wikipedia.org/wiki/Virtual_queuing, consulté le 2 juin 2009.

5.4. Adapter le système de file d'attente selon le segment du marché

Bien que la règle de base des files d'attente soit « premier arrivé, premier servi », toutes ne fonctionnent pas de cette façon. La segmentation du marché est parfois utilisée pour élaborer des stratégies de gestion des délais d'attente, posant des priorités différentes selon les différents types de clients. Les files peuvent être adaptées sur les bases suivantes :

- *Urgence du travail à effectuer.* Au service des urgences des hôpitaux, les médecins et infirmières décident quels patients doivent être traités immédiatement, et quels sont ceux qui peuvent sans risque attendre un peu.

- *Durée de l'opération.* Les supermarchés et les banques comptent parmi les services qui proposent des « couloirs express » pour les clients désirant effectuer des transactions rapides.

- *Paiement.* Les compagnies aériennes proposent des enregistrements séparés pour les passagers voyageant en première classe ou en classe économique, avec un ratio de personnel par passager supérieur en première classe, entraînant un temps d'attente minime pour ceux qui ont payé plus.

- *Importance du client.* Dans les aéroports, on retrouve des emplacements réservés aux Grands Voyageurs, des salons privés, qui proposent des journaux et des boissons gratuites.

6. Minimiser la perception du temps d'attente

Des recherches montrent que les gens pensent souvent avoir attendu plus longtemps qu'ils ne l'ont réellement fait. Des investigations sur les transports, par exemple, ont montré que les voyageurs perçoivent le temps d'attente d'un bus ou d'un train comme une fois et demie à sept fois plus long que le temps passé dans leur véhicule[10]. Les gens n'aiment pas plus perdre leur temps dans des activités improductives qu'ils n'aiment perdre de l'argent. L'insatisfaction engendrée par les délais peut stimuler fortement les émotions des gens, en particulier leur colère[11].

6.1. Les éléments psychologiques de l'attente

Le philosophe William James a observé que « l'ennui résulte de l'attention que l'on porte au temps qui passe ». Des marketeurs expérimentés ont remarqué que les clients vivent le temps d'attente différemment en fonction des circonstances. Le tableau 9.3. énonce dix principes psychologiques liés aux files d'attente.

Pour répondre au problème de l'attente, il est souvent conseillé de chercher à mieux occuper et à mieux informer le client. Mais la mise en œuvre de ces recommandations ne donne pas toujours les résultats escomptés. Agnès Durrande-Moreau, maître de conférences à l'université de Savoie, propose alors de considérer l'attente comme un acte plutôt que simplement comme un temps vide. Cet acte est vécu par une personne qui interprète les situations et anticipe leur déroulement[12].

Tableau 9.3	Les éléments psychologiques de l'attente – dix principes[13]

1. Le temps inoccupé fait paraître le temps d'attente plus long que le temps occupé. Quand vous attendez assis sans rien faire, le temps vous paraît toujours plus long. Le défi pour les entreprises de services est donc de procurer une occupation aux clients qui attendent.

2. Les attentes qui précèdent et qui suivent l'activité semblent plus longues que celle qui jalonne cette activité. Il y a une différence entre attendre pour acheter un billet d'entrée dans un parc d'attractions et attendre de pratiquer une activité lorsque vous y êtes entré. De même qu'il y a une différence entre attendre son café à la fin du repas et attendre l'addition avant de pouvoir quitter le restaurant.

3. L'inquiétude rend l'attente plus longue. Lorsque vous attendez quelqu'un avec qui vous avez rendez-vous et que l'heure de la rencontre est dépassée, vous vous demandez si vous êtes au bon endroit, si l'heure est correcte. En particulier si le lieu est peu sécurisé, sombre et froid.

4. Les délais d'attente incertains sont plus longs que les délais connus et définis. Alors que toute attente est frustrante, on peut se contrôler si l'on connaît la durée de celle-ci. C'est l'inconnu qui nous frustre. Imaginez que vous attendiez un avion en retard sans que l'on vous informe du délai de l'attente. Vous ne savez pas si vous avez le temps d'aller vous promener dans le terminal ou si vous devez rester devant la porte d'embarquement parce que ce dernier va commencer dans la minute qui suit. C'est aussi la raison pour laquelle, sur la plupart des autoroutes de France, la durée du parcours est indiquée sur des panneaux lumineux bien visibles.

5. Les attentes inexpliquées sont plus longues que celles qui sont justifiées. Vous êtes-vous déjà retrouvé bloqué dans un ascenseur ou dans le métro entre deux stations sans que personne ne vous informe du problème ? Non seulement vous ne savez pas combien de temps cela va durer, mais il y a l'anxiété sur la nature du problème. Y a-t-il un accident sur les voies ? Devrons-nous rejoindre les quais à pied dans le noir ? L'ascenseur est-il en panne ? Serez-vous coincé pendant des heures avec des personnes étrangères à vos côtés ?

6. Les attentes injustes semblent plus longues que celles qui sont équitables. L'interprétation de ce qui est juste et de ce qui ne l'est pas diffère selon les cultures. Dans les pays anglo-saxons, les gens attendent sagement dans leur file et sont très irrités lorsque quelqu'un passe devant, quelle qu'en soit la raison. Chez le médecin, si un visiteur médical attend dans la même salle que les patients, il y a un sentiment d'injustice car, pour le patient, la santé passe avant les rendez-vous d'affaires.

7. Plus le service a de valeur, plus les personnes attendront. Les gens sont capables d'attendre pendant des heures dans des conditions particulièrement inconfortables pour assister à un concert exceptionnel ou pour visiter une exposition très intéressante.

8. Attendre seul est plus long qu'en groupe. Attendre avec une ou plusieurs personnes que l'on connaît est rassurant. La discussion entre amis peut faire passer le temps, mais cela peut être parfois difficile de parler avec un étranger !

9. L'attente dans des conditions inconfortables semble plus longue. « J'ai mal aux pieds ! » est l'un des commentaires les plus entendus dans les files d'attente. Et assis ou non, l'attente est un calvaire s'il fait trop chaud ou trop froid, s'il y a du vent ou si l'air est sec, et s'il n'y a pas de protection contre la pluie ou la neige.

10. L'attente paraît plus longue aux nouveaux clients qu'aux habitués. Les habitués d'un service savent à quoi s'attendre, tandis que les nouveaux clients essaient de deviner combien de temps ils auront à patienter et ce qui va ensuite se passer.

Lorsqu'elles ne peuvent pas augmenter la capacité de production, les entreprises de services doivent réfléchir à des moyens d'attentes plus agréables pour les clients. Les médecins et les dentistes mettent des magazines à disposition dans leur salle d'attente, les garagistes, un poste de télévision, et certains coiffeurs offrent à leurs clients du café ou des boissons fraîches.

Lorsque la Boston Bank a fait installer des bornes d'information afin de fournir aux clients une occupation pendant l'attente, des études ont montré que cette mesure n'a pas réduit la perception qu'avaient les clients[14] de l'attente aux guichets, mais leur a tout de même procuré une plus grande satisfaction. Les restaurants gèrent le problème de l'attente en invitant les clients à boire un verre au bar jusqu'à la libération d'une table (cette approche rapporte de l'argent à l'établissement tout en donnant une occupation au client). De même, des personnes faisant la queue pour un spectacle dans un casino peuvent patienter dans un couloir où se trouvent des machines à sous. Autre exemple, le portier d'un hôtel Marriott avait pris l'initiative d'accrocher chaque jour un baromètre/thermomètre près de l'entrée, à portée de vue des clients attendant un taxi ou leur voiture[15].

6.2. Expliquer aux clients les raisons de l'attente

Cela change-t-il quelque chose de dire au client combien de temps il devra patienter ? Logiquement, oui, car celui-ci peut alors décider d'attendre ou de revenir ultérieurement ou de partir. Cela lui permet aussi d'utiliser son temps d'attente pour faire autre chose.

Au Canada, une étude expérimentale a été menée auprès d'une population étudiante sur leur attente lors d'opérations *via* Internet[16]. L'étude portait sur l'analyse de l'insatisfaction pour des attentes de 5, 10 et 15 minutes dans trois situations : (1) aucune information, (2) indication d'un temps d'attente approximatif et (3) attribution d'un numéro dans la file d'attente. D'après les résultats, pour une attente de 5 minutes et moins, il n'est pas nécessaire de donner des informations afin d'améliorer la satisfaction. Pour des attentes plus longues, les chercheurs pensent qu'il est plus intéressant de renseigner en permanence sur la façon dont la position du client évolue dans la file que sur le temps restant avant que l'on s'occupe de lui. Conclusion : les gens préfèrent voir (ou sentir) que la file d'attente avance plutôt que de regarder le temps s'écouler.

7. Mise en place d'un système de réservations efficace

Lorsque l'on évoque la réservation, on pense en général aux avions, aux hôtels, aux restaurants, aux agences de location de voitures et aux théâtres. Et lorsque l'on parle de « rendez-vous » ou d'« enregistrements », on pense plutôt aux coiffeurs, aux cabinets médicaux, aux agences de locations de vacances et aux appels pour la réparation d'équipements électroménagers ou informatiques.

Les réservations sont censées apporter aux clients la certitude que le service sera disponible au moment convenu. Les systèmes varient d'un agenda tenu chez le médecin à un système informatique complexe pour une banque ou une compagnie aérienne. Lorsqu'un bien nécessite une réparation, les propriétaires ne veulent pas s'en séparer trop longtemps. Les familles n'ayant qu'un véhicule, par exemple, ne peuvent souvent pas se permettre de s'en passer plus d'un jour ou deux. Un système de réservation peut donc se révéler nécessaire pour les sociétés de services dans des secteurs tels que la réparation et la maintenance. En prenant des réservations pour les maintenances de routine, la direction pourra libérer certaines plages horaires pour traiter les problèmes urgents à des prix supérieurs avec une marge bien plus importante.

Les systèmes de réservation qui concernent les personnes sont utilisés par les compagnies aériennes, les restaurants, les médecins, les dentistes, les coiffeurs et les hôtels. Cela permet de gérer la demande de manière convenable. La récolte d'informations lors des réservations permet aussi aux entreprises de faire des projections de chiffre d'affaires.

Prendre des réservations consiste aussi à « pré-vendre » un service, à informer le client de ce qu'il va avoir. Toute réservation doit permettre au client d'éviter la file d'attente puisqu'on lui garantit la disponibilité du service à un moment donné. Elle permet également à la société d'ajuster sa capacité. La demande peut-être transférée d'un moment d'affluence importante vers des plages disponibles avant ou après, voire vers un autre lieu. Toutefois, des problèmes peuvent survenir lorsque les clients ne se présentent pas ou que le cahier de réservation est plein. Pour gérer ces problèmes opérationnels, certaines stratégies marketing consistent à exiger un acompte pour toutes les réservations, à annuler les réservations restées impayées après un certain temps, et à fournir des compensations aux clients refusés à cause d'un *overbooking*.

Le système de réservation doit être simple pour le personnel comme pour les clients. Un grand nombre d'entreprises offrent à leurs clients la possibilité de faire leur réservation en ligne, une pratique largement utilisée aujourd'hui. Qu'ils soient en contact avec l'employé en charge des réservations ou réservent en ligne, les clients veulent une réponse rapide sur la disponibilité du service au moment choisi. Ils apprécient aussi le fait que le système de réservation leur donne des informations complémentaires sur le type de service qu'ils sont en train de réserver. Par exemple, le client veut-il une vue sur le lac ou sur la montagne ou sur le parking ?

7.1. Concentrer la stratégie de réservation sur le rendement

Pour mesurer l'efficacité opérationnelle, les entreprises de services utilisent généralement le taux de capacité vendue. Les transports parlent de « facteur de charge » atteint, les hôtels de « taux d'occupation », et les hôpitaux de « lits occupés ». Les professions libérales calculent la part de chiffre d'affaires générée par les heures « facturables » des employés ou associés, et les ateliers de réparation observent l'utilisation du matériel et de la main-d'œuvre. Seuls et utilisés isolément, ces pourcentages apportent pourtant peu d'informations sur l'attractivité du service. En effet, quel sens faut-il donner à un taux d'utilisation élevé qui résulte d'une politique de prix bas ou de réductions immédiates ?

De façon générale, les entreprises regardent le « rendement », c'est-à-dire, le bénéfice moyen de chaque unité de capacité. Le but est de maximiser le rendement pour améliorer la rentabilité. Comme nous l'avons vu au chapitre 5, les stratégies de prix qui sont mises en place pour atteindre ce but sont couramment utilisées dans les services à capacité limitée : les hôtels, les avions et les locations de voitures. Les systèmes de gestion de rendement, basés sur des modèles mathématiques, sont d'une grande aide pour les entreprises qui ne peuvent modifier leur capacité de production mais encourent de faibles coûts pour la vente d'une unité supplémentaire de la capacité disponible[17]. Le degré de fluctuation de la demande, la possibilité de segmenter les marchés par la sensibilité au prix et la vente de services à l'avance sont autant de caractéristiques incitatives au recours à de tels systèmes.

L'analyse des rendements oblige les responsables à calculer le coût lié à la décision d'allouer de la capacité de production à un client ou à un segment de marché quand un autre segment peut avoir un niveau de rendement plus élevé. Examinons les problèmes que peuvent rencontrer les responsables de différents types de services à capacité limitée :

- Un hôtel doit-il prendre la réservation d'un voyagiste pour 200 chambres à 80 euros la nuit, tout en sachant que ces mêmes chambres peuvent être vendues 140 euros la nuit à des hommes d'affaires, qui eux préviendront à la dernière minute ?

- Une compagnie de chemin de fer qui a à sa disposition 30 wagons de fret vides doit-elle accepter tout de suite un chargement pour 900 euros par voiture ou bien attendre qu'une cargaison plus lucrative se présente quelques jours plus tard ?

- Combien de sièges une compagnie aérienne doit-elle vendre à des voyagistes ou à des passagers qui bénéficient de réductions ?

- Une entreprise de maintenance et de réparation doit-elle garder chaque jour une certaine capacité de production pour faire face aux urgences, ou doit-elle au contraire s'assurer que son personnel sera toujours occupé à plein temps ?

- Une imprimerie doit-elle raisonner sur la base du premier arrivé, premier servi, avec chaque fois un temps de livraison identique, ou bien doit-elle faire payer plus cher les travaux urgents, quitte à faire attendre les commandes ordinaires ?

Ces questions doivent être mûrement pesées. Les responsables doivent déterminer la probabilité d'obtenir une affaire plus rentable s'ils choisissent d'attendre. Une bonne connaissance des expériences passées doublée d'une bonne compréhension du marché et d'un bon sens du marketing sont essentiels. La décision d'accepter ou de refuser des commandes doit être basée sur une estimation réelle des probabilités d'obtenir une commande plus rentable, tout en maintenant de bonnes relations avec tous les clients. Le plan d'action doit découler de l'analyse des performances passées et des données actuelles du marché, et préciser quelle capacité doit être affectée à telle date, pour tel type de client et à tel prix. Sur cette base pourront être dégagées des cibles de vente sélectives pour les départements publicité et commercial. Enfin, la force de vente ne doit surtout pas encourager l'achat de « capacité » par les segments sensibles aux prix quand les estimations prévoient une forte demande de la part de clients prêts à payer plein tarif. Malheureusement, dans certains secteurs, les clients des entreprises qui proposent des tarifs très bas réservent leurs places très en avance : les voyagistes paient moins cher une chambre qu'un touriste, mais réservent aux compagnies aériennes et aux hôtels des places plus d'un an à l'avance.

La figure 9.5 montre les différentes affectations de la capacité d'un hôtel dont la demande des différents types de client ne varie pas seulement en fonction des jours de la semaine mais aussi des saisons. Ces décisions d'affectation par segment, récoltées sur des bases de données accessibles partout dans le monde, renseignent les employés chargés des réservations sur les meilleures périodes pour bloquer les réservations à tel prix, même si un grand nombre de chambres restent vides. Les clients fidèles, en général des hommes d'affaires, sont bien sûr un segment très recherché.

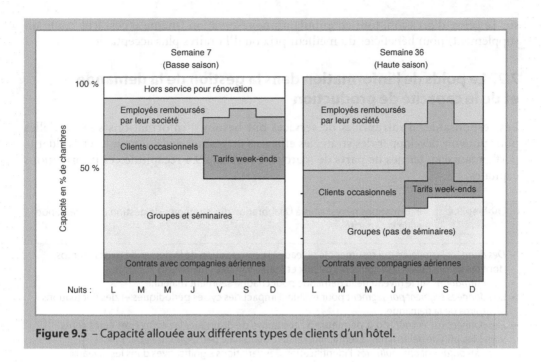

Figure 9.5 – Capacité allouée aux différents types de clients d'un hôtel.

Des tableaux similaires peuvent être mis en place pour la plupart des services ayant une capacité de production limitée. Dans certains cas, la capacité est mesurée pour une performance donnée en fonction du nombre de sièges, de chambres par nuit, ou de sièges par kilomètre ; dans d'autres, cela peut être en fonction du temps-machine, du temps de main-d'œuvre, des heures facturables, de la capacité de stockage, selon le type de ressource limitée. La planification des allocations doit se faire par unité géographique de production, car il est parfois difficile de passer d'une installation à une autre s'il n'y a plus de place. Ainsi, chaque hôtel, chaque entreprise de réparation et de maintenance ou chaque entreprise d'informatique doit avoir son propre plan. *A contrario*, les camions de transport ont une capacité mobile qui peut être allouée sur toute une zone géographique.

Dans les grandes entreprises (compagnies aériennes ou chaînes d'hôtels, par exemple), le marché est dynamique et la situation économique change souvent. La demande de séjours touristiques et professionnels reflète le climat économique du moment ou même, parfois, l'anticipe. Même si beaucoup d'hommes d'affaires ne sont pas sensibles aux prix pratiqués, nombre d'entreprises recherchent en permanence les meilleurs prix pour rester dans leurs budgets. Les touristes, eux, sont sensibles aux prix pratiqués ; une promotion sur les vols et les chambres d'hôtel peut les encourager à faire un voyage qu'ils n'auraient pas entrepris si l'offre n'avait pas été aussi intéressante.

Pour une compagnie aérienne ou un hôtel, la concurrence peut avoir un effet dévastateur sur les prévisions de bénéfices. Imaginez-vous propriétaire d'un hôtel et qu'un concurrent ouvre un établissement de l'autre côté de la rue avec une offre de base très alléchante. Quel impact cela va-t-il avoir sur votre activité ? Une compagnie aérienne peut aussi choisir d'ouvrir un vol sans escale entre deux villes, ou réduire le nombre de ses vols vers une autre destination. Les agences de voyages et les clients astucieux sautent sur ce genre d'occasion, tout en annulant une réservation (même si cela leur coûte un supplément) pour bénéficier du meilleur prix ou d'horaires plus acceptables.

7.2. Le poids de l'information dans la gestion de la demande et de la capacité de production

Les responsables d'entreprises de services ont besoin d'informations substantielles pour pouvoir développer des stratégies efficaces de gestion de la demande, et évaluer la performance en termes de parts de marché. Le tableau 9.4 récapitule ces informations capitales.

Tableau 9.4	Informations nécessaires à l'élaboration des stratégies de gestion de la demande et de la capacité

- *Des données historiques* qui résument le niveau et la composition de la demande dans le temps, dont les réponses aux changements de prix et autres variables marketing.
- *Des estimations* sur le niveau de la demande pour chaque segment majeur.
- *Des données segment par segment* pour évaluer l'impact des cycles périodiques et des fluctuations aléatoires de la demande.
- *Des données sur les coûts* pour permettre à l'entreprise de distinguer les coûts fixes et les coûts variables, afin de déterminer la rentabilité relative marginale par segment et par prix.
- *Dans les organisations multisites,* l'identification des variations significatives dans les niveaux de demande et la composition de la demande site par site.
- *Les attitudes des clients* confrontés à l'attente dans diverses situations.
- *L'opinion des clients* sur la façon dont la qualité du service rendu varie selon les différents niveaux d'utilisation des capacités.

Où l'entreprise peut-elle obtenir ces informations ? Les entreprises qui ont une capacité de production fixe coûteuse disposent de systèmes de management du revenu, comme nous l'avons vu en détail au chapitre 5. Pour celles qui sont dépourvues de ce type de système, la plupart des données se trouvent déjà au sein de la société, même si ce n'est pas forcément au sein du service marketing. Un flux d'information important émane de l'environnement de l'entreprise lorsqu'on étudie les multiples transactions individuelles menées par l'organisation. Les bons de commande à eux seuls fournissent bon nombre de détails. La plupart des sociétés de services collectent des informations détaillées dans des buts opérationnels ou comptables. Bien que certaines n'enregistrent pas les détails des transactions individuelles, la plupart ont la capacité d'associer des clients spécifiques à des transactions données. Malheureusement, la valeur marketing de ces données est souvent sous-estimée et celles-ci ne sont pas toujours enregistrées pour permettre l'extraction et l'analyse dans une optique marketing. Pourtant, il est souvent aisé de rassembler et de stocker les données des transactions clients, notamment celles des segments ayant répondu par le passé à des changements dans certaines variables. Le service marketing obtient alors une partie des informations dont il a besoin.

Les sondages d'opinion et l'analyse de cas analogues peuvent fournir d'autres informations utiles. D'autre part, une veille concurrentielle continue est indispensable, car les modifications de la capacité ou de la stratégie des concurrents peuvent nécessiter une action corrective.

Pour étudier plusieurs stratégies, les chercheurs mettent au point des modèles de simulation avec les effets de différentes variables. Une telle approche est particulièrement utile dans une situation de « réseau », comme les parcs d'attractions et les stations de ski, où le client a le choix entre plusieurs activités dans un même lieu. Madeleine Pullman et Gary Thompson, tous deux professeurs en management des opérations, ont modélisé le comportement des clients d'une station de ski, où les skieurs avaient le choix entre différentes remontées mécaniques et différentes pistes (plus ou moins longues et difficiles). Cette analyse leur a permis de déterminer l'impact futur d'une augmentation de la capacité des remontées, de l'extension du domaine skiable, d'une croissance de cette industrie, des variations de prix au jour le jour, de l'attitude des clients face aux informations sur le temps d'attente au pied des remontées, et des changements dans le mix marketing[18].

Conclusion

Pour nombre de sociétés de services, les capacités sont limitées et les frais fixes sont lourds. Même de modestes améliorations dans l'utilisation de la capacité peuvent, pour ces entreprises, avoir des incidences sensibles sur le résultat financier. Nous avons vu dans ce chapitre que les responsables peuvent transformer des coûts fixes en coûts variables, à travers la location d'installations ou l'embauche de personnel à temps partiel. Une approche plus flexible de la capacité de production permet à une entreprise d'adopter une stratégie qui mette en adéquation sa capacité et la demande pour améliorer, *in fine*, sa productivité.

Les décisions concernant *le lieu et le moment* sont liées à l'équilibrage de la demande avec la capacité. La demande dépend souvent de la date et du lieu de l'offre du service. Comme nous l'avons vu dans l'exemple des stations de ski, l'attractivité d'une destination varie en fonction des saisons. Les stratégies marketing utilisant le service, le prix, la publicité et la formation (autour du service) sont souvent utiles dans la gestion du niveau de demande d'un service à un lieu et moment donnés.

La nature temporelle des services est aujourd'hui une question vitale, d'autant que les clients deviennent de plus en plus sensibles au gain de temps et sont plus conscients de leurs propres contraintes de temps et de leur disponibilité. Les services où le client est acteur sont les premiers à faire subir à leurs clients des attentes pénibles, sachant que ceux-ci ne peuvent éviter de venir sur le lieu de production pour bénéficier du service. Un système de réservation permet d'estimer les heures d'arrivée ou de départ, mais, parfois, les files d'attente sont inévitables. Les responsables qui parviennent à réduire l'attente de leurs clients (ou faire en sorte que l'attente se passe de manière plus agréable) donnent un avantage à leur entreprise face à la concurrence.

Activités

Questions de révision

1. Pourquoi la gestion des capacités est-elle primordiale pour les entreprises ?

2. Que signifie « stock » dans les entreprises de services et pourquoi celui-ci est-il périssable ?

3. En quoi une utilisation optimale de la capacité diffère d'une utilisation maximale ? Donnez des exemples de situations où les deux peuvent être identiques et d'autres où ce n'est pas le cas.

4. Choisissez une entreprise et identifiez ses différents types de demande en vous reportant à la check-list du tableau 9.1.

    a. Quelle est la nature de l'approche de cette entreprise en termes de gestion de sa capacité et de la demande ?

    b. Quelles sont vos recommandations sur la gestion de sa capacité et de la demande ? Justifiez votre réponse.

5. Pourquoi les marketeurs des services doivent-ils se sentir concernés par le temps passé par les clients (a) avant le service, (b) pendant le service et (c) après le service ?

6. Quels sont, selon vous, les avantages et les inconvénients des différents types de files d'attente pour une entreprise accueillant un grand nombre de clients ?

Exercices d'application

1. Relevez des exemples d'entreprises dans votre environnement qui ont changé leur variable produit et/ou leur mix marketing afin d'augmenter leurs bénéfices en période de faible activité.

2. Donnez des exemples, en fonction de votre propre expérience, d'un système de réservation efficace et d'un système non efficace. Identifiez et évaluez les raisons du succès et de l'échec de ces systèmes. Quelles recommandations auriez-vous à faire à ces entreprises afin de perfectionner leur système de réservation ?

3. Revoyez les dix éléments psychologiques de l'attente. Quels sont les plus importants dans les cas suivants : (a) un arrêt de bus, le soir, en hiver, (b) l'enregistrement dans un aéroport, (c) un cabinet médical où les clients sont assis et (d) une file d'attente pour acheter une place à un match de football qui risque d'être complet.

Notes

1. Kenneth J. Klassen et Thomas R. Rohleder, « Combining Operations and Marketing to Manage Capacity and Demand in Services », *The Service Industries Journal* 21, avril 2001, p. 1-30.

2. Fondé pour l'essentiel sur James A. Fitzsimmons et M.J. Fitzsimmons, « Service Management: Operations, Strategy, and Information Technology », 3ᵉ édition, New York, Irwin McGraw-Hill, 2000 et W. Earl Sasser, Jr., « Match Supply and Demand in Service Industries », *Harvard Business Review*, novembre-décembre 1976.

3. Irene C.L. Ng, Jochen Wirtz et Khai Sheang Lee, « The Strategic Role of Unused Service Capacity », *International Journal of Service Industry Management* 10, n° 2, 1999, p. 211-238.

4. Christopher H. Lovelock, « Strategies for Managing Capacity-Constrained Service Organisations », *Service Industries Journal*, novembre 1984, p. 12-30.

5. Véronique Guilloux, « Le *yield* en marketing : concepts, méthodes et enjeux stratégiques », Recherche et applications marketing, vol. 15, n° 3, 2000, p. 55-73.

6. Malcolm Galdwell, « The Bottom Line for Lots of Time Spent in America », *The Washington Post*, février 1993.

7. Dave Wielenga, « Not So Fine Lines », *Los Angeles Times*, 28 novembre 1997.

8. Richard Saltus, « Lines, Lines, Lines, Lines... The Experts Are Trying to Ease the Wait », *Boston Globe*, 5 octobre 1992.

9. Anat Rafaeli, G. Barron, et K. Haber, « The Effects of Queue Structure on Attitudes », *Journal of Service Research* 5, novembre 2002, p. 125-139.

10. Jay R. Chernow, « Measuring the Values of Travel Time Savings », *Journal of Consumer Research*, vol. 7, mars 1981, p. 360-371.

11. Ana B. Casado Diaz et Francisco J. Más Ruiz, « The Consumer's Reaction to Delays in Service », *International Journal of Service Industry Management* 13, n° 2, 2002, p. 118-140.

12. Agnès Durrande-Morreau, « L'attente d'un service : quelles recommandations ? », *Décisions marketing*, n° 11, 1997, p. 69-79.

13. Basé sur David H. Maister, « The Psychology of Waiting Lines », *in* J.A. Czepiel, M.R. Solomon, et C.F. Surprenant, *The Service Encounter* (Lexington, MA: Lexington Books/D.C. Heath, 1986, p. 113-123) ; M.M. Davis et J. Heineke, « Understanding the Roles of the Customer and the Operation for Better Queue Management », *International Journal of Service Industry Management* 7, n° 5, 1994, p. 21-34, Peter Jones et Emma Peppiat, « Managing Perceptions of Waiting Times in Service Queues », *International Journal of Service Industry Management* 7, n° 5, 1996, p. 47-61.

14. Karen L. Katz, Blaire M. Larson, et Richard C. Larson, « Prescription for the Waiting-in-Line Blues : Entertain, Enlighten, and Engage », *Sloan Management Review*, 1991, p. 44-53.

15. Bill Fromm et Len Schlesinger, « The Real Heroes of Business and Not a CEO Among Them », New York, Currency Doubleday, 1994, p. 7.

16. Michael K. Hui et David K. Tse, « What to Tell Customers in Waits of Different Lengths : An Integrative Model of Service Evaluation », *Journal of Marketing*, vol. 80, n° 2, avril 1996, p. 81-90.

17. Sheryl E. Kimes et Richard B. Chase, « The Strategic Levers of Yield Management », Journal of Service Research 1, novembre 1998, p. 156-166 ; Anthony Ingold, Una McMahon-Beattie et Ian Yeoman, « Yield Management Strategies for the Service Industries », 2ᵉ édition, Londres, Continuum, 2000.

18. Madeleine E. Pullman et Gary M. Thompson, « Evaluating Capacity and Demand Management Decisions at a Ski Resort », Cornell Hotel and Restaurant Administration Quarterly 43, décembre 2002, p. 25-36 ; Madeleine E. Pullman et Gary Thompson, « Strategies for Integrating Capacity with Demand in Service Networks », *Journal of Service Research* 5, février 2003, p. 169-183.

Chapitre 10
Concevoir l'environnement de service

« *Les managers... ont besoin de développer une meilleure compréhension de l'interface entre les ressources à leur disposition et l'expérience qu'ils veulent créer pour les clients.* » – Jean-Charles Chebat et Laurette Dubé

« *L'agencement et le design sont devenus tout comme le menu, la nourriture et le vin, un élément déterminant du succès d'un restaurant.* » – Danny Meyer

Objectifs de ce chapitre

- Connaître les quatre dimensions principales de l'environnement de service.
- Connaître les théories des réactions des individus aux environnements physiques.
- Quels sont les rôles de l'environnement de service ?
- Comprendre les éléments clés de l'environnement de service qui affectent les consommateurs.
- Comprendre pourquoi le personnel en contact et les autres clients font partie de l'environnement de service.
- Comprendre pourquoi l'environnement de service doit être conçu de façon holistique et à partir des considérations et perspectives des consommateurs.
- Comment construire une serviscène et obtenir les effets désirés ?

Le décor et l'environnement matériels dans lesquels se déroule la prestation de services jouent un rôle important dans l'expérience du client et sa satisfaction, surtout lorsqu'il s'agit de services de type *high contact*. Même si les parcs à thèmes de Disney sont cités comme des exemples de lieux de services conçus et organisés pour laisser un souvenir durable aux clients, toutes les entreprises de services, quelles que soient leurs activités doivent admettre que le cadre dans lequel se déroulent leurs prestations est primordial. En fait, hôpitaux, hôtels, restaurants, bureaux d'études admettent aujourd'hui que l'environnement dans lequel se déroulent leurs activités est un élément important de la valeur globale de leur offre de services. En effet, nous verrons en quoi et pourquoi l'environnement de service et tous les éléments matériels qui le composent communiquent et déterminent le positionnement de l'entreprise de services, façonnent et facilitent la productivité des clients et du personnel en contact et en cela constituent un avantage compétitif important.

Dans ce chapitre, qui nous renvoie au chapitre 2, où nous avons associé le service à une forme de théâtre, nous étudions l'importance d'une élaboration soigneuse du cadre dans lequel se déroule l'activité de services. Ce cadre participe de façon substantielle à la formation de l'expérience de service, est un support de l'image que l'entreprise souhaite véhiculer, suscite des comportements et attitudes des clients, mais aussi du personnel en contact, joue un rôle déterminant dans la réalisation des opérations et enfin, soutient la productivité de l'entreprise, mais aussi celle du client.

1. Les champs de l'environnement de service

Imaginer, concevoir et mettre en scène l'environnement de service d'une entreprise n'est pas tâche facile, car il s'agit d'un « art » qui demande du temps, des efforts de créativité et de conception, et peut être coûteux à installer.

L'environnement d'une entreprise de services, également appelé la « serviscène[1] » (voir section 2.2), est l'ensemble des éléments qui déterminent le style de l'entreprise, l'apparence des composants tangibles, et qui concourent à créer une atmosphère particulière pour le client. Une fois construit, il est très difficile de le modifier.

Examinons pourquoi de nombreuses entreprises de services rencontrent tant de difficultés à créer le décor dans lequel leurs clients et leur personnel vont interagir. Pour l'ensemble des entreprises de services, l'environnement de service a quatre fonctions majeures : contribuer à construire l'expérience client et agir sur ses comportements ; transposer sur le lieu de vente l'image de l'entreprise, son positionnement et ses éléments différenciateurs ; contribuer de façon significative à la valeur de service ; faciliter la rencontre de service et contribuer à la qualité du service, mais aussi à la productivité de l'entreprise et du client.

1.1. Agit sur l'expérience et le comportement du client

Pour les entreprises de services de type *high contact*, l'agencement et le choix des éléments tangibles du lieu où se déroule la prestation, ainsi que les éléments matériels qu'utilisent les clients et le personnel en contact pour interagir jouent un rôle vital dans la création de l'identité de l'entreprise et l'expérience client. L'environnement de service et les éléments qui contribuent à créer l'atmosphère du lieu de service affectent le comportement du client de trois façons distinctes :

- Créateur de messages : l'utilisation de symboles appropriés à l'audience recherchée contribue à différencier la nature du service et de l'expérience client.

- Créateur d'attention : l'environnement de service contribue à différencier l'entreprise de services de ses concurrents et à attirer de nouveaux clients.

- Créateur d'effets : l'utilisation de couleurs, de matériaux, de textures, de sons, d'essences, d'aménagements d'espaces renforce l'effet d'expérience et les sensations autour des produits ou services rendus.

1.2. Renforce l'image, le positionnement et les éléments différenciateurs

Comme nous avons pu le voir dans les chapitres 2, 3 et 4, l'intangibilité empêche de montrer clairement aux clients les critères de qualité du service rendu. Face à ce handicap, le client utilise l'ensemble des éléments tangibles visibles pour évaluer le niveau de qualité prétendument annoncé. L'entreprise doit en tenir compte et choisir les indicateurs de qualité qui ont du sens pour le client. Des banques d'affaires choisissent, par exemple, des matériaux nobles et des décors élégants dans leur hall d'accueil pour « impressionner » la clientèle et être en accord avec les segments servis et le concept de marque. À l'inverse, un environnement de service inapproprié ou pauvrement agencé n'incite pas les clients à mener l'expérience de service jusqu'à son terme, voire les rebute.

Dans sa grande majorité, le secteur de l'hôtellerie utilise l'environnement de service pour communiquer sur son image, ses clients et son savoir-faire et les grands hôtels d'affaires sont la plupart du temps le reflet de leurs clients : sobres, élégants, cossus, classiques, « riches » dans les matériaux choisis, modernes. En revanche, les grands hôtels de tourisme sont plus attrayants, plus hétéroclites dans le style, passant du style Empire à Louis XVI, plus ostentatoires et plus « marqués » dans le style et les couleurs.

En raison de la cherté des emplacements et de la recherche de coûts d'exploitation au plus bas, les environnements de service sont souvent plus fonctionnels qu'esthétiques. Mais l'inverse peut aussi être vrai. En effet, la recherche d'économies et de rentabilité amène souvent les entreprises à s'implanter dans des buildings sans réelle attirance, dans des espaces souvent étroits, et à affubler le personnel en contact d'un uniforme souvent disgracieux et visiblement peu cher.

Mais pour contourner l'inappropriation de certains équipements à leurs comportements et besoins, les clients ne manquent pas d'imagination. Il n'est pas rare par exemple de voir des étudiants ou des hommes d'affaires utiliser des tables de restaurant ou de fast-food comme tables de travail. Les entreprises de services doivent repérer ce type de comportements et détournement du support physique et évaluer s'ils sont isolés ou répétitifs. Dans ce cas, il faut que l'entreprise s'adapte et modifie son environnement de service en conséquence. À titre d'exemple, de nombreux snacks et/ou self-services offrent à leurs clients non plus des tables, mais des comptoirs avec des prises pour ordinateur, iPhone et iPad. Ces prestataires ont compris que leurs clients faisaient trois choses en même temps : manger, travailler et communiquer.

1.3. Fait partie intégrante de la valeur offerte au client

Le cadre matériel suscite chez le client, mais aussi chez le personnel en contact, des sensations et des réactions qui font partie de la promesse de service. Observons la façon dont les parcs d'attractions utilisent efficacement le concept de la serviscène pour mettre en avant leur offre de services. Les espaces bien entretenus de Disneyland ou de Legoland au Danemark ou les costumes colorés du personnel contribuent à créer du plaisir et de l'excitation chez les clients, dès leur entrée jusqu'à leur sortie.

Même cas de figure pour les hôtels de loisirs, qui font de leur environnement de services (serviscène) un élément central de la valeur de l'offre, considérant l'expérience de service comme une expérience de vie. Les villages du Club Med[5], aménagés pour créer une atmosphère d'insouciance et de détente totale, sont peut-être à l'origine des univers de vacances « dépaysants ». Les nouvelles destinations de vacances ne sont pas simplement plus luxueuses que celles du Club Med, mais elles s'inspirent des parcs à thèmes et créent des univers fantastiques, aussi bien dans leur enceinte qu'aux alentours. C'est peut-être à Las Vegas que l'on trouve les exemples les plus extrêmes. Face à la concurrence de nombreux casinos installés dans d'autres localités, Las Vegas a choisi de se repositionner par rapport à son image de « Sodome et Gomorrhe électrisante » – ainsi que l'a qualifiée un journaliste londonien – réservée aux adultes, pour devenir une sorte de destination de vacances sympathiques pour toute la famille. Le jeu est toujours là, bien sûr, mais plusieurs grands hôtels récemment construits (ou reconstruits), se sont transformés en d'époustouflants parcs de loisirs, offrant des attractions comme des volcans en éruption, des batailles navales, des reproductions de Venise et de ses canaux, ou de Paris et de ses monuments.

1.4. Facilite la rencontre de service et améliore la productivité

Les décors des entreprises de services sont la plupart du temps pensés pour faciliter les contacts avec le client et améliorer la productivité de l'entreprise. Chase et Stewart, tous deux professeurs de management des opérations à la School of Business Administration de l'université de Southern California, ont souligné la façon dont les méthodes de sécurité intégrées à l'environnement de service permettaient de réduire les erreurs et pouvaient constituer le support d'un processus de fonctionnement rapide et souple[6]. Par exemple, un système de codes de couleurs sur les caisses permet aux caissiers d'identifier les chiffres et les codes produits auxquels correspond chaque bouton. Peindre les étages d'un parking de couleurs différentes permet aux clients de mieux mémoriser l'emplacement de leur voiture. Un autre exemple tout aussi intéressant est le musée Guggenheim à New York configuré de telle sorte que le client y déambule sans effort physique, sans se tromper et sans ressentir de fatigue. Les clients arrivent par le haut du musée et font leur visite en descendant une pente douce. Les clients ne se croisent pas (ou si peu) et leur colonne vertébrale est parfaitement positionnée par rapport au sol pour minimiser les souffrances lombaires causes de la fatigue. Les clients sont efficaces, en sécurité (pas de mouvements à contresens pouvant handicaper l'évacuation des visiteurs en cas de problème) et, en plus, éprouvent du plaisir.

Une enseigne française telle que La Cure Gourmande est aussi un bel exemple de serviscène qui améliore la rencontre de service et la productivité. Les stocks de bonbons et de friandises sont disposés sur des étagères en bois le long des murs offrant ainsi une impression de choix et d'opulence. Les couleurs vives attirent l'œil du client, attisent la convoitise et déclenchent l'achat tant l'attraction est forte. Des stands de gâteaux « maison » sont proposés aux clients en libre-service avec des gants en plastique à disposition. Un environnement aux couleurs chaudes (jaune provençal), des matériaux chauds et des emballages façon « vieille France » suggèrent une sorte de « caverne d'Ali Baba » dont on a pu rêver dans notre plus tendre enfance.

Il faut aussi citer Abercrombie et Fitch, ou encore Hollister avec leur décor style *dance floor*, ambiance *beach boys* californiens et plage de surf. La présence du parfum pour hommes et pour femmes de l'enseigne aide aussi au repérage des rayons Hommes et Femmes. Les torses nus des vendeurs et leur stature d'athlètes sont des hymnes à la beauté et à la jeunesse.

1.5. Fait partie intégrante de l'expérience de services

Dans le secteur de la distribution, l'atmosphère du magasin modifie la perception de la qualité de la marchandise. En effet, le client attribue une qualité supérieure aux produits s'ils sont disposés dans un univers véhiculant une image de luxe, plutôt que dans un univers véhiculant une image de discount[2].

Des entreprises de services sont connues pour avoir su mettre en scène leur offre et proposer, *in fine*, à leurs clients de véritables expériences de services. Citons à titre d'exemple FAO Schwarz qui a su faire de son enseigne un véritable temple du jouet. Des attractions sont proposées, des peluches grandeur nature sont exposées et en mouvement, des odeurs et une musique très particulière accompagnent et enchantent l'environnement de service. Dans un domaine tout autre, il faut citer le magasin Prada Epicenter à New York (ou Los Angeles) qui propose un environnement de service hors du commun. De l'espace en hauteur (une vraie cathédrale), à la surface au sol, le tout en bois naturel. Le concept du Prada Epicenter est de présenter tous les articles de la marque sur des marches d'escaliers, que les clients montent et descendent à leur gré : le magasin devient musée. Les dirigeants de Prada ont compris que les consommateurs étaient las de déambuler et d'acheter dans des magasins ennuyeux qui se ressemblent tous. Le design et la conception des lieux ont coûté plus de 40 millions de dollars et l'ascenseur vitré, 900 000 dollars.

Voyons à présent dans une deuxième section comment le consommateur réagit dans les environnements de services.

2. Le comportement du consommateur dans les environnements de services

La psychologie environnementale étudie les réactions des individus dans leur environnement[3]. Les chercheurs en marketing des services utilisent ces théories pour mieux comprendre et gérer les réactions des clients par rapport aux décors, couleurs, agencements et mises en scène des entreprises de services.

2.1. Les sensations et les émotions dictent le comportement des clients

Deux modèles aident à mieux comprendre les réponses du consommateur aux environnements de service. Le premier, celui de Mehrabian-Russell, montre que les sensations éprouvées dans l'environnement de service sont centrales et comment les individus répondent aux différents stimuli qu'il dégage. Le second, celui de Russell, montre comment mieux comprendre les sensations ressenties dans un environnement de services et leurs conséquences sur nos comportements.

Le modèle de réponse aux stimuli de Mehrabian-Russell

La figure 10.1 présente un modèle simple mais fondamental de la façon dont les individus réagissent à leur environnement. Le modèle emprunté à la psychologie environnementale soutient que l'environnement et la perception qu'en a un individu, consciemment et inconsciemment, influencent ses sensations et ses émotions. Les sensations orientent à leur tour les réactions de l'individu[4] qui sont au cœur du modèle car celles-ci, plus que les perceptions ou les pensées, orientent le comportement. Ainsi, nous n'allons pas nous éloigner d'un endroit simplement parce qu'il y a beaucoup de monde autour de nous mais parce que nous serons repoussés par la sensation désagréable d'être au milieu d'une foule, entourés de gens qui nous barrent le passage, par le manque de contrôle et l'impossibilité d'obtenir ce que nous voulons aussi vite que nous le désirons.

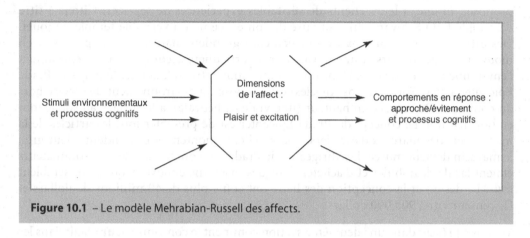

Figure 10.1 – Le modèle Mehrabian-Russell des affects.

En psychologie environnementale, la variable classique qui ressort le plus souvent est celle de l'attirance ou de la répulsion par rapport à l'environnement ou au milieu.

Pour Bonnin[5], ce modèle a l'inconvénient de ne pas prendre en compte le processus d'appropriation, jugé fondamental par l'auteur dans l'expérience de l'espace, et pour cela ne rend compte du rôle de l'aménagement spatial que de façon incomplète. Pour compléter le modèle de Mehrabian-Russell, Bonnin a étudié le rôle de l'aménagement spatial d'un magasin de grande distribution dans les stratégies d'appropriation des consommateurs. Les résultats démontrent l'existence de deux aménagements différents, l'un fonctionnel et l'autre divertissant, qui favorisent le développement de deux stratégies d'appropriation : une stratégie ludique active et une stratégie plus fonctionnelle.

Le modèle de l'affect de Russell

Étant donné que les affects ou sensations sont centraux dans la réponse des individus à leur environnement, il est nécessaire de mieux comprendre comment ils se forment[6].

Comme le montre la figure 10.2, le modèle décrit les réponses affectives à un environnement grâce à deux dimensions : le plaisir et l'excitation. Le plaisir est une réponse directe et subjective à un environnement, selon que l'individu aime ou n'aime pas cet environnement. L'excitation se rapporte à l'état de stimulation dans lequel se trouve un individu, état qui va du sommeil profond – l'état le plus bas d'activité interne – au taux le plus élevé d'adrénaline lorsque, par exemple, on fait un saut à l'élastique – l'état le plus élevé d'activité interne.

Le niveau d'excitation est beaucoup moins subjectif que le niveau de plaisir, car il dépend en grande partie de la quantité d'information ou du niveau de pression de l'environnement sur les individus. Ainsi, des milieux sont stimulants si l'on y trouve beaucoup d'informations, s'ils sont complexes, s'il y a du mouvement, des changements, des éléments nouveaux et surprenants. Un milieu qui a un faible taux d'excitation et qui est relaxant présente des caractéristiques tout à fait opposées.

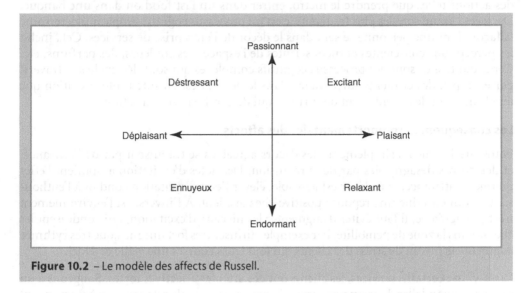

Figure 10.2 – Le modèle des affects de Russell.

Mais alors, comment nos sentiments et nos émotions se forment-ils à partir de deux dimensions uniquement ? Russell distingue la partie cognitive ou réflexive de nos émotions de ces deux sous-dimensions : l'éveil/l'excitation et le plaisir et la pénibilité. Dès lors, un sentiment de colère, qui résulte d'une erreur dans le déroulement du service, peut se traduire par une excitation élevée et un mécontentement élevé, ce qui le situerait dans l'aire « pénible » de notre modèle, le tout combiné à un processus cognitif d'attribution.

L'avantage du modèle des affects de Russell réside dans sa simplicité, car il permet de définir immédiatement ce que les clients ressentent quand ils sont dans un environnement donné. Les entreprises peuvent cibler des états affectifs particuliers. Ainsi une entreprise de saut à l'élastique ou un manège de montagnes russes peuvent souhaiter que leurs clients se sentent stimulés. Le directeur d'une boîte de nuit ou d'un parc à thème peut souhaiter que ses clients soient euphoriques (dans un cadre très stimulant, en lien avec le plaisir), une banque cherchera à rassurer ses clients, une station thermale souhaitera qu'ils se sentent détendus, et une compagnie aérienne assurant un très long vol de nuit tiendra compte de la fatigue de ses passagers après le dîner. Nous verrons plus loin dans ce chapitre comment on peut créer un décor destiné à répondre aux attentes des clients.

Les déterminants de l'affect et de la cognition

Les affects sont causés par des perceptions et des processus cognitifs complexes, et plus ces derniers le sont, plus les impacts sur l'affect sont importants. Ainsi, l'effet d'un processus cognitif simple, comme la perception inconsciente d'une musique de fond agréable, ne peut compenser la déception d'un client, contrarié par la qualité du service et de la nourriture dans un restaurant. Cette déception résulte d'un processus cognitif complexe, qui établit une comparaison entre la perception de la qualité du service et les attentes antérieures par rapport à ce service. Ce qui ne veut pas dire que de tels processus, si simples soient-ils, ne sont pas importants.

Dans les faits, la plupart des services font partie de notre quotidien et n'entraînent que peu de processus cognitifs complexes. Nous avons plutôt tendance à nous placer en mode « pilotage automatique » et à suivre un scénario bien rôdé quand nous effectuons des actions telles que prendre le métro, entrer dans un fast-food ou dans une banque. Dans ces cas qui sont les plus fréquents, c'est un processus cognitif simple qui détermine la façon dont une personne se sent dans le décor de l'entreprise de services. Cela inclut les perceptions conscientes et inconscientes de l'espace, des couleurs, des parfums, etc. Cependant, si ce sont des processus cognitifs complexes qui sont déclenchés, à travers, par exemple, des éléments surprenants dans le décor, c'est ensuite l'interprétation que fera l'individu de ce sentiment de surprise qui déterminera ses sensations[7].

Les conséquences comportementales des affects

Pour dire les choses simplement, des décors agréables se traduisent par de l'attirance, et des décors désagréables par de la répulsion. Des actes d'excitation amplifient l'effet premier d'attirance. Si le décor est agréable, élever l'état d'excitation conduit à l'enthousiasme, qui entraîne une réponse positive chez le client. À l'inverse, si l'environnement n'est pas agréable, il faut éviter d'augmenter les niveaux d'excitation, qui conduisent les clients dans la zone de pénibilité. Par exemple, diffuser très fort une musique très rythmée augmente le niveau de stress des clients qui font leurs courses une veille de Noël.

Vis-à-vis de certains services, les clients ont des attentes affectives fortes. Songeons à un dîner aux chandelles dans un restaurant, à une cure thermale relaxante ou à un moment d'euphorie dans un stade ou en boîte de nuit. Dans ce type de situations, il est important d'aménager l'espace afin de satisfaire ces attentes[8].

Enfin, les différentes sensations qu'éprouve un client durant le déroulement de la rencontre de service ont un impact sur sa fidélité. Ainsi, un affect positif favorise l'émergence de valeurs hédonistes, qui à leur tour stimulent des actes d'achats répétés, alors qu'à l'inverse, des affects négatifs réduisent la valeur à des achats utilitaires et, de ce fait, réduisent la consommation du client[9].

2.2. La serviscène : un modèle intégratif du comportement du client sur le lieu de service

À partir des modèles classiques de la psychologie environnementale, Mary Jo Bitner a développé un modèle détaillé qu'elle appelle « servicescape[10] » et que nous avons traduit par le néologisme « serviscène ». La figure 10.3 expose les principales dimensions qu'elle a identifiées dans l'environnement des services.

On y trouve l'atmosphère générale, l'espace et la fonctionnalité des signes, des symboles et des artefacts. Parce que les individus ont tendance à percevoir ces dimensions de façon holistique, la clé d'un décor efficace réside dans l'adéquation des dimensions les unes avec les autres.

Le modèle explique qu'il existe des modérateurs aux réponses des clients et du personnel, ce qui signifie que le même décor peut avoir des effets différents selon les clients. Ces effets dépendent du client et de ce qu'il aime ; la beauté est subjective et est dans les yeux de celui qui regarde. Par exemple, le rap, musique et art reconnu, peut être un véritable plaisir pour certains et une torture pour d'autres.

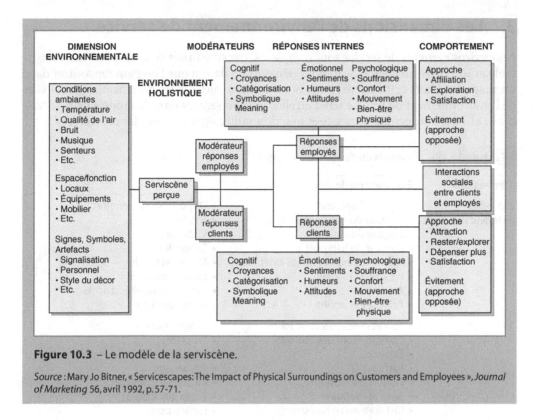

Figure 10.3 – Le modèle de la serviscène.

Source : Mary Jo Bitner, « Servicescapes : The Impact of Physical Surroundings on Customers and Employees », *Journal of Marketing* 56, avril 1992, p. 57-71.

L'un des apports majeurs du modèle de Bitner est qu'il étudie et valide les réactions du personnel en contact vis-à-vis du décor et de l'environnement de service. Le personnel passe, en effet, beaucoup plus de temps sur le lieu de service que les clients. Pour cette raison, il est vital que les designers mesurent à quel point un environnement peut augmenter (ou du moins ne pas réduire) la productivité du personnel de *front office* et la qualité du service qu'il fournit.

Les réactions des clients et des employés à l'intérieur du lieu de service sont classées en trois catégories :

- réactions cognitives (perception de la qualité, certitudes) ;
- réactions émotionnelles (sentiments, humeurs) ;
- réactions psychologiques (douleur, confort).

Pour les clients, ces réactions se traduisent par des comportements exprimés, comme éviter un supermarché parce qu'il y a foule ou avoir une attitude positive dans un environnement relaxant, en restant plus longtemps et en dépensant plus d'argent. Il est important de comprendre que les réactions comportementales des clients, comme celles du personnel en contact, doivent être orientées dans un souci d'amélioration de la production et de la qualité du service.

Voyons à présent dans une troisième section quelles sont les dimensions de l'environnement de service.

3. Les dimensions de l'environnement de service

Les environnements de service sont complexes, car constitués de multiples éléments. Le tableau 10.1 offre un aperçu de tous les éléments du design que l'on peut rencontrer dans un magasin. Dans cette partie, nous nous concentrons sur les dimensions principales de l'environnement de service telles qu'elles sont présentées dans le modèle de la servis-cène : atmosphère générale, espace et fonctionnalité, signes, symboles et artefacts[11].

Tableau 10.1	Éléments du design d'un magasin

Dimensions	Éléments du design	
Éléments extérieurs	• Style architectural • Hauteur du bâtiment • Largeur du bâtiment • Couleur du bâtiment • Murs extérieurs et signes extérieurs • Façade du magasin • Auvent • Pelouses et jardins	• Disposition des fenêtres • Entrées • Visibilité • Originalité • Magasins proches • Espaces proches • Parking et facilités d'accès • Encombrement
Éléments intérieurs	• Sols et revêtements de sol • Combinaisons des couleurs • Éclairage • Parfums • Odeurs (tabac, fumée…) • Sons et musiques • Installations techniques • Composition des murs • Revêtement (papier peint, peinture…) • Composition des plafonds	• Température • Propreté • Largeur des allées • Rayonnage • Cabines d'essayage • Accès aux étages • Espace perdu • Merchandising • Niveau de prix et étiquetage • Emplacement des caisses • Modernité /technologie
Aménagement du magasin	• Répartition des espaces : vente, marchandise, personnel et clients • Disposition des marchandises • Regroupement de marchandises • Emplacement des postes de travail • Emplacement des équipements • Emplacement des caisses	• Zones d'attente • Flux • Files d'attente • Mobilier • Emplacement des rayons • Organisation au sein des départements
Décoration intérieure	• Point de vente • Affiches, panneaux, cartes • Images et décorations • Décoration des murs • Thème • Vue d'ensemble	• Mise en rayon • Affichage des prix • Bacs à légumes • Cageots cassés et poubelles
Dimension sociale	• Caractéristiques du personnel • Tenues du personnel • Nombre d'employés	• Caractéristiques des clients • Intimité – respect • Libre-service

Sources : adaptés de Barry Berman et Joel R. Evans, « Retail Management – A Strategic Approach », 8e édition, Upper Saddle River, New Jersey, Prentice Hall, Inc., 2001, p. 604 ; L.W. Turley et Ronald E. Milliman, « Atmospheric Effects on Shopping Behavior: A Review of the Experimental Literature », *Journal of Business Research* 49, 2000, p. 193-211.

Figure 10.4 – Aménagement intérieur d'un hôtel Formule 1.

Source : Groupe ACCOR. Droits réservés.

Trois dimensions composent l'environnement de service : l'atmosphère générale, l'organisation spatiale et ses fonctionnalités et enfin, les autres clients présents sur le lieu de service. Chacune est étudiée ci-après.

3.1. L'atmosphère générale

L'atmosphère générale d'un lieu est constituée de l'ensemble des éléments qui sont perçus par nos cinq sens. Même s'ils ne sont pas consciemment perçus, ils ont un effet sur notre bien-être, nos perceptions, nos attitudes et notre comportement[12]. La notion d'atmosphère est un concept généraliste constitué d'une multitude de détails et d'éléments de design qui fonctionnent ensemble sur le lieu de l'activité de l'entreprise pour créer l'environnement de service voulu[13]. L'atmosphère qui en résulte est à l'origine de l'état d'esprit dans lequel se trouvera le client et de la façon dont il interprétera cette atmosphère[14]. Ces éléments – l'éclairage, la combinaison des couleurs, les dimensions, les formes, les bruits, la musique, la température et les parfums – sont perçus à la fois de façon globale et de façon distincte. Une structuration intelligente de tous ces éléments peut susciter, chez le client, les réactions recherchées par les entreprises.

Observons, avec l'encadré Meilleures pratiques 10.1, la théorie que sous-tend une nouvelle mode qui transforme des cabinets dentaires en centres relaxants de soins dentaires.

Supprimer le facteur « peur » chez le dentiste

Rares sont ceux qui attendent avec impatience d'aller chez le dentiste. Certains patients trouvent cela simplement désagréable, plus encore s'ils doivent rester sur le fauteuil pour un long moment. Beaucoup redoutent la douleur associée à certaines opérations. D'autres, enfin, prennent des risques pour leur santé en évitant d'aller chez le dentiste. Mais quelques praticiens se sont tournés vers le « dentaire-relax », où jus de fruits, massage du cou et des pieds, bougies parfumées et bruitages du vent sont utilisés pour bercer les patients et les distraire des indispensables soins qui doivent être opérés dans leur bouche.

« Ce n'est pas simplement pour les distraire », explique Timothy Dotson, propriétaire du *Perfect Teeth Dental Spa* de Chicago, pendant qu'un de ses patients aspire un oxyde d'azote parfumé à la fraise, « c'est se comporter avec les patients comme ils le désirent, et cela aide beaucoup de gens à surmonter leur peur. » Ses patients semblent l'approuver : « Personne n'aime aller chez le dentiste, mais, comme ça, c'est tellement plus facile ! » raconte une patiente qui attend sa couronne, tandis qu'un coussinet chauffant lui masse le dos.

Tout un ensemble d'attentions– serviettes chaudes, massages, aromathérapie, café, pain frais, vin blanc et limonade – reflètent l'effort que font les dentistes pour s'adapter à l'évolution des attentes de leurs clients, tout particulièrement à une période où les demandes de soins esthétiques explosent (dents blanches et bien implantées pour un sourire parfait). L'objectif est de séduire les patients qui trouvent la visite chez le dentiste trop stressante. La plupart des praticiens qui offrent des services de relaxation le font gratuitement et expliquent que le coût est largement absorbé par une augmentation du nombre et de la fréquence des visites.

À Houston, Max Greenfield a orné son *Image Max Dental Spa* de fontaines et d'œuvres d'art contemporaines. Les patients enfilent un peignoir, essaient huit sortes d'oxygènes aromatisés et méditent dans la salle de relaxation, reproduction d'un jardin japonais. Les centres dentaires utilisent aujourd'hui des fauteuils en cuir d'agneau, des serviettes chaudes parfumées selon les principes de l'aromathérapie, et un système baptisé « massage-jet-chewing-gum » qui utilise l'air et l'eau pour le nettoyage des dents.Bien que des cabinets de dentistes de New York et Los Angeles utilisent ces méthodes, la question se pose de savoir si cette approche « délicate et raffinée » relève d'un soin dentaire de qualité ou s'il s'agit simplement d'un effet de mode. « Je ne peux tout simplement pas concevoir ces deux métiers ensemble », confie le doyen d'une faculté de soins dentaires.

Source : « Dentists Offer New Services to Cut the Fear Factor », *Chicago Tribune*, février 2003.

Examinons ci-après trois dimensions importantes qui contribuent à créer ladite « atmosphère » : la musique, les odeurs et les couleurs.

La musique

Associée à un décor, la musique peut avoir de puissants effets sur les perceptions et les comportements, même si elle est presque inaudible. Comme le montre le modèle de la serviscène, les éléments d'une musique, tels que son tempo, son volume ou son harmonie, sont perçus de façon holistique, et les effets sur les réactions intériorisées ou comportementales du client dépendent et diffèrent d'un client à un autre. Par exemple, les jeunes gens ont tendance à aimer un certain type de musique et, à l'écoute d'un même morceau, leurs réactions seront différentes de celles de personnes âgées[15]. De nombreuses études ont montré qu'un tempo accéléré et un volume élevé augmentent l'état d'excitation des individus[16], et peut pousser par exemple les gens à marcher plus vite, à parler avec précipitation, ou à se presser de manger dans un restaurant[17]. Volontairement ou non, les gens ont tendance à ajuster leur rythme à celui de la musique. Les restaurateurs peuvent ainsi accélérer le service et servir un plus grand nombre de repas, en accélérant le rythme et en amplifiant le volume de la musique ; ou bien ralentir le rythme des repas grâce à une musique moins rapide et moins forte pour que les clients restent plus longtemps et consomment plus de boissons, par exemple.

Une étude a montré que les clients qui dînent en écoutant une musique lente restent en moyenne quinze minutes de plus que ceux qui dînent au son d'une musique très rythmée[18]. De la même manière, ceux qui font du shopping marchent plus lentement sur une musique lente et augmentent leurs achats d'impulsion[19]. Il est prouvé qu'une musique connue dans un magasin stimule le consommateur et diminue son temps d'hésitation, alors qu'une musique moins familière l'incitera à rester plus longtemps[20]. Durant les moments d'attente, la musique peut être un outil très efficace pour atténuer l'impression d'attente et augmenter la satisfaction du client[21]. Une musique relaxante diminue les états de stress dans la salle d'attente des urgences d'un hôpital[22] et une musique agréable peut même améliorer la perception des clients envers le personnel en contact et l'attitude qu'ils ont à leur égard et inversement[23].

Autre exemple : Ben Dahmane Mouheli et Touzani, tous deux chercheurs à l'unité de recherche de marketing URM et enseignants à l'institut supérieur de gestion de Tunis, ont mis en évidence que la diffusion d'une musique connue (par opposition à une musique inconnue) a un effet positif sur le nombre d'articles achetés et le nombre d'achats imprévus dans un magasin de produits cosmétiques[24].

| Tableau 10.2 | L'impact de la musique sur les dîners dans un restaurant |

Comportement des clients dans le restaurant	Fond musical : musique très rythmée	Fond musical : musique lente	Différence entre les deux milieux : musique rythmée et musique lente	
			Différence absolue	Différence en pourcentage
Temps que les clients passent à table	45 min	56 min	+ 11 min	+ 24 %
Dépenses en nourriture	55,12 $	55,81 $	+ 0,69 $	+ 1 %
Dépenses en boissons	21,62 $	30,47 $	+ 8,85 $	+ 41 %
Total des dépenses	76,74 $	86,28 $	+ 9,54 $	+ 12 %
Estimation de la marge	48,62 $	55,82 $	+ 7,20 $	+ 15 %

Source : Ronald E. Milliman, « Using Background Music to Affect the Behavior of Supermarket Shoppers », *Journal of Marketing* 56, n° 3, 1982, p. 86-91.

Seriez-vous surpris d'apprendre qu'une musique peut rebuter l'entrée de certains clients dans un lieu de service ? Des expériences ont été menées dans le métro londonien en diffusant de la musique classique sur les quais (Mozart, Pavarotti). Il a été montré que les jeunes délinquants adeptes de vols à l'arraché restent moins longtemps, tant la musique leur est insupportable car ils la détestent. Pour la police londonienne, le nombre d'agressions a diminué depuis la diffusion de cette musique.

Les parfums et senteurs

Un parfum d'ambiance n'est pas lié à un produit ou service en particulier. Il baigne dans un environnement donné, et est, consciemment ou non, perçu par les clients. Nous pouvons faire l'expérience du pouvoir d'un parfum quand nous avons faim et que nous parvient l'odeur de croissants chauds, tout juste sortis du four. Ce parfum nous fait prendre conscience de notre faim et nous montre du doigt la solution (dans le cas présent, marcher jusqu'à la boulangerie d'où émane ce parfum et y acheter quelque chose). Cela vaut également pour les rôtisseries, les pizzerias et autres enseignes du même type. On peut aussi prendre l'exemple de Main Street dans les parcs Disney, où le parfum des cookies qui sortent du four est utilisé pour détendre les clients et leur procurer un sentiment de bien-être ; ou encore celui des pressings, où l'odeur de pot-pourri rappelle celle des anciennes armoires à linge de nos grands-mères[25]. La présence d'un parfum influe fortement sur nos humeurs, nos réactions affectives, nos perceptions, voire sur nos intentions d'achat et notre comportement dans un magasin[26]. Le tableau 10.3 montre les effets d'un parfum sur la façon dont les clients perçoivent un magasin et la qualité de la marchandise.

Tableau 10.3	Les effets d'un parfum sur la façon dont on perçoit un magasin		
Évaluation	**Évaluation des environnements sans parfum**	**Évaluation des environnements parfumés**	**Différence entre les environnements non parfumés et les environnements parfumés**
Évaluation du magasin			
• Négative/positive	4,65	5,24	+ 0,59
• Image démodée/branchée	3,76	4,72	+ 0,96
Décor du magasin			
• Attirant/repoussant	4,12	4,98	+ 0,86
• Terne/coloré	3,63	4,72	+ 1,09
• Ennuyeux/stimulant	3,75	4,40	+ 0,65
Marchandises			
• Démodées/branchées	4,71	5,43	+ 0,72
• Inadaptées/adaptées	3,80	4,65	+ 0,85
• Mauvaise/bonne qualité	4,81	5,48	+ 0,67
• Prix bas/prix élevé	5,20	4,93	– 0,27

Note : les évaluations sont basées sur une échelle de 1 à 7.
Source : Eric R. Spangenberg, Ayn E. Crowley et Pamela W. Henderson, « Improving the Store Environment: Do Olfactory Cues Affect Evaluations and Behaviors? », *Journal of Marketing* 60, avril 1996, p. 67-80.

Le spécialiste de l'olfaction Alan R. Hirs de la *Smell and Taste Treatment and Research Foundation* de Chicago est convaincu que dans les dix prochaines années, nous en saurons assez pour utiliser les parfums dans le but de modifier de façon efficace les comportements des individus[27]. Les départements marketing sont très intéressés de savoir comment provoquer la faim ou la soif dans un restaurant, comment détendre les individus dans la salle d'attente d'un médecin ou comment vous donner de l'énergie pour que vous accélériez votre rythme dans une salle de gym. Le chercheur en parfums Bryan Raudenbush a montré que lorsqu'on faisait de la gym, inhaler un parfum de menthe poivrée n'augmentait pas la vigueur d'une personne, mais qu'en revanche les huiles aromatiques créent un sentiment de bien-être et, de ce fait, poussent les gens à prolonger l'entraînement[28]. Selon les principes de l'aromathérapie, les caractéristiques spécifiques des parfums peuvent être utilisées pour susciter un certain type de réactions émotionnelles, psychologiques ou comportementales.

Le tableau 10.4 montre les effets que l'on attend de tel ou tel parfum dans l'aromathérapie. Dans les installations de services, des études ont montré que les parfums ont un impact significatif sur les perceptions, les attitudes et les comportements des clients. Par exemple :

- Lorsqu'un casino de Las Vegas a diffusé un parfum agréable dans ses murs, le nombre de jetons glissés dans les machines à sous a augmenté de 45 %. En intensifiant ce parfum, le nombre de jetons augmentait de 53 %[29]. Imaginez les répercussions que cela peut avoir sur les bénéfices, quand on sait qu'un casino n'a presque essentiellement que des coûts fixes !

- Dans un magasin Nike, les clients avaient davantage envie d'acheter des baskets et étaient prêts à les payer plus cher lorsqu'ils essayaient leurs chaussures dans des pièces où flottait un parfum floral. On a observé le même comportement lorsque le parfum était si léger que les clients ne pouvaient pas le percevoir : le parfum était perçu inconsciemment[30].

- Les hôtels Westin utilisent dans leurs lobbys une fragrance au thé blanc, et les hôtels Sheraton une combinaison de figue et de jasmin. L'usage de ces fragrances correspond aussi à des tendances olfactives à la mode. Des entreprises se sont même spécialisées dans le conseil en marketing olfactif, comme Ambius aux États-Unis, ou Shams Conseils à Paris. Ces entreprises conçoivent des parfums d'ambiance pour des chaînes d'hôtels ou des hôtels indépendants, mais aussi des chaînes de magasins.

Pour terminer, citons l'enseigne anglaise Lush qui vend au poids des savons et des produits cosmétiques pour le visage et le corps, et qui sait parfaitement utiliser les odeurs de ses produits pour attirer les clients. Les odeurs s'évacuent sur le trottoir dans le but d'attirer les clients, les diriger, leur suggérer d'acheter ou simplement leur rappeler qu'ils doivent acheter des produits cosmétiques.

Les couleurs

À l'instar de la musique et des odeurs, des recherches ont montré que les couleurs avaient un effet sur les comportements et les émotions des individus[31]. En effet, la couleur peut stimuler, apaiser ou perturber. Elle est aussi culturelle, impressionnante, exubérante et symbolique. Elle fait partie de tous les aspects de notre vie, elle embellit notre quotidien, donne de la beauté et un aspect théâtral aux objets de notre vie de tous les jours[32]. Le modèle utilisé par la recherche en psychologie est celui de Munsell, qui décompose une couleur en trois dimensions : teinte, valeur et chromie[33]. La teinte correspond au pigment de la couleur (c'est le nom de la couleur : rouge, orange, jaune, vert, bleu, violet).

Tableau 10.4 Aromathérapie – L'effet des fragrances sur les individus

Fragrance	Type d'arôme	Aromathérapie	Utilisation classique	Impact psychologique potentiel sur les individus
Orange	Agrume	Calmant	Apaisant, astringent	Apaise les nerfs, a un effet relaxant et calmant. Particulièrement bon pour les gens nerveux et agités
Bergamote	Agrume	Calmant, équilibrant	Apaisant, déodorant, antiseptique, calmant, équilibrant	A un effet apaisant et calmant, aide à se détendre
Mimosa	Floral	Calmant, Équilibrant	Relaxant musculaire, apaisant	Aide à la relaxation, rend les gens détendus et calmes. Crée un sentiment d'harmonie et d'équilibre
Poivre noir	Épicé	Équilibrant, apaisant	Relaxant musculaire, aphrodisiaque	Aide à tempérer les émotions des individus et stimule les capacités sexuelles.
Lavande	Herbacé	Calmant, équilibrant, apaisant	Relaxant musculaire, apaisant, astringent, crème de soin pour la peau.	Relaxant et calmant, permet de créer un sentiment de bien-être, l'impression d'être chez soi
Jasmin	Floral	Inspirant, équilibrant	émollient, aphrodisiaque, antiseptique, apaisant	Aide les individus à se sentir joyeux, à l'aise et sexuellement excités
Pamplemousse	Agrume	Énergétique	Astringent, apaisant, crème de soin pour la peau	Stimulant, rafraîchissant, revivifiant, améliore la clarté et la vivacité d'esprit, peut même stimuler l'énergie et la force physique.
Citron	Agrume	Énergétique	Antiseptique, Apaisant.	Stimule l'énergie et aide à se sentir joyeux et régénéré
Menthe poivrée	Mentholé	Énergétique et stimulant	Repousse les insectes, antiseptique, nettoyant peau	Augmente le degré d'attention et stimule l'énergie
Eucalyptus	Camphré	Tonique et stimulant	Déodorant, antiseptique, apaisant, dissipe les odeurs et nettoyant pour la peau	Stimulant, énergétique, aide à créer un équilibre, et un sentiment de propreté et d'hygiène

Sources : http://www.fragrant.demon.co.uk, et http://www.naha.org/WhatisAromatherapy ; Dana Butcher, « Aromatherapy – Its Past and Future », Drug and Cosmetic Industry 16, n° 3, 1998, p. 22-24 ; Shirley Price et Len Price, Aromatherapy For Health Professionals, 2ᵉ édition, New York, Churchill Livingstone, 1999, p. 145-160 ; Anna S. Mattila et Jochen Wirtz, « Congruency of Scent and Music as a Driver of In-Store Evaluations and Behavior », Journal of Retailing 77, 2001, p. 273-289.

La valeur est le degré de clarté ou d'opacité de la couleur, sur une échelle qui va du blanc au noir. La « chromie » correspond à l'intensité de la teinte, à sa saturation ou à sa brillance. De fortes « chromies » ont un taux de pigmentation élevé et sont perçues comme riches et chatoyantes, alors que de faibles « chromies » sont perçues comme ternes.

Les teintes sont classées en deux catégories : les couleurs chaudes (rouge, orange, jaune, etc.) et les couleurs froides (bleu, vert, etc.). L'orange est considéré comme la couleur la plus chaude, tandis que le bleu est considéré comme la plus froide. Ces couleurs peuvent être utilisées pour contrôler ou influencer la chaleur qui se dégage d'un endroit. Par exemple, si un mauve est trop chaleureux, il est possible de l'atténuer en diminuant la teneur en rouge. Si le rouge est trop froid, on peut le rehausser en y ajoutant une touche d'orange[34]. Les couleurs chaudes sont associées à des états d'exaltation et d'excitation, mais également à des moments de forte anxiété, alors que des couleurs plus douces diminuent le niveau d'excitation et font naître un sentiment de paix et de calme[35]. Le tableau 10.5 présente les associations sentiments-couleurs les plus fréquentes et les réactions qu'elles entraînent.

Tableau 10.5	Associations fréquentes et réactions humaines aux couleurs		
Couleur	**Degré de chaleur**	**Symbole naturel**	**Fréquentes associations et réactions humaines**
Rouge	Chaud	La Terre	Véhicule beaucoup d'énergie et de passions Capacité à stimuler et à augmenter l'état d'excitation et la pression sanguine
Orange	Couleur la plus chaude	Coucher de soleil	Véhicule émotion, expressivité et chaleur Remarqué pour sa capacité à favoriser l'expression verbale des émotions
Jaune	Chaud	Le Soleil	Véhicule optimisme, clarté et abstraction Remarqué pour sa faculté à stimuler la bonne humeur
Vert	Froid	Croissance, herbe et arbres	Véhicule nutrition, guérison et amour inconditionnel
Bleu	Couleur la plus froide	Ciel et océan	Véhicule relaxation, sérénité, fidélité Diminue la pression sanguine. Couleur qui apaise les désordres nerveux et soulage les maux de tête grâce à ses vertus calmantes et relaxantes.
Indigo	Froid	Coucher de soleil	Véhicule méditation et spiritualité
Violet	Froid	La violette	Véhicule la spiritualité Diminue le stress et peut créer un sentiment de calme intérieur

Sources : Sara O. Marberry et Laurie Zagon, *The Power of Color – Creating Healthy Interior Spaces*, New York, John Wiley & Sons, 1995, p. 18 ; Sarah Lynch, *Bold Colors For Modern Rooms: Bright Ideas For People Who Love Color*, Rockport Publishers, Gloucester, 2001, p. 24-29.

Des recherches liées à l'environnement de service montrent qu'au-delà des préférences de couleurs qui peuvent varier, les individus ont généralement tendance à se tourner vers les couleurs chaudes. Cependant, les résultats montrent que des atmosphères très rouges sont perçues de façon négative car stressantes et beaucoup moins attirantes que des atmosphères plus claires[36]. Les couleurs chaudes encouragent les prises de décisions rapides. Pour ce qui est de leur utilisation dans les services ou l'industrie, les entreprises les utiliseront si elles veulent provoquer des achats impulsifs chez leurs clients. À l'inverse, on préférera les couleurs froides lorsque les clients ont besoin de temps pour effectuer des achats qui les impliquent beaucoup[37].

Bien que nous ayons une connaissance globale de l'impact des couleurs, leur utilisation dans un contexte particulier doit se faire avec précaution. Ainsi, lors d'une campagne de communication écologiste, une compagnie de transport en Israël a décidé de peindre ses bus en vert. De façon surprenante, différents groupes de personnes ont réagi de façon négative à cet acte apparemment simple. Pour certains usagers, la couleur verte diminuait la qualité du service, car les bus verts se fondaient dans le décor et étaient moins faciles à repérer. Pour d'autres, le vert était associé à des valeurs repoussantes comme le terrorisme, ou une équipe sportive adverse. Enfin, cette couleur peu séduisante se révélait inappropriée sur le plan esthétique[38].

Le centre Georges Pompidou, à Paris, offre un bon exemple de l'utilisation des couleurs pour intensifier l'expérience vécue. Il combine une architecture très futuriste et colorée, avec un spectre complet de couleurs provoquant des lumières étonnantes, pour créer un décor insolite et joyeux. À l'intérieur, les murs sont mis en valeur par l'originalité de l'architecture, ils sont balayés par des arcs-en-ciel de couleurs, grâce à une combinaison de lampes à forte intensité et de décomposition de la lumière extérieure. Un hôpital américain, le HealthPark Medical Center à Fort Myers en Floride, a fait appel à un spécialiste du design des couleurs, Craig Roeder. Le lobby de l'hôpital est décliné dans des couleurs de l'arc-en-ciel en mouvance perpétuelle (bleu, vert, violet, rouge, orange et jaune). Pour expliquer ce choix, le directeur de l'hôpital s'exprime en ces termes : « C'est un hôpital. Les personnes qui viennent ici sont malades et soucieuses. J'ai essayé de leur offrir un accueil chaleureux, lumineux et propice à l'énergie pour leur redonner du tonus avant qu'ils n'entrent dans les salles de consultation ».

Étudions à présent le deuxième rôle d'un environnement de service : faciliter l'organisation spatiale des lieux et leur fonctionnalité.

3.2. L'organisation spatiale et la fonctionnalité

En plus de l'atmosphère, l'organisation spatiale et la fonctionnalité des lieux de services sont des dimensions clés des caractéristiques et rôles de l'environnement de service. En effet, il doit répondre à des besoins spécifiques et contribuer à la réalisation de la prestation de services dans les conditions prévues par le prestataire.

L'organisation spatiale fait référence à des éléments tels que la taille et la forme des meubles, les comptoirs, les machines éventuelles et l'équipement, ainsi qu'à la façon dont l'ensemble des éléments qui le composent sont disposés les uns par rapport aux autres. La fonctionnalité fait appel à la capacité de tous ces éléments à soutenir l'efficacité du déroulement des opérations. L'organisation spatiale et la fonctionnalité des lieux de services influencent le comportement d'achat du client, son niveau de satisfaction et, en conséquence, la performance globale du service.

Le recours à des signes, symboles et artefacts fait aussi partie de la gestion et des composantes de l'environnement de service.

3.3. Les signes, symboles et artefacts

Beaucoup d'éléments de l'environnement de service ont pour rôle explicite ou implicite de véhiculer l'image de l'entreprise, de permettre au client de s'orienter (guichets, comptoirs, panneaux de sortie) et d'indiquer les règles à suivre (comment faire la queue, les passages obligés, etc.). Cela est plus particulièrement vrai pour les nouveaux clients qui ne sont pas familiers avec le lieu de service et qui vont automatiquement chercher des informations dans les signes, symboles et artefacts qui seront (ou non) visibles. Ces éléments ont pour rôle d'informer le client sur ce qu'il doit faire ou ne pas faire, sur le niveau de qualité offert et sur le bon déroulement de la prestation. Si les clients ne peuvent obtenir des messages clairs de l'environnement de service, ils se sentent très vite perdus, ne sachant que faire pour obtenir le service qu'ils sont venus chercher. Cette situation génère de l'inquiétude et de l'angoisse, car le client ne sait comment se comporter pour obtenir le service qu'il désire.

Des clients qui n'ont pas l'habitude ou qui viennent pour la première fois sur un lieu de service peuvent facilement se sentir déroutés, et ressentir de la colère et de la frustration si les informations nécessaires manquent ou si l'agencement des lieux de services ne facilite pas l'accès aux prestations délivrées. Songez à la dernière fois où, pressé, vous avez essayé de vous orienter dans un hôpital, un centre commercial ou un aéroport qui vous étaient peu familiers et où la signalétique ne vous était pas immédiatement parlante.

Utiliser les signes, symboles et artefacts pour guider de façon claire les clients tout au long du déroulement de l'accès au service est le défi que doivent relever les designers de la serviscène. Cette tâche revêt une importance toute particulière dans des situations où la majeure partie des clients sont de nouveaux clients ou bien des clients peu réguliers ou encore dans des situations de quasi-libre-service. Les signes, symboles et artefacts doivent communiquer et expliquer de façon aussi intuitive que possible la procédure à suivre. Dans beaucoup de cas, le premier contact des clients avec l'entreprise de services est probablement l'endroit où ils garent leur voiture, et les principes d'un décor efficace s'appliquent même dans le plus banal des endroits.

Étudions à présent un aspect important de l'environnement de service et souvent omis des prestataires de services : les autres clients présents dans le lieu de service.

3.4. Les clients et le personnel en contact font aussi partie de l'environnement de service

L'apparence et le comportement du personnel en contact et des clients peuvent renforcer ou nuire à l'impression que dégage l'environnement de service. Dans les limites des contraintes légales et des compétences requises, les entreprises de services doivent chercher à recruter un personnel qui remplit un rôle spécifique, le vêtir d'uniformes en accord avec la serviscène au sein de laquelle il travaille, et préparer son discours et ses mouvements. Pour définir et insister sur leur importance dans l'environnement de service, Dennis Nickson et ses collègues appellent le personnel en contact « main-d'œuvre esthétique ». Les parcs d'attractions Disney appellent le personnel en contact les « *cast members* », car pour les dirigeants, à l'instar d'acteurs, une fois vêtus de leur costume de scène, ils doivent jouer leur rôle pour donner entière satisfaction aux clients. Ainsi, tout comme les supports de communication marketing, le personnel en contact doit attirer les clients qui ne sont pas familiers avec l'entreprise, en renforçant l'attractivité du lieu par leur apparence et leur comportement. Dans les entreprises spécialisées dans l'hébergement ou la vente, les nouveaux clients font une rapide évaluation de la clientèle présente sur le lieu de service pour accorder ou non leur confiance à l'établissement.

La figure 10.5 montre les intérieurs de deux restaurants, dont les atmosphères sont très différentes.

© Shutterstock / Pavel L Photo and Video

© Shutterstock / Pavel L Photo and Video

Figure 10.5 – De la disposition des tables aux meubles et à la décoration, tout concourt dans l'un et l'autre de ces restaurants à susciter des attentes client très différentes.

Étudions à présent, dans une quatrième section, comment les entreprises de services combinent l'ensemble des éléments qui composent l'environnement de service.

4. Assembler tous les éléments

Bien que les individus ne perçoivent souvent que certains aspects ou détails des éléments de l'environnement de service, c'est la configuration globale de tous ces éléments qui détermine les réactions du client. Ce dernier perçoit l'environnement d'une activité de services de façon holistique et ses réactions dépendent d'un ensemble d'effets ou de configurations[39].

Nous voyons ci-après comment concevoir un environnement de service qui retienne l'attention des clients : adopter une démarche holistique et globalisante, concevoir l'environnement de service du point de vue client et non de l'entreprise ; nous donnons enfin les outils nécessaires à la création d'une « serviscène » distinctive.

4.1. Créer de façon holistique

Savoir si un parquet ciré en bois sombre est le revêtement de sol idéal dépend du reste de l'environnement de service et, entre autres, des meubles, de leur style, de leur matière et de leur couleur, de l'éclairage, de la signalisation, de la perception de la marque en général et du positionnement de l'entreprise. La serviscène doit être considérée de façon holistique, ce qui veut dire qu'aucun des éléments du design ne peut être considéré indépendamment des autres, car chaque élément dépend de tous les autres.

Le caractère holistique d'un environnement de service fait de sa création un art à part entière, à tel point que certains designers professionnels en font une spécialité. Par exemple, une poignée de designers célèbres ne fait rien d'autre que créer des halls d'hôtels dans le monde entier. De la même manière, il existe des designers experts qui ne travaillent que pour des restaurants, des bars, des boîtes de nuit, des cafés et des bistrots, des grandes surfaces ou des établissements médicaux[40].

Nous pouvons citer à titre d'exemples des noms célèbres tels que Rem Koolhass de l'Office of Metropolitan Architecture à New York, designer des magasins de New York, ou Herzog et De Meuron qui ont conçu le magasin Prada à Tokyo.

4.2. Concevoir l'environnement de service dans une optique client

Beaucoup d'entreprises de services créent leur environnement en mettant l'accent sur l'esthétique. Les designers oublient souvent de tenir compte du facteur le plus important lors de la création d'un environnement : les clients qui vont l'utiliser. Ron Kaufman, consultant et formateur, spécialiste de l'excellence des services, a remarqué les points faibles suivants dans l'environnement de deux entreprises de services haut de gamme :

- Un nouvel hôtel Sheraton venait tout juste d'ouvrir ses portes en Jordanie, sans signalétique claire pour guider les hôtes aux toilettes. Les panneaux, qui existaient en réalité, étaient gravés en or pâle sur des piliers de marbre noir. Des signes plus évidents auraient apparemment été inappropriés dans un décor si élégant. Certes, ils étaient très discrets et très élégants, mais à qui étaient-ils destinés ?

- Dans la salle d'attente de la compagnie aérienne Dragon Air du nouvel aéroport de Hong Kong, il y avait, du sol au plafond, toute une cloison de verres colorés. Au moment où je suis entré, mes bagages ont légèrement effleuré la cloison. Celle-ci s'est ébranlée et plusieurs panneaux sont tombés (Dieu merci, sans aucune casse). Un membre du personnel est accouru et a commencé à rassembler avec soin les panneaux. Je me suis excusé mille fois. « Ne vous inquiétez pas, cela arrive tout le temps ! », a-t-elle répondu. Le salon de l'aéroport est un lieu de passage intense, les allées et venues sont permanentes. Ron Kaufman s'interroge : « À quoi pensaient les designers ? Pour qui ont-ils créé cela ? Je suis souvent très étonné par des conceptions "dernier cri" qui sont de toute évidence hostiles aux consommateurs. D'énormes investissements de temps et d'argent, mais à quelles fins ? À quoi pensaient les architectes ? Aux dimensions ? À la grandeur ? À un exercice physique ? Pour qui l'ont-ils créé ? » Il en tire la leçon suivante : « Il est très facile de se laisser entraîner par de nouvelles créations esthétiques ou grandioses. Mais si vous ne gardez pas, du début à la fin, votre client en tête, vous pourriez vous retrouver avec un investissement qui n'en est pas un[41]. »

Dans une étude récente, Alain d'Astous a cherché quels étaient les aspects d'un environnement qui déplaisent et agacent les consommateurs. Ces résultats mettent en avant les points suivants :

1. Atmosphère générale (par ordre d'importance)
  – le magasin n'est pas propre
  – il fait trop chaud (dans le magasin)
  – la musique est trop forte
  – l'odeur est désagréable (dans le magasin)

2. Éléments du design
  – pas de miroir dans la cabine d'essayage
  – impossible de trouver ce que l'on cherche
  – les consignes sont inadaptées
  – la disposition des produits a été modifiée
  – le magasin est trop petit
  – difficile de trouver son chemin dans ce grand centre commercial[42]

L'encadré Meilleures pratiques 10.2 montre un environnement particulier : celui du *Disney's Magic Kingdom*.

Meilleures pratiques 10.2

Le décor du Royaume Magique de Disney

Walt Disney était un champion incontestable de la création d'environnements de service. Sa traditionnelle organisation, incroyablement soignée jusque dans les moindres détails, est devenue l'un des cachets de son entreprise et est partout visible dans ses parcs d'attractions. Ainsi, Main Street, à l'entrée du Royaume Magique, est orientée de façon qu'elle semble plus large qu'elle ne l'est en réalité. Aux côtés d'une myriade d'équipements, d'attractions orientées de façon stratégique et situées de part et d'autre de la rue, cela donne envie au visiteur de faire la promenade, relativement longue, jusqu'au Château. Par ailleurs, si le visiteur jette un œil sur cette pente douce, du haut du château, vers l'entrée du parc, Main Street donne alors l'impression d'être moins longue qu'elle ne l'est vraiment, diminuant ainsi l'impression de fatigue.

...

Meilleures pratiques 10.2

...

C'est une invitation à la flânerie, destinée à réduire le nombre de personnes qui empruntent le bus et à éliminer les risques d'encombrements.

De multiples attractions, de part et d'autre des rues qui serpentent, donnent l'impression aux visiteurs d'être sans cesse divertis. Les poubelles sont nombreuses et toujours visibles pour signifier qu'il est interdit de jeter les déchets par terre. L'entretien des équipements est une procédure routinière qui témoigne d'un haut degré de maintenance et de propreté. L'une des missions de la serviscène de Disney est de créer et maintenir des structures qui maîtrisent toutes les expériences vécues par les visiteurs, qu'elles aient lieu dans le parc, les bateaux de croisière ou les hôtels, pour leur procurer en continu plaisir et satisfaction.

Sources : Lewis P. Carbone et Stephen H. Haeckel, « Engineering Customer Experiences », *Marketing Management*, n° 3, 1994, p. 10-11 ; Kathy Merlock Jackson, *Walt Disney, A Bio-Bibliography*, Greenwood Press, Westport, 1993, 3, p. 36-39 ; Andrew Lainsbury, *Once Upon An American Dream: The Story of Euro Disneyland*, University Press of Kansas, 2000, p. 64-72.

4.3. Les outils aidant à la création de la serviscène

Comment pouvons-nous savoir ce qui énerve les clients et comment pouvons-nous potentiellement développer les aspects positifs de la serviscène ? Parmi les outils mobilisables pour mieux comprendre les perceptions des clients et leurs réactions par rapport à l'environnement de services, on trouve :

- **L'observation fine** du comportement et des réactions du client dans l'environnement de service par le management, les chefs d'équipe, les directeurs de succursale et le personnel en relation directe avec les clients.

- Le *feed-back* et les idées du personnel de *front office* et des clients : grâce à un éventail large d'outils de recherche, de boîtes à idées, d'entretiens de groupe et individuels.

- **Un audit photos** : cette méthode consiste à demander à des clients (ou clients mystères) de prendre des photos de leur expérience de service. Ces photos peuvent ensuite être réutilisées pour servir de base à des interviews futures auprès d'autres clients ou insérées dans des questionnaires relatifs à l'expérience de service des clients.

- **Les expériences de terrain particulières**. Par exemple, observer les effets de plusieurs types de musique et de parfum sur les clients et mesurer le temps qu'ils passent dans les locaux, l'argent qu'ils y dépensent et leur niveau de satisfaction. Des expériences en laboratoire qui utilisent des diapositives, des films ou d'autres moyens techniques qui recréent l'univers d'un environnement de service (par exemple, un ordinateur simulant une visite virtuelle) peuvent être menées de façon efficace pour mesurer l'impact de modifications de certains éléments du design. Un *blueprint* ou une cartographie du service (voir chapitre 8) peut inclure une représentation physique de l'environnement. Des éléments de design et des panneaux concrets peuvent renseigner le client à chaque étape, tout au long de la procédure d'obtention du service. Des photos et des vidéos peuvent aussi compléter la carte pour la rendre encore plus vivante.

Le tableau 10.6 présente les résultats d'une étude menée sur un client qui se rend au cinéma. La procédure du service a été découpée en une succession d'étapes, de décisions, de devoirs et d'activités, toutes faites pour accompagner le client tout au long de son interaction avec l'activité de service. À chaque étape, il est identifié comment les différents éléments de l'environnement dépassent ses attentes ou ne parviennent pas à les atteindre. L'intérêt de cette étude est notamment de montrer que plus une entreprise de services connaît, voit, comprend et vit les mêmes expériences que son client, mieux elle sera armée pour repérer les défauts de son environnement et améliorer ce qui fonctionne bien.

Tableau 10.6	Aller au cinéma – Le décor des services, selon les clients

Le design de l'environnement de service

Étape	Attentes dépassées	Attentes déçues
Trouver une place de parking	Beaucoup d'espace dans un endroit très éclairé, près de l'entrée et un vigile qui veille sur les voitures	Pas assez de places, si bien que les clients doivent se garer à un autre endroit/parking à proximité
Faire la queue pour obtenir des billets	Emplacement stratégique : des miroirs et des posters des films qui sortent Informations intéressantes qui agrémentent l'attente Horaire des films facilement repérables Communication claire de la disponibilité des billets	Une longue file d'attente et un temps d'attente excessif Difficile de voir rapidement quels sont les films programmés, leurs horaires et le nombre de places restantes
Vérification des billets à l'entrée de la salle	Un hall très bien entretenu, des indications claires jusqu'à la salle et des affiches du film qui stimulent les clients	Un hall sale, des déchets au sol, et des indications confuses pour atteindre la salle
Aller aux toilettes avant le film	Propres, spacieuses, bien éclairées, des sols secs, décor agréable, miroirs, le tout nettoyé régulièrement	Sales, odeur intolérable, toilettes cassées, pas de serviettes pour les mains, ni de savon, ni de papier toilette, beaucoup de monde, des miroirs sales.
Entrer dans la salle et trouver une place	Extrêmement propre, joli décor, des sièges en bon état, beaucoup de places, des fauteuils spacieux, confortables, et une température agréable.	Déchets au sol, sièges cassés, sols sales, pas assez de lumière, sombre, panneaux de sortie de secours en panne.
Regarder le film	Excellente qualité du son et de l'image, public sympa, un divertissement agréable, un bon souvenir dans l'ensemble	Qualité médiocre du son et de l'équipement du cinéma, public désagréable qui parle
Quitter le cinéma et retourner à son véhicule	Un personnel agréable, qui salue les clients lorsqu'ils partent, un chemin facile et bien éclairé vers la sortie, une aire de parking sûre et un retour à son véhicule grâce aux emplacements bien signalés	Un périple difficile, puisque tous se pressent vers le chemin étroit de la sortie, impossible de retrouver son véhicule, du fait de l'absence ou de l'insuffisance de l'éclairage.

Source : adapté de Steven Albrecht, « See Things from the Customer's Point of View — How to Use the "Cycles of Service" to Understand What the Customer Goes Through to Do Business With You », *World's Executive Digest*, décembre 1996, p. 53-58.

Conclusion

L'environnement de service joue un rôle fondamental dans la perception de l'image de l'entreprise et de son positionnement. Étant donné que la qualité d'un service est souvent difficile à apprécier de façon objective, les clients considèrent l'environnement de service comme un indicateur important de qualité. Un décor bien conçu procure du plaisir aux clients, augmente leur niveau de satisfaction et accroît la productivité.

Les fondements théoriques qui permettent de comprendre les effets du décor des entreprises de services sont empruntés aux théories de la psychologie environnementale. Le modèle de stimulus-réaction de Mehrabian-Russell soutient que le milieu influence les états affectifs des gens (ou sentiments) qui, en retour, influencent les comportements dans ce même milieu. Deux dimensions composent les affects : le plaisir et l'excitation. Elles déterminent l'envie des gens de s'arrêter à un endroit, d'y passer du temps et d'y dépenser de l'argent. Le modèle de la serviscène, élaboré à partir de ces théories, développe un cadre détaillé et explique comment les clients et le personnel en contact réagissent à l'environnement.

Les principales dimensions de l'environnement de service des entreprises sont l'atmosphère générale (qui comprend la musique, les parfums et les couleurs), la disposition spatiale, la fonctionnalité des équipements, les signes, symboles et artefacts. Chaque dimension a des effets importants sur les réactions du client. Par exemple, la présence ou l'absence d'une musique de fond, son style, son tempo et son volume, ont un effet significatif sur la satisfaction du client, sa perception de la qualité du service et sur des comportements comme le temps qu'il passe et l'argent qu'il dépense. Les autres variables du design peuvent avoir des effets similaires.

Il est difficile d'isoler tous ces éléments, puisque l'environnement de service est perçu de façon holistique, ce qui signifie qu'aucun des éléments singuliers ne peut être amélioré sans considérer tous les autres. C'est ce qui fait du design de l'environnement de service tout un art et amène des designers professionnels à se consacrer au design d'environnements spécifiques, comme les halls d'hôtels, les restaurants, les boîtes de nuit, les cafés, les magasins, les centres médicaux et d'autres établissements. De plus, les meilleurs environnements de service doivent être conçus dans une perspective client, dans la mesure où ils ont aussi pour mission de faciliter les procédures de mise à disposition des services.

Activités

Questions de révision

1. Quelles sont les composantes principales d'un environnement de service ?

2. Décrivez comment les deux modèles, celui de Mehrabian-Russell et celui de Russell, apportent des éléments de réponses au comportement du consommateur dans un environnement de service.

3. Expliquez les dimensions de l'ambiance et comment chacune d'elles peut influencer les réponses du consommateur dans un environnement de service.

4. Quels sont les rôles des signes, symboles et artefacts ?

5. Pourquoi est-il probable que différents types de clients et de personnel en contact réagissent différemment à un même environnement ?

6. Quels sont les outils que l'on peut utiliser pour mieux comprendre les réactions des clients, guider la création et améliorer les environnements de service ?

Exercices d'application

1. Trouvez des entreprises de services différentes où l'environnement est un élément fondamental de la valeur globale de l'offre. Analysez et expliquez de façon détaillée quelle valeur est offerte à travers l'environnement.

2. Rendez-vous dans une entreprise de services et observez. Faites l'expérience de cet univers, et notez comment les différents éléments du design orientent vos sensations et comment vous vous comportez dans cet environnement.

3. Rendez-vous dans un lieu de libre-service et déterminez les éléments du design qui vous orientent tout au long de la procédure. Qu'est-ce qui vous est le plus utile, et qu'est-ce qui vous semble le moins efficace ? Comment pourrait-on améliorer cet environnement afin de permettre au client de trouver son chemin plus facilement encore ?

4. Sélectionnez deux expériences de files d'attente, l'une bonne et l'autre mauvaise, et comparez ces deux situations. En quoi les éléments de l'environnement de service ont-ils contribué à l'évaluation de ces deux expériences ?

5. Visitez un restaurant self-service et analysez comment les dimensions du design de service vous guident dans votre expérience de service et les processus d'accès au service. Qu'avez-vous trouvé de très effectif/pertinent et de moins effectif/pertinent ? Comment cet environnement pourrait-il être amélioré pour une meilleure utilisation ?

6. Même exercice que précédemment, mais en choisissant une autre entreprise et en utilisant une caméra et des photographies. Quels sont les endroits attrayants de cet environnement de service et ceux qui ne le sont pas ? Pourquoi ?

Notes

1. Le mot « serviscène » est un néologisme inventé par Christopher Lovelock et Denis Lapert pour traduire le plus fidèlement possible *Serviscape*, terme créé par Mary Jo Bitner dans « Serviscape : The Impact of Physical Surroundings on Customers and Employees », *Journal of Marketing*, n° 56, avril 1992, p. 57-71.

2. Julie Baker, Dhruv Grewal et A. Parasuraman, « The Influence of Store Environment on Quality Inferences and Store Image », *Journal of the Academy of Marketing Science 22*, n° 4, 1994, p. 328-339.

3. N.G. Fischer, *La psychologie de l'espace*, Paris, PUF, 1981.

4. Robert J. Donovan et John R. Rossiter, « Store Atmosphere : An Environmental Psychology Approach », *Journal of Retailing 58*, n° 1, 1982, p. 34-57.

5. Gaël Bonnin, « La mobilité du consommateur en magasin : une étude exploratoire de l'influence de l'aménagement spatial sur les stratégies d'appropriation des espaces de grande distribution », *Recherche et applications en marketing*, vol. 18, n° 3, 2003, p. 7-29.

6. James A. Russell, « A Circumplex Model of Affect », *Journal of Personality and Social Psychology 39*, n° 6, 1980, p. 1161-1178.

7. Jochen Wirtz et John E.G. Bateson, « Consumer Satisfaction with Services : Integrating the Environmental Perspective in Services Marketing into the Traditional Disconfirmation Paradigm », *Journal of Business Research 44*, n° 1, 1999, p. 55-66.

8. Jochen Wirtz, Anna S. Mattila et Rachel L.P. Tan, « The Moderating Role of Target-Arousal on the Impact of Affect on Satisfaction – An Examination in the Context of Service Experiences », *Journal of Retailing 76*, n° 3, 2000, p. 347-365.

9. Barry J. Babin et Jill S. Attaway, « Atmospheric Affect as a Tool for Creating Value and Gaining Share of Customer », *Journal of Business Research 49*, 2000, p. 91-99 ; Jean-François Lemoine et Véronique Plichon, « Le rôle des facteurs situationnels dans l'explication des réactions affectives du consommateur à l'intérieur d'un point de vente », *Actes du congrès de l'Association française de marketing*, Montréal, 2002.

10. Mary Jo Bitner, « Service Environments : The Impact of Physical Surroundings on Customers and Employees », *Journal of Marketing 56*, avril 1992, p. 57-71.

11. Pour une revue sur les études expérimentales des effets de l'atmosphère, voir L.W. Turley et Ronald E. Milliman, « Atmospheric Effects on Shopping Behavior : A Review of the Experimental Literature », *Journal of Business Research 49*, 2000, p. 193-211.

12. Bruno Dauce et Sophie Rieunier, « Le marketing sensoriel du point de vente », *Recherche et applications en marketing*, vol. 17, n° 4, 2002, p. 46-65.

13. Patrick M. Dunne, Robert F. Lusch et David A. Griffith, *Retailing*, 4e édition, Orlando, Floride, Hartcourt, 2002, p. 518.

14. Barry Davies et Philippa Ward, « Managing Retail Consumption », West Sussex, G.B., John Wiley & Sons, 2002, p. 179.

15. Steve Oakes, « The Influence of the Musicscape Within Service Environments », *Journal of Services Marketing 14*, n° 7, 2000, p. 539-556.

16. Morris B. Holbrook et Punam Anand, « Effects of Tempo and Situational Arousal on the Listener's Perceptual and Affective Responses to Music », *Psychology of Music 18*, 1990, p. 150-162 ; S.J. Rohner et R. Miller, « Degrees of Familiar and Affective Music and Their Effects on State Anxiety », *Journal of Music Therapy 17*, n° 1, 1980, p. 2-15.

17. Ronald E. Milliman, « The Influence of Background Music on the Behavior of Restaurant Patrons », *Journal of Consumer Research 13*, 1986, p. 286-289.

18. Clare Caldwell et Sally A. Hibbert, « The Influence of Music Tempo and Musical Preference on Restaurant Patrons' Behavior », *Psychology and Marketing 19*, n° 11, 2002, p. 895-917.

19. Ronald E. Milliman, « Using Background Music to Affect the Behavior of Supermarket Shoppers », *Journal of Marketing 56*, n° 3, 1982, p. 86-91.

20. Richard F. Yalch et Eric R. Spangenberg, « The Effects of Music in a Retail Setting on Real and Perceived Shopping Times », *Journal of Business Research 49*, 2000, p. 139-147.

21. Michael K. Hui, Laurette Dube et Jean-Charles Chebat, « The Impact of Music on Consumers Reactions to Waiting for Services », *Journal of Retailing 73*, n° 1, 1997, p. 87-104. Pour une synthèse des études sur la musique, lire : Sophie Rieunier (1998), « L'influence de la musique d'ambiance sur le comportement du client », revue de littérature, défis méthodologiques et voies de recherche, *Recherche et applications en marketing*, vol. 13, n° 3, p. 57-78. Pour une étude de l'influence de la musique sur le comportement d'un utilisateur d'un site Web, lire : Jean-Philippe Galan, « La musique comme élément de conception des sites Web commerciaux : influence sur le comportement de l'utilisateur », *Actes du congrès de l'Association française de marketing*, Montréal, 2000 ; Céline Jacob et Nicolas Guéguen, « Variations du volume d'une musique de fond et effets

sur le comportement de consommation : une évaluation en situation naturelle », *Recherche et applications en marketing*, vol. 17, n° 4, 2002, p. 35-43.

22. David A. Tansik et Robert Routhieaux, « Customer Stress-Relaxation : The Impact of Music in a Hospital Waiting Room », *International Journal of Service Industry Management 10*, n° 1, 1999, p. 68-81.

23. Laurette Dubé et Sylvie Morin, « Background Music Pleasure and Store Evaluation Intensity Effects and Psychological Mechanisms », *Journal of Business Research 54*, 2001, p. 107 113.

24. Ben Dahmane Mouheli Norchène et Touzani Mourad, « Les réactions des consommateurs à la notoriété et au style de musique diffusée au sein du point de vente », *Actes du congrès de l'Association française de marketing*, Lille, 2002.

25. Patrick M. Dunne, Robert F. Lusch et David A. Griffith, *Retailing*, p. 520 ; Laure Jacquemier, « L'étude de la perception des odeurs : le cas d'une société de transport en commun », *Décisions marketing*, n° 22, 2001, p. 33-41 ; Virginie Maille, « L'influence des stimuli olfactifs sur le comportement du consommateur : un état des recherches », *Recherche et applications en marketing*, vol. 16, n° 2, 2001, p. 51-75.

26. Paula Fitzerald Bone et Pam Scholder Ellen, « Scents in the Marketplace : Explaining a Fraction of Olfaction », *Journal of Retailing 75*, n° 2, 1999, p. 243-262.

27. Alan R. Hirsch, « Dr. Hirsch's Guide to Scentsational Weight Loss », Harper Collins, G.B., janvier 1997, p. 12-15.

28. Mike Fillon, « No Added Pep in Peppermint », *WebMD Feature*, 22 septembre 2000, sur le site *http://mywebmd.com/health_and_wellness/living-better/default.htm*.

29. Alan R. Hirsch, « Effects of Ambient Odors on Slot Machine Usage in a Las Vegas Casino », *Psychology and Marketing 12*, n° 7, 1995, p. 585-594.

30. Alan R. Hirsch et S.E. Gay, « Effect on Ambient Olfactory Stimuli on the Evaluation of a Common Consumer Product », *Chemical Senses*, 1991, p. 535.

31. Linda Holtzschuhe, « Understanding Color – An Introduction for Designers », 2ᵉ édition, New York, John Wiley & Sons, Inc., 2002, p. 1.

31. Gerald J Gorn, Chattopadhyay Amitava, Tracey Yi et Darren Dahl, « Effects of Color as an Executional Cue in Advertising: They're in the Shade », *Management Science 43*, n° 10, 1997, p. 1387-1400 ; Ayn E. Crowley, « The Two-Dimensional Impact of Color on Shopping », *Marketing Letters 4*, n° 1, 1993, p. 59-69.

32. Linda Holtzschuhe, « Understanding Color – An Introduction for Designers », p. 51.

33. Albert Henry Munsell, « A Munsell Color Product », New York, Kollmorgen Corporation, 1996.

34. Linda Holtzschuhe, « Understanding Color – An Introduction for Designers », p. 51.

35. Heinrich Zollinger, « Color: A Multidisciplinary Approach », *Verlag Helvetica Chimica Acta* (VHCA), Weinheim, Zurich, Wiley-VCH, 1999, p. 71-79.

36. Joseph A. Bellizzi, Ayn E. Crowley et Ronald W. Hasty, « The Effects of Color in Store Design », *Journal of Retailing 59*, n° 1, 1983, p. 21-45.

37. John E.G. Bateson et K. Douglas Hoffman, « Managing Services Marketing », 4ᵉ édition, Orlando, Floride, The Dryden Press, 1999, p. 143.

38. Anat Rafaeli et Iris Vilnai-Yavetz, « Discerning organizational boundaries through physical artifacts », *Managing boundaries in organizations: Multiple perspectives*, N. Paulsen et T. Hernes (éd.), Basingstoke, Hampshire, G.B., Macmillan, 2003. Pour une synthèse des recherches sur les effets de la couleur, lire : Ronan Divard et Bertrand Urien, « Le consommateur vit dans un monde en couleurs », *Recherche et applications en marketing*, vol. 16, n° 1, 2001, p. 9-24.

39. Anna S. Mattila et Jochen Wirtz, « Congruency of Scent and Music as a Driver of In-store Evaluations and Behavior », *Journal of Retailing 77*, 2001, p. 273-289.

40. Christine M. Piotrowski et Elizabeth A. Rogers, *Designing Commercial Interiors*, New York, John Wiley & Sons, Inc., 1999 ; Martin M. Pegler, *Cafes & Bistros*, New York, Retail Reporting Corporation, 1998 ; Paco Asensio, *Bars & Restaurants*, New York, HarperCollins International, 2002 ; Bethan Ryder, *Bar and Club Design*, Londres, Laurence King Publishing, 2002.

41. Ron Kaufman, « Service Power : Who were They Designing it For ? », Newsletter, mai 2001, http://Ron Kaufman.com.

42. Alan d'Astous, « Irritating Aspects of the Shopping Environment », *Journal of Business Research 49*, 2000, p. 149-156.

Chapitre 11
Gérer le personnel en contact

« La satisfaction client résulte de la réalisation
d'un niveau de valeur supérieur à celui de la concurrence.
La valeur étant créée par des employés motivés, compétents et productifs. »
– James L. Heskett, Earl Sasser, Jr, et Leonard L. Schlesinger

Objectifs de ce chapitre

- Comprendre les raisons pour lesquelles le contact client est important dans la réussite d'une entreprise de services.

- Comprendre les facteurs qui rendent le travail du personnel en contact difficile et *challenging*.

- Décrire les cycles et logiques d'échec, de médiocrité, mais aussi de succès de la gestion des ressources humaines dans les entreprises de services.

- Savoir comment attirer, sélectionner et embaucher les bonnes personnes aux bons postes dans les services.

- Expliquer dans quelles situations et zones clés le personnel en contact a besoin d'être formé.

- Comprendre pourquoi l'*empowerment* est si important dans les services.

- Expliquer comment construire une équipe au contact du client performante.

- Savoir comment motiver le personnel en contact pour qu'il rende un service de qualité et soit productif.

- Comprendre le rôle d'une culture de service et de leadership au profit de l'excellence.

Ce chapitre tend à montrer l'importance du personnel en contact pour l'entreprise de services mais aussi pour les clients, ainsi que toutes les difficultés qu'il doit affronter, en interne comme en externe, pour toujours rendre un bon service au client. Le personnel en contact joue un rôle déterminant sur des aspects stratégiques de l'entreprise de service, comme la fidélité des clients, la confiance, la différenciation, l'image de marque et la notoriété de l'enseigne. Mais il a la particularité d'avoir une position inversement proportionnelle à son rôle marketing et stratégique dans l'échelle hiérarchique, c'est-à-dire parmi les moins élevées de l'entreprise.

Alors comment contourner cette difficulté ? C'est en partie l'objectif de ce chapitre : recenser les rôles et les caractéristiques que doit avoir un personnel en contact performant, montrer et identifier au sein de l'entreprise les difficultés auxquelles il est confronté au quotidien et comment les entreprises de services peuvent, en dépit de ces handicaps, avoir un personnel en contact toujours motivé et opérationnel.

1. Le personnel en contact a une importance cruciale

Le personnel en contact est central pour délivrer une prestation d'excellence et créer un avantage compétitif. Mais en raison des rôles souvent contradictoires qui leur sont alloués, les conserver et garantir une qualité de service constante est souvent difficile. En effet, la contradiction vient du fait que les intérêts du client peuvent ne pas correspondre à ceux de l'entreprise. Si tel est le cas, le personnel en contact passe alors la plupart de son temps à naviguer entre intérêts du client et intérêts de l'entreprise, cette dernière ne manquant pas de lui demander de travailler rapidement, d'être efficace, opérationnel, courtois, aidant, coopératif et apte à gérer et traiter des situations difficiles avec les clients. Aujourd'hui, les entreprises de services qui ne peuvent se passer de personnel en contact et qui réussissent sont celles qui placent au centre de leurs préoccupations le management de la ressource humaine, et plus spécifiquement ce personnel en contact, en veillant à mettre en place un recrutement pertinent, une sélection rigoureuse, une formation suivie et des méthodes de motivation efficaces pour le fidéliser. Les entreprises qui affichent haut et fort ces engagements se caractérisent par une culture particulière de leadership et d'exemplarité du top management. D'autant qu'il est plus difficile pour les concurrents d'imiter un niveau de performance humain que n'importe quelle autre ressource.

1.1. Le personnel en contact : source de fidélité et d'avantage concurrentiel

Quasiment tout le monde peut raconter une expérience de service lamentable, tout comme une très bonne interaction de service. Les employés sont souvent à l'origine de ces récits et expériences plus ou moins heureuses. Ils peuvent avoir été incompétents, indifférents, peu aimables ou, à l'opposé, des « héros » qui ont tout tenté pour satisfaire leurs clients, anticiper leurs besoins et résoudre leurs problèmes d'une manière empathique et efficace. Pour l'entreprise, le personnel est crucial, puisqu'il peut être un facteur déterminant dans la fidélité de la clientèle. Aussi joue-t-il un rôle important dans la chaîne de profit des services.

Du point de vue du client, la rencontre avec le personnel en contact est probablement l'aspect le plus important du service. Du point de vue de l'entreprise, les niveaux des services et la manière dont ils sont délivrés sont d'importantes sources de différenciation et d'avantages concurrentiels. De plus, la force du lien entre le client et le personnel en contact est souvent un facteur de fidélité[1], car il est :

- **Une partie essentielle de l'offre de services.** C'est souvent l'élément le plus visible du service et il détermine sa qualité.

- **L'entreprise de services.** Il représente l'entreprise et, du point de vue du client, il *est* l'entreprise.

- **La marque.** Le personnel et le service constituent souvent une partie essentielle de la marque. C'est le personnel qui détermine si la promesse de la marque est délivrée ou non.

- **L'élément qui agit sur les ventes.** Il est au centre du dispositif pour le développement et le maintien du chiffre d'affaires.

- **L'élément qui détermine la productivité.** C'est par lui que s'opère ou non la productivité des processus de *front office*.

De plus, le personnel en contact joue un rôle clé dans l'anticipation des besoins de la clientèle, la personnalisation de la livraison et la création et le maintien de liens avec les clients, ce qui, à terme, conduit à leur fidélité. Steve Posner, un vieux valet de chambre du Ritz-Carlton, avoue essayer en permanence d'anticiper les désirs des clients. Il met davantage de couverts sur la table : « Ce peut être pour un enfant, aussi je mets une petite cuillère pour la soupe. » Il ajoute systématiquement la sauce barbecue aux commandes de steaks ou de hamburgers : « Il se peut qu'ils n'aient pas pensé à en demander, alors ils sont contents d'en trouver. » Il met une assiette de rondelles de citron à côté d'un Coca-Cola : « Il faut toujours donner plus que vous pensez qu'il est nécessaire pour satisfaire les besoins du client. » L'objectif n'est pas de disposer la table d'une certaine manière, mais de s'assurer que les désirs et les besoins des clients sont satisfaits avant qu'ils ne les expriment. « En tant que serveur, vous êtes le préclient. Vous devez penser de la même façon que lui[2]. »

Ce type d'employés faisant des efforts discrétionnaires est à la base de l'excellence du service. Ils sont de plus en plus une variable clé dans la création et le maintien d'un positionnement et d'un avantage concurrentiel.

L'importance intuitive de l'impact du personnel en contact sur la fidélité de la clientèle a été intégrée et formalisée par Heskett et ses collègues de la Harvard Business School dans leur célèbre article « Putting the Service Profit Chain to Work[3] ». Les auteurs montrent comment la satisfaction de ces employés, leur fidélité et leur productivité influent sur la valeur d'un service et la fidélité de la clientèle. Contrairement au personnel de fabrication de produits manufacturés, les employés sont en contact permanent avec les clients, et nous avons la preuve que leur satisfaction et celle des clients sont étroitement liées[4]. Même si l'interaction client/personnel en contact est ténue dans des services de type « low contact », elle demeure cependant importante. C'est ce que nous voyons ci-après.

1.2. Le personnel en contact dans les services « low contact »

La plupart des recherches publiées dans le domaine du management des services, ainsi que de nombreux exemples dans ce chapitre font référence à des services de type « high contact ». Il n'y a rien de surprenant à cela, puisque les personnes qui exercent ces emplois sont très visibles et impliquées dans l'acte de service ; elles sont les acteurs principaux de la « scène » et à la base de l'avantage compétitif de l'entreprise. Néanmoins, de plus en plus de clients et ce, quels que soient les services, ont tendance à recourir à des processus de livraison du service qualifiés de « low contact », comme les centres d'appels et les points de vente en self-service. De nombreuses transactions dites routinières sont aussi effectuées sans personnel en contact, comme les transactions qui s'opèrent sur les sites Web, les distributeurs automatiques et les serveurs vocaux. Alors, devons-nous en conclure que le personnel en contact n'est pas si important que cela ?

Bien que la qualité de l'interface technologique puisse atteindre des niveaux importants, elle a souvent été mise au centre des préoccupations des entreprises pour toujours mieux satisfaire les besoins de leurs clients et faire la différence avec les concurrents. En effet, même si la plupart des gens ont peu d'occasions de rencontrer le personnel en contact des canaux à distance de leurs prestataires, ces « moments de vérité » sont déterminants et influencent grandement la perception du client sur la performance de l'entreprise. De plus, il est probable que ces interactions ne soient pas liées à des transactions routinières, mais plutôt à des problèmes de service ou des demandes particulières qui requièrent l'expertise d'un personnel en contact. Ces contacts, bien que peu fréquents, construisent ce que pensent les clients de leurs prestataires.

Il n'est pas rare d'entendre des clients s'exclamer : « Le service clients est excellent ! Lorsque j'ai besoin d'aide, je peux les appeler et c'est une des raisons pour lesquelles je veux continuer à avoir affaire à eux » ou, au contraire, « Votre service est défaillant. Je n'aime pas interagir avec vous et je n'y vais pas par quatre chemins pour vous dire à quel point votre service est mauvais ».

Même si les technologies à distance sont commodes pour les clients, le service délivré par le personnel en contact en face-à-face, « oreille-à-oreille », par mail, Twitter ou *Chat*, est déterminant pour le client ; il est une composante essentielle de la stratégie marketing de l'entreprise de services.

Étudions à présent, dans une deuxième section, les rôles dévolus au personnel en contact et les raisons pour lesquelles leur travail est loin d'être une sinécure.

2. Le travail du personnel en contact est difficile et stressant

La chaîne de profit des services ne peut se faire sans des employés performants et satisfaits. Leur présence est à la base de l'excellence en termes de qualité et de fidélité des clients. Ces employés occupent souvent les postes les plus exigeants et les plus difficiles. Alors, pourquoi être au service des clients n'est pas chose facile ?

2.1. Des « passe-frontières »

La littérature sur les comportements organisationnels décrit les personnels en contact comme étant des « passe-frontières » permanents, au sens où ils relient en permanence l'entreprise – l'intérieur – (celle qui les emploie) et le client – l'extérieur – (celui qu'ils servent). Ce « statut » et rôle de passe-frontières est à la base d'une situation potentiellement conflictuelle et ce, de façon quasi permanente. En effet, l'employé doit atteindre les objectifs de l'entreprise qui le paie et faire plaisir au client, être rapide et efficace dans l'exécution des tâches, tout en montrant de l'empathie et de l'écoute envers le client. De plus, on attend souvent de lui qu'il fasse de la vente, en particulier additionnelle (« Nous avons de merveilleux desserts pour compléter le plat principal » ou « Il serait temps d'ouvrir un compte séparé pour prévoir la formation de vos enfants »).

En bref, le personnel en contact joue parfois jusqu'à trois rôles : la responsabilité de la qualité de service, la productivité et la vente. La multiplicité de ces tâches est source de conflits et de stress[5].

2.2. Les sources de conflits

Trois causes essentielles sont à l'origine du stress personnel en contact : les conflits entre organisation de l'entreprise et service au client ; les conflits entre personnalité du personnel et aptitudes et tâches qu'il doit accomplir ; et enfin, les conflits entre clients.

Les conflits entre organisation de l'entreprise et service au client

Le personnel en contact doit jouer deux rôles principaux : organisationnel et marketing. En d'autres termes, il doit être opérationnel et rentable pour l'entreprise, satisfaire le client et développer le chiffre d'affaires.

Ces exigences génèrent chez le personnel en contact des conflits entre les fonctions occupées, les attitudes requises, et ses propres perceptions et croyances de ce que doit être le service et ce dont le client a besoin. Ce dont le client a besoin n'est pas forcément les produits/services qu'il doit vendre. Les employés de service font souvent face à ce dilemme : vaut-il mieux suivre les règles de l'entreprise ou satisfaire les demandes des clients ?

Un restaurant peut, par exemple, demander aux serveurs de ne pas promouvoir l'eau en carafe, mais de vendre des bouteilles d'eau minérale, et parmi les plus chères.

Ce type de conflit est aussi appelé le « dilemme des deux patrons », car le personnel en contact est obligé d'obéir aux ordres de sa hiérarchie, tout en se pliant aux demandes des clients. Ce problème est particulièrement saillant dans les organisations de services qui ne sont pas orientées clients, mais « produits ».

Pour plus de clarté, la figure 11.1 montre la situation dans laquelle se trouve en permanence le personnel en contact.

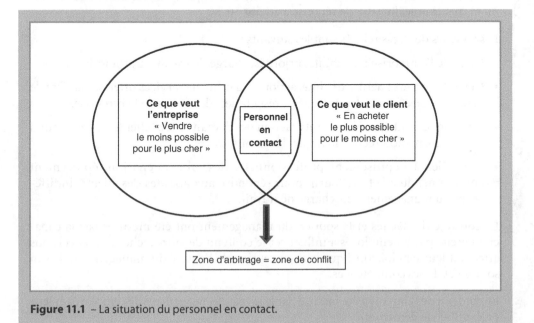

Figure 11.1 – La situation du personnel en contact.

Le personnel en contact est employé par l'entreprise (cercle de gauche), qui détient des objectifs de rentabilité, et il est au service du client (cercle de droite), dont la satisfaction peut être en contradiction avec l'orientation de service de l'entreprise. Le personnel en contact doit en permanence « jongler » entre ces deux univers qui peuvent être contradictoires.

L'encadré Échos de la recherche 11.1 montre comment le personnel de centres d'appels subit la tension entre qualité et productivité.

Échos de la recherche 11.1

Productivité et qualité de service du personnel en contact

Quels mécanismes régissent la productivité et la qualité du personnel en contact dans les services ? La tension née des demandes conflictuelles des clients et de l'entreprise engendre-t-elle des dysfonctionnements ? Quelles ressources permettent d'atténuer les effets de dysfonctionnements ? À la recherche de réponses, le professeur Jagdip Singh, de l'université de Case Western Reserve, a effectué une enquête auprès d'employés à plein temps d'un centre d'appels pour une entreprise de services financiers. Il faut rappeler que ces personnes étaient en contact permanent avec la clientèle. En effet, la nature de leur emploi les obligeait à coordonner leurs tâches avec celles de leurs collègues et à recevoir régulièrement des directives de leur management. On attendait de ces employés qu'ils atteignent leur quota quotidien d'appels et étaient régulièrement soumis à des tests de qualité de service. Leur travail contenait toutes les caractéristiques d'un environnement épuisant : de longues heures de tension, un manque d'autonomie, des ressources insuffisantes et des objectifs croissants.

Les trois cent six employés ont reçu un questionnaire d'enquête à leur domicile, avec une lettre d'explication, une lettre d'approbation du président de l'entreprise et une enveloppe affranchie pour renvoyer le dossier. L'anonymat des réponses était clairement mentionné. Le taux de réponse a atteint 30 %.

Les facteurs de stress relevés sont les suivants :

- Ceux de l'entreprise : flexibilité, priorités, charge de travail et promotions.

- Ceux des clients : nature des interactions, quantité de services offerts, manière de gérer les objections et les critiques, présentation des forces de l'entreprise.

- Ceux des conflits de rôles : la satisfaction des demandes des clients ne correspond pas à la formation reçue ; manque de ressources.

- Ceux liés à l'épuisement professionnel : désarroi, aliénation, épuisement émotionnel dû à l'effort fourni pour répondre aux attentes des clients, indifférence du management, surcharge de travail.

Le contrôle des tâches et le soutien du management ont été mesurés par la capacité perçue par les employés à influencer le contenu de leurs tâches et les décisions affectant leur emploi, ainsi que leur perception de l'équité du management, de son soutien et de ses compétences.

Le contenu des emplois a été mesuré par le niveau d'engagement des employés et leur probabilité de démission.

...

…

La productivité et la qualité ont été examinées. La productivité concernait à la fois les résultats des contacts (temps de contact client, mesuré automatiquement ; réalisation des objectifs en respectant les procédures) et le travail en *back office* (accomplissement précis des travaux administratifs selon les règles de l'entreprise). La qualité incluait l'établissement de relations de confiance avec les clients, la personnalisation client, la capacité à outrepasser ses domaines de responsabilité, même au détriment des objectifs de productivité pour résoudre des problèmes clients et fournir en permanence une information précise.

Les résultats ont montré que la productivité n'était pas affectée par l'épuisement professionnel mais plutôt par les conflits entre ressources et demandes, et par le rôle ambigu envers les clients. Singh pense que les employés cherchent à maintenir leur productivité, même en cas d'épuisement, car les indicateurs de productivité sont visibles et surtout liés à la rémunération et à la stabilité de l'emploi, au contraire de la qualité de service qui est moins quantifiable et moins visible. Un résultat inattendu était la corrélation négative entre l'engagement envers la société et la qualité de service, indiquant que les employés en contact qui sont plus engagés envers l'entreprise pourraient l'être moins envers les clients, et *vice versa*. Davantage de contrôle des tâches et de soutien du management protège les employés du stress, tout en améliorant leurs attitudes positives.

Source : Jagdip Singh, « Performance Productivity and Quality of Frontline Employees in Service Organizations », *Journal of Marketing*, 64, avril 2000, p. 15-34.

Une autre difficulté doit être relevée et participe à l'augmentation du stress du personnel en contact : lorsqu'il est obligé d'être aimable avec des clients désagréables et souvent irrespectueux envers lui, sans pouvoir exprimer ce qu'il pense ni même souvent se défendre.

Les conflits entre personnalité et tâches à accomplir

Le personnel en contact peut aussi être en conflit entre les qualités que requièrent les fonctions à exercer et les tâches à accomplir, et sa personnalité et prédispositions naturelles. V. S. Mahesh et A. Kasturi, tous deux consultants internationaux auprès d'entreprises de services de renom, ont relevé qu'une majeure partie des personnels en contact rencontrés au cours de leurs missions ont tendance à décrire le client de façon négative, employant souvent des termes tels que « le client en demande toujours trop », « le client n'est pas raisonnable », « le client ne veut pas écouter », « le client veut tout immédiatement » ou « le client est arrogant ».

En fait, délivrer un service de qualité requiert un personnel en contact indépendant, chaleureux et amical. On trouve ces prédispositions de caractère majoritairement chez les personnes qui ont une grande estime d'elles-mêmes, sans tomber dans l'orgueil et la suffisance. Néanmoins, de nombreux emplois en contact sont perçus (est-ce une perception ou une pratique abusive de certaines entreprises ?) comme étant au bas de l'échelle de responsabilité et de salaire, nécessitant peu d'années d'études, mal payés et promettant peu d'avenir. Une entreprise doit être capable de professionnaliser et valoriser ces emplois en contact, et d'éliminer une telle image, sous peine d'engendrer des conflits employé/rôle.

Étudions à présent la gestion des conflits entre clients sur un même lieu de service.

Les conflits interclients

Les conflits entre les clients ne sont pas courants (par exemple, fumer dans des zones non fumeurs, contourner des files d'attente, téléphoner au cinéma ou dans le train lorsque c'est interdit, parler très fort au restaurant, etc.), mais le personnel en contact doit parfois servir d'intermédiaire pour faire valoir les droits du client dérangé. C'est une tâche difficile, stressante et peu plaisante, puisqu'il est parfois, voire souvent impossible de satisfaire les deux parties.

Le personnel en contact doit en fait performer sur trois fronts : satisfaire les clients, être productif et vendre. Remplir correctement ces trois rôles génère du stress, tant ils peuvent être conflictuels. À cela, il faut ajouter les aspects souvent émotionnels que revêtent certaines tâches dévolues au personnel en contact, point que nous étudions ci-dessous.

2.3. Le travail émotionnel

Le terme « travail émotionnel » est apparu dans le livre *The Managed Heart*[6] d'Arlie Hochschild, professeur à l'université de Berkeley, Californie. Le travail émotionnel apparaît lorsqu'il y a une divergence entre les sentiments éprouvés réellement par le personnel en contact et les émotions qu'il doit véhiculer et laisser transparaître dans l'exercice de ses fonctions (la gestuelle ou les mots). Par exemple, être rassurant, compatissant et modeste lorsqu'on ne l'est pas par nature. Certaines entreprises de services font l'effort de recruter du personnel en contact ayant naturellement ces prédispositions comportementales et caractérielles pour justement limiter ces conflits de rôles. Le stress du travail émotionnel et du conflit de rôle est bien illustré dans l'histoire, sûrement apocryphe, suivante : un passager s'approcha d'une hôtesse de l'air et lui dit : « Un sourire, s'il vous plaît. » L'hôtesse répondit : « D'accord, mais vous souriez d'abord et ensuite je souris, ça vous va ? » Il sourit. « Parfait, dit-elle. Maintenant, retenez ce sourire pendant quinze heures… » et elle s'en alla[7].

Le travail émotionnel est un problème réel auquel le personnel en contact doit faire face. De plus en plus d'entreprises prennent des mesures pour aider leur personnel en ce sens. Par exemple, en raison de la réputation d'excellence de Singapore Airlines (SIA), les clients ont souvent des attentes élevées et sont très exigeants, mettant la pression sur le personnel. Le directeur de la formation commerciale de la compagnie expliquait :

> *Nous avons récemment effectué une enquête externe où il apparaît que la majorité des « clients exigeants » choisissent SIA. Ainsi, le personnel est sous forte pression. Nous avons une devise : « Si SIA ne peut pas le faire pour vous, aucune autre compagnie ne le pourra. » Nous encourageons nos employés à essayer, tant bien que mal, de satisfaire les demandes des clients. Ils sont très fiers et défendent l'entreprise. Nous devons les aider à affronter le trouble émotionnel induit par la satisfaction de la clientèle, tout en essayant de ne pas leur infliger le sentiment d'être exploités. Le défi est d'aider notre personnel à savoir réagir lors de situations difficiles. Cela constituera le prochain effort de nos programmes de formation[8].*

Les entreprises doivent tenir compte du stress émotionnel permanent et trouver des moyens de le soulager, notamment par des formations.

Si de tels programmes et préoccupations échappent à l'entreprise, le personnel en contact peut se percevoir comme esclave, point que nous étudions ci-dessous.

2.4. Les usines à bons services

Le développement rapide des technologies de l'information permet aux entreprises de services d'améliorer radicalement les processus et même de réorganiser complètement leurs opérations. Parfois, ces développements engendrent des changements brutaux sur la nature du travail des employés. À une époque où les contacts en face-à-face sont remplacés de plus en plus souvent par Internet ou des services téléphoniques, les entreprises ont redéfini ou déplacé leurs emplois, créé de nouveaux critères de recrutement et embauché des employés avec des qualifications différentes.

L'évolution des services à contact élevé vers des services à contact faible fait qu'un nombre croissant d'employés travaillent par téléphone ou par mail, sans jamais rencontrer les clients. Par exemple, plus de 3 % de la population active américaine travaille, aujourd'hui, dans des centres d'appels comme chargés de clientèle ou CSR[9].

Lorsqu'ils sont bien mis en œuvre, tout comme en France, de tels emplois peuvent entraîner de grandes satisfactions. Ils peuvent également offrir aux mères de familles et aux étudiants des possibilités d'emploi avec des horaires très flexibles (à peu près 50 % des employés de centres d'appels sont des mères seules ou des étudiants)[10]. En effet, des recherches récentes ont montré que les employés à mi-temps sont plus satisfaits de leurs emplois de chargés de clientèle que ceux qui travaillent à plein-temps ; leurs performances sont aussi bonnes[11]. Dans les « centres de contact » (terme souvent employé pour décrire les centres d'appels) les mieux gérés, le travail est intense. Les chargés de clientèle doivent répondre à deux coups de téléphone à la minute (en incluant les pauses y compris les toilettes). Le tout sous une surveillance très étroite. Les recherches de Mahesh et Kasturi sur les centres d'appels révèlent que les agents intrinsèquement motivés souffrent moins du stress que génèrent le travail et le contact client. Comme nous allons le voir dans ce chapitre, l'une des clés de succès dans ce type de travail est de s'assurer que le candidat sait se présenter au téléphone et qu'il a le potentiel pour apprendre, accompagné d'une formation rigoureuse et de la mise à disposition d'un cadre de travail agréable, constitue la clé de la réussite dans ce domaine.

Étudions à présent, dans une troisième section, comment des interactions de services sont vouées à l'échec ou à la médiocrité, tandis que d'autres sont vouées au succès.

3. Les cycles de l'échec, de la médiocrité et du succès

Après avoir étudié l'importance du personnel en contact et les difficultés auxquelles il est confronté quotidiennement, voyons à présent comment certaines entreprises de services amènent leur personnel en contact à faire du bon ou du moins bon travail. En effet, de mauvaises conditions de travail ont souvent des répercussions néfastes sur la qualité du service rendu ; les employés traitent alors les clients de la même manière qu'ils sont traités par leur patron, c'est-à-dire mal. Les entreprises qui ont un turnover d'employés important sont souvent enfermées dans ce que l'on appelle le « cycle de l'échec ». D'autres entreprises, offrant une meilleure sécurité d'emploi mais peu d'initiatives laissées au personnel en contact, souffrent d'un cycle aussi indésirable que le précédent, et qui a été baptisé « cycle de la médiocrité ». Si l'entreprise est bien gérée et offre un environnement de travail confortable et gratifiant, elle a les potentialités de ce que l'on appelle le « cycle du succès[12] ».

3.1. Le cycle de l'échec

Dans de nombreuses entreprises de services et ce, quelle que soit la nature de l'activité exercée, la recherche de productivité est primordiale. Une solution consiste à simplifier les séquences de travail et à embaucher de la main-d'œuvre peu coûteuse, capable d'effectuer des tâches répétitives qui demandent peu, voire pas de formation. Parmi les services rendus au consommateur, les grandes surfaces, la restauration rapide et les centres d'appels sont souvent cités comme étant les secteurs où sont majoritairement adoptées ces dispositions. Comme le montre la figure 11.2, le cycle de l'échec représente bien les effets d'une telle stratégie : deux cycles concentriques mais interactifs dont l'un représente les problèmes avec les employés, l'autre avec les clients.

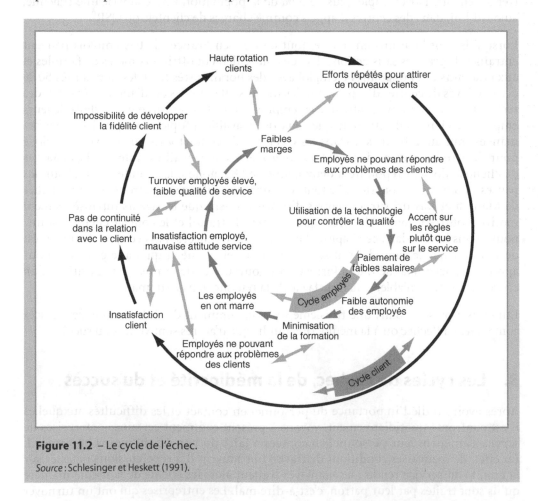

Figure 11.2 – Le cycle de l'échec.

Source : Schlesinger et Heskett (1991).

Le *cycle de l'échec de l'employé* se produit lorsque le descriptif de la mission est insuffisamment étayé et nécessite peu de connaissances ou un faible niveau d'études, où le règlement prend le pas sur le service à rendre et où la technologie contrôle la qualité. Une stratégie de bas salaires est en général accompagnée d'un effort minimal dans la sélection ou la formation. Il s'ensuit inéluctablement un profond ennui de la part des employés (tâches routinières, pas de marge de manœuvre ni de liberté pour répondre aux clients, etc.), néfaste pour l'enthousiasme et l'empathie requis pour satisfaire les attentes du client. Le résultat pour l'entreprise est l'apparition d'un service de faible qualité et un turnover des employés très important. Les marges de profit étant faibles, le cycle s'aggrave avec l'embauche d'employés encore plus faiblement rémunérés dans une atmosphère de travail peu motivante qui peut aboutir à un véritable « sabotage » du service de la part du personnel en contact.

Le *cycle de l'échec du client* commence lorsque l'entreprise donne la priorité d'attirer de nouveaux clients qui rapidement sont insatisfaits si le personnel en contact et l'organisation sont dans l'incapacité d'absorber cette demande supplémentaire. Les clients sont alors déçus par la performance de ce personnel insuffisamment formé et sous tension, et le manque de suivi induit en raison de changements fréquents de personnel. En conséquence, les clients ne sont pas (et/ou plus) fidèles à l'entreprise et changent de fournisseur de services aussi rapidement que le personnel. Pour conserver une masse de clients suffisante et maintenir son volume de ventes, l'entreprise est alors contrainte de conquérir sans cesse de nouveaux clients, et ainsi de suite. Pour expliquer ce cycle de l'échec, les responsables accusent souvent le personnel en contact sans remettre en cause leur organisation et politique de gestion de la ressource humaine :

- « De nos jours, il est très difficile de recruter les bonnes personnes. »

- « Aujourd'hui, les gens ne veulent pas travailler. »

- « Se procurer de bons éléments serait trop coûteux et il est impossible de répercuter ces coûts supplémentaires sur les clients. »

- « Ce n'est pas la peine de former le personnel en contact puisqu'il s'en va rapidement. »

- « Un turnover important est inévitable dans notre secteur d'activité. Il faut apprendre à faire avec[13]. »

Trop de responsables ont une vision à court terme et une mauvaise évaluation des conséquences financières d'une stratégie salaire faible/turnover élevé. James Heskett, Earl Sasser et Leonard Schlesinger montrent que les entreprises doivent mesurer l'importance de la stabilité de leur personnel en contact, tout comme l'importance de la fidélité de leurs clients. Une partie du problème vient du fait que les entreprises peinent à mesurer le coût d'un personnel en contact qui ne reste pas. En effet, trois variables clés du coût de la gestion des ressources humaines sont souvent oubliées : les coûts de recrutement (autant temporels que financiers), d'embauche et de formation ; la faible productivité des employés inexpérimentés ; le coût de la conquête permanente de nouveaux clients (nécessitant beaucoup de frais de publicité et de rabais promotionnels). Deux variables sont aussi souvent oubliées : les revenus perdus pendant les nombreuses années durant lesquelles les clients sont allés se procurer un meilleur service ailleurs ; et les revenus des clients potentiels qui sont également perdus à cause des commentaires négatifs véhiculés par le bouche-à-oreille. Enfin, il y a des coûts moins facilement quantifiables, tels que le manque à gagner lorsque les postes ne sont pas pourvus ou la perte des connaissances et de l'expérience que possèdent les employés concernant les habitudes des clients.

3.2. Le cycle de la médiocrité

Un autre cycle tout aussi vicieux que le précédent est le « cycle de la médiocrité » (voir figure 11.3). On le rencontre dans de grandes entreprises souvent bureaucratiques ou dans des services administratifs, dans lesquels la possibilité d'améliorer la performance est quasi inexistante et où, éventuellement, la peur des syndicats peut décourager les responsables d'adopter des pratiques innovantes.

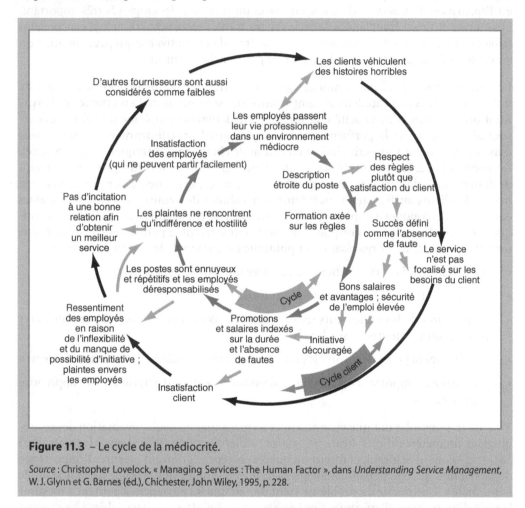

Figure 11.3 – Le cycle de la médiocrité.

Source : Christopher Lovelock, « Managing Services : The Human Factor », dans *Understanding Service Management*, W. J. Glynn et G. Barnes (éd.), Chichester, John Wiley, 1995, p. 228.

Dans de tels environnements, les normes et standards de mise à disposition du service sont plutôt régis par des réglementations très rigides, orientées vers la standardisation des services, l'efficacité des opérations et la prévention de la fraude des employés et du favoritisme envers certains clients. Les responsabilités ont tendance à être étroitement définies, catégorisées par grade et niveau, voire rigidifiées. Les augmentations de salaires et les promotions sont fondées sur l'ancienneté dans l'entreprise. Puisqu'il y a peu de flexibilité ou d'initiative des employés, les postes sont plutôt ennuyeux et répétitifs. Néanmoins, en contraste avec ceux du cycle de l'échec, la plupart sont correctement rémunérés.

Au sein de ces entreprises, les clients peuvent développer beaucoup de frustration. En effet, sans concurrence, les clients sont contraints d'accepter d'être servis de façon bureaucratique : le respect de la règle prime le service rendu et le client déplore un réel manque de flexibilité. Le risque encouru est que le client éprouve du ressentiment et montre de l'hostilité envers les employés, qui sont enfermés dans leur travail et dans l'impossibilité d'améliorer la situation. Les employés peuvent se protéger en recourant à des mécanismes bien connus comme l'indifférence, l'application stricte du règlement ou en répondant à l'agressivité par de l'agressivité. Le résultat ne se fait pas attendre : un cycle vicieux dans lequel les clients mécontents se plaignent en permanence aux employés, induisant chez ces derniers un manque d'implication et de motivation, et ainsi de suite.

3.3. Le cycle du succès

Certaines entreprises rejettent les théories du cycle de l'échec ou de la médiocrité. Au lieu de cela, elles adoptent une vision à long terme de leur performance financière, en investissant dans leurs employés pour créer un « cycle du succès » (voir figure 11.4).

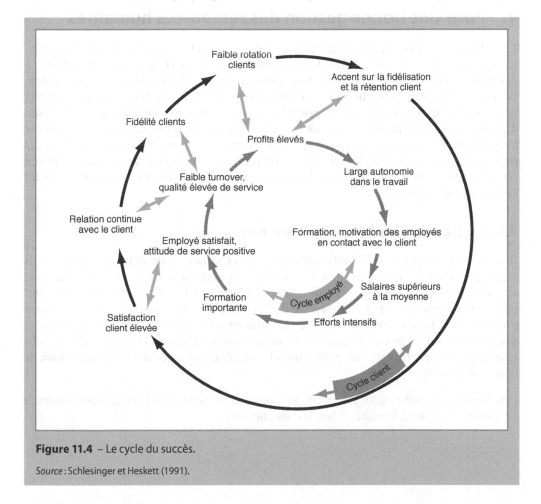

Figure 11.4 – Le cycle du succès.

Source : Schlesinger et Heskett (1991).

À l'instar du cycle de l'échec et de la médiocrité, le cycle du succès s'applique aussi bien aux employés qu'aux clients. Ces entreprises, dans le long terme, proposent des salaires attrayants pour le personnel. Aux vastes domaines de responsabilité des emplois, s'ajoutent la formation et la responsabilisation qui aident le personnel en contact à fournir un service de qualité et à assumer de façon sereine les relations clients. Avec un recrutement plus ciblé, davantage de formation et de meilleurs salaires, les employés sont satisfaits de leur travail et fournissent une meilleure qualité de service. Les clients apprécient aussi la continuité des relations de service due à un faible turnover et ont tendance à être fidèles. Les marges sont souvent plus élevées. L'entreprise peut centrer ses efforts marketing sur la fidélité des clients grâce à des stratégies de rétention, habituellement plus profitables que la recherche de nouveaux clients. Depuis peu, même les entreprises de services publics essaient de mettre en place des cycles du succès. Elles offrent souvent à leurs utilisateurs une bonne qualité de service à un moindre coût[14].

Étudions à présent, dans une quatrième section, comment garantir une bonne gestion des ressources humaines dans les services.

4. Pour une bonne gestion des ressources humaines

Tout dirigeant rationnel recherche la logique du succès. Dans cette section, nous analysons les stratégies des directions des ressources humaines (DRH), qui contribuent à orienter les entreprises de services dans cette direction. Nous verrons, en particulier, comment elles peuvent embaucher, motiver et retenir les employés qui ont la volonté et la capacité d'effectuer leur travail, selon les trois dimensions déjà évoquées : livraison d'un service excellent, satisfaction de la clientèle et productivité. La figure 11.5 illustre le cycle talentueux du service qui devrait être la trame de toute politique de gestion des ressources humaines dans les entreprises de services. Étudions à présent les pratiques recommandées pour garantir une bonne gestion des ressources humaines dans les entreprises de services.

4.1. Embaucher les bonnes personnes

Il serait naïf de penser qu'il suffit de contenter et satisfaire les employés pour qu'ils soient performants. La satisfaction de l'employé est nécessaire mais pas suffisante pour accroître sa performance. Une étude récente montre que les efforts des employés sont une forte composante de la satisfaction de la clientèle[15]. Jim Collins a dit : « Le vieux proverbe "Les personnes sont l'atout le plus important" est faux. Les bonnes personnes sont votre atout le plus important[16]. » Et nous voulons ajouter à cela : « … Et les individus peu performants sont un problème. » Le succès commence dès l'embauche avec de bons professionnels.

Une bonne embauche inclut la capacité à recevoir de bons dossiers émanant des meilleurs employés du secteur. Ensuite, il faut les sélectionner.

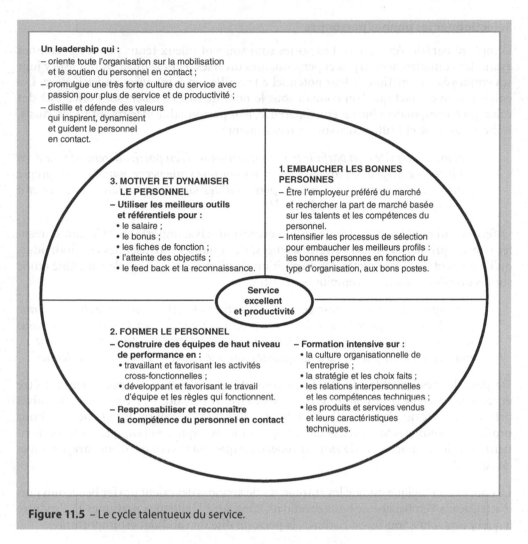

Figure 11.5 – Le cycle talentueux du service.

Être l'employeur préféré de la profession

Pour pouvoir être embauchés, les meilleurs professionnels doivent d'abord postuler et ensuite accepter votre offre (ils sont souvent sélectionnés par plusieurs entreprises). Cela signifie qu'une entreprise doit d'abord être reconnue sur le marché[17], ce que McKinsey & Company nomme : « La guerre pour le talent[18]. » Pour une entreprise, être compétitive sur le marché du travail signifie avoir une valeur attractive pour ceux qui recherchent un emploi, et également des facteurs tels qu'une bonne image, une livraison de produits/services de haute qualité, qui fait la fierté de ses employés.

Évidemment, le salaire et les divers avantages ne peuvent être au-dessous de la moyenne du marché. D'expérience, il faut proposer un salaire se situant entre 65 et 80 % de la limite supérieure des offres pour attirer les meilleurs employés. Il ne faut pas nécessairement proposer le salaire le plus élevé du moment si d'autres aspects de la valeur de l'offre sont attractifs. En bref, il faut comprendre les besoins et motivations des employés ciblés pour ne pas se tromper dans la valeur de la proposition.

Sélectionner les bonnes personnes

L'employé parfait n'existe pas. Les postes sont souvent mieux tenus par des personnes ayant des connaissances, styles et personnalités diverses. Par exemple, Walt Disney juge ses employés en fonction de leur potentiel à travailler en *front office* ou *back office*. Les employés en contact que l'on connaît sous le nom de *cast members* sont affectés à des rôles qui correspondent bien à leur apparence, leur personnalité et leurs aptitudes. Aussi, Robert Levering et Milton Moskowitz remarquent :

> *Aucune entreprise n'est parfaite pour tout le monde. C'est particulièrement vrai dans les bonnes entreprises, puisque ces sociétés ont une vraie personnalité... leur propre culture. Les entreprises qui ont des personnalités fortes ont tendance à attirer et à repousser certains types d'individus[19].*

Qu'est-ce qui rend les employés de service exceptionnels si importants ? Ce sont souvent les choses qui *ne peuvent pas* être enseignées, des qualités intrinsèques aux individus, qu'ils portent en eux et mettent à disposition de n'importe quel employeur. Une étude sur les profils des meilleurs employés a conclu :

> *L'énergie... ne peut être enseignée, elle doit être embauchée. La même chose est vraie pour le charme, pour le sens du détail, pour l'éthique et pour la propreté. Certains de ces éléments peuvent être améliorés avec des formations... des encouragements... mais en majeure partie, de telles qualités sont inculquées à l'individu très jeune[20].*

De plus, les responsables de DRH ont constaté que si certains aspects peuvent être enseignés, la chaleur humaine ne peut pas l'être. Il faut donc favoriser les candidats présentant cette qualité naturellement. Jim Collins met l'accent sur le fait que « Les bons profils sont ceux qui font preuve des comportements requis, en tant que prolongement naturel de leur caractère et de leur attitude, quel que soit le système d'encouragement et de contrôle[21]. »

La conclusion logique est que les entreprises de services devraient porter beaucoup plus d'attention à l'embauche de bons candidats. L'encadré Meilleures pratiques 11.1 montre à quel point, chez Southwest Airlines, la personnalité du candidat est importante.

Meilleures pratiques 11.1

Le recrutement chez Southwest Airlines

Southwest recrute du personnel dont l'attitude et la personnalité sont en total accord avec la personnalité de l'entreprise. L'humour est essentiel. Herb Kelleher, le légendaire patron de Southwest, déclare : « Je veux voler en prenant un sacré plaisir ! Nous recherchons des personnes qui ont le sens de l'humour et qui ne se prennent pas trop au sérieux. On vous formera sur ce que vous aurez à faire, mais la seule chose que Southwest ne peut pas faire, c'est changer votre attitude. Southwest a un principe fondamental : recruter des personnes qui ont un "bon esprit". Southwest cherche des personnes tournées vers les autres, des personnes qui feront partie de la famille de ceux qui travaillent dur et savent s'amuser en même temps. »

Southwest a une approche minutieuse de l'interview basée sur l'expérience. C'est peut-être ce qui est le plus innovant dans la sélection du personnel volant. La journée

...

...

commence par un rassemblement de tous les candidats. Les recruteurs observent comment ils se comportent en groupe. (Une nouvelle opportunité leur est donnée au moment du déjeuner).

Ensuite, vient le moment des interviews. Chaque candidat a trois rencontres en face-à-face pour évaluer son comportement. Les interviewers ciblent dans chaque catégorie une dizaine de points, basés sur l'expérience des collègues et des superviseurs. Par exemple, pour le personnel de cabine, la volonté, la compassion, la flexibilité, la sincérité et la sensibilité. L'humour est aussi testé par une question du type : « Dites-moi la dernière fois que vous avez utilisé votre sens de l'humour dans votre environnement professionnel pour vous sortir d'une situation difficile ? »

Southwest décrit l'entretien idéal comme une conversation, dont l'objectif est de mettre les candidats à l'aise. Le premier entretien de la journée tend à être formel, le deuxième plus « cool » et le troisième dans le style : « Que pouvez-vous nous dire de plus ? » Il est très difficile de se tromper dans ce type de procédure, car les trois interviewers ne discutent pas des candidats, mais comparent leurs notes. Cela réduit le risque de biais.

Afin d'éviter toute erreur de recrutement, Southwest invite les collaborateurs avec lesquels la future recrue travaillera à participer aux interviews et au processus de sélection, induisant un sens des responsabilités dans la formation des nouveaux embauchés et évitant des remarques du type : « Qui a embauché cette dinde ? » De façon moins systématique, les utilisateurs fréquents peuvent aussi être invités à participer au premier entretien.

L'équipe d'interviewers demande aux candidats de préparer une présentation d'eux-mêmes en cinq minutes, tout en leur accordant tout le temps qu'il faut pour la préparation. Lors de cette présentation, les examinateurs ne regardent pas seulement le candidat, mais aussi les réactions du groupe de personnes avec lesquelles le nouvel embauché devra travailler. De plus, les interviewers observent la manière dont les autres candidats modifient leur présentation pendant que parle l'un d'entre eux.

En embauchant ceux qui ont la bonne attitude, Southwest perpétue l'esprit Southwest. Une qualité intangible qui pousse les employés à faire ce qu'on aimerait que l'on fasse pour eux. Southwest offre des miles à ses employés et n'a jamais licencié personne, même si elle a fermé trois agences de réservation en 2004. Le management sait que la culture « Airlines » est un avantage compétitif très important.

Sources : Kevin et Jackie Freiberg, *Nuts! Southwest Airlines' Crazy Recipe for Business and Personal Success*, New York Books, 1997, p. 64-69 ; Christopher Lovelock, *Product Plus*, New York, Mc Graw-Hill, 1994, p. 323-326 ; Barney Gimbel, « Southwest's New Flight Plan », *Fortune*, 16 mai 2005, p. 93-98.

4.2. Comment identifier les meilleurs candidats

Il existe de nombreuses façons d'identifier les meilleurs candidats : observer les comportements, faire passer des tests de personnalité, mener des entretiens et décrire l'emploi en question de façon réaliste[22].

Faire passer plusieurs entretiens structurés

Pour améliorer les décisions d'embauche, les recruteurs organisent des entretiens structurés autour des connaissances requises pour un poste, qui sont conduits par plusieurs interviewers. L'avantage de procéder à plusieurs entretiens est d'optimiser le jugement et d'ouvrir les points de vue. Par ailleurs, on réduit le risque du biais « semblable à moi ». Nous aimons tous les individus qui nous ressemblent.

Observer le comportement

Prendre la décision d'embaucher en fonction du comportement que vous observez et non des mots que vous entendez. Comme John Wooden l'a dit : « Montrez-moi ce que vous pouvez faire, ne me dites pas ce que vous pouvez faire. Trop souvent, ceux qui parlent trop sont ceux qui en font le moins[23]. » Le comportement peut être directement ou indirectement observé en utilisant des simulations comportementales ou des tests d'évaluation. Cela permet d'identifier les candidats adaptés aux clients de l'entreprise. De plus, le comportement passé est la meilleure prévision du comportement futur : embaucher de préférence la personne qui est régulièrement élue « meilleur employé du mois », qui a reçu de nombreuses lettres de compliment, etc.

Faire passer des tests de personnalité

Utiliser des tests de personnalité qui sont pertinents pour un poste en particulier : par exemple, aptitude à traiter les clients et collègues avec courtoisie, considération et tact ; aptitude à percevoir de façon juste et pertinente ce que veulent les clients ; capacité à communiquer clairement et agréablement. Tous ces éléments peuvent être mesurés et les tests sont généralement fiables.

Prenons, par exemple, le groupe Ritz-Carlton. Depuis dix ans, il utilise des profils de personnalité pour chaque poste à pourvoir. Des caractéristiques telles que sourire, volonté d'aider les autres, capacité à effectuer de multiples tâches sont aussi importantes que le niveau de connaissances. Une candidate a commenté son expérience lors d'entretiens pour un poste de concierge junior au Ritz-Carlton Millenia de Singapour. Son meilleur conseil : dire la vérité ! « Ce sont des experts ; ils sauront si vous mentez. Le jour J, ils m'ont demandé si j'aimais aider autrui, si j'étais une personne organisée et si j'aimais beaucoup sourire. Oui, oui, oui, j'ai répondu. Mais je devais prouver ces réponses par des exemples concrets. Par moment, tout cela me paraissait plutôt indiscret. Pour répondre à la première question, j'ai dû parler d'une personne que j'avais aidée, expliquer pourquoi elle avait besoin d'aide. Le test m'a forcée à me rappeler de certains aspects parfois insignifiants, tels qu'apprendre à dire bonjour dans différentes langues, ce qui leur a permis de décrypter mon caractère[24]. »

Hormis les tests psychologiques, des programmes d'évaluation peu coûteux sont disponibles sur Internet. Dans ce cas, les candidats répondent à un questionnaire informatisé et l'employeur reçoit l'analyse, la valeur du candidat par rapport aux exigences de l'entreprise et une recommandation d'embauche. Pour vous documenter sur ce marché de tests sur Internet, rendez-vous à l'adresse du groupe SHL, www.shlgroup.com/shl/fr. Par ailleurs, d'une manière générale, les personnes ont des prédispositions à être positives et heureuses ou négatives et malheureuses[25]. Il est préférable, pour être sûr de satisfaire les clients, d'embaucher des personnes réactives et heureuses[26].

Donner aux candidats une vision réaliste du poste à pourvoir[27]

Pendant le processus de recrutement, l'entreprise doit donner le plus d'informations possible sur la réalité de l'emploi. Cela permet au candidat de juger si le poste lui correspond ou non et, le cas échéant, de renoncer. En même temps, l'entreprise peut gérer plus facilement les attentes des nouveaux employés. Cette approche est de plus en plus souvent adoptée. Par exemple, une chaîne de pâtisseries-boulangeries française, *Au Bon Pain*, permet aux candidats de travailler pendant deux jours rémunérés avant le dernier entretien de sélection. Dans ce cas-là, les responsables peuvent observer les candidats en action, et ces derniers juger si le travail et l'environnent leur conviennent[28].

4.3. Former activement le personnel en contact

Lorsqu'une entreprise possède de bons éléments, les investissements en formation peuvent générer des résultats extraordinaires. Les meilleures entreprises de services valorisent la formation avec des mots, de l'argent et des actions. Selon Benjamin Schneider et David Bowen (respectivement professeur de psychologie à l'université du Maryland et doyen de l'école de management international de Thunderbird), cela se traduit par : « Attirer des candidats différents et compétents, utiliser les techniques les plus efficaces pour embaucher les meilleurs et ensuite les former le mieux possible, pour obtenir une équipe redoutable sur n'importe quel marché[29]. »

Les employés du service doivent apprendre :

- **La culture organisationnelle : raison d'être et stratégie.** Il faut faire en sorte que les nouveaux employés adhèrent émotionnellement à la stratégie de l'entreprise. Il faut également qu'ils mettent en avant les valeurs de la société que les managers doivent enseigner en se focalisant sur le « quoi », le « pourquoi » et le « comment » plutôt que sur les particularités du poste[30]. Par exemple, les nouvelles recrues de Disneyland participent à « l'université Disney ». Cela commence par une présentation détaillée de l'histoire et de la philosophie de l'entreprise, des normes de service attendues (« cast members ») et d'un tour complet de Disneyland[31].

- **Les compétences interpersonnelles et techniques.** Les compétences interpersonnelles sont plutôt génériques et se rapportent à l'utilisation de la communication visuelle, l'écoute attentive, au langage corporel et même aux expressions faciales. Les compétences techniques englobent toutes les connaissances liées au processus de service (comment effectuer un retour de marchandise), aux machines (comment utiliser une caisse enregistreuse), et les règles liées au processus de service en rapport avec la clientèle. Ces compétences sont *nécessaires* mais l'une ou l'autre seule ne *suffit* pas pour une performance optimale[32].

- **La connaissance des produits et des services.** La connaissance des produits par le personnel est un aspect essentiel de la qualité de service. Le personnel doit être en mesure d'expliquer les caractéristiques du produit et de le positionner convenablement par rapport aux produits concurrents.

Le *coaching* chez Dial-A-Mattress

Le *coaching* est une méthode communément employée par les entreprises de services leaders pour former et développer les compétences de leur personnel. Jennifer Gassamo est consultante trois jours par semaine chez Dial-A-Mattress. Elle s'occupe essentiellement du personnel dont les performances et les résultats varient ou baissent. Le premier travail de Jennifer Gassamo est de les écouter parler au téléphone avec leurs clients. Elle les écoute durant une heure environ et prend des notes sur un cahier à chaque coup de fil. Elle comprend très vite que les appels et conversations téléphoniques ne sont pas préparés, ni monitorés. Qu'il n'y a pas de « feuille de route et de suivi » ou de consignes particulières. Ensuite, Jennifer Gassamo conduit une réunion avec les membres du personnel, au cours de laquelle elle recueille des propositions et des avis sur les pistes d'amélioration. Elle sait à quel point il est difficile de maintenir un niveau d'énergie constant et de faire preuve du même enthousiasme lorsque le personnel reçoit et traite 60 appels téléphoniques par jour. Elle aime suggérer de nouvelles tactiques ou phrases d'accroche pour dynamiser leur présentation. « Les clients sont à votre merci lorsqu'ils achètent une literie. Ils ne connaissent pas les différences techniques entre un matelas et un autre. C'est comme si je devais acheter un carburateur pour ma voiture. Je ne sais même pas à quoi cela ressemble. Nous devons employer des mots et des termes très descriptifs pour aider les clients à choisir la literie qui leur convient le mieux. Dites aux clients que plus le matelas est cher, plus le remplissage est riche en laine et en soie. Ne dites pas simplement que le matelas a plus de couches de superposition et est plus rembourré. » Deux mois après la première séance de *coaching*, Jennifer Gassamo a réuni l'équipe. Elle a comparé les performances avant et après la séance, et a constaté que les performances s'étaient améliorées. L'expérience de Jennifer Gassamo, ainsi que ses résultats en font une consultante émérite et connue. « Si je n'ai pas de résultats effectifs, alors qui suis-je pour me qualifier de coach ? Je serais très certainement moins efficace si j'étais "entraîneur" à plein temps. » Elle aime par-dessus tout partager sa connaissance et transmettre les ficelles de son métier.

Bien sûr, une formation doit engendrer des changements tangibles dans le comportement. Si les membres du personnel n'appliquent pas ce qu'ils ont appris, l'investissement est perdu. Apprendre doit leur permettre de changer de comportement et d'améliorer leur prise de décision. Pour réussir, ils doivent s'entraîner. Le rôle des superviseurs est de faire le suivi des objectifs d'apprentissage.

La formation et l'apprentissage professionnalisent le personnel en contact et réduisent son sentiment d'exercer un emploi peu qualifié. Un serveur qui connaît la nourriture, la cuisine, les vins, et qui a une interaction efficace avec les clients (même ceux qui se plaignent) se sent professionnel, a une forte estime de lui et est respecté par ses clients. La formation contribue à réduire le stress employé/rôle.

4.4. Responsabiliser le personnel en contact

Presque toutes les entreprises de services audacieuses ont des histoires légendaires d'employés qui ont pu rattraper des affaires perdues, qui se sont « mis en quatre » pour satisfaire un client ou éviter une catastrophe[33]. Pour agir ainsi, les employés doivent avoir de la liberté et de l'autonomie. Nordstrom, une boutique de prêt-à-porter et accessoires, qui totalise un chiffre d'affaires de 6,7 milliards de dollars par an, forme ses employés à la prise de décision. Le manuel des employés de Nordstrom stipule : « Utilise tes facultés de jugement en toutes circonstances. » (voir encadré Meilleures pratiques 11.3).

La responsabilisation chez Nordstrom

Van Mensah, un vendeur au rayon homme chez Nordstrom, a reçu une lettre très perturbante d'un client fidèle. L'homme en question a acheté pour 2 000 dollars de chemises et cravates à Mensah, et a malencontreusement lavé les chemises dans de l'eau chaude. Elles ont toutes rétréci. Il a donc écrit à Mensah pour avoir un avis professionnel sur la démarche à suivre pour résoudre ce problème (le client ne s'est pas plaint et a avoué que la faute lui incombait).

Immédiatement, Mensah a appelé son client et lui a proposé de remplacer les chemises. Il a demandé au client de poster les chemises à son attention, à la charge de Nordstrom. « Je n'ai pas eu à demander la permission de qui que ce soit pour effectuer cet échange, » a dit Mensah. « Nordstrom préfère me laisser libre choix pour décider de la solution adéquate. » Middlemas, un ancien de chez Nordstrom dit aux employés, « Vous ne serez jamais critiqués pour en avoir trop fait pour le client. En revanche, vous serez critiqués pour en avoir fait trop peu. Si vous avez un quelconque doute sur les mesures à prendre, prenez toujours une décision en faveur du client avant celle de l'entreprise. » Le guide de l'entreprise confirme cela. On peut y lire :

Bienvenue chez Nordstrom,

Nous sommes heureux de vous compter parmi nous.

Notre objectif premier est de fournir une excellente qualité de service.

Placez la barre de vos objectifs personnels et professionnels bien haute.

Nous avons une grande confiance dans vos capacités à les atteindre.

Les Règles de Nordstrom :

Règle n°1 : utilisez votre jugement dans toutes situations.

Il n'y aura pas d'autres règles.

Vous êtes libre de poser des questions à tout moment à votre responsable de rayon, de magasin ou au manager régional.

Source : Robert Spector et Patrick D. McCarthy, *The Nordstrom Way*. New York : John Wiley & Sons, Inc., 2000, p. 15-16, 95.

Meilleures pratiques 11.3

L'autonomie des employés s'accroît naturellement dans les entreprises de services lorsque le personnel en contact est livré à lui-même face au client. Cela complique la tâche des responsables qui doivent guider leur comportement[34]. Les recherches montrent un lien fort entre délégation et responsabilité du personnel et satisfaction de la clientèle[35].

Dans de nombreux cas, laisser davantage de pouvoir aux employés (et les former à cela) peut engendrer une meilleure livraison du service, puisqu'ils ne perdent pas de temps à demander l'autorisation à un supérieur hiérarchique. L'accroissement du pouvoir de décision leur permet de trouver des solutions aux problèmes et de prendre les mesures adéquates. La réussite dépend de ce que l'on appelle parfois « l'habilitation », donnant aux employés la formation, les outils et les ressources dont ils ont besoin pour assumer leurs nouvelles responsabilités.

Responsabiliser le personnel en contact est-il toujours pertinent ?

Certains pensent que l'accroissement des responsabilités est susceptible de motiver les employés et de satisfaire les clients davantage que les systèmes de management standardisés, qui forcent les employés à exécuter des tâches selon des règles strictes.

Cependant, David Bowen et Edward Lawler (université de Southern California) pensent que différentes situations donnent lieu à différentes solutions. Ils affirment que : « Les deux approches ont leurs avantages… et… chacune d'entre elles correspond à un type de situation. La clé est de choisir l'approche qui répond au mieux aux attentes des employés et des clients[36] ». Les employés ne souhaitent pas tous obtenir davantage de pouvoir et certains préfèrent travailler selon des règles bien précises. Une étude a montré qu'une stratégie de responsabilisation est appropriée lorsqu'un certain nombre de caractéristiques sont présentes dans l'organisation. Les voici listées ci-dessous :

- La stratégie de l'entreprise est fondée sur la différenciation concurrentielle et sur la livraison d'un service personnalisé.
- L'approche client s'appuie sur des relations à long terme plutôt qu'à court terme.
- L'entreprise utilise des technologies complexes et non routinières.
- L'environnement est imprévisible et des surprises peuvent survenir.
- Les managers laissent leurs employés travailler de façon indépendante, au service de l'entreprise et de ses clients.
- Les employés ressentent le besoin d'améliorer leurs compétences. Ils éprouvent un intérêt à travailler en groupe et ont des qualités interpersonnelles qui le leur permettent.

Bowen et Lawler mettent en garde les entreprises sur l'adoption de stratégies dites de « rattrapage » (*service recovery*) si elles impactent négativement la livraison du service. Ils remarquent que : « Il est possible de confondre un bon service avec des histoires d'employés qui ont l'art de rattraper des situations compromises grâce à leur liberté d'action[37] ». De plus, Chris Argyris (autrefois professeur à Yale) remarque que de nombreux employés sont sceptiques et cyniques à propos de cette prétendue délégation de responsabilité et d'autonomie. Beaucoup pensent que les paroles de la direction ne sont que du « bla-bla ». Alors que les managers considèrent qu'ils donnent du pouvoir à leurs employés, ceux-ci ne peuvent en être convaincus lorsque la direction se passe de leur avis pour des décisions importantes qui les concernent[38].

Contrôle *vs* implication

Les modes de management usités dans les organisations orientées « production » sont basés sur des règles de contrôle. Les rôles sont très clairement définis pour chacun, des systèmes de contrôle « top-down » prédominent, les structures pyramidales hiérarchiques sont la règle, et seul le management sait ce qui est le plus approprié. Au contraire, l'élargissement du champ de décision s'appuie sur le modèle « d'implication ou d'engagement », qui suppose que la plupart des employés savent prendre de bonnes décisions et peuvent avoir de bonnes idées pour gérer les affaires, s'ils sont correctement formés et informés. Ce modèle suppose également que les employés sont motivés par leur propre performance, qu'ils sont capables d'avoir une conduite personnelle claire et définie. Aujourd'hui, les technologies de l'information permettent aux employés de travailler chez eux, reliés au réseau de l'entreprise, et génèrent de nouvelles approches du management fondées sur la cohésion des équipes et la responsabilité personnelle.

Schneider et Bowen insistent sur le fait que « l'accroissement de responsabilité n'est pas seulement un acte de libération du personnel en contact ou une façon de se débarrasser des manuels de procédures. Il nécessite également une redistribution systématique de quatre ingrédients clés à travers l'entreprise, du haut vers le bas[39] ». Les quatre ingrédients sont les suivants :

- *L'information* au sujet de la performance organisationnelle (les résultats opérationnels et les ratios de performance par rapport à la concurrence).

- *Le pouvoir* de prendre des décisions qui influencent les procédures de travail et l'organisation (grâce à des cercles de qualité et des équipes qui s'autogèrent).

- *Les récompenses* selon la performance organisationnelle (les bonus, le partage des bénéfices et les stock-options).

- *Les connaissances* qui permettent aux employés de comprendre et de contribuer à la performance de l'entreprise (en matière de résolution de problèmes).

Dans le modèle de contrôle, ces quatre caractéristiques sont concentrées en haut de la hiérarchie, tandis que dans le modèle participatif, elles sont dispersées à tous les niveaux de l'organisation.

Les niveaux d'implication du personnel en contact

L'accroissement de pouvoir peut avoir lieu à plusieurs niveaux :

- *L'encouragement des suggestions* donne de l'autorité aux employés à travers des programmes formels. McDonald's, souvent considéré comme l'archétype de l'approche de contrôle, est à l'écoute de son personnel en contact (plusieurs innovations sont le fait d'employés).

- *La participation dans la définition de l'emploi* représente une ouverture sur l'ensemble des tâches à effectuer. Les emplois sont redéfinis de façon à permettre aux employés d'utiliser un plus grand nombre de connaissances. Dans les entreprises de services complexes, telles que les compagnies aériennes ou les hôpitaux, le travail participatif en équipes est souvent la réponse adéquate. Pour pouvoir s'adapter à cette nouvelle situation, les employés ont besoin d'être formés et le management doit être réorienté vers des actions de soutien du groupe.

- *Une forte implication* donne, même à l'employé en bas de l'échelle, un sentiment de responsabilité dans la performance de l'entreprise. L'information est partagée et les employés développent des aptitudes pour les travaux en équipe et, finalement, pour participer collectivement aux décisions managériales. Il y a un partage des profits, souvent accompagné d'une prise de participation dans l'entreprise sous la forme d'actions.

Southwest Airlines est une entreprise connue pour son fort taux de participation, et qui favorise et encourage son personnel en contact à faire preuve de bon sens et à être flexible. L'entreprise a confiance en ses employés et leur donne la latitude et l'autorité nécessaires pour qu'ils puissent effectuer leur travail dans de bonnes conditions. Elle a éliminé les règles de travail inflexibles et les descriptions de postes rigides pour qu'ils aient la satisfaction d'effectuer leurs tâches correctement (que les avions partent à l'heure, par exemple), quelle que soit la personne officiellement responsable. Cela leur donne l'envie de s'entraider, si nécessaire. Ils adoptent une mentalité de « il faut faire ce qu'il faut ».

Les mécaniciens et les pilotes ont la liberté et la latitude d'aider les agents au sol dans leurs activités. De plus, les employés de Southwest font appel à leur bon sens et non aux règles, lorsque c'est dans l'intérêt du client.

Rod Jones, assistant chef pilote, se souvient d'un pilote qui a quitté la porte d'embarquement (bien que Southwest demande aux pilotes de ne pas en partir), pour raccompagner un voyageur âgé qui avait été dirigé vers le mauvais avion. Le pilote se sentait responsable. « Ainsi, il s'est adapté à la situation, a confirmé Jones. Il a débarqué le client, l'a accompagné et a rempli un rapport d'irrégularité. Bien qu'il ait enfreint les règles, il a utilisé son bon sens et a fait ce qu'il pensait être adéquat. Et nous avons dit, "Très bien, c'est comme cela qu'il faut faire"[40]. »

4.5. Constituer des équipes performantes

Une équipe peut se définir comme « un petit nombre de personnes aux compétences complémentaires engagées pour une cause commune, l'atteinte d'un objectif dont chaque membre se sent collectivement responsable ». Beaucoup de services nécessitent de travailler en équipes polyvalentes, si l'entreprise veut offrir un service clients irréprochable. Traditionnellement, de nombreuses sociétés étaient organisées sous la forme de structures fonctionnelles, dans lesquelles chaque département était en charge d'une activité distincte (conseil, vente, facturation, etc.). Ce contexte peut engendrer moins de travail en équipe, un service plus lent, davantage d'erreurs et lorsque les clients rencontrent des problèmes, ils ne savent à qui s'adresser. La recherche empirique a d'ailleurs confirmé que le personnel en contact considère le manque de soutien et de solidarité entre départements comme un facteur qui aliène la satisfaction de leurs clients[41], d'où l'intérêt des équipes multifonctions.

La puissance du travail en équipe dans les services

Travail d'équipe, formation et responsabilisation marchent ensemble. Le travail d'équipe facilite la communication au sein des membres de cette même équipe et la prise de responsabilités. En agissant comme une entité à part entière et indépendante, l'équipe prend plus de responsabilités et demande moins de contrôle. Cela n'est pas le cas dans les entreprises organisées par fonctions, et non par projets/équipes, obligées de contrôler et de superviser. De plus, les équipes atteignent souvent des niveaux de performance élevés[42].

Certains universitaires pensent même qu'on accorde trop d'importance à l'embauche de « stars individuelles », surtout aux États-Unis, où la prépondérance des capacités individuelles et la motivation d'un candidat sont particulièrement prises en compte, en opposition avec les capacités et la motivation d'une équipe. Charles O'Reilly et Jeffrey Pfeffer (respectivement professeur des ressources humaines à la Harvard Business School et professeur en organisation à l'université de Stanford) émettent l'idée que la manière dont les individus travaillent en équipe est souvent aussi importante que leurs capacités individuelles, et que les stars peuvent être dépassées par les autres grâce à un meilleur travail d'équipe[43].

Les collaborateurs chez Customer Research Inc. (CRI), un cabinet d'études de marché prospère, manifestent leur fierté à travers les remarques suivantes[44] :

- « J'aime faire partie d'une équipe. Vous avez l'impression d'avoir votre place. Tout le monde sait ce qui se passe. »
- « Tout le monde accepte les responsabilités et participe pour aider. »
- « Lorsqu'un client a besoin de quelque chose dans l'heure, nous travaillons ensemble pour résoudre le problème. »
- « Il n'y a pas de fainéants. Tout le monde travaille à part égale. »

L'encadré Meilleures pratiques 11.4 montre comment Singapore Airlines utilise non seulement des équipes pour former les équipages de bord, mais aussi comment l'entreprise évalue, récompense et décide des promotions.

Le concept d'équipe à Singapore Airlines (SIA)

SIA travaille pour créer un esprit d'équipe au sein de ses équipages de cabine. C'est difficile car de nombreux membres d'équipage sont en permanence dispersés dans le monde. La réponse de SIA est « le concept d'équipes ».

Chooh Poh Leong, manager en chef de la performance en cabine, explique : « Afin de manager efficacement nos six mille six cents employés, nous les divisons en équipes, en petites unités, avec un leader en charge d'environ treize personnes. Nous faisons en sorte qu'ils volent ensemble le plus possible. Cela entraîne une camaraderie, et les membres d'équipage ont le sentiment de faire partie d'une équipe, sans être simplement des membres. Le leader apprend à connaître les membres, leurs forces et leurs faiblesses, et devient leur *mentor* et leur conseiller, quelqu'un sur qui ils peuvent compter en cas de problème. Les responsables de la formation supervisent douze ou treize équipes et volent avec eux dès que possible, non seulement pour vérifier leurs performances, mais aussi pour favoriser le développement des équipes.

« L'interaction au sein de chaque équipe est très forte. Le chef d'équipe connaît vraiment son équipe. Vous seriez étonné du détail de chaque dossier d'évaluation du personnel. Ainsi, de cette façon, nous avons le contrôle, et nous pouvons nous assurer que le personnel livre le service promis. Ils savent qu'ils sont constamment observés et, ainsi, ils sont performants. En cas de problèmes, nous sommes informés et nous pouvons envoyer ces employés en formation. Ceux qui sont suffisamment performants bénéficieront d'une promotion. »

Source : Jochen Wirtz et Robert Johnston, « Singapore Airlines: What It Takes to Sustain Service Excellence – A Senior Management Perspective », *Managing Service Quality*, vol. 13, n° 1, 2003, p. 10-19.

Meilleures pratiques 11.4

Créer des équipes de travail qui réussissent[45]

Il n'est pas facile de faire fonctionner correctement des équipes. Si les individus sont mal préparés et la structure de l'équipe mal organisée, l'entreprise risque d'avoir des volontaires certes enthousiastes, mais qui manquent de compétences. Les connaissances n'incluent pas seulement la coopération, l'écoute des autres, le *coaching* et l'encouragement réciproque, mais aussi l'acceptation des différences, la capacité d'exprimer aux autres quelques vérités difficiles à dire et de poser des questions pertinentes. Tous ces aspects nécessitent une certaine formation.

Le management a également besoin d'élaborer une structure qui mènera l'équipe vers le succès. Un bon exemple est American Express Amérique latine, qui a développé les règles suivantes pour s'assurer du bon fonctionnement de ses équipes :

- Chaque équipe a un « propriétaire », une personne à qui appartiennent les problèmes de l'équipe.

- Chaque équipe a un leader qui surveille les progrès et les processus de l'équipe. Les leaders sont sélectionnés en fonction de leurs connaissances commerciales et de leurs capacités personnelles.

- Chaque équipe a un facilitateur, quelqu'un qui sait comment la faire fonctionner, qui l'aide à progresser et forme les autres à travailler efficacement[46].

4.6. Motiver et dynamiser les individus

Une fois que l'entreprise a embauché les bons candidats, les a formés, leur a donné du pouvoir et les a placés dans des équipes efficaces, comment peut-elle s'assurer qu'ils délivreront une excellente qualité de service[47] ? La performance du personnel dépend prioritairement de ses capacités et de sa motivation. L'embauche, la formation, l'accroissement du pouvoir et le travail en équipe « produisent » des employés capables, et les systèmes de gratification sont la clé de la motivation. Motiver et récompenser les bons employés fait partie des moyens les plus efficaces pour les retenir.

L'une des raisons pour lesquelles les entreprises de services échouent est qu'elles n'utilisent pas à 100 % et efficacement la gamme de récompenses disponible (et pas seulement en termes d'argent). Recevoir un salaire est un dû plus qu'une motivation. Payer davantage a des effets seulement à court terme sur la motivation. Les bonus dus à la performance doivent être gagnés chaque fois et sont efficaces plus durablement. Le contenu du travail, la reconnaissance, le *feed-back* et l'accomplissement des objectifs sont également des éléments de motivation sur le long terme.

Le contenu du travail

Les individus sont motivés et satisfaits s'ils savent qu'ils font du bon travail. Alors, leur estime augmente et ils aiment renforcer ce sentiment. C'est surtout vrai si l'emploi offre une variété d'activités, des tâches complètes et identifiables, s'il a un impact sur la vie des autres, est synonyme d'autonomie et si les performances font l'objet de *feed-back* directs (par exemple, le niveau de satisfaction des clients ou des ventes).

Le *feed-back* et la reconnaissance

Les employés transmettent un sentiment d'identité et d'appartenance à une entreprise, grâce au *feed-back* et à la reconnaissance qu'ils reçoivent de leur entourage (clients, collègues, patron, etc.). Si on les reconnaît et qu'on les remercie pour l'excellence de leur travail, ils voudront le livrer encore mieux. Nous analyserons comment mesurer et utiliser le *feed-back* client au chapitre 13.

La réalisation des objectifs

Des objectifs spécifiques, difficiles mais réalisables, et acceptés par le personnel sont de forts éléments de motivation et engendrent plus de performance que lorsqu'il n'y en a pas, sont vagues (« faites de votre mieux ») ou impossibles à réaliser[48]. En bref, les objectifs sont des moteurs efficaces.

Les points suivants sont primordiaux pour la mise en place d'objectifs efficaces[49] :

- Atteindre un objectif considéré comme important est une récompense en soi.
- L'atteinte des objectifs peut être la base pour donner des récompenses (salaire, *feed-back*, reconnaissance). Le *feed-back* et la reconnaissance des collègues du travail bien fait peuvent être délivrés plus rapidement, à moindre coût et sont plus efficaces que le salaire, car ils ont l'avantage de développer l'estime de soi.
- Les objectifs spécifiques et difficiles assignés au personnel en contact doivent être connus de tous et être acceptés. De plus, certains objectifs peuvent être intangibles, comme les améliorations des échelles d'évaluation de courtoisie.
- Les états d'avancement concernant l'accomplissement des objectifs (le *feed-back*) doivent être des événements publics (la reconnaissance), s'ils sont gratifiants pour les employés.
- Il n'est généralement pas nécessaire de spécifier les moyens d'atteindre les objectifs. Le *feed-back* doit servir de fonction corrective et aider à la progression, même en l'absence d'autres récompenses.

Les entreprises qui prospèrent reconnaissent que les problèmes d'individus sont complexes. Charles O'Reilly et Jeffrey Pfeffer ont réalisé une étude approfondie pour savoir pourquoi certaines entreprises réussissent à long terme dans des secteurs très concurrentiels sans posséder certains avantages, tels que les barrières à l'entrée ou la propriété intellectuelle. Ils ont conclu que ces entreprises ont réussi non pas en gagnant la guerre des talents (même si elles embauchaient sélectivement), mais en exploitant totalement le talent des employés et en libérant leur motivation[50].

5. La culture et le leadership dans les services

Jusqu'à présent, nous avons discuté des stratégies qui favorisent l'excellence dans les services. Néanmoins, pour y parvenir, une forte culture de service doit être implantée et continuellement renforcée par la direction de l'entreprise. Un leadership charismatique, également appelé leadership « transformationnel », change fondamentalement les valeurs, les objectifs et les aspirations du personnel en contact. Il est probable qu'il donne davantage de lui-même, au-delà des attentes de la direction, lorsque les valeurs et la culture de l'entreprise sont cohérentes avec ses propres valeurs, croyances et attitudes[51].

En parallèle, Leonard Berry défend un leadership fondé sur les valeurs qui inspirent et guident les entreprises de services. Le leadership doit faire ressortir l'envie et même la passion de servir. Il doit également accroître la créativité, l'énergie et le dévouement du personnel en contact, mais aussi de l'entreprise dans son ensemble. Le goût de l'excellence, l'innovation, la joie, le travail en équipe, le respect, l'intégrité et l'harmonie sociale[52] font partie des valeurs essentielles repérées par Berry dans les meilleures entreprises de services. Ces valeurs font partie de la culture de l'entreprise qui peut être définie de la manière suivante :

- perception partagée de ce qui est important dans l'entreprise ;
- partage des raisons pour lesquelles ces valeurs et croyances sont des éléments importants pour l'entreprise[53].

Chez les employés, la perception de ce qui est important est essentiellement nourrie par la perception de ce que font l'entreprise et les managers, plus que sur ce qu'ils disent. Ils comprennent ce qui est important grâce à leur interaction quotidienne avec les ressources humaines, le marketing et les services opérationnels.

Une forte culture de service est caractérisée par le contact client et la compréhension que ce contact est au cœur de la vie de l'entreprise. Celle-ci a conscience que ses revenus d'aujourd'hui et de demain sont dépendants de ce qui se déroule lors de l'interaction de service. La figure 11.6 – la pyramide inversée – montre l'importance du contact avec la clientèle et le rôle de la direction, qui est de soutenir les employés en contact dans leur tâche.

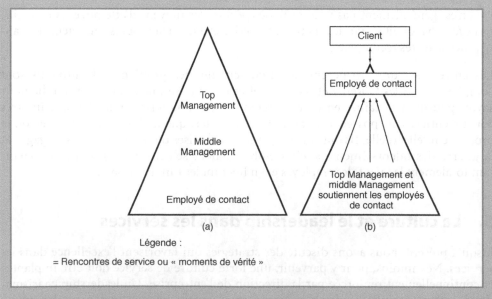

Figure 11.6 – (a) La traditionnelle organisation pyramidale. (b) La pyramide inversée. Focalisation sur le contact client.

Dans les entreprises ayant une forte culture de service, le management doit sans cesse se tenir informé et impliqué, et démontrer que le contact client est crucial. Pour se faire, il doit discuter et travailler régulièrement avec le personnel en contact, rencontrer des clients et même passer du temps à les servir. Par exemple, les managers de Disney World passent deux semaines par an à des postes de contact, à balayer les rues, à vendre des glaces ou à gérer une attraction[54].

Les entreprises leaders ne sont pas seulement préoccupées par le fonctionnement global, mais aussi par les détails. La manière dont les petites choses sont gérées est une indication sur la manière dont le reste l'est également, une occasion de se distinguer de la concurrence.

6. Le marketing interne

Pour créer une forte culture de service, disposer de grandes qualités managériales ne suffit pas, il faut la matérialiser par de gros efforts de communication et faire passer le message aux « troupes ». Pour construire cette culture de service, les leaders utilisent un panel d'outils allant du marketing à la formation, en passant par des cérémonies d'entreprise, des conventions ou des remises de diplômes aux employés les plus performants.

La communication interne entre les directions et leurs employés joue un rôle déterminant dans le maintien et le développement d'une culture d'entreprise fondée sur des valeurs de service spécifiques. Des efforts de marketing internes sont surtout nécessaires dans les grands groupes de service implantés sur des sites très dispersés, parfois dans le monde entier. Même les employés travaillant loin du siège et du pays d'origine ont besoin d'être tenus informés des nouvelles politiques, des changements de caractéristiques des services et des nouvelles initiatives et politiques de qualité. La communication peut également être nécessaire pour faire naître un esprit d'équipe et soutenir les objectifs communs de l'entreprise au-delà des frontières nationales. Imaginez dès lors le défi que représente le maintien d'un sens commun des objectifs dans les bureaux éloignés d'entreprises telles que Citibank, Air France, Accor ou Starbucks, dans lesquelles des personnes de cultures et de langues différentes doivent travailler ensemble afin d'atteindre des niveaux cohérents de service.

Une communication interne efficace peut aider à rendre le service plus efficace et satisfaisant, les relations de travail plus productives et harmonieuses, à instaurer la confiance, susciter le respect et la loyauté parmi les employés. Parmi les moyens fréquemment utilisés, on compte les journaux et magazines d'entreprise, les vidéos, les réseaux de télévision privés comme ceux de FedEx et de Merrill Lynch, les intranets et extranets (réseaux privés sur des sites web), des courriers personnalisés et des campagnes promotionnelles, des salons et expositions, des programmes de fidélisation, etc.

Par exemple, le Ritz-Carlton a converti les exigences de service de ses clients en normes « Gold Ritz-Carlton », incluant un credo, une devise, trois étapes et vingt « fondamentaux » (voir encadré Meilleures pratiques 11.5).

Une composante importante de la culture de service est sa structure hiérarchique. Les valeurs 10, 11 et 12 de l'exemple du Ritz-Carlton sont des valeurs fonctionnelles, telles que la sécurité et la propreté. Le Ritz-Carlton rend prioritaire les valeurs 4 à 9, qui relèvent de l'engagement émotionnel. Elles reflètent l'importance du personnel en contact dans la formation, sa capacité à résoudre des problèmes, le travail d'équipe, le savoir et la volonté de rendre un bon service, la réparation de service, l'innovation et l'amélioration continuelle de ses performances. Les valeurs 1, 2 et 3 reflètent le mythe du Ritz-Carlton au travers de son aspect unique (expérience mémorable), l'expérience et la capacité du personnel en contact à anticiper les besoins de ses clients et à construire des relations uniques et durables. Ces valeurs se concrétisent dans les Six diamants des Standards d'or du Ritz-Carlton qui matérialisent le savoir-faire unique de cet hôtel dans l'industrie hôtelière, ainsi que sa capacité à respecter ses engagements aussi bien envers ses clients que son personnel.

Meilleures pratiques 11.5

Les Gold Standards (Standards d'or) du Ritz-Carlton

Nos Standards d'or sont les fondations de la compagnie des hôtels Ritz-Carlton. Ils consolident et reflètent les valeurs et la philosophie qui guident nos actions au quotidien et qui incluent :

Le credo

- Le Ritz-Carlton est un endroit où le génie du soin et le confort de nos hôtes sont notre mission première.

- Nous nous engageons à fournir le service le plus personnalisé à nos hôtes, qui apprécieront toujours une ambiance chaleureuse et relaxante.

- L'expérience du Ritz-Carlton ranime les sens, instille du bien-être et satisfait même les besoins et envies non exprimés de nos clients.

La devise

Dans les hôtels Ritz-Carlton, « nous sommes des *ladies* et des *gentlemen* qui servent des *ladies* et des *gentlemen* ». Cette devise illustre notre anticipation du service promulgué par tous les membres du personnel.

Les trois étapes du service

1. Un accueil chaleureux et sincère ; utiliser le nom de nos hôtes.

2. Anticiper et satisfaire chaque besoin de nos hôtes.

3. Un prix raisonnable ; un au revoir chaleureux et utiliser le nom de nos hôtes.

Les valeurs du service : je suis fier d'être du Ritz-Carlton.

1. Je construis des relations durables et fait des clients du Ritz-Carlton des clients à vie.

2. Je suis toujours responsable des besoins et envies exprimés par les clients.

3. J'ai la possibilité et la responsabilité de procurer à nos clients une expérience unique, mémorable et personnalisée.

4. Je comprends mon rôle dans la réalisation des facteurs clés de succès de la compagnie, de mon appartenance à l'empreinte.

...

...

5. Je cherche continuellement des opportunités pour innover et améliorer l'expérience de service du Ritz-Carlton.

6. Je prends en charge et résous immédiatement les problèmes de nos hôtes.

7. Je crée un environnement de travail d'équipe et un service latéral de façon que les besoins de nos hôtes soient satisfaits.

8. J'ai l'opportunité de continuellement apprendre et progresser.

9. Je suis acteur dans la planification du travail dans lequel je suis impliqué.

10. Je suis fier de mon apparence professionnelle, de mon parler et de mon comportement.

11. Je protège l'intimité et la sécurité de nos hôtes, mes camarades employés et les informations confidentielles de ma compagnie.

12. Je suis responsable du niveau de propreté intransigeant et je contribue à créer un environnement sécurisant et évitant tout danger.

Le Sixième diamant

- Mystique

- Engagement émotionnel

- Fonctionnel

La promesse de l'employé

- Au Ritz-Carlton, nos *ladies* et *gentlemen* sont la ressource la plus importante dans l'engagement que nous avons pris de servir nos hôtes.

- En appliquant les principes de confiance, d'honnêteté, de respect, d'intégrité et d'engagement, nous nourrissons et maximisons nos talents pour chacun d'entre nous et pour la compagnie.

- Le Ritz-Carlton favorise un environnement de travail où la diversité est valorisée, la qualité de vie améliorée, les aspirations individuelles atteintes et le Mystique du Ritz-Carlton renforcé.

Tim Kirkpatrick, directeur de la formation et du développement de l'hôtel Ritz-Carlton de Boston précise : « Les normes Gold font parties de notre uniforme, tout comme un badge. Mais rappelez-vous, ce n'est qu'une étiquette jusqu'à ce que vous la mettiez en action ». Au briefing quotidien est prévue une discussion relative à l'une de ces normes, afin que les employés gardent à l'esprit la philosophie du Ritz-Carlton.

Un autre exemple d'entreprise à forte culture de service est la Southwest Airlines, qui utilise toujours des moyens nouveaux et créatifs pour renforcer sa culture. Les membres de son « comité Culture » sont de fanatiques défenseurs de la préservation de l'esprit de famille. Le comité est constitué par tous les corps de métiers, de l'hôtesse à la standardiste. Le comité Culture n'est pas composé de la « crème des crèmes » des employés, c'est un comité de « gros cœurs ». Il utilise le pouvoir et l'esprit de Southwest pour mieux lier les employés aux fondements de la culture de l'entreprise. Il travaille pour développer les valeurs clés de la compagnie. En voici quelques exemples :

- **Marchez un kilomètre dans mes chaussures.** Un programme encourage les employés volontaires d'un département à rencontrer ceux d'un autre département lors d'un de leurs jours de congé, et passer un minimum de six heures avec eux à leur poste. Les participants sont récompensés, non seulement avec des billets aller-retour pour une destination de leur choix, mais aussi par de nouvelles amitiés.

- **Une journée sur le terrain.** Cette activité est pratiquée toute l'année par toute l'entreprise. Barri Tucker, directrice de la communication, s'est jointe à trois hôtesses de l'air lors d'un voyage de trois jours. Elle a ainsi amélioré sa compréhension du service en parlant directement avec les clients.

- **Opération « coup de main ».** Southwest a envoyé des volontaires partout où la concurrence avec le Shuttle d'United était féroce. Cela a permis de soulager la tâche des employés permanents dans ces villes pendant quelque temps et, également, de renforcer des équipes encore plus disponibles pour se battre au nom de Southwest.

La recherche empirique dans l'industrie hôtelière a montré que la direction de Southwest a raison d'agir comme elle le fait. Judi McLean Parks et Tony Simons (professeurs à la Northwestern University) ont réalisé une étude sur six mille cinq cents employés dans soixante-seize hôtels Holiday Inn. Ils ont mesuré le comportement des managers et analysé l'effet de maximes telles que : « Mon manager tient ses promesses », « Mon manager met en pratique ce qu'il prêche. » Ces phrases ont été corrélées aux réponses d'employés, telles que : « Je suis fier de dire aux autres que je fais partie de cet hôtel » et « Mes collègues se démènent pour satisfaire les demandes des clients. »

Les résultats étaient impressionnants. Ils ont démontré que le comportement du manager était étroitement lié à la confiance de l'employé, à son engagement et à sa volonté de faire les petits plus qui font la différence. De plus, de tous les comportements managériaux qui ont été mesurés, l'intégrité managériale était le plus important des facteurs de profitabilité. Une augmentation d'un huitième de point de l'intégrité comportementale globale d'un hôtel s'est traduite par une élévation de 2,5 % du revenu, et deux cent cinquante mille dollars (deux cent mille euros) de profits annuels supplémentaires[55].

Conclusion

La qualité du personnel en contact des entreprises de services – spécialement celles dont l'activité est basée sur l'interface humaine – joue un rôle crucial dans le succès et les niveaux de performance atteints sur le marché où elles officient. C'est pourquoi le personnel, élément des « 7 P », est si important. Les organisations de services qui ont du succès sont particulièrement concernées par le management de la ressource humaine et travaillent en étroite collaboration avec la direction des opérations et du marketing pour résoudre les problèmes qui peuvent apparaître dans le travail dédié au personnel en contact. Elles reconnaissent l'importance et la valeur d'investir dans la gestion des ressources humaines et le coût induit par un fort taux de turnover. Sur le long terme, offrir un meilleur salaire et de nombreux bénéfices au personnel en contact peut se révéler être une stratégie financièrement plus viable que de moins bien les rémunérer, qui a pour conséquence une baisse de leur fidélité et une défection programmée.

Les résultats marketing et financiers d'une bonne gestion des ressources humaines peuvent être considérables. Une bonne gestion de ces ressources couplée avec un fort management du leadership à tous les niveaux de l'organisation mènent et soutiennent la détention d'un avantage compétitif durable. Il est probablement plus difficile de dupliquer un niveau élevé de performance de la ressource humaine que de n'importe quelle autre ressource de l'entreprise.

Activités

Questions de révision

1. Pourquoi la ressource humaine est-elle si importante dans les services ?

2. Il existe aujourd'hui une tendance à passer d'un service *high contact* vers un service *low contact*. Est-ce que le personnel en contact dans les activités de services *low contact* est aussi et toujours important ? Expliquez vos réponses.

3. Qu'est-ce que le travail émotionnel ? Expliquez comment il peut être source de stress dans des emplois spécifiques. Illustrez à l'aide d'exemples.

4. Quelles sont les principales barrières auxquelles les entreprises de services doivent faire face pour interrompre le cycle de l'échec et le remplacer par le cycle du succès ?

5. Énumérez cinq directions dans lesquelles la sélection à l'embauche, la formation et la motivation des employés engendrent des dividendes en termes de satisfaction de la clientèle pour des entreprises telles que (a) un restaurant, (b) une compagnie aérienne, (c) un hôpital, (d) un cabinet de conseil.

6. Identifiez les facteurs qui favorisent l'adoption d'une stratégie de responsabilisation des employés.

7. Qu'est-ce qu'une entreprise de services peut faire pour devenir l'employeur préféré de la profession et par voie de conséquence, bénéficier des meilleurs CV de toute la profession ?

8. Comment une entreprise de services doit-elle procéder pour sélectionner les meilleurs candidats parmi un grand nombre de demandes ?

9. Quelles sont les principales formations qu'une entreprise de services doit proposer à son personnel en contact ?

10. Quels sont les facteurs qui favorisent la conduite d'une stratégie d'*empowerment* ?

11. Identifiez les facteurs nécessaires à la réussite d'un travail d'équipe dans les services ; dans une compagnie aérienne, dans un restaurant.

12. Comment peut-on rendre un personnel en contact réellement motivé à délivrer un bon service, et l'amener à être rentable et productif ?

13. Comment une entreprise de services peut-elle créer une forte culture de service qui met l'accent sur l'excellence de service et la productivité ?

Exercices d'application

1. Une compagnie aérienne fait circuler une annonce de recrutement pour des membres d'équipage. Cette annonce montre l'image d'un petit garçon assis sur un siège d'avion et serrant son ours en peluche. La légende dit : « Sa maman lui a dit de ne pas parler aux personnes étrangères. Alors, que va-t-il manger pour le

déjeuner ? ». Décrivez les types de personnalités (a) attirées par ce poste grâce à cette publicité, (b) qui renonceraient à postuler.

2. Pensez aux emplois suivants : infirmière urgentiste, technicien informatique, caissière en supermarché, dentiste, hôtesse d'accueil, maîtresse d'école maternelle, avocat, serveur dans un restaurant très chic et agent de change. Quels types d'émotions attendriez-vous de chacun d'entre eux pour bien faire leur travail ? Sur quoi sont fondés vos arguments ?

3. Utilisez le cycle talentueux du service vu dans ce chapitre pour procéder au diagnostic d'une entreprise de services connue pour son excellence et une autre connue pour ses faibles performances. Quelles recommandations feriez-vous à chacune d'elles ?

4. Pensez à deux entreprises de services que vous connaissez : l'une a une forte culture de service et l'autre, une faible culture de service. Identifiez et décrivez les facteurs qui en sont responsables. À votre avis, quels sont ceux qui sont les plus importants dans les deux cas de figure ?

Notes

1. Liliana L. Bove et Lester W. Johnson, « Customer Relationships with Service Personnel : Do We Measure Closeness, Quality or Strength ? », *Journal of Business Research*, 54, 2001, p. 189-197.

2. Paul Hemp, « My Week as a Room-Service Waiter at the Ritz », *Harvard Business Review*, juin 2002, p. 8-11.

3. James L. Heskett, Thomas O. Jones, Gary W. Loveman, W. Earl Sasser Jr et Leonard A. Schlesinger, « Putting the Service Profit Chain to Work », *Harvard Business Review*, mars-avril 1994.

4. Benjamin Schneider et David E. Bowen, « The Service Organization : Human Resources Management is Crucial », *Organizational Dynamics*, 21, n° 4, printemps 1993, p. 39-52.

5. David E. Bowen et Benjamin Schneider, « Boundary-Spanning Role Employees and the Service Encounter : Some Guidelines for Management and Research », in *The Service Encounter*, J. A. Czepiel, M. R. Solomon et C. F. Surprenant, Lexington, Lexington Books, 1985, p. 127-148.

6. Arlie R. Hochschild, *The Managed Heart : Commercialization of Human Feeling*, Berkeley, University of California Press, 1983.

7. Arlie R. Hochschild, « Emotional Labor in the Friendly Skies », *Psychology Today*, juin 1982, p. 13-15. Cité dans Valarie A. Zeithaml et Mary Jo Bitner, *Services Marketing : Integrating Customer Focus Across the Firm*, New York, McGraw-Hill, 2003, p. 322.

8. Jochen Wirtz et Robert Johnston, « Singapore Airlines : What It Takes to Sustain Service Excellence – A Senior Management Perspective », *Managing Service Quality*, 13, n° 1, 2003, p. 10-19.

9. Call Center News, « Call Centre Statistics », consultable sur www.callcenternews.com, 23 janvier 2003.

10. Call Center, « The Asians are Coming Again », *The Economist*, 28 avril 2001, p. 55.

11. Dan Moshavi et James R. Terbord, « The Job Satisfaction and Performance of Contingent and Regular Customer Service Representatives – A Human Capital Perspective », *International Journal of Service Industry Management*, 13, n° 4, 2002, p. 333-347.

12. Les termes « cycle de l'échec » et « cycle du succès » ont été inventés par Leonard L. Schlesinger et James L. Heskett dans « Breaking the Cycle of Failure in Services », *Sloan Management Review*, printemps 1991, 17-28. Le terme « cycle de la médiocrité » provient de Christopher H. Lovelock, « Managing Services : The Human Factor », *Understanding Services Management*, W. J. Glynn et J. G. Barnes (éd.), Chichester, John Wiley & Sons, 1995, p. 228.

13. Leonard Schlesinger et James L. Heskett, « Breaking the Cycle of Failure », *Sloan Management Review*, printemps 1991, p. 17-28.

14. Reg Price et Roderick J. Brodie, « Transforming a Public Service Organization from Inside out to Outside in », *Journal of Service Research*, 4, n° 1, 2001, p. 50-59.

15. Mahn Hee Yoon, « The Effect of Work Climate on Critical Employee and Customer Outcomes », *International Journal of Service Industry Management*, 12, n° 5, 2001, p. 500-521.

16. Jim Collins, « Turning Goals into Results : The Power of Catalytic Mechanisms », *Harvard Business Review*, juillet-août 1999, p. 77.

17. Leonard L. Berry et A. Parasuraman, *Marketing Services – Competing Through Quality*, The Free Press, 1991, p. 151-152.

18. Charles A. O'Reilly III et Jeffrey Pfeffer, *Hidden Value – How Great Companies Achieve Extraordinary Results with Ordinary People*, Boston, Harvard Business School Press, 2000, p. 1.

19. Robert Levering et Milton Moskowitz, *The 100 Best Companies to Work for in America*, New York, Currency Doubleday, 1993, xvii.

20. Bill Fromm et Leonard Schlesinger, *The Real Heroes of Business*, New York, Currency Doubleday, 1994, p. 315-316.

21. Jim Collins, « Turning Goals into Results : The Power of Catalytic Mechanisms », *Harvard Business Review*, juillet-août 1999, p. 77.

22. Cette section a été adaptée de Benjamin Schneider et David E. Bowen, *Winning the Service Game*, Boston, Harvard Business School Press, 1995, p. 115-126.

23. Lincolnwood, John Wooden, *A Lifetime of Observations and Reflections On and Off the Court*, Chicago, 1997, p. 66.

24. Serene Goh, « All the Right Staff », et Arlina Arshad, « Putting Your Personality to the Test », *The Straits Times*, 5 septembre 2001.

25. Timothy A. Judge, « The Dispositional Perspective in Human Resources Research », in *Research in Personnel and Human Resources Management*, 10, Ken Rowland et Gerald Ferris (éd.), Greenwich, JAI Press, 1992, p. 31-72.

26. Voir notamment Benjamin Schneider, « Service Quality and Profits : Can You Have Your Cake and Eat It, Too ? », *Human Resource Planning*, 14, n° 2, 1991, p. 151-157.

27. Cette section est adaptée de Leonard L. Berry, *On Great Service – A Framework for Action*, New York, The Free Press, 1995, p. 181-182.

28. Leonard Schlesinger et James L. Heskett, « Breaking the Cycle of Failure », *Sloan Management Review*, printemps 1991, p. 26.

29. Benjamin Schneider et David E. Bowen, *Winning the Service Game*, Boston, Harvard Business School Press, 1995, p. 131.

30. Leonard L. Berry, *Discovering the Soul of Service – The Nine Drivers of Sustainable Business Success*, New York, The Free Press, 1999, p. 161.

31. Benjamin Schneider et David E. Bowen, *Winning the Service Game*, Boston, Harvard Business School Press, 1995, p. 138-139.

32. David A. Tansik, « Managing Human Resource Issues for High Contact Service Personnel », in *Service Management Effectiveness*, D. E. Bowen, R. B. Chase, T. G. Cummings and Associates (éd.), San Francisco, Jossey-Bass, 1990, p. 152-176.

33. Certaines parties de cette section sont fondées sur David E. Bowen et Edward E. Lawler, III, « The Empowerment of Service Workers : What, Why, How and When », *Sloan Management Review*, printemps 1992, p. 32-39.

34. Dana Yagil, « The Relationship of Customer Satisfaction and Service Workers' Perceived Control – Examination of Three Models », *International Journal of Service Industry Management*, 13, n° 4, 2002, p. 382-398.

35. Graham L. Bradley et Beverley A. Sparks, « Customer Reactions to Staff Empowerment : Mediators and Moderators », *Journal of Applied Social Psychology*, 30, n° 5, 2000, p. 991-1012.

36. David E. Bowen et Edward E. Lawler, III, « The Empowerment of Service Workers : What, Why, How and When », *Sloan Management Review*, printemps 1992, p. 32-39.

37. *ibid.*

38. Chris Argyris, « Empowerment : The Emperor's New Clothes », *Harvard Business Review*, mai-juin, 1998, p. 98-106.

39. Benjamin Schneider et David E. Bowen, *Winning the Service Game*, Boston, Harvard Business School Press, 1995, p. 250.

40. Ce paragraphe s'appuie sur Kevin Freiberg et Jackie Freiberg, *Nuts ! Southwest Airlines' Crazy Recipe for Business and Personal Success*, New York, Broadway Books, 1997, p. 87-88.

41. Andrew Sergeant et Stephen Frenkel, « When Do Customer Contact Employees Satisfy Customers ? », *Journal of Service Research*, 3, n° 1, août 2000, p. 18-34.

42. Leonard L. Berry, *On Great Service – A Framework for Action*, New York, The Free Press, 1995, p. 131.

43. Charles A. O'Reilly III et Jeffrey Pfeffer, *Hidden Value – How Great Companies Achieve Extraordinary Results with Ordinary People*, Boston, Harvard Business School Press.

44. Leonard L. Berry, *Discovering the Soul of Service – The Nine Drivers of Sustainable Business Success*, New York, The Free Press, 1999, p. 189.

45. Cette section est fondée sur Benjamin Schneider et David E. Bowen, *Winning the Service Game*, Boston, Harvard Business School Press, 1995, 141 ; Leonard L. Berry, *On Great Service – A Framework for Action*, New York, The Free Press, 1999, p. 225.

46. Ron Zemke, « Experience Shows Intuition Isn't the Best Guide to Teamwork », *The Service Edge*, 7, n° 1, janvier 1994, p. 5.

47. Cette section est fondée sur Benjamin Schneider et David E. Bowen, *Winning the Service Game*, Boston, Harvard Business School Press, 1995, p. 145-173.

48. Un bon résumé de la fixation des objectifs et de la motivation au travail existe sous la référence d'Edwin A. Locke et Gary Latham, *A Theory of Goal Setting and Task Performance*, New Jersey, Englewood Cliffs, Prentice Hall, 1990.

49. Benjamin Schneider et David E. Bowen, *Winning the Service Game*, Boston, Harvard Business School Press, 1995, p. 165.

50. Charles A. O'Reilly III et Jeffrey Pfeffer, *Hidden Value – How Great Companies Achieve Extraordinary Results with Ordinary People*, Boston, Harvard Business School Press, 2000, p. 232.

51. Scott B. MacKenzie, Philip M. Podsakoff et Gregory A. Rich, « Transformational and Transactional Leadership and Salesperson Performance », *Journal of the Academy of Marketing Science*, 29, n° 2, 2001, p. 115-134.

52. Leonard L. Berry, *On Great Service – A Framework for Action*, p. 236-237.

53. Benjamin Schneider et David E. Bowen, *Winning the Service Game*, Boston, Harvard Business School Press, 1995, p. 240.

54. Catherine de Vrye, *Good Service is Good Business*, Upper Saddle River, Prentice Hall, 2000, p. 11.

55. Tony Simons, « The High Cost of Lost Trust », *Harvard Business Review*, septembre 2002, p. 2-3.

Quatrième partie

Mettre en place des stratégies de services efficaces

La quatrième partie de l'ouvrage développe quatre leviers stratégiques pour les services. Dans un premier temps, nous étudions les raisons pour lesquelles la profitabilité d'une firme passe par la création, la gestion et le maintien de relations durables avec les segments de clientèles jugés prioritaires pour une société de services et comment trouver les offres et les types de relation propices à renforcer et pérenniser la fidélité de ces clientèles. Dans un deuxième temps, nous montrons les avantages d'une firme de services à mettre en place une stratégie qui puisse traiter efficacement les plaintes des clients. Une orientation à la fois organisationnelle et relationnelle des opérations de réparation de service (*service recovery*) détermine si la firme est capable de proposer des relations durables avec ses clients et de détecter si ces derniers font leurs achats ailleurs.

Dans un troisième temps, nous étudions pourquoi la productivité et la qualité sont nécessaires et à la base du succès financier de l'entreprise. La productivité doit permettre de diminuer les coûts de « production » et la qualité d'augmenter les revenus par une plus grande satisfaction des consommateurs et donc d'un réachat.

Enfin, dans le dernier chapitre, nous montrons comment les entreprises peuvent rester compétitives et progressistes. Une entreprise doit être préparée à évoluer de façon continuelle, non seulement au niveau des opérations marketing, mais aussi pour tout ce qui concerne la gestion des opérations et la gestion des ressources humaines. Le calibre et le type de leadership managérial déterminent la capacité de la firme à être leader sur son marché.

**COMPRENDRE LES BESOINS DES CONSOMMATEURS,
SAVOIR PRENDRE LES DÉCISIONS,
MAÎTRISER ET GÉRER LES COMPORTEMENTS
DANS LES SITUATIONS DE SERVICES**

**Les spécificités des services qui affectent le comportement du consommateur
Les 3 phases du modèle de consommation des services :**

- La phase du préachat : recherche-évaluation des alternatives et décision
- La phase de la rencontre de service : les services *high contact* et les services *low contact*
- La phase post-achat : évaluation (attentes/consommation) et intentions futures

(Chapitre 2)

Élaborer le modèle de service

- Développer l'offre de services : service de base et services périphériques
- Sélectionner les canaux de distribution : canaux traditionnels et/ou canaux électroniques
- Déterminer les prix en fonction des coûts, de la concurrence et de la valeur créée
- Former les clients et promouvoir la proposition de valeur
- Positionner la proposition de valeur par rapport à la concurrence

Gérer l'interface client

- Concevoir et gérer les processus de services
- Équilibrer la demande et les capacités de production
- Concevoir et mettre en place l'environnement physique du service
- Manager le personnel en contact pour un avantage concurrentiel

Mettre en place des stratégies de services efficaces

Créer une relation privilégiée avec les clients et les fidéliser

Prévoir les actions de réparation de services et mettre en place des systèmes de *feed-back* client

Améliorer continuellement la qualité du service et la productivité

Organiser la gestion du changement et le leadership

(4e partie, chapitres 12-15)

Chapitre 12
Gérer les relations et développer la fidélité

« La première étape pour générer de la fidélité consiste à trouver et à acquérir les bons clients » – Frederick F. Reichheld

« D'abord la stratégie, ensuite le CRM » – Steven S. Ramsey

« Il n'y a pas de bons clients, il n'y a que des vieux clients ! » – Denis Lapert

Objectifs de ce chapitre

- Pourquoi la fidélité du client est-elle un élément important de la profitabilité d'une entreprise de services ?

- Pourquoi est-ce si important pour une entreprise de services de cibler les bons clients ?

- Comment une entreprise peut-elle calculer la valeur à vie (VAV) de ses clients ?

- Quelles stratégies sont associées au concept de marketing relationnel ?

- Comment la mise en œuvre de liens de fidélité et de programmes de fidélisation peut-elle contribuer au développement de la fidélité du client ?

- Quel est le rôle des systèmes de CRM dans la personnalisation du service et dans le développement de la fidélité ?

Cibler, attirer et retenir les bons clients sont les facteurs déterminants du succès de beaucoup d'entreprises de service. Dans ce chapitre, nous nous focaliserons sur l'importance de la sélection des segments cibles et des difficultés à développer et maintenir leur fidélité au travers de stratégies marketing efficaces[1], fondées sur une segmentation du marché. De plus en plus d'entreprises essayent de définir les types de clients qu'elles peuvent le mieux servir plutôt que de se positionner comme une solution globale, disponible pour tous. Une fois les clients acquis à sa cause, l'entreprise doit faire face à la difficulté de les fidéliser pour qu'ils consomment davantage ou des services plus onéreux.

Construire et développer des relations est un challenge, surtout lorsque l'entreprise possède des millions de clients qui communiquent avec l'entreprise de multiples manières (e-mails, centres d'appels, interactions en face-à-face). S'ils sont bien conçus, les systèmes de gestion de relations clients (CRM) permettent aux responsables de comprendre leurs clients, d'adapter et de personnaliser leurs services et leurs efforts en fonction de ces derniers.

1. La recherche de la fidélité des clients

La fidélité est un mot et un concept très ancien, utilisé jadis pour décrire la fidélité et la dévotion envers un pays, une cause ou un individu. Plus récemment, il a été employé dans un contexte commercial pour décrire la volonté d'un client à rester en relation avec une entreprise sur le long terme, à acheter et utiliser ses biens et services de manière régulière et exclusive, à recommander les produits de l'entreprise à des amis et connaissances. Néanmoins, la fidélité à une marque dépasse le seul comportement, elle comprend aussi une certaine préférence, une attirance et des intentions futures. Richard Oliver affirme que les consommateurs deviennent d'abord fidèles de façon cognitive, percevant, à partir d'informations sur ses caractéristiques, qu'une marque est préférable à ses concurrentes[2]. La seconde étape est la fidélité affective, dans laquelle le client développe une attirance pour une marque en se fondant sur une utilisation satisfaisante et répétée. Ce genre d'attitude est difficile à infléchir de la part des concurrents. La troisième étape est la fidélité conative, qui représente l'engagement du client à racheter un produit de la même marque, menant à la quatrième étape, la fidélité d'action, dans laquelle le client démontre un comportement de rachat constant.

« Seules quelques entreprises considèrent les clients comme des rentes », souligne Frederick Reichheld, auteur de *L'Effet loyauté* et chercheur réputé[3]. Et c'est précisément cela qu'un client fidèle peut signifier pour une entreprise : une source régulière de revenus pendant plusieurs années. Néanmoins, cette fidélité ne doit jamais être considérée comme acquise. Celle-ci ne perdurera que si le client perçoit qu'il obtient une meilleure offre (qualité supérieure par rapport au prix) inaccessible chez un autre fournisseur. Si l'entreprise déçoit le client, ou si un concurrent propose une meilleure offre, alors il y a un risque que le client « déserte ».

Dans un contexte marketing, on utilise en effet le terme de « déserteur » pour décrire les clients qui abandonnent la zone d'influence d'une entreprise pour transférer leur fidélité vers un autre fournisseur. Reichheld (cadre à la Bain & Company Inc.) et Sasser (professeur à la Harvard Business School) ont vulgarisé la stratégie « zéro déserteur », c'est-à-dire la conservation de chaque client que l'entreprise peut servir de manière profitable[4]. Un taux de défection croissant traduit non seulement un problème de qualité (ou que les concurrents proposent une meilleure offre), mais préfigure aussi une baisse des bénéfices. D'importants clients ne disparaissent pas en une nuit. Ils peuvent en revanche signaler leur insatisfaction grandissante en réduisant graduellement leurs achats et en transférant une partie des leurs activités ailleurs.

1.1. Pourquoi la fidélité des clients est-elle à la base de profitabilité de l'entreprise[5] ?

Combien vaut réellement un client fidèle en termes de bénéfices ? Dans une étude célèbre, Reichheld et Sasser ont analysé le bénéfice dégagé par un client dans différentes entreprises de service, en fonction du nombre d'années de fidélité de celui-ci[6]. Ils mirent en évidence que plus les clients restaient fidèles longtemps à une entreprise dans chacun des secteurs d'activité étudiés, plus leur rentabilité augmentait. La figure 12.1 montre les bénéfices annuels par client, mesurés sur une période de cinq ans pour faciliter la comparaison. Les secteurs d'activité étudiés étaient : les cartes de crédit (30 $), la blanchisserie industrielle (144 $), la logistique (45 $) et l'entretien automobile (25 $). Des effets semblables furent également constatés dans le contexte d'Internet, où il faut en général plus d'un an pour récupérer les coûts d'acquisition d'un client. Les bénéfices augmentaient de pair avec la longévité du partenariat entre les clients et l'entreprise[7].

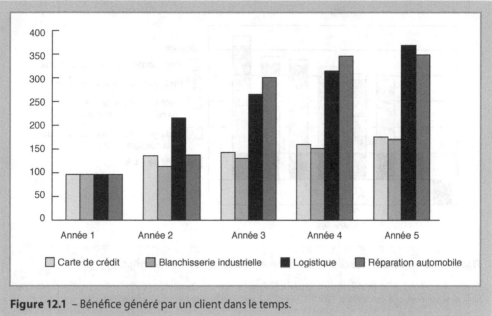

Figure 12.1 – Bénéfice généré par un client dans le temps.

Soulignant cette croissance des bénéfices, Reichheld et Sasser ont identifiés quatre facteurs permettant d'accroître les profits. Par ordre croissant d'importance sur la durée, ces facteurs sont :

1. *Augmentation des achats* (ou, dans le cas de cartes de crédit ou de services bancaires, des soldes de comptes plus élevés). Avec le temps, les entreprises clientes croissent et ont besoin d'acheter davantage. Les particuliers peuvent aussi acheter en plus grande quantité lorsque leur famille s'agrandit ou qu'ils s'enrichissent. Ces deux types de clients peuvent décider de s'approvisionner auprès d'un seul fournisseur qui propose un service de grande qualité.

2. *Baisse des coûts opérationnels.* Plus les clients sont expérimentés, moins ils demandent d'aide au fournisseur (moins d'information et d'assistance technique). S'ils sont impliqués dans le processus opérationnel, ils pourront également faire moins d'erreurs, contribuant à améliorer la productivité.

3. *Conséquences des recommandations à d'autres clients.* Des recommandations grâce au bouche-à-oreille sont des publicités et des ventes gratuites qui épargnent à l'entreprise de lourds investissements dans ce domaine.

4. *Marge sur les prix.* Les nouveaux clients se voient souvent offrir des prix d'introduction attractifs, alors que les clients historiques payent le prix standard. D'ailleurs, les clients acceptent souvent de payer le prix fort s'ils font confiance au fournisseur.

La figure 12.2 présente la contribution relative de chacun de ces facteurs sur une période de sept ans, en se basant sur l'analyse de dix-neuf catégories de produits différents (biens et services). Reichheld affirme que les avantages économiques intrinsèques à la fidélité du client expliquent pourquoi une entreprise est plus rentable qu'une autre. En outre, les coûts initiaux liés à l'attraction de ces clients peuvent être amortis sur plusieurs années.

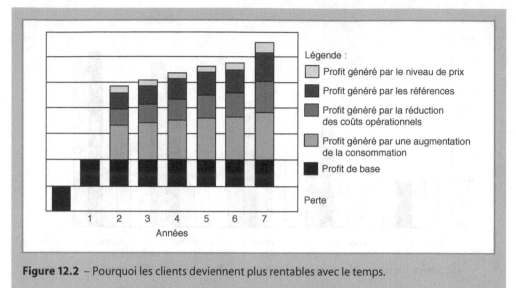

Figure 12.2 – Pourquoi les clients deviennent plus rentables avec le temps.

Source : Frederick F. Reichheld et W. Earl Sasser Jr., « Zero Defections: Quality Comes to Services », *Harvard Business Review,* septembre-octobre 1990, p. 105-111. Reproduit avec l'accord de Harvard Business School.

1.2. Évaluer la valeur d'un client fidèle[8]

Il serait inexact d'affirmer que les clients fidèles valent systématiquement plus que les clients effectuant une transaction unique[9]. En termes de coûts, tous les types de service n'entraînent pas de frais promotionnels élevés destinés à attirer de nouveaux clients. Parfois, il est plus judicieux d'investir dans un emplacement stratégique qui attirera les passants. À la différence des banques, des compagnies d'assurance et des autres entreprises nécessitant un fastidieux processus d'ouverture de compte, beaucoup d'entreprises de services ne sont assujetties à aucun frais lorsqu'un client effectue un achat. En termes de revenus, les clients fidèles ne génèrent pas forcément plus que des acheteurs uniques et, dans certains cas, ils peuvent même générer moins. Enfin, les revenus n'augmentent pas nécessairement avec le temps pour tous les types de clients[10].

De récents travaux sur le sujet ont aussi montré que l'impact d'un client sur le bénéfice pouvait grandement varier en fonction de la phase de cycle de vie du produit dans laquelle se trouvait le service. Par exemple, les recommandations de clients satisfaits et un bouche-à-oreille négatif de clients « déserteurs » ont un impact bien plus important au début du cycle de vie du produit qu'à sa fin[11].

La difficulté pour les responsables est d'examiner la situation en fonction des clients des différents segments et de déterminer les niveaux de rentabilité pour chaque type de clients.

1.3. La différence de valeur entre un client à vie et un client potentiel[12]

Si nous admettons que les relations avec un client fidèle ont le potentiel de générer un courant continu de profits, il devient évident que ce client est un actif financier important pour l'entreprise. Vu ainsi, il accroît la valeur de l'entreprise à chaque vente. D'un point de vue financier, les programmes marketing destinés à conquérir de nouveaux clients, construire une relation et accroître les ventes des clients existants doivent être considérés plutôt comme des investissements que comme des dépenses[13].

Le management de la valeur d'un client est une nouvelle approche de la stratégie marketing qui valorise le client et donc les stratégies conçues pour accroître la valeur de chaque client[14]. La valeur de la clientèle correspond à la somme de toutes les valeurs à vie de tous les clients de l'entreprise. Roland Rust, Valarie Zeithaml et Katerine Lemon affirment que, dans les entreprises dynamiques, les produits vont et viennent, mais les clients restent[15]. La conséquence est que les clients et la valeur de la clientèle peuvent être plus importants dans la stratégie de l'entreprise que les marques et leur valeur de marque.

Comment une entreprise peut-elle calculer la valeur de sa clientèle ? Pour comprendre la manière de calculer la valeur d'un client, quelle que soit l'entreprise, reportez-vous au mémo 12.1.

Guide pour calculer la valeur d'un client

Le calcul de la valeur d'un client est une science inexacte et les formes de calcul peuvent extrêmement varier. Vous pouvez essayer de faire varier ces différents calculs afin de voir leur effet sur les résultats. D'une manière générale, le revenu par client est plus facile à identifier sur une base individuelle que les coûts qui y sont associés à moins que les coûts soient individuellement affectés aux clients.

Revenus des conquêtes diminués des coûts

Si l'enregistrement individuel de chaque transaction est reporté sur les comptes clients, l'achat initial d'un client et le prix sont connus. Par contre, le coût peut avoir été calculé sur une moyenne. Par exemple, les coûts marketing d'acquisition d'un nouveau client peuvent être calculés en divisant les coûts totaux marketing dédiés à cette activité (publicité, promotion, vente, etc.) par le nombre de nouveaux clients sur la même période. Si chaque nouvelle conquête demande une longue période, il faut essayer de rapprocher les dates des dépenses marketing de la date à laquelle le client est acquis.

Revenus annuels et coûts

Si les revenus annuels sont comptabilisés sur une base individuelle, ils peuvent être facilement repérés. La première priorité est donc de segmenter le fichier clientèle sur la base de la durée de la relation avec l'entreprise. Si l'enregistrement des coûts est assez documenté, vous pouvez les assigner à chaque compte ou assigner une moyenne de coûts par catégorie d'ancienneté.

...

Mémo 12.1

Mémo 12.1

...

Valeurs des « recommandations »

Calculer la valeur des recommandations nécessite un certain nombre de calculs. Pour commencer, vous devez déterminer : (1) quel pourcentage de nouveaux clients déclarent qu'ils ont été influencés par d'autres clients ; (2) quelles autres activités marketing ont attiré l'attention des clients sur l'entreprise. À partir de ces deux données, vous pouvez estimer quel pourcentage des dépenses de conquête peut être assigné à ces « recommandations ». Des recherches plus poussées pourraient vous permettre de déterminer la valeur des recommandations des vieux et des jeunes clients !

Valeur nette du client à ce jour

Calculer la valeur nette d'un client à ce jour nécessite de prévoir le plan annuel de promotions par les prix et éventuellement d'intégrer les futurs taux d'inflation. Cela nécessite d'envisager aussi la durée de la relation. La valeur nette d'un client est alors la somme des profits anticipés sur la durée projetée de la relation.

Acquisition			Année 1	Année 2	Année n
Revenu initial		*Revenu annuel*			
Droits d'entrée*	____	Cotisation annuelle*	____	____	____
Achat initial*	____	Ventes	____	____	____
		Cotisation Services*	____	____	____
		Valeur de recommandation**	____	____	____
Total des revenus	____				
Coûts initiaux		*Coûts annuels*			
Marketing	____	Gestion du compte	____	____	____
Crédit[a]	____	Coût des ventes	____	____	____
Tenue de compte*	____	Pertes	____	____	____
Total des coûts	____				
Profit net	____				

* Si applicable.

** Profit anticipé de chaque nouveau client (peut être limité à la première année ou exprimé en valeur nette de la valeur estimée du futur courant de profit jusqu'à l'année n). Cette valeur peut être négative si un client mécontent répand un bouche-à-oreille négatif causant le départ de clients.

Calculer la valeur à vie d'un client nécessite une bonne compréhension des revenus et des coûts associés année par année à un client. On peut simplifier ces calculs en développant une approche segment par segment plutôt que client par client[16].

Pour les entreprises recherchant le profit, la rentabilité potentielle d'un client devrait constituer l'un des éléments essentiels de la stratégie marketing. Comme le déclarent Grant (consultant chez Exchange Partners) et Schlesinger (ancien professeur à Harvard), « atteindre le profit maximal associé à chaque client devrait être le but fondamental de chaque entreprise… Même en faisant des estimations pessimistes, la différence entre la performance réelle et la performance optimale de la plupart des entreprises est énorme[17]. » Ils suggèrent d'analyser les différences entre les valeurs réelles et potentielles des clients :

- Quel est le comportement d'achat actuel des clients dans chacun des segments cibles ? Et quelles seraient les répercussions sur les ventes et les bénéfices s'ils adoptaient un profil comportemental idéal : (1) en achetant tous les services proposés par l'entreprise ; (2) en excluant un quelconque achat chez les concurrents ; (3) en payant le prix fort ? (Souvent, les entreprises ont intérêt à examiner les opportunités de ventes croisées sur les nouveaux services proposés aux clients existants. En même temps, des programmes récompensant les utilisateurs fréquents de leur fidélité peuvent aider au renforcement des relations et à l'augmentation du portefeuille clients de l'entreprise. Faire payer aux clients des prix supérieurs à ceux auxquels ils sont habitués peut être délicat, sauf si les concurrents limitent aussi les rabais et autres promotions.)

- Pendant combien de temps en moyenne les clients restent-ils fidèles à l'entreprise ? Quel serait l'impact d'une fidélité éternelle ?

Comme nous l'avons montré précédemment, la rentabilité d'un client croît avec le temps. La mission des dirigeants est de comprendre pourquoi les clients désertent et de prendre des mesures correctives.

2. Comprendre la relation client-entreprise

Une différence fondamentale existe entre une stratégie visant l'obtention d'une transaction unique et celle mise au point pour développer des relations de longue durée avec les clients. Des transactions réitérées constituent la base relationnelle entre un client et un prestataire, sans pour autant qu'un client réalisant des achats répétitifs recherche nécessairement la construction d'une relation durable. Là est toute la difficulté de la recherche d'une démarche de fidélité active.

2.1. Le marketing relationnel

Le terme *marketing relationnel*[18] est souvent utilisé pour décrire ce dernier type d'activité, mais, jusqu'à peu, il n'était défini que de façon vague. Des recherches entreprises par Coviello, Brodie et Munro, professeurs à l'université d'Auckland, suggèrent qu'il y a en fait quatre types de marketing : le marketing transactionnel et trois catégories de marketing relationnel : le database marketing, le marketing interactif et le marketing réseau[19].

2.2. Le marketing transactionnel

Une transaction représente l'événement durant lequel un échange de valeurs a lieu entre deux parties. Une transaction ou même un enchaînement de transactions ne constitue pas une relation car celle-ci nécessite une connaissance et une reconnaissance mutuelle. Lorsque chaque transaction entre un client et un fournisseur est effectuée discrètement et anonymement, sans conserver un historique des achats du client et sans créer de reconnaissance mutuelle entre le client et les employés, on ne peut pas dire qu'il y ait de marketing relationnel à proprement parler.

À quelques rares exceptions près, les consommateurs achètent des biens manufacturés à intervalles réguliers, paient pour chaque achat indépendamment et ne développent que rarement des relations avec le fabricant. Néanmoins, ils peuvent développer des relations avec le distributeur ou l'intermédiaire qui vend les produits. Cela vaut pour beaucoup de services comme les transports, la restauration et les séances de cinéma où achat et « consommation » sont des événements distincts[20].

2.3. Le database marketing[21] et le « Big Data Marketing »

Dans le database marketing[22], l'intérêt est toujours porté sur la transaction mais comprend désormais un échange d'informations. Les marketeurs s'appuient sur l'informatique, plus précisément sur des bases de données, pour créer une relation avec le client et le retenir dans le temps. Cependant, la nature de cette relation est souvent distante, avec une communication souvent décidée par le vendeur. La technologie est utilisée pour :

1. identifier et créer une base de données des clients actuels et potentiels ;

2. envoyer des messages différenciés en fonction des caractéristiques et préférences des consommateurs ;

3. suivre chaque relation et connaître le coût d'acquisition du consommateur ainsi que la valeur à vie résultant de ces achats[23].

Bien que la technologie permette de personnaliser les relations (comme l'insertion du nom du client sur les lettres écrites par un traitement de texte), elles restent toutefois distantes. Les fournisseurs de gaz, d'électricité ou de télévision par câble et satellite en sont de bons exemples.

Meilleures pratiques 12.1

Comment les « Big Data » transforment l'art du marketing en véritable science

Pour doper la croissance de votre entreprise, vous devez radicalement repenser vos outils et vos compétences, et utiliser les données pour favoriser une meilleure prise de décision. Le rôle du directeur marketing est irrémédiablement voué à évoluer.

En effet, vous ne pouvez plus vous fier à votre instinct pour élaborer les campagnes importantes et anticiper le comportement du client. Vous devez, en revanche, tirer parti des « Big Data » pour définir l'ensemble de votre processus, de l'engagement du client jusqu'à l'innovation produit.

Selon une étude réalisée en mars 2013 par l'*Economist Intelligence Unit* (EIU), 37 % des cadres interrogés sur les compétences indispensables aujourd'hui à un directeur marketing performant estiment que « le plus important consiste à analyser les données pour en extraire des prévisions ». Ils sont 20 % plus nombreux qu'il y a cinq ans.

La bonne nouvelle est que les directeurs marketing n'ont pas à choisir entre instinct créatif et analyse. Les meilleures campagnes marketing reposent à la fois sur des analyses de données conçues pour mieux informer la prise de décision, et sur la créativité qui permet de traduire ces enseignements en campagnes percutantes.

...

...

Ainsi, les experts en marketing ont besoin d'accéder instantanément à des données fiables pour pouvoir engranger des informations importantes, et prendre des décisions axées sur les données pour tout ce qui a trait aux campagnes, événements, sites Web, relations publiques et autres, dans le but d'optimiser leurs efforts marketing. Il ne suffit plus aujourd'hui de s'appuyer sur des hypothèses ou sur son instinct. Les données sont omniprésentes. Pour avancer efficacement, les directeurs marketing doivent être les premiers utilisateurs des données dans tout ce qu'ils entreprennent.

Les « Big Data » ne sont plus une science expérimentale

Pour apprécier le mariage de l'art et de la science, il est important de reconnaître les cinq manières dont les « Big data » transforment les activités quotidiennes des directeurs marketing :

1. En utilisant une analyse marketing pour suivre la réponse des clients aux différentes stratégies marketing, les organisations peuvent aujourd'hui visualiser et représenter graphiquement les interactions des clients.

2. Le marketing « programmatique » permet de diffuser aux clients des messages pertinents et en temps réel, en fonction de leur comportement en ligne.

3. Grâce à une analyse approfondie de la gestion de la relation client intégrée, comprenant à la fois les données des réseaux sociaux et l'historique d'achat, les équipes marketing peuvent bénéficier d'une vision à 360° du client et améliorer ainsi à la fois la segmentation et la personnalisation.

4. L'utilisation des données de parcours des internautes permet d'optimiser le trafic en ligne et d'accélérer sensiblement les taux de conversion.

5. Le suivi des campagnes marketing, de la création de contenu à la génération de revenus, permet aux directeurs marketing de mieux anticiper le retour sur investissement de leurs campagnes.

Une prise de décision fondée sur des éléments factuels

À l'inverse, toutes les données disponibles dans le monde n'ont aucun sens si les équipes marketing ne disposent pas des compétences adéquates pour procéder à des analyses en profondeur. Il est essentiel de mettre sur pied une équipe en charge des opérations marketing qui soit capable de travailler de concert avec l'équipe informatique, afin d'acquérir toute l'intelligence nécessaire pour prendre les bonnes décisions tactiques.

Les directeurs marketing doivent aujourd'hui également justifier de solides compétences analytiques, de qualités de communication, de connaissances des systèmes et d'un sens des affaires pour dériver la valeur réelle des données. C'est uniquement en endossant ces nouvelles compétences qu'ils seront en mesure de se positionner efficacement dans un monde centré sur les données.

Source : publié le 25 octobre 2013 par Didier Schreiber (www.e-marketing.fr).

2.4. Le marketing interactif

Il existe une relation plus proche lorsque il y a une interaction en face-à-face entre les clients et les représentants du fournisseur (ou « oreille-à-oreille » dans le cas d'une interaction téléphonique). Bien que le service reste en lui-même important, le processus social et ses acteurs créent de la valeur. Les interactions peuvent comprendre des négociations et le partage d'information dans les deux sens. Ce genre de relation existe dans nombre d'environnements (des agences bancaires aux cabinets dentaires), où les acheteurs et les vendeurs se connaissent et se font confiance. Il est également la caractéristique des services *B to B*. À la fois l'entreprise et le client sont prêts à investir des ressources (dont du temps) pour développer une relation bénéfique pour tous. Cet investissement comprend le temps passé à partager et à enregistrer l'information. Considérons cette observation effectuée par un opérateur de télécommunications désireux de dialoguer avec sa clientèle PME :

> *Les clients réclamaient un dialogue continu dont l'objectif était la compréhension de leurs besoins, plutôt qu'un contact plus tactique qui leur vendrait l'« affaire du mois ». Les clients étaient également intéressés par la continuité du contact, désireux de dialoguer régulièrement avec une personne particulière. Ils passaient pratiquement vingt minutes à donner des informations sur leur entreprise et leurs besoins. Mais ayant investi ce temps, ils s'attendaient à ce que cette relation perdure[24].*

Alors que les entreprises de service se développent et font de plus en plus appel à la technologie comme les sites Web interactifs et les équipements de libre-service, le maintien de relations significatives avec les clients devient un véritable défi marketing[25] dans certains domaines.

2.5. Le marketing de réseau[26]

Un bon entremetteur est celui qui est capable de mettre en relation des personnes qui ont un intérêt commun. Ce genre de marketing a lieu en général dans un contexte *B to B*, lorsque les entreprises développent leur position dans un réseau de relations avec les clients, les distributeurs, les fournisseurs, les médias, les consultants, les associations de consommateurs, les pouvoirs publics, les concurrents, et même les clients de leurs clients. Il y a souvent une équipe au sein de l'entreprise fournisseur collaborant avec une équipe équivalente au sein de l'entreprise cliente. Ce concept de réseau existe également dans un environnement marketing de grande consommation où les clients sont encouragés à recommander leurs amis et connaissances au prestataire de service.

Les quatre types de marketing présentés ci-dessus ne sont pas forcément exclusifs. Une entreprise peut faire des affaires avec des clients qui n'ont nullement l'intention ni le besoin de faire d'autres achats, tout en faisant de gros efforts pour en servir d'autres qui seraient plus enclins à développer une relation de fidélité. Evert Gummesson, de l'université de Stockholm, évoque le *marketing relationnel total*, qu'il décrit comme suit :

> *Le marketing relationnel total est basé sur les relations, les réseaux et les interactions, soit un marketing globalement intégré à la gestion des réseaux de vente de l'entreprise, au marché et à la société. Il est orienté vers des relations à long terme, de type gagnant-gagnant, avec les clients, et la valeur est conjointement créées par les parties en présence[27].*

Il n'identifie pas moins de trente types de relations au sein du contexte élargi de marketing de relations totales.

2.6. Créer une relation d'appartenance

Bien que certains services donnent lieu à des transactions uniques, d'autres impliquent que les acheteurs reçoivent le service de manière continue. Même dans le cas de transactions uniques, il peut y avoir une opportunité de créer une relation durable. La nature particulière des relations qui suivent offre des occasions de catégoriser les services. Premièrement, on peut se demander si le fournisseur entre dans une relation formelle d'adhésion ou d'abonnement avec les clients, comme dans le cas d'un contrat téléphonique, de l'ouverture d'un compte bancaire ; deuxièmement, si le service est fourni de façon continue – comme une police d'assurance, la télévision, ou une protection policière –, ou si chaque transaction est considérée et facturée séparément. Le tableau 12.1 montre la matrice résultant de cette catégorisation avec des exemples dans chaque catégorie.

Tableau 12.1	Types de relation entre l'entreprise de services et ses clients	
	Types de relations entreprises/client	
Nature de la livraison de service	**Relation de Membre**	**Pas de relation formelle**
Service délivré en continu	Assurances	Station de radio
	Abonnement au câble	Protection policière
	Inscription au collège	Éclairage
	Banque	Routes nationales
Service ponctuel	Appels téléphoniques (hors forfait)	Location de voiture
	Abonnement théâtre	Péages routiers
	Réparation sous garantie	Transports publics
	Traitement médical pour un assuré social	Restaurant

Une relation d'adhésion est une relation formalisée entre une entreprise et un client identifiable, qui peut présenter des avantages pour les deux parties. Les services impliquant des relations uniques peuvent être transformés en relations d'adhésion soit en vendant le service globalement (un abonnement à une série de spectacles ou une carte mensuelle pour les transports en commun par exemple), soit en proposant des avantages supplémentaires aux clients qui décident de s'abonner auprès de l'entreprise (les programmes d'adhésion des hôtels, compagnies aériennes et loueurs de voitures entrent dans cette catégorie). L'avantage principal des relations d'adhésion pour l'entreprise de services est de savoir qui sont ses clients et, en général, quel usage font-ils des services proposés. Cela peut s'avérer une information très intéressante pour la segmentation dans le cas où les données sont bien classées et facilement accessibles. La connaissance des identités et adresses des clients permet à l'entreprise d'utiliser efficacement le mailing (par la poste ou par messagerie électronique) ou la vente par téléphone, qui est une méthode de communication marketing très ciblée. En retour, les clients membres peuvent avoir accès à des numéros spéciaux ou même à des responsables spécialisés qui les aident à communiquer avec l'entreprise.

3. La roue de la fidélité

Rendre un client fidèle n'est pas chose facile. Posez-vous la question de savoir quelles sont les sociétés auxquelles vous êtes fidèle. La plupart des gens les comptent sur les doigts d'une main. Cette difficulté est l'une des raisons essentielles aux énormes moyens que dépensent les firmes pour maintenir mais aussi développer la fidélité de leurs clients, et leurs actions et programmes sont bien souvent infructueux. Nous utilisons la « roue de la fidélité » (voir figure 12.3) pour aider les entreprises à penser, organiser et construire la fidélité de leurs clients. Ce cadre de référence comprend trois étapes séquentielles.

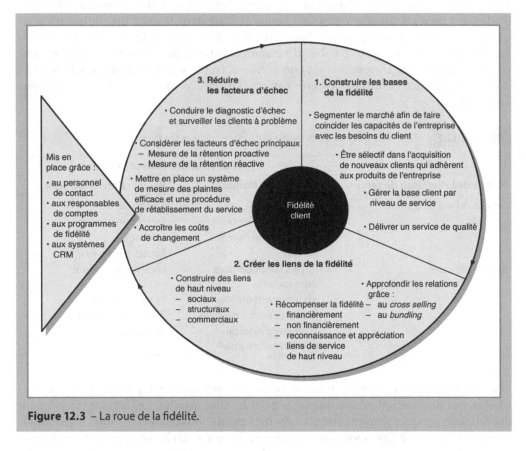

Figure 12.3 – La roue de la fidélité.

Dans un premier temps, la firme doit cibler, de la façon la plus précise possible, les segments de marché qu'elle souhaite servir et pour lesquels elle affiche un savoir-faire avéré et connu de tous. C'est la première étape à la construction de la fidélité : être capable d'offrir ce que veulent les clients ciblés.

Dans un deuxième temps, construire des liens étroits en mettant en place des packages et des offres adaptés, pour approfondir la relation avec le client, tout en maintenant des échanges constants et en le récompensant pour sa fidélité.

Dans un troisième temps, la firme doit identifier et éliminer les clients indésirables, évaluer la perte de clients existants et le besoin de les remplacer par de nouveaux.

4. Établir les bases de la fidélité client[28]

Beaucoup d'éléments entrent en compte dans la création de relations durables avec les clients. Le processus commence par l'identification et le ciblage des bons clients. « Qui devons-nous servir ? » est une question que chaque entreprise doit se poser régulièrement. Les clients diffèrent souvent beaucoup en fonction de leurs besoins. Ils diffèrent également en termes de valeur qu'ils peuvent apporter à l'entreprise. Les capacités et les technologies de l'entreprise ne conviennent pas forcément à chaque client.

4.1. De bonnes relations se fondent sur une bonne adéquation entre les besoins du consommateur et les aptitudes de l'entreprise

Tout d'abord, les entreprises se doivent d'être sélectives dans leur ciblage de segments si elles veulent développer des relations efficaces avec les clients. Dans ce chapitre, nous nous intéresserons plus particulièrement à l'importance du choix d'un portefeuille de segments habilement sélectionnés et des efforts à développer pour maintenir la fidélité des clients (voir mémo 12.2).

Identifier et sélectionner les segments cibles

La segmentation du marché est essentielle à la réussite de tout programme marketing. Le concept de segmentation constate que les clients actuels et potentiels d'un marché diffèrent à plusieurs niveaux et que chaque segment ne constitue pas nécessairement une cible attractive pour l'entreprise.

Les segments de marché. Un segment est composé de clients actuels ou potentiels qui partagent les mêmes caractéristiques, besoins, comportement d'achat ou modes de consommation. Une segmentation efficace regroupe les acheteurs de façon à ce qu'il y ait de fortes similitudes en termes de caractéristiques *au sein* de ces segments, mais qu'il existe également de fortes distinctions *entre* ces segments. Deux grandes catégories de variables sont utiles pour décrire les différences entre segments. Les premières sont les caractéristiques des utilisateurs et les secondes sont les comportements d'utilisation.

Les caractéristiques des utilisateurs peuvent varier d'une personne à l'autre, reflétant les caractéristiques *démographiques* (l'âge, le revenu et le niveau d'études par exemple), la localisation géographique et les caractéristiques *psychographiques* (les attitudes, valeurs, styles de vie, et les opinions des décideurs et acheteurs).

Plus récemment, les marketeurs ont commencé à parler de *technographie*, un terme « breveté » par le cabinet d'études Forrester Research qui décrit la propension des clients à accepter et à être capable d'utiliser une technologie récente. D'autres variables importantes de segmentation sont les besoins des utilisateurs et les attraits spécifiques que recherchent les individus ou les acheteurs professionnels lors de la consommation d'un bien ou d'un service.

Le comportement d'utilisation renvoie à la manière dont un produit est acheté, livré et utilisé. Parmi ces variables, on trouve le moment et le lieu de l'achat et de la consommation, les quantités consommées (« les gros utilisateurs » génèrent toujours

...

Mémo 12.2

...

un intérêt particulier pour les marketeurs), la fréquence et l'objectif d'utilisation, les occasions de consommation (qu'on appelle parfois la « segmentation d'occasion »), la sensibilité à des variables marketing comme la publicité, le prix, la vitesse et d'autres caractéristiques du produit, et enfin la disponibilité d'autres canaux de distribution.

Le segment cible. Après avoir évalué les différents segments du marché, une entreprise doit axer ses efforts marketing en ciblant un ou plusieurs segments qui correspondent bien aux capacités et objectifs de l'entreprise. Les segments cibles sont souvent définis en se basant sur plusieurs variables. Par exemple, un hôtel peut viser des clients potentiels qui partagent les mêmes caractéristiques comme hommes d'affaires (segmentation démographique) visitant des clients à proximité de l'hôtel (segmentation géographique) et ayant la volonté de payer un certain tarif pour une chambre (réponse de l'utilisateur).

Lorsqu'ils recherchent le bon positionnement, les marketeurs de services doivent apporter des réponses aux questions suivantes :

- De quelle façon utile le marché peut-il être segmenté pour notre entreprise ?

- Quels sont les besoins des segments spécifiques que nous avons identifiés ?

- Quels segments correspondent le mieux à la mission de notre entreprise et à nos capacités actuelles ?

- Comment les avantages et désavantages concurrentiels de notre entreprise sont-ils perçus par les clients de chaque segment ? Les désavantages sont-ils corrigibles ?

- Grâce aux résultats de cette analyse, quel(s) segment(s) doit-on cibler ?

- Comment devons-nous différencier nos pratiques marketing de celles de la concurrence pour attirer et retenir les types de clients que nous désirons ?

- Quelle est la valeur financière à long terme d'un client fidèle dans chacun des segments que nous servons actuellement (et de ceux que nous aimerions servir) ?

- Comment notre entreprise doit-elle procéder pour créer des relations à long terme avec les clients des segments cibles ? Quelles stratégies sont nécessaires pour créer une fidélité à long terme ?

Adapter les clients aux capacités de l'entreprise est vital. Les responsables doivent donc analyser sur quels points les éléments opérationnels de l'entreprise et les besoins des clients sont compatibles (vitesse, qualité et disponibilité du service, capacité de l'entreprise à servir simultanément un nombre important de clients, apparence physique des installations du service). Ils doivent aussi s'interroger quant aux capacités de leurs employés à satisfaire les besoins de clientèles spécifiques, en termes de compétences et de styles personnels. Enfin, ils doivent se demander si leur entreprise est capable de faire aussi bien, voire mieux, que les services concurrents qui ciblent les mêmes clientèles[29].

Harmoniser les capacités et forces de l'entreprise avec les besoins des clients devrait susciter une promesse de service supérieure à leurs yeux. Comme le dit Frederick Reichheld, « la résultante devrait être une situation gagnant-gagnant, ou les bénéfices sont engrangés grâce au succès du service et à la satisfaction des clients, et non à leur dépens[30]. »

4.2. Rechercher la valeur, pas seulement le volume

Trop d'entreprises se focalisent encore sur le nombre de clients qu'elles servent – une donnée importante pour les départements opérationnels et les ressources humaines –, sans accorder suffisamment d'importance à la valeur de chaque client. Généralement, les gros utilisateurs, qui achètent plus fréquemment et en plus grandes quantités, sont plus rentables que les clients occasionnels. Pensez aux activités que vous pratiquez de façon régulière. Avez-vous un restaurant préféré ou une pizzeria dans laquelle vous mangez souvent ? Vous rendez-vous régulièrement dans le même cinéma, la même salle de sport ? Utilisez-vous un téléphone portable et ses nombreux services comme les SMS ou les appels internationaux ?

Si vous avez répondu positivement à l'une des questions ci-dessus, vous êtes potentiellement beaucoup plus intéressant pour les responsables des entreprises en question qu'un visiteur de passage. Le flux de revenu de vos achats, tout comme celui d'autres personnes telles que vous, peut s'accumuler et produire une somme considérable à la fin de l'année. Parfois, votre valeur en tant qu'utilisateur fréquent est ouvertement reconnue et appréciée. Vous avez l'impression que l'entreprise adapte les caractéristiques de son service, de même que son prix ou ses horaires, pour attirer des personnes comme vous et fait de son mieux pour vous rendre fidèle. Dans d'autres cas, cependant, vous pouvez ressentir que personne ne sait ni ne veut savoir qui vous êtes. Vos achats font de vous un client de valeur, mais vous ne vous sentez pas valorisé.

Nous remarquons également que tous les segments ne valent pas la peine d'être servis et qu'il n'est pas très réaliste de vouloir les retenir. Roger Hallowell, professeur de la Harvard Business School, expose brillamment cet argument à propos de la banque :

> *La clientèle d'une banque comporte sûrement soit des personnes qui ne peuvent être satisfaites compte tenu des niveaux de prix et de service que la banque est capable d'offrir, soit qui ne seront jamais rentables étant donné leur activité bancaire (l'utilisation des ressources comparées aux revenus qu'ils génèrent). Une banque devrait cibler et servir seulement les clients dont les besoins peuvent être mieux servis que par ses concurrents, de manière rentable. Ce sont ces clients-là qui sont susceptibles de rester à la banque pour longtemps et qui achèteront des produits et services différents, qui recommanderont cette banque à leurs amis et relations et qui peuvent être à l'origine de revenus supérieurs pour les actionnaires de la banque[31].*

Par définition, les clients en relation longue avec l'entreprise n'achètent pas de services de commodités. Les clients qui achètent en se basant sur le prix minimum ne sont pas de bons clients cibles pour le marketing relationnel. Ils négocient et cherchent continuellement l'offre au plus bas prix[32].

Les entreprises leader en matière de fidélité sont exigeantes dans leur sélection de clients, qui sont ceux pour lesquels l'entreprise a été modelée afin de fournir une valeur vraiment spéciale. Capter les bons clients peut générer des revenus à long terme, une croissance continue, des références et une plus grande satisfaction des employés dont le quotidien est amélioré lorsqu'ils ont affaire à des clients contents. Attirer les mauvais clients se traduit généralement par des échecs coûteux, une réputation entamée et des employés déçus. Ce sont les entreprises hautement spécialisées et sélectives dans leur acquisition qui connaissent une forte croissance sur de longues périodes plutôt que celles qui se concentrent sur des acquisitions incohérentes[33].

On ne peut pas affirmer que les bons clients sont systématiquement ceux qui dépensent le plus. En fonction du service proposé, les bons clients peuvent provenir d'un important groupe de personnes qui ne sont pas satisfaites par d'autres fournisseurs. Beaucoup d'entreprises ont élaboré avec succès des stratégies ciblant les segments de clients qui étaient négligés par une concurrence ne leur trouvant pas une valeur suffisante. Rent-A-Car, par exemple, cible des clients ayant besoin temporairement d'une voiture de remplacement, évitant le segment plus traditionnel des hommes d'affaires ; l'agent de change Charles Schwab se concentre sur le segment des petits acheteurs d'actions[34].

Enfin, les marketeurs doivent être conscients qu'il existe certains clients qui ne valent pas la peine d'être servis puisqu'ils sont, soit trop difficiles à satisfaire soit incapables de savoir vraiment ce qu'ils veulent.

Dans le cadre de services financiers, l'objectif de l'analyse de portefeuille est de déterminer l'assortiment d'investissements (ou d'emprunts) qui sont appropriés aux besoins en ressources et au choix de niveau de risques. Le contenu d'un portefeuille d'investissement doit évoluer avec le temps, en fonction des performances individuelles des éléments constitutifs du portefeuille, et doit refléter les changements de situation et de préférences des clients.

Nous pouvons appliquer ce concept de portefeuille aux entreprises de services disposant d'une base de clients. Les différents segments ont une valeur différente pour l'entreprise de services. Comme pour les investissements, certains types de clients peuvent être plus rentables à court terme, alors que d'autres peuvent avoir un potentiel plus important à long terme. De la même manière, les habitudes de dépense de certains clients peuvent être stables dans le temps, alors que d'autres peuvent être plus cycliques. Les clients peuvent beaucoup dépenser pendant les périodes de forte croissance et réduire considérablement leurs achats en période de récession. Une entreprise avisée peut chercher un mix de ce genre de segments pour réduire son exposition aux risques du marché et des forces macroéconomiques[35].

Comme le soutient David Maister, le marketing consiste à obtenir une meilleure qualité de business et non seulement davantage de business[36]. La qualité d'une entreprise est mesurée par le type de clients qu'elle sert et par la nature des tâches sur lesquelles elle travaille. Le volume en lui-même n'est pas une mesure d'excellence, de pérennité ou de rentabilité. Dans le cadre d'entreprises de services professionnels comme le conseil ou les cabinets d'avocats, la diversité d'affaires gagnées peut jouer un rôle important pour à la fois définir l'entreprise et fournir une gamme de missions variées aux employés à différents niveaux de l'entreprise.

Meilleures pratiques 12.2

Vanguard décourage la conquête de « mauvais clients »

Le groupe Vanguard, l'un des leaders sur le marché des fonds communs de placement, gère désormais plus de 1700 milliards de dollars d'actifs grâce à son ciblage de la clientèle. Sa part de nouvelles ventes, qui était approximativement de 25 %, représentait sa part d'actif. En revanche, sa part de renoncement (rachat de parts) était bien plus faible, lui attribuant une part de cash flow nette de 55 % (ventes nouvelles moins renoncements) et en faisait le fonds à la croissance la plus rapide de son industrie.

Comment Vanguard a-t-il atteint des taux de renoncement si faibles ? Le secret tenait dans des acquisitions minutieuses et dans des stratégies de produits et de prix qui

...

…

encourageaient la conquête des bons clients. John Bogle, le fondateur de Vanguard, croyait en la supériorité des fonds indiciaires, dont les faibles frais de gestion produisaient de meilleures rentabilités sur le long terme. Il proposait aux clients de Vanguard des frais de gestion très bas au travers d'une politique de stabilité, sans avoir de force de vente, et en ne dépensant qu'une fraction de ce que payaient ses concurrents en publicité.

John Bogle attribue le haut niveau de fidélité réalisé par Vanguard au soin porté aux défections de clients. « Je les épiais comme un faucon, explique-t-il, et les analysais avec plus d'attention que les nouvelles ventes pour m'assurer que la stratégie de Vanguard était la bonne. Des taux de renoncement faibles signifiaient que l'entreprise attirait le bon type d'investisseur fidèle, à long terme. La stabilité inhérente à sa base de clients fidèles fut la clé de l'avantage de Vanguard. La sélectivité minutieuse de Bogle devint légendaire. Il passait au peigne fin les rachats individuels pour voir qui avait accepté le mauvais type de clients. Lorsqu'un investisseur institutionnel liquidait pour 25 millions de dollars un fonds indiciaire acheté seulement neuf mois plus tôt, il percevait cette acquisition de client comme un échec. Il expliquait, « nous ne voulons pas d'investisseurs à court terme. Ils faussent le jeu au détriment des investisseurs à long terme ». À la fin de sa lettre au *Vanguard Index Trust*, Bogle réitérait : « Pour les opportunités d'investissement, nous leur recommandons vivement d'aller voir ailleurs ».

Vanguard refusa, par exemple, un investisseur institutionnel qui voulait investir 40 millions de dollars, car il le suspectait de vouloir retirer cet investissement dans les quelques semaines à venir, entraînant des coûts supplémentaires pour les investisseurs actuels. Le client potentiel se plaignit au PDG de Vanguard, qui, non seulement maintint la décision, mais utilisa également cette opportunité pour rappeler à ses équipes l'importance d'une sélectivité de la clientèle.

En outre, Vanguard introduisit un certain nombre de nouveautés dans les pratiques du secteur, qui décourageaient les traders trop actifs d'acheter ses fonds. Par exemple, Vanguard ne permettait pas les transferts de fonds effectués au téléphone, des frais de renoncement furent ajoutés à certains fonds, et la pratique habituelle de favoriser les nouveaux comptes au détriment des clients existants fut rejetée car considérée comme déloyale vis-à-vis de la base d'investisseurs. Ces politiques de produits et de prix dissuadèrent les traders très actifs mais rendirent ses fonds incomparablement plus attractifs aux yeux des investisseurs à long terme.

Enfin, les prix de Vanguard furent conçus de façon à récompenser les clients fidèles. Pour beaucoup de ses fonds, les investisseurs payaient des frais uniques d'entrée, intégrés dans le fonds lui-même et visant à compenser les coûts administratifs liés à la vente de nouvelles parts. Ces frais favorisaient les investisseurs à long terme et pénalisaient les investisseurs à court terme. Une autre approche de prix originale fut la création des parts « Admiral » destinées aux investisseurs fidèles, qui étaient assorties de frais de gestion moins onéreux (0,12 % par an au lieu de 0,18 %).

Source : Frederick F. Reichheld, « Loyalty Rules! How Today's Leaders Build Lasting Relationships », *Harvard Business School Press*, Boston, 2001, p. 24-29, 84-87, 144-145.

4.3. Sélectionner un portefeuille de clients[37]

Les marketeurs devraient adopter une approche stratégique pour retenir, valoriser et même se débarrasser de clients. La rétention de clients nécessite le développement de liens à long terme, fructueux avec ces clients pour le bénéfice mutuel des deux parties. Ces efforts ne doivent pas nécessairement cibler tous les clients d'une entreprise avec la même intensité. Des recherches récentes ont confirmé que la plupart des entreprises ont différents groupes de clients en termes de rentabilité, et que ces groupes ont souvent des attentes et des besoins bien différents en matière de service. D'après Zeithaml, Rust et Lemon, il est essentiel que les entreprises de service comprennent les besoins des clients au sein des différents groupes de rentabilité et ajustent leur niveau de service en fonction des exigences de ces groupes[38].

4.4. Classer la base de clients

Les différents segments de clients de l'entreprise peuvent être établis d'après le niveau de contribution aux bénéfices, les besoins (dont la sensibilité à des variables comme le prix, le confort et la vitesse) et à des éléments de profil personnel identifiables comme les caractéristiques démographiques. Zeithaml, Rust et Lemon ont illustré ce principe au travers d'une pyramide à quatre étages dont chacun porte le nom d'un métal de plus en plus précieux (voir figure 12.4).

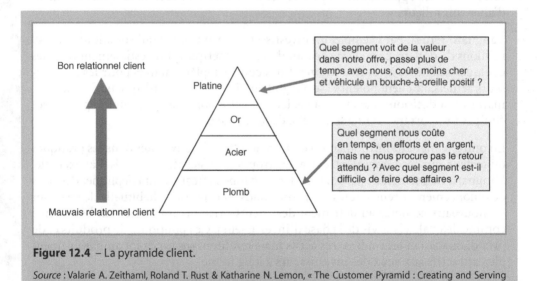

Figure 12.4 – La pyramide client.

Source : Valarie A. Zeithaml, Roland T. Rust & Katharine N. Lemon, « The Customer Pyramid : Creating and Serving Profitable Customers », *California Management Review*, vol. 43, n° 4 (été 2001), p. 118-142.

L'exemple évoqué dans l'encadré Questions de services 12.1 montre comment un cabinet d'études marketing a segmenté sa clientèle.

Questions de services 12.1

Classer les clients d'un cabinet d'études marketing

La segmentation a aidé un cabinet d'études marketing à mieux comprendre ses clients. L'agence a identifié les *clients de platine* comme de gros comptes qui ne sont pas seulement enclins à programmer un certain montant d'études au long de l'année, mais aussi capables d'investir du temps, en fonction de l'importance et de la nature de leurs projets, permettant une meilleure planification et une meilleure gestion des programmes d'études. Les coûts commerciaux des projets vendus à ces clients sont seulement de 2 % à 5 % de la valeur du projet (comparés aux 25 % facturés aux clients qui demandent un gros travail de proposition projet par projet). Les comptes de *platine* sont aussi plus enclins à essayer de nouveaux services et à acheter une plus grande variété de services chez leur fournisseur préféré. Ces clients sont généralement très satisfaits du cabinet et souvent d'accord pour jouer le rôle de références auprès des clients potentiels.

Les comptes d'or ont un profil semblable aux clients de *platine*, mis à part leur sensibilité aux prix et leur tendance à répartir leur budget sur plusieurs entreprises. Bien que ces comptes soient clients depuis des années, ils ne sont pas prêts à s'engager un an à l'avance pour un travail d'étude, même si l'entreprise est capable de leur proposer des facilités en termes de délai de planning et d'allocation de capacité.

Les comptes d'acier dépensent des sommes modérées en études et paient sur la base de projets distincts. Les frais liés à la vente sont élevés puisque ces entreprises tendent à envoyer leur demande à un certain nombre d'entreprises pour tous leurs projets. Ils recherchent le meilleur prix et n'accordent pas souvent suffisamment de temps au cabinet pour produire un travail de qualité.

Les comptes de plomb conduisent uniquement des projets isolés à faible coût, qui sont en général « rapides et sales », avec une faible opportunité pour le cabinet d'ajouter de la valeur ou d'utiliser son savoir faire de façon appropriée. Les frais de transaction sont généralement élevés puisque le client demande un devis à plusieurs entreprises. De plus, ces entreprises ne sont pas habituées à faire appel à ces cabinets. La vente d'un projet est souvent fastidieuse et requiert de nombreuses réunions. Les comptes de *plomb* demandent également un haut niveau de service après vente puisqu'ils ne comprennent pas correctement le travail d'étude ; ils changent souvent les paramètres du projet et s'attendent à ce que le cabinet d'étude absorbe tous les frais de révision, réduisant ainsi la rentabilité du contrat.

Source : Valarie A. Zeithaml, Roland T. Rust & Katharine N. Lemon, « The Customer Pyramid : Creating and Serving Profitable Customers », *California Management Review*, vol. 43, n° 4, été 2001, p. 127-128.

Platine

Ces clients représentent un très faible pourcentage de la base de clients de l'entreprise. Ce sont de gros utilisateurs qui génèrent une part importante de son bénéfice. Généralement, ce segment est moins sensible au prix mais exige un niveau de service irréprochable en retour et est enclin à investir et à essayer de nouveaux services.

Or

Le segment *or* est constitué de davantage de clients que le *platine*, mais ces clients participent moins aux bénéfices. Ils sont légèrement plus sensibles aux prix et moins engagés envers l'entreprise.

Acier

Ces clients forment la masse des clients de l'entreprise. Leur nombre permet des économies d'échelles. Ils sont importants pour que l'entreprise puisse développer et maintenir un certain niveau de capacité et d'infrastructure souvent requis pour servir les clients *or* et *platine*. Néanmoins, ces clients ne sont que marginalement rentables. Leur niveau de consommation n'est pas suffisamment élevé pour qu'on leur accorde un traitement particulier.

Plomb

Les clients *plomb* génèrent de faibles revenus pour l'entreprise, mais nécessitent cependant souvent le même niveau de service que les clients *acier*. C'est un segment générateur de pertes pour l'entreprise.

4.5. Conserver, développer et interrompre la relation client

De manière générale, les segments de clientèle ne sont pas uniquement établis sur leur rentabilité, mais aussi sur d'autres caractéristiques identifiables, communes à chacun d'entre eux. Au lieu de fournir le même niveau de service à tous les clients, chaque segment reçoit un certain niveau de service en fonction de ses exigences et de la valeur qu'il représente pour l'entreprise. Par exemple, le segment *platine* permet aux clients de recevoir des privilèges exclusifs, non disponibles pour les autres segments. Les niveaux de privilèges pour les clients *platine* et *or* sont souvent conçus avec pour objectif la conservation de ces clients dans l'entreprise, car ils intéressent fortement les concurrents.

Le marketing peut encourager l'accroissement du volume de ventes, la vente incrémentale pour chaque type de service utilisé ou la vente croisée de services complémentaires pour chacun des segments. Cependant, le marketing a des objectifs différents en fonction des segments de clientèle, puisque les besoins, comportements d'utilisation et habitudes d'achat sont en principe différents. Parmi les segments dans lesquels l'entreprise a déjà des parts de marché importantes, le marketing devrait se focaliser sur la défense et la conservation de ces clients, notamment à l'aide des programmes de fidélisation[39].

Pour les clients du segment *plomb*, la migration vers le segment acier ou la résiliation pure et simple du service sont les seules options envisageables. La migration peut être obtenue grâce à une combinaison de stratégies incluant l'augmentation des frais de base et des prix. Imposer des frais minimum (que l'on peut abandonner lorsqu'un certain niveau de revenu est généré) peut encourager les clients disposant de plusieurs fournisseurs à concentrer leurs transactions sur un seul et unique prestataire. Il existe un certain nombre de procédés permettant d'influencer le comportement du client de telle manière que les coûts de service s'en trouvent réduits ; par exemple, les frais de transaction peuvent être réduits par l'intermédiaire de canaux électroniques. Un autre procédé réside dans la création d'une plate-forme à coût réduit et à prix attractif. Dans l'industrie du téléphone mobile, par exemple, les petits utilisateurs ont accès à des packages prépayés qui permettent à l'entreprise de ne pas avoir à envoyer de facture et de ne pas avoir à recevoir de paiement, ce qui élimine de manière significative le risque engendré par les mauvais payeurs.

La cessation de service à certains clients est la conséquence logique du fait que tous les clients d'une entreprise ne valent pas la peine d'être gardés. Certaines relations ne sont plus rentables pour l'entreprise lorsqu'elles coûtent plus chères à maintenir que les revenus qu'elles génèrent. Certains clients ne sont plus en accord avec la stratégie de l'entreprise, que ce soit à cause d'un changement de stratégie ou parce que leurs comportements et besoins ont changé. Tout comme les investisseurs doivent se débarrasser d'investissements médiocres et les banques amortir les mauvais prêts, chaque prestataire de service doit de manière régulière évaluer son portefeuille de clients et considérer la cessation d'activités avec un certain nombre d'entre eux. Les considérations légales et éthiques, bien entendu, détermineront s'il est opportun de prendre de telles mesures.

Certaines relations impliquent l'adhésion mutuelle à des règles convenues. Les clients des banques qui émettent un nombre de chèques trop élevé, les étudiants qui sont surpris en train de tricher à un examen ou les membres d'un club abusant constamment des équipements, par exemple, peuvent faire l'objet d'une décision de rupture de relation de la part de l'entreprise ou de l'université. Dans certaines circonstances la rupture peut être un peu moins conflictuelle. Un médecin ou un avocat peut par exemple suggérer à ses clients non solvables, difficiles ou insatisfaits, de chercher un autre professionnel plus en adéquation avec leurs besoins et attentes.

5. Établir la fidélité du client

Qu'est-ce qui rend un client fidèle à une entreprise et comment l'entreprise peut-elle accroître cette fidélité[40] ? Dans cette section, nous étudierons dans un premier temps les fondations même de la fidélité et verrons comment les entreprises en créent et accroissent les facteurs.

5.1. La fidélité côté client

Les travaux de recherche menés par Kevin Gwinner, Dwayne Gremler (respectivement chercheurs à l'université du Kansas et à l'université « Bowling Green States ») et Mary Jo Bitner (professeur à Arizona State University) suggèrent que les relations créent de la valeur pour les consommateurs individuels grâce à des facteurs comme la confiance, les bénéfices à caractère social et l'avantage de traitements particuliers (voir encadré Échos de la recherche 12.1). Kumar (université de Southern Illinois) souligne que les relations dans le cadre d'un service *B to B* dépendent largement de la qualité d'interaction entre les individus des différentes entreprises partenaires[41]. Au fur et à mesure que les relations se renforcent au cours d'une période, ils observent que « le personnel d'un prestataire de service joue fréquemment le rôle de sous-traitant, prenant ainsi des décisions critiques au nom de ses clients »[42].

Établir et maintenir de bonnes relations avec les sociétés de service : quel intérêt pour les clients ?

Quels sont, pour les clients, les bénéfices d'une relation privilégiée avec un prestataire de service ? Pour en savoir plus, des chercheurs ont entrepris deux études. La première consistait en une entrevue approfondie avec vingt et un répondants d'origines différentes. Ces entretiens duraient en moyenne quarante-huit minutes. Les questions portaient sur l'identification de fournisseurs de service auxquels les répondants faisaient appel de manière régulière. On leur demandait alors quels bénéfices relatifs à leur statut de client régulier ils pensaient tirer. Parmi les commentaires :

- « Je l'aime bien [coiffeur]… Il est vraiment drôle et a toujours de bonnes blagues. C'est un ami maintenant. »

- « Je sais ce que je vais obtenir. Je sais que si je vais dans le même restaurant régulièrement plutôt que de prendre le risque de me rendre dans un nouveau restaurant, la nourriture sera bonne. »

- « J'ai souvent des réductions de prix. À la petite boulangerie où je vais le matin, de temps en temps, ils me donnent un gâteau. »

- « Vous avez un meilleur service que les clients de passage… Nous continuons à aller chez le même réparateur de voiture car nous connaissons le propriétaire personnellement et… il se débrouille toujours pour nous faire revenir. »

- « Lorsque les personnes se sentent à l'aise, elles ne ressentent pas le besoin de changer de dentiste. Elles ne veulent tout simplement pas prendre le risque d'aller chez un autre praticien. »

Après avoir évalué et catégorisé ces commentaires, les chercheurs ont élaboré une autre étude qui comprenait la distribution de questionnaires à un échantillon de quatre cents personnes.

Il était demandé aux sujets de sélectionner un prestataire de service spécifique avec lequel ils avaient établi une bonne relation. Le questionnaire leur demandait alors d'évaluer avec quelle amplitude ils recevaient chacun des vingt et un bénéfices (dérivés de l'analyse de la première étude), résultats de la relation avec le prestataire de service qu'ils avaient antérieurement identifiés.

299 questionnaires utilisables furent retournés. L'analyse des résultats montra que la plupart des bénéfices que les clients estimaient recevoir des relations avec le prestataire de service pouvaient être regroupés en trois groupes. Le premier et plus important concernait ce que les chercheurs nommèrent « bénéfices de confiance », suivi par celui des « bénéfices sociaux » et enfin celui du « traitement spécial ».

- Les « bénéfices de confiance » ou le sentiment qu'une relation bien établie est plus sûre en cas de problèmes, une plus grande confiance en une performance correcte et une moindre inquiétude lors de l'achat, les clients sachant à quoi s'attendre et recevant le meilleur niveau de service de l'entreprise.

…

Échos de la recherche 12.1

...

- Les « bénéfices sociaux » ou la reconnaissance mutuelle des clients et des employés, leur bonne connaissance les uns des autres, les éventuels liens amicaux entre le client et le fournisseur de service et la satisfaction de certains aspects sociaux de la relation.

- Le « traitement spécial » : de meilleurs prix, des ristournes sur des offres spéciales non disponibles pour la plupart des clients, de services extras, une plus grande priorité lors d'attentes et un service plus rapide que pour la plupart des clients.

Source : Kevin P. Gwinner, Dwayne D. Gremler et Mary Jo Bitner, « Relational Benefits in Services Industries: The Customer's Perspective », *Journal of the Academy of Marketing Science*, Vol. 26, n° 2, 1998, p. 101-114.

5.2. Les stratégies de développement de la fidélité client[43]

Le fondement d'une véritable fidélité repose sur la satisfaction du client. Les clients très satisfaits ou même enchantés sont plus à même de devenir les apôtres fidèles d'une entreprise, de consolider leur relation avec un même prestataire et d'exercer un bouche-à-oreille positif. Au contraire, le mécontentement conduit les clients à ne pas revenir et c'est un facteur essentiel du comportement de changement.

La figure 12.5 divise la relation satisfaction-fidélité en trois zones principales. La première, la zone dite de défection, se situe à des niveaux de satisfaction très bas. Les clients changent alors de prestataire sauf si les coûts qu'inclut ce changement sont trop élevés ou si aucune alternative n'est disponible. Les clients extrêmement mécontents peuvent même devenir des « terroristes » en répandant un bouche-à-oreille négatif à l'encontre du prestataire de service. La deuxième zone, la zone d'indifférence, se situe à des niveaux intermédiaires. Là, les clients sont prêts à changer de prestataire de service s'ils peuvent trouver une meilleure alternative. La troisième zone, la zone d'affection, se situe aux niveaux de satisfaction les plus élevés et les clients ont atteint un tel degré de fidélité qu'ils ne cherchent aucune alternative à leur prestataire de service. Ils font l'éloge de l'entreprise en public et parviennent à convaincre de nouveaux clients d'utiliser les services du prestataire. Ils sont appelés « les apôtres ».

Avoir le bon portefeuille de segments de clients, attirer les bons clients, offrir un service avec différents niveaux de qualité et offrir des niveaux élevés de satisfaction sont une base solide pour la création de la fidélité du client, comme le montre la figure 12.3 (La roue de la fidélité). Cependant, l'entreprise peut faire encore mieux afin de créer des liens plus solides avec ses clients. Des stratégies spécifiques à la création de liens de fidélité sont résumées dans la deuxième partie de la figure[44]. Dans le même temps, les prestataires de service doivent travailler sur l'identification et l'élimination des facteurs d'échec : la perte de clients et le besoin de les remplacer par de nouveaux.

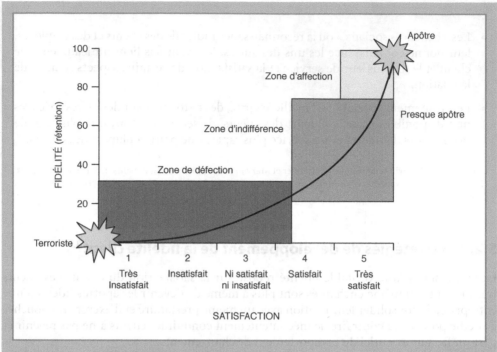

Figure 12.5 – La relation satisfaction – fidélité du client.

Source : Adapté de Thomas O. Jones et W. Earl Sasser Jr, « Pourquoi les client satisfaits partent-ils ? » *Harvard Business Review*, novembre-décembre 1995, imprimé avec la permission de la Harvard Business School.

Renforcer et approfondir la relation

Les packages réservés et/ou les ventes croisées constituent une stratégie efficace pour lier les clients à l'entreprise de manière plus forte. Par exemple, les banques essaient de vendre le plus de produits financiers possibles à un détenteur de compte. Une fois que la famille possède un compte courant, une carte de crédit, un compte d'épargne, un coffre, qu'elle a souscrit à un emprunt pour sa voiture, etc. avec la même banque, la relation est telle que le changement d'institution bancaire devient quasi impossible pour le souscripteur, à moins, bien entendu, que le client ne soit extrêmement mécontent de la banque.

La récompense comme base de la relation

Dans n'importe quelle catégorie de produits, les responsables reconnaissent qu'il n'existe qu'un faible nombre de clients qui n'achètent qu'une marque unique, spécialement dans les situations où la livraison du service induit une transaction discontinue (par exemple les locations de véhicules) plutôt que de nature continue (par exemple les assurances). Dans de nombreux cas, les clients sont fidèles à plusieurs marques tout en rejetant les autres. Ce concept est parfois appelé « fidélité polygame ou multifidélité » (qui ne doit pas être confondue avec le concept de recherche de variété résultant du changement de marque sans fidélité particulière à aucune d'entre elles). Dans de tels cas, le but du marketing consiste à renforcer la préférence du client pour une marque plutôt qu'une autre.

Les encouragements sous forme de récompenses basés sur la fréquence d'achat, la valeur de l'achat ou la combinaison des deux sont des niveaux de liens basiques avec le client.

Les liens basés sur la récompense peuvent être de nature financière ou non. Les liens à valeur financière peuvent être : des ristournes sur les achats, des programmes de récompense de la fidélité (*frequent flyer miles*) ou des programmes de remboursement que certains fournisseurs de cartes de crédit proposent en fonction du niveau de dépense des clients.

Les récompenses non financières englobent quant à elles les bénéfices ou la valeur qui ne peuvent être transcrits directement en termes monétaires. Les exemples de ce type de récompenses incluent une forme de priorité aux clients fidèles en matière d'attente et l'accès à un service spécial. Certaines compagnies aériennes permettent un plus grand nombre de bagages, une priorité d'embarquement et un accès à des salons privés dans les aéroports à ses clients fréquents, même s'ils ne volent qu'en classe économique. Dans un contexte *B to B*, les services additionnels jouent souvent un rôle essentiel dans la création et le renforcement de relations entre vendeurs et acheteurs de biens industriels[45]. Les récompenses de fidélité informelles, parfois utilisées dans les petites entreprises, peuvent prendre la forme d'un petit extra périodique en remerciement de la relation privilégiée.

Cartes et programmes de fidélité, tour d'horizon

La Journée de la Fidélité : une journée où la fidélisation client est à l'honneur. En 2013, les Français possèdent en moyenne six cartes de fidélité. Mais seulement un tiers d'entre eux déclare utiliser les avantages de leur carte de fidélité[1]. Cette semaine, Testntrust vous guide à travers le paysage des programmes et opérations de fidélité.

Les supermarchés

En 2013, plus de fidélité envers son supermarché. L'alimentaire est une valeur refuge en temps de crise et les programmes de fidélité des grandes et moyennes surfaces permettent de faire de belles économies. C'est pourquoi les cartes de fidélité de la grande distribution ont le vent en poupe cette année, avec une augmentation de 5 % de la fidélité des clients*.

Les transports

En 2012, la SNCF a créé son propre programme de fidélité. En fonction de la fréquence de vos voyages en train, la SNCF vous proposera la carte Voyageur, Grand Voyageur et Grand Voyageur Plus. Elle vous permettra de bénéficier de réductions sur vos trajets favoris, sur le service bagage à domicile, sur les locations de véhicule Avis France. Un e-billet vous est automatiquement proposé et bien d'autres avantages.

Les miles. La plupart des compagnies aériennes proposent des programmes de fidélité. Plus vous faites des kilomètres sur la même compagnie, plus vous cumulez de points (appelés miles), qui vous permettront par exemple d'obtenir des billets d'avion gratuits ou à prix réduit : Flying Blue chez KLM-Air France ou chez Corsair (avec 10 % du montant de chaque voyage cumulé sur votre carte de fidélité et déductible sur un prochain voyage dès 100 euros cumulés).

...

Meilleures pratiques 12.3

---

* Étude Init, 2013 (www.journeedelafidelite.com).

...

Pour les carburants, Total a mis en place le Club Total. Chaque achat de carburant, lavage de voiture, achat de bonbons en boutique, etc., vous donne droit à des avantages très intéressants. Par exemple, pour un plein de 30 litres, vous bénéficiez de 15 jours d'assistance dépannage gratuite.

Les concepts multi-enseignes

S'miles vous permet de cumuler des points chez Casino, BHV, Casino Cafétéria, Galeries Lafayette, Monoprix, Géant Casino, que vous échangez ensuite contre des cadeaux ou des chèques cadeaux.

Le programme Maximiles permet aux internautes de gagner des points donnant droit à des cadeaux à l'issue d'une transaction marchande sur un site marchand membre. Beaucoup de distributeurs adhèrent à ce programme : 3 Suisses, Aubert, Alinea, Bodyshop, Fnac, Oscaro, Oxybul (Éveil et jeux), etc. Avec vos points, vous pouvez acquérir un iPad 2 ou une montre ICE Watch, par exemple.

Les magasins d'ameublement et jeune habitat

Les magasins de meubles proposent également des programmes de fidélisation : cartes Ikea Family, Alinea, But, Conforama, etc.

Les vêtements

Chez Promod, la carte coûte 6 euros ; elle vous permet de bénéficier de chèques de réduction (4 euros par tranche de 100 euros), de la livraison gratuite pour les commandes effectuées sur la boutique en ligne de la marque, d'ourlets gratuits, etc.

Chez Eurodif, la carte est gratuite ; vous recevez 7 euros de réduction par tranche de 150 euros d'achat et des réductions exclusives.

Orchestra, enseigne de la mode enfantine, propose sa carte de fidélité à 30 euros. Si la carte peut sembler chère, elle est vite rentabilisée, car elle donne droit à 50 % de réduction permanente dans les boutiques Orchestra. En outre, elle offre 50 % sur la marque d'habillement pour adulte Verchant.

Smartphones addicts : la dématérialisation des programmes de fidélisation est faite pour vous

La généralisation des smartphones a permis de les substituer aux cartes de fidé-lité. Avec des applications porte-cartes, vous retrouvez toutes vos cartes sur votre téléphone intelligent. Avec les applications gratuites FidMe et Fidall (disponibles sous Windowsphone, Androïd, iPhone et BlackBerry), vous enregistrez vos cartes de fidélité très simplement. Au moment de passer en caisse, vous présentez votre smartphone avec le code-barre de votre carte.

Et vous, chers internautes, quelles sont vos cartes de fidélité ? Quel programme de fidélisation aimez-vous particulièrement, quel est celui qui vous a déçus ? Partagez votre avis.

Source : à partir d'un article de Laurence de Testntrust.

Meilleures pratiques 12.4

Carte de fidélité et tickets E. Leclerc

Carte de fidélité E. Leclerc : comment l'obtenir et l'utiliser

La **carte de fidélité E. Leclerc** peut être demandée et obtenue gratuitement à l'accueil des magasins Leclerc participants. Celle-ci est sans obligation et son utilisation est très simple. En effet, une fois en possession de cette carte, vous n'aurez qu'à la présenter à chacun de vos passages en caisse afin de profiter de divers avantages sur une sélection de produits de l'enseigne.

Cette carte de fidélité permet de cumuler des **tickets E.Leclerc** supplémentaires à chaque passage en caisse, et ce, à partir de 5 produits Marque Repère achetés.

Les produits Marque Repère concernés changent régulièrement chaque semaine et seront signalés dans le prospectus Leclerc qui sera en cours dans les magasins participants.

- 5 à 9 produits achetés = 0,25 offert.
- 10 à 14 produits achetés = 0,50 offert.
- 15 produits ou plus achetés = 1 offert.

Outre les euros en tickets E.Leclerc offerts, cette carte permet également de bénéficier régulièrement de **bons de réduction à imprimer** *via* le site e-leclerc.com.

Comment utiliser les tickets E.Leclerc

Les tickets E.Leclerc sont automatiquement crédités sur la carte de fidélité Leclerc et vous pourrez les déduire de vos prochaines courses, hormis le carburant et les livres, sur simple présentation en caisse en n'oubliant pas de taper vos codes à 4 chiffres. Les tickets E.Leclerc sont utilisables dès le lendemain de leur obtention.

Les récompenses intangibles importantes incluent des éléments distinctifs de reconnaissance spéciale. Les clients accordent de la valeur à une attention particulière donnée à leurs besoins. Ils apprécient également la garantie implicite offerte aux clients appartenant aux segments les plus importants. Un des objectifs de la récompense est de motiver les clients à faire appel plus souvent au même prestataire ou tout au moins de faire de ce fournisseur leur prestataire privilégié. Les programmes de fidélisation encouragent les clients à passer à un segment supérieur. Cependant, les programmes de fidélisation basés sur des récompenses sont facilement imitables par les autres fournisseurs et n'offrent que rarement un avantage compétitif dans le temps.

Les liens sociaux

Il n'est pas rare qu'un coiffeur appelle ses clients par leur nom, demande pourquoi il ne les a pas vus depuis longtemps et s'inquiète de ce qui leur est arrivé depuis leur précédente visite. Les relations personnelles qu'un prestataire entretient avec ses clients nourrissent des liens sociaux. Elles peuvent également être le reflet d'une fierté et d'une satisfaction à être membre d'une entreprise. Bien que les liens sociaux soient beaucoup plus difficiles et longs à créer que les liens financiers, ils sont, pour la même raison, beaucoup plus difficiles à imiter par les concurrents pour un même client. Une entreprise qui a créé des liens sociaux avec ses clients a une meilleure chance de les garder pendant une longue période de temps.

Les liens personnalisés

Ces liens s'établissent lorsque le fournisseur de service arrive à fournir un service personnalisé à ses clients fidèles. Le marketing « one to one » est la forme de personnalisation la plus poussée et s'établit lorsque chaque individu est traité comme un segment unique[46]. Beaucoup de chaînes d'hôtels perçoivent les préférences de leurs clients grâce à la base de données de leurs programmes de fidélisation, ce qui leur permet d'anticiper les besoins individuels de leurs clients (boissons préférées, type d'oreiller, journal du matin…) avant même qu'ils n'arrivent à l'hôtel. Lorsqu'un client s'habitue à ce type de traitement, il peut lui paraître plus difficile d'y renoncer en choisissant un autre prestataire qui ne sera pas capable de personnaliser son service (tout au moins immédiatement, puisqu'il faudra du temps au nouveau prestataire pour connaître les besoins d'un client).

Les liens structurels

Les liens structurels sont le plus souvent établis dans les relations *B to B* et visent à stimuler la fidélité à l'aide de relations formalisées entre le prestataire de service et le client. Les exemples de ce type de liens incluent des investissements conjoints dans des projets et le partage d'information, de procédés et d'équipement. Les liens structurels peuvent aussi être créés dans un environnement *B to C*. Par exemple, certaines compagnies aériennes proposent des alertes SMS et e-mail informant des heures de départ et d'arrivée des vols afin que leurs clients ne perdent pas de temps à l'aéroport en cas de retard. Certains loueurs de voitures offrent à leurs clients la possibilité de créer des pages personnalisées sur leurs sites web afin qu'ils puissent retrouver les détails de leurs derniers voyages, incluant les types de véhicules loués, la couverture de l'assurance, et ainsi de suite. Cela simplifie et rend plus rapide la réservation d'un nouveau véhicule. Une fois que les clients connaissent la manière de procéder de l'entreprise, les liens structurels créent une union entre eux qui rend beaucoup plus difficile pour la concurrence d'attirer ces clients.

5.3. Créer des liens par des programmes d'adhésion et de fidélisation

Dans le cadre de leur stratégie marketing, beaucoup de prestataires de service recherchent des moyens de développer des relations formelles basées sur une adhésion. Les hôtels, par exemple, ont développé des programmes de fidélisation qui offrent aux clients réguliers des priorités de réservation, des chambres de meilleure qualité et d'autres avantages. Beaucoup d'organisations à but non lucratif, comme les musées, développent des programmes d'adhésion dans le but de renforcer les liens avec leurs plus généreux donateurs, en leur offrant des privilèges supplémentaires tels que des expositions et des réunions privées avec les conservateurs ou les artistes, en remerciement de leurs dons annuels. L'objectif du marketing est alors de déterminer comment accroître les ventes et les revenus (ou, dans le cas d'organisations à but non lucratif, les dons) grâce à de tels programmes d'adhésion, en évitant dans le même temps le risque de perdre un nombre conséquent de clients habituels mais non privilégiés.

Transformer des transactions anonymes en adhésions

Les transactions anonymes, c'est-à-dire lorsqu'une transaction engendre le paiement par un consommateur « anonyme » au prestataire de service, sont typiques de services tels que les transports, les restaurants, les cinémas. Le problème des prestataires de tels services est qu'ils ont tendance à être moins bien informés sur leurs clients et sur l'usage que font ces derniers de leurs services que leurs homologues d'entreprises ayant un programme d'adhésion. Les responsables des entreprises réalisant des transactions anonymes doivent travailler plus afin d'établir des relations avec leur clientèle. Dans les petits commerces tels que les coiffeurs, les clients habituels sont (ou devraient être) accueillis comme des clients réguliers dont les besoins et préférences sont déjà connus. Recenser et retenir ces derniers de manière formelle est très utile, même dans les petites entreprises, car cela évite aux employés d'avoir à demander de manière répétitive aux clients ce qu'ils souhaitent, permettant de personnaliser le service et finalement d'anticiper les besoins futurs.

Dans les grandes entreprises ayant une base de clientèle importante, les transactions anonymes peuvent aussi évoluer vers de véritables relations mettant en œuvre des programmes de fidélisation basés sur des récompenses, qui requièrent la souscription par les clients d'une carte de membre avec laquelle toute transaction peut être enregistrée et donc les préférences des clients sont communiquées au *front office*. Des programmes de management de compte peuvent être associés au programme de fidélisation en offrant par exemple un numéro de téléphone spécial d'assistance ou en nommant un représentant attitré pour ce compte. Les contrats de longue durée entre des prestataires et leurs clients engendrent des relations de qualité supérieure, transformant ces relations en de véritables partenariats et alliances stratégiques.

Un bon nombre d'autres prestataires de service ont cherché à imiter le secteur du transport aérien en créant leurs propres programmes de fidélisation. Les hôtels, les entreprises de location de véhicules, les opérateurs téléphoniques, les distributeurs et même les émetteurs de carte de crédit sont parmi ceux qui cherchent à identifier et récompenser leurs meilleurs clients. Bien que certains développent leurs propres récompenses telles que des produits gratuits, l'obtention d'une voiture de classe supérieure ou la mise à disposition de chambres d'hôtels gratuites dans des centres de vacances, beaucoup d'entreprises transforment leurs récompenses en miles qui peuvent alors être crédités sur un programme de « voyageurs fréquents » *(frequent-flyer)* sélectionné au préalable. En d'autres termes, les miles sont devenus une véritable monnaie promotionnelle dans le secteur du service. L'encadré Meilleures pratiques 12.5 décrit comment British Airways a développé son programme *Executive Club*.

Bien entendu, les récompenses seules ne sont pas suffisantes pour retenir les meilleurs clients d'une entreprise. Si les clients sont mécontents de la qualité du service ou pensent qu'ils peuvent obtenir une valeur supérieure, un service moins cher, ils peuvent très rapidement ne plus être fidèles. Ainsi, ni British Airways, ni aucun autre prestataire de service ayant développé un programme pour ses clients habituels ne peut se permettre de perdre de vue ses objectifs de qualité et de rapport qualité/prix.

British Airways : récompenser la valeur d'utilisation et pas seulement la fréquence

De nombreux transporteurs aériens internationaux ont initialement résisté à la tentation de créer leur propre programme de *frequent-flyer*. Ils étaient réticents non seulement à cause des coûts occasionnés, mais aussi du fait que ces programmes nécessitent l'attribution de places gratuites, places qu'une compagnie pourrait vendre pendant les périodes de forte demande. British Airways (BA) a créé son programme *Exclusive Club* en 1992. Jusqu'à cette date, sa réponse à la pression concurrentielle liée à de tels programmes se limitait à récompenser ses passagers par l'attribution de miles dans les programmes des transporteurs américains. Cependant, les responsables de BA ont finalement décidé de créer leur propre programme afin de mieux connaître leurs meilleurs clients et ainsi développer la fidélité à la marque.

Contrairement à beaucoup de programmes dans lesquels l'usage du service par le client n'est mesuré qu'en miles, les membres d'*Executive Club* reçoivent à la fois des miles en récompense d'achats de voyages et des points qui permettent aux voyageurs d'être positionnés dans un meilleur segment de clientèle au sein de BA (segments *argent* et *or*). Cependant, aucun point n'est offert pour les réservations effectuées dans certaines catégories d'offre. Avec la création de l'alliance « OneWorld » avec American Airlines, Qantas et d'autres transporteurs aériens, les membres d'*Executive Club* peuvent aussi gagner des miles et des points en volant sur ces compagnies partenaires.

Les porteurs de cartes argent et or reçoivent des privilèges spéciaux lorsqu'ils voyagent, tels que des réservations prioritaires et un service à terre de meilleure qualité. Par exemple, même si un porteur de carte or ne voyage qu'en classe économique, il pourra néanmoins profiter des privilèges de première classe lors de l'enregistrement des bagages ou dans les salons des aéroports. Cependant, alors que les miles peuvent être accumulés pendant cinq ans (au-delà, ils sont perdus), le positionnement de membre n'est valide que pour les quinze mois suivant l'année calendaire lors de laquelle le privilège a été obtenu. En bref, le droit à des conditions spéciales doit être obtenu chaque année. L'objectif de cette politique (qui n'est pas unique à BA) est d'encourager les passagers qui ont le choix entre plusieurs compagnies aériennes de choisir de voyager sur British Airways plutôt que de rejoindre d'autres programmes de *frequent-flyer* et d'obtenir des miles d'autres compagnies. Peu de voyageurs voyagent suffisamment pour obtenir les privilèges de l'échelon or (ou son équivalent) sur plus d'une compagnie aérienne. Cependant, une des récompenses de cet échelon est la possibilité d'utiliser les salons et autres services de compagnies aériennes faisant partie de mêmes alliances internationales (tels que OneWorld, StarAlliance –__comprenant United Airlines, Air Canada et Lufthansa – ou SkyTeam –___comprenant Aeromexico, Air France, Alitalia, CSA Czech Airlines, Delta Air Lines et Korean Air). Le rôle des points varie en fonction de la classe de service, BA récompensant l'achat de billets plus chers par l'attribution de récompenses proportionnellement plus élevées.

...

...

Les longs voyages rapportent plus de points que les courts (un vol intérieur ou en Europe en classe économique rapporte 15 points, un voyage transatlantique, 60 points et un vol du Royaume-Uni vers l'Australie ou la Nouvelle-Zélande, 100 points). Afin de récompenser l'achat de billets plus chers, on double les points des passagers s'ils voyagent en *Club class (Business class)* et on les triple s'ils voyagent en *First class*. De la même manière, les passagers obtiennent des miles supplémentaires pour les deux classes : *Club* (+ 25 %) et *First* (+ 50 %). Au contraire, certains billets obtenus à des prix très réduits ne permettent pas d'obtenir de points.

Afin d'encourager les détenteurs de cartes or et argent à rester fidèles à BA, la compagnie offre des primes aux membres d'*Executive Club* pour qu'ils gardent leur statut actuel (ou pour qu'ils passent du statut argent à celui d'or). Les détenteurs de carte argent reçoivent un bonus équivalent à + 25 % sur tous les miles obtenus, sans tenir compte de la classe de service, alors que les détenteurs de carte or reçoivent un bonus équivalent à + 50 % de tous les miles obtenus. En d'autres termes, il ne vaut pas la peine d'adhérer à plusieurs programmes de *frequent-flyer* !

Bien que la compagnie aérienne ne fasse aucune promesse sur l'attribution de cadeaux supplémentaires, les membres d'*Executive Club* sont plus sujets que d'autres passagers à en recevoir, le statut de membre étant une considération importante. Pour des raisons évidentes, BA ne souhaite pas que ces voyageurs les plus fréquents pensent qu'ils peuvent acheter des billets moins chers et obtenir dans le même temps et de manière automatique un cadeau.

Comment les clients perçoivent-ils les programmes de récompense de la fidélité ?

Les récentes recherches effectuées dans le domaine des cartes de crédit suggèrent que les programmes de fidélisation renforcent la perception qu'ont les clients de la valeur du service et entraînent l'augmentation des revenus liés ce [re]gain de confiance[47]. Afin de déterminer le potentiel qu'a un programme de fidélisation dans la modification des comportements, Dowling et Uncles, professeurs à l'université de New South Wales, affirment que les marketeurs doivent examiner trois effets psychologiques[48].

- La fidélité à la marque face à la fidélité à l'offre. Jusqu'à quel point les clients sont-ils fidèles au service de base proposé (ou à la marque) plutôt qu'au programme de fidélisation lui-même ? Les marketeurs doivent élaborer des programmes de fidélisation qui viennent en appui du service proposé et du positionnement du produit en question.

- Quelle valeur les acheteurs donnent-ils aux récompenses ? Plusieurs éléments déterminent la valeur d'un programme de fidélisation :

  1. la valeur pécuniaire des récompenses (si les clients devaient les acheter) ;

  2. la gamme de récompenses disponibles ; par exemple, une sélection de cadeaux plutôt qu'un cadeau unique ;

  3. l'attractivité des récompenses ; un cadeau original que le consommateur n'achèterait pas normalement peut avoir un plus grand attrait qu'une offre de remboursement ;

4. si la fréquence d'utilisation requise pour l'obtention d'une récompense est à la portée de n'importe quel client ;

5. la facilité d'utilisation du programme et d'obtention du remboursement ;

6. les bénéfices psychologiques liés à l'appartenance au programme et à l'accumulation de points ;

7. le timing : au bout de combien de temps les clients peuvent-ils obtenir les privilèges du programme de récompenses ? Les cadeaux différés ont tendance à affaiblir l'attrait d'un programme de fidélisation. L'une des solutions consiste à envoyer périodiquement aux clients un compte-rendu sur leur position et les avantages qui y sont liés, indiquant les progrès réalisés jusqu'à la possibilité d'intégrer un segment particulier et en faisant la promotion des cadeaux pouvant être obtenus lorsque ce niveau est atteint.

5.4. Les stratégies pour réduire les facteurs de défection des clients[49]

Jusqu'à présent, nous avons parlé des facteurs de fidélité et des stratégies employées pour lier les clients à l'entreprise. Une approche alternative est de comprendre les facteurs de défection du client et de travailler sur leur réduction. Par exemple, dans le secteur des téléphones mobiles, les entreprises conduisent de manière régulière des diagnostics d'échecs. Ces études incluent l'analyse des informations obtenues sur le nombre de défections de clients, des entretiens téléphoniques avec les clients ayant abandonné le service (les centres d'appel posent souvent un certain nombre de questions lorsqu'un client résilie son abonnement afin de mieux en comprendre les raisons) et des entretiens en profondeur avec d'anciens clients conduits par un cabinet indépendant, ce qui donne, de manière générale, une meilleure compréhension des facteurs d'échecs.

Analyser les causes de défection des clients et surveiller les comptes à la baisse

Susan Keaveney, de l'université du Colorado, a mené une étude de grande envergure sur un ensemble de services et a trouvé plusieurs raisons pour lesquelles les clients changent de prestataire de service[50] (voir figure 12.6).

Les problèmes sur le service de base ont été mentionnés par 44 % des répondants ; la non-satisfaction du service a été mentionnée dans 34 % des cas ; les prix trop élevés, trompeurs ou non justifiés ont été cités par 30 % des répondants ; le fait que le service n'est pas pratique à utiliser, en termes de temps, de lieu, ou de retards, a été mentionné dans 21 % des cas ; enfin, une mauvaise réponse apportée à un défaut de service est citée par 17 % des répondants. Beaucoup de répondants ont aussi indiqué que la décision de changer de prestataire avait été prise après des incidents reliés entre eux, par exemple un problème dans la livraison du service suivi d'une insatisfaction après la reprise dudit service.

Les principales raisons d'attrition

Les conclusions de Susan Keaveney montrent l'importance de la qualité du service délivré (voir chapitre 14), de la réponse apportée à une réclamation et à la reprise du service (voir chapitre 13), de la minimisation des coûts non monétaires, de la transparence du prix et de sa justification par une qualité en rapport (voir chapitre 6).

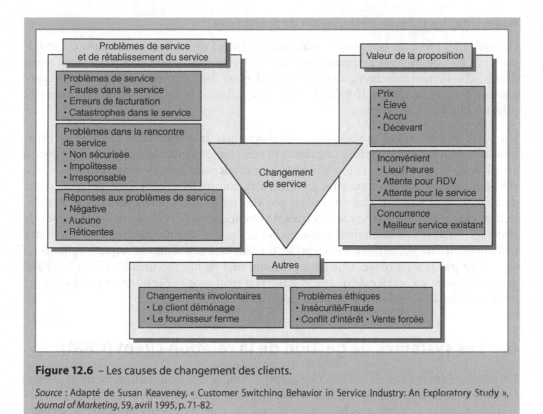

Figure 12.6 – Les causes de changement des clients.

Source : Adapté de Susan Keaveney, « Customer Switching Behavior in Service Industry: An Exploratory Study », *Journal of Marketing*, 59, avril 1995, p. 71-82.

En plus de ces facteurs d'échecs généraux, les entreprises peuvent faire face à des échecs spécifiques à leur secteur d'activité. Par exemple, dans les services téléphoniques cellulaires, les besoins de remplacement du téléphone sont une raison typique qui pousse les clients à annuler un abonnement et le remplacer par un nouveau qui permet l'obtention d'un nouveau téléphone mobile en grande partie payé par l'entreprise. Les fournisseurs de téléphones mobiles payent de manière générale entre 50 % et 90 % du prix du téléphone, sommes qui dépendent en grande partie de la valeur de l'abonnement et de sa durée.

Mettre en place un service de « recouvrement » des plaintes et de réparation de service (*service recovery*)

Pour pallier les défections des appareils, beaucoup d'entreprises offrent des programmes de remplacement proactifs, avec lesquels les abonnés peuvent acheter des téléphones payés en partie par leur opérateur de manière régulière, ou bien même les reçoivent gratuitement grâce à leurs points de fidélité qui récompensent la fréquence d'utilisation de leur téléphone mobile. Des mesures de rétention réactive sont aussi mises en place, comme par exemple un personnel de centre d'appels spécialement entraîné, qui a pour mission de prendre en charge les appels de clients souhaitant résilier leur abonnement. Sa principale tâche est d'écouter les besoins et les problèmes de ces clients et d'essayer d'y répondre avec l'intention de les garder.

Augmenter les coûts de changement de prestataire

Ces systèmes proactifs ont pour mission de contrôler l'utilisation que chaque client fait du service et permettent de prendre des décisions rapides et efficaces telles que l'envoi d'une fiche de renseignement au client et/ou l'appel direct de ce dernier par un représentant du service clients afin de s'enquérir de l'état de la relation et de proposer des solutions en cas de problème.

Un autre moyen de réduire les échecs est d'accroître la difficulté de changer de prestataire[51]. Beaucoup de services ont des coûts de changement naturels (par exemple, il est difficile de changer de compte bancaire, spécialement lorsque beaucoup de débits, crédits et autres services bancaires sont liés à ce compte)[52]. Cependant, certains coûts de changement peuvent être engendrés par des modalités contractuelles qui pénalisent le changement. C'est le cas des frais de changement perçus par les entreprises de courtage lorsque l'on souhaite transférer des actions et des obligations vers une autre institution financière. Mais les entreprises doivent être prudentes afin que les clients ne se sentent pas pris en otage. Une entreprise qui met de nombreuses barrières au changement et offre un service de qualité médiocre a tendance à engendrer des réticences et peut faire l'objet d'un bouche-à-oreille négatif.

6. Les systèmes de gestion de la relation client (CRM)

Les marketeurs ont compris depuis longtemps l'importance du management de la relation client et certains secteurs d'activité l'appliquent depuis des décennies. Les exemples abondent, allant de l'épicerie du coin, du garage de quartier aux fournisseurs de services bancaires à des clients importants.

Lorsque l'on parle de CRM, il nous vient tout de suite à l'esprit des systèmes informatiques aux technologies les plus perfectionnées et aux infrastructures coûteuses et complexes, avec des noms tels que SAP, Siebel Systems, Peoplesoft ou Oracle. Cependant, CRM signifie le processus global par lequel les relations avec les clients sont construites et maintenues.

6.1. Objectifs des systèmes CRM

Beaucoup d'entreprises ont un nombre important de clients (souvent des millions), beaucoup de points de service différents (par exemple, agences, personnel de centres d'appel, machines en libre-service, sites Internet, etc.), situés en de multiples zones géographiques. À un seul de ces points de service, il est douteux qu'un même client soit servi par le même personnel lors de deux visites consécutives. Dans de telles situations, les responsables manquaient d'outils leur permettant de pratiquer un marketing relationnel. Mais aujourd'hui les systèmes CRM permettent de le faire en enregistrant et en transmettant l'information d'un client vers les différents points de service.

Du point de vue du client, des systèmes CRM bien mis en œuvre peuvent permettre « une interface client unifiée », ce qui veut dire que lors de chaque transaction les détails du compte, les préférences du client et ses transactions passées ou l'historique d'un problème de service sont à la disposition de la personne servant le client. Cela peut engendrer une amélioration très importante du service.

Du point de vue de l'entreprise, les systèmes CRM permettent de mieux comprendre, de segmenter et de classifier sa base de clientèle, de mieux cibler les promotions et les ventes croisées et même de mettre en œuvre des « systèmes d'alerte d'échecs » qui signalent si un client est sur le point de changer de prestataire de service[53]. Le mémo 12.3 met en lumière les applications des systèmes CRM.

Les applications d'usage courant des systèmes de CRM

Collecte de données. Le système collecte des données sur les clients telles que les détails des contacts, ses caractéristiques démographiques, son historique d'achats, ses préférences en matière de service et d'autres informations semblables.

Analyse des données. Les données collectées sont analysées et catégorisées par le système d'après des critères définis par l'entreprise. Elles sont utilisées afin de classifier la clientèle et adapter la livraison de service.

Automatisation de la force de vente. Les opportunités de vente, de ventes croisées et incrémentales peuvent être identifiées et l'entreprise peut les exploiter. En outre, le cycle de vente tout entier peut être retracé et ainsi facilement retrouvé par le système CRM.

Automatisation du marketing. L'extraction de données sur les clients permet à l'entreprise de cibler son marché. Un bon système CRM permet à l'entreprise de tendre vers le marketing « one to one » et de réaliser des réductions de coût. Cela permet une augmentation du ROI (*Return on Investment*) de ses dépenses de marketing. Les systèmes CRM permettent également d'évaluer l'efficacité des campagnes promotionnelles grâce à l'analyse des réponses.

Automatisation des centres d'appel. Le personnel des centres d'appel a à disposition des informations client et peut ainsi améliorer le niveau de service offert à l'ensemble des clients. De plus, l'identification de la personne qui appelle permet aux centres d'appel d'identifier son statut et d'adapter ainsi le niveau de service qui lui est accordé. Par exemple, un client *platine* reçoit une priorité d'appel lorsqu'il y a un temps d'attente.

Mémo 12.3

6.2. Qu'englobe une stratégie de CRM ?

Plutôt que de considérer le système de CRM (gestion de la relation client) comme une technologie, nous le voyons plutôt comme une stratégie, concentrée sur le développement et le management de relations clients rentables. La figure 12.7 montre les bases des cinq processus clés d'une stratégie de CRM :

1. **Le développement** d'une stratégie de CRM implique, en premier lieu, l'évaluation de la stratégie de l'entreprise. La stratégie de l'entreprise est typiquement la responsabilité du top management. Une fois déterminée, cette stratégie d'entreprise devrait guider le développement de la stratégie client, dont le choix des segments cibles, la hiérarchisation de la base clients, la conception de « contrat de fidélité et de fidélisation de la clientèle » (comme évoquée dans la relation satisfaction/fidélité du client, schéma 12.4).

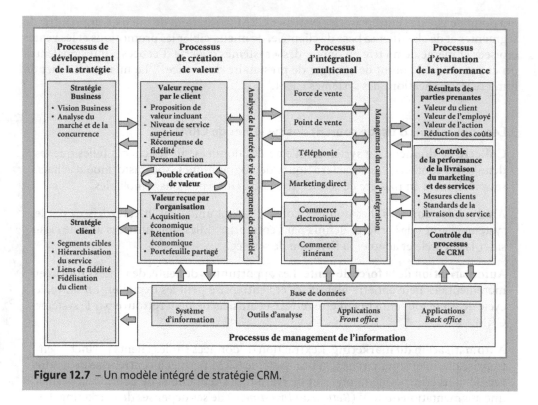

Figure 12.7 – Un modèle intégré de stratégie CRM.

2. **La création de valeur** traduit les stratégies d'entreprise et client en propositions concrètes pour les clients et l'entreprise. La valeur créée pour les clients inclut tous les bénéfices qui lui sont livrés à travers les services proposés, les avantages liés à la fidélité, l'adaptation aux besoins du client et la personnalisation. La valeur créée pour l'entreprise doit être diminuée des coûts d'acquisition et de rétention du client. Le cœur du CRM est le concept de double création de valeur – les clients doivent participer à la relation client (par exemple, en fournissant des informations) pour qu'ils puissent bénéficier de la valeur des initiatives CRM de l'entreprises. Par exemple, si mon permis de conduire, mon adresse de facturation, mes coordonnées bancaires et mes préférences en termes de voiture et d'assurance sont les seules informations enregistrées dans le système de CRM d'une entreprise de location de voitures, ai-je la possibilité de m'éviter de redonner ces informations à chaque réservation ? Les entreprises peuvent aussi créer de la valeur en rapprochant les informations d'un client avec celles des autres (par exemple, Amazon analyse les livres achetés par les clients ayant un profil semblable au vôtre afin de vous faire profiter de promotions ciblées).

3. **L'intégration multicanal :** la plupart des entreprises de services interagissent avec les clients à travers une multitude de canaux et il est devenu très complexe de servir un client correctement à travers ces multiples canaux en lui offrant une interface client unifié.

4. **Management de l'information :** la livraison de services à travers différents canaux repose sur la capacité de l'entreprise à collecter des informations sur les clients en provenance de tous les canaux, de les intégrer à d'autres informations adéquates

et de rendre l'information appropriée disponible aux différentes personnes en contact avec le client. Le processus de management de l'information englobe les bases de données (qui contiennent l'ensemble des données clients), les systèmes d'information (logiciels et matériels), les outils d'analyse comprenant les extractions de données et des progiciels spécifiques (tels que les outils d'analyse de gestion de campagne de promotion, l'évaluations des crédits, les profils clients et les systèmes d'alerte de la gestion de la fidélisation), les applications de *front-office* (comme, par exemple, les outils de gestion des centres d'appel), et les applications de *back-office* (qui supportent les processus internes liés aux clients, tels que la logistique, les achats et les processus financiers).

5. **L'évaluation de la performance** doit soulever trois questions critiques. Premièrement : est-ce que la stratégie de CRM crée de la valeur pour ses principales parties prenantes (c'est-à-dire les clients, les employés et les actionnaires) ? Deuxièmement : est-ce que les objectifs marketing sont satisfaits (de l'acquisition du client au maintien de la satisfaction du client) et les objectifs de performance de la livraison du service réalisés ? Troisièmement : est-ce que le processus de CRM lui-même fonctionne conformément aux attentes ? (Par exemple, est-ce que la valeur de l'entreprise et du client ont été augmentées ? Et est-ce que l'intégration des canaux de vente et de services a été réellement réalisée ?) Le processus de management de la performance devrait conduire l'amélioration permanente de la stratégie CRM.

6.3. Les erreurs classiques de l'implémentation du CRM

Malheureusement, la majorité des implantations du CRM a échoué dans le passé. D'après le groupe Gartner, le taux d'échec est de 55 % et Accenture le situe à 60 %. L'une des raisons principales de ce taux d'échec élevé est le fait que les entreprises supposent que l'installation d'un système de CRM leur fournira une stratégie de relation client. Ils oublient que le système n'est qu'un outil pour accroître la capacité à livrer les clients de l'entreprise, et ne constitue pas la stratégie.

Par ailleurs, le CRM est transverse à de nombreux départements et fonctions (par exemple, des centres d'appel pour les clients, des services en ligne, la formation des employés et les départements informatiques), aux programmes (des programmes commerciaux et de fidélité, le lancement de nouveaux services, les ventes croisées et les opérations de promotion), et aux processus (par exemple, les autorisations de crédit, la gestion des plaintes et le recouvrement des créances). Le panel très large que recouvre le CRM met en évidence le fait que c'est toujours le maillon le plus faible qui détermine le succès de l'opération.

Les raison classiques d'échec du CRM sont :

- **La vision du CRM en tant qu'initiative technologique**. Il est facile de penser que le CRM est avant tout technologique et laisser le département systèmes d'information concevoir la stratégie CRM à la place du top management ou du service marketing. Ceci implique un manque d'orientations stratégiques et de compréhension des clients et du marché, lors de l'implémentation.

- **Le manque d'attention au client**. Beaucoup d'entreprises mettent en place un outil CRM sans avoir pour objectif final une livraison de service de meilleure qualité aux clients.

- **Une mauvaise estimation de la valeur et de la durée de vie du client**. Les programmes marketing de beaucoup d'entreprises ne sont pas suffisamment structurés autour du potentiel commercial des différents clients. Par ailleurs, les couts de services pour les différents segments de clients ne sont pas forcément bien calculés (par exemple, en utilisant les méthodes de calcul des coûts basées sur l'activité, vues au chapitre 5).

- **Une implication inadéquate du top management**. Sans l'implication active et l'investissement du top management, la mise en place du projet de stratégie CRM ne pourra réussir.

- L'échec de la modification des processus commerciaux. Il est virtuellement impossible d'implanter une stratégie CRM avec succès sans re-concevoir le service client et les processus back-office. Beaucoup d'implantations ont échoué car le CRM était conçu avec les processus existants, sans qu'ils aient été repensés pour s'adapter à une nouvelle façon de travailler orientée client. La re-conception nécessite aussi un management du changement efficace ainsi qu'un engagement et un support des employés.

- **Une sous-estimation des difficultés de l'intégration des données**. Les entreprises échouent souvent l'intégration des données clients dans le système car celles-ci sont généralement éparpillées dans toute l'organisation. Une des clés pour utiliser tout le potentiel de l'outil CRM est de rendre la connaissance du client disponible en temps réel à tous les employés qui en ont besoin.

Conclusion

Gagner des parts de marché implique de mettre en œuvre de nombreux éléments. L'accroissement du portefeuille clients, les ventes croisées d'autres produits et services à des clients actuels et l'incitation à la fidélité à long terme en sont autant de moyens. Le processus commence par l'identification et le ciblage des bons clients, puis par la collecte d'informations concernant leurs besoins, incluant leurs préférences parmi les différentes formes de services. Transposer cette connaissance en processus opérationnels est une phase clé pour arriver à la fidélisation du client.

Les marketeurs doivent prêter attention aux clients ayant le plus de valeur pour l'entreprise puisque ce sont eux qui achètent ses produits avec la plus grande fréquence et dépensent le plus dans les services haut de gamme. Les programmes récompensant la fréquence d'utilisation (dont les clubs de *frequent-flyer* créés par les compagnies aériennes) identifient et fournissent des récompenses aux clients ayant la plus grande valeur et facilitent une livraison de service échelonnée. Ils permettent, en outre, aux marketeurs de suivre le comportement des clients ayant le plus de valeur en termes de lieu et de fréquence d'utilisation du service, de types de produits achetés, et enfin permettent de savoir combien ces clients dépensent.

Questions de révision

1. Pourquoi le ciblage des « bons clients » est-il si important pour gérer correctement la relation avec le client ?

2. Comment pouvez-vous estimer la valeur à vie d'un client ?

3. Que vous suggère le terme « portefeuille de clients » ? Comment une entreprise peut-elle décider du mix de clients qui lui convient ?

4. Quels critères un responsable marketing devrait-il prendre en considération pour décider quels segments, parmi ceux possibles, sont à cibler par l'entreprise ?

5. Identifiez quelles mesures peuvent permettre la création de liens avec le client et encouragent les relations à long terme ?

6. Quels arguments peuvent justifier les investissements dont le but est de garder les clients fidèles?

7. Quel est le rôle d'un système de CRM dans la stratégie relationnelle avec le client ?

Exercices d'application

1. Identifiez trois prestataires de service auxquels vous faites appel de manière régulière. Pour chacun d'entre eux, complétez la phrase suivante : « Je suis fidèle à cette entreprise parce que…»

2. Évaluez si ces entreprises ont réussi à créer un avantage concurrentiel durable grâce à la fidélité qu'elles ont réussi à obtenir de votre part ?

3. Identifiez deux prestataires de service auxquels vous avez fait appel par le passé mais avec lesquels vous avez cessé la relation (ou êtes sur le point de le faire) à cause de votre insatisfaction. Complétez la phrase suivante : « J'ai cessé (ou vais cesser) de faire appel à ce prestataire de service parce que….»

4. Quelles conclusions pouvez-vous tirer concernant les entreprises en question ? Comment ces entreprises pouvaient-elles éviter votre défection ? Comment pourraient-elles éviter de futures défections parmi les clients ayant le même profil que le vôtre ?

5. Évaluez les forces et les faiblesses des programmes de « *frequent user* » dans différents secteurs de service.

6. Concevez un questionnaire et menez une étude sur deux programmes de fidélisation. Le premier concerne des programmes de fidélisation ou d'adhésion que vous, vos amis, vos familles appréciez particulièrement et ce qui vous rend fidèles à cette entreprise. Le second concerne un programme de fidélisation qui est mal perçu et qui ne semble apporter aucune valeur au service. Utilisez des questions ouvertes, telles que « Qu'est-ce qui vous a poussé à souscrire dans un premier

temps ? », « Pourquoi utilisez-vous ce programme ? », « Est-ce que le fait de participer au programme a changé vos habitudes d'utilisation du service ou d'achat ? », « Que pensez-vous des récompenses disponibles ? », « Est-ce que le fait d'adhérer au programme vous a apporté des privilèges immédiats ? », « Quel rôle est-ce que le programme d'adhésion joue dans le fait que vous restiez fidèle ? », « Quels sont les trois éléments de ce programme de fidélisation / d'adhésion que vous aimez le plus ? » – « que vous aimez le moins » – « que vous suggéreriez d'améliorer ». Analysez quelles caractéristiques font que les programmes de fidélisation / d'adhésion sont un succès et quelles caractéristiques n'entraînent pas les résultats escomptés. Utilisez des structures telles que la roue de la fidélité pour vous guider dans votre analyse et votre présentation.

Notes

1. Steven S. Ramsey, « Introduction: Strategy First, then CRM », in *The Ultimate CRM Handbook – Strategies & Concepts for Building Enduring Customer Loyalty & Profitability,* John G. Freeland éd., McGraw-Hill, New York, 2002, p. 13.

2. Richard L. Oliver, « Whence Consumer Loyalty? », *Journal of Marketing*, 63, numéro spécial, 1999, p. 33-44.

3. Frederick F. Reichheld et Thomas Teal, *L'Effet loyauté*, Dunod, 1996.

4. Frederick F. Reichheld et W. Earl Sasser Jr., « Zero Defections: Quality Comes to Services », *Harvard Business Review*, octobre 1990, p. 105-111.

5. Voir aussi Jérôme Bon et Elisabeth Tissier Desbordes, « Fidéliser les clients ? Oui mais…. », *Revue française de gestion,* janvier-février 2000, p. 52-60.

6. *Ibid.*

7. Frederick F. Reichheld et Phil Schefter, « E-Loyalty – Your Secret Weapon on the Web », *Harvard Business Review,* juillet-août, 2002, p. 105-113.

8. Voir aussi Lars Meyer-Warden et Christophe Benavent, « Les cartes de fidélité comme outils de segmentation et de ciblage. Le cas d'une enseigne de distribution », Décisions Marketing, n° 32, 2003, p. 19-30.

9. Graham R. Dowling et Mark Uncles, « Do Customer Loyalty Programs Really Work? » *Sloan Management Review*, été 1997, p. 71-81; Werner Reinartz et V. Kumar, « The Mismanagement of Customer Loyalty », *Harvard Business Review*, juillet 2002, p. 86-94.

10. Werner J. Reinartz et V. Kumar, « On the Profitability of Long-Life Customers in a Noncontractual Setting: An Empirical Investigation and Implications for Marketing », *Journal of Marketing*, n° 64, octobre 2000, p. 17-35.

11. Voir aussi Michel Calciu et Francis Salerno, « Modélisation de la valeur client (lifetime value) : synthèse des modèles et propositions d'extension », *Actes du congrès de l'AFM*, vol. 18, Lille, 2002.

12. Jean-Claude Liquet et Dominique Crié, « Mesurer la durée de vie d'un client : le cas des abonnements presse », *Décisions Marketing* n° 13, p. 75-84.

13. John E. Hogan, Katherine N. Lemon et Barak Libai, « What is the True Cost of a Lost Customer? », *Journal of Services Research*, 5, n° 3, 2003, p. 196-208.

14. David Bell, John Deighton, Werner J. Reinartz, Roland T. Rust et Gordon Swartz, « Seven Barriers to Customer Equity Management », *Journal of Service Research*, 5, août 2002, p. 77-85.

15. Katerine N. Lemon, Roland T. Rust et Valarie A. Zeithaml, « What Drives Customer Equity ? », *Marketing management*, printemps 2001, p. 20-25.

16. Roland T. Rust, Valarie A. Zeithaml et Katerine N. Lemon, « Driving Customer Equity? », in *Dowling and Uncles*, The Free Press, New York, 2000, p. 74.

17. Roland Rust est directeur du centre de management des services et chercheur à la School of Business de l'université du Maryland ; Valarie Zeithaml est professeur à la School of Business de l'université de Caroline du Nord et Katerine Lemon est professeur associé à la School Business du Boston College.

18. Barak Libai, Das Narandayas et Clive Humby, « Toward an Individual Customer Profitability Model: A Segment Based Approach » *Journal of Service Research*, 5, août 2002, p. 69-76.

19. Alan W. H. Grant et Leonard H. Schlesinger, « Realize Your Customer's Full Profit Potential », *Harvard Business Review*, n° 73, septembre-octobre, 1995, p. 59-75.

20. Voir aussi Yasmine Benamour et Isabelle Prim, « Orientation relationnelle versus transactionnelle du client : développement d'une échelle dans le secteur bancaire », Actes du congrès de l'AFM, vol. 16, Montréal, 2000.

21. Nicole E. Coviello, Roderick J. Brodie et Hugh J. Munro, « Understanding Contemporary Marketing: Development of a Classification Scheme », *Journal of Marketing Management*, 13, n° 6, p. 501-522.

22. Voir aussi Marc Filser, « Le magasin amiral : de l'atmosphère du point de vente à la stratégie relationnelle de l'enseigne », *Décisions Marketing*, n° 24, p. 7-16.

23. Ou « marketing de bases de données » selon Kotler/Keller/Dubois/Manceau, *Marketing management*, 12ᵉ édition, Pearson Education, 2006.

24. Voir aussi Sabine Flambard-Ruaud et Jean-Paul Ventalon, « Cartographie d'une base de données : un entretien », *Décisions Marketing*, n° 7, 1996, p.31-35 ; A. Ainslie et X. Dreze, « Le data-mining et l'alternative modèles classiques/réseaux neuronaux », *Décisions Marketing*, n° 7, 1996, p. 77-86.

25. J. R. Copulsky et M.J. Wolf, « Relationship Marketing: Positioning for the Future, » *Journal of Business Strategy* », 11, n° 4, 1990, p. 16-20.

26. Voir aussi Michel Calciu et Francis Salerno, « Modélisation de la valeur client (lifetime value) : synthèse des modèles et propositions d'extension », Actes du congrès de l'AFM, vol. 18, Lille, 2002.

27. Christopher Lovelock et Martin Bless, Taken from the case « BT: Telephone Account Management », IMD (Institut pour l'International Management Development), Lausanne, Suisse, 1992.

28. Voir aussi Stéphane Lajoinie-Bourliataux, « Application du marketing direct sur Internet : le cas controversé des cookies et du spamming », *Décisions Marketing*, n° 14, 1998, p. 73-79.

29. Evert Gummesson, *Total Relationship Marketing*, Butterworth-Heinemann, Oxford, 1999, p. 24.

30. Voir aussi Lars Meyer-Warden et Christophe Benavent, « Les cartes de fidélité comme outils de segmentation et de ciblage. Le cas d'une enseigne de distribution », *Décisions Marketing*, n° 32, 2003, p. 19-30.

31. Voir aussi Patrick Nicholson, « L'identification d'une cible en marketing direct », *Recherche et applications en marketing*, vol. 9, n° 3, 1994, p. 65-82.

32. Frederick F. Reichheld, *Loyalty Rules – How Today's Leaders Build Lasting Relationships*, Harvard Business School Press, Boston, 2001, p. 45.

33. Roger Hallowell, « The Relationships of Customer Satisfaction, Customer Loyalty, and Profitability : An Empirical Study », *International Journal of Service Industry Management*, 7, n° 4, 1996, p. 27-42.

34. Leonard L. Berry, *Discovering the Soul of Service – The Nine Drivers of Sustainable Success*, The Free Press, New York, 1999, p. 148-149.

35. Voir aussi Christophe Bénavent, « Gérer le portefeuille clients : une application au marché du Benelux, Décisions Marketing, n° 4, 1995, p. 35-45.

36. David Rosenblum, Doug Tomlinson et Larry Scott, « Bottom-Feeding for Blockbuster Business », *Harvard Business Review*, mars 2003, p. 52-59.

37. Voir aussi Christophe Bénavent, « Gérer le portefeuille clients : une application au marché du Benelux, *Décisions Marketing*, n° 4, 1995, p. 35-45.

38. Ravi Dahr et Rashi Glazer, « Hedging Customers », *Harvard Business Review*, 81, mai 2003, p. 86-92.

39. Voir en particulier le chapitre 20 de David H. Maister, *True Professionalism*, The Free Press, New York, 1997.

40. Valarie A. Zeithaml, Roland T. Rust et Katharine N. Lemon, « The Customer Pyramid : Creating and Serving Profitable Customers », *California Management Review*, 43, n° 4, été 2001, p. 118.

41. Werner J. Reinartz et V. Kumar, « The Impact of Customer Relationship Characteristics on Profitable Lifetime Duration », *Journal of Marketing*, 67, n° 1, 2003, p. 77-99.

42. Voir aussi Cécile Bozzo, Dwight Merunka et Jean-Louis Moulins, « Fidélité et comportement d'achat : ne pas se fier aux apparences », *Décisions Marketing*, n° 32, 2003, p. 9-17.

43. Piyush Kumar, « The Impact of Long-Term Client Relationships on the Performance of Business Service Firms », *Journal of Service Research*, 2, août 1999, p. 4-18.

44. Voir aussi Jean Frisou, « Confiance interpersonnelle et engagement : une réorientation du béhavioriste », *Recherche et applications en marketing*, vol. 15, n° 1, 2000, p. 63-80.

45. Voir aussi Paul-Valentin Ngobo« Les relations non linéaires entre la satisfaction, la fidélité et les réclamations », Actes du congrès de l'AFM, vol. 14, Bordeaux, 1998, p. 641-670.

46. Valarie A. Zeithaml et Mary Jo Bitner, *Services Marketing*. 3ᵉ éd., McGraw-Hill, New York, 2003, p. 175 ; Leonard L. Berry et A. Parasuraman, « Three Levels of Relationship Marketing », in *Marketing Services - Competing through Quality*, The Free Press, New York, 1991, p. 136-142.

47. Barbara Bund Jackson, « Build Relationships that Last », *Harvard Business Review*, novembre-décembre 1985, p. 120-128.

48. Don Peppers et Martha Rogers, *The One-to-One Manager*, Currency/Doubleday, New York, 1999.

49. Ruth N. Bolton, P.K. Kannan et Matthew D. Bramlett, « Implications of Loyalty Program Membership and Service Experience for Customer Retention and Value », *Journal of the Academy of Marketing Science*, 28, n° 1, 2000, p. 95-108.

50. « Do Customer Loyalty Really Work ?, in *Dowling and Uncles, op. cit.*, p. 74.

51. Voir aussi Dominique Crie, « Rétention de clientèle et fidélité des clients », *Décisions Marketing*, n° 7, 1996, p. 25-30.

52. Susan M. Keaveney, « Customer Switching Behavior in Service Industries: An Exploratory Study », *Journal of Marketing*, 59, avril 1995, p. 71-82.

53. Jonathan Lee, Janghyuk Lee et Lawrence Feick, « The Impact of Switching Costs on the Consumer Satisfaction-Loyalty Link: Mobile Phone Service in France », *Journal of Services Marketing*, 15, n° 1, 2001, p. 35-48.

Chapitre 13
Mettre en place la réparation du service et le *feed-back* client

« *L'erreur est humaine, la réparation divine.* »
– Christopher Hart, James Heskett et Earl Sasser

« *L'un des moyens les plus sûrs pour détériorer*
la qualité des relations clients est l'absence de plaintes.
Mais personne n'est jamais totalement satisfait
surtout sur une longue période. » – Théodore Levitt

Objectifs de ce chapitre

- Pourquoi les clients se plaignent-ils et qu'attendent-ils de l'entreprise ?

- Comment mettre en place une stratégie de réparation ?

- Dans quelles circonstances les entreprises doivent-elles offrir des garanties ? Est-il pertinent d'offrir des garanties inconditionnelles ?

- Comment les entreprises et le personnel en contact direct avec le client, doivent-ils répondre aux clients qui vont trop loin ou à ceux qui sont opportunistes ?

- Comment les entreprises peuvent-elles mettre en place, de façon systématique et à partir des réclamations des clients, un outil d'apprentissage en continu et de perfectionnement du service ?

Le premier mot d'ordre de la productivité et de la qualité d'un service pourrait être : « Que tout soit fait parfaitement, dès la première fois », mais nous ne pouvons nier que des erreurs continuent de se produire, parfois pour des raisons qui ne relèvent pas de la responsabilité de l'entreprise. Vous avez probablement remarqué, au cours de vos expériences personnelles, que les différents « moments de vérité » d'un service sont tout particulièrement des moments de vulnérabilité pour la qualité. Certaines caractéristiques des services, comme la performance en temps réel, la forte implication du client ou le fait que le client soit considéré comme un élément constitutif du service, augmentent fortement les risques d'erreurs. La façon dont une entreprise gère les conflits et résout les problèmes peut la conduire soit à construire une relation de confiance avec le client, soit à le voir se tourner vers la concurrence.

Le cas de la compagnie d'aviation *low cost* JetBlue

À l'occasion d'une terrible tempête de neige sur la côte est des États-Unis, une centaine de passagers furent retenus durant environ 11 heures dans un avion de la compagnie *low cost* JetBlue sur l'aéroport international John F. Kennedy, à New York. Ces passagers étaient véritablement furieux. Personne ne fit quoi que ce soit pour tenter de les sortir de l'avion. De plus, JetBlue annula plus de 1 000 vols dans les jours qui suivirent, laissant en plan des milliers de passagers. Ces incidents annulèrent tout ce que la compagnie avait pu faire de bien pour devenir une des compagnies les plus performantes en matière de service client. La compagnie JetBlue avait été classée quatrième parmi une liste de 45 compagnies pour la qualité du service par *Business Week*.

Aucun plan de secours n'était disponible ; personne, pas même le pilote ni le personnel au sol, n'avait l'autorité de décider de sortir les passagers de l'avion. JetBlue proposa des remboursements et des réductions sur les vols à venir aux passagers, sans que cela n'atténue leur colère. David Neeleman, le P-DG de la compagnie, adressa un e-mail personnel à tous les clients pour expliquer les raisons de ce problème et présenter des excuses. Il apparut même à la télévision pour présenter de nouveau des excuses et surtout, admettre que la compagnie n'avait pas de plan de secours pour faire face à de tels événements. Il admit aussi que la compagnie aurait de sérieux efforts à fournir et que cela prendrait beaucoup de temps.

Lentement, la compagnie reconstruisit son image, avec en particulier une nouvelle charte des droits des passagers, qui garantissait l'obtention de remises et de remboursements en cas de retards et d'incidents. Neeleman changea le système d'information, afin de lui permettre de localiser son personnel à tout moment. Le site Internet de la compagnie fut amélioré, afin de fournir une meilleure information et permettre aux clients de prendre d'autres vols. Enfin, la compagnie instaura un programme intensif de formation destiné au personnel du siège, afin de venir en aide au personnel d'aéroport en cas de besoin. Toutes ces décisions avaient pour but de faire remonter JetBlue dans les classements mesurant la qualité du service fourni.

1. La plainte et le comportement du client

Il y a des chances que vous ne soyez pas satisfait par au moins l'une des parties des services qui vous sont offerts. Comment réagissez-vous par rapport à cette insatisfaction ? Vous adressez-vous de façon informelle à un employé, demandez-vous à parler à un responsable ou bien rédigez-vous une lettre de réclamation ? Si vous ne faites rien de tout cela, peut-être que vous murmurez d'un air sombre, que vous grognez auprès de vos amis et de votre famille et, lorsqu'il vous arrive d'avoir besoin d'un service similaire, vous choisissez un autre prestataire.

Si vous faites partie de ceux qui ne se plaignent pas d'un service de mauvaise qualité, alors vous n'êtes pas seul. Des recherches à l'échelle mondiale ont montré que la plupart des personnes ne se plaignent pas, surtout si elles pensent que cela ne servira à rien.

1.1. Les réponses des clients face aux défaillances de service[1]

La figure 13.1 décrit les modèles d'action qu'un client peut choisir en réaction aux défaillances d'un service.

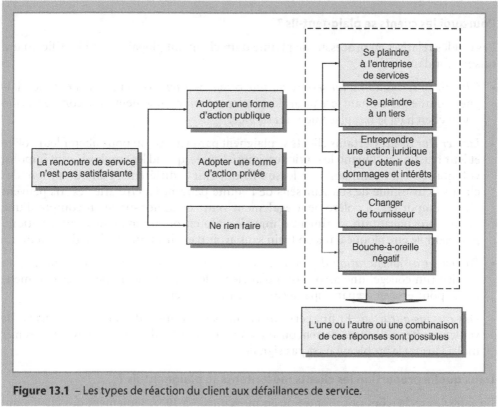

Figure 13.1 – Les types de réaction du client aux défaillances de service.

Ce modèle suggère au moins trois grands types d'actions :

1. choix d'une forme d'action publique. C'est-à-dire adresser une plainte à l'entreprise, s'adresser à un tiers, telle une association de défense du consommateur, ou un médiateur, voire faire appel à un tribunal civil ou pénal ;

2. choix d'une forme d'action privée (comme l'abandon de ce fournisseur) ;

3. exprimer son mécontentement sur des Websites dédiés indépendants, du type blacklistic.fr. On peut blacklister une entreprise et publier une réclamation pour obtenir réparation. Objectif : s'unir pour avoir plus de poids et mieux se faire entendre des sociétés avec lesquelles on a traité. On constate de plus en plus que les clients partagent leurs bonnes ou mauvaises expériences sur les réseaux sociaux (Facebook).

Il est important de se souvenir que le client peut choisir l'une de ces possibilités ou bien une combinaison de celles-ci. Les responsables doivent être conscients du fait que les conséquences de la fuite d'un client peuvent aller beaucoup plus loin que la simple perte des flux d'argent que cette personne aurait apportés.

1.2. Comprendre les réponses des clients face aux défaillances de service

Afin d'être véritablement à même de répondre à des clients mécontents et qui se plaignent, les responsables doivent comprendre les raisons de la plainte.

Pourquoi les clients se plaignent-ils ?

Les études relatives au processus de plainte d'un client ont globalement identifié quatre raisons fondamentales.

- *Obtenir la restitution d'un service ou une compensation.* Souvent, les clients se plaignent d'une perte financière pour demander un remboursement, une compensation ou en cherchant le remplacement du service.

- *Libérer leur colère.* Certains clients se plaignent par principe ou pour libérer leur colère et leur frustration. Quand le service est long à l'excès, quand les employés sont impolis, volontairement intimidants ou lorsqu'ils ont l'air indifférents, l'amour-propre des clients, leur estime de soi, leur sens de l'équité peuvent en être affectés. Ils peuvent alors s'emporter. La colère peut également venir de la non-prise en compte d'une plainte provoquant un sentiment d'injustice. Ou encore du manque d'information : par exemple être bloqué dans un train sans avoir d'explication pendant deux heures.

- *Participer à l'amélioration du service.* Lorsque les clients sont très fortement liés au service (un collège, une association d'anciens élèves...), ils formulent des commentaires pour essayer de participer à l'amélioration du service.

- *Des raisons altruistes.* Enfin, certains clients sont animés de raisons altruistes. Ils veulent éviter à d'autres de rencontrer les mêmes difficultés et ils peuvent se sentir mal à l'aise si le problème n'est pas signalé.

Dans quelle proportion les clients mécontents se plaignent-ils ?

En fait, des recherches ont montré qu'en moyenne, 5 à 10 % seulement des clients qui ont été mécontents d'un service se plaignent[2]. Parfois, le pourcentage est beaucoup plus faible. Un des auteurs de ce livre a étudié les plaintes reçues par une compagnie de bus qui appartenait au service public. Il est parvenu à un résultat d'environ trois plaintes par personne tous les un million de trajets. Si l'on suppose qu'une personne effectue deux trajets par jour, il lui faudrait 1 370 ans (soit environ 27 vies) pour effectuer un million de trajets. En d'autres termes, le taux de plaintes était incroyablement faible, étant donné que les services de transport par bus ne sont généralement pas réputés pour la qualité de leur offre.

Pourquoi les clients mécontents se plaignent-ils ?

Tarp, un cabinet d'études qui mesure la satisfaction des clients, a identifié un certain nombre de raisons à l'absence de réclamation[3]. Les clients n'ont pas le temps d'écrire une lettre, de remplir un formulaire ou de passer un coup de fil dans la mesure, du moins, où ils considèrent que le service n'est pas suffisamment important pour en valoir la peine. Pour beaucoup, c'est un investissement qui a peu de chance d'être payé en retour, et de nombreux clients pensent que personne ne s'intéressera à leur problème, ni ne cherchera à le résoudre. Dans certaines situations, les gens ne savent aussi tout simplement pas où aller, ni que faire[4].

Par ailleurs, beaucoup ont l'impression que le fait de se plaindre est détestable. Ils peuvent redouter un conflit, plus particulièrement si la plainte s'adresse à une personne que le client connaît et à qui il peut avoir à faire appel à nouveau.

Les comportements par rapport à la plainte peuvent être influencés par les conventions sociales et la conception du rôle de chacun. Dans des services où les clients ont un pouvoir faible (pouvoir qui se définit par la capacité à orienter ou contrôler un échange), ils auront beaucoup moins tendance à émettre des plaintes. Ceci se vérifie particulièrement lorsque ces problèmes impliquent des professionnels, comme des médecins, des avocats ou des architectes. Du fait de leur expertise supposée, les normes sociales tendent à décourager les clients de critiquer de telles personnes[5].

Quels sont les clients qui se plaignent le plus ?

Les résultats de la recherche montrent régulièrement que les personnes appartenant à des catégories socioprofessionnelles plus élevées auront plus tendance à se plaindre que celles qui appartiennent à des catégories moins favorisées. Le fait d'avoir reçu une meilleure éducation, d'avoir un revenu supérieur et une plus grande implication au sein de la société donne l'assurance, le savoir et la volonté de se manifester lorsque l'on est face à un problème[6].

Par ailleurs, ceux qui se plaignent ont généralement une meilleure connaissance du produit en question.

Où s'adressent les clients pour se plaindre ?

Les études montrent que la majorité des plaintes sont faites sur le lieu même du service. Un des auteurs de ce livre vient de réaliser une étude sur le développement et la mise en place d'un système de traitement des plaintes des clients, et il s'est avéré de façon étonnante que plus de 99 % des clients s'adressaient directement, ou par téléphone, au personnel. Moins de 1 % seulement de la totalité des plaintes étaient communiquées par e-mail, lettre, fax ou par le biais d'enquêtes de satisfaction[7].

Une enquête auprès des passagers d'un avion a montré que seulement 3 % des personnes qui n'étaient pas satisfaites du repas se sont plaintes, et toutes se sont adressées au commandant de bord ! Aucune réclamation n'a été adressée aux bureaux de la compagnie ou à une association de consommateurs.

En réalité, même si les clients se plaignent, les responsables n'en sont pas informés. Les plaintes sont adressées au personnel en contact avec les clients et moins de 5 % d'entre elles parviennent jusqu'aux centres de décision de l'entreprise[8].

1.3. Qu'attendent les clients une fois qu'ils se sont plaints[9] ?

Dès lors qu'une erreur a été commise, les gens s'attendent à recevoir une juste compensation. Cependant, de récentes études ont montré que beaucoup de clients ont le sentiment de n'avoir pas été traités avec équité et de n'avoir pas reçu de compensation adéquate. Lorsque cela se produit, les clients ont tendance à réagir immédiatement, avec force et émotion[10].

Lors de la réparation d'une erreur, Stephen Tax et Stephen Brown ont montré que 85 % de la variation du taux de satisfaction des clients étaient déterminés par trois dimensions de justice et d'impartialité (voir figure 13.2)[11].

- *La justice procédurale* correspond aux règles et aux procédures que tout client doit respecter pour se voir rendre justice. Dans ce cas, les clients attendent de l'entreprise qu'elle assume sa responsabilité, ce qui est à la base de toute procédure juste, et dispose d'un système de réparation souple et adapté. Le client espère que le système sera flexible et que l'on prendra en considération ce qu'il peut apporter au processus de réparation.

- *La justice interactive* implique le personnel de l'entreprise et joue sur le comportement du personnel vis-à-vis du client. Il est très important de proposer une explication à l'erreur commise et de faire des efforts pour résoudre le problème. Toutefois, ces efforts doivent être perçus comme honnêtes, sincères et polis.

- *La justice par le résultat* correspond à ce que reçoit le client en compensation des pertes et des inconvénients qui sont survenus du fait de l'entreprise. Il s'agit donc non seulement d'une compensation pour l'erreur qui a été commise, mais également d'une compensation pour le temps, les efforts et l'énergie que le client a fournis lors du processus de réparation[12].

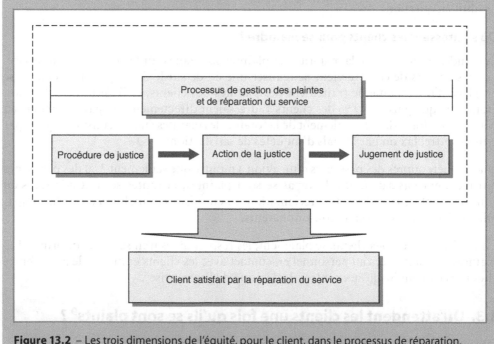

Figure 13.2 – Les trois dimensions de l'équité, pour le client, dans le processus de réparation.

Source : Stephen S. Tax et Stephen W. Brown, « Recovering and Learning from Service Failure », *Sloan Management Review,* 49, n° 1, automne 1998, p. 75-88.

2. Les réponses des clients face à une réparation de service efficace

« Remercions le ciel de nous envoyer ceux qui se plaignent », tel était le titre provocateur d'un article sur la plainte dans le comportement du client. L'article décrivait également les succès d'un manager s'exclamant : « Dieu merci, j'ai eu un client mécontent au téléphone ! Ceux qui m'inquiètent le plus, ce sont ceux dont je n'entends jamais parler[13] ! » Les clients qui se plaignent donnent à l'entreprise une chance de corriger leurs problèmes (y compris ceux que l'entreprise ne soupçonnait peut-être pas), de rétablir une relation avec le client mécontent et d'améliorer la satisfaction de tous à l'avenir.

La réparation d'un service est un terme générique qui englobe les efforts systématiques effectués par l'entreprise pour corriger les problèmes survenus lors d'une erreur et recréer de la valeur pour le client. La réparation joue un rôle crucial dans l'élaboration ou le rétablissement de la satisfaction du client. Dans toute organisation, il se peut que des évènements aient des conséquences négatives sur la relation avec le client. Le véritable test de l'engagement de l'entreprise sur la qualité de ses services et la satisfaction de ses clients ne réside pas dans des promesses publicitaires, mais dans sa façon de réagir quand un client a des problèmes.

Un service après-vente performant a besoin de procédures efficaces pour résoudre des problèmes et faire face à des clients énervés. Il est vital que les entreprises disposent de stratégies de réparation valables car la moindre petite erreur peut mettre fin à une relation de confiance avec un client si :

- l'erreur est absolument outrageante (escroquerie manifeste de la part de l'entreprise, par exemple) ;
- le problème est lié à un problème de structure (plutôt qu'un phénomène isolé) ;
- Le service après-vente est faible et sert plus à composer avec le problème qu'à le traiter en profondeur[14].

Le risque de défection est important, en particulier si la concurrence propose quantité d'offres alternatives. Une étude sur le comportement du client, lors du passage d'une entreprise de services à une autre, a montré que 60 % des participants qui avaient changé de fournisseurs l'avaient fait parce qu'une erreur était survenue :

- 25 % mentionnaient une faute au niveau du service de base ;
- 19 % parlaient d'un échange désagréable avec un employé ;
- 10 % évoquaient une réponse décevante du service après-vente ;
- 4 % parlaient d'un comportement immoral du fournisseur[15].

2.1. L'impact de la réparation de service sur la fidélité du client

Lorsque les plaintes sont réglées de façon satisfaisante, il y a beaucoup plus de chances que les clients impliqués soient fidèles à l'entreprise.

L'étude du Tarp a montré que les intentions de réachat allaient de 9 à 37 % lorsque les clients étaient mécontents mais ne se plaignaient pas. Dans le cas d'une plainte sérieuse, le taux de rétention allait de 9 % à 19 % si l'entreprise avait écouté d'une oreille aimable, sans avoir été capable de résoudre le problème. Si le litige avait pu être réglé, le taux de réachat pouvait grimper jusqu'à 54 %. Le taux le plus élevé, jusqu'à 82 %, a été atteint lorsque le problème fut réglé parfaitement et rapidement[16].

On peut donc en conclure que le traitement d'une plainte doit être considéré comme une source de profit et non comme une source de coûts. Quand un client mécontent la quitte, l'entreprise perd beaucoup plus que le montant de la prochaine transaction, elle perd aussi tout un flux d'échange à long terme, non seulement avec ce client, mais également avec quiconque veut changer de fournisseur et ne choisira pas cette entreprise à cause du commentaire de l'ami mécontent. En conséquence, il est rentable d'investir dans le service après-vente, afin de préserver ces profits à long terme.

L'e-réputation

L'e-réputation, parfois appelée web-réputation, cyber-réputation ou réputation numérique, est un phénomène nouveau. Il s'agit de l'opinion commune (informations, avis, échanges, commentaires, rumeurs...) sur le Web à propos d'une entité (marque, personne, morale (entreprise) ou physique (particulier), réelle (représentée par un nom ou un pseudonyme) ou imaginaire). Elle correspond à l'identité de cette marque ou de cette personne associée à la perception que les internautes en ont.

Cette notoriété numérique, qui peut constituer un facteur de différenciation et présenter un avantage concurrentiel dans le cas des marques, se façonne par la mise en place d'éléments positifs et la surveillance des éléments négatifs. L'e-réputation peut aussi désigner sa gestion, *via* une stratégie globale et grâce à des outils spécifiques (activité à l'origine de nouveaux métiers) pour la pérennité de l'identité numérique (source : Wikipédia).

2.2. Le paradoxe de la réparation de service

Le paradoxe du service après-vente réside dans le fait que les clients dont les problèmes ont été pleinement résolus ont plus tendance à racheter que ceux qui n'ont pas rencontré de problèmes. Une étude sur les erreurs répétées des services a montré que le paradoxe du service après-vente se vérifiait lors du premier problème résolu, mais plus lors du second. Il semble que les clients puissent pardonner une fois, mais perdent confiance ensuite[17]. L'étude montre également que les clients qui ont fait l'expérience d'un service après-vente efficace ont des attentes supérieures ; cette qualité de service devient dès lors leur référence[18].

Des études plus récentes ont pourtant remis en question le paradoxe du service après-vente. Ainsi, Tor Andreassen, professeur à l'École norvégienne de management, a analysé plus de 8 600 entretiens téléphoniques relatifs à une large palette de services. Ses résultats ont montré qu'après une intervention du service après-vente, les intentions de réachat des clients n'étaient jamais supérieures, leur perception de l'entreprise et leur attitude jamais meilleures que celles des clients satisfaits n'ayant jamais été en contact avec le service après-vente. Ceci était vérifié y compris quand le service après-vente était de qualité et que les clients avaient exprimé une satisfaction totale[19].

Le fait qu'un client soit ravi du service après-vente dépend également de la gravité de l'erreur et de son degré possible de réparation. Personne ne peut remplacer des photos de mariage ratées, des vacances gâchées ni effacer un préjudice causé par la maladresse de l'entreprise. Dans de telles circonstances, il est difficile d'imaginer que quelqu'un puisse être véritablement ravi, même si l'entreprise fournit le suivi le plus professionnel. Par opposition, si une réservation dans un hôtel a été mal faite, elle peut être compensée par le fait de se voir proposer une suite. Lorsque l'on répare une erreur en offrant un service d'une qualité supérieure, le client s'en trouve bien entendu ravi et va probablement espérer que l'erreur se répète à l'avenir.

La meilleure des stratégies est de réussir la première fois. Comme le dit Michael Hargrove, « Le service après-vente, c'est faire d'une erreur une opportunité que vous souhaitez ne jamais avoir »[20]. Il est indispensable que le service après-vente soit de qualité, mais les erreurs ne sauraient être tolérées. Malheureusement, l'expérience du terrain montre qu'une grande partie des clients n'est pas satisfaite des résultats de leur plainte. Des chiffres récents parlent de 40 à 60 % de mécontents par rapport au service après-vente[21].

Mémo 13.1

Quelques erreurs typiques de réparation de service

> *Éviter les phrases défensives : « Je fais de mon mieux ! »,*
> *« Ça prend du temps ! ».*

Les managers ne prennent pas en compte le fait que la réparation du service occasionne un retour financier significatif. Ces dernières années, de nombreuses entreprises se sont focalisées sur la réduction des coûts, en ne faisant que le minimum pour conserver leurs clients les plus rentables. Ils ont, en plus de cela, perdu le sens du respect envers l'ensemble des clients.

Les entreprises n'investissent pas assez dans les actions qui empêchent les défaillances de service. Idéalement, les marketeurs mais aussi les gens des opérations signalent les problèmes potentiels avant qu'ils ne deviennent des problèmes pour les clients. Même si les mesures préventives n'enlèvent pas le besoin de bons systèmes de réparation de service, elles réduisent grandement le poids des tâches doublement effectuées par l'équipe de *front office* et par celle du *back office*.

Les employés du *front office* ne réussissent pas à avoir la bonne attitude envers le client. Les trois choses les plus importantes de la réparation de service sont l'attitude, l'attitude et l'attitude. Peu importe la construction ou l'organisation du système de réparation de service, cela ne marchera pas sans une attitude amicale et chaleureuse de la part de l'équipe de *front office*.

Les entreprises ne facilitent pas le retour d'expérience des clients. Bien qu'on puisse voir quelques améliorations – comme c'est le cas des hôtels et des restaurants qui proposent un questionnaire de satisfaction –, peu de choses sont faites pour les rendre faciles et expliquer leur importance aux clients. Les recherches montrent qu'une grande partie des clients ne connaissent pas l'existence d'un système de *feed-back* à leur intention fait pour les aider à résoudre leurs problèmes.

Source : adapté de Rod Stiefbold, « Dissatisfied Customers Requires Services Recovery Planes », *Marketing News*, 37, n° 22, 27 octobre 2003, p. 44-45.

3. Les principes d'une réparation de service efficace

Dans la mesure où les clients actuels sont l'une des bases des actifs de l'entreprise, il convient de réparer les erreurs commises. Voici trois principes essentiels pour y parvenir :

- permettre aux clients de donner facilement leur avis ;
- mettre en place un service après-vente efficace ;
- mettre en place un système de compensation adéquat.

La figure 13.3 décrit les composants d'un service après-vente efficace.

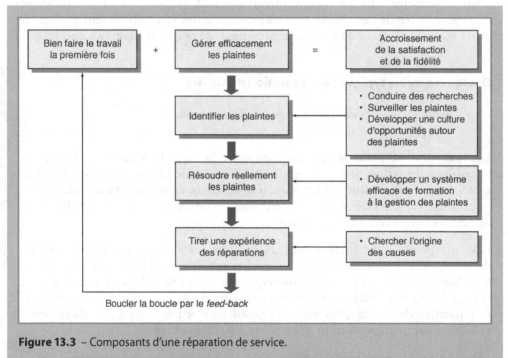

Figure 13.3 – Composants d'une réparation de service.

Source : adapté de Christopher H. Lovelock, Paul G. Patterson et Rhett Walker, *Services Marketing: Australia and New Zealand*, Sydney, Prentice Hall Australie, 1998, p. 455.

3.1. Permettre aux clients de donner facilement leur avis

Comment les responsables d'entreprises peuvent-ils vaincre les réticences des clients qui n'osent pas se plaindre ? Le meilleur moyen est de s'attaquer directement à ces réticences. Le tableau 13.1 offre une vision globale des mesures qui peuvent être prises pour dépasser les réticences identifiées plus haut dans ce chapitre. Beaucoup d'entreprises ont amélioré leurs procédures de suivi des plaintes en créant des lignes téléphoniques où parler librement, des liens à partir de sites Web, etc.

Ces entreprises mettent en évidence dans leurs bureaux les fiches de commentaires des clients et vont jusqu'à mettre à disposition du matériel vidéo pour enregistrer les plaintes. Dans leur « newsletter », elles mentionnent, sous le slogan « Vous nous le dites, nous le faisons », les conséquences directes des réclamations des clients.

Tableau 13.1	Stratégies pour réduire les barrières et faciliter la critique
Barrière qui empêche les clients de se plaindre	**Stratégies pour réduire ces barrières**
Manque de praticité Difficulté à trouver la bonne procédure. Effort à fournir : écrire et envoyer une lettre.	Faciliter le *feed-back* des clients : en imprimant les coordonnées du service clientèle (téléphone, e-mail, adresse postale) sur tous les éléments de communication qui leur sont adressés (lettre, fax, factures, brochure, enveloppe, pages jaunes…).
Réponse incertaine Le client ne sait pas si une action est possible, et si oui, quel type d'action peut être mis en place pour répondre à son problème	Rassurer les clients sur le fait que leur réclamation sera prise en compte et qu'on y répondra : en disposant de procédures et les communiquant aux clients (via des lettres d'information et le site web) ; en mentionnant les améliorations consécutives à leurs réclamations.
Effets désagréables Les clients qui se plaignent redoutent d'être traités de façon désagréable ; de faire des histoires ; et peuvent être gênés de se plaindre.	Faire de la critique une remarque constructive Remercier les clients pour leurs remarques (ce qui peut être fait de façon publique, souvent en adressant un message à tous les clients de la base de données). Former le personnel à adopter une attitude détendue et cordiale. Permettre la critique anonyme.

3.2. Mettre en place une organisation de réparation de service

Réparer des erreurs, c'est bien plus que de simples vœux pieux et la volonté de résoudre toute difficulté qui peut se présenter. Cela nécessite de l'implication, de l'organisation et des directives claires. Plus précisément, un service après-vente efficace devrait être proactif, organisé, entraîné et doté de pouvoirs.

La réparation de service doit être proactive

Le service clientèle doit être mis en place dès le départ, avant même que les clients aient une possibilité de se plaindre. Le personnel doit être sensibilisé aux signes de mécontentement et aller au-devant des clients en leur demandant s'ils rencontrent une difficulté. Ainsi, un serveur peut demander à un client qui n'a touché qu'à la moitié de son assiette : « Est-ce que tout se passe bien, Monsieur ? » ; le client peut alors répondre : « Oui, merci, mais je n'ai pas très faim » ou bien : « Le steak est bon, mais j'avais demandé du poulet ! De plus, il est très salé. » Cette réponse donne le temps au serveur de proposer une compensation, plutôt que d'avoir un client qui quitte le restaurant insatisfait et risque de ne plus y revenir.

Les procédures doivent être organisées

Il est nécessaire de prévoir des procédures en fonction des erreurs et, plus encore, en fonction de celles qui peuvent régulièrement se produire. Les pratiques de management dans le tourisme et l'hôtellerie conduisent souvent à de la surréservation. Pour faciliter le travail du personnel en contact avec le client, l'entreprise doit identifier les problèmes les plus fréquents et anticiper les procédures que le personnel doit suivre.

Le personnel doit être formé et motivé

Les clients sont souvent inquiets lorsque survient un problème, car les choses ne se passent pas ainsi qu'ils les avaient imaginées. Grâce à une formation efficace, le personnel en contact avec les clients possède la compétence et l'assurance nécessaires pour transformer le désagrément en satisfaction[22].

Le service doit pouvoir prendre des initiatives

Les actions du service après-vente doivent être souples et les employés doivent être incités à utiliser leurs capacités d'analyse et leurs qualités relationnelles pour mettre au point des solutions qui donnent satisfaction aux clients[23]. Ceci est particulièrement vrai lors des « situations exceptionnelles » pour lesquelles l'entreprise n'a pas mis au point une procédure toute faite. Les employés doivent avoir le pouvoir nécessaire pour prendre des décisions et dépenser de l'argent afin de résoudre rapidement les problèmes des clients et de leur procurer à nouveau de la valeur ajoutée. En ayant un service après-vente proactif, formé, organisé et doté de pouvoirs d'initiative, le personnel en contact avec le client sera capable de prendre en charge des situations très problématiques et sera plus à même de donner satisfaction au client.

3.3. Comment décider de la largesse des compensations ?

Bien évidemment, les procédures de réparations entraînent des coûts. Quelle compensation doit offrir l'entreprise lorsqu'elle commet une erreur ? Une simple excuse serait-elle suffisante ? Quelques règles élémentaires peuvent permettre de répondre à ces questions.

- *Quel est le positionnement de votre entreprise ?* Si l'entreprise est réputée pour l'excellence de ses services et pratique des tarifs élevés pour une qualité supérieure, les clients s'attendent à ce que les erreurs soient rares. L'entreprise doit donc montrer qu'elle fait des efforts considérables pour réparer ses erreurs et doit être prête à proposer des compensations d'une valeur significative. À une moindre échelle, sur un marché de masse, les clients sont prêts à considérer des actions plus simples, comme un café ou un dessert offert, comme une juste compensation.

- *Quelle est la gravité de l'erreur ?* Le mot d'ordre est généralement : « Que la sentence soit adaptée au crime. » Les clients attendent peu pour de petits dégâts, mais attendent des compensations plus importantes s'ils ont subi des dommages en termes de temps, d'effort, de gêne ou d'inquiétude.

- *Qui est le client lésé ?* Ceux qui sont des clients de longue date et ceux qui utilisent souvent le service attendent davantage, et cela vaut la peine de faire quelques efforts pour les satisfaire. Des clients qui n'utilisent le service qu'une fois ont tendance à être moins exigeant et leur importance pour l'entreprise est moindre ; par conséquent, la compensation peut être moindre, mais doit toujours être juste. Il y a toujours une chance pour qu'un client qui ne vient qu'une fois devienne un habitué s'il est bien accueilli et traité avec équité.

La règle de base essentielle en termes de compensation devrait être « une générosité savamment dosée ». Être perçu comme mesquin aggrave le dommage et l'entreprise devrait plutôt s'excuser que d'offrir une compensation ridicule.

Une compensation exagérément généreuse est non seulement onéreuse, mais peut également être perçue de façon négative par les clients[24]. Elle peut susciter des interrogations sur la qualité de l'entreprise et le client pourrait suspecter des motifs cachés et s'inquiéter de ses conséquences pour le personnel et pour l'entreprise. Par ailleurs, une générosité excessive ne semble pas entraîner des actes d'achat répétés plus importants que ceux suscités par une juste et simple réparation[25]. Enfin, une entreprise réputée pour une telle générosité peut pousser les clients malhonnêtes ou opportunistes à provoquer volontairement des erreurs.

3.4. Comment s'y prendre avec des clients qui se plaignent ?

Les responsables et le personnel doivent tous se préparer à une confrontation avec des clients en colère qui, parfois, insultent le personnel qui n'est en aucune façon responsable. Le mémo 13.2 présente des lignes de conduite spécifiques pour résoudre les problèmes de façon efficace, calmer les clients inquiets et leur proposer une solution qu'ils estimeront juste et satisfaisante.

Comment gérer un client qui se plaint ?

1. **Agir vite.** Si la critique est émise au cours du service, il est alors encore possible de donner satisfaction au client. Quand les plaintes sont faites *a posteriori*, beaucoup d'entreprises ont comme politique de répondre dans les 24 heures ou plus rapidement encore. Même si la réparation nécessite beaucoup plus de temps, la confirmation rapide d'une prise en compte de la plainte du client demeure très importante.

2. **Reconnaître ses erreurs, mais ne pas être sur la défensive.** Agir en étant sur la défensive peut suggérer que l'entreprise a beaucoup à cacher ou qu'elle ne souhaite pas vraiment faire face à la situation.

3. **Montrer que l'on a compris le point de vue du client.** Envisager la situation du point de vue du client est le seul moyen de comprendre pourquoi quelque chose s'est mal passé et pourquoi la personne est mécontente. Le personnel de service doit éviter de formuler des conclusions hâtives à partir de sa propre interprétation.

4. **Ne pas se quereller avec le client.** L'objectif doit être de faire une synthèse des faits, afin d'arriver à un accord mutuel, et non pas de remporter une victoire ou de faire la preuve de la stupidité du client. La dispute est à l'opposé de l'écoute et entraîne la colère.

...

Mémo 13.2

...

5. **Comprendre les sentiments du client** implicitement, ou ouvertement. Par exemple : « Je comprends que vous soyez bouleversé… » Une telle attitude permet de créer du lien, première étape de la reconstruction d'une relation brisée.

6. **Accorder au client le bénéfice du doute.** Tous les clients ne sont pas dignes de confiance et toutes les plaintes ne sont pas justifiées. Mais les clients doivent être traités comme si leur plainte était fondée, jusqu'à ce que preuve soit faite du contraire. S'il y a beaucoup d'argent en jeu (comme lorsqu'interviennent les assurances ou qu'il y a des risques de poursuites judiciaires), on doit procéder à une enquête minutieuse. S'il y a peu d'argent en jeu, il n'est pas forcément nécessaire de s'opposer à tout prix à un remboursement ou à une autre forme de compensation. Cependant, il est toujours bon de s'assurer que ledit client n'a pas déjà émis plusieurs fois des plaintes douteuses.

7. **Préciser clairement les étapes de la résolution du problème.** Quand il n'est pas possible de résoudre le problème dans l'instant, le fait d'expliquer clairement au client comment l'entreprise va procéder signifie que l'entreprise est en train d'agir. Cela induit également une certaine idée du temps qui sera nécessaire (les entreprises doivent donc veiller à ne pas surpromettre à ce niveau !).

8. **Informer en permanence les clients de l'avancée du processus.** Personne n'aime être laissé dans l'incertitude. L'incertitude est mère d'anxiété et de stress. Les gens ont tendance à accepter les dysfonctionnements s'ils savent ce qui se passe et s'ils sont tenus informés régulièrement.

9. **Penser aux compensations.** Quand les clients ne reçoivent pas les services pour lesquels ils ont payé, lorsqu'ils ont subi des dommages et/ou perdu du temps et de l'argent, il est de circonstance d'offrir une compensation financière ou un service équivalent. Ce type de compensation peut aussi réduire le risque que le client mécontent n'entame des poursuites judiciaires. Les garanties mentionnent souvent quelles seront ces compensations et l'entreprise doit veiller à les respecter.

10. **Tenter de recréer de la valeur pour le client.** Lorsque des clients ont été déçus, un des plus grands défis est de rétablir la confiance et de préserver la relation à venir. Il faut de la persévérance pour apaiser la colère du client et le persuader que des actions sont mises en place pour éviter que l'erreur ne se reproduise. Il est important de faire de véritables efforts afin de s'assurer de sa fidélité et de faire en sorte qu'il recommande l'entreprise à d'autres.

4. Les garanties de services

Un nombre croissant d'entreprises proposent à leurs clients des garanties de satisfaction qui promettent que si le service n'est pas aussi bon que prévu, le client est en droit d'exiger une ou plusieurs sortes de compensation comme le remplacement du service, un crédit ou un remboursement. Dans certaines entreprises, ces garanties sont soumises à des conditions, dans d'autres, elles sont sans conditions. Il existe maintenant une littérature académique substantielle sur le rôle, le design, l'implantation et l'impact des garanties de services[26].

4.1. Le pouvoir des garanties de services

Christopher Hart (professeur à l'Université du Michigan), soutient que les garanties sont de puissants outils, qui permettent à la fois de promouvoir un service et d'en garantir la qualité, ceci pour les raisons suivantes[27] :

1. les garanties contraignent les entreprises à se concentrer sur ce que veulent les clients et sur ce qu'ils attendent à chaque étape du service ;

2. les garanties définissent des standards précis, en rappelant aux clients comme au personnel les engagements de l'entreprise. Étant donné le montant des dédommagements, les responsables prennent les garanties très au sérieux, car elles mettent en évidence le coût financier des erreurs de l'entreprise ;

3. les garanties nécessitent le développement de systèmes permettant de recueillir de façon significative les réclamations des clients, et d'y apporter une réponse ;

4. les garanties obligent les services à comprendre leurs erreurs, les poussent à identifier leurs faiblesses potentielles et à les surmonter ;

5. les garanties renforcent la stratégie marketing, elles réduisent le risque à l'achat et favorisent la fidélisation du client à long terme.

L'importance des garanties est mise en évidence dans l'exemple de l'hôtel Hampton Inn (une filiale des hôtels Hilton). La garantie de satisfaction à 100 % s'applique aujourd'hui aux suites (voir figure 13.4). Lors de l'élaboration de son offre, la stratégie du Hampton Inn fut de proposer le remboursement du prix de la chambre aux clients qui exprimeraient leur mécontentement ; cela a attiré de nouveaux clients et à également permis de conserver les anciens. Les gens choisissent le Hampton parce qu'ils savent qu'ils seront satisfaits. Ce qui est au moins aussi important, c'est que la garantie est devenue un outil indispensable aux responsables et leur permet d'identifier les points qu'il est possible d'améliorer pour parfaire leur offre.

Lors d'une conversation à propos de l'impact des garanties sur le personnel et la direction, le directeur marketing adjoint du Hampton a déclaré : « La mise en place de la garantie nous a permis de comprendre concrètement, et non de façon théorique, ce qui donnait satisfaction au client. » Il est devenu indispensable que l'ensemble du personnel de *back office*, de contact mais aussi les responsables, le personnel du siège écoutent les clients avec attention, anticipent leurs besoins autant que possible et règlent leurs problèmes rapidement, de sorte que les clients soient satisfaits du résultat. Penser le rôle du Hampton en fonction du client a eu un impact important sur le business de l'entreprise.

« La garantie a insufflé de la pression dans le système, dit un manager. Elle montre où se trouvent nos faiblesses et ses conséquences financières nous poussent à nous améliorer. »

En conséquence, la garantie a un impact important sur la composition de l'offre et la façon dont le service est assuré. Finalement, les études relatives à l'impact de la garantie de satisfaction 100 % ont montré que la garantie avait eu un effet incroyablement positif sur les performances de l'entreprise.

Figure 13.4 – La garantie 100 % satisfaction du Hampton Inn : « Nous vous garantissons la grande qualité des chambres, un personnel aimable et efficace, ainsi qu'un cadre propre et agréable. Si vous n'êtes pas entièrement satisfaits, nous ne vous demanderons pas de payer. »

Source : « Hampton Inn 100 percent Satisfaction Guarantee, Research justifying the Guarantee », Promus Companies.

4.2. Comment élaborer les garanties de services ?

Certaines garanties sont simples et sans condition. D'autres ont été écrites par des hommes de loi et contiennent de multiples restrictions. Comparez les exemples de l'encadré Questions de services 13.1, et demandez-vous quelles garanties vous inspirent de la confiance et ce qui vous inciterait à choisir tel ou tel fournisseur.

Questions de services 13.1

Exemples de garanties

La garantie Bugs Burger Bug Killer (désinsectisation industrielle)

- Vous ne nous devrez pas un centime tant qu'il restera le moindre problème chez vous ! Si vous êtes un jour insatisfait du service de BBBK, vous recevrez un remboursement équivalent à un an de nos services, en plus d'un dédommagement équivalent aux frais engendrés par les services du prestataire de votre choix, et ce pour un an.

- Si un client trouve un insecte chez vous, l'entreprise paiera son repas, lui enverra une lettre d'excuses et lui offrira le repas suivant ou la nuit suivante.

- Si vos locaux sont un jour fermés à cause de la présence de cafards, BBBK s'engage à payer toutes les charges ainsi que toutes les pertes liées au dommage, en plus de 5 000 $.

Source : Christopher W. Hart, « The Power of Unconditional Service Guarantees », *Harvard Business Review*, juillet-août 1990.

...

...

Questions de services 13.1

La garantie L.L. Bean (vêtements de pluie et d'extérieur)

* Nos produits vous garantissent 100 % de satisfaction dans tous les cas. Vous pouvez nous retourner nos produits, chaque fois que la preuve du contraire pourra être faite. Nous les remplacerons, nous vous rembourserons ou créditerons votre compte (pour tout achat fait par carte bancaire). Nous ne pourrions pas envisager que vous possédiez un produit L.L. Bean qui ne donnerait pas une entière satisfaction.

1. **Sur Fnac.com, vous avez 15 jours pour changer d'avis !** Quelles que soient vos raisons, sur Fnac.com vous avez 15 jours pour changer d'avis, nous vous remboursons intégralement le prix des articles retournés en bon état.

   Le produit doit être retourné dans son emballage d'origine complet (accessoires, notice...), avec la facture, dans les 15 jours à compter de la réception de votre colis.

   Le droit de retour ne peut être exercé pour les enregistrements audio, vidéo ou les logiciels informatiques descellés.

   Les frais d'envoi et de retour restent à votre charge.

2. **En cas de commande non conforme, vous êtes intégralement remboursé.**

   Nous nous engageons à vous rembourser *sous forme d'avoirs* ou à vous échanger les produits défectueux ou ne correspondant pas à votre commande. La demande doit être effectuée dans les 15 jours ouvrés suivant la livraison.

   Les frais d'envoi vous seront remboursés sur la base du tarif facturé et les frais de retour vous seront remboursés.

3. **Le cas des spectacles.** Un billet de spectacle ne peut être ni repris, ni échangé, ni revendu sauf en cas d'annulation d'un spectacle et de décision par l'organisateur du remboursement des billets.

   Pour les adhérents Fnac. Votre billet de spectacle est intégralement remboursé en cas d'imprévu. Gratuite et réservée aux adhérents, cette assurance vous permet ainsi de réserver votre place en gardant l'esprit libre.

4. **Pour plus de tranquillité : les garanties gratuites pour les produits techniques.** Sur Fnac.com, vous bénéficiez gratuitement, pour les produits techniques, de la garantie d'un an ou deux ans selon les produits (ensemble des produits techniques figurant dans les onglets « Image & Son », « Micro & Télécom », « Logiciels & Jeux »).

* Vous pouvez également choisir pour plus de tranquillité l'extension de garantie ainsi que les assurances.

Source : catalogue L.L. Bean et site Web de l'entreprise, *www.llbean.com/customerService/aboutLLBean/guarantee.html*, avril 2003 ; *www.Fnac.com*, « Satisfait ou remboursé ».

...

...

La garantie satisfaction totale GrandOptical

1. **Vos lunettes en 1 heure ou la livraison gratuite.** Si ce délai pour fabriquer vos lunettes est dépassé, nous vous les livrons où vous voulez.

2. **Une esthétique parfaite ou le remboursement sous 30 jours.** Si vos lunettes ne vous plaisent plus, nous vous les échangeons ou nous vous remboursons. À votre guise.

3. **Le confort maximum ou le remboursement sous 30 jours.** Si vous ne vous habituez pas à vos lunettes, nous vous les échangeons ou nous vous remboursons. À votre guise.

4. **Le modèle vu au bout du monde.** Si vous avez vu une monture que par hasard nous n'aurions pas en magasin, nous vous la trouverons. En 48 heures.

5. **En cas de casse, des solutions de rechange pendant 1 an ou 3 ans avec la carte Grand Avantage.** Un échange gratuit, des petites réparations à volonté et un équipement de secours en attendant.

6. **Vos lunettes sur mesure.** Si vous ne trouvez pas le modèle qui vous va, nous vous le fabriquons sur mesure.

7. **Un prix compétitif ou le remboursement de la différence.** Si, dans le mois suivant l'achat, vous trouvez vos lunettes affichées moins chères ailleurs, nous vous remboursons la différence.

Source : Le Carnet de Vue Grand Avantage GrandOptical et http://www.grandoptical.fr.

Les garanties de L.L.Bean, de BBBK et de GrandOptical sont très puissantes, sans conditions et inspirent confiance. L'effet produit par les autres est limité par de nombreuses conditions. La Fnac exclut spécifiquement certaines catégories de produits comme les enregistrements audio, vidéo ou les logiciels informatiques descellés ainsi que les billets de spectacle. Une garantie partielle continue cependant à offrir aux clients un certain niveau de tranquillité.

Hart affirme que les garanties des services doivent être établies de sorte qu'elles remplissent les conditions suivantes :

1. **Sans condition.** Quel que soit ce qui est promis, la garantie est sans condition et il ne doit y avoir aucun élément qui puisse surprendre le client par la suite[28].

2. **Facile à comprendre et à communiquer** au client, de sorte qu'il soit parfaitement au courant des avantages qu'il peut obtenir de la garantie.

3. **Significatives pour le client** par rapport à ce qu'il considère comme important pour une garantie. La garantie doit apporter une compensation parfaitement adaptée au préjudice.

4. **Facile à demander.** Les garanties doivent être orientées le plus possible vers le client et le moins possible vers le fournisseur.

5. Faciles à obtenir. Si un problème survient, le client doit pouvoir obtenir ce que promettent les garanties sans difficulté.

6. Crédibles. La garantie doit être crédible.

Tout le monde n'est pas d'accord avec les affirmations de Hart stipulant que toutes les garanties doivent être inconditionnelles. Certains chercheurs affirment que les garanties inconditionnelles sont irréalistes, en particulier lorsque le fournisseur ne contrôle pas tous les éléments contribuant au service (par exemple le temps ou les infrastructures). Cependant, même lorsque les garanties comportent certaines restrictions, les cinq autres conditions restent extrêmement importantes pour une garantie efficace.

4.3. Est-ce que la satisfaction totale est ce que l'on peut garantir de mieux ?

Les garanties de satisfaction totale sont souvent considérées comme ce que l'on peut offrir de mieux. Cependant, on considère depuis peu que ces garanties sont ambiguës et risquent de dévaloriser l'offre. Les clients peuvent en effet demander : « Qu'est ce qu'une satisfaction totale ? » ou encore : « Est-ce que je peux me référer à la garantie si je ne suis pas satisfait, même si ce n'est pas le fait de l'entreprise[29] ? »

Le tableau 13.2 montre quelques exemples des différents types de garanties.

Tableau 13.2	Différents types de garanties	
Nom	**Couverture de la garantie**	**Exemples**
Garantie spécifique sur un attribut précis.	Un seul élément du service est couvert par la garantie.	« Entre 12 h et 14 h, si vous choisissez une des trois pizzas « stars », nous nous engageons à la servir dans les 10 min qui suivent la commande. Si nous avons du retard, votre prochaine commande sera gratuite.
Garantie spécifique, relative à plusieurs points attributs.	Quelques éléments importants du service sont couverts par la garantie.	La garantie de l'hôtel Marriott de Minneapolis : « Notre engagement qualité est de vous offrir un accueil chaleureux et un service efficace, des chambres propres, agréables où tout fonctionne, un départ sans problème. Si, selon vous, nous ne respectons pas notre engagement, nous vous donnerons 20 \$ en liquide et nous ne vous poserons pas de question. Ce sera votre appréciation. »
La garantie satisfaction à 100 %.	Tous les aspects du service sont couverts par la garantie. Il n'y a aucune exception.	La garantie Lands' End : « Si vous n'êtes pas entièrement satisfaits par l'un de nos produits, quelle qu'en soit sa durée d'utilisation, retournez-le nous et nous en rembourserons le prix. Nous pesons chacun de nos mots. N'importe quel produit. N'importe quand. Et pour être parfaitement clair, nous allons plus loin : nous faisons de ce principe une garantie. »

Nom	Couverture de la garantie	Exemples
La garantie composée.	Tous les aspects du service sont couverts par la promesse de satisfaction à 100 %. Mais les garanties standard sont explicitement précisées dans la garantie pour réduire l'incertitude des clients.	La garantie de services Information Datapro : « Rendre un rapport de grande qualité et qui répond aux exigences de départ, dans les délais impartis. Si nous ne réussissons pas à respecter cet engagement ou si vous êtes insatisfait d'un des éléments de notre travail, vous pouvez réduire de la facture totale le montant que vous jugerez nécessaire. »

Adapté de Jochen Wirtz et Doreen Kum, « Designing Service Guarantees – Is Full Satisfaction the Best You can Guarantee? », *Journal of Services Marketing*, 15, n° 4, 2001, p. 282-299.

4.4. Est-il toujours pertinent d'introduire des garanties ?

Les responsables doivent sérieusement réfléchir aux forces et aux faiblesses de leur entreprise avant de choisir d'introduire des garanties. Hart et Ostrom affirment que, dans beaucoup de cas, ce n'est pas souhaitable[30].

Les entreprises qui sont réputées pour la grande qualité de leur service n'ont pas nécessairement besoin de proposer une garantie. En fait, cela pourrait même sembler paradoxal pour leur image d'en offrir une. Une garantie n'apporte pas toujours une valeur supplémentaire à une entreprise dont le nom à lui seul est déjà un gage de grande qualité[31]. Cela peut même gêner le client. À l'inverse, les entreprises dont le service est de mauvaise qualité doivent d'abord s'efforcer d'atteindre un niveau suffisant avant de proposer à leurs clients une garantie de façon régulière. Amtrak a été contraint d'abandonner une de ses garanties, qui prévoyait de rembourser les billets des clients lorsqu'un train avait du retard, quand l'entreprise a réalisé qu'elle payait des remboursements parce que son infrastructure était défectueuse.

Sur un marché où les clients prennent peu de risques financiers, personnels ou physiques, une garantie n'apporte pas beaucoup de valeur ajoutée, alors que sa création, sa mise en place et sa gestion sont coûteuses. Lorsqu'il y a peu de différences en termes de qualité entre des entreprises concurrentes, celle qui introduira une garantie la première s'octroiera l'avantage de créer de la valeur ajoutée pour ses services. Si plusieurs concurrents ont déjà mis en place des systèmes de garanties, la garantie peut devenir une des caractéristiques du secteur. Le seul moyen d'avoir un impact réel sur le marché est alors de lancer une garantie nettement supérieure à celle des concurrents.

5. Décourager les abus et les comportements opportunistes

Tout au long de ce chapitre, nous avons conseillé aux entreprises de bien accueillir les réclamations des clients et les demandes relatives aux garanties, et même d'encourager de tels comportements. Comment le faire cependant sans inciter les clients à être abusifs ?

Gérer les fraudes des clients

Des clients malhonnêtes peuvent profiter des systèmes de dédommagement et de garantie, où tout simplement d'un service très orienté vers le client de multiples façons. Ils peuvent par exemple voler l'entreprise, refuser de payer, feindre d'être mécontent, faire en sorte que l'entreprise commette des erreurs ou exagérer les dommages causés par l'entreprise. Que faire pour se prémunir des attitudes opportunistes des clients ?

Suspecter les clients peut les rendre mécontents et agressifs, surtout si un problème survient. Le président du Tarp, l'entreprise qui a mené une étude sur les comportements liés aux plaintes, note :

> *« Notre recherche a montré que les actions de fraudes préméditées ne touchent que 1 à 2 % de la totalité de la clientèle de la plupart des entreprises. Cependant, la plupart des entreprises se protègent de ces clients peu scrupuleux en considérant les autres 98 % comme des voleurs[32]. »*

Sachant cela, le présupposé sur le lieu de travail devrait être : « En cas de doute, faites confiance au client. » Cependant, comme le montre l'encadré Questions de services 13.2, il est vital de surveiller ceux qui se réfèrent aux garanties, qui réclament le paiement de compensations. Il est également vital de tenir à jour des bases de données et de surveiller les clients qui demandent régulièrement à être remboursés. Ainsi, une compagnie aérienne a découvert que le même client avait perdu sa valise sur trois vols consécutifs. Les chances pour que cela se produise sont inférieures à celles de gagner au Loto. Le personnel de service en a donc été averti.

À la chasse aux abus

En lien avec son système de surveillance, le Hampton Inn a mis au point des moyens d'identification des clients qui abusent du système et utilisent de fausses raisons pour se référer aux garanties de façon répétitive et être remboursé du prix de leur chambre. Les clients qui ont souvent tendance à adopter cette attitude font l'objet d'une attention particulière et d'un véritable suivi. Où que ce soit, les responsables téléphonent aux clients et les interrogent sur leurs récents séjours. La conversation pourrait être la suivante : « Bonjour Monsieur Jones. Je suis le directeur de l'équipe d'assistance du Hampton Inn et je vois que vous avez eu des problèmes lors de vos quatre derniers séjours chez nous. Étant donné que nous prenons les plaintes très au sérieux, j'ai pensé vous appeler pour comprendre où se trouvait le problème. »

La réponse classique est alors un silence de mort, quelquefois rompu par des questions sur la façon dont le siège peut être au courant de ces problèmes. Ces appels ont aussi leurs moments d'anthologie. On a demandé innocemment à un client qui avait utilisé les garanties dix-sept fois au cours d'un voyage aller-retour à travers les États-Unis : « Où aimez-vous passer la nuit quand vous voyagez ? » « Hampton Inn », fut immédiatement la réponse. « Cependant, nos chiffres montrent que les dix-sept fois où vous avez passé la nuit dans l'un de nos hôtels, vous avez utilisé la garantie de satisfaction 100 %. « C'est pour cela que je les aime ! », s'est exclamé le client.

Source : Christopher W. Hart et Elizabeth Long, *Extraordinary Guarantees*, New York, Amacom, 1997.

Questions de services 13.2

La fois suivante, lorsque ce passager s'est présenté à l'enregistrement, le personnel de service a filmé ses bagages presque en continu depuis l'enregistrement au lieu de destination. Il s'est avéré qu'un complice du voyageur s'emparait de la valise à son arrivée, tandis que celui-ci se dirigeait vers le bureau des objets perdus pour signaler que sa valise avait disparu. Cette fois, la police les attendait, lui et son ami.

6. Tirer les leçons des réclamations *feed-back* des clients

Il y a deux attitudes possibles par rapport à une plainte. La première, c'est de l'appréhender, ainsi qu'on vient de le voir, comme le problème particulier d'un client auquel on doit apporter une solution. La seconde, que nous abordons maintenant, c'est de la considérer comme une partie d'un flux d'informations qui peuvent être collectées de façon systématique, transmises *via* un système de traitement, analysées, et permettre ainsi une amélioration du service[33].

6.1. Les principaux objectifs d'un système de remontées d'informations (CFS, Customer Feed-back System)

« Ce ne sont pas les espèces les plus fortes qui survivent, ni les plus intelligentes, ce sont celles qui s'adaptent le mieux », écrivait Charles Darwin. De la même manière, les stratèges ont remarqué que, sur des marchés de plus en plus compétitifs, l'avantage concurrentiel d'une entreprise réside *in fine* dans sa capacité à apprendre et à évoluer plus vite que ses concurrents[34].

Les objectifs d'un « CFS » peuvent être regroupés en trois catégories :

Évaluation et comparaison (*benchmark*) de la qualité et de la performance[35]

L'objectif est de répondre à la question « Les clients sont-ils satisfaits ? ». Il s'agit de savoir en quoi l'entreprise a été performante par rapport à ses concurrentes et par rapport à l'année précédente. Il s'agit également de déterminer s'il y a eu des retours sur investissement en termes de satisfaction et quels sont les objectifs de l'entreprise pour l'année suivante.

Très souvent, la comparaison (entre les différentes agences, entre les équipes ou par rapport aux résultats de la concurrence) est utilisée comme le principal moyen de motivation des managers et du personnel afin de les inciter à améliorer la performance. Ceci est tout particulièrement vrai si les résultats sont liés aux montants des compensations.

Tirer les enseignements des réclamations des clients et s'améliorer

Dans ce cas, l'objectif est de répondre aux questions « Pourquoi nos clients ne sont-ils pas satisfaits ? » et « Où et comment pouvons-nous nous améliorer ? ». Pour ce faire, il est nécessaire d'obtenir des informations plus précises sur les processus et les produits afin d'orienter les efforts de l'entreprise et de mettre en avant les points sur lesquels les retours sur investissement seront potentiellement les plus élevés. Il s'agit également de comprendre et d'acquérir les éléments que possèdent déjà les concurrents et qui donnent satisfaction aux clients.

Mettre en place une culture d'entreprise orientée client

Il s'agit ici de faire en sorte que toute l'organisation soit tournée vers les besoins et la satisfaction du client. Il s'agit également de rallier toute la structure autour d'une culture de la qualité de service.

6.2. Utiliser un ensemble d'outils de collecte de données

Le tableau 13.3 présente un ensemble d'outils utilisés pour traiter les réclamations des clients selon les besoins de l'entreprise. Sachant que ces outils ont leurs qualités et leurs défauts, les responsables marketing doivent les utiliser en fonction de l'information qu'ils recherchent. Ainsi que le soulignent L. Berry et A. Parasuraman, « la combinaison de différents types d'approches permet à une entreprise d'en conjuguer les points forts et d'en compenser les points faibles. »[36]

Tableau 13.3	Forces et faiblesses des outils de traitement des réactions des clients

Outils	Entreprise	Processus	Transaction spécifique	Actionnable	Représentatif, fiable	Potentiel pour réparation de service	Premiers constats	Coût
Études de marché (dont étude de la concurrence)	●	○	○	○	●	○	○	○
Enquête annuelle de la satisfaction globale	●	◑	○	○	●	○	○	○
Enquêtes sur les transactions	●	●	◑	◑	●	○	○	○
Documents de *feed-back*	◑	●	●	◑	◑	●	◑	●
Clients mystères	○	◑	●	●	○	○	◑	○
Feed-back non sollicité	○	◑	●	●	○	●	◑	●
Groupes de discussion thématique	○	◑	●	●	○	●	●	◑
Revues de service	○	◑	●	●	○	●	●	◑

Légende : Répond à la demande ● complètement ; ◑ modérément ; ○ difficilement/pas du tout.

Source : adapté de Jochen Wirtz et Monica Tomlin, « Institutionalizing Customer-driven Learning Through Fully Integrated Customer Feed-back Systems », *Managing Service Quality*, 10, n° 4, 2000, p. 210.

Études globales, études annuelles et études opérationnelles[37]

Les études globales et les études annuelles sont des outils classiques d'évaluation de la plupart des services et des produits. Ce sont des outils de mesure d'une très grande qualité dont l'objectif est d'obtenir un indice ou un indicateur général de la satisfaction des clients au niveau de toute l'entreprise. Cela peut être basé sur un indice (en utilisant différents attributs de service) et/ou pondéré (en évaluant le poids des segments ou des produits les plus importants).

Des indicateurs généraux comme ceux-ci permettent d'évaluer la satisfaction des clients, mais non pas de savoir pourquoi ils sont contents ou mécontents. Le nombre de questions que l'on peut poser au sujet d'un processus ou d'un produit reste limité. Ainsi, une banque classique regroupe de 30 à 50 procédures différentes ; du formulaire de prêt pour l'achat d'une voiture au dépôt d'espèces au guichet. Étant donné le nombre important de ces processus, la plupart des questionnaires ne peuvent comporter qu'une ou deux questions par processus (exemple : « Êtes-vous satisfait de nos distributeurs de billets ? ») et ne peuvent étudier ces questions en profondeur.

Au contraire, les questionnaires opérationnels sont généralement soumis aux clients après qu'ils ont opéré une transaction particulière et les interrogent plus en détail sur le processus. À ce niveau, on peut intégrer tous les aspects et les éléments clés du service fourni par les distributeurs automatiques au questionnaire, y compris quelques questions ouvertes telles que : « Ce que j'ai préféré », « Ce que j'ai le moins aimé », ou « Suggestions d'amélioration ». Une telle méthode a plus de valeur pour l'entreprise car elle lui permet de savoir pourquoi le client est content ou mécontent du processus et de mieux comprendre comment améliorer la satisfaction de ses clients.

Ces trois différents types de questionnaires sont représentatifs et fiables lorsqu'ils sont correctement élaborés. La représentativité et la fiabilité sont nécessaires à :

- l'évaluation correcte de la position de l'entreprise, d'un processus, d'une agence ou d'un individu par rapport à des objectifs de qualité (les variations de la qualité ne sont alors pas dues à des biais d'échantillonnage, ni au hasard) ;
- l'évaluation des individus, du personnel, des équipes, des agences et/ou des processus, tout particulièrement si des primes sont en jeu.

La méthodologie de l'étude doit être indiscutable si l'on veut que le personnel en accepte les résultats, tout particulièrement si ces résultats sont mauvais.

Le potentiel d'une bonne réparation est important et doit, si possible, être élaboré à partir des outils de traitements des réclamations des clients. Cependant, la plupart des études assurent la confidentialité des réponses, rendant impossible d'identifier les interviewés mécontents et de leur répondre. Lors d'entretiens en face-à-face ou lors d'enquêtes téléphoniques, on peut toutefois demander aux interviewers d'interroger les clients afin de savoir si ceux-ci souhaitent que l'entreprise revienne vers eux sur les points qui posent problème.

Le questionnaire de satisfaction

Cet outil puissant et cher consiste à donner un formulaire à remplir au client après chaque étape importante du processus et à l'inviter à le retourner complété, par courrier ou autre moyen au département de traitement des réclamations clients. Par exemple, un tel formulaire peut être joint à chaque lettre d'acceptation d'un prêt immobilier ou à toute facture. Bien que ces formulaires soient de bons indicateurs de la qualité du processus et apportent des éléments particuliers sur ce qui fonctionne ou non, ils présentent un biais, car les clients qui répondent ne sont généralement pas représentatifs, étant souvent ceux qui sont très satisfaits ou très mécontents.

Les clients mystères

Les services utilisent souvent la méthode des « clients mystères » pour surveiller le comportement du personnel en contact avec le client. Les banques, les distributeurs, les entreprises de locations de véhicules et les hôtels font partie des entreprises qui ont recours à ces clients mystères le plus souvent. Ainsi, le bureau central des réservations d'un grand hôtel engage tous les mois de nombreux clients mystères pour « évaluer les compétences » en matière de vente par téléphone de ses employés (actions de proposition, de vente et de réservation – celle-ci mettant fin à la négociation). L'étude évalue également la qualité de la conversation téléphonique à partir de critères comme celui d'« accueil chaleureux et agréable » ou de « capacité à établir un contact avec le client ». Les clients mystères apportent des informations tout à fait légitimes et très détaillées pour le coaching, la formation et l'évaluation de la performance.

Étant donné que le nombre d'appels ou de visites mystères reste peu élevé, les évaluations des personnes ne sont souvent ni fiables, ni représentatives. Cependant, si un même membre du personnel obtient de bons (ou de mauvais) résultats de façon régulière, un manager peut raisonnablement penser que la performance de cette personne est bonne (ou mauvaise).

Il faut cependant faire attention, car les clients mystères font souvent un excès de zèle et sont particulièrement sévères.

Les réactions non sollicitées

Nous avons vu que l'on peut transformer les plaintes, les compliments ou les suggestions des clients en flux d'information qui peuvent être utilisés pour mieux contrôler la qualité et mettre en avant les améliorations[38] à faire dans l'élaboration et la livraison du service. Les plaintes et les compliments sont de grandes sources d'information précises sur ce qui fâche les clients et ce qui les réjouit.

Tout comme le questionnaire de satisfaction, les réactions non sollicitées ne sont pas une mesure fiable de la satisfaction générale des clients, mais elles sont une source d'inspiration pour les points à améliorer. Si l'objectif de la collecte des réactions est d'obtenir des informations sur les points à améliorer (plus que de se comparer à la concurrence ou d'évaluer le personnel), alors la fiabilité et la représentativité ne sont plus nécessaires et des outils plus qualitatifs comme les plaintes, les compliments ou les entretiens de groupe sont généralement suffisants.

Des lettres de plaintes et des compliments détaillés, des conversations téléphoniques enregistrées ou les réactions des employés, peuvent être d'excellents outils de communication interne pour informer sur les attentes des clients. Cet apprentissage crée une philosophie de l'orientation client de façon beaucoup plus efficace que l'utilisation de statistiques « cliniques » et de rapports.

Ainsi, Singapore Airlines imprime ses lettres de plaintes et de compliments dans le magazine mensuel destiné à son personnel, *Outlook,* et diffuse à ce même personnel des vidéos de clients qui donnent leur avis sur le service, ce qui laisse une impression durable aux employés et les pousse à s'améliorer.

Groupes de discussion thématiques et comptes rendus d'entretien

Ces outils donnent tous deux des idées et des éléments d'information précis sur les points à améliorer. Très souvent, les groupes de discussion rassemblent des clients d'un même segment ou d'un même groupe d'utilisateurs afin de mieux définir leurs besoins. Les comptes rendus retracent des entretiens individuels qui traitent des questions en profondeur et qui sont généralement menés une fois par an avec l'un des clients les plus importants. En général, un responsable senior de l'entreprise rend visite au client et discute avec lui de la performance de l'entreprise par rapport à l'année précédente, des éléments à conserver ou des points à modifier. Ce responsable senior, à son retour dans l'entreprise, discute des réclamations du client avec le responsable du compte. Il informe ensuite le client de la façon dont l'entreprise va répondre à ses besoins et la façon dont le compte sera géré au cours de l'année suivante. Mis à part le fait d'être une excellente occasion d'obtenir des informations, tout particulièrement quand les réclamations des clients sont centralisées et analysées, ces comptes rendus se focalisent sur les clients les plus rentables et sont sources d'idées quant aux réparations éventuelles à proposer au client.

L'encadré Meilleures pratiques 13.2 met en avant l'excellence du système de *feed-back* de FedEx, qui allie à une large palette d'outils de traitement des réclamations un système extrêmement rigoureux de mesure de la performance.

Meilleures pratiques 13.2

FedEx, à l'écoute du client

« Nous sommes convaincus que la qualité du service doit être mesurée de façon mathématique », déclare Frederick W. Smith, président du conseil d'administration et directeur général de FedEx.

L'entreprise a un engagement d'objectifs de qualité clairs et réaffirmés régulièrement, suivi par la mesure constante des progrès réalisés. Dès le début, FedEx s'est fixé deux objectifs de qualité ambitieux: une garantie de satisfaction à 100 % à chaque transaction et une garantie de performance à 100 % pour chaque colis pris en charge, la satisfaction du client étant mesurée à partir du pourcentage de colis livrés dans les délais par rapport au nombre total de colis traités. Cependant, comme l'a montré l'expérience, le pourcentage de paquets livrés dans les délais était un critère d'évaluation interne, qui n'était pas synonyme de satisfaction des clients.

- **Index de qualité de service.** Puisque Fedex avait systématiquement classé les plaintes de ses clients, elle fut capable d'établir ce que le directeur général a appelé la « hiérarchie des horreurs », une liste qui correspondait aux huit plaintes les plus fréquemment déposées par les clients. Cette liste devint la base de ce qui constitue aujourd'hui le système de *feed-back* de FedEx. L'entreprise a amélioré cette liste et mis au point l'index Qualité (*Service Quality Index*, prononcez « Sky »), un outil de mesure de la satisfaction selon douze critères et du point de vue des clients. Chaque critère a été pondéré en fonction de son importance relative pour la satisfaction globale du client. Tous les critères sont réévalués de façon quotidienne, de sorte que l'index puisse être modifié en permanence.

  Parallèlement au SQI, qui a évolué pour mieux refléter l'évolution des procédures de service et des priorités des clients, Fedex utilise de multiples autres outils pour collecter les informations.

- **L'enquête de satisfaction.** Il s'agit d'une enquête téléphonique trimestrielle, menée auprès de plusieurs milliers de clients sélectionnés au hasard et classés par segments. Les résultats sont présentés aux directeurs lors d'une réunion trimestrielle.

...

...

- **Enquête de satisfaction, auprès de clients cibles.** Cette étude se concentre sur des processus particuliers et est menée deux fois par an auprès des clients qui ont expérimenté l'un de ces processus au cours des trois derniers mois.

- **Centre d'expertise FedEx des formulaires de commentaires**. Les formulaires de commentaires sont collectés dans toutes les localisations FedEx. Les résultats sont analysés deux fois par an et transmis aux responsables des agences.

- **Enquêtes sur les services en ligne.** FedEx réalise régulièrement des enquêtes pour obtenir des informations sur ses services en lignes (comme le suivi de colis) ainsi que des études *ad hoc* sur ses nouveaux produits.

Les informations obtenues au moyen de ces différents outils de mesure de la satisfaction du client ont permis à FedEx de conserver un rôle de leader au sein de son secteur et lui ont, entre autre, permis d'obtenir le prestigieux prix « Malcom Baldridge » de la qualité.

Source : « Blueprints for Service Quality : The Federal Express Approach », *AMA Management Briefing*, New York, American Management Association, 1991, p. 51-64 ; Linda Rosencrance, « BetaSphere Delivers FedEx Some Customer Feed-back », *Computerworld*, 14, n° 14, 2000, p. 36.

Meilleures pratiques 13.2

6.3. Favoriser les *feed-back* non sollicités

Pour que les plaintes et les suggestions soient utiles à la recherche, elles doivent être transmises, centralisées, triées, enregistrées et analysées. Cela nécessite d'avoir un système de saisie de ces informations, là où elles émergent, puis de les transférer vers une unité centrale. Certaines entreprises utilisent simplement un intranet pour enregistrer les réclamations reçues par le personnel. Coordonner de telles activités n'est pas simple, car il existe différents types de sources :

- personnel de l'entreprise en contact avec le client, directement, par téléphone ou par e-mail ;

- entreprises qui agissent au nom du fournisseur initial ;

- responsables qui travaillent en *back office* mais qui ont été contactés par des clients qui souhaitaient s'adresser à la hiérarchie ;

- suggestions ou plaintes adressées par lettre, e-mail, déposées sur le site de l'entreprise ou dans une boîte particulière ;

- plaintes provenant de groupes tiers, associations de défense des consommateurs, cabinets juridiques.

6.4. Analyse, reporting et communication des *feed-back* clients

Choisir l'outil le plus adapté et enregistrer les appréciations des clients n'a de sens que si l'entreprise est capable de diffuser l'information aux personnes des départements concernés, afin qu'une action corrective soit mise en place. Ainsi, pour favoriser un apprentissage et un perfectionnement continus, il est nécessaire de mettre en place un système de *reporting* qui vérifie et transmette les progrès au personnel en contact avec le client, aux responsables des agences, aux départements et à la direction.

La transmission des informations au personnel en contact avec le client doit être immédiate, de sorte que les plaintes et les suggestions, comme c'est le cas dans de nombreuses entreprises, puissent être discutées en équipe lors de la réunion du matin. Par ailleurs, nous recommandons que trois types de rapports différents transmettent l'information nécessaire au management et aux services de formation :

- une mise à jour de la performance, mensuelle, fournit aux responsables des informations actualisées sur les commentaires des clients et la performance opérationnelle du processus. Dans ce cas, le rapport est envoyé au responsable du processus, qui peut en discuter avec son équipe ;

- un rapport trimestriel sur la performance, destiné aux responsables des agences et des départements, fournit des informations sur les tendances de la performance et de la qualité ;

- enfin, un rapport annuel sur la performance de l'entreprise fournit à la direction des données représentatives sur l'état et les tendances à long terme de la satisfaction du client.

Ces rapports doivent être courts, agréables à lire et doivent se concentrer sur les indicateurs clés, à travers un commentaire clair.

Conclusion

Collecter les réactions des clients *via* les plaintes, suggestions et compliments est un moyen d'augmenter la satisfaction du client, en permettant une meilleure compréhension de ses attentes. La plainte est évidemment la manifestation la moins souhaitable.

Les entreprises de services mettent en place différentes stratégies pour réparer leurs erreurs et assurer les clients de leur bonne volonté. C'est indispensable à la réussite à long terme de l'entreprise. Même la meilleure des réparations n'est pas aussi efficace que le fait d'être bien traité la première fois. Il a été montré que des garanties sans condition correctement élaborées étaient de puissants vecteurs d'identification des problèmes et de légitimation des améliorations nécessaires ; elles permettent également de créer une culture d'entreprise au sein de laquelle le personnel prend des initiatives pour s'assurer de la satisfaction des clients.

Une entreprise de services et son personnel doivent tirer des enseignements de leurs erreurs et s'assurer que les problèmes sont résolus. Il faut s'assurer que des systèmes de traitements de données collectent les informations provenant des plaintes et compliments de façon systématique, les analysent, et les transmettent afin de susciter des améliorations. L'objectif principal d'un système efficace de traitement des réclamations du client est d'institutionnaliser un système d'apprentissage en continu.

Questions de révision

1. Pourquoi les clients mécontents se plaignent-ils ? Qu'attendent-ils de l'entreprise une fois qu'ils ont formulé leur plainte ?

2. Pourquoi une entreprise doit-elle préférer que ses clients se manifestent et se plaignent ?

3. Quel est le paradoxe de la réparation ? Dans quelles conditions ce paradoxe apparaît-il le plus fréquemment ? Pourquoi est-il mieux de fournir le service comme prévu, même lorsque le paradoxe apparaît dans un contexte particulier ?

4. Que peut faire une entreprise pour faciliter le processus de plainte à ses clients ?

5. Pourquoi une stratégie de réparation doit-elle être proactive, organisée et autoriser à prendre des initiatives ?

6. Quel doit être le degré de générosité des compensations pour un service ? Quel est le coût économique des compensations classiques que proposent les entreprises ?

7. Comment doivent être élaborées les garanties ? Quels doivent être les avantages des garanties, en plus de la réparation ?

8. Quels sont les différents types de clients « douteux » et comment peuvent-ils être « gérés » sans que l'on importune les autres clients ?

9. Quels sont les principaux objectifs d'un système de traitement des réclamations des clients ?

10. Quels outils permettant d'obtenir les réclamations des clients connaissez-vous ? Quels sont les qualités et les défauts de chacun de ces outils ?

Exercices d'application

1. Songez à la dernière fois où vous n'avez pas été satisfait d'un service. Vous êtes-vous plaint ? Expliquez votre réponse.

2. Quand avez-vous été pour la dernière fois entièrement satisfait par la réponse d'une entreprise à votre plainte ? Décrivez en détail ce qui s'est passé et ce qui vous a satisfait.

3. Quelle serait la politique de réparation adéquate à une erreur :

   – de votre banque ;

   – d'une grande banque privée pour la gestion des grandes fortunes ?

4. Élaborez une proposition de garantie performante pour un service où le risque perçu est élevé. Expliquez pourquoi et comment votre garantie va réduire le risque perçu par le client et pourquoi les clients actuels seront heureux de se voir

offrir une pareille garantie, bien qu'ils soient déjà clients et que le risque soit moins élevé pour eux.

5. Rassemblez les outils qui permettent de collecter les réclamations des clients (formulaire de réclamation, questionnaires et accès en ligne) et expliquez comment l'information peut être utilisée pour atteindre les trois principaux objectifs d'un système de traitement de ces réclamations.

Notes

1. Voir aussi Hélène Zeitoun et Emmanuel Chéron, « Mesure et effets de l'insatisfaction : application au marché des services aériens », *Recherche et applications en marketing*, vol. 5, n° 4, p. 71-86.

2. Stephen S. Tax et Stephen W. Brown, « Recovering and Learning from Service Failure », *Sloan Management Review*, 49, n° 1, automne 1998, p. 75-88.

3. Technical Assistance Research Programs Institute (Tarp), *Consumer Complaint Handling in America; An Update Study, Part II*, Washington DC, Tarp and US Office of Consumer Affairs, avril 1986 ; Nancy Stephens et Kevin P. Gwinner, « Why Don't Some People Complain ? A Cognitive-Emotive Process Model of Consumer Complaining Behavior », *Journal of the Academy of Marketing Science*, 26, n° 3, 1998, p. 172-189.

4. Cathy Goodwin et B.J. Verhage, « Role Perceptions of Services : A Cross-Cultural Comparison with Behavioral Implications », *Journal of Economic Psychology*, 10, 1990, p. 543-558.

5. Kaisa Snellman et Tina Vihtkari, « Customer Complaining Behavior in Technology Based Service Encounters », *International Journal of Service Industry Management*, 14, n° 2, 2003, p. 217-231. Paul-Valentin Ngobo, « Les relations non linéaires entre la satisfaction, la fidélité et les réclamations », *Actes du congrès de l'AFM*, Bordeaux, vol. 14, 1998, p. 641-670.

6. Nancy Stephens, « Complaining », in *Handbook of Services Marketing and Management*, Teresa A. Swartz et Dawn Iacobucci Thousand Oaks, Californie, (éd.) Sage Publications, 2000, p. 291.

7. John Goodman, « Basic Facts on Customer Complaint Behavior and the Impact of Service on the Bottom Line », *Competitive Advantage,* juin 1999, p. 1-5, et Dominique Crié, « Un cadre conceptuel d'analyse du comportement de réclamation », *Recherche et applications en marketing*, vol. 16, n° 1, p. 45-63.

8. Tarp Consumer Complaint Handling in America.

9. Voir aussi Dominique Crié et Richard Ladwein, « La lettre de réclamation au regard de la théorie de l'engagement : une approche empirique dans la vente par correspondance », Actes du congrès de l'AFM, Bordeaux, vol. 14, 1998, p. 4-22.

10. Kathleen Seiders et Leonard L Berry, « Service Fairness : What it is and Why it Matters », *Academy of Management Executive*, 12, n° 2, 1990, p. 8-20.

11. Stephen S. Tax et Stephen W. Brown, « Recovering and Learning from Service Failure ».

12. Les textes suivants analysent le rôle de l'impartialité perçue dans les réponses des clients aux efforts de réparation : Stephen S. Tax et Stephen W. Brown, « Service Recovery: Research, Insight and Practice », in *Handbook of Services Marketing and Management*, p. 277 ; Tor Wallin Andreassen, « Antecedents of Service Recovery », *European Journal of Marketing*, 34, n° 1 et 2, 2000, p. 156-175 ; Ko de Ruyter et Martin Wetzel, « Customer Equity Considerations in Service Recovery », *International Journal of Service Industry Management*, 11, n° 1, 2002, p. 91-108 ; Janet R. McColl-Kennedy et Beverley A. Sparks, « Application of Fairness Theory to Service Failures and Service Recovery », *Journal of Service Research*, 5, n° 3, 2003, p. 251-266.

13. Oren Harari, « Thank Heavens for Complainers », *Management Review*, mars 1997, p. 25-29.

14. Leonard L. Berry, *On Great Service : A Framework for Action*, New York, The Free Press, 1995, p. 94.

15. Susan M. Keveaney, « Customer Switching Behavior in Service Industries : An Exploratory Study », *Journal of Marketing*, 59, avril 1995, p. 71-82.

16. Tarp, Consumer Complaint Handling in America.

17. Stefan Michel, « Analyzing Service Failures and Recoveries : A Process Approach », *International Journal of Service Industry Management*, 12, n° 1, 2001, p. 20-33.

18. James G. Maxham III et Richard G. Netemeyer, « A Longitudinal Study of Complaining Customers' Evaluations of Multiple Service Failures and Recovery Efforts », *Journal of Marketing*, 66, n° 4, 2002, p. 57-72.

19. Tor Wallin Andreassen, « From Disgust to Delight : Do Customers Hold a Grudge ? », *Journal of Service Research*, 4, n° 1, 2001, p. 39-49. D'autres études récentes ont aussi confirmé que le paradoxe du service après-vente n'est pas universel. Voir par exemple Michael A. McCollough, Leonard L. Berry et Manjit S. Yadav, « An Empirical Investigation of Customer Satisfaction after Service Failure and Recovery », *Journal of Service*

Research, 3, n° 2, 2000, p. 121-137 ; James G. Maxham III, « Service Recovery's Influence on Consumer Satisfaction, Positive Word-of-Mouth, and Purchase Intentions », *Journal of Business Research*, 54, 2001 p. 11-24.

20. Michael Hargrove, cité par Ron Kaufman, *Up your Service !* Singapour, Ron Kaufman, Plc Ltd, 2000, p. 225.

21. Stephen S. Tax et Stephen W. Brown, « Service Recovery : Research, Insight and Practice » ; Stephen S. Tax, Stephen W. Brown et Murali Chandrashekaran, « Customer Evaluation of Service Complaint Experiences : Implications for Relationship Marketing », *Journal of Marketing*, 62, n° 2, été 1998, p. 60-76.

22. Ron Zemke et Chip R. Bell, *Knock Your Socks Off Service Recovery*, New York, Amacom, 2000, p. 60.

23. Barbara R. Lewis, « Customer Care in Services », in *Understanding Services Management*, W.J. Glynn et J.G. Barnes, Grande-Bretagne, Wiley (éd.) Chichester, 1995, p. 57-89.

24. Hooman Estelami et Peter De Maeyer, « Customer Reactions to Service Provider Overgenerosity », *Journal of Service Research*, 4, n° 3, 2002, p. 205-217.

25. Rhonda Mack, Rene Mueller, John Crotts et Amanda Broderick, « Perceptions, Corrections and Defections : Implications for Service Recovery in the Restaurant Industry », *Managing Service Quality*, 10, n° 6, 2000, p. 339-346.

26. Sur les garanties de service, voir aussi Sara Björlin Lidén et Per Skålén, « The Effect of Service Guarantees on Service Recovery », *International Journal of Service Industry Management*, 14, n° 1, 2003, p. 36-58 ; Brigitte Auriacombe et Francois Mayaux, « Garanties de services : proposition d'une typologie et premières applications opérationnelles », *Cahiers de recherche de l'EM Lyon*, juillet 2003.

27. Christopher W. L Hart, « The Power of Unconditional Service Guarantees », *Harvard Business Review*, juillet-août 1990, p. 54-62.

28. *Ibid.*

29. Gordon H. Mc Dougall, Terence Levesque et Peter VanderPlaat, « Designing the Service Guarantee: Unconditional or Specific ? », *The Journal of Services Marketing*, 12, n° 4, 1998 p. 278-293 ; Jochen Wirtz, « Development of a Service Guarantee Model », *Asia Pacific Journal of Management*, 15, n° 1, 1998, p. 51-75.

30. Amy L. Ostrom et Christopher Hart, « Service Guarantee : Research and Practice », in *Handbook of Services Marketing and Management*, p. 299-316.

31. Jochen Wirtz, Doreen Kum et Khai Sheang Lee, « Should a Firm with a Reputation for Outstanding Service Quality Offer a Service Guarantee ? », *Journal of Services Marketing*, 14, n° 6, 2000, p. 502-512.

32. John Goodman, cité dans « Improving Service Doesn't Always Require Big Investment », *The Service Edge*, juillet-août 1990, p. 3.

33. Cette section est partiellement basée sur Jochen Wirtz et Monica Tomlin, « Institutionalizing Customer-driven Learning Through Fully Integrated Customer Feed-back Systems », *Managing Service Quality*, 10, n° 4, 2000, p. 205-215.

34. W. E. Baker et J. M. Sinkula, « The Synergistic Effect of Market Orientation and Learning Orientation on Organizational Performance », *Journal of the Academy of Marketing Science*, 27, n° 4, 1999, p. 411-427.

35. Voir aussi Olivier de La Villarmois, « Le benchmarking interne comme outil de contrôle du réseau commercial : le cas de la banque de détail », *Décisions Marketing*, n° 22, 2001, p. 53-63.

36. Sur les sujets abordés dans cette section, voir Leonard L. Berry et A. Parasuraman, « Listening to the Customer – The Concept of a Service Quality Information System », *Sloan Management Review*, printemps 1997, p. 65-76.

37. Voir aussi Richard Ladwein, *Les Études marketing*, Paris, Economica, 1996 ; Yves Evrard, Bernard Pras et Elyette Roux, *Market : études et recherches en marketing*, 3ᵉ édition, Paris, Dunod, 2003.

38. Robert Johnston et Sandy Mehra, « Best-Practice Complaint Management », *Academy of Management Executive*, 16, n° 4, 2002, p. 145-154.

Chapitre 14

Améliorer la qualité du service et la productivité

« Tout ce qui compte ne peut être comptabilisé
mais tout ce qui peut être compté ne compte pas forcément. »
– Albert Einstein

« Notre mission est inviolable : offrir au client le meilleur service
que nous puissions lui proposer ; réduire nos coûts au maximum ;
et générer des profits pour sans cesse nous renouveler. »
– Joseph Pillay, Former Chairman, Singapore Airlines

« Vous êtes en train de faire de la surqualité !
– Je fais trop bien mon travail, chef ?
– C'est pas la question ! On est en retard et on explose le budget. »

Objectifs de ce chapitre

- Que faut-il entendre par *qualité* et *productivité* dans un contexte de service et pourquoi devraient-elles être liées lors de l'élaboration de la stratégie marketing ?

- Comment pouvons-nous analyser les problèmes de qualité des services ?

- Quels sont les outils pour améliorer la productivité des services ?

- Comment des concepts tels qu'ISO 9000, TQM, l'approche de Malcom-Baldrige et Six Sigma sont-ils en relation avec le management et l'amélioration de la productivité et la qualité de service ?

L a productivité fut l'un des impératifs managériaux clés des années 1970 : travailler plus vite et plus efficacement afin de réduire les coûts. Durant les années 1980 et au début des années 1990, l'amélioration de la qualité est devenue une grande priorité. Dans un contexte de service, cette stratégie a impliqué la création de nouveaux processus de service et de nouveaux services produits pour améliorer la satisfaction du client. Au début du XXIe siècle, le lien entre ces deux stratégies commence à s'accentuer afin de créer plus de valeur pour les clients et l'entreprise.

La qualité tout comme la productivité ont été perçues jusqu'ici comme de véritables objectifs, relevant des dirigeants de l'entreprise. Les améliorations au sein de ces domaines de service requièrent une sélection plus sévère des employés, une formation et une supervision plus intense, ou bien la renégociation des accords collectifs relatifs aux missions professionnelles ou aux réglementations du travail. Les responsables des ressources humaines sont aussi concernés. Ce n'est que lorsque la qualité du service fut explicitement liée à la satisfaction du client que les marketeurs furent reconnus comme ayant un rôle important à jouer.

Défini de façon plus large, l'accroissement de la valeur requiert une amélioration de la qualité des programmes de service afin d'améliorer continuellement les bénéfices pour le client. En même temps, les efforts d'amélioration de productivité doivent associer une recherche de réduction des coûts. Le challenge vise à garantir que les deux programmes concourent mutuellement à l'aboutissement d'objectifs communs, plutôt que de mener chacun à une poursuite d'objectifs conflictuels.

Dans ce chapitre, nous passerons en revue les défis qu'implique l'amélioration de la productivité et de la qualité dans les entreprises de service.

1. Intégrer les stratégies de productivité et de qualité de service

Un thème clé qui revient régulièrement dans ce livre est que, en matière de service, le marketing ne peut pas fonctionner isolément des autres domaines fonctionnels. Les tâches qui sont considérées comme de la seule responsabilité des opérations dans un environnement industriel doivent, dans un contexte de service, impliquer le marketing parce que les clients sont souvent concernés et même activement impliqués dans les processus de service. Rendre les processus de service plus efficaces ne résulte pas forcément d'une amélioration qualitative pour les clients. De même, amener les employés à travailler plus vite pourra parfois être bien perçu par le client ; en revanche, d'autres fois, cela pourra lui donner l'impression d'être bousculé et peu désiré. Ainsi le marketing, les opérations et les ressources humaines ont besoin de communiquer afin de s'assurer qu'ils peuvent délivrer des expériences de qualité de manière plus efficace.

De façon similaire, mettre en place des stratégies marketing d'amélioration de la satisfaction du client peut se révéler coûteux et troublant pour une entreprise si les implications pour les opérations et les ressources humaines n'ont pas été soigneusement étudiées. C'est pourquoi il est nécessaire de considérer les stratégies d'amélioration de la qualité et de la productivité de manière conjointe plutôt que séparément.

Au début des années 1990, le professeur suédois Evert Gummesson s'est aperçu que bien que la qualité de service doive être vue conjointement avec les aspects productivité et rentabilité, elle avait été l'objet de vastes recherches, alors que ce n'était pas le cas de la productivité[1]. Aujourd'hui, la situation change et nous allons présenter les enseignements des nombreuses et récentes études concernant la productivité au cours de ce chapitre.

1.1. Qualité de service, productivité et marketing

L'intérêt du marketing dans la qualité des services est évident : une mauvaise qualité place toute entreprise en position de désavantage concurrentiel. Si les clients perçoivent que la qualité n'est pas satisfaisante, ils ne tardent pas à aller voir ailleurs. Les dernières années ont témoigné d'une véritable explosion du mécontentement en ce qui concerne la qualité des services à une période pendant laquelle la qualité de nombreux produits fabriqués semblait pourtant s'être améliorée de manière significative.

D'un point de vue marketing, la question importante est de savoir si les clients remarquent de notables différences de qualité entre concurrents. Le consultant Brad Gale la reprend succinctement lorsqu'il dit que « la valeur est simplement la qualité, bien que le client en ait sa propre définition, offerte au juste prix »[2]. Améliorer la qualité du service aux yeux du client en vaut la peine pour l'entreprise qui le fournit. Des données du Pims (*Profit Impact of Marker Strategy*) montre qu'une meilleure qualité que la concurrence mène à de meilleurs profits[3].

De manière similaire, améliorer la productivité est importante pour le marketing pour de nombreuses raisons. Premièrement, cela aide à maintenir des prix bas. Des coûts plus bas signifient soit de meilleurs profits, soit la capacité à maintenir des prix bas. L'entreprise aux coûts les plus bas dans un secteur d'activité a le choix de sa position en tant que leader des prix bas, en général un avantage significatif au sein de segments de marché sensibles aux prix. Deuxièmement, les entreprises aux coûts les plus bas peuvent aussi dégager des marges plus importantes, ce qui leur permet de dépenser plus que la concurrence dans les activités de recherche et de marketing, d'amélioration du service clients et des services supplémentaires. Elles doivent aussi être capables d'offrir de plus grandes marges pour attirer et rémunérer les meilleurs distributeurs et intermédiaires. En troisième lieu, se place l'opportunité de sécuriser le long terme grâce aux investissements dans de nouvelles technologies afin de créer de nouveaux services, des produits aux caractéristiques améliorées et des systèmes de distribution innovants. Enfin, les efforts de productivité ont souvent un impact sur les clients. Le marketing a la responsabilité de s'assurer que les impacts négatifs sont évités ou minimisés et que les nouvelles procédures sont soigneusement présentées aux clients. Les impacts positifs peuvent alors être promus comme un nouvel avantage.

La qualité et la productivité sont les deux voies parallèles pour créer de la valeur pour les clients et les entreprises réunies. D'une manière plus générale, la qualité focalise sur les bénéfices créés pour le client et la productivité représente l'ensemble des coûts financiers générés par l'entreprise, qui pourra par conséquent se répercuter sur les prix en avantageant le client. L'intégration soigneuse de programmes d'amélioration de la qualité et de la productivité permettra à long terme d'engendrer un meilleur profit pour l'entreprise.

2. Qu'est-ce que la qualité de service[4] ?

De quoi s'agit-il quand on parle de qualité de service ? Tout le personnel de l'entreprise doit l'entendre de manière identique pour pouvoir aborder les questions de mesure de la qualité de service, d'identification des causes de manque de qualité de service et de conception et mise en place d'actions correctives.

2.1. Les différentes perspectives de la qualité de service

Le mot *qualité* a différents sens pour les personnes selon le contexte. David Garvin, professeur à la Harvard Business School, identifie cinq perspectives à propos de la qualité[5].

- *La vue transcendante* de la qualité est synonyme d'une excellence innée, une marque de standards inflexibles et de prestations de haut niveau. Ce point de vue est souvent appliqué aux arts du visuel et de la performance. Tout prouve que les gens apprennent à reconnaître la qualité uniquement à travers l'expérience acquise par une exposition répétée. Cependant, selon un point de vue pratique, suggérer que les managers ou les clients prendront conscience de la qualité simplement en la voyant ne les aidera pas beaucoup.

- L'approche par le produit de base voit la qualité comme une variable précise et mesurable. Les différences en matière de qualité, et cela se justifie, reflètent les différences au sein de l'ensemble des ingrédients ou attributs que le produit possède. Et comme cette vision est complètement objective, il apparaît impossible de rendre compte des différences de goût, de besoins et de préférences des clients eux-mêmes (ou même de segments de marché complets).

- *Les définitions fondées sur l'utilisateur* partent du principe que la qualité est un trompe-l'œil. Ces définitions associent qualité et satisfaction maximum. Cette perspective subjective est orientée vers la demande et reconnaît que les clients ont différents besoins et différentes envies.

- L'approche par la production est prioritairement basée sur les pratiques de l'ingénierie et de la fabrication (Dans les services nous aurons tendance à dire que la qualité est dirigée par les opérations). L'accent est mis sur la conformité des spécifications développées en interne, qui sont souvent dictées par des objectifs de productivité et de respect des coûts.

- *Les définitions basées sur la valeur* définissent la qualité en termes de valeur et de prix. En considérant l'échange entre la performance et le prix, la qualité tend à être définie comme une « excellence abordable ».

Garvin suggère que ces alternatives de perception de la qualité aident à expliquer les conflits qui surviennent quelquefois entre les responsables au sein de départements fonctionnels différents. Cependant il poursuit en argumentant :

> *Malgré l'éventualité de conflit, les entreprises peuvent tirer profit des multiples perspectives de qualité. L'acceptation d'une définition unique de la qualité est une source fréquente de problèmes. Tout simplement parce que chacune de ces approches a ses approximations. Les entreprises peuvent cependant rencontrer quelques problèmes si elles utilisent de trop nombreuses définitions de la qualité et ce en fonction du stade où en est le produit ; du design au marché… Le succès requiert en temps normal une coordination étroite entre les activités de chaque fonction.*

Les composants de la qualité des produits manufacturés

Pour intégrer les différentes perspectives, Garvin a développé les composants suivants de la qualité qui pourraient être utiles comme modèle pour l'analyse et la planification stratégique. Ceux-ci sont :

1. la performance (les caractéristiques opérationnelles) ;

2. l'apparence ;

3. la fiabilité (probabilité de dysfonctionnement ou d'échec) ;

4. la conformité (respect des spécifications) ;

5. la durabilité (pendant combien de temps le produit générera- t-il de la valeur pour le client ?) ;

6. l'utilité (rapidité, courtoisie, compétence et problèmes identifiés et résolus) ;

7. l'esthétique (quel effet exerce le produit sur les cinq sens de l'utilisateur ?) ;

8. la qualité perçue (les associations telles que la réputation de l'entreprise ou de la marque).

Il est à noter que ces catégories furent développées à partir d'une optique de production, mais qu'elles s'adressent aussi à la notion de service attachée à un bien physique.

Les composants de la qualité dans les services

Les chercheurs s'accordent sur le fait que la nature distincte du service requiert une approche distincte dans la définition et la mesure de la qualité du service. Comme de nombreux services restent par nature intangibles et à facettes multiples, il peut être difficile d'évaluer la qualité d'un service par rapport à un produit. Comme les clients prennent part à la production du service, en particulier dans les processus s'adressant aux personnes, une distinction a besoin d'être faite entre le processus de livraison du service (ce que Christian Grönroos appelle « qualité fonctionnelle ») et le résultat du service (ce qu'il appelle « qualité technique »)[6]. Grönroos et d'autres suggèrent que la qualité perçue d'un service est le résultat d'une évaluation du processus au sein duquel les clients comparent leurs perceptions de la livraison du service et de son résultat par rapport à ce qu'ils attendent.

La recherche la plus vaste concernant la qualité du service est fortement orientée vers l'utilisateur. Grâce à des groupes de recherche spécialisés, Zeithaml, Berry et Parasuraman ont identifié dix critères utilisés par le consommateur afin d'évaluer la qualité du service (voir tableau 14.1). En conséquence de leur recherche, ils ont trouvé un fort degré de corrélation entre plusieurs de ces variables et les ont ainsi consolidées en cinq grandes dimensions :

- *tangibilité* (apparence d'éléments physiques) ;
- *fiabilité* (performance fiable et précise) ;
- *réactivité* (promptitude et serviabilité) ;
- *assurance* (compétence, courtoisie, crédibilité et sécurité) ;
- *empathie* (facilité d'accès, bonnes communications et compréhension du client)[7].

Une seule de ces cinq dimensions, la fiabilité, a une correspondance avec les résultats des recherches de Garvin sur la qualité des produits manufacturés.

Tableau 14.1	Les dimensions génériques utilisées par les clients pour évaluer la qualité d'un service

Dimension	Définition	Exemples de questions que les clients peuvent poser
Crédibilité	Être digne de confiance, honnête	• L'hôpital a-t-il bonne réputation ? • Mon agent de change s'abstient-il de faire pression sur moi pour acheter ?
Sécurité	Absence de danger, de risque, de doute	• Est-ce dangereux pour moi d'utiliser ce distributeur de billets la nuit ? • Suis-je certain que ma police d'assurance me couvre complètement ?
Accessibilité	Abord facile et contact aisé	• Avec quelle facilité puis-je parler à un responsable en cas de problème ? • L'hôtel est-il situé à un emplacement facile d'accès ?
Communication	Écoute des clients, Information régulière des clients	• Si j'ai une plainte à formuler, le management a-t-il la volonté de m'écouter ? • Mon médecin évite-t-il d'utiliser un jargon technique ? • Mon peintre me prévient-il lorsqu'il reporte notre RDV ?
Compréhension du client	Efforts pour connaître les clients et leurs besoins	• Me reconnaît-on dans cet hôtel comme un habitué ? • Mon agent de change cherche-t-il à comprendre mes objectifs financiers ?
Tangibilité	Apparence physique des locaux, équipements, du personnel et des documents	• Mon commercial est-il vêtu de manière appropriée ? • Mon relevé bancaire est-il facilement compréhensible ? • Les abords de l'entreprise sont-ils avenants ?
Fiabilité	Capacité à réaliser le service promis de manière sûre et précise	• Mon micro-ordinateur est-il réparé convenablement dès la première fois ? • Quand on me promet de me rappeler dans les cinq minutes, le fait-on vraiment ?
Réactivité	Volonté d'aider le client en lui fournissant un service rapide et adapté	• Quand j'ai un problème, l'entreprise le résout-elle rapidement ? • Le serveur de restaurant saura-t-il me servir vite si je suis pressé ?
Compétence	Possession des connaissances nécessaires pour délivrer le service	• Quand j'appelle mon agence de voyage, est-elle capable de me fournir les informations dont j'ai besoin ? • Le médecin a-t-il fait un bon diagnostic ?
Courtoisie	Politesse, respect et contact personnel amical	• La standardiste est-elle toujours courtoise ? • Le plombier enlève-t-il ses chaussures avant d'entrer ?

Source : Adapté de Valarie A. Zeithaml, A. Parasuraman et Leonard L. Berry, *Delivering Quality Service : Balancing Customer Perceptions and Expectations*, The Free Press, New York, 1990.

2.2. Comprendre la qualité du service du point de vue du client

Pour mesurer la satisfaction des clients vis-à-vis de différents aspects de la qualité de service, Valarie Zeithaml et ses collègues ont développé une grille d'évaluation appelée SERVQUAL. Elle est basée sur le principe que les clients peuvent évaluer la qualité des services d'une entreprise en comparant leurs perceptions à leurs propres attentes. SERVQUAL est considéré comme un outil de mesure générique, qui peut être appliqué à un large spectre d'entreprises de services. Dans sa forme de base, la grille comporte

22 questions relatives à la perception des services, et une série de questions portent sur les attentes des clients en fonction des cinq dimensions de la qualité de service précédemment décrite (voir tableau 14.2). Les personnes interrogées placent sur un ensemble d'échelles leurs attentes pour un type de services particuliers. Ensuite, il leur est demandé d'évaluer la perception qu'ils ont des services utilisés d'une entreprise spécifique. Quand les performances mesurées sont inférieures aux attentes, c'est un signe de faible qualité et inversement.

Tableau 14.2	L'échelle SERVQUAL

L'échelle SERVQUAL inclut cinq dimensions : tangibilité, fiabilité, réactivité, sérieux et empathie. Dans chacune de ces dimensions, plusieurs aspects sont mesurés sur une échelle à 7 points, de *tout à fait d'accord* à *pas du tout d'accord*, avec un total de 21 points étudiés.

Questions de SERVQUAL

Note : pour les répondants, les instructions sont aussi incluses et chaque hypothèse est accompagnée d'une échelle de réponse à 7 points allant de *tout à fait d'accord* = 7 à *pas du tout d'accord* = 1. Seuls les extrêmes indiqués ; il n'y a pas de mots entre les nombres 2 et 6.

Tangibilité

Aspect parfait (par exemple, les opérateurs de TV câblés, les hôpitaux, ou l'entreprise considérée tout au long du questionnaire), équipement paraissant moderne.

Les équipements matériels visibles sont particulièrement attrayants.

L'apparence des employés est parfaite.

Les documents (par exemple, les brochures) associés à un service paraîtront attrayants.

Fiabilité

Quand une promesse de faire quelque chose en un temps donné a été formulée, les délais sont respectés.

Quand les clients ont un problème, l'entreprise montre un intérêt sincère quant à la résolution de ce problème.

L'entreprise offre un service approprié dès la première demande.

L'entreprise fournit ses services dans les délais sur lesquels elle s'est engagée.

L'entreprise accorde une attention particulière à l'absence d'erreurs.

Réactivité

Les employés informent les clients de la date exacte à laquelle le service sera effectué.

Les employés fournissent un service rapide aux clients.

Les employés sont toujours désireux d'aider les clients.

Les employés ne sont jamais trop occupés pour répondre aux requêtes des clients.

Sérieux

L'attitude des employés inspire un sentiment de confiance aux clients.

Les clients sentent que le travail est effectué en toute sécurité.

Les employés sont courtois en toute occasion avec les clients.

Les employés sont compétents pour répondre aux questions des clients.

Empathie

L'entreprise montre une attention personnalisée aux clients.

L'entreprise a des horaires d'ouverture convenant à tous leurs clients.

L'entreprise a des employés qui montrent une attention particulière aux clients.

Les employés comprennent les besoins spécifiques de leurs clients.

Source : adapté d'A. Parasuraman, Valarie A. Zeithaml et Leonard Berry, « SERVQUAL : A Multiple Item Scale for Measuring Consumer Perceptions of Service Quality », *Journal of Retailing*, 64, 1998, p. 12-40.

Les limites du modèle SERVQUAL

Bien que SERVQUAL (pour « Service Quality ») ait été largement utilisé par les entreprises de services, des doutes ont été émis par rapport à son fondement conceptuel et ses limites méthodologiques[8]. Afin d'évaluer la stabilité de ces cinq dimensions lorsqu'on les applique à une variété de services, Mels, Boshoff et Nel ont analysé des données provenant de banques, de courtiers d'assurance, de réparateurs automobiles et de matériel électrique, ainsi que de cabinets d'assurance-vie[9]. Leurs résultats montrent qu'en réalité SERVQUAL ne mesure que deux facteurs : la qualité intrinsèque du service (ressemblant aux termes de qualité fonctionnelle qu'emploie Grönroos) et sa qualité extrinsèque (qui se réfère aux aspects tangibles de la livraison du service et « ressemble à certaines extensions » que Grönroos nomme « qualité technique »)[10].

Ces résultats n'amoindrissent pas pour autant la valeur de ceux de Zeithaml, Berry et Parasuraman en ce qui concerne l'identification des quelques clés de la qualité du service, mais ils soulignent le fait que mesurer la qualité perçue par les clients est difficile. Anne Smith, professeur à l'université de Glasgow, note que la majorité des chercheurs qui utilisent SERVQUAL ont en plus oublié, ajouté ou altéré les listes des attributs mesurant la qualité du service[11].

Mesurer la qualité de service dans les environnements en ligne

SERVQUAL fut essentiellement développé dans un contexte de rencontre en « face à face ». Dans les environnements modernes connectés à Internet, de nouvelles questions mesurant différentes dimensions de la qualité de service sont apparues. Pour mesurer la qualité de service électronique sur des sites Internet, Parasuraman, Zeithaml et Malhotra ont créé une grille de 22 questions appelée E-S-QUA reflétant les quatre dimensions clés de *l'efficacité* (c'est-à-dire que la navigation est aisée, les transactions peuvent être effectuées rapidement, et que le site web se charge rapidement), de *l'accessibilité* du système (c'est-à-dire que le site est tout le temps accessible, se lance correctement, est stable et qu'il ne « bug » pas), de *la réalisation* (c'est-à-dire que les demandes sont livrées comme promis, et que les offres sont décrites sincèrement et honnêtement), et de *l'intimité* (c'est-à-dire que les informations privées sont protégées et que les informations personnelles ne sont pas partagées avec d'autres sites).

Autres contributions dans la mesure de la qualité du service

Comparer la performance aux attentes fonctionne pour des marchés raisonnablement concurrentiels où les clients ont une connaissance suffisante pour choisir avec détermination un service qui rencontre leurs besoins et leurs demandes. Cependant, sur des marchés non concurrentiels ou dans des situations où les clients n'ont pas le choix (parce que les coûts de changement vont être prohibitifs ou parce que le temps manque ou qu'il existe des contraintes liées à la localisation), il y a des risques de définition de la qualité du service d'abord en termes de satisfaction client. Si les attentes du client sont faibles et la livraison du service marginalement meilleure que le niveau attendu, nous pouvons dire que le client perçoit une bonne qualité du service ! Dans de telles situations il est préférable de comparer les besoins et les attentes aux standards et définir une bonne qualité du service comme l'atteinte ou le dépassement des besoins du client plutôt que ses attentes[12].

La recherche de la satisfaction à travers la qualité indique que les clients ont affaire à des services dont les caractéristiques sont assez élaborées (voir chapitre 2). Le problème survient lorsqu'il leur est demandé d'évaluer la qualité de ces services dont les caractéristiques sont fortement intangibles (donc basées sur les croyances), tels que des dossiers comptables complexes ou des traitements médicaux, qu'il est extrêmement difficile à évaluer même si la livraison en est terminée. En bref, les clients ne peuvent pas être sûrs de ce à quoi ils doivent s'attendre et ne savent pas à quel point le travail fourni par les professionnels était bon. Une tendance naturelle dans de telles situations est, pour les clients ou les patients, de se baser sur le déroulement de processus et de signaux tangibles pour juger de la qualité.

Les facteurs d'appréciation liés aux processus comprennent les sentiments des clients par rapport au style personnel du fournisseur et au niveau de satisfaction par rapport aux services supplémentaires qu'ils sont compétents à évaluer (par exemple le goût des plats dans les hôpitaux ou la clarté des factures). En conséquence, les perceptions des clients du service de base peuvent être sérieusement influencées par leur évaluation des attributs du processus et des éléments tangibles du service. C'est ce que l'on appelle un effet de halo[13]. Dans le but d'obtenir des mesures crédibles des performances de qualité, il pourrait s'avérer nécessaire de revoir de manière identique les processus et les résultats conjointement comme éléments indissociables du service de base[14].

S. Devlin et H. K. Dong, directeurs de recherche de mesures et de supports d'apprentissage à Bellcore Piscataway, proposent des guides sur la façon de mesurer la qualité à travers chaque aspect du business au sein du véritable environnement de l'entreprise[15]. Pour aider les clients à se souvenir de leurs expériences en termes de qualité et à les évaluer, ces auteurs suggèrent d'évaluer la rencontre de service pas à pas.

3. Le modèle des écarts – un outil conceptuel pour identifier et corriger les problèmes de qualité du service[16]

Si chacun accepte l'idée selon laquelle la qualité entraîne constamment la rencontre ou le dépassement des attentes du client, alors le devoir du manager est de se concentrer sur les attentes et les perceptions du client et d'empêcher qu'un fossé ne se creuse entre celles-ci.

3.1. Les écarts entre la conception et la livraison du service

Zeithaml, Berry et Parasuraman ont identifié quatre déficiences potentielles dans l'organisation du service qui peuvent conduire à un écart résultant plus important qui matérialise la différence entre ce que les clients attendaient et ce qu'ils pensaient se faire délivrer[17]. La figure 14.1 matérialise un cadre qui identifie sept types d'écarts qui peuvent intervenir à différents stades pendant la conception et la livraison d'un service.

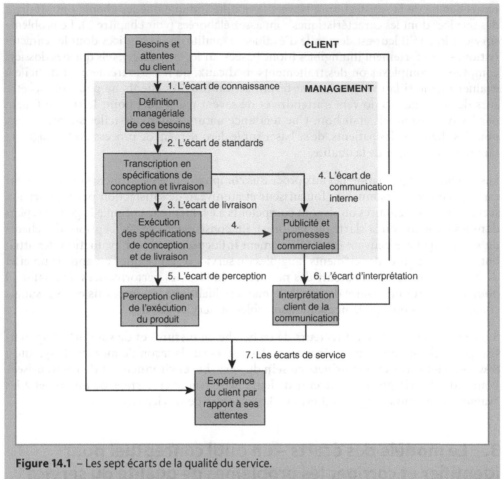

Figure 14.1 – Les sept écarts de la qualité du service.

Source: Adapté de Christopher Lovelock, *Product Plus*, McGraw-Hill, New York, 1994, p. 112.

1. **L'écart de connaissance** : la différence entre ce que le prestataire de service pense de l'attente des clients et ce que ces derniers ont comme réels besoins.

2. **L'écart de standards** : la différence entre la perception des attentes du client par le management de l'entreprise et les standards de qualité établis pour la livraison du service.

3. **L'écart de livraison** : la différence entre les standards de livraison spécifiés et la performance réelle du prestataire de service.

4. **Les écarts de communication interne** : la différence entre ce que le personnel chargé de la publicité et des ventes pense des caractéristiques du produit, de son niveau de performance et de sa qualité de service, et ce que l'entreprise est réellement capable de délivrer.

5. **Les écarts de perception** : la différence entre ce qui est vraiment délivré et ce que les clients pensent avoir reçu (car ils sont incapables d'évaluer précisément la qualité du service).

6. **Les écarts d'interprétation :** la différence entre ce que la communication d'un prestataire de service (avant la livraison) promet et ce que le client avait compris de la promesse de la communication.

7. **Les écarts de service :** la différence entre ce que le client s'attend à recevoir et les perceptions qu'il a du service déjà délivré.

Les écarts 1, 5, 6 et 7 représentent les fossés extérieurs entre le client et l'entreprise. Les écarts 2, 3, et 4 sont des écarts internes qui se produisent entre les différents services et départements au sein de l'entreprise.

Les écarts, en tout point de la conception du service et de sa livraison, peuvent détériorer les relations avec les clients. L'écart de service (7) est le plus critique : c'est pourquoi le but principal des efforts pour améliorer la qualité du service est de combler cet écart ou de le réduire autant que possible. Cependant, pour finaliser cet objectif, les entreprises de service doivent travailler sur un ou plus des six autres écarts décrits à la figure 14.1. Améliorer la qualité du service requiert une identification des causes spécifiques de chacun des écarts et, par la suite, un développement de stratégies palliatives.

3.2. Les stratégies pour réduire les écarts de qualité du service[18]

Zeithaml, Parasuraman et Berry proposent une séric de mesures de base pour combler les écarts 1 à 4[19]. Leurs prescriptions (conformément à la figure 14.1) sont résumées dans le tableau 14.3.

Tableau 14.3	Conseils pour combler les écarts de qualité du service

Écart n° 1. Conseil : savoir ce que les clients attendent
- Acquérir une meilleure compréhension des attentes du client grâce à la recherche, l'analyse des réclamations, l'étude des panels, etc.
- Accroître les contacts entre les clients et le management dans le but d'améliorer la compréhension mutuelle.
- Améliorer la communication entre le personnel de contact et le management en réduisant le nombre d'échelons entre les deux.
- Transformer les informations en actions.

Écart n° 2. Conseil : élaborer les standards de qualité adéquats
- S'assurer que le top management impulse des obligations de qualité en adéquation avec le point de vue du client.
- Faire en sorte que le management intermédiaire communique, renforce l'orientation « service au client » à l'intérieur de ses départements.
- Former le management pour montrer aux employés comment délivrer un service de qualité.
- Être réceptif aux nouvelles manières de faciliter les affaires en surmontant les obstacles liés à la livraison des services.
- Standardiser les tâches répétitives pour assurer consistance et fiabilité en instituant des méthodes de travail.
- Établir des objectifs de qualité de service clairs qui soient motivants, réalistes et conçus pour répondre aux souhaits des clients.
- Déterminer avec les employés quelles sont les tâches qui ont le plus d'impact sur la qualité et par conséquent doivent être l'objet de la plus grande attention.
- S'assurer que les employés comprennent et acceptent les objectifs et les priorités.
- Mesurer la performance et en donner connaissance aux employés régulièrement.
- Récompenser les managers et les employés qui atteignent les objectifs de qualité.

Écart n° 3. Conseil : s'assurer que la performance de l'entreprise est au niveau des standards de service
- Clarifier le rôle des employés.
- S'assurer que tous les employés comprennent comment leur travail contribue à la satisfaction globale.
- Sélectionner les employés en fonction de leur capacité et de leur potentiel à réussir dans leur travail.
- Fournir aux employés la formation technique nécessaire pour s'acquitter au mieux de leur tâche.
- Développer des méthodes originales de recrutement pour attirer et retenir les meilleurs.
- Améliorer la performance des employés en sélectionnant et en leur fournissant les équipements technologiques les plus adaptés et les plus performants.
- Informer les employés des attentes, des perceptions et des problèmes des clients.
- Former les employés à la communication interpersonnelle, en particulier sous conditions de stress.
- Éliminer les rôles conflictuels entre employés en les impliquant dans la mise en place de standards.
- Former les employés à déterminer leurs priorités et à gérer le temps.
- Mesurer la performance des employés et récompenser la qualité de leur service.
- Développer un système de récompense qui soit pertinent, simple et équitable.
- Impliquer au maximum les employés et les managers en les incitant à prendre des décisions au niveau le plus bas. Leur donner plus de latitude dans la manière d'atteindre les objectifs.
- S'assurer que les employés qui sont affectés à un support interne ont un bon contact personnel et fournissent un bon service aux clients.
- Favoriser le travail en équipe pour que les employés s'entraident mutuellement.
- Considérer les clients comme des employés particuliers ; clarifier leur rôle dans la livraison du service ; les former et les motiver dans leur rôle de coproducteurs.

Écart n° 4. Conseil : s'assurer que la livraison est conforme aux promesses
- Recueillir les impressions du personnel lorsqu'une nouvelle campagne publicitaire est lancée.
- Développer des publicités qui représentent les employés au travail.
- Montrer les publicités à ceux qui vont délivrer le service avant que les clients n'y soient exposés.
- Faire en sorte que les équipes de vente impliquent les opérations dans des rencontres avec des clients.
- Développer des campagnes internes de formation, de motivation et de publicité pour renforcer les liens entre le marketing, les opérations et les ressources humaines.
- S'assurer que les standards de services sont les mêmes partout.
- S'assurer que le contenu de la publicité reflète fidèlement les caractéristiques du service les plus importantes aux yeux du client.
- Gérer les exigences du client en lui disant ce qui est possible et ce qui ne l'est pas, et pourquoi.
- Identifier et expliquer les imperfections.
- Offrir aux clients différents niveaux de service et de prix en leur expliquant les différences.

Que dire des écarts 5 et 6 ? L'écart 5 (écart de perception) reconnaît que les clients ne comprennent pas toujours correctement ce que le service a fait pour eux. Cette situation se produit particulièrement dans les services basés sur la confiance, où il est difficile de juger de la performance même après la livraison. Certaines personnes en charge dans la qualité du service en font un point d'honneur, pas seulement pour tenir les clients informés durant la livraison du service mais pour les interroger à la fin et parfois leur offrir une preuve tangible. Par exemple, un médecin va expliquer à son patient ce qui se passe pendant une opération chirurgicale, ce qui en résulte ou ce qui a été différent des prévisions, et ce à quoi le patient peut s'attendre par la suite. Pour expliquer la nature d'une réparation compliquée, un technicien pourra donner certaines explications au client et prouver l'évidence en montrant les composants endommagés qui ont dû être remplacés.

Pour réduire l'écart 6 (écart d'interprétation), les spécialistes de la communication doivent tester le contenu de tout type de publicité, de brochure, d'appel téléphonique et de site Internet avant leur diffusion. Le pré-test, très largement utilisé par les agences de publicité, implique de présenter à un groupe de clients un certain nombre de moyens de communication avant la publication. Ainsi, ceux qui participent au pré-test peuvent se faire interroger sur leur opinion de la communication et sur leur interprétation de ce que signifient les promesses spécifiques ou sous-entendues. Si leur interprétation ne correspond pas à ce qu'escomptait l'entreprise, alors des modifications du texte ou de l'image seront nécessaires. Le personnel de service, ayant communiqué directement avec les clients en ne se limitant pas au service clients et aux ventes, devra s'assurer qu'ils ont bien compris leurs présentations.

La force de la méthodologie des écarts est qu'elle offre un ensemble de visions et de solutions applicables dans différents secteurs. Ce qu'elle ne vise pas, par contre, c'est l'identification des problèmes de qualité qui pourraient apparaître. Chaque entreprise développe sa propre attitude afin de s'assurer que la qualité du service demeure et devienne un objectif clé.

4. Mesurer et améliorer la qualité du service

On le dit de façon assez courante, « ce qui n'est pas mesuré n'est pas géré ». Sans moyens de mesure, les responsables ne peuvent savoir s'il existe des écarts de qualité de service et mener les actions correctives appropriées. Ensuite, la mesure est nécessaire afin de déterminer si, après correction, les objectifs d'améliorations ont été atteints ou non.

4.1. Différentes mesures de qualité de service

Les standards définis et la mesure de la qualité de service peuvent être regroupés en deux larges catégories : « dures » et « molles». Les mesures molles sont celles qui ne sont pas facilement observables et doivent être collectées en parlant avec les gens (clients, employés ou autres). Comme le notent Zeithaml et Bitner, « les standards de mesures molles fournissent une direction, un guide et un *feed-back* aux employés dans le but d'atteindre la satisfaction du client et peuvent être quantifiés en mesurant les perceptions et les croyances du client »[20]. Servqual est un exemple de système de mesures molles sophistiqué.

A contrario, les standards et mesures durs renvoient à des caractéristiques et à des activités qui peuvent être quantifiées dans le temps ou bien mesurées par le biais d'audits. Ces mesures peuvent inclure certains éléments tels que le nombre de coups de téléphone perdus alors que le client était en ligne, le temps que ce dernier a dû attendre à différentes étapes de la livraison du service, le temps requis pour remplir une tâche spécifique, la température de certains aliments, le nombre de trains arrivés en retard, le nombre de bagages perdus, le nombre de patients complètement guéris suite à une opération spécifique et celui de ce qui furent traités correctement. Les standards sont souvent établis en référence au pourcentage d'occasions auxquelles une mesure particulière a réussi. Le défi pour le marketing des services est de s'assurer que les mesures opérationnelles de la qualité de service reflètent les attentes du client.

Les entreprises connues pour l'excellente qualité de leur service utilisent les mesures dures et molles. Ces entreprises sont très attentives aux clients et aux employés. Plus l'entreprise est importante, plus il est nécessaire de formaliser des programmes de *feed-back* en utilisant une variété de procédures conçues de manière professionnelle.

Les mesures « molles » de la qualité du service

Comment les entreprises peuvent-elles mesurer leur performance par rapport aux standards de qualité de service ? Berry et Parasuraman expliquent que :

> *Les entreprises ont besoin d'établir des systèmes d'écoute en continu utilisant diverses méthodes parmi différents groupes de clients. Une étude simple de la qualité du service est une photo prise à un certain moment sous un angle particulier. Une vue plus profonde et une prise de décision éclairée proviennent d'un ensemble de photos prises en continu sous différents angles formant l'essence même d'une écoute systématique*[21].

Ils recommandent une recherche continue conduite selon différentes approches. Les mesures clés de la qualité d'un service orienté client (abordé au chapitre 12) comprennent des études marketing annuelles, des enquêtes transactionnelles, des *feed-back* clients, des achats mystères et l'analyses de réponses non sollicitées telles que des plaintes et des compliments, des focus groupes et des revues de service. D'autres mesures molles peuvent être envisagées :

- *les enquêtes en continu sur des titulaires de compte* par téléphone ou courrier, en utilisant des procédures scientifiques d'échantillonnage afin de déterminer la satisfaction des clients au sens le plus large dans un contexte relationnel ;
- *les panels conseil composés de clients* pour offrir un *feed-back* et des conseils sur les performances du service ;
- *les panels et les enquêtes auprès des employés* afin de déterminer les perceptions de la qualité du service délivré au client sur des dimensions spécifiques, les barrières à l'amélioration du service et des suggestions d'amélioration.

Concevoir et mettre en œuvre à une large échelle des enquêtes clients afin de mesurer le service à travers une large gamme d'attributs n'est pas une tâche facile. Les managers opérationnels perçoivent quelquefois les résultats comme des menaces lorsque des comparaisons directes sont faites sur les performances respectives de différents départements d'une même entreprise.

Les mesures « dures » de la qualité du service

Ces mesures se réfèrent typiquement aux processus opérationnels ou aux résultats. Elles prennent en compte des données telles que le temps de fonctionnement opérationnel du service, le temps de réponse, les taux de panne, et les coûts de livraison. Dans un service complexe, les opérations effectuent de multiples mesures de qualité qui sont enregistrées à différents stades du déroulement du processus. Dans les services à faible contact, où les clients ne sont pas très impliqués dans les procédures de livraison, beaucoup de mesures opérationnelles concernent les activités de *back office*, qui ont un effet secondaire sur les clients.

FedEx fut l'une des premières entreprises à comprendre que le besoin de qualité du service concernait l'ensemble des activités qui avaient un impact sur les clients. En publiant un index sur ces bases, les responsables pensaient que tous les employés de FedEx allaient mieux travailler dans le but d'améliorer la qualité. L'entreprise reconnut le danger d'utiliser des pourcentages en tant qu'objectifs, parce qu'ils pouvaient mener à la suffisance. Dans une entreprise aussi importante que FedEx, qui livre des millions de colis par jour, même la livraison de 99 % des paquets à l'heure ou l'arrivée de 99 % des vols sans problème peuvent laisser survenir d'importants problèmes. Il fut donc décidé d'aborder la mesure de la qualité sur la base du « zéro échec ». Comme le remarqua l'un des cadres dirigeants :

> *Ce n'est que lorsque vous examinez les différents types d'échecs, leur nombre et leurs raisons, que vous commencez à améliorer la qualité de votre service. Pour nous, l'astuce a été d'exprimer les problèmes de qualité en chiffres. Cela nous a amené à développer l'indice de qualité du service SQI (Service Quality Index), qui prenait en compte chacun des douze évènements quotidiens, en les pondérant sur la base de la gravité des problèmes causés au client indiqués par les plaintes écrites envoyées à FedEx[22].*

Cet indice « dur » a été conçu à partir des résultats d'autres recherches basées sur des indices « mous » (et a été périodiquement modifié au vu des résultats de nouvelles recherches). Alors qu'il s'intéresse aux problèmes de service à travers le point de vue du client, SQI mesure quotidiennement l'incidence de douze types d'activités différentes qui sont susceptibles de mener à la non-satisfaction des clients. L'indice comprend les chiffres bruts de chaque évènement pondérés, ce qui souligne l'importance de chaque évènement pour les clients. Ces résultats sont par la suite totalisés pour donner un nouvel indice général (voir tableau 14.4). Tout comme au golf, plus l'indice est faible, meilleure est la performance. Cependant, contrairement au golf, SQI implique dans son calcul certains nombres significatifs, représentant le nombre réel de colis livrés quotidiennement. Un objectif annuel calculé sur la moyenne quotidienne de l'indice SQI, prenant en compte la réduction d'occurrence du nombre de pannes par rapport à l'année passée.

| Tableau 14.4 | La composition de la qualité du service chez FedEx, indice SQI |

Type de problème	Pondération × nombre d'incident = Points quotidiens
Livraison en retard le bon jour	1
Livraison en retard le mauvais jour	5
Document de traçabilité non demandé	1
Plainte réitérée	5
Absence de preuve de livraison	1
Ajustement facture	1
Ramassages manquants	10
Paquets perdus	10
Paquets endommagés	10
Retard avion	5
Appels abandonnés	1
Total points SQI	

Pour garantir une observation continue de chaque composant du SQI, FedEx a mis en place douze équipes, chacune étant responsable de la qualité d'un des composants et chargée de comprendre et de corriger les causes à l'origine des problèmes observés.

Les graphiques de contrôle présentent une méthode simple affichant le niveau de performance en regard de critères spécifiques de qualité. À cause de son aspect visuel, les déviations sont parfaitement identifiables. La figure 14.2 montre la performance d'une compagnie aérienne sur le critère du respect de l'heure de départ, suggérant que ce point a besoin d'être traité par le management à cause de son irrégularité. Évidemment, ces graphiques de contrôle ne sont valables que dans la mesure où les données sur lesquelles ils se basent le sont aussi.

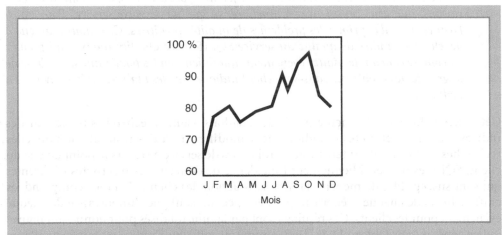

Figure 14.2 – Graphiques de contrôle montrant le pourcentage de vols partant dans les quinze minutes de l'horaire prévu.

4.2. Les outils d'identification et d'analyse des problèmes de qualité du service

Lorsqu'un problème provient de causes internes contrôlables, il n'y a aucune excuse pour permettre que cela se reproduise. En fait, maintenir la bienveillance des clients après un problème de qualité de service dépend de la promesse qui lui est faite de prendre les mesures adéquates afin d'assurer que cela ne se reproduira plus. Avec cette idée à l'esprit, voyons rapidement quelques outils d'identification des causes de problèmes spécifiques de qualité du service.

L'analyse des causes : le diagramme en arête de poisson

L'analyse des causes et des effets utilise une technique développée à l'origine par l'expert en qualité japonais Kaoru Ishikawa. Des groupes de responsables et de membres du personnel font un *brainstorming* pour pouvoir identifier tous les facteurs possibles à l'origine de dysfonctionnements spécifiques. Les facteurs résultants sont ensuite classés en cinq catégories – équipement, main-d'œuvre (ou personnel), matériel, procédures et autre – sur un graphique de causes et effets, plus populairement connu sous le nom d'« arête de poisson ». Cette technique a été utilisée pendant de nombreuses années dans la fabrication et, plus récemment, dans les services.

Pour accroître la valeur de cette analyse afin de l'utiliser dans les entreprises de services, C. Lovelock a élaboré un cadre qui comprend non pas cinq mais huit groupes[23]. Le « personnel » a été divisé en personnel de *back office* et personnel de *front office* afin de mettre en évidence le fait que les problèmes de service de *front office* sont souvent vécus directement par les clients, alors que les problèmes de *back office* ont tendance à ressortir plus indirectement. L'« information » a été séparée des « procédures », car on a reconnu que beaucoup de problèmes de service résultent d'un manque d'information, en particulier à cause du personnel de *front office* omettant de dire aux clients que faire et quand. Dans le contexte des compagnies aériennes, par exemple, une mauvaise annonce des heures de départs peut amener les passagers à arriver en retard à la porte d'embarquement. Finalement, Lovelock a ajouté une nouvelle catégorie : les « clients ».

Dans la fabrication, les clients ont un impact faible sur les processus opérationnels au jour le jour, mais dans les services où le contact est plus important, ils sont impliqués dans les opérations de *front office*. S'ils ne jouent pas leur propre rôle correctement, ils peuvent réduire la productivité du service et causer des problèmes de qualité pour eux-mêmes et pour les autres clients. Par exemple, un avion peut être retardé si un passager essaie d'embarquer à la dernière minute avec un bagage trop volumineux qui nécessite d'être mis en soute. Exemple de diagramme en arête de poisson, la figure 14.3 montre vingt-deux raisons possibles pour qu'un avion parte en retard[24].

Une fois que les principales causes de retard du départ ont été identifiées, il est nécessaire de justifier quel impact chaque cause a vraiment sur les délais.

L'analyse de Pareto (du nom de l'économiste italien qui la développa le premier) cherche à identifier les principales causes des résultats observés. Ce type d'analyse souligne la règle bien connue des 80/20, car elle révèle souvent qu'environ 80 % de la valeur d'une variable (dans ce cas précis, le nombre de problèmes de service) est justifiée par 20 % de la variable causale (c'est-à-dire le nombre possible de causes). Dans l'exemple de la compagnie aérienne ci-dessus, les résultats ont montré que 88 % des départs en retard des aéroports desservis étaient causés uniquement par quatre facteurs (15 %). En fait, plus de la moitié des retards étaient causés par un seul facteur : l'acceptation de passagers en retard (cette situation existe lorsque le personnel retient un vol pour un passager en train d'enregistrer après l'heure limite d'embarcation). Dans pareille situation, la compagnie donne satisfaction au passager en retard, en l'encourageant peut-être à ne pas recommencer la prochaine fois, mais risque de mécontenter tous les autres passagers déjà à bord et attendant le départ de l'avion. Parmi les autres causes de retard possibles, il y a l'attente pour pousser l'avion sur la piste (un véhicule doit en effet venir dégager l'avion de la porte), l'attente pour le plein de carburant et les délais pour signer les différents documents (feuille de poids et d'équilibre, une exigence de sécurité relative au chargement de l'avion que le commandant de bord doit vérifier à chaque vol). D'autres analyses ont montré cependant certaines variations significatives de ces causes d'un aéroport à l'autre.

Combiner le diagramme en arête de poisson et l'analyse de Pareto permet de mettre en évidence les principales causes des problèmes de service.

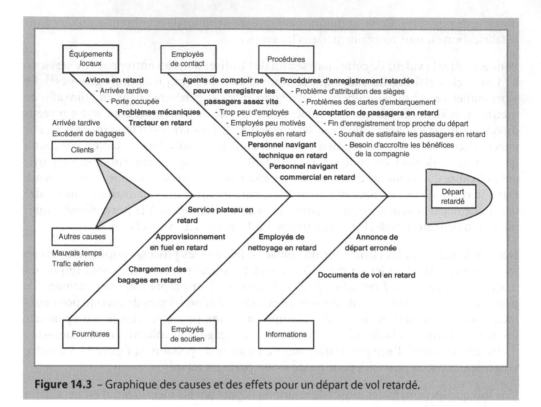

Figure 14.3 – Graphique des causes et des effets pour un départ de vol retardé.

Blueprinting

Comme nous l'avons vu au chapitre 8, un *blueprint* bien construit est un outil très puissant d'identification des problèmes. Il permet de visualiser les processus de livraison du service en représentant les interactions avec les clients en *front office*, les locaux, les équipements et les activités de *back office* qui ne sont pas vues des clients et qui ne font pas partie de l'expérience qu'ils vivent.

Les *blueprints* peuvent être utilisés pour identifier les points où les problèmes sont le plus susceptibles d'arriver. Ils nous aident à comprendre à quel point les problèmes (comme par exemple l'enregistrement d'une mauvaise date) peuvent avoir des effets en chaîne par la suite En comptant la fréquence des problèmes par nature, les responsables peuvent identifier les différents types qui se produisent le plus souvent et nécessitent une attention particulière. Une des solutions possibles est de mettre en évidence les points faibles du système (voir le mémo 14.1 sur la technique de *poka-yokes*). Dans le cas de problèmes ne pouvant pas être facilement identifiés à partir des procédures ou qui ne peuvent pas être facilement prévus (comme des problèmes relatifs à la météo), les solutions doivent envisager le développement de plans de contingence ou des procédures de réparation du service. Connaître les causes possibles des problèmes de qualité du service est le premier pas vers leur prévention.

Mémo 14.1

Poka-yokes – Un outil efficace pour identifier les points faibles des processus de service

Une des méthodes les plus utiles de la gestion globale de la qualité (TQM, *Total Quality Management*) dans l'industrie est l'application du *poka-yokes*, ou méthode pour prévenir les défauts dans les processus de fabrication. Richard Chase et Douglas Stewart, professeurs à la School Business Administration de l'université de Californie, ont introduit ce concept dans les processus de services.

Une partie du défi de l'implantation du *poka-yokes*, dans un contexte de service, est le besoin d'identifier les erreurs, non seulement du fournisseur, mais aussi celles du client. Le *poka-yokes*, vu du côté du fournisseur, peut assurer que le personnel de service fait les choses convenablement, comme cela est souhaitable, dans le bon ordre et à la bonne vitesse. Le travail des chirurgiens illustre bien cet aspect des choses. Sur les plateaux d'instruments chirurgicaux, la place de chacun est pré-indiquée. Pour une opération donnée, tous les instruments sont bien rangés à leur place sur le plateau, ce qui permet au chirurgien de se rendre compte, avant de refermer l'incision, que rien ne manque.

Certaines entreprises de services utilisent le *poka-yokes* pour s'assurer que certaines étapes ou certains standards de la livraison du service sont bien compris lors de l'interaction personnel-client. Une banque s'assure des contacts visuels en demandant à ses guichetiers de noter la couleur des yeux de leur client avant le début d'une transaction. Un parc à thème coréen coud les poches de pantalon de ses nouveaux employés pour s'assurer que ces derniers conserveront une attitude correcte et ne prendront pas l'habitude de mettre les mains dedans. Certaines entreprises placent des miroirs à la sortie des vestiaires afin que le personnel puisse vérifier son apparence pour donner une meilleure impression en allant à la rencontre du client.

Côté client, l'application du *poka-yokes* se focalise généralement sur la préparation de sa rencontre avec la personne qui le reçoit (lui rappeler d'arriver à l'heure si possible et d'apporter les éléments nécessaires pour la transaction, par exemple), sur la compréhension et l'anticipation de son rôle pendant la rencontre de service. Les exemples de préparation du client comprennent l'indication de la tenue vestimentaire sur les invitations, l'envoi de mémos de rappels pour les rendez-vous médicaux et le rappel de procédures sur les documents mis à sa disposition (« Avez-vous préparé vos numéros de compte et codes personnels avant d'appeler nos services ? »). Le *poka-yokes* indique au client ses erreurs par des « bip » sonores et lui rappelle de la même manière de ne pas oublier sa carte dans le distributeur…

La méthode *poka-yokes* est à la fois un art et une science. La plupart des processus peuvent paraître triviaux, mais c'est l'avantage de cette méthode. Elle peut être utilisée pour identifier les faiblesses les plus courantes du service et pour assurer l'adhésion à certains standards.

Source : Richard B. Chase et Douglas M. Stewart, « Make Your Service Fail-Safe », *Sloan Management Review*, printemps 1994, p. 35-44.

4.3. Le retour sur qualité (ROQ)

Malgré l'attention portée à l'amélioration de la qualité de service, beaucoup d'entreprises ont été déçues des résultats, reconnaissant que quelquefois les efforts d'amélioration leur ont fait rencontrer des difficultés financières, en partie par surcroît de dépense. Dans certains cas, ces résultats reflètent une mauvaise ou incomplète application du programme de qualité lui-même. Dans d'autres cas, les mesures d'amélioration de la qualité du service ne semblent pas se traduire par de meilleurs profits, une augmentation des parts de marché ou de meilleures ventes.

L'estimation des coûts et des profits des initiatives d'amélioration de la qualité

Rust, Zahorik et Keiningham montrent :

1. qu'une approche de retour sur la qualité (ROQ) basée sur le fait que la qualité est un investissement ;
2. que les efforts de qualité doivent être mesurables financièrement ;
3. qu'il est possible de trop dépenser sur la qualité ;
4. que toutes les dépenses d'amélioration de qualité ne sont pas toutes pertinentes[25].

Une perspective importante du ROQ est que les efforts d'amélioration de la qualité peuvent tirer profit d'une coordination avec les programmes d'amélioration de la productivité[26].

Pour déterminer la faisabilité des programmes d'amélioration de la qualité, ceux-ci doivent être soigneusement évalués financièrement et anticiper la réponse du client. Le programme va-t-il permettre à l'entreprise d'augmenter la fidélité (et réduire les défections), d'augmenter le portefeuille, et/ou attirer plus de clients (par le bouche-à-oreille des clients actuels), et si tel est le cas, quel revenu supplémentaire va être généré ?

Déterminer le niveau optimal de fiabilité

Une entreprise dont la qualité du service est faible peut arriver à une augmentation conséquente de la fiabilité avec de modestes investissements d'amélioration. Comme l'illustre la figure 14.4, les investissements initiaux de réduction des points faibles du service conduisent souvent à des résultats significatifs, mais, à un certain niveau, la diminution des points faibles requiert des niveaux d'investissement croissants, parfois même inabordables. Quel niveau de fiabilité doit-on fixer ?

D'une manière générale, le coût de réparation du service est inférieur au coût d'un client mécontent. Cela suggère une stratégie de fiabilité croissante jusqu'au point où l'amélioration du service est égale au coût de réparation.

5. Définir et mesurer la productivité

De façon simple, la productivité mesure la quantité de « résultats » produits relativement à la quantité d'entrées dans le système de production. C'est pourquoi les améliorations de productivité requièrent une augmentation de ce ratio de production, soit en diminuant les ressources requises pour créer un volume donné de production, soit en augmentant la production obtenue à partir d'un niveau donné de ressources.

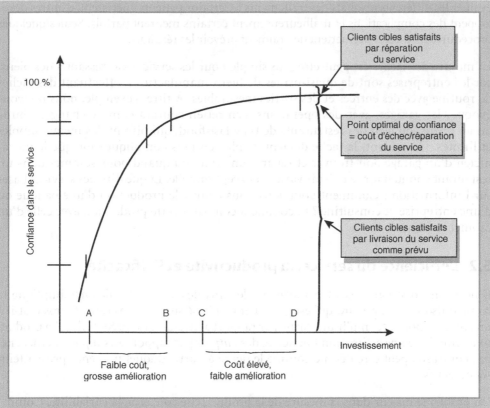

Figure 14.4 – À quel moment l'amélioration de la fiabilité du service n'est plus économiquement rentable ?

5.1. Définir la productivité dans un contexte de service

Que signifie-t-on par *input* dans un contexte de service ? Ces *inputs* varient selon la nature de l'activité, mais doivent inclure le travail (physique et intellectuel), les matières, l'énergie et le capital (la terre, les immeubles, les équipements, les systèmes d'information et les actifs financiers). La nature intangible des performances de service rend plus difficile la mesure de la productivité des services que celle des produits. Ce problème est particulièrement complexe pour des services basés sur l'information. Le résultat pour un fabricant consiste en des produits comme des voitures, des paquets de savon, en fait des unités qui peuvent être comptées et aussitôt classées en différents modèles ou catégories. Parce que la production et la consommation sont séparées dans le temps, les articles défectueux au contrôle qualité sont recyclés ou modifiés ou détruits, et ainsi valorisés à leurs coûts respectifs d'entrée.

Mesurer la productivité est difficile dans les services lorsque le résultat est malaisé à définir. Dans un service s'adressant à des personnes, comme dans un hôpital, nous pouvons compter le nombre de patients traités au cours d'une année. Mais comment faire pour compter les différents types d'interventions réalisées, l'ablation de tumeurs, les traitements contre le diabète ou la réparation d'os cassés ? Et que dire des différences entre les patients ? Comment évaluer les différents résultats des traitements ? Certains patients guérissent, d'autres développent des complications et malheureusement certains meurent parfois. Seules quelques procédures médicales permettent de vraiment prévoir les résultats.

La mesure des tâches est peut-être plus simple pour les services s'adressant à des biens, car les entreprises sont de quasi-usines de biens manufacturés, effectuant des tâches de routine avec des entrées et des sorties mesurables. À titre d'exemple, nous pouvons évoquer les garages, avec des opérations d'entretien courant comme changer l'huile ou les pneus, ou bien des restaurants de type fast-food, qui offrent des menus simples et limités. Cependant, la tâche devient de plus en plus compliquée lorsque le mécanicien d'un garage doit trouver et réparer une fuite ou quand nous sommes dans un restaurant connu pour sa cuisine variée et exceptionnelle. Et que dire des services basés sur l'information ? Comment pourrions-nous définir la production d'une banque ou d'une entreprise de consulting ? Et comment comparer cette production avec celle d'un cabinet juridique ?

5.2. L'efficience du service, la productivité et l'efficacité

Il nous faut distinguer ces trois termes[27] les uns des autres. L'efficience implique la comparaison à un standard qui est généralement basé sur le temps (quel temps faut-il à un employé pour accomplir une tâche par rapport à un standard prédéfini ?). La productivité implique une estimation financière des *outputs* par rapport aux *inputs*. L'efficacité, par contraste, peut être définie comme le degré à partir duquel une entreprise atteint ses objectifs.

Un problème majeur dans la mesure de la productivité concerne la variabilité. Comme James Heskett le souligne, les mesures traditionnelles de production de service tendent à ignorer les variations de qualité ou la valeur du service. Dans le transport, par exemple, une tonne délivrée en retard est traitée de la même façon du point de vue des objectifs de productivité qu'une cargaison livrée à temps[28].

Une autre approche, qui consiste à compter le nombre de clients servis par unité de temps, souffre du même défaut : qu'arrive-t-il lorsqu'un accroissement de la cadence de traitement des clients provoque des problèmes de qualité du service ? Supposons qu'une coiffeuse serve trois clients par heure et trouve qu'elle peut augmenter sa productivité en réalisant ce qui techniquement peut être qualifié de bonne coupe, en utilisant un sèche-cheveux plus rapide mais plus bruyant, éliminant toute conversation possible, et en pressant les clients. Même si la coupe en elle-même est de bon niveau, son exécution amènera les clients à évaluer l'expérience de ce service de manière moins positive.

Le problème est que les techniques classiques de mesure de la productivité se focalisent plus sur la production que sur ses *aboutissements,* privilégiant l'efficience au détriment de l'efficacité. Sur la durée, les entreprises qui sont plus efficaces en délivrant constamment les produits que les clients désirent devraient être capables de proposer des prix plus élevés. Le besoin d'amélioration de l'efficacité et des résultats suggère que les problèmes de productivité ne peuvent être dissociés de ceux de la qualité et de la valeur. Les clients fidèles deviennent de plus en plus profitables dans le temps et sont une indication du retour sur investissement obtenu grâce à la qualité du service. Ainsi, John Shaw suggère que les mesures de croissance de la productivité dans les services devraient être basées sur les clients[29]. Il propose les points d'analyse et de comparaison suivants :

- profitabilité par client ;
- part de capital utilisé par client ;
- valeur d'actions utilisée par client.

Ces mesures montrent comment l'entreprise fonctionne. Mais les responsables et les employés ont besoin de méthodes pour arriver à de meilleurs résultats. Les professeurs Frei (Harvard Business School) et Harker (université de Pennsylvanie), qui se sont focalisés sur les processus dans les banques, ont développé une méthodologie en vue d'aider les responsables à comprendre jusqu'à quel niveau l'inefficacité dans une activité est due à la conception des procédures employées et à l'exécution de ces dernières[30].

6. Améliorer la productivité des services

La concurrence omniprésente dans le secteur des services pousse les entreprises à continuellement rechercher des gains de productivité. Cette section fait le point sur les différentes approches et sources de gains de productivité.

6.1. Les stratégies génériques d'amélioration de la productivité

La responsabilité d'améliorer la productivité des services a été traditionnellement celle du management des opérations, dont l'approche s'est focalisée sur des actions telles que :

- le contrôle des coûts à chaque étape du processus ;
- des efforts pour réduire le gaspillage de matériel et de travail ;
- adapter la capacité de production au niveau moyen de la demande plutôt qu'au niveau des pics, afin que les employés et les équipements ne soient pas sous-employés pendant de longues périodes ;
- remplacer les employés par des machines automatiques ;
- fournir aux employés des équipements et des bases de données leur permettant de travailler plus vite avec un niveau de qualité plus élevé ;
- apprendre aux employés comment travailler de manière plus productive (plus rapidement n'est pas nécessaire si cela mène à des erreurs ou à un travail non satisfaisant qui devra être refait) ;
- élargir le nombre de tâches qu'un employé peut réaliser pour éliminer les goulots d'étranglement et les pertes de temps en mettant en place la polyvalence du personnel (affecter le personnel aux endroits les plus sollicités) ;
- installer des systèmes experts pouvant aider les professionnels moins expérimentés à prendre en main plus tôt – et à des salaires moins élevés – un travail habituellement réalisé par des professionnels plus expérimentés.

Bien que l'amélioration de la productivité puisse être approchée de façon incrémentale, les principaux gains requièrent souvent un *reengineering* des processus de service, comme nous l'avons vu au chapitre 8.

6.2. Les approches client pour améliorer la productivité

Dans des situations où les clients sont largement impliqués dans un processus de production du service, les responsables marketing doivent garder à l'esprit que des stratégies marketing peuvent être utilisées afin d'influencer le client à se comporter de façon plus productive. Nous passerons en revue trois stratégies : changer le timing de la demande du client, impliquer les clients de façon plus active dans les processus de production et lui demander d'utiliser les tierces parties

Déplacer dans le temps la demande du client

Manager la demande dans un secteur de service à contrainte de capacité a été un thème récurrent dans ce livre (voir en particulier les chapitres 6 et 9). Les clients se plaignent souvent que les services auxquels ils sont habitués sont encombrés, reflétant des moments particuliers de la journée, de la saison ou d'autres pics de demande. Pendant les périodes entre ces pics, les responsables regrettent qu'il y ait trop peu de clients et que leurs équipements et personnel ne soient pas totalement productifs. En déplaçant la demande hors de ces pics, les responsables peuvent faire un meilleur usage de leurs actifs productifs et fournir un meilleur service. Toutefois, quelques demandes ne peuvent être repoussées sans la coopération de tiers ou des autorités qui contrôlent les horaires de travail et les périodes de vacances (scolaires par exemple). Pour combler les capacités inoccupées pendant les heures creuses, le marketing devra peut-être cibler de nouveaux segments de marché ayant des besoins et des rythmes différents, plutôt que de se concentrer exclusivement sur les segments habituels. Si les pics et les creux de demande peuvent être lissés et les capacités d'utilisation améliorées, la productivité augmentera, provoquant plus de production avec un niveau de consommation constante (en supposant des coûts variables négligeables).

Impliquer davantage les clients dans le processus de production

Les clients qui assument un rôle plus actif dans la production de services et dans le processus de livraison peuvent se charger de certaines missions normalement dévolues à l'entreprise de service. Chacune des parties peut tirer avantage de l'utilisation d'un automate, d'un libre-service[31].

De nombreuses innovations technologiques sont destinées à accomplir des tâches autrefois assumées par les employés. Aujourd'hui, de nombreuses entreprises essayent d'encourager les clients qui ont accès à Internet à obtenir des informations provenant du site Web de l'entreprise et même à commander au travers du Web plutôt que de s'adresser à des opérateurs dans les bureaux de l'entreprise. Pour que de tels changements réussissent, les sites Web doivent être agréables, rendre la navigation facile et les clients doivent être convaincus que la sécurité du système permet de confier au Web les informations contenues sur les cartes de crédit. Quelques compagnies proposent des incitations promotionnelles pour encourager les clients à faire la commande initiale sur le Web.

Même les hôtels cinq étoiles, qui ont traditionnellement un personnel au relationnel de haut niveau, ont demandé à leurs clients de participer davantage. Par exemple, des coffres de dépôts sécurisés et des consultations de messages automatiques sur le téléphone ont été installés dans la plupart des chambres. Dans le passé, ces services étaient fournis par un comptoir ou par un concierge. Toutefois, malgré la réduction de personnel de service, cette innovation a été vue comme un avantage pour les clients. Ils peuvent avoir un accès plus facile et plus rapide à leurs dépôts, et peuvent facilement voir une lumière clignoter sur leur téléphone s'ils ont un message qui les attend plutôt que d'avoir à contacter le concierge.

Certains clients, plus que d'autres, peuvent vouloir se servir eux-mêmes. En fait, la recherche suggère que cela pourrait être une variable de segmentation utile. Une étude sur une large échelle présentait des personnes interrogées avec le choix entre une option où ils s'occupaient de tout eux-mêmes et un système traditionnel de distribution dans les stations services, les banques, les restaurants, les aéroports, et les services de transport[32]. Pour chaque service, un scénario particulier avait été esquissé sur la base d'entretiens antérieurs qui avaient déterminé que les décisions de choisir les options de libre-service étaient très spécifiques aux situations et dépendaient de facteurs tels que le moment dans la journée, les conditions climatiques, la présence ou l'absence d'autres personnes, le temps et les coûts perçus.

Les résultats ont montré, dans chaque exemple, une proportion mesurable de répondants qui auraient choisi l'option de libre-service même si le temps ou les économies financières ne le justifiaient pas. Quand ces économies financières ou autres avantages étaient ajoutés, la proportion choisissant le libre-service augmentait. Des analyses supplémentaires ont montré des superpositions entre les différents services. Si les répondants ne se servaient pas leur propre essence, par exemple, ils étaient moins enclins à utiliser un distributeur automatique et préféraient être servis par un employé à la banque.

Les améliorations de qualité et de productivité dépendent souvent de la volonté qu'ont les clients d'apprendre de nouvelles procédures, pour suivre des instructions et interagir de façon coopérative avec des employés et d'autres personnes. Les clients qui abordent la rencontre de service avec des normes pré-établies, des valeurs et des rôles définis résistent plus au changement. Cathy Goodwin, professeur à l'université de Californie à Berkeley, suggère que ses recherches sur la socialisation peuvent aider les marketeurs de service à re-concevoir la nature de la rencontre de service de telle sorte qu'elle rende le client plus coopératif[33]. En particulier, elle avance que les clients vont avoir besoin d'aide pour apprendre de nouvelles compétences, pour se former une nouvelle image (« Je peux le faire moi-même »), pour développer de nouvelles relations avec les fournisseurs et les autres clients, et pour acquérir de nouvelles valeurs.

Demander au client d'utiliser les tierces parties

Dans certains cas, le management peut améliorer la productivité du service en déléguant une ou plusieurs fonctions de support marketing à des tiers. Le processus d'achat se décompose en quatre temps: l'information, la réservation, le paiement et la consommation. Quand la consommation du produit de base se passe sur un lieu qui n'est pas d'accès facile pour les clients à partir de leur domicile ou depuis leur lieu de travail (par exemple un aéroport, un théâtre, un stade ou un hôtel dans une ville éloignée), la délégation de la livraison d'éléments de service supplémentaires à des entreprises intermédiaires prend tout son sens.

Les intermédiaires spécialisés se réjouissent des économies d'échelle, qui leur permettent d'accomplir la même tâche à un meilleur prix que le fournisseur du service principal, laissant ce dernier se concentrer sur la qualité et la productivité dans son propre domaine d'expertise. Certains intermédiaires sont des entreprises locales bien identifiables, comme les agences de voyages où les clients peuvent se rendre en personne. D'autres, tels que les centres de réservations hôteliers, délèguent souvent leur propre identité à celle de la société de service du client. Quand les intermédiaires offrent un service 24 heures sur 24 au niveau national, les appels des clients sont répartis sur une plage de temps plus large. Les hauts et les bas de la demande d'appels sont davantage lissés quand le centre d'appels dessert un continent complet comme l'Amérique du Nord, qui a de multiples fuseaux horaires : les périodes chargées en Nouvelle-Écosse ou a New York sont peut-être des périodes creuses sur la côte Pacifique (et *vice versa*). L'industrie des centres d'appels est en train d'exploser en Europe, avec la Grande-Bretagne, l'Irlande et les Pays-Bas qui accueillent le plus grand nombre de centres. Les centres d'appels internationaux regroupant différentes langues augmentent rapidement. Des pays comme les États-Unis, le Canada et l'Australie, qui ont une importante population immigrante, ont ici des avantages car ils ont souvent une offre disponible de personnes dont la langue maternelle correspond aux différentes langues demandées. Comme avec tout changement dans les procédures, un mouvement vers l'utilisation d'intermédiaires pour fournir des services supplémentaires ne réussira que si les clients savent comment les utiliser et veulent le faire. Au minimum, une campagne de promotion et de formation est nécessaire pour réussir un tel changement.

6.3. Comment les améliorations de productivité influent sur la qualité et la valeur

Le responsables marketing feraient bien d'examiner la productivité du point de vue des processus business utilisés pour transformer les entrées de ressources en résultats produits et désirés par les clients. Colin Armistead (université de Bournemouth, Grande-Bretagne) et Simon Machin (Royal Mail) ont adopté cette approche dans l'étude d'un service postal, au cours de laquelle, grâce au *blueprint*, ils observèrent les processus permettant d'envoyer des produits aux clients à travers un flux respectant des standards de qualité[34]. Ils ont conclu que la gestion des processus business aide une grande entreprise à positionner la productivité de son service face à la qualité et à mieux comprendre les liens complexes entre la satisfaction du client (*via* la performance globale des processus) et la productivité.

Comment les changements et actions en *back office* influencent les clients

Les implications marketing des changements en *back office* dépendent du fait qu'ils sont perçus ou non par les clients. Si les mécaniciens aéronautiques développent une procédure pour entretenir les moteurs plus rapidement, sans entraîner ni hausse de salaire ni hausse des coûts matériels, la compagnie aérienne aura alors réalisé une amélioration de productivité qui n'aura aucun impact sur l'expérience de service vécue par le client.

Toutefois, d'autres changements en *back office* peuvent avoir un effet en *front office* et affecter les clients. Le marketing devrait être attentif aux changements proposés en *back office*, pas seulement pour les identifier, mais aussi pour y préparer les clients. Dans une banque, par exemple, la décision d'installer de nouveaux ordinateurs et des imprimantes peut être motivée par des objectifs d'amélioration de la qualité interne et de réduction du coût des relevés de fin de mois. Toutefois, ce nouvel équipement peut changer l'apparence des relevés bancaires et le moment dans le mois auquel ils sont postés. Si les clients sont susceptibles de remarquer de tels changements, une explication peut s'avérer nécessaire. Si les nouveaux relevés sont plus faciles à lire et à comprendre, alors le changement vaut la peine d'être promu comme une amélioration du service.

Malheureusement, les changements technologiques sont souvent mis en œuvre par des spécialistes qui n'ont jamais été sensibilisés aux préoccupations des clients Et, au lieu d'aboutir à un meilleur résultat, ils se présentent de telle manière qu'ils seront plus difficiles à interpréter. Par exemple, le nom du client sera peut-être tronqué puisque le département informatique n'aura pas prévu assez de caractères pour l'écrire en entier. Dans un tel cas, un gain de productivité en *back office* peut apparaître au client comme une baisse de qualité du résultat.

Améliorer le *front office* pour augmenter la productivité

Dans les services à contact élevé, les améliorations de productivité sont assez visibles. Certains changements demandent simplement aux clients un accord tacite, alors que d'autres leur demandent d'adopter de nouveaux schémas comportementaux dans leurs relations avec l'entreprise. Si des changements substantiels sont proposés, alors il convient dans un premier temps de mener une étude pour déterminer comment les clients peuvent réagir. Oublier de prendre en considération la réaction des clients peut conduire à une perte de business et à l'annulation de certains gains de productivité. Le mémo 14.2 propose une manière de s'attaquer à la résistance aux changements des clients. Une fois la nature des changements décidée, la communication marketing peut aider à préparer les clients, en leur en expliquant les raisons, les avantages et ce qu'ils devront faire différemment dans le futur.

Mémo 14.2

Prendre en compte la réticence du client au changement

La résistance au changement du client, dans des environnements familiers et des schémas comportementaux établis depuis longtemps, peut contrarier les tentatives d'amélioration de la productivité et même de la qualité. Bien trop souvent, l'incapacité des managers à observer de tels changements de la part de leurs clients crée une résistance bien réelle. Les managers opérationnels de services peuvent, et doivent, éviter d'être insensibles à l'égard de leurs clients. Six possibilités leur sont suggérées :

1. **Développer la confiance du client.** Il est plus difficile d'introduire des changements relatifs à la productivité quand les personnes ne font pas confiance à celui qui est chargé de les initier, comme c'est souvent le cas dans les grandes entreprises de service, apparemment impersonnelles. La volonté des clients d'accepter les changements peut être intimement liée au degré de bonne volonté qu'ils nourrissent à l'égard de l'entreprise. Si une entreprise n'a pas une relation fortement positive avec ses clients, ces derniers sont capables de bloquer les améliorations de productivité qui avantagent presque tout le monde en maintenant des coûts bas*.

2. **Comprendre les habitudes et les attentes des clients.** Les gens tombent dans la routine en utilisant un service particulier, en considérant certaines étapes dans un ordre spécifique. En effet, ils ont en tête leurs propres schémas de flux. Les innovations qui perturbent les routines bien ancrées sont susceptibles de

...

---

* Voir Shérazade Gatfaoui, « Confiance dans la relation consommateur-prestataire de service : une analyse du discours du personnel en contact », *Actes du congrès de l'AFM*, Deauville, vol. 17, 2001.

...

rencontrer une certaine résistance, à moins que les consommateurs ne soient prudemment informés des changements envisagés. Par exemple, en introduisant le code-barres, beaucoup de commerçants ont sous-estimé l'habitude de lire le prix sur le paquet, bien que certains aient préparé leurs clients à ce changement en leur expliquant comment ils en seraient affectés et surtout les raisons de cette innovation rationnelle.

3. **Tester les nouvelles procédures et les nouveaux équipements.** Avant d'introduire de nouveaux équipements et de nouvelles procédures, les marketeurs ont besoin de savoir ce que sera la réaction probable du client. Ces efforts doivent comprendre non seulement des essais en laboratoire, mais aussi des tests sur le terrain. Quand on remplace du personnel par un équipement automatique, il est particulièrement important que les clients de toute sorte le trouvent facile d'utilisation. Quelques équipements destinés à l'usage de clients semblent avoir été conçus par des ingénieurs pour des ingénieurs. Des instructions d'utilisation ambiguës, complexes ou autoritaires peuvent décourager les clients ayant des difficultés de lecture ou de compréhension, ou ceux habitués à un service personnalisé.

4. **Promouvoir les bénéfices.** L'introduction d'équipements en libre-service nécessite une participation du client. C'est pourquoi ce travail supplémentaire demandé doit être associé à des bénéfices supplémentaires, comme du temps de gagné, des plages horaires étendues, et parfois même des économies. Ces bénéfices sont parfois évidents, mais ils doivent être promus. Les stratégies les plus couramment employées sont la publicité de masse, les affiches sur place et la communication du personnel vantant l'intérêt spécifique du client qui changera de comportement en utilisant les nouveaux équipements.

5. **Former les clients à l'utilisation des innovations et les promouvoir.** Installer des machines en libre-service et fournir des instructions écrites n'est pas suffisant pour convaincre les clients, en particulier ceux qui sont réfractaires aux nouvelles technologies et au changement en général. L'affectation de personnel pour faire la démonstration des nouveaux équipements, dans les hypermarchés par exemple, et répondre aux questions est un élément clé pour gagner l'acceptation des clients. Des incitations promotionnelles peuvent aussi aboutir à un premier essai. Les clients qui auront essayé l'équipement une fois et qui en seront satisfaits l'utiliseront plus volontiers dans le futur.

6. **Être à l'écoute et continuer à rechercher des améliorations** L'introduction de la qualité et de la productivité est un processus continu. L'avantage possédé aujourd'hui peut être dépassé demain par celui d'un concurrent. Et l'avantage compétitif que génère un surcroît de productivité peut être rapidement effacé si d'autres entreprises adoptent les mêmes (ou de meilleures) procédures. Par exemple, le management d'une entreprise installant des pages contenant des informations sur la société et ses services sur le Web doit régulièrement vérifier que les pages sont « visitées » par les clients qui recherchent des informations et que, par exemple, un transfert en provenance du numéro vert s'effectue si telle est la volonté de la société.

Attention aux stratégies de réduction des coûts

Si l'on excepte les nouvelles technologies, la plupart des tentatives d'amélioration de la productivité dans les services ont tendance à concentrer les efforts sur l'élimination des gaspillages et la réduction des coûts de main-d'œuvre. Wickham Skinner, de la Harvard Business School, nous met en garde :

> *Réduire petit à petit et résolument le gaspillage et l'inefficacité – le cœur de la majorité des programmes de productivité – n'est pas suffisant pour restaurer la compétitivité. En effet, se concentrer sur la réduction des coûts (c'est-à-dire augmenter le rendement de la main-d'œuvre tout en maintenant constant le niveau d'activité ou, mieux encore, en le réduisant) se révèle être nuisible[35].*

Skinner s'exprimait à propos des entreprises de fabrication, mais il aurait pu tout aussi bien écrire sur les services. La réduction des effectifs de *front office* signifie soit que les employés restant devront travailler plus et plus vite, soit qu'il n'y aura pas suffisamment de personnel pour servir les clients lors des périodes de pointe. Bien que les employés soient capables de travailler plus vite sur une courte période, peu d'entre eux peuvent maintenir le rythme sur de longues périodes : ils se fatiguent, font des erreurs, et traitent les clients de manière superficielle. Les employés qui essaient de faire plusieurs choses à la fois – servir un client, répondre simultanément au téléphone et trier des papiers – les font finalement toutes mal. Une pression excessive alimente les mécontentements et les frustrations du personnel en contact avec les clients, pris entre le désir de satisfaire les besoins de ses clients et celui de satisfaire les objectifs de productivité imposés par la direction.

Les tentatives pour économiser le matériel et les équipements, pour éviter le gaspillage risquent d'échouer de la même façon. L'un de nous demanda une fois à la réceptionniste, dans un hôtel, pourquoi la procédure de départ avait pris autant de temps. L'employée répondit avec un sourire fatigué que les quatre réceptionnistes devaient partager une seule agrafeuse pour attacher les reçus des paiements de cartes de crédits aux factures et que par conséquent elle avait dû attendre son tour pour l'utiliser.

Meilleures pratiques 14.1

La biométrie : la prochaine étape pour améliorer la productivité et la qualité de service

La pression concurrentielle et la réduction de marges dans les activités de service ne permettant pas d'augmenter les coûts pour améliorer la qualité, l'alternative est de rechercher constamment de nouvelles façons d'améliorer la qualité et la productivité.

Internet a dans le passé permis à de nombreuses entreprises de le faire en redéfinissant de nouvelles activités, que ce soit dans la distribution musicale, les services financiers, les agences de voyages, etc.

La biométrie pourrait bien être le nouveau saut technologique permettant encore l'amélioration de la qualité des services et de la productivité.

La biométrie est l'identification ou l'authentification des individus, basée sur leurs caractéristiques physiques : les empreintes digitales, la géométrie du visage ou des

...

Meilleures pratiques 14.1

...

mains, la reconnaissance vocale et l'image de l'iris. La biométrie est bien plus fiable et « secure » que tous les autres modes de reconnaissance connus : mots de passe, cartes à puce, badges, etc. Plus de risque d'oubli, de vol ou de prêt non autorisé.

Les applications de la biométrie sont nombreuses : contrôle d'accès, *call centers* pour authentifier les clients, self-services, dépôts et retraits bancaires, déjà utilisés par quelques banques aux États-Unis.

Sources : Jochen Wirtz et Loizos Heracleous, « Biometrics meet Services », *Harvard Business Review*, février 2005, p. 48-49 ; Jochen Wirtz et Loizos Heracleous, « Biometrics - The Next Frontier in Service Excellence, Productivity and Security in the Service Sector », *Managing Service Quality*, 16, n° 1, 2006.

Conclusion

Améliorer la qualité du service et améliorer la productivité de celui-ci sont souvent deux faces d'une même pièce et constituent un objectif potentiel d'augmentation de la valeur aussi bien pour le client que pour l'entreprise. Un défi primordial pour toute entreprise de service est de fournir des résultats satisfaisants à ses clients, tout en faisant en sorte que ce soit rentable pour l'entreprise. Si les clients ne sont pas satisfaits par la qualité d'un service, ils ne seront pas incités à le payer cher, voire même à l'acheter, surtout si les concurrents proposent une meilleure qualité. De faibles volumes de ventes et/ou de faibles prix signifient moins de gains de productivité.

La notion selon laquelle le client est le meilleur juge de la qualité et du déroulement d'un service et de ses résultats est maintenant largement acceptée. Quand le client est vu comme l'arbitre ultime, alors les responsables marketing jouent un rôle essentiel dans la détermination de ses attentes et dans la mesure de sa satisfaction. Toutefois, les services marketing doivent travailler étroitement avec les autres directions, en particulier les services de conception et d'exécution des services.

Ce chapitre a présenté un nombre de modèles et d'outils pour définir, mesurer et améliorer la qualité du service, incluant des programmes de recherche pour identifier les écarts de qualité, et différents outils analytiques pour identifier et améliorer les points faibles.

La re-conception des processus de service a été présentée comme un outil important pour augmenter la productivité du service. Les responsables marketing doivent être intégrés dans ces programmes d'amélioration à partir du moment où ces efforts sont susceptibles d'avoir un impact sur les clients. Dans la mesure où ces derniers sont souvent impliqués dans le déroulement de la réalisation du service, les marketeurs doivent être attentifs aux opportunités de réorienter le comportement du client de telle sorte qu'il puisse aider l'entreprise à devenir plus productive. Les possibilités de libre-service, de transfert d'une partie de la demande client vers des périodes moins chargées et l'utilisation de tierces parties pour les services supplémentaires sont des exemples de ce type de comportement coopératif.

En résumé, valeur, qualité et productivité sont des préoccupations importantes pour toute direction générale, dans la mesure où elles sont directement liées à la rentabilité et à la survie de l'entreprise sur un marché concurrentiel. Les stratégies élaborées pour accroître la valeur dépendent dans une large mesure d'une amélioration continuelle de la qualité du service (tel que défini par les clients) et de sa productivité, renforcée par la satisfaction de la clientèle. La fonction marketing a beaucoup à offrir dans la réorganisation de notre pensée concernant ces questions, aussi bien que dans l'aide pour mener à bien des améliorations significatives.

Activités

Questions de révision

1. Expliquez la relation entre qualité du service, productivité et marketing.

2. Quels écarts peuvent apparaître dans la qualité du service et quelles initiatives peuvent prendre les marketeurs pour les empêcher ?

3. Quels sont les principaux outils que les entreprises de service peuvent utiliser pour analyser et résoudre les problèmes de qualité de service ?

4. Pourquoi la productivité est-elle un problème plus important pour les entreprises de service que pour les entreprises de fabrication ?

5. Quels sont les principaux outils pour améliorer la productivité du service ?

Exercices d'application

1. Revoyez les cinq dimensions de la qualité du service. Que signifient ces cinq dimensions dans le contexte : a) d'un atelier de réparations industrielles, b) d'une banque de dépôt, c) d'un des quatre grands cabinets de comptabilité et d'audit ?

2. Comment définiriez-vous une « qualité de service excellente » pour le service d'information de votre compagnie d'assurances ? Contactez le service de l'entreprise en question et évaluez-le selon votre définition de « l'excellence ».

3. Considérez vos propres et récentes expériences de client de services. Dans quelles dimensions de la qualité du service avez-vous le plus souvent ressenti un grand écart entre vos attentes et votre perception de la performance du service ? Selon vous, quelles en sont les raisons ? Quelles étapes devraient suivre la direction afin d'améliorer la qualité ?

4. Dans quelle mesure pouvez-vous, en tant que client, aider à améliorer la productivité pour au moins cinq entreprises de service auxquelles vous êtes habitué ? Quelles caractéristiques distinctes de chaque service rendent certaines de ces actions possibles ?

5. Quelles mesures clés pourraient être utilisées afin de contrôler la qualité du service, sa productivité et sa rentabilité pour une grande chaîne de pizzerias ? Plus spécifiquement, quelles mesures recommanderiez-vous de prendre à une telle entreprise, en prenant en compte les coûts ?

Notes

1. Evert Gummesson, « Service Management : An Evaluation and the Future », *International Journal of Service Industry Management*, 5, n° 1, 1994, p. 77-96.
2. Bradley T. Gale, *Managing Customer Value*, New York, The Free Press, 1994.
3. Robert D. Buzzell et Bradley T. Gale, *The PIMS Principles – Linking Strategy to Performance*, New York, The Free Press, 1987.

4. Voir aussi F. Mayaux, R. Revat, J. Lapierr, P. Filiatrault et J. Perrien, « Qualité de service », *Actes du congrès*, Paris, vol. 10, 1994.

5. David A. Garvin, *Managing Quality*, chapitre 3 en particulier, The Free Press, New York, 1988.

6. Christian Grönroos, *Service Management and Marketing*, chapitre 2, Lexington, Lexington Books, 1990.

7. Valarie A. Zeithaml, A. Parasuraman et Leonard L. Berry, *Delivering Quality Service*, New York, The Free Press, 1990).

8. Voir par exemple Francis Buttle, « SERVQUAL : Review, Critique, Research Agenda », *European Journal of Marketing*, 30, n° 1, 1996, p. 8-32 ; Simon S.K. Lam et Ka Shing Woo, « Measuring Service Quality : A Test-Retest Reliability Investigation of SERVQUAL », *Journal of the Market Research Society*, 39, avril 1997, p. 381-393 ; Terrence H. Witkowski et Mary F. Wolfinbarger, « Comparative Service Quality : German and American Ratings Across Service Settings », *Journal of Business Research*, 55, 2002, p. 875-881.

9. Gerhard Mels, Christo Boshoff et Denon Nel, « The Dimensions of Service Quality : The Original European Perspective Revisited », *The Service Industries Journal*, 17, janvier 1997, p. 173-189.

10. Grönroos, *Service Management and Marketing*.

11. Anne M. Smith, « Measuring Service Quality : Is SERVQUAL Now Redundant ? », *Journal of Marketing Management*, 11, janvier-février-avril 1995, p. 257-276.

12. Jochen Wirtz et Anna S. Mattila, « Exploring the Role of Alternative Perceived Performance Measures and Needs-Congruency in the Consumer Satisfaction Process », *Journal of Consumer Psychology*, 11, n° 3, 2001, p. 181-192. Sylvie Llosa, « L'analyse de la contribution des éléments du service à la satisfaction : un modèle tétraclasse », *Décisions marketing*, n° 10, 1997, p. 81-88.

13. Jochen Wirtz, « Halo in Customer Satisfaction Measures – The Role of Purpose of Rating, Number of Attributes, and Customer Involvement », *International Journal of Service Industry Management*, 14, n° 1.

14. Voir aussi Jacques-Marie Aurifeille, « Proposition d'une méthode de mesure du halo affectif en marketing », *Recherche et applications en marketing*, vol. 6, n° 4, 1991, p. 59-77.

15. Susan J. Devlin et H.K. Dong, « Service Quality from the Customers' Perspective », *Marketing Research*, 6, n° 1, 1994, p. 5-13.

16. Voir aussi Frédérique Perron, « La qualité de service : une comparaison de l'évaluation des écarts avec les performances appliquées à la zone achat », *Recherche et applications en marketing*, vol. 13, n° 3, p. 3-20.

17. Valarie A. Zeithaml, Leonard L. Berry et A. Parasuraman, « Communication and Control Processes in the Delivery of Services », *Journal of Marketing*, 52, avril 1988, p. 36-58.

18. Voir aussi David Ballantyne, Martin Christopher et Adrian Payne, « Conduire et mesurer la qualité du service : pour une approche complète », *Décisions marketing*, n° 2, 1994, p. 37-43.

19. Zeithaml *et al.*, « Communication and Control Processes in the Delivery of Services ».

20. Valarie A. Zeithaml et Mary Jo Bitner, *Services Marketing 3/E*, New York, McGraw-Hill, 2003, p. 261.

21. Leonard L. Berry et A. Parasuraman, « Listening to the Customer – The Concept of a Service Quality Information System », *Sloan Management Review*, printemps 1997, p. 65-76.

22. Commentaires de Thomas R. Oliver, alors vice-président sénior, ventes et service client chez Federal Express, rapportés par Christopher H. Lovelock, *Federal Express : Quality Improvement Program*, Lausanne, IMD (International Institute for Management Development), 1990.

23. Christopher Lovelock, *Product Plus: How Product + Service = Competitive Advantage*, New York, McGraw-Hill, 1994, p. 218.

24. Ces catégories et les données de la recherche qui suivent ont été adaptées à partir d'information de D. Daryl Wyckoff, « New Tools for Achieving Service Quality », *Cornell Hotel and Restaurant Administration Quarterly*, novembre 1984.

25. Roland T. Rust, Anthony J. Zahorik et Timothy L. Keiningham, « Return on Quality (ROQ): Making Service Quality Financially Accountable », *Journal of Marketing*, 59, avril 1995, p. 58-70.

26. Roland T. Rust, Christine Moorman et Peter R. Dickson, « Getting return on Quality : revenue Expansion, cost reduction, or Both? », *Journal of Marketing*, 66, octobre 2002, p. 7-24.

27. Kenneth J. Klassen, Randolph M. Russell et James J. Chrisman, « Efficiency and Productivity Measures for High Contact Services », *The Service Industries Journal*, 18, octobre 1998, p. 1-18.

28. James L. Heskett, *Managing in the Service Economy*, New York, The Free Press, 1986.

29. John C. Shaw, *The Service Focus*, Homewood, Dow Jones-Irwin, 1990, p. 152-153.

30. Frances X. Frei et Patrick T. Harker, « Measuring the Efficiency of Service Delivery Processes : An Application to Retail Banking », *Journal of Service Research*, 1, mai 1999, p. 300-312.

31. Voir aussi Annie Munos, « Technologies et métier de service », *Décisions marketing*, n° 17, p. 55-66.

32. Eric Langeard, John E. G. Bateson, Christopher H. Lovelock et Pierre Eiglier, *Services Marketing : New Insights from Consumers and Managers*, Cambridge (États-Unis), Marketing Science Institute, 1981, chapitre

2 en particulier. Un bon résumé est proposé par J. E. G. Bateson, « Self-Service Consumer : An Exploratory Study », *Journal of Retailing*, 51, automne 1985, p. 49-76.

33. Cathy Goodwin, « I Can Do It Myself : Training the Service Consumer to Contribute to Service Productivity », *Journal of Services Marketing*, 2, automne 1988, p. 71-78.

34. Colin Armistead et Simon Machin, « Business Process Management : Implications for Productivity in Multistage Service Networks », *International Journal of Service Industry Management*, 9, n° 4, 1998, p. 323-336.

35. Wickham Skinner, « The Productivity Paradox », *McKinsey Quarterly*, hiver 1987, p. 36-45.

Chapitre 15
L'importance du leadership

*« Le marketing est tellement basique qu'il ne peut être considéré
comme une fonction indépendante…
Il est l'ensemble du business vu du point de vue du résultat final,
c'est-à-dire du point de vue du client.
Les problématiques et la responsabilité du marketing doivent donc
être perméables à l'ensemble des services de l'entreprise. »* – Peter Drucker

*« Plus une entreprise se concentre sur le court terme, plus il est probable
qu'elle s'engage dans un comportement qui détruit de la valeur. »*
– Don Peppers et Martha Rogers

« Un leader sait ce qu'il faut faire ; un manager sait comment le faire. »
– Kenneth I. Adelman, diplomate américain

*« Nous ne sommes pas payés pour avoir raison.
Nous sommes payés pour obtenir des résultats. »*
– Roberto C. Goizueta, patron de Coca-Cola Company
de 1980 à sa mort, en 1997

Objectifs de ce chapitre

- Quelles sont les implications de la chaîne des profits dans le management des services ?

- Pourquoi le marketing, la gestion et les ressources humaines doivent-ils coopérer étroitement et être fortement intégrés au sein de l'entreprise ?

- Quelles sont les raisons des tensions existant entre les différents services de l'entreprise et comment peut-on les éviter ?

- Comment faire qu'une entreprise de services très réactive sur le marché intérieur accède à un rayonnement international ?

- Quel est le rôle des leaders dans le succès d'une entreprise ?

Tout au long de cet ouvrage, nous avons examiné la manière de manager une entreprise de services pour atteindre à la fois la satisfaction du client et la rentabilité. Notre focus a été placé sur le marketing, la seule fonction qui génère en fait des revenus pour une entreprise. Cependant, nous avons constamment insisté sur le fait que le déploiement d'activités marketing dans les entreprises de services s'étend au-delà des responsabilités assignées traditionnellement à un département de marketing.

D'où la nécessité d'une collaboration active entre les managers opérationnels et le management des ressources humaines pour la planification et l'implantation d'une stratégie de marketing des services.

Nous avons montré que le marketing lui-même pouvait être vu de différentes façons. Comme une initiative stratégique et concurrentielle poursuivie par le top management, comme un kit d'activités fonctionnelles effectuées par le middle management, ou comme une orientation tournée vers le client pour toute l'entreprise. En fait, ces trois perspectives sont nécessaires pour développer avec succès des stratégies de services.

Les entreprises de services qui réussissent déjà ne peuvent pas se permettre de se reposer sur leurs lauriers. Elles doivent constamment évoluer et s'adapter pour prendre l'avantage sur les nouveaux marchés, ou sur ceux qui se développent, répondre aux nouveaux besoins du client, contrer les concurrents, et exploiter les nouvelles technologies. En revanche, les entreprises peu performantes ou qui fonctionnent mal doivent envisager un changement de stratégie si elles veulent survivre ou prospérer. Nous verrons dans ce chapitre que ces deux situations impliquent de manager le changement.

Il est cependant très difficile pour une entreprise d'être leader sur son secteur et de le rester s'il manque des leaders qui peuvent élaborer la vision nécessaire et la concrétiser. L'accent peut être mis sur les aspects sur lesquels l'entreprise veut être concurrentielle : créer un espace de travail exceptionnel pour attirer les clients et les bons éléments, s'assurer que les clients reçoivent plus de valeur que la concurrence ne peut en offrir, mettre en place des innovations importantes, implanter de nouvelles technologies apportant un avantage concurrentiel, mettre en place des standards de qualité de service.

Nous allons maintenant établir un lien entre les thèmes et les sujets des chapitres précédents, en particulier ceux sur le management des employés, la fidélisation des clients, et l'amélioration de la qualité de services, en examinant ce que doit être la gestion d'une entreprise de services : à la fois se focaliser sur le client et être à l'écoute du marché.

1.   Les choix marketing au cœur de la création de la valeur

« Les entreprises réussissent en conquérant, en gardant, et en faisant croître les clients » affirment Don Peppers et Martha Rogers.

En soutenant que l'obsession des actionnaires de vouloir la croissance du revenu à court terme et des bénéfices peut en réalité détruire la valeur ajoutée, ils déclarent :

> *Aujourd'hui, les actionnaires veulent que les dirigeants démontrent que leurs entreprises peuvent faire de l'argent et croître comme elles le faisaient par le passé. Ils veulent que les clients d'une entreprise achètent plus, plus souvent, et restent fidèles plus longtemps. Ils veulent pouvoir présenter une entreprise qui gagne toujours plus et avoir plus de clients…*

> *La croissance nourrit l'innovation et la créativité, générant des idées nouvelles et des initiatives, et stimulant les managers de tous les secteurs à « penser autrement ».*

1.1. La chaîne de profit des services

À travers l'utilisation de ce qu'ils appellent « la chaîne de profit des services », Heskett, Jones, Loveman, Sasser et Schlesinger ont mis au point une série d'hypothèses qui permettent à une entreprise de services de réussir (voir figure 15.1)[1].

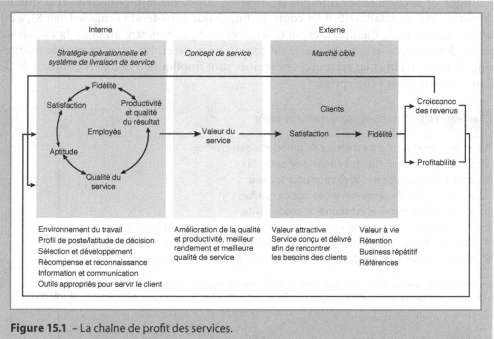

Figure 15.1 – La chaîne de profit des services.

Les notions et les relations qui sous-tendent le modèle de la chaîne de profit des services illustrent le lien de dépendance qui existe entre le marketing, la production et les ressources humaines. Bien que les responsables de chacun de ces services aient des responsabilités différentes, « travailler ensemble » est tout l'enjeu. Ils doivent tous s'investir sur le plan stratégique et la mise en place de tâches spécifiques doit être bien coordonnée. La responsabilité des tâches à effectuer doit être entièrement assumée au sein de l'entreprise ou répartie entre l'entreprise de services d'origine et ses sous-traitants ; mais ceux-ci doivent travailler en étroite collaboration s'ils souhaitent atteindre les objectifs fixés. Les autres fonctions, comme la comptabilité ou la finance, n'ont pas besoin d'être aussi fortement intégrées, car elles sont moins directement liées au processus de production et de livraison du service.

La chaîne de profit des services met en évidence les qualités que doivent avoir les leaders afin de gérer efficacement leurs entreprises (voir tableau 15.1). Les liens 1 et 2 se rapportent plus particulièrement au client. Ils mettent en avant la nécessité d'identifier et de comprendre ses besoins et d'investir dans des actions qui le fidélisent. Il apparaît également nécessaire de chercher sans cesse à développer des mesures qui agissent sur des variables telles que la fidélité et la satisfaction, à la fois auprès des clients et du personnel[2]. Le lien 3 se rapporte à la valeur créée par le service pour le consommateur et souligne la nécessité d'investir pour améliorer la qualité du service et la productivité, afin de réduire les coûts.

D'autres liens (4 à 7) se rapportent aux relations avec le personnel et insistent sur le temps à passer pour investir dans la formation de nouveaux managers et créer des postes qui offrent une grande souplesse de travail aux employés. Il est aussi démontré qu'une politique de salaires élevés diminue le turnover, augmente la productivité et la qualité du travail et, de ce fait, réduit les coûts. Enfin, ce que sous-tend la chaîne (lien 8), c'est un management de qualité. Il est donc évident que pour mettre en place la chaîne de profit des services, il est nécessaire de comprendre précisément comment le marketing, la production et les ressources humaines sont impliqués à une plus grande échelle dans la stratégie de l'entreprise.

Tableau 15.1	Les liens de la chaîne de profit

1. La fidélisation du client est source de profits et de croissance.
2. La satisfaction du client est à l'origine de sa fidélité.
3. La qualité est source de satisfaction pour le client.
4. La productivité du personnel est source de qualité.
5. La fidélité du personnel est source de productivité.
6. La satisfaction du personnel est à l'origine de sa fidélité vis-à-vis de l'entreprise.
7. La qualité de l'environnement de travail est source de satisfaction pour les employés.
8. Un management de grande qualité est à la source de la chaîne des succès.

Sources : James L. Heskett *et al.*, « Putting the Service Profit Chain to Work », *Harvard Business Review*, mars-avril 1994 ; James L. Heskett, W. Earl Sasser et Leonard L. Schlesinger, *The Service Profit Chain*, Boston, Harvard Business School Press, 1997.

1.2. Quelles qualités sont associées aux entreprises de services qui gagnent ?

Les thèmes et les relations sous-jacentes à la chaîne de profit des services illustrent de manière irréfutable la dépendance mutuelle entre le marketing, les opérations et les ressources humaines. Une entreprise qui est reconnue comme leader parmi les entreprises de services offre à ses clients une valeur et une qualité supérieures. Elle a des stratégies marketing qui surpassent la concurrence, tout en étant vue comme une entreprise de confiance respectueuse des valeurs éthiques. Cette dernière est aussi perçue comme leader dans les opérations, respectée pour ses processus opérationnels efficaces et son utilisation innovante de la technologie. Enfin, elle est reconnue pour être un excellent lieu de travail, devançant dans ses pratiques de management des ressources humaines ses concurrentes. Elle possède des employés fidèles, productifs et tournés vers les clients. Clairement, l'implantation d'une chaîne de profit des services requiert une profonde compréhension de la manière dont le marketing, les opérations et les ressources humaines sont en étroite relation avec les problématiques stratégiques globales de l'entreprise et contribuent à la création de valeur.

Atteindre une position de leader dans les services nécessite une vision réaliste de ce qu'il en coûte pour réussir et une stratégie conduite pour une équipe dirigeante forte et efficace. L'implantation d'une telle stratégie implique une coordination attentive entre le marketing (qui définit dans ses grandes lignes tous les aspects du service client), les opérations (incluant le management des technologies) et les ressources humaines. Comme nous l'avons souligné tout au long du livre, la fonction marketing dans les entreprises de services ne peut pas être facilement séparée des autres directions, et la fonction marketing est nettement plus large que le travail effectué par le département marketing.

Idéalement, les entreprises de services devraient être organisées de manière à permettre aux trois fonctions, marketing, opérations et ressources humaines, de travailler en étroite collaboration pour que l'entreprise soit réactive face aux différentes parties prenantes et réussisse sur ses marchés cibles. Pour les entreprises qui y parviennent correctement, le succès est finalement couronné par un accroissement de la valeur de l'entreprise elle-même – exprimée, pour les entreprises cotées en Bourse, par une augmentation du prix de leurs actions. Comme l'a démontré une étude de l'indice américain de satisfaction clients (ACSI), la plupart des secteurs d'activités de services démontrent un fort lien entre la satisfaction du client – ce sur quoi chaque employé de l'entreprise doit travailler – et la valeur boursière (voir figure 15.2). Une distinction importante entre les entreprises de services leaders et les autres est la manière dont elles conçoivent la création de valeur. Les premières cherchent à créer de la valeur par la satisfaction du client et ses antécédents, alors que les autres cherchent à améliorer la valeur en Bourse grâce à des mesures tactiques pour augmenter les ventes, réduire les coûts à court terme et bénéficier de la dynamique des marchés financiers.

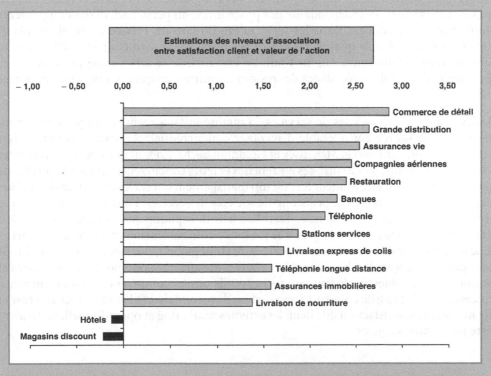

Figure 15.2 – La satisfaction client est très liée à la valeur de l'action dans la plupart des secteurs de services.

2. Intégrer le marketing, les opérations et la gestion des ressources humaines

Une longue tradition de spécialisation fonctionnelle va à l'encontre d'un management efficace des services. L'un des défis des dirigeants de toutes les organisations est d'éviter l'écueil de ce que l'on appelle parfois les « silos fonctionnels », où chaque fonction existe indépendamment des autres et conserve jalousement cette indépendance. D'une manière idéale, les entreprises devraient être organisées de façon à ce que les trois fonctions marketing, production et ressources humaines, puissent s'exercer en étroite collaboration et que l'entreprise soit réactive à la demande de ses différents actionnaires.

Pourquoi est-il si important que les sociétés de services intègrent les activités réalisées par les fonctions marketing, opérationnelles et de ressources humaines ? Comme nous l'avons vu, beaucoup d'entreprises de services – spécialement celles impliquant les services délivrés par des personnes – sont littéralement des « usines » que les clients contactent quand ils en ont besoin. Quand les clients sont activement impliqués dans la livraison du service et que le service final est consommé simultanément à sa production, un engagement actif entre la production (les opérations) et les clients devrait être obligatoire. En dehors du développement des technologies en libre-service, le contact entre les opérationnels et les clients reste la règle plutôt que l'exception dans beaucoup de secteurs. Le résultat est que la fonction marketing des entreprises de services ne peut pas être dissociée – et indépendante des procédures, du personnel, et des équipements gérés par les opérations. Dans les services impliquant un fort relationnel, les résultats sont fonction de la qualité des personnes recrutées et formées par le département des ressources humaines. Aujourd'hui, les entreprises de services ne peuvent pas se permettre d'avoir des spécialistes des ressources humaines qui ne comprennent pas les clients.

Dans beaucoup de sociétés de services, la qualité et l'engagement du personnel sont devenus une source considérable d'avantage concurrentiel. Regardez des entreprises telles qu'Accor, Air France, McKinsey et Goldman Sachs. En tant que client, vous pouvez et vous ferez la différence entre ces entreprises et leurs concurrentes grâce à la qualité de leurs employés. Un engagement fort du top management envers les ressources humaines est une marque de succès de beaucoup de sociétés de services. Pour que le management des ressources humaines réussisse, Terri Kabachnik explique que : « cette fonction doit être tournée vers le commerce avec une profonde compréhension du projet d'entreprise. Elle doit être considérée comme un partenaire stratégique apportant des solutions innovantes et influençant les décisions clés. » Dans la mesure où les employés comprennent et soutiennent les objectifs de leur entreprise, où ils ont les compétences et les formations nécessaires à la réussite dans leur travail, et où ils reconnaissent l'importance de créer et de maintenir la satisfaction du client, les activités marketing et opérationnelles devraient être plus simples à gérer.

2.1. Réduire les conflits entre les départements

Étant donné que les entreprises de services sont très fortement orientées vers le marché et la satisfaction du client, il existe un risque croissant de conflits entre ces trois fonctions, particulièrement entre le marketing et la production. Comment ces trois fonctions peuvent-elles coexister facilement au sein d'une entreprise et comment sont perçus leurs rôles respectifs ? Sandra Vandermerwe souligne que les entreprises créatrices de valeur devraient réfléchir en termes d'« activités » et non de fonctions[3]. En effet, on trouve encore dans de nombreuses entreprises des employés du marketing et de la production qui ne se comprennent pas.

Ainsi les responsables marketing considèrent que leur rôle est d'améliorer sans cesse l'offre produit, d'accroître son intérêt pour le client, ce qui en conséquence augmente les ventes. Les responsables production, au contraire, considèrent que leur travail consiste à réduire l'importance de ces éléments afin de coller aux contraintes du service – personnel et équipements – tout en respectant les contraintes de coûts. Des conflits peuvent également survenir entre les ressources humaines et les deux autres fonctions, plus particulièrement lorsque les employés font face à des situations où ils doivent atteindre des objectifs contradictoires imposés par le marketing et la production.

Les marketeurs qui souhaitent éviter les conflits avec la production doivent être conscients des questions qui sont à la base de sa stratégie. Modifier le fonctionnement habituel est difficile pour les responsables de production qui se sentent à l'aise avec des approches traditionnelles. Ils en viennent rapidement à ne se concentrer que sur leurs propres tâches et oublient que tous les départements doivent travailler ensemble pour faire de l'entreprise une entité qui soit orientée vers le service du client. Tant que les services seront organisés en entités fonctionnelles (et beaucoup le sont), il faudra, pour créer une synergie stratégique entre les départements et les coordonner, que la direction donne des impératifs précis à chaque fonction.

Chaque impératif doit être en rapport avec la meilleure gestion possible du client et expliquer en quoi la fonction joue un rôle spécifique dans la réalisation des objectifs finaux. Un des défis du management des services est de s'assurer que chacun des impératifs donnés aux trois fonctions est compatible avec les autres et qu'ils se renforcent mutuellement. Bien que chaque entreprise doive déterminer ses propres impératifs en fonction de sa spécificité, nous pouvons les exprimer d'une manière générale.

- **Les impératifs du marketing.** Cibler les segments spécifiques que l'entreprise est en mesure de satisfaire et développer des relations privilégiées avec les clients en leur offrant un ensemble de services soigneusement définis, à un prix qui soit source de satisfaction pour eux et source de profits pour l'entreprise. Les clients reconnaîtront que cet ensemble de services est d'une qualité constante, répond à leurs besoins et est supérieur aux offres de la concurrence.

- **Les impératifs de la production.** Produire et fournir l'ensemble des services spécifiques aux clients cibles, grâce à un choix d'opérations techniques qui permettent à l'entreprise d'offrir aux consommateurs le prix, la quantité, la régularité et la qualité qu'ils attendent, et réduire sans cesse ses coûts en améliorant la productivité. Les méthodes de productions choisies doivent également être adaptées aux compétences que possèdent ou que peuvent acquérir le personnel permanent, intermédiaire ou les sous-traitants. L'entreprise doit avoir les ressources nécessaires, en termes de matériels, d'équipements et de technologies, pour réaliser ces opérations sans que cela ait d'impact négatif sur le personnel ni sur l'environnement de l'entreprise.

- **Les impératifs des ressources humaines.** Recruter, former et motiver des managers, des chefs d'équipes et des employés qui sachent travailler ensemble et trouver un équilibre satisfaisant entre ces deux inséparables objectifs que sont la satisfaction du client et la rentabilité de la production. Les employés doivent avoir envie de rester au sein de l'entreprise et de développer leurs compétences. Ils doivent apprécier leur environnement de travail, les opportunités qui leur sont offertes et être fiers du service à la création et à la diffusion duquel ils participent.

3. Créer une entreprise de services leader

En tant que consommateur, vous avez probablement fait l'expérience d'un éventail de services qui allaient de la qualité la meilleure à la plus exécrable. Peut-être que vous connaissez des entreprises en qui vous pouvez avoir confiance et qui vous fourniront toujours un service de qualité, tandis que d'autres sont imprévisibles et offrent tantôt un service de bonne qualité, tantôt un service de qualité moyenne. Peut-être même que vous connaissez quelques entreprises qui offrent systématiquement un service de mauvaise qualité et qui sont désagréables avec leurs clients.

3.1. Des perdants aux gagnants : quatre niveaux de performance

Le leadership des services n'est pas caractérisé par une performance exceptionnelle, faite d'une seule dimension. Cette performance se reflète plutôt au travers de multiples dimensions. Afin de tenter de percevoir l'étendue du spectre de la performance, nous devons, dans un premier temps, étudier l'organisation de chacune des fonctions décrites précédemment : le marketing, la production et les ressources humaines. Le modèle proposé par Richard Chase, de l'université de Californie du Sud, et Robert Hayes[4], de Harvard, classe les acteurs des services en quatre catégories : les perdants, les insignifiants, les professionnels et les gagnants. Pour chaque catégorie, on trouve une description de l'organisation type à 12 niveaux différents.

En ce qui concerne la fonction marketing, nous nous attacherons au rôle du marketing de la valeur, du profil du consommateur et de la qualité du service. En ce qui concerne la fonction production, nous nous attacherons au rôle de la production, de la distribution du service (en *front office*), des opérations en *back office*, de la productivité et de l'introduction de nouvelles technologies. Enfin, en ce qui concerne la fonction ressources humaines, nous étudierons son rôle – de la main-d'œuvre aux responsables des contacts avec le client. Il est évident qu'il existe des croisements entre ces dimensions et entre ces fonctions. Par ailleurs, certaines variables peuvent avoir une importance différente selon les marchés. L'objectif de ce modèle est cependant d'obtenir des indices sur les éléments qui doivent être modifiés dans les entreprises qui ne réussissent pas aussi bien qu'elles le devraient.

Les perdants

Ces entreprises se situent au plus bas niveau de qualité, aussi bien en ce qui concerne la satisfaction apportée au client qu'en ce qui concerne le fonctionnement interne. Leurs notes sont aussi mauvaises en marketing, qu'en production et qu'en ressources humaines. Les clients les fréquentent, mais pour des raisons autres que leurs performances : le plus souvent parce qu'elles n'ont pas de véritables concurrents, ce qui explique que ces perdants puissent survivre. De telles entreprises considèrent la distribution comme un mal inévitable. Les nouvelles technologies ne sont introduites que sous la contrainte, et la main-d'œuvre peu attentionnée freine la performance. Le cercle vicieux de l'erreur et de la médiocrité présenté aux figures 11.1 et 11.2 décrit le comportement de ces entreprises et montre quelles en sont les conséquences.

Les insignifiants

Bien que leurs résultats laissent encore fort à désirer, les insignifiants ont éliminé les pires caractéristiques des perdants. Ils sont dominés par une production aux conceptions classiques, qui cherche à réduire les coûts par la standardisation. Leurs stratégies marketing sont très peu sophistiquées et le rôle des ressources humaines et de la production pourrait être respectivement résumé par les maximes « ce qui ne va pas trop mal est bien assez bon » et « tant que ce n'est pas cassé, n'y touche pas ». Les clients ne recherchent pas ces entreprises, mais ils ne les évitent pas systématiquement non plus. On peut souvent trouver des entreprises de ce type dans le secteur du prêt-à-porter de mauvaise qualité et elles sont souvent peu différentes les unes des autres. C'est la fréquence des promotions qui a tendance à être le principal moyen d'attraction de nouveaux clients.

Les professionnels

Ces entreprises évoluent dans un milieu tout à fait différent des insignifiants et ont une stratégie de positionnement sur le marché bien définie. Les clients du segment cible recherchent ces entreprises qui s'appuient sur leur réputation à satisfaire les besoins des consommateurs. Le marketing y est plus élaboré, soutenu par des communications ciblées et des prix conçus à partir des attentes des clients. Des études évaluent la satisfaction du consommateur et élaborent des recommandations pour l'amélioration du service. La production et le marketing travaillent ensemble pour développer de nouveaux systèmes de distribution et reconnaissent la nécessité de combiner productivité et réponse aux attentes de qualité de la part du client. Il existe des liens réels entre les activités *back office* et *front office*, et la direction a une conception des ressources humaines plus proactive et plus orientée vers le développement que celle qui gouverne les insignifiants.

Les leaders

Ces entreprises sont « la crème de la crème » de leurs marchés respectifs. Alors que les professionnels sont bons, les leaders sont remarquables. Le nom de ces entreprises est synonyme d'excellence et de savoir-faire, pour le bonheur de leurs clients. Les leaders sont reconnus pour leurs innovations dans tous les champs du management, pour l'excellence de leur communication interne et de leur coordination des trois fonctions, souvent le résultat d'une structure organisationnelle linéaire et d'un très large développement du fonctionnement par équipes. En conséquence, l'entreprise est en fait un processus continu, ayant le client pour centre.

Les efforts marketing des services sont soutenus par l'utilisation massive d'importantes bases de données. Elles fournissent des informations stratégiques essentielles sur les consommateurs, qui sont souvent interrogés de façon individuelle. Le test de concept, l'observation et les contacts avec des clients prescripteurs sont utilisés lors du développement de nouveaux services révolutionnaires, qui répondent à des besoins qui n'avaient pas été identifiés jusqu'alors. Les spécialistes de la production travaillent avec des leaders de la technologie du monde entier afin de développer des systèmes qui constitueront une prime à l'audace et l'innovation pour l'entreprise et lui permettront d'atteindre un niveau de résultat tel que ses concurrents ne pourront pas espérer la rejoindre avant un très long laps de temps[5].

Les cadres considèrent que la qualité du personnel est un avantage stratégique. Les ressources humaines travaillent avec eux afin de développer et pérenniser une culture orientée vers le service, et mettre en place un environnement de travail qui leur permette plus facilement d'attirer et de garder les plus brillants.

3.2. Passer à un niveau de performance supérieur

Les entreprises peuvent passer d'un niveau à l'autre. Les stars d'un jour peuvent devenir paresseuses car satisfaites d'elles-mêmes. Les entreprises qui se concentrent uniquement sur la satisfaction de leurs clients actuels peuvent manquer des virages dans l'évolution du marché et découvrir qu'elles sont complètement dépassées. Ces entreprises pourront continuer à servir des clients habituels, fidèles mais moins dynamiques. Elles seront incapables d'attirer une clientèle nouvelle, dont les attentes sont différentes. Ceux dont le succès initial était bâti sur la maîtrise d'une technologie particulière réaliseront peut-être qu'en protégeant leur maîtrise du processus, ils ont poussé leurs concurrents à développer une alternative plus performante. Et ceux dont la direction a travaillé des années à la création d'une équipe fidèle, fortement orientée vers le service, se rendront peut-être compte qu'une telle culture peut se trouver rapidement détruite par le résultat d'une fusion ou d'une acquisition, qui met à la tête de l'entreprise des leaders tournés vers le profit à court terme. Malheureusement, les managers seniors peuvent s'égarer en croyant que leur entreprise a atteint un très haut niveau de résultat quand, en réalité, les fondations de ce succès sont vacillantes.

Sur la plupart des marchés, on peut rencontrer des entreprises qui escaladent l'échelle du succès grâce à des efforts persistants pour coordonner marketing, production et ressources humaines, créer les conditions les plus favorables pour affronter la concurrence et améliorer la satisfaction de leurs clients.

Vous pouvez vous référer au tableau 15.2 qui, pour chaque niveau de performance, indique les rôles des fonctions marketing, opérationnelles et ressources humaines.

Tableau 15.2 Quatre niveaux de performance du service

Niveau	1. Perdant	2. Insignifiant	3. Professionnel	4. Leader
			La fonction marketing	
Le rôle du marketing	Rôle tactique uniquement. La publicité et les campagnes de promotions manquent d'objectifs : pas d'implication dans les décisions sur le service ou le prix	Utilise un mélange de vente et de communication de masse, en utilisant une stratégie de segmentation simple ; fait une utilisation simple de la réduction des prix et des promotions ; réalise et classe des enquêtes de satisfaction basiques	A un positionnement clair pour contrer la concurrence ; utilise des communications ciblées avec des attraits distincts pour clarifier les promesses et éduquer les clients ; la fixation des prix est basée sur la valeur ; gère les usages du client et exploite un système de fidélité ; utilise un grand nombre de techniques de recherche pour mesurer la satisfaction du client et obtenir de nouvelles idées pour l'amélioration des services ; travaille avec les opérations pour introduire de nouveaux systèmes de production	Leader novateur dans des segments ciblés, connu pour sa compétence marketing ; des produits et des processus réputés (marques) ; mène des analyses poussées des bases de données relationnelles comme matière à un marketing one to one et à une gestion proactive des comptes ; conçoit l'état de l'art dans les techniques de recherche ; utilise les concepts de test, d'observation et des clients tests pour le développement de nouveaux produits ; proche des opérations et des ressources humaines
L'attrait concurrentiel	Les clients utilisent l'entreprise pour d'autres raisons que la performance	Les clients ne recherchent, ni ne fuient l'entreprise	Le client recherche l'entreprise basée sur sa solide réputation pour répondre aux besoins du client	Le nom de l'entreprise est synonyme d'excellence du service ; la capacité de ravir le client soulève des attentes que les concurrents ne peuvent atteindre
Le profil du client	Non défini : un marché de masse à servir à coût minimal	Un ou plusieurs segments dont les besoins basiques ont été compris	Groupe d'individus dont la variation des besoins et de la valeur pour l'entreprise est clairement comprise	Les employés sont choisis et retenus à partir de leur valeur future pour l'entreprise, en y incluant leur potentiel à créer de nouvelles opportunités de services et leur capacité à stimuler l'innovation
La qualité de service	Très variable, habituellement pas satisfaisante ; soumise aux priorités des opérations	Répond aux attentes du client ; cohérente sur une ou deux dimensions, mais pas sur toutes	Répond ou surpasse constamment les attentes des clients dans de multiples dimensions	Amène les clients à de nouveaux niveaux d'attente, s'améliore continuellement

Niveau	1. Perdant	2. Insignifiant	3. Professionnel	4. Leader
			Les fonctions opérationnelles	
Rôle des opérations	Réactif, concentré sur les coûts	Préoccupation de la ligne principale de management : créer et livrer le produit, se concentrer sur la standardisation pour améliorer la productivité, définir la qualité d'une perspective interne	Joue un rôle stratégique dans la stratégie concurrentielle ; reconnaît l'arbitrage entre la productivité et la qualité définie par le client ; désireux d'externaliser ; gère des études concurrentielles	Reconnu pour l'innovation, l'attention et l'excellence ; c'est l'égal du marketing et du management des ressources humaines ; a des capacités de recherche en interne et des contacts universitaires ; expérimente continuellement
Production du service (*front office*)	Une règle constante : les lieux et horaires sont sans rapport avec les préférences des clients, qui sont continuellement ignorés	Inconditionnels de la tradition : « Si ce n'est pas cassé, il ne faut pas réparer. » Règles strictes pour les clients, chaque étape de la production s'effectue indépendamment	Conduites par la satisfaction du client et non par la tradition ; désireux de personnaliser et de tester de nouvelles approches ; met l'accent sur la vitesse, l'utilité et le confort	La production est un processus intégré organisé pour le client ; les employés savent pour qui ils travaillent ; se concentrent sur une amélioration continuelle
Opérations de support	Divorcé d'avec le *front office* ; la tête dans les machines	Contribuent aux étapes de production des personnes du *front office*, mais sont organisées séparément ; étrangères aux clients	Les processus sont explicitement liés aux activités du *front office*. Voit son rôle comme un service aux « clients internes »	En étroite collaboration avec le *front office*, même si les locaux sont très éloignés ; comprend comment son rôle fait partie d'un processus global de service aux clients externes ; dialogue continuellement
Productivité	Non définie ; les managers sont sanctionnés s'ils ne respectent pas le budget	Basée sur la standardisation ; récompensée pour garder les coûts en dessous des niveaux budgétaires	Se concentre sur la re-conception des processus *back office* ; évite les améliorations de productivité qui dégraderont l'utilisation du service par le client ; affine les processus continuellement pour accroître l'efficience	Comprend le concept de retour sur qualité ; cherche activement l'implication du client dans l'amélioration de la productivité ; teste continuellement de nouveaux processus et de nouvelles technologies
Introduction des nouvelles technologies	Intégration tardive, sous la contrainte, quand c'est indispensable pour survivre	Suit la foule quand c'est justifié pour des réductions de coûts	Utilisateur précoce des technologies de l'information si elles promettent un accroissement de services pour les clients et offrent un avantage concurrentiel	Travaille avec les leaders technologiques pour développer de nouvelles applications, ce qui crée un avantage de premier entrant ; cherche à atteindre des niveaux de performance que les concurrents ne peuvent atteindre

Niveau	1. Perdant	2. Insignifiant	3. Professionnel	4. Leader
Ressources humaines				
Rôle des ressources humaines	Fournit des employés pas chers qui correspondent aux critères minimaux du poste	Recrute et forme des employés qui peuvent agir intelligemment	Investit dans un recrutement sélectif, avec une formation continuelle ; reste proche des employés, promeut une mobilité ascendante ; s'efforce d'améliorer la qualité de travail	Cherche une qualité d'employés qui soit un avantage stratégique ; l'entreprise est connue pour être un lieu exceptionnel de travail ; les RH aident le top management à nourrir la culture
Personnel	Contrainte négative : employés peu performants, qui s'en moquent, infidèles	Ressource adéquate, suit les procédures sans être inspiré, turnover souvent élevé	Motivé, travaille dur, se permet quelques remarques dans le choix des procédures, fournit des suggestions	Innovante et puissante ; très fidèle, attachée aux valeurs et aux buts de l'entreprise ; crée des procédures
Management du personnel de contact	Contrôle les travailleurs	Contrôle les processus	Écoute les clients, entraîne et aide les collaborateurs	Source d'idées nouvelles pour le top management ; des collaborateurs mentors promeuvent une évolution de carrière ; valeur pour l'entreprise

4. À la recherche du leadership

Les entreprises leaders sont celles qui se démarquent sur leurs marchés et secteurs d'activités respectifs. Mais elles ont toujours besoin de leaders pour les conduire dans la bonne direction, définir les priorités en termes de stratégie, et s'assurer que des stratégies pertinentes sont mises en place à tous les niveaux de l'entreprise. Une grande partie de la théorie du leadership traite des bouleversements et des changements. Il est facile de voir pourquoi des entreprises peu performantes ont besoin de transformer leur culture et leurs processus de production en profondeur afin d'être plus performantes. Mais, dans un contexte de changements rapides, même les entreprises les plus performantes ont besoin de se développer continuellement, se transformant en structures évolutives.

4.1. Manager une entreprise de services

John Kotter, qui est peut-être l'une des autorités les plus connues du leadership, soutient que dans les processus de changement les plus réussis, les individus passent par huit étapes complexes, qui demandent souvent beaucoup de temps[6] :

1. instaurer un climat d'urgence pour accélérer l'élan du changement ;

2. mettre en place une équipe suffisamment solide pour diriger le processus ;

3. définir une vision adéquate de la direction que souhaite prendre l'entreprise ;

4. communiquer largement cette vision ;

5. donner aux employés le pouvoir nécessaire pour mettre en place cette vision ;

6. avoir suffisamment de résultats à court terme pour être crédible et contrer le cynisme ;

7. donner l'impulsion et l'utiliser pour vaincre les problèmes les plus complexes ;

8. ancrer ces nouveaux comportements dans la culture de l'entreprise.

Leadership *vs* management

La force première d'un changement réussi, c'est le leadership, qui est lié au développement d'une vision et d'une stratégie ainsi qu'à la délégation des pouvoirs aux employés pour surmonter les obstacles et mettre en place la vision initiale. Le management, lui, se rapporte plutôt au fait de pérenniser une situation en utilisant le planning, le budget, l'organisation, la gestion d'équipe, le contrôle et la résolution des problèmes. Warren Bennis et Bert Nanus, tous deux professeurs à l'université de Californie du Sud, distinguent ainsi les leaders des managers : les leaders vont mettre en avant les ressources émotionnelles, voire spirituelles d'une organisation, tandis que les managers vont se concentrer sur ses ressources physiques, comme la matière première, la technologie, le capital[7]. Kotter explique :

> *Le leadership s'incarne dans les personnes et la culture. C'est doux et chaud. Le management s'incarne dans la hiérarchie et les systèmes. C'est plus dur et plus froid… Fondamentalement, l'objectif du management est de faire perdurer un système actuel qui fonctionne. Fondamentalement, l'objectif du leadership est de mettre en place des changements utiles, plus particulièrement des changements incrémentiels. On peut avoir trop ou pas assez de l'un ou de l'autre. Un leadership*

fort sans management peut conduire au chaos ; l'organisation peut grimper tout droit au sommet de la falaise. Un management fort sans leadership peut transformer l'entreprise en une bureaucratie mortifère[8].

Cependant, le leadership tend à devenir une partie essentielle et de plus en plus importante du travail managérial, dans la mesure où les changements sont de plus en plus fréquents. À la fois, reflets de la concurrence et des avancées technologiques, de nouveaux services sont introduits de plus en plus fréquemment et leurs cycles de vie sont de plus en plus courts (si, en effet, ils arrivent à franchir le cap de la phase d'introduction sur le marché). En même temps, le marché ne cesse de se transformer sous l'effet d'entreprises mondiales qui s'introduisent sur de nouveaux marchés géographiques, de fusions, d'acquisitions et de la disparition d'anciens concurrents. Le processus de production des services s'est lui aussi accéléré, avec des clients qui demandent des services et des réponses plus rapides quand les choses vont mal. En conséquence, déclare Kotter, la direction peut passer aujourd'hui 80 % de son temps à faire du leadership, ce qui double le chiffre d'il n'y a pas si longtemps ! Même ceux qui sont au bas de la hiérarchie du management peuvent passer 20 % de leur temps à faire du leadership.

Diriger est différent de planifier

Les gens confondent souvent ces deux activités. La planification, selon Kotter, est un processus de management créé dans le but de produire des résultats selon une certaine organisation et non un changement. Une direction est, par rapport au planning, une activité plus inductive que déductive. Les leaders recherchent les tendances, les relations et les liens qui vont les aider à expliquer les choses et pressentir les futures tendances. Les directions (ou lignes directrices) développent des visions et des stratégies qui décrivent ce que doivent devenir sur le long terme un marché, une technologie ou une culture d'entreprise. Elles définissent dans les grandes lignes une façon pratique d'atteindre cet objectif. Les leaders efficaces savent comment communiquer simplement avec ceux qui n'ont pas nécessairement la même formation ou le même type de connaissances. Ils connaissent leurs publics, et sont capables de faire passer leur message et de transmettre des concepts complexes en quelques phrases[9].

Parmi les meilleures visions et les meilleures stratégies, toutes ne sont pas incroyablement innovantes ; elles associent plutôt des concepts de base fondamentaux et les traduisent en une stratégie réaliste et concurrentielle qui sert à la fois les intérêts des clients, des employés et des actionnaires. Certaines visions, toutefois, entrent dans la catégorie que Gary Hamel et C. K. Prahalad (fondateur de la société de conseil en stratégie Stratégos) appellent « le stretch », un défi pour atteindre des niveaux de performance et acquérir des avantages compétitifs qui semblent, à première vue, être hors de portée de l'entreprise[10]. Pour « s'étirer » et atteindre des objectifs « en or », il faut être capable d'avoir une approche novatrice par rapport aux façons traditionnelles de faire du business et de développer les ressources existantes à travers des partenariats. Cela demande également d'insuffler énergie et volonté aux managers et aux employés ensemble pour qu'ils atteignent des résultats supérieurs à ceux qu'ils se croient capables d'atteindre.

La planification suit et complète la direction, permettant de vérifier les écarts avec la réalité et de tracer un itinéraire pour la mise en place de la stratégie. Un bon calendrier est un calendrier d'actions pour l'accomplissement d'une mission, à travers l'utilisation de ressources existantes ou l'identification de nouvelles sources.

4.2. Les qualités de leadership

On a beaucoup écrit sur le leadership. On l'a même décrit comme un service à part entière[11]. Les qualités qui lui sont souvent associées sont : vision, charisme, persévérance, grande exigence, expertise, empathie, force de persuasion et intégrité. Les recommandations qui sont habituellement faites aux leaders soulignent l'importance d'établir (ou de préserver) une culture qui soit pertinente pour l'entreprise, qui mette en place un processus d'organisation stratégique efficace, qui soit source de cohésion et qui offre sans cesse l'exemple des comportements attendus par l'entreprise. Ainsi, récemment, Sam Walton, le fondateur légendaire de l'enseigne de distribution Wal-Mart, qualifiait les bons managers de « leaders serviteurs »[12]. Jim Collins, l'auteur de *De la performance à l'excellence*[13], concluait également qu'un leader n'avait pas besoin d'avoir une personnalité démesurée. Au contraire, il est important, selon lui, pour qu'un leader soit capable de conduire une entreprise à l'excellence, qu'il soit doté d'une humilité personnelle, associée à une forte volonté dans sa vie professionnelle, une détermination sans bornes et une tendance à donner du crédit aux autres et à accepter ses erreurs[14].

Leonard Berry soutient que le leadership des services nécessite une perspective particulière. « Indépendamment des marchés cibles, des services spécifiques ou de la politique de prix, les leaders des services considèrent la qualité du service comme les fondations de la concurrence. »[15] Leonard Berry reconnaît le rôle fondamental des employés et souligne que les leaders des services doivent avoir foi en la qualité des personnes qui travaillent pour eux et faire de la communication avec leurs employés une priorité. L'amour de son métier est une autre caractéristique du leadership qu'il souligne, dans la mesure où il associe un enthousiasme naturel à une façon appropriée de le manifester. Un tel enthousiasme pousse les gens à enseigner le métier aux autres et à leur transmettre les nuances, les secrets et les astuces qui marchent. Berry met aussi en évidence à quel point il est important que les leaders soient gouvernés par des valeurs fondamentales qu'ils insufflent dans l'entreprise, expliquant qu'un « des rôles essentiels des leaders porteurs de valeurs est de cultiver le sens du leadership au sein de tous les membres de l'entreprise ». Il note également que les « leaders porteurs de valeurs s'appuient sur celles-ci pour piloter leur entreprise lors des moments difficiles »[16].

De récentes études montrent que le leadership transformationnel est le style préféré pour obtenir de bons résultats dans une entreprise. Les leaders transformationnels travaillent à partir de leurs valeurs personnelles les plus ancrées, changent les valeurs et les croyances de ceux qui les suivent et développent la capacité de ceux-ci à dépasser leur intérêt personnel grâce à :

- *leur charisme*, qui propose une vision, développe un sens de la mission, suscite de la fierté chez les employés, provoque respect et confiance ;
- *leur motivation et leur inspiration*, qui transmettent de hautes aspirations et communiquent simplement les objectifs importants ;
- *leur stimulation intellectuelle*, qui défend la rationalité, résout les problèmes de façon logique et avec attention ;
- *leur considération individuelle*, qui porte une grande attention aux particularités de chaque employé, coache et conseille l'équipe en faisant attention aux individus[17].

Cependant, Rakesh Karma met en garde contre la trop grande importance accordée au charisme dans le choix des dirigeants, expliquant que cela peut conduire à des attentes irréalisables[18]. Il souligne aussi les comportements immoraux qui peuvent survenir lorsque des leaders qui n'ont aucun principe obtiennent une confiance aveugle de leurs collaborateurs, et il mentionne les activités frauduleuses, comme celles soutenues par le leadership d'Enron, qui peuvent conduire l'entreprise à la faillite.

Au sein des entreprises hiérarchisées, structurées à l'exemple d'un modèle militaire, on présume souvent que le leadership au sommet de la hiérarchie est suffisant. Néanmoins, comme le souligne Sandra Vandermerwe, les entreprises de services visionnaires ont besoin d'être plus flexibles. L'importance croissante du travail en équipe aujourd'hui signifie que :

> *Les leaders sont partout, disséminés au sein des équipes. On les trouve tout particulièrement aux postes qui sont en relation directe avec le client, ou à l'interface client-entreprise, de sorte que les prises de décisions conduisent à une relation à long terme avec le client… Les leaders sont des champions des projets et de la relation client, ils donnent de l'énergie au groupe grâce à leur enthousiasme, leur intérêt et leur savoir-faire[19].*

Vous pouvez voir dans l'encadré Meilleures pratiques 15.1 comment une entreprise suédoise, Stena Line (industrie du ferry), a réussi à augmenter les performances d'une filiale nouvellement acquise, auparavant détenue par l'État.

Le leadership 2.0, vers une nouvelle définition du leadership

Internet a bouleversé le monde de l'entreprise : de nouveaux modes de communication ont vu le jour, de nouveaux moyens de se connecter sont apparus. Ces changements dans notre environnement impliquent une redéfinition du leadership et de ce que l'on attend d'un leader.

L'émergence de l'entreprise 2.0

Le Web 2.0 a profondément bouleversé notre utilisation d'Internet : de statique, le Web est devenu dynamique. Les interactions entre les internautes se sont développées de manière exponentielle ; l'heure est désormais au partage, et non plus simplement à la diffusion de l'information.

Les réseaux sociaux se sont démocratisés, de LinkedIn à Facebook, en passant par Viadéo et Twitter, il devient possible pour chacun d'entre nous de gérer notre identité numérique, et de rester en relation avec nos contacts personnels et professionnels.

L'entreprise 2.0 est la conséquence directe de ce développement du Web : les entreprises ont dû s'adapter à ces nouveaux modes de communication. Le travail collaboratif, le partage d'informations et de bonnes pratiques se développent. Les réseaux sociaux occupent une place grandissante dans la stratégie de communication d'une marque.

...

Meilleures pratiques 15.1

...

La génération Y, née dans ce monde « online », cherche aujourd'hui sa place au sein des entreprises.

Enfin, la crise économique – qui se double d'une crise sociale – a un impact sur la stratégie interne et externe des entreprises.

Ces cinq secousses dans notre quotidien professionnel constituent des facteurs de redéfinition de ce que l'on attend d'un leader.

Les six axes de développement d'un leader

> « *Management is doing things right, leadership is doing the right things.* » – Peter F. Drucker

Est-ce que le leadership a changé ? À l'évidence, oui. Dans un contexte économique difficile, la nécessité de voir émerger des leaders dans les organisations est devenue primordiale. Les compétences transversales – les « soft skills » – ont pris une importance de plus en plus grande. Les changements intervenus dans l'environnement économique et professionnel impliquent de nouvelles voies de développement pour les leaders.

1. Partager une vision

Un leader est un meneur, un rassembleur. Un leader sait où il va et pourquoi il y va ; il partage ses valeurs et sa vision des choses. Il est ainsi capable de se donner de véritables objectifs et par conséquent, de proposer des objectifs aux autres. Sa vision n'est pas statique, mais dynamique ; elle permet de ne plus naviguer à vue, mais au contraire de partager un but commun. Ce rôle prend une place prépondérante dans l'action quotidienne d'un leader, notamment avec l'éclatement des équipes et l'essor des outils de communication à distance. Il s'agit de donner du sens à l'action dans un monde qui évolue de plus en plus vite (avancées technologiques, globalisation, crise économique). Cela implique de :

- créer et faire vivre une vision, en conformité avec ses valeurs ;
- présenter régulièrement une « Big Picture », c'est-à-dire une image du but à atteindre ;
- orienter l'action vers la réalisation de la vision ;
- donner du sens à l'action ;
- partager un but commun.

Mots-clés : vision, objectif, but, sens, valeurs, *big picture*, action orientée.

...

...

2. Accompagner le changement

Dans un monde incertain et en constante mutation, le leader se doit d'accompagner les personnes avec lesquelles il travaille. Sa vision étant dynamique, le leader s'adapte non seulement aux circonstances, mais il va plus loin et adapte son environnement en fonction des évènements qui surviennent. Sa souplesse personnelle lui permet de limiter les résistances au changement au sein de l'entreprise. Les évènements sont pour lui autant d'occasions de se remettre en question, mais également de remettre en question son environnement. Face aux différentes secousses qui ont marqué le monde professionnel ces dernières années, il appartient au leader de rassurer les personnes qui l'entourent, que les changements soient d'ordre technologique, générationnel ou encore culturel. Cela implique de :

- comprendre les mécanismes du changement ;
- anticiper les changements ;
- accompagner le changement, tant au niveau des personnes que de l'organisation ;
- redéfinir sa vision en fonction des évènements ;
- modifier son environnement pour rester en conformité avec ses valeurs.

Mots-clés : changement, crise économique, résistance au changement, valeurs, accompagnement, adaptation, adaptabilité, individu, organisation, activité, stratégie.

3. Communiquer avec passion

Il ne suffit pas d'avoir un but commun et d'accompagner le changement ; il faut faire vivre sa vision au quotidien, la rendre réelle. Un leader doit fédérer les personnes avec lesquelles il travaille autour du but commun. C'est sa passion et son engagement personnel qui génèreront un esprit de groupe, car ils sont communicatifs. Sa persévérance permettra de surmonter les obstacles. Le feu sacré qui l'anime sera le lien entre des individus parfois très différents. L'idée est de générer un esprit d'équipe, en intégrant bien entendu les nouveaux modes de communication du Web 2.0. Un leader peut désormais fédérer hors des frontières de son entreprise ou de son pays. Cela implique de :

- respecter les personnes avec lesquelles il travaille ;
- fédérer ses collaborateurs autour du but commun ;
- créer un esprit de groupe ;
- générer une cohésion d'équipe ;
- motiver son entourage ;
- montrer son engagement et sa passion ;
- être exemplaire.

...

...

Mots-clés : motivation, passion, engagement, communication, cohésion d'équipe, esprit d'équipe, groupe, équipe, collaboration, partage.

4. Prendre en compte les différentes générations

Avec l'émergence de la génération Y – les « jeunes » de 20 à 30 ans –, l'entreprise se retrouve face à deux manières de travailler très différentes. D'un côté, les « anciens », qui voient leur univers professionnel se transformer radicalement, de l'autre, les « jeunes », qui sont nés dans un monde numérique et qui cherchent leur place au sein des entreprises qui les accueillent. Un leader sait reconnaître le talent des autres ; il aide ses collaborateurs à donner le meilleur d'eux-mêmes. Qui dit nouvelle génération, dit nouveaux enjeux. Cela implique de :

- communiquer avec les différentes générations au sein de l'entreprise ;
- faciliter la communication entre les différentes générations ;
- repérer, développer et fidéliser les talents ;
- intégrer la génération Y au sein de l'entreprise ;
- fidéliser la génération Y.

Mots-clés : génération Y, génération X, management intergénérationnel, communication intergénérationnelle, talents, générations, juniors, seniors.

5. Manager l'intelligence collective

Un véritable leader ne garde pas pour lui ce qu'il sait : au sein de son entreprise, il partage ses savoirs et savoir-faire avec ses collègues. Avec le développement d'outils de partage de connaissance, il lui est désormais possible de faire reconnaître son expertise bien au-delà des frontières de son entreprise et de partager ses savoirs avec l'ensemble de la planète. Un leader sait qu'il faut donner pour recevoir, cela implique de :

- transférer ses compétences au sein de l'entreprise ;
- créer un environnement favorable au transfert de savoirs et de compétences ;
- générer une culture de partage de connaissances au sein de l'entreprise ;
- travailler en collaboration et en coopération, pas en compétition ;
- capitaliser les bonnes pratiques ;
- partager ses connaissances au-delà de l'entreprise.

Mots-clés : entreprise 2.0, partage, travail collaboratif, collaboration, intelligence collective, intranet, *knowledge management*, organisation apprenante, communauté de pratique.

...

...

6. Animer son réseau relationnel

Un leader est une personne qui s'implique dans les réseaux, au sein de son entreprise, mais également à l'extérieur. Le « leadership de réseau » a pour effet d'élargir sa sphère d'influence : il n'est plus un leader dans une sphère restreinte, mais à l'échelle nationale, voire internationale. Un leader peut désormais être relié à ses « followers » par le biais des réseaux sociaux, c'est là une véritable révolution. Un leader sait que, dans un monde en mutation constante, il peut compter sur son réseau. Cela implique de :

- développer son réseau relationnel… avant d'en avoir besoin ;
- être actif sur les réseaux sociaux, du type LinkedIn, Viadéo, Twitter ou encore Facebook ;
- aider les membres de son réseau à atteindre leurs objectifs ;
- mettre en contact ses relations ;
- se faire connaître pour se faire reconnaître ;
- porter les valeurs de son entreprise à l'extérieur.

Mots-clés : Web 2.0, réseau, networking, réseautage, réseaux sociaux, partenariat, connecteur, capital relationnel, identité numérique, réputation numérique.

Le leadership 2.0

Voilà quels sont, à mon sens, les nouveaux enjeux du leadership : une subtile alchimie entre des compétences personnelles et un environnement favorable. Le leadership 2.0, c'est tout simplement l'adaptation des leaders aux nouvelles contraintes et aux nouveaux enjeux du monde professionnel.

Plus que jamais, un leader se doit d'être « the right man at the right place ».

Source : Antonin Gaunand.

5. Le management du changement

Il y a de grandes différences entre le fait de diriger une entreprise qui fonctionne bien et réussit, et réorienter une entreprise vers de nouveaux domaines d'activités en essayant de transformer complètement une organisation qui ne fonctionne pas. En ce qui concerne Wal-Mart, Sam Walton a créé à la fois l'entreprise et la culture. Sa tâche a consisté à préserver la culture de l'entreprise tout au long de sa croissance et à choisir un successeur qui saurait maintenir une culture adéquate au fur et à mesure que l'entreprise continuerait à se développer. Herb Kelleher, l'un des fondateurs de Southwest Airlines, a d'abord utilisé ses compétences juridiques en tant qu'avocat de l'entreprise. Plus tard, il a montré l'étendue de ses compétences en termes de relations humaines en tant que président-directeur.

Meg Whitman fut recruté en tant que président-directeur général d'eBay lorsqu'il devint évident aux fondateurs que la start-up du Web avait besoin du leadership de quelqu'un qui possédait la perspicacité et la discipline d'un marketeur expérimenté. L'encadré Meilleures pratiques 15.2 donne un aperçu de sa vision du leadership.

Meilleures pratiques 15.2

Intégration des activités de services chez IBM

La plupart des entreprises et organisations ont plusieurs départements fonctionnels (marketing, logistique, etc.), qui trop souvent travaillent indépendamment les uns des autres. D'ailleurs, même les meilleures *business schools* qui forment très bien leurs étudiants en marketing, comptabilité, etc., ont davantage de difficultés à intégrer des disciplines tout aussi importantes que le management des opérations, le management des technologies, tout aussi nécessaires à la gestion des systèmes complexes.

IBM ayant identifié ce problème fut l'une des toutes premières entreprises à se pencher sur cette question avec son programme SSME (*Service Science Management and Engineering*). SSME intègre les connaissances en systèmes d'information, engineering, *opération management*, stratégie, disciplines sociales et droit, qui sont des connaissances nécessaires pour le développement de l'économie des services. IBM a su intéresser des universités, des écoles et des centres de recherche à travailler avec eux sur ce sujet.

Aujourd'hui, SSME fait partie du curriculum de beaucoup d'écoles et d'universités partout dans le monde (sous un autre nom !). Ces universités ont mis en place des programmes de recherche et d'enseignement interdisciplinaires pour des « T Graduates » (T = transversal), qui n'ont pas seulement une connaissance approfondie de l'une de ces disciplines, mais aussi la capacité de travailler de manière interdisciplinaire.

L'approche SSME est d'étudier comment l'intégration des différentes disciplines citées plus haut permet de créer de la valeur pour le client.

Sources : Are we Ready for "SERVICE"?, Think Tank, 10 octobre 2005, www.research.ibm.com/SSME/20051010_services.html, consulté le 29 avril 2009 ; M.M. Davis et I. Vers row, « Service Science: Catalyst for Change in Business Schools Curricula », *IBM Systems Journal*, 47, n° 1, 2008, p. 29-39 ; R.C. Larson, « Service Science: At the Intersection of Management, Social and Engineering Sciences », *IBM System Journal*, 47, n° 1, 2008, p. 41-51 ; Paul P. Mario et Jim Spohrer, « Fondamentals on Service Science », *Journal of the Academy of Marketing Science*, 36, n° 1, 2008, p. 18-20.

J.W. (Bill) Marriott Jr a hérité de son père le poste de directeur général de l'entreprise qui porte le nom de la famille. Bien qu'il soit celui qui a transformé l'entreprise qui se concentrait sur la restauration en une chaîne d'hôtels mondiale, il insiste pour affirmer que la culture du groupe découle de la philosophie et des valeurs de son fondateur.

> « *Prends soin des employés et de tes clients* », *répétait mon père... Mon père savait que si ses employés étaient contents, ses clients seraient contents et que cela aurait de bonnes conséquences sur ses employés*[20].

5.1. Évolution *vs* transformation

Il y a deux façons de transformer une entreprise. La première s'inspire de la théorie de Darwin, des mutations continuelles dans le but d'assurer la survie de ceux qui savent le mieux s'adapter. L'évolution signifie que la direction fait évoluer les priorités et la stratégie de l'entreprise pour tirer avantage des changements de contexte et de l'avancée des technologies. Sans vagues de mutations permanentes, il est peu probable qu'une entreprise demeure performante sur un marché dynamique.

C'est une transformation d'un autre type qui s'opère dans des situations de « bouleversements ». American Express, qui fut longtemps une icône dans le monde des services financiers et des voyages, a été ébranlée au début des années 1990 quand sa tentative de diversification s'est révélé être un échec. Des observateurs ont souligné que le caractère élitiste de la culture de l'entreprise l'avait empêchée de voir les changements de l'environnement et notamment la concurrence intense à laquelle devait faire face la carte Amex avec des banques qui offraient des cartes de crédit et de débit comme Visa et MasterCard[21]. En 1993, le conseil d'administration renvoya le P-DG d'Amex, James Robinson III, l'héritier d'une vieille famille de banquiers d'Atlanta, et le remplaça par le beaucoup plus terre à terre Harvey Golub, qui insista immédiatement pour que l'entreprise mette en place des méthodes de mesure objective des résultats.

En travaillant en étroite collaboration avec Kenneth Chenault, qui était responsable de la carte Amex, Golub s'est attaqué aux coûts trop élevés de l'entreprise, a éliminé les dépenses inutiles et restructuré l'entreprise, parvenant à économiser 3 milliards de dollars. Chenault, qui fut par la suite nommé président et directeur général, élargit l'offre des cartes Amex, rendues ainsi plus intéressantes. Il créa de nouveaux types de cartes et travailla avec les grandes surfaces de distribution, y compris Wal-Mart. En 2001, Golub prit sa retraite, passant le relais à Chenault, le successeur qu'il avait choisi et qui sut relever le défi de maintenir le niveau mondial de l'entreprise sur un marché sans cesse en évolution.

Selon Rosabeth Moss Kanter, professeur à Harvard et auteur de référence, il peut être intéressant, dans des situations de « bouleversements », de faire appel à de nouveaux directeurs généraux issus d'autres entreprises[22]. De telles personnes sont mieux à même de déclencher les dynamiques d'évolution parce qu'elles n'ont pas été auparavant « engluées » dans l'ancienne organisation. Elles sont aptes à dénoncer les problèmes et changer les habitudes. De nouveaux directeurs généraux seront plus crédibles dans la représentation et le respect des clients. Les leaders de bouleversements exemplaires sont ceux qui, selon Kanter, comprennent le puissant pouvoir unificateur du report d'attention sur le client. Une telle concentration peut rendre plus facile la tâche difficile d'obtenir une collaboration entre les divisions. En plus d'abattre des barrières entre le marketing, la production et les ressources humaines, entre des divisions produits ou les zones géographiques différentes, les directeurs généraux responsables de bouleversements doivent aussi reformuler les priorités financières afin de permettre aux équipes de saisir de nouvelles opportunités.

Les professeurs Chan Kim et Renée Mauborgne, de l'INSEAD, ont identifié quatre obstacles auxquels les leaders doivent faire face lors de la réorientation et la formulation de leur stratégie[23]. Les obstacles cognitifs surviennent lorsque les individus ne peuvent pas se mettre d'accord sur les raisons des problèmes existants et sur la nécessité d'un changement. Les obstacles de ressources n'existent que lorsque l'entreprise est contrainte par une limitation de capitaux. Les obstacles de motivation empêchent une stratégie d'être rapidement mise en place quand les employés sont peu enclins aux changements nécessaires. Enfin les obstacles politiques prennent la forme d'une résistance organisée de la part des groupes ayant des intérêts et qui défendent leurs positions.

Bouleverser une organisation dont les ressources sont limitées nécessite de concentrer ses ressources là où les besoins et les retours sur investissement potentiels sont les plus importants. Pour illustrer un leadership efficace dans des conditions similaires, Kim et Mauborgne mettent en avant le travail de William Bratton, qui devint célèbre après une carrière de vingt ans au sein de la police de Boston et de New York. Bratton croyait en l'importance de mettre les managers face aux problèmes les plus importants pour le public. Lorsqu'il devint chef de la police des transports de New York, il découvrit qu'aucun des officiers seniors n'utilisait le métro. Il demanda alors que tous les responsables de la police des transports, y compris lui-même, prennent le métro pour se rendre à leur travail ainsi qu'aux réunions, et ce même la nuit, au lieu d'utiliser des voitures fournies par la ville. Ainsi, les officiers seniors devinrent exposés à la réalité des problèmes auxquels devaient faire face des millions de citoyens ordinaires et les officiers qui essayaient vaille que vaille de maintenir l'ordre.

Le prédécesseur de Bratton avait utilisé les lobbies pour obtenir de l'argent et augmenter le nombre de policiers dans le métro, partant du principe que pour stopper les abus il fallait des policiers sur toutes les lignes et des patrouilles pour chacune des 700 entrées et sorties que compte le métro. Bratton, en revanche, demanda à son personnel de déterminer où les crimes étaient commis. En constatant que la plupart des crimes ne survenaient que dans certaines stations et sur quelques lignes, il redéploya ses troupes en fonction des zones qui posaient problème et envoya un certain nombre de policiers en civil. Associée à des innovations qui accéléraient les procédures d'arrestation, cette refonte complète de l'allocation des ressources eut pour résultat une réduction significative des crimes dans le métro, sans investissements supplémentaires.

5.2. Modeler le comportement désiré

Une des caractéristiques des leaders efficaces, c'est leur capacité à modeler le comportement de leurs managers et de leurs autres employés ainsi qu'ils le désirent. Cela nécessite souvent une approche connue sous le nom de « management baladeur », rendue populaire par Thomas Peters et Robert Waterman dans leur ouvrage *Le Prix de l'excellence*[24]. Le management baladeur se traduit par des visites régulières, parfois à l'improviste, dans tous les services de l'entreprise. Cela permet d'avoir des idées précises à la fois sur ce qui se passe en *back office* et en *front office*, c'est l'occasion d'observer et de rencontrer à la fois les employés et les clients et de voir comment la stratégie du groupe est mise en place sur le terrain. Très souvent, cette approche conduit à admettre que des changements de stratégie sont nécessaires. Rencontrer le « patron » dans de telles circonstances peut aussi être un facteur de motivation pour le personnel. Quand Herb Kelleher était P-DG de Southwest Airlines, nul n'était surpris de le voir apparaître dans les hangars de la maintenance à 2 heures du matin, ni de le rencontrer de façon occasionnelle comme personnel de bord.

En plus du leadership interne, les responsables comme Walton, Kelleher, Whitman, Marriott, Dubrulle et Pélisson, Trigano, Pinault, Breton, ont aussi assumé leur rôle auprès des entités extérieures, ambassadeurs de leurs entreprises et promoteurs de sa qualité et de ses valeurs. Dubrulle et Pélisson, notamment, sont souvent apparus dans les publicités de leur entreprise.

Le risque existe toujours, bien entendu, que les grands dirigeants soient trop tournés vers l'extérieur, aux dépens de l'efficacité interne de leur entreprise. Un directeur général qui a des revenus confortables, mène un train de vie princier et apparaît dans des campagnes de publicité massive, peut écœurer les ouvriers mal payés aux derniers échelons de l'organisation. Il se peut aussi, c'est un autre risque, que le style et les priorités d'un certain leadership aient été efficaces pour l'entreprise par le passé, mais qu'ils deviennent inappropriés dans un environnement en évolution.

5.3. Évaluer le potentiel de leadership

Le leadership n'est pas l'apanage des cadres et de la direction. Toute personne qui se trouve à un poste de direction ou de management, y compris les chefs d'équipes, a besoin de leadership. FedEx en est si fortement persuadée qu'elle exige de chaque employé qui souhaite accéder à des postes supérieurs de management de participer à son processus d'évaluation du leadership et de prise de conscience : Leadership Evaluation and Awareness Process (LEAP)[25].

La première étape du LEAP est la participation à une journée de cours d'introduction qui familiarise chaque candidat aux responsabilités du management. Environ un candidat sur cinq déclare à ce stade : « le management n'est pas pour moi. » L'étape suivante se fait sur une période de trois à six mois, au cours de laquelle le manager coache le ou la candidate sur une série de caractéristiques du leadership déterminées par l'entreprise. La troisième étape est une évaluation qui est faite par un certain nombre de collègues du candidat (choisis par le manager). Enfin, le candidat doit présenter, par écrit et à l'oral, ses commentaires sur des cas particuliers à un groupe de managers formés au LEAP ; cet échantillon compare ensuite les résultats à ceux obtenus à partir d'autres sources.

FedEx met l'accent sur le leadership à tous les niveaux grâce à son questionnaire « Retour sur action », qui inclut un indice dans lequel les employés évaluent leurs managers sur le leadership dans dix domaines. Malheureusement, toutes les entreprises ne sont pas aussi précises dans leur façon de présenter le leadership à tous les niveaux de l'entreprise. Dans beaucoup d'entre elles, les promotions sont souvent décidées par hasard ou bien se font à partir de critères comme l'ancienneté.

5.4. Leadership, culture et climat

Pour conclure ce chapitre, nous vous proposons de survoler rapidement un thème transversal à tout ce chapitre, mais aussi à l'ensemble de cet ouvrage. Pour qu'une culture soit efficace, le leader doit l'alimenter, la nourrir en permanence[26]. La culture organisationnelle peut être ainsi définie comme :

- une perception commune de ce qui est important dans l'entreprise ;
- un partage des mêmes valeurs morales ;

- une même compréhension de ce qui fonctionne et de ce qui ne fonctionne pas ;
- des croyances, des hypothèses communes sur les raisons de l'importance de ces choix ;
- une attitude professionnelle et un rapport aux autres communs.

Le climat organisationnel est la strate supérieure, la plus tangible des structures qui sous-tendent la culture de l'entreprise. Six facteurs ont un impact sur l'environnement de travail d'une entreprise : la *flexibilité* (jusqu'où les employés se sentent libres d'innover) ; le sens des *responsabilités* ; le niveau des *standards* de l'entreprise ; la façon dont est perçue la capacité à *récompenser* ; le degré de *clarté* qu'ont les personnes dans la conscience de leur mission et de leurs valeurs ; et le degré d'*implication* pour atteindre les objectifs communs[27]. Du point de vue d'un employé, ce climat est directement lié aux politiques managériales et aux procédures, tout particulièrement celles qui relèvent des ressources humaines. En résumé, l'atmosphère illustre les perceptions communes des employés par rapport aux pratiques, aux procédures, aux types de comportements qui sont récompensés et soutenus dans des situations particulières.

Parce qu'on trouve souvent simultanément plusieurs atmosphères au sein d'une même entreprise, une atmosphère doit se rapporter à des éléments spécifiques ; par exemple, le service, le soutien, l'innovation ou la sécurité. L'atmosphère d'une entreprise de services se rapporte aux perceptions qu'ont les employés de ses pratiques, de ses procédures, des comportements qui sont attendus par rapport au client et à la qualité du service, et qui sont récompensés lorsqu'ils sont correctement accomplis. Les traits essentiels d'une culture orientée vers le service incluent des objectifs marketing clairs et de fortes directives pour offrir le plus de valeur ajoutée et de qualité[28].

Les leaders ont la responsabilité de la mise en place des cultures et des atmosphères qui en résultent. Dans le cas du leadership transformationnel, on peut avoir à transformer une culture, source de dysfonctionnements, en une autre, différente, qui est nécessaire à la réussite. Pourquoi certains leaders savent-ils mieux que d'autres amener le changement d'atmosphère souhaité ? Comme le montre l'encadré Échos de la recherche 15.1, des études suggèrent qu'il s'agit peut-être d'une question de style.

Échos de la recherche 15.1

L'impact des styles de leadership sur l'atmosphère de travail

Daniel Goleman, spécialiste de psychologie appliquée de l'université de Rutgers, est connu pour ses travaux sur l'intelligence émotionnelle – la capacité à s'autogérer et à gérer notre relation aux autres de manière efficace. Ayant au préalable déterminé six styles de leadership différents, il s'est demandé comment chaque style avait réussi à affecter l'ambiance ou l'atmosphère de travail. Son analyse repose sur l'étude du comportement de milliers de cadres et de l'impact de celui-ci sur leur entreprise.

Les leaders coercitifs demandent une obéissance immédiate (« Faites ce que je vous dis ») et il est montré qu'ils ont un effet négatif sur l'ambiance. Goleman ajoute que ce style coercitif, souvent très conflictuel, peut avoir de la valeur uniquement en période de crise ou en cas de problème avec un employé.

...

Échos de la recherche 15.1

...

Les leaders pacifistes et apaisants ont de hautes exigences en termes de performance et montrent l'exemple par leur attitude énergique, ce style pourrait être résumé par un « Faites comme moi, maintenant ». Il est étonnant, d'une certaine manière, que l'on ait montré que ces comportements pouvaient également avoir des conséquences négatives sur l'ambiance. Sur le terrain, ces leaders apaisants peuvent être démoralisants en présumant trop et trop rapidement de leurs subordonnés et s'attendant à ce qu'ils sachent déjà que faire et comment le faire. Découvrir que les autres ont moins de capacités que ce qu'il s'imaginait peut amener le leader à se concentrer uniquement sur les détails et à faire du micromanagement. Ce type de management n'a de chances de fonctionner que si l'on cherche à obtenir des résultats rapides dans une équipe compétente et extrêmement motivée.

L'étude a démontré que le style le plus efficace pour établir des changements positifs dans une atmosphère était celui des *leaders autoritaires*, qui ont les compétences et la personnalité nécessaires à la mobilisation des individus en faveur d'une vision. Ils établissent un véritable lien de confiance à travers leur approche du type « Venez avec moi ». L'étude a également montré que trois autres styles avaient des impacts positifs sur l'atmosphère : celui des *leaders empathiques*, qui défendent « les gens d'abord » et qui cherchent à créer une harmonie et des liens émotionnels ; celui des *leaders démocratiques*, qui cherchent le consensus par la participation (« Qu'en pensez-vous ? ») et celui des *leaders coaches*, qui cherchent à former les individus pour le futur et dont le style pourrait être résumé par un « Essayez ceci ».

Source : Daniel Goleman, « Leadership that Gets Results », *Harvard Business Review*, 78, mars-avril 2000, p. 78-93.

Conclusion

Aucune entreprise ne peut espérer devenir leader et le rester sans des hommes à sa tête pour en définir et transmettre une vision, secondés par d'autres qui possèdent les compétences managériales pour la faire vivre. Pour être leader sur le marché des services, il faut obtenir d'excellents résultats dans de nombreux domaines qui sont de la responsabilité du marketing, de la production et des ressources humaines.

Dans toutes les entreprises, le marketing doit coexister avec la production, très souvent la fonction dominante, dont les préoccupations sont centrées sur les coûts et l'efficacité plutôt que sur les clients. Le marketing doit également coexister avec les ressources humaines, qui recrutent et forment le personnel, y compris celui qui sera en contact direct avec le client. Un des défis permanents est de trouver l'équilibre entre les préoccupations de chaque fonction, non seulement au niveau de la direction, mais aussi sur le terrain. *In fine*, la capacité d'une entreprise à intégrer de façon efficace le marketing, la production et la gestion des ressources humaines va déterminer sa position en termes de performance : perdante, insignifiante, professionnelle ou leader.

Les leaders exemplaires comprennent l'importance et l'effet motivant pour les équipes de créer une culture orientée client et un esprit de service. Dans les situations tourmentées, ce pôle d'attention peut faciliter l'adhésion et la collaboration de tous. Les caractéristiques des leaders qui réussissent montrent leur habilité à adopter le rôle et le comportement qu'ils attendent des autres. Modifier une organisation qui a un nombre limité de ressources requiert la concentration de ces ressources-là où le besoin et le gain potentiels sont les plus grands. Les compétences de leadership sont nécessaires à toute personne ayant un rôle d'encadrement ou de management, et particulièrement celles qui gèrent les équipes en charge des processus de gestion du changement.

En résumé, transformer une organisation pour développer une nouvelle culture n'est pas une tâche aisée, même pour le plus doué des leaders. C'est d'autant plus difficile lorsque l'entreprise fait partie d'un secteur qui maintient des traditions bien enracinées.

Questions de révision

1. Quelles tâches sont habituellement confiées :

   a. au marketing ;

   b. à la production ;

   c. à la gestion des ressources humaines ?

2. Quelles sont les raisons des tensions entre le marketing, la production et la gestion des ressources humaines ? Donnez des exemples précis sur la façon dont ces tensions peuvent varier d'un secteur d'activité à l'autre.

3. Comment sont définis les quatre degrés de la performance des services ? À partir de votre expérience personnelle, pour chaque catégorie, donnez un exemple d'entreprise.

4. Quelle est la différence entre le leadership et le management ? Illustrez votre réponse à l'aide d'exemples.

5. Que veut dire l'expression « leadership transformationnel » ? Montrez les différences qui existent entre une entreprise qui vit une évolution et celle qui doit être « bouleversée ».

6. « Les leaders exemplaires qui conduisent un changement profond de l'entreprise sont ceux qui comprennent le puissant pouvoir unificateur du report d'attention sur le client. » Commentez cette citation. Est-ce que le fait de se concentrer sur les clients a plus de chances d'avoir un effet unificateur au sein d'une entreprise en période de grands bouleversements qu'à un autre moment ?

7. Quel est le lien entre leadership, ambiance et culture ?

Exercices d'application

1. Comparez les rôles du marketing, de la production et des ressources humaines :

   a. au sein d'une compagnie pétrolière ;

   b. chez un agent de change en ligne ;

   c. dans une compagnie d'assurance.

2. Décrivez les caractéristiques d'une personne dont le leadership a joué un rôle déterminant dans le succès d'une entreprise, en mettant en avant les qualités personnelles qui vous semblent importantes.

Notes

1. James L. Heskett, Thomas O. Jones, Gary W. Loveman, W. Earl Sasser Jr, et Leonard A. Schlesinger, « Putting the Service Profit Chain to Work », *Harvard Business Review*, mars-avril 1994 ; James L. Heskett, W. Earl Sasser Jr, et Leonard A. Schlesinger, *The Service Profit Chain*, New York, The Free Press, 1997.

2. Notez qu'une relation entre satisfaction des employés et satisfaction des clients peut davantage exister dans les situations de contact élevé où le comportement des employés est un aspect important de l'expérience client. Voir Rhian Silvestro et Stuart Cross, « Applying the Service Profit Chain in a Retail Environment : Challenging the "Satisfaction Mirror" », *International Journal of Service Industry Management*, 11, n° 3, 2000, p. 244-268.

3. Sandra Vandermerwe, *From Tin Soldiers to Russian Dolls*, Oxford, Butterworth-Heinemann, 1993, p. 82.

4. Richard B. Chase et Robert H. Hayes, « Beefing Up Operations in Service Firms », *Sloan Management Review*, automne 1991, p. 15-26.

5. Claudia H. Deutsch, « Management : Companies Scramble to Fill Shoes at the Top », *Nytimes.com*, novembre 2000.

6. John P. Kotter, *What Leaders Really Do*, Boston, Harvard Business School Press, 1999, p. 10-11.

7. Warren Bennis et Burt Nanus, *Leaders : The Strategies for Taking Charge*, New York, Harper and Row, 1985, p. 92.

8. *Ibid.*, p. 10-11.

9. Deborah Blagg et Susan Young, « What Makes a Leader ? », *Harvard Business School Bulletin*, février 2001, p. 31-36.

10. Gary Hamel et C.K. Prahlahad, *Competing for the Future*, Boston, Harvard Business School Press, 1994.

11. Voir, par exemple, le numéro spécial « Leadership as a Service » (Celeste Wilderom), *International Journal of Service Industry Management*, vol. 3, n° 2, 1992.

12. James L. Heskett, W. Earl Sasser Jr et Leonard A. Schlesinger, *The Service Profit Chain*, p. 236.

13. Jim Collins, *De la performance à l'excellence*, Paris, Village Mondial, 2003 (traduit de l'anglais *Good to Great*, Harperbusiness, 2001).

14. Jim Collins, « Level 5 Leadership : The Triumph of Humility and Fierce Resolve », *Harvard Business Review*, janvier 2001, p. 66-76.

15. Leonard L. Berry, *On Great Service*, p. 9.

16. Leonard L. Berry, *Discovering the Soul of Service*, New York, The Free Press, 1999, p. 44, 47. Voir aussi D. Micheal Abrashoff, « Retention Through Redemption », *Harvard Business Review*, février 2001, p. 136-141, pour un exemple très intéressant de leadership réussi dans l'US Navy.

17. John H. Humphreys, « Transformational Leader Behavior, Proximity and Successful Services Marketing », *Journal of Services Marketing*, 16, n° 6, 2002, p. 487-502.

18. Rakesh Karma, « The Curse of the Superstar CEO », *Harvard Business Review*, 80, septembre 2002, p. 60-66.

19. Sandra Vandermerwe, *From Tin Soldiers to Russian Dolls*, p. 129.

20. M. Sheridan, « J.W. Marriott Jr, Chairman and President, Marriott Corporation », *Sky Magazine*, mars 1987, p. 46-53.

21. Nelson D. Schwartz, « What's in the Cards for Amex ? », *Fortune*, 22 janvier 2001, p. 58-70.

22. Rosabeth Moss Kanter, « Leadership and the Psychology of Turnaround », *Harvard Business Review*, 81, juin 2003, p. 58-67.

23. W. Chan Kim et Renée Mauborgne, « Tipping Point Leadership », *Harvard Business Review*, 81, avril 2003, p. 61-69.

24. Thomas J. Peters et Robert H. Waterman, *In Search of Excellence*, New York, Harper & Row, 1982, p. 122.

25. Christopher Lovelock, *Federal Express : Quality Improvement Program*, Cranfield (Grande-Bretagne), European Case Clearing House, 1990.

26. Cet extrait est basé en partie sur Benjamin Schneider et David E. Bowen, *Winning the Service Game*, Boston, Harvard Business School Press, 1995 ; David E. Bowen, Benjamin Schneider et Sandra S. Kim, « Shaping Service Cultures through Strategic Human Resource Management », in *Handbook of Services Marketing and Management*, T. Schwartz et D. Iacobucci éd., Thousand Oaks (Californie), Sage Publications, 2000, p. 439-454.

27. Daniel Goleman, « Leadership that Gets Results », *Harvard Business Review*, 78, mars-avril 2000, p. 78-93.

28. Hans Kasper, « Culture and Leadership in Market-oriented Service Organisations », *European Journal of Marketing*, 36, n° 9-10, 2002, p. 1047-1057.

Lecture 1

Usage déviant et dynamique d'évolution d'une offre de service : le cas de la téléassistance pour les personnes âgées

Florence Charue-Duboc *et al.*,
Eska

Par Florence Charue-Duboc, directeur de recherche au PREG-CRG,
École polytechnique – CNRS, Laure Amar, ingénieur d'étude au PREG-CRG,
École polytechnique – CNRS, Anne-France Kogan, maître de conférences
à l'École des mines de Nantes et Nathalie Raulet-Croset,
maître de conférences à l'IAE de Paris.

Gérer la déviance

Nous nous proposons d'analyser le processus de déploiement d'une innovation articulant technologie et service en nous focalisant sur l'évolution de ses usages. Le service étudié est celui de la téléassistance pour les personnes âgées : grâce à un dispositif installé à leur domicile, elles peuvent en cas de besoin se mettre facilement en relation avec une plateforme téléphonique. Nous montrons que les opérateurs de téléassistance ont été confrontés à des « déviances » au regard de l'usage initial du dispositif (la chute grave), et nous analysons leurs modalités de réponse face à ces déviances. Nous mettons notamment en avant la tension entre une nécessaire évolution de l'offre à travers une dynamique d'innovation répondant à une évolution des usages et une gestion du client visant à maintenir un usage « normal » du service, qui fonde l'articulation entre les actions des différents acteurs participant à sa mise en œuvre.

Au croisement entre innovation technologique et innovation de service, la téléassistance, qui permet aux personnes fragilisées de rester à leur domicile, constitue aujourd'hui une offre déployée à grande échelle puisque cette technologie est utilisée par environ 300 000 personnes, notamment 10 % des personnes âgées de plus de 85 ans vivant à leur domicile. Or, l'augmentation de la proportion des personnes âgées de plus de 80 ans dans la population générale conduit de nombreux acteurs à s'interroger sur la structuration de services et le développement de technologies permettant à ces personnes de continuer à vivre à leur domicile si tel est leur choix.

Le développement de la téléassistance en France remonte au début des années 1980. Dans un premier temps, les centrales d'écoute publiques des services départementaux d'incendie et de secours (les SDIS, c'est-à-dire les pompiers) ou du Samu avaient été privilégiées par les conseils généraux pour assurer ce service. Mais des acteurs privés et associatifs ont également développé une offre dès les débuts de la mise en œuvre du service. Le principe développé par ces opérateurs est le suivant : les opérateurs reçoivent directement les appels des personnes âgées, et ce sont eux qui contactent, en cas d'urgence avérée, les pompiers ou le Samu ou, pour déterminer le degré de l'urgence, des personnes habitant à proximité du domicile de la personne âgée, et ayant accepté d'être mobilisées à tout moment pour se rendre chez cette dernière en cas d'appel.

Aujourd'hui, on compte, dans le secteur de la téléassistance, plusieurs dizaines d'opérateurs aux statuts variés (public, privé, associatif) et de tailles très différentes. Le recul d'une trentaine d'années sur le développement de l'offre permet de mettre en lumière des évolutions, alors que s'intensifient les questionnements sur les meilleures réponses à apporter aux besoins des personnes âgées.

Nous nous proposons ici d'analyser le processus de déploiement de cette innovation articulant technologie et service en considérant l'évolution des usages de la téléassistance. En particulier, nous montrerons que les opérateurs ont été confrontés à des « déviances » au regard de l'usage initial du dispositif, et nous analyserons leurs modalités de réponse face à ces déviances. Nous mettrons notamment en avant une tension entre une nécessaire évolution de l'offre (à travers une dynamique d'innovation répondant à une évolution des usages) et une gestion du client visant à maintenir un usage « normal » du service, un usage qui fonde l'articulation entre les actions des différents acteurs participant à sa mise en œuvre.

Dans un premier temps, nous présenterons notre démarche de recherche, ainsi que notre cadre théorique. Dans un deuxième temps, nous mettrons l'accent sur les multiples improvisations dans l'usage et nous montrerons que ces usages en apparence « déviants » ont contribué, de fait, à la dynamique d'innovation de l'offre de ce service. Enfin, dans une troisième partie conclusive, nous montrerons que les opérateurs sont amenés à articuler dynamique d'innovation et gestion des clients, car la conception d'un usage « normal » de ce dispositif demeure le cœur de son fonctionnement.

1. La téléassistance pour les personnes âgées fragilisées vivant à domicile : cadre d'analyse et approche méthodologique

1.1. Une démarche compréhensive d'analyse des usages du point de vue des opérateurs

Pour éclairer la question de la dynamique de l'interaction entre l'offre de service et l'évolution des usages de la téléassistance, nous avons articulé deux approches méthodologiques (voir encadré 1)[1] : (1) la construction de cas concernant différents opérateurs de téléassistance afin de reconstituer l'historique de leur structure et de leur offre ; (2) une approche par l'observation de l'activité (Journé, 2008) des plateaux téléphoniques de deux opérateurs.

Toutefois, ce mode d'appréhension des usages est spécifique : nous nous sommes en effet placées du point de vue des opérateurs, en temps réel, mais nous n'avons pas accompagné d'utilisateurs dans la durée pour comprendre comment ils avaient construit leurs usages. Cette approche présente des limites, en particulier pour appréhender le comportement des abonnés n'utilisant pas le dispositif. Cependant, en nous situant sur des plateaux téléphoniques, nous avons eu accès à un grand nombre d'abonnés à un moment donné et nous avons alors pu caractériser les multiples improvisations dérogeant à un usage théorique « normal » (celui prescrit par l'opérateur).

Deux approches méthodologiques complémentaires

En premier lieu, nous avons mené une série d'entretiens auprès des différentes catégories d'acteurs contribuant au déploiement de la téléassistance pour repérer les principaux acteurs du champ de la téléassistance et construire des cas permettant de différencier entre eux les opérateurs (Yin, 2004). Les entretiens, d'une durée de une à deux heures, ont été menés auprès des acteurs suivants :

- des téléopérateurs : Vitaris, GTS Mondial Assistance, Présence Verte, Filien, Équinoxe, Custos, Domplus, Secours Assistance, UNA Téléassistance ;

- des services de l'État et des collectivités locales : la CNSA, le Conseil général de la Loire-Atlantique, le CCAS de Nantes, plusieurs centres locaux d'information et coordination (CLIC) à Paris, un centre communal d'action sociale (CCAS) et un élu du Lot ;

- des acteurs du secteur des services à la personne :

- une association de service des Pyrénées-Atlantiques ;

- une entreprise concevant et produisant du matériel de téléalarme.

Dans un second temps, nous avons conduit deux observations sur les plateaux téléphoniques de deux opérateurs. Pour chacune des plateformes, l'observation (qui s'est déroulée sur une journée et demie) a impliqué deux chercheurs. Il s'agissait d'écouter les appels et de suivre leur traitement, cela auprès de différentes opératrices et en couvrant différentes tranches horaires. En outre, des temps d'entretien avec les opératrices et les responsables d'équipe ont permis d'approfondir la compréhension de l'activité, d'une part, en revenant sur des situations pour lesquelles le chercheur avait assisté au traitement et, d'autre part, en resituant les appels qui avaient eu lieu par rapport à l'ensemble des situations auxquelles les opératrices sont confrontées. Au total, nous avons eu connaissance, en temps réel, d'environ 400 appels. Sans être ni statistiquement représentatif ni exhaustif, ce grand nombre d'appels nous a permis d'être confrontées à une variété importante de situations.

Encadré 1

1.2. La problématique : l'articulation entre une dynamique d'innovation par l'usage et une gestion du client fondée sur un usage considéré comme « normal » du dispositif

Innovation de service – Implication des utilisateurs

Expérimentation

Les travaux consacrés à l'innovation dans les services sont peu nombreux (Lenfle et Midler, 2008). Cependant, les auteurs qui ont étudié ces processus mettent l'accent sur l'importance de l'expérimentation au plus près des utilisateurs et, plus largement, sur l'importance de l'implication des utilisateurs dans le processus d'innovation. Ils soulignent que la valeur du service dépend de l'expérience individuelle qu'en a son destinataire ; on peut donc considérer cette valeur comme coproduite.

Si l'implication du client dans les processus d'innovation n'est pas une question nouvelle, il faut sans doute être plus précis sur ce qu'elle recouvre. Les modes d'implication les plus classiques se situent en aval des processus de développement de nouveaux produits/services, selon des modalités d'implication relativement passives, juste avant la commercialisation (ou immédiatement après), à travers des enquêtes sur l'évaluation du service par les utilisateurs. Au contraire, les travaux les plus récents (Amar, Charue-Duboc, Kogan, Magnusson et Raulet-Croset, 2003 ; Thomke, 2005) mettent l'accent sur une tendance à une implication tout à la fois plus active et plus en amont des clients, immédiatement après la formulation du nouveau concept de service. Cette tendance est également mise en avant dans les travaux sur l'innovation-produit (Benghozi, Charue-Duboc et Midler, 2000) avec, pour enjeu, l'observa tion des utilisateurs et de leurs usages, le recueil de leur feed-back, le fait de les faire participer à des brainstormings en vue de faire évoluer la conception d'un produit très en amont de sa commercialisation, voire de mettre à disposition des utilisateurs des outils (*toolkits*) qui leur permettent de proposer des offres qui correspondraient mieux à leurs aspirations (Von Hippel, 2005).

Ces derniers travaux sur les innovations insistent donc sur l'intérêt pour les firmes de penser un rôle actif pour les futurs utilisateurs au cours du processus de conception et de s'appuyer sur des expérimentations des nouveaux services en situations réelles (Thomke, 2005). Ces expérimentations sont ainsi sources d'apprentissage, pour les concepteurs comme pour les utilisateurs (Charue-Duboc, 2007). En proposant à l'usager un rôle actif dans la conception de nouveaux services, ces travaux rejoignent certaines analyses du courant de la sociologie des usages qui insistent sur la dynamique d'adaptation et d'invention des usages dont font preuve les utilisateurs.

Sociologie des usages

Les travaux en sociologie des usages (Jouet, 2000) considèrent en effet que l'appropriation des innovations passe par ces adaptations et détournements des usages prévus. Ce courant, qui s'est développé au début des années 1980 avec le besoin d'étudier la diffusion des nouvelles technologies de la communication de l'époque (notamment le Minitel), comporte un certain nombre de postulats et d'hypothèses, notamment le rejet d'une perspective techniciste et l'affirmation d'un rôle actif de l'usager dans le modelage des emplois de la technique (De Certeau, 1980). Ces travaux mettent ainsi en avant des formes de « microrésistances » à l'imposition de normes (Perriault, 1989 ; Charon, 1987). Ils montrent également que la médiation technique n'est pas neutre et que la matérialité de l'objet infiltre les pratiques (Akrich, 1993). L'appropriation est alors analysée dans sa dimension subjective et collective, l'usager n'étant plus un simple consommateur passif de produits et services, mais un acteur construisant ses usages.

Notre approche

Nous nous situons, dans cet article, à la croisée des travaux sur l'innovation dans les services et de ceux sur la sociologie des usages, car nous nous intéressons à la dynamique de l'interaction entre utilisateurs et offreurs en étudiant le cas spécifique de l'évolution d'un service, alors que celui-ci est déjà déployé à grande échelle. Si la littérature portant sur l'innova tion de service met l'accent sur le rôle des utilisateurs dans les phases de conception de nouveaux services, elle a, en revanche, peu exploré les cas où le service est déjà déployé à grande échelle et appuie son déploiement sur une standardisation de l'usage. En contrepoint, la littérature issue de la sociologie des usages explore peu la manière dont les entreprises gèrent les détournements opérés par les usagers et leurs conséquences sur les modes de fonctionnement des organisations. Ainsi, les travaux les plus récents mettant l'accent sur l'« innovation par l'usage » (Cardon, 2005) s'intéressent à des communautés en cours de structuration (il s'agit, par exemple, du cas du logiciel libre), mais ils n'analysent pas ces phénomènes dans des contextes où des entreprises plus classiques seraient amenées à les intégrer.

Nous proposons dans cet article une analyse, à partir du cas des services de téléassistance, des modalités de gestion de l'innovation par l'usage mises en œuvre par les opérateurs dans le cas du déploiement d'un service nouveau à grande échelle. Nous montrons que l'action des opérateurs se caractérise par une tension entre une dynamique d'innovation par l'usage générée par l'appropriation du dispositif et une nécessaire gestion des clients et des partenaires pour conserver un usage « normal » du dispositif qui permette à ces différents acteurs de se retrouver sur la base d'une conception partagée du service.

2. Analyse empirique : les usages « réels » de la téléassistance

Le déploiement du service de téléassistance a été fondé, au départ, sur la base d'un usage que nous qualifierons de « normal », à savoir un usage prescrit par les opérateurs déli- vrant le service qui assigne un rôle précis à chacun des participants (usagers, opérateurs, partenaires). L'objectif est de déclencher une intervention rapide des secours chez une personne seule pour limiter l'aggravation de son état de santé (typiquement, dans le cas d'une chute avec blessure ne permettant pas à la personne âgée qui en est victime de se relever par ses propres moyens).

Or, ce dispositif a évolué sur la base d'une évolution des usages. En témoigne la typologie des motifs d'appel proposée par l'Afrata (Association française de téléassistance), une association créée en 2005, qui représente les principaux opérateurs :

- appel qualifié d'involontaire ;
- besoin de communiquer, détresse psychologique ;
- demande d'aide ou d'assistance à la vie quotidienne ;
- chute ;
- appel médical ;

- appel de contrôle ;
- appel à caractère technique.

Nous présenterons d'abord les modalités mises en œuvre pour permettre un usage « normal » de la téléassistance. Nous soulignerons ensuite des usages qui correspondent à des situations différant de l'usage « normal » initialement prévu, des usages que nous qualifierons de « déviants ». Nous montrerons, enfin, comment l'opérateur a été amené à intégrer (au moins en partie) chacun de ces nouveaux usages dans son offre de services.

2.1. L'usage « normal » et les modalités mises en œuvre pour le rendre possible

Les différents acteurs qui contribuent au service sont mentionnés ci-après. L'opérateur qui traite les appels fait intervenir soit les services d'urgence (les pompiers, le Samu, éventuellement le médecin traitant, s'il peut se déplacer), soit le réseau de proximité. Ce réseau est composé de deux ou trois personnes ayant accepté d'être sollicitées pour se rendre au domicile de la personne âgée abonnée si celle-ci a appelé la téléassistance. Il est également constitué par la personne âgée lors de la mise en place de l'abonnement et du système d'appel. Selon les cas, il est composé de personnes de la famille, de voisins, d'amis, d'aides ménagères, de commerçants… Le critère de la proximité est déterminant, car il faut que le correspondant sollicité puisse se rendre chez la personne âgée en moins de 15 minutes et qu'il dispose des clés du domicile de cette dernière.

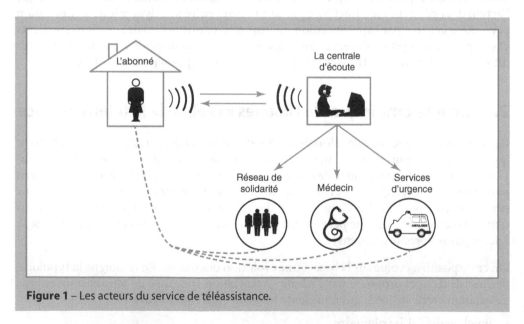

Figure 1 – Les acteurs du service de téléassistance.

Pour assurer le bon fonctionnement du système en permanence, et notamment en cas d'urgence, des appels techniques de contrôle sont émis régulièrement par l'opérateur. Certains tests sont automatiques et ne donnent lieu à un rappel de la personne abonnée qu'en cas de constatation d'un dysfonctionnement. Ils se doublent d'appels récurrents émis soit par l'abonné sur le conseil de son opérateur, soit par les opérateurs eux-mêmes qui profitent de cette occasion pour entretenir le contact avec l'abonné.

Les appels relevant d'un usage « normal » correspondent donc aux motifs suivants : chute, appel médical, appel technique et appel de contrôle. Si l'on se réfère à la répartition des appels consolidée par l'Afrata en 2008[2] (reprise ci-dessous), ces motifs représentent 36 % des appels.

Les appels pour chute ou pour besoin médical ne représentent, respectivement, que 5 et 2 % de l'ensemble des appels. Cela peut paraître d'autant plus marginal que seuls 1,7 % des appels conduisent à solliciter l'intervention d'un service d'urgence. Cependant, pour que cet usage soit possible, il apparaît qued'autres appels en nombre important doivent transiter et être traités (les appels techniques et les appels de contrôle).

Enfin, une proportion significative d'appels ne correspond à aucun de ces motifs ; on peut les qualifier de « déviants » par rapport à la norme initiale et nous les analysons dans la section suivante.

L'improvisation dans l'usage normal

Nous nous appuierons sur plusieurs situations pour analyser l'improvisation dans l'usage normal.

Dans le premier cas, une personne âgée qui ne se sent pas bien utilise son médaillon (d'appel) pour solliciter une aide, car elle relie son malaise à un problème médical. Cette situation correspond à un usage normal du fait qu'elle nécessite une intervention rapide pour prendre en charge des problèmes médicaux. Toutefois, la personne âgée choisit d'utiliser son équipement de téléassistance pour solliciter de l'aide alors qu'elle n'y est pas totalement contrainte, car elle pourrait se déplacer jusqu'à son téléphone, ce qui ne serait pas possible en cas de chute. L'interaction avec l'opératrice va permettre de définir progressivement l'action à engager. La situation nécessite-t-elle une évaluation médicale ? Si oui, qui solliciter ? Faut-il contacter les proches ? De fait, la personne âgée peut se reposer également sur la téléassistance pour contacter ses proches, ce qui lui évite de le faire elle-même, surtout si elle se sent faible.

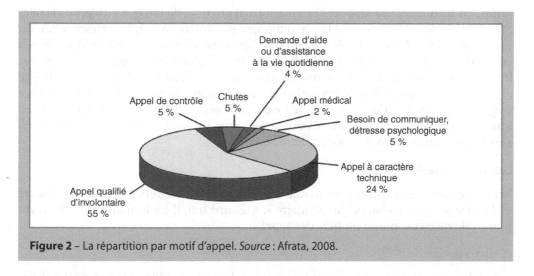

Figure 2 – La répartition par motif d'appel. *Source* : Afrata, 2008.

---

2. Actuellement, tous les opérateurs ne distinguent pas les appels selon cette nomenclature ; c'est pourquoi les chiffres fournis restent approximatifs.

2.2. Des usages différant de l'usage « normal » initialement prévu sont-ils vraiment des « usages déviants » ?

Les déviances se traduisent, en premier lieu, par des improvisations dans le cadre de l'usage normal. Mais certains de ces appels « déviants » correspondent, de fait, à des besoins différents.

La deuxième situation est celle de la chute bénigne, qui nécessite une aide pour relever la personne âgée. Des improvisations dans l'usage peuvent être soulignées, dans ce type de situation. Certaines personnes âgées appellent à plusieurs reprises parce que l'attente de la venue d'une personne du réseau de proximité paraît longue, le fait, pour elles, d'être immobilisées à terre étant difficile à supporter. Ces interactions téléphoniques contribuent à rassurer la personne âgée, et non à déclencher une intervention des secours (c'est là un usage qui paraît important, et auquel les opératrices s'efforcent de répondre).

Encadré 2

Exemple de Madame D., qui a l'impression d'étouffer

Madame D. a l'impression d'étouffer ; elle déclenche un appel avec son dispositif de téléassistance. La conversation s'engage avec l'opératrice du plateau et, d'un commun accord, les deux protagonistes concluent à la nécessité de solliciter un avis médical. Le plateau de téléassistance appelle alors le Samu et demande une intervention au domicile de la personne appelante, en donnant les informations dont il dispose sur cette dernière. Le Samu arrive chez la personne âgée dans la demi-heure qui suit et il décide de la conduire à l'hôpital. Dans l'intervalle, le plateau de téléassistance a appelé un correspondant du réseau de solidarité (en l'occurrence, le fils de Madame D.) pour lui faire part du problème médical et lui demander de se rendre sur place pour être présent auprès de sa mère lorsque le Samu arrivera chez elle, voire de l'accompagner à l'hôpital, si le Samu le juge utile.

Enfin, un autre écart par rapport à l'usage normal provient du fait que l'usager de la téléassistance n'est pas uniquement la personne âgée elle-même. Ainsi, le correspondant du réseau de solidarité peut devenir usager de la téléassistance, et il demande parfois conseil aux téléopératrices, préférant appeler la téléassistance plutôt que d'appeler directement les secours. La communication entre téléassistance et réseau de solidarité ne se limite alors pas à une demande d'intervention et à un compte rendu, comme cela est prévu dans l'usage normal. L'opérateur de téléassistance peut devenir, dans certains cas, un interlocuteur, que le membre du réseau de solidarité sollicite, à son tour, une fois qu'il s'est rendu chez la personne âgée en détresse.

Les appels involontaires

Un usage non prévu apparaît de manière massive, dès les débuts de la mise en œuvre de la téléassistance : « l'appel involontaire ». Aujourd'hui, il est toujours aussi fréquent puisqu'il représente plus d'un tiers des appels.

Caractérisation

Les dialogues que nous avons entendus nous conduisent à souligner la variété des situations qui conduisent à un appel involontaire. Dans de nombreux cas, la personne âgée explique ce qui s'est passé afin de s'excuser : « J'ai mes petits enfants, ils ont joué avec la boîte », « c'est la femme de ménage qui a déclenché en faisant la poussière », « c'est le maçon… ».

Mais, parmi ces appels apparemment involontaires, certains renvoient à un besoin de communiquer ou d'être rassuré, un besoin qui ne s'avoue pas complètement. Des réponses comme « ça va comme ça peut », « on espère que ça va aller, aujourd'hui » semblent appeler une réponse réconfortante. De fait, dès lors qu'une conversation, même très courte, s'engage entre la personne âgée et l'opératrice, l'appel sera classé par cette dernière sous l'intitulé « besoin de communication ».

La gestion d'un appel involontaire par l'opérateur

Le traitement de l'appel involontaire est un exemple d'usage déviant qui a contribué à faire évoluer le service, car il a été intégré par la plupart des opérateurs. Actuellement, ceux-ci considèrent l'appel involontaire comme un mode d'appropriation de la téléassistance par l'abonné. La téléopératrice, après un échange cadré par des questions très ciblées afin de vérifier qu'il n'y a pas d'urgence, cherche à rassurer la personne âgée et lui rappelle qu'il ne faut surtout pas qu'elle hésite à utiliser le dispositif et que la téléassistance a précisément pour objectif qu'une personne réponde aux appels à tout moment. Les opérateurs se saisissent de ces appels qui constituent désormais des opportunités pour rappeler différentes « consignes » : « N'hésitez pas à nous appeler si vous avez besoin d'aide », « cela fait un essai, vous pourrez faire le prochain dans un mois », « n'oubliez pas de nous signaler tout changement : absence, déménagement d'un de vos contacts… ». Certaines opératrices peuvent également profiter d'un appel involontaire pour vérifier que les informations concernant les correspondants sont bien à jour.

Les appels involontaires conduisent ainsi à mettre le doigt sur un usage de la téléassistance, construit par les personnes âgées, qui renvoie parfois au besoin d'être rassuré. Les opérateurs se sont adaptés pour y répondre, en considérant cette catégorie d'appels comme un mode d'appropriation du dispositif. On a là une double adaptation de l'usage, par l'usager et par l'opérateur. L'appel involontaire apparaît alors comme source de performance du système, et donc de valeur, pour les opérateurs comme pour les personnes âgées abonnées.

Le non-usage du système d'appels par un(e) abonné(e)

Caractérisation

Un autre usage « déviant », symétrique de l'appel involontaire, est le « non-usage », une situation dans laquelle la personne âgée n'utilise jamais son médaillon d'appel, voire le range au fond d'un placard. Il est difficile d'appréhender quantitativement cet usage « déviant », car il faudrait faire la distinction entre les personnes qui n'ont pas de problème et ont donc un usage normal en n'utilisant pas le dispositif et celles qui ne portent pas leur médaillon.

Gestion par l'opérateur

Les opérateurs ne restent pas indifférents face à ces situations de non-usage car elles interpellent leur responsabilité vis-à-vis de leurs abonnés et mettent en cause leur capacité à les secourir en cas de besoin. Face au non-usage, les opérateurs recourent à l'appel technique. Au-delà de la visée technique initiale de ce type d'appel destiné à vérifier régulièrement le bon fonctionnement du dispositif, les opérateurs considèrent que l'appel technique participe de l'appropriation du dispositif par l'usager. L'opérateur est alors à l'origine d'une incitation à l'appel récurrent. On peut rapprocher cette démarche de l'hypothèse mise en avant en sociologie des usages selon laquelle un usage fréquent confère à un outil de communication le statut d'outil ordinaire.

La demande d'aide pour les besoins du quotidien

Caractérisation

Enfin, on repère un usage dont l'apparition est sans doute plus récente. Il est qualifié de « demande d'aide » dans les motifs renseignés par l'opérateur. En voici quelques exemples.

Une personne appelle parce qu'elle ne sait pas utiliser son fauteuil roulant, une autre parce qu'elle ne retrouve pas son chapeau, une troisième parce que l'auxiliaire de vie a oublié d'éteindre la lumière en partant le soir, une quatrième parce qu'il y a une coupure de courant. Dans aucun de ces exemples, il n'est question de chute, il n'y a pas de problème médical, et pourtant la personne âgée utilise son dispositif de téléassistance et demande de l'aide. Il s'agit là d'une extension des usages de la téléassistance à l'initiative de la personne âgée. La personne âgée quasiment aveugle qui a fait tomber son chapeau et ne peut le retrouver elle-même. Celle dont la lumière est restée allumée, qui couchée ne peut se lever seule. Dans le cas de la coupure d'électricité, il s'agit d'une coupure générale et il n'y a finalement pas d'intervention à faire sur le compteur électrique. Dans le cas du fauteuil roulant, la personne appelante vient d'en changer. L'opérateur répond à cet usage en donnant suite à l'appel et en contactant le réseau de solidarité. Dans les quatre exemples, il est frappant de noter que les correspondants admettent également ces usages, puisqu'ils se déplacent.

D'autres acteurs, qui n'appartiennent pas au réseau de proximité, peuvent aussi être enrôlés. Ainsi, dans le cas du chapeau, la correspondante contactée par le service ne peut se déplacer rapidement, mais elle indique les coordonnées de son mari, qui pourra rendre ce service et, de fait, l'opératrice contacte l'époux de la correspondante, qui se déplace et rend effectivement le service.

Gestion par l'opérateur

Aujourd'hui, les opérateurs chez lesquels nous avons mené nos observations se donnent pour mission de donner suite à toute demande d'aide qui leur est adressée par un abonné. Les sollicitations pour les besoins du quotidien semblent en nombre suffisamment limité pour pouvoir être traitées par les plateaux d'appel ; elles sont principalement déclenchées par des personnes dont les réseaux de solidarité acceptent de prendre en compte ces demandes de services non urgents. Les limites à la prise en charge de ce type de besoin tiennent toutefois à la disponibilité tant des opératrices (les lignes téléphoniques doivent rester libres pour les appels d'urgence) que des membres des réseaux de proximité.

On remarque donc de nouveaux usages du dispositif qui correspondent à des besoins différents, ou qui sont des variations autour de l'usage normal du dispositif. Ils se manifestent aussi par des fréquences d'appels différentes de celles prévues initialement (une succession d'appels, pour régler un même problème, ou pour rassurer une personne âgée qui vient de faire une chute et attend que quelqu'un vienne la relever). Ces variations se traduisent, enfin, par l'utilisation du dispositif par des acteurs différents (autres que les abonnés), comme les correspondants du réseau de proximité. On peut alors considérer que la téléassistance est devenue un service du quotidien, auquel on fait jouer un rôle de conseil et que l'on peut appeler plus facilement qu'un acteur des secours d'urgence.

3. Au-delà de l'adaptation de l'offre, une nécessaire gestion des clients

Nous avons montré que les opérateurs se sont progressivement adaptés et ont globalement pris en compte certaines des « déviances » de leurs clients, voire qu'ils se sont appuyés sur ces déviances pour améliorer la performance du dispositif. Toutefois, ils se trouvent confrontés à des situations limites qui les conduisent à définir des frontières à l'évolution possible du service qu'ils rendent, et qui leur permettent de redéfinir quels sont les usages « normaux ». Cette redéfinition des usages normaux est également liée à l'intervention d'autres acteurs dans le dispositif, qui peuvent avoir chacun des conceptions différentes de l'usage « normal » du dispositif. Les opérateurs doivent dès lors mettre en cohérence ces différentes conceptions.

3.1. Des situations révélatrices des limites rencontrées par l'évolution de l'offre

Certaines situations apparaissent comme révélatrices des limites de la téléassistance quand cette dernière ne peut plus rendre le service attendu ; on arrive alors aux limites des compétences de cet agencement organisationnel (Girin, 1995).

Caractérisation des situations limites

Les situations limites se traduisent par des appels d'une nature particulière (des appels au secours répétitifs, par exemple, ou des appels incessants). Parfois, ces situations relèvent d'un besoin de convivialité. Mais il peut aussi s'agir de situations de dégradation de l'état de santé de la personne, de situations de maltraitance ou, encore, d'abus de faiblesse sur la personne âgée.

On touche là aux limites du service, car les opératrices ne peuvent répondre longuement à ces appels afin de laisser les lignes disponibles pour les appels d'urgence ; les correspondants refusent de se déplacer, car ils considèrent être trop souvent sollicités et, de leur côté, les pompiers ou le Samu estiment qu'ils se déplacent parfois pour des situations qui ne sont pas de leur ressort.

Ces situations révèlent les limites d'action auxquelles se heurtent les différents protagonistes pour réaliser le service de téléassistance, et plus globalement la limite de la téléassistance dans la contribution au maintien à domicile de la personne âgée. La téléassistance permet alors de déceler une détresse, sociale ou physique, mais elle peut difficilement y apporter une réponse.

Une diversité de réponses des opérateurs à ces situations limites

Dans ces situations, les opérateurs sont amenés à protéger le dispositif et, à cette fin, développent différentes formes de gestion du client.

Un premier type d'action est l'appel de l'opérateur à un relais local. En effet, certains opérateurs sont présents géographiquement auprès de la personne âgée, à travers le rôle d'acteurs locaux (bénévoles, salariés de délégations locales…). Il se peut que des bénévoles des associations soient contactés pour prendre le relais auprès des personnes en situation de fragilité. Le responsable d'un opérateur associatif insiste sur « la chaleur humaine et le lien » que les bénévoles peuvent procurer à des abonnés que la centrale d'appels aura détectés comme étant fragiles, car sortant de l'hôpital ou ayant vécu le décès de leur conjoint… : « … à partir de ce moment-là, à partir de cette détection, les bénévoles vont prendre en charge ces personnes pendant un temps plus ou moins long pour les appeler, pour prendre de leurs nouvelles, pour les aider à reprendre pied ».

Pour d'autres opérateurs qui n'ont pas eux-mêmes de relais local, la prise en charge de la situation peut être transmise à un acteur public de proximité, comme les centres communaux d'action sociale (CCAS). Une opératrice évoque ainsi une personne qui « appelle tous les jours : ses correspondants en ont assez, le Samu ne veut plus se déplacer et SOS Médecins n'est pas adapté. Entre nous, on décide de transmettre les infos aux coordinatrices, qui transmettent au CCAS ».

Une autre réponse, plus formalisée, consiste à trier les appels. Pour répondre plus spécifiquement au besoin de communiquer qui peut se cacher derrière un appel involontaire, certains opérateurs ont mis en place un plateau téléphonique indépendant de la plateforme, un plateau qui ne traite pas les appels d'urgence et que l'abonné peut contacter par téléphone aux seules heures ouvrables, en semaine. De même, concernant les situations où une assistance psychologique apparaît nécessaire, certains opérateurs cherchent à faire en sorte que le client réoriente ses appels vers des services plus adaptés. Ainsi, un opérateur a choisi de proposer à distance un service de soutien psychologique, en complément du service de téléassistance classique. Initialement conçu comme la possibilité, pour la personne âgée abonnée, de bénéficier d'un rendez-vous téléphonique avec un psychologue, ce service s'est progressivement étendu afin d'anticiper les situations difficiles et d'aider à les surmonter. Aujourd'hui, l'antenne psychologique regroupe une équipe de six psychologues, qui téléphonent aux personnes âgées identifiées comme étant plus fragiles (par exemple, des personnes réintégrant leur domicile après une hospitalisation).

Les membres des réseaux de proximité acceptent souvent de s'écarter de l'usage prévu classiquement pour le dispositif ; ils répondent notamment aux besoins du quotidien. Leur vision de l'usage normal du dispositif est très variée et peut, pour une même personne, évoluer au cours du temps, car les correspondants n'ont souvent pas une idée précise de ce qu'ils auront à faire en cas d'appel, cela étant d'ailleurs très variable selon la personne âgée : un correspondant pourra très bien n'être quasiment jamais appelé, alors qu'un autre sera extrêmement sollicité.

Encadré 3

Exemple 1 d'appel au réseau de proximité

Madame L. appelle et dit que sa petite-fille n'a pas changé ses draps. Elle souhaite parler à sa belle-fille. L'opératrice appelle au domicile du fils de Madame L., tombe sur son fils et lui dit : « Monsieur L., j'ai eu votre maman au téléphone. Elle aurait besoin de parler à votre épouse ; est-ce possible ? » Le fils transmet le message à son épouse. L'appel n'est pas mis en attente, car il ne s'agit pas d'un appel pour chute. La belle-fille de Madame L. vient tout de suite chez celle-ci, pour donner suite à sa demande.

3.2. Gérer dans le cours de l'activité : la confrontation de différentes visions de l'usage normal

Nous avons, jusqu'à présent, souligné l'évolution, au niveau de l'opérateur, de ce qu'il considère comme un usage « normal » et nous avons analysé les différentes adaptations qu'il a opérées pour intégrer les innovations dans l'usage. Cependant, l'usage normal constitue également une référence pour différents types d'acteurs qui participent à la conception ou à la mise en œuvre du service. Il en résulte la coexistence entre différentes conceptions du rôle du service et de l'usage qui doit en être fait. Même s'il a fait évoluer sa vision de l'usage normal au contact des acteurs participants (usagers ou partenaires), l'opérateur est amené à prendre en compte les conceptions de l'usage normal auxquelles se réfèrent ses autres partenaires dans le cours de l'activité.

Les différentes visions

La vision du réseau de solidarité

L'évolution de l'usage normal au niveau de l'opérateur a été permise, en grande partie, par la capacité d'adaptation d'acteurs qui interviennent au cœur de l'activité et, en particulier, par celle du réseau de proximité qui, du fait de l'élargissement des usages aux besoins de la vie quotidienne, peut être beaucoup plus souvent sollicité.

Exemple 2 d'appel au réseau de proximité

Madame G. a déclenché la téléalarme, mais elle ne répond pas à la téléopératrice. L'opératrice appelle alors le fils de Madame G., Monsieur F. Ce dernier répond, mais dit qu'il revient de chez Madame G., qu'il était chez elle environ une heure et demie auparavant et que tout allait bien. Il dit à la téléopératrice qu'il est en train de faire des courses et qu'il n'est pas en mesure de retourner tout de suite chez Madame G. La téléopératrice laisse l'appel en attente. Elle rappelle quelques minutes plus tard. Madame G., cette fois, répond et se plaint qu'on l'ait dérangée.

Encadré 4

Les correspondants s'adaptent aussi à l'usage que la personne âgée fait de son réseau, et ils peuvent le faire avec plus ou moins de diligence, de spontanéité, de bonne volonté… Mais on constate une cohérence entre la vision de l'usage normal pour l'opérateur et pour le réseau de solidarité.

La vision des acteurs du champ médical et de l'urgence

Pour les acteurs des services d'urgence, la vision de l'usage normal qui transparaît correspond à l'existence d'un besoin d'ordre médical : les acteurs de l'urgence médicale (pompiers, Samu) font pression pour que leur intervention dans le dispositif se limite à des situations où une intervention médicale est nécessaire. Ainsi, dans certains départements, les pompiers, s'ils sont appelés à mauvais escient, vont facturer leur déplacement au service de téléassistance (qui le facturera, à son tour, à la personne âgée concernée). Contrairement à la prise en compte progressive des usages déviants par les opérateurs, on assiste à une certaine rigidification de l'usage « normal » de la part des acteurs de l'urgence, qui mettent en avant leurs moyens restreints et leur surcharge d'appels.

Les acteurs des réseaux de soin (réseaux gérontologiques, prescripteurs) s'en tiennent eux aussi à une vision restreinte de l'usage du dispositif, laquelle est centrée sur la chute : le dispositif est ainsi prescrit pour des personnes qui vivent seules à leur domicile, qui ont une certaine autonomie et qui sont des « patients chuteurs ». Cette vision s'accorde avec celle des financeurs amenés à proposer le financement du service dans le cadre de plans d'aide à la personne âgée (APA) en vue du maintien de leur autonomie à domicile, à la suite d'un constat d'ordre médical.

La vision des acteurs publics porteurs d'une responsabilité sociale

Les financeurs publics reconnaissent parfois que la téléassistance répond à d'autres besoins que celui défini par l'usage lié à la chute ou à l'urgence, même si cette vision « restreinte » de l'usage du dispositif prédomine au moment du financement et de la prescription. C'est aussi le cas d'autres acteurs de la sphère publique (municipalités, conseils généraux), qui se trouvent porteurs d'une responsabilité vis-à-vis des personnes âgées au niveau local. Ils demandent aux opérateurs de prendre en compte cette dimension de responsabilité sociale dans leurs actions. Ainsi, ils sollicitent parfois un retour d'informations sur certains appels qui exigeraient éventuellement l'intervention des services sociaux. Ils peuvent aussi être amenés à financer des actions spécifiques pour détecter des personnes isolées en difficulté ou d'autres actions mobilisant les compétences et les technologies dont disposent les opérateurs. Cela a été le cas pour un opérateur auquel il a été demandé de préparer un plan d'appels en cas de canicule s'adossant sur les systèmes d'information et sur les centres d'appels des services de téléassistance, ou pour un autre opérateur, auquel un conseil général a demandé la mise en place d'un service d'assistance psychologique sur la base d'un financement apporté par ce dernier. Ces acteurs apparaissent comme de nouveaux usagers dont les exigences doivent être prises en compte par les téléassisteurs.

Les conséquences pour l'activité des téléopératrices

Ces contradictions entre les différentes visions de l'usage normal du dispositif sont ressenties par les téléopératrices dans leur activité au quotidien. Celles-ci cherchent en effet à ménager les différents intervenants en restant au plus près de la vision de l'usage du dispositif que chacun d'entre eux considère comme « normale ». Ainsi, elles chercheront à restreindre les appels à un réseau de solidarité qu'elles sentent plus réticent à se déplacer pour un besoin du quotidien, ou encore elles chercheront à approfondir leur connaissance de la situation dans laquelle se trouve la personne âgée appelante pour éviter de faire intervenir un service d'urgence pour une chute sans gravité.

Les téléopératrices doivent donc apprécier la situation à distance. Le schéma d'action est clair quand on se trouve dans une situation d'urgence. Mais, dans les autres situations, qui n'apparaissent pas au premier abord comme étant des situations d'urgence, la téléopératrice doit trouver des informations qui lui permettront de prendre une décision.

Encadré 5

Exemple d'une adaptation par l'opératrice du recours aux différents intervenants

Monsieur C. est tombé et a besoin de quelqu'un pour l'aider à se relever. L'opératrice joint d'abord le premier correspondant : c'est un salon de coiffure ; on lui répond qu'en raison d'un grand nombre de clients, aucun employé ne peut se rendre sur place. L'opératrice joint alors le second correspondant : c'est la boulangère qui est, elle aussi, dans l'impossibilité de quitter sa boutique à ce moment-là et qui ne trouve personne non plus au fournil pour se déplacer. L'opératrice, soucieuse de préserver le réseau de solidarité (dans le cas d'espèce, des voisins qui acceptent bénévolement en plus de leur activité cette charge supplémentaire), va néanmoins solliciter les pompiers. Elle rappelle Monsieur C. pour vérifier que sa porte est ouverte et lui signale qu'elle va envoyer les pompiers. Elle appelle alors les pompiers : « Bonjour, c'est le service de téléalarme. Je vous appelle pour une personne qui a fait une chute à son domicile. Elle ne s'est pas blessée, mais elle n'arrive pas à se relever [...] Non, il a dit qu'il ne s'est pas fait mal, mais il n'arrive pas à se relever. Oui, sa porte est ouverte. Apparemment, il a des problèmes d'élocution, il est cardiaque et souffre de surdité. » Lorsque les pompiers arrivent, ils diagnostiquent une chute sans gravité et relèvent Monsieur C.

Conclusion

Nous nous sommes intéressées dans cet article à la dynamique de l'interaction entre un usage prescrit considéré comme la norme d'usage d'un dispositif et d'autres usages, qui dévient par rapport à cette norme. Les diverses évolutions que nous avons mises en lumière soulignent l'importance des usages réels dans la construction de l'offre et dans sa dynamique. Toutefois, dans le cas d'un développement du service à grande échelle, l'opérateur est contraint de définir une forme standard de l'usage du dispositif.

La dynamique entre usage normal et usage déviant est donc source d'innovation et de créativité et, en même temps, de tensions pour les opérateurs. L'usage déviant peut être facteur d'appropriation du service. Il permet d'identifier des axes de valeur du service et de développer de nouveaux services pour d'autres utilisateurs. Mais, *a contrario*, la dynamique d'évolution est source de tensions car les différents acteurs qui participent au dispositif se font, chacun, leur propre vision de ce que devrait être l'usage normal. Cela a des conséquences sur l'activité au quotidien des opérateurs, qui se trouvent confrontés à des logiques et à des attentes différentes des acteurs à l'égard du dispositif.

En tant qu'acteur central dans le fonctionnement du dispositif et le développement de l'offre, les opérateurs ont, d'une part, à s'adapter en temps réel à ces contradictions et, d'autre part, à faire évoluer les visions des financeurs, prescripteurs et correspondants de manière cohérente, afin de répondre aux attentes des usagers et d'exploiter le potentiel de valeur associé au dispositif. Dans le cas d'un service articulant l'intervention d'acteurs multiples, cette mise en cohérence est complexe. Mais elle est cruciale, car elle conditionne l'efficacité du dispositif. On peut considérer que les opérateurs cherchent à atteindre un standard d'usage acceptable pour les différents usagers et partenaires. Autour de ce standard se développent des improvisations, qui peuvent susciter des innovations de service, mais qui doivent respecter les contraintes et les logiques des différents partenaires. Les opérateurs développent ainsi une forme de « singularité à grande échelle » (Minvielle, 1996), qui leur permet de rester ouverts à une dynamique d'innovation, mais les contraint à respecter un standard d'usage du service qui soit compatible avec les visions de l'usage normal que développent les différents acteurs partenaires.

Bibliographie

CHARUE-DUBOC F., AMAR L., KOGAN A.-F. et RAULET-CROSET N., *Annales des Mines – Gérer et comprendre*, 3, n° 105, 2011, pp. 17-27, ISSN 0295-4397. Article disponible en ligne à l'adresse : http://www.cairn.info/revue-gerer-et-comprendre-2011-3-page-17.htm. Pour citer cet article : Charue-Duboc F. *et al.*, « Usage déviant et dynamique d'évolution d'une offre de service : le cas de la téléassistance pour les personnes âgées ». Document téléchargé depuis : www.cairn.info – Groupe Euromed Management – 195.220.8.9 – 07/11/2013. © Eska.

AKRICH M., « Les objets techniques et leurs utilisateurs. De la conception à l'action », in CONEIN *et al.* (éd.), *Les Objets dans l'action*, Paris, Éditions de l'EHESS, 1993.

BENGHOZI P. J., CHARUE-DUBOC F. et MIDLER C., *Innovation Based Competition & Design Systems Dynamics*, Paris, Éditions L'Harmattan, 2000.

CARDON D., « L'innovation par l'usage », in AMBROSI A., PEUGEOT V. et PIMIENTA D. (dir.), *Enjeux de mots : regards multiculturels sur les sociétés de l'information*, C & F Éditions, 2005.

CERTEAU M. (de), *L'Invention du quotidien*, Paris, UGE, collection 10/18, 1980.

CHARON J.-M., « Télétel, de l'interactivité homme/machine à la communication médiatisée », in MARCHAND M. et le SPES (dir.), *Les Paradis informationnels*, Paris, Masson, collection CENT/ENST, 1987, pp. 103-128.

CHARUE-DUBOC F., *Management stratégique de l'innovation technologique*, Habilitation à diriger des recherches, Université de Lille, 2007.

GIRIN J., « Les agencements organisationnels », in CHARUE-DUBOC F. (dir.), *Des savoirs en action. Contributions de la recherche en gestion*, Paris, Éditions L'Harmattan, 1995, pp. 233-279.

JOURNÉ B., « Collecter les données par l'observation », in GAVARD-PERRET M.-L., GOTTELAND D., HAON C. et JOLIBERT A. (éd.), *Méthodologies de la recherche. Réussir son mémoire ou sa thèse en sciences de gestion*, 2e éd., Pearson France, 2012, pp. 139-176.

JOUET J., « Retour critique sur la sociologie des usages », *Réseaux*, vol. 18, n° 100, 2000, pp. 487-52.

LENFLE S. et MIDLER C., « The Launch of Innovative Product-Related Services: Lessons from Automotive Telematics », *Research Policy*, 38 (1), 2009, pp. 156-169 ; MAGNUSSON P., *Customer-Oriented Product Development, Experiments Involving Users in Service Innovation*, Stockholm, Stockholm School of Economics, EFI The Economic Research Institute, 2003.

MINVIELLE E., *Gérer la singularité à grande échelle ou comment maîtriser les trajectoires des patients à l'hôpital ?*, Thèse de l'École polytechnique, Paris, 1996.

PERRIAULT J., *La Logique de l'usage. Essai sur les machines à communiquer*, Paris, Flammarion, 1989.

THOMKE S., « R&D Comes to Services, Bank of America's Pathbreaking Experiments », *Harvard Business Review*, 2005, pp. 3-11.

VON HIPPEL E., *Democratizing Innovation*, Cambridge, MA, The MIT Press, 2005.

YIN R., *Case Study Research: Design and Methods*, Sage, 2004.

Lecture 2
Relation client ou relation au client ?
Entre optimisation technique
et qualité de service[1]

Fabien Bonnet

Par Fabien Bonnet, maître de conférences en sciences de l'information et de la communication à l'Université de Haute-Alsace. Son travail de recherche porte sur la communication des organisations, et plus particulièrement sur les processus et les dispositifs mis en œuvre dans le cadre de stratégies de marque et de relation client.
fabien.bonnet@uha.fr

Le concept de relation client est couramment mobilisé à propos des messages et des dispositifs auxquels ont recours les entreprises de services pour établir et maintenir un contact avec leur clientèle. Les managers de ces mêmes entreprises disposent, quant à eux, de différents outils d'inspiration gestionnaire pour optimiser un « processus client » présenté comme central pour l'efficience recherchée. Cet article vise à interroger la notion de relation client en questionnant ses origines et la manière dont elle est mise en récit et en pratique. Il cherche à mettre en évidence les limites d'une approche technique et essentiellement rationaliste de cette relation, et montre l'intérêt d'une approche communicationnelle des interactions sensibles et symboliques qui interviennent dans sa construction et son expression.

1. Le management par processus : un héritage industriel

En octobre 1998, au cours d'un discours devant le conseil d'administration d'EDF, le président de l'ancienne entreprise publique déclarait vouloir que cette dernière se tourne « tout entière » vers le client. Cette nouvelle orientation devait alors représenter un axe de développement essentiel dans la stratégie de cette entreprise disposant d'un capital symbolique particulièrement important. Malgré ses spécificités, le cas d'EDF ne saurait être présenté comme un cas isolé, dans la mesure où il serait possible de citer de nombreux exemples d'entreprises qui, de la même manière, ont vu la prise en compte des attentes du client élevée au rang de leurs priorités. À l'époque, la volonté de M. Roussely n'était-elle d'ailleurs pas de faire d'EDF une entreprise « comme les autres », en rebattant les cartes de la culture d'entreprise dans la perspective d'une mise en concurrence qui se dessinait ?

Dans nombre d'entreprises, cette prise en compte du client est tout d'abord passée par la recherche d'une *satisfaction client* optimale. C'est dans cette perspective qu'ont été

---

1. Le présent chapitre constitue une version complétée et actualisée d'un article de Fabien Bonnet : « Relation client ou relation au client ? Interactions, dispositifs et qualité de service », in *Communication et Organisation*, n° 37, Presses Universitaires de Bordeaux, 2010, pp. 153-161.

mis en place différents types d'outils visant à améliorer la qualité de l'offre, dès lors que, de vendeurs, les marchés sont devenus acheteurs, plaçant les acteurs industriels en situation de concurrence. Dès les années 1950, les industriels japonais, aux premiers rangs desquels Toyota, avaient mis en place des méthodes dites de « qualité totale » visant à minimiser les gaspillages, notamment en contrôlant la qualité des produits tout au long de la chaîne de production[2]. Cette démarche innovante visait également à rendre possible une *amélioration continue* de la productivité et de la qualité à travers une responsabilisation des ouvriers qualifiés, ce qui la distinguait du modèle tayloriste, alors valable chez Ford, et dans lequel les méthodes étaient fixées une fois pour toutes par la hiérarchie.

L'exemple de Toyota nous permet de mettre l'accent sur le fait que de nombreux industriels ont souhaité répondre à la pression concurrentielle en mettant en place de nouvelles méthodes d'organisation du travail. Dans le champ des sciences de gestion, ce type de démarche a donné lieu à une réflexion sur le *management de la qualité*, c'est-à-dire sur la manière d'optimiser les flux de production tout en améliorant la qualité perçue par le client. C'est dans ces conditions que nombre d'entreprises vont rechercher des gains de productivité et davantage d'adaptabilité à travers la mise en place de transversalités fonctionnelles, d'où l'apparition et l'opérationnalisation du concept de *management par processus*. Ce dernier définit une approche plus systémique des activités de production. Il est considéré comme une chaîne d'activités visant à une transformation productive à partir d'éléments entrants et aboutissant à une plus-value en termes de qualité. Ainsi, de la Seconde Guerre mondiale aux années 1990 où elle va constituer un critère dans le cadre de procédures de normalisation[3], l'organisation par processus va se manifester dans les entreprises comme une longue quête de transversalités à des fins d'adaptabilité, de réactivité et de productivité industrielle. Fondée dans le contexte de l'industrie et relayée par des approches essentiellement gestionnaires, l'organisation des activités par processus va progressivement gagner les activités marchandes et de services. C'est ainsi qu'elle apparaîtra sous le vocable de *processus client* pour désigner des enchaînements de tâches de toutes natures impliquant, à l'intérieur et à l'extérieur des entreprises, puis, plus tard, des administrations, des activités et des compétences dont la finalité est de satisfaire et de fidéliser la clientèle tout en assurant des gains de productivité[4]. C'est donc essentiellement un souci d'optimisation économique qui va présider à la conception et à la mise en place des stratégies et des dispositifs de relation client.

2. La relation client en actes : quels processus et quels dispositifs ?

La première moitié du XXᵉ siècle a vu se développer la notion de marque aux États-Unis. Les emballages des produits et la publicité apparaissent alors comme des supports indispensables pour la communication d'entreprise. Franck Cochoix[5] souligne le fait que la

---

2. Boyer R. et Freyssenet M., *Les Modèles productifs*, Paris, La Découverte, 2000.

3. Depuis sa version 2000, la norme ISO 9001 impose une démarche processus aux entreprises souhaitant obtenir une certification de leur système de gestion de la qualité.

4. À titre d'illustration, on citera Mongillon P. et Verdoux S., *L'Entreprise orientée processus – Aligner le pilotage opérationnel sur la stratégie et les clients*, Paris, Afnor, 2013.

5. Cochoix F., *Une histoire du marketing*, Paris, La Découverte, 1999.

marque est alors utilisée dans le cadre d'une concurrence entre producteurs industriels et distributeurs. Elle est même envisagée par les producteurs comme un moyen de développer une interaction plus directe avec le marché, sans dépendre des détaillants ou des grossistes. Cependant, le mouvement de concentration qui touche le secteur de la distribution aboutit à l'apparition et au renforcement du secteur de la grande distribution. Cette intégration du secteur de la distribution à l'échelle à la fois locale, régionale et nationale introduit une distance entre l'entreprise productrice et le consommateur final. Face à la complexité d'un marché avec lequel il n'est plus possible d'interagir directement, les entreprises cherchent des moyens d'optimiser leur offre en fonction de ce qu'ils peuvent percevoir des attentes du consommateur. Ils répondent finalement à ces contraintes par la segmentation de l'offre, ce qui restreint le champ d'action des détaillants et marque, selon Franck Cochoix, le passage d'une prééminence de la médiation marchande à celle d'une logique marketing.

Dans les années 1950-1960, la mise au point du *marketing concept*, puis du *marketing management* passe par un changement de démarche dans le développement et la commercialisation des produits. Cette nouvelle approche, parfois qualifiée de *révolution marketing*, vise déjà à l'époque à « placer le consommateur au centre des affaires ». Dans cette perspective, des auteurs comme Morris B. Holbrook[6] ou Philip Kotler[7] mettent l'accent, à partir des années 1960, sur la nécessité d'une approche pluridisciplinaire, tenant compte en particulier des apports de la psychologie sociale, afin de mieux comprendre le marché.

Si l'on fait un saut dans la chronologie des mutations économiques et que l'on s'intéresse aux évolutions du marketing dans les années 2000, on remarque que le thème de la relation instaurée, construite entre l'entreprise et ses clients, est toujours d'actualité. En effet, de nombreuses publications destinées aux professionnels de ce secteur ont évoqué et évoquent encore l'essor d'un *marketing relationnel*[8] qui succéderait à des conceptions plus anciennes centrées sur la simple transaction. Cette approche vise une optimisation de la relation entre l'entreprise et un client polymorphe influencé par certaines valeurs, qui, à des fins de synthèse, pourront être qualifiées de postmodernes[9]. Dans un contexte de crise à long terme, à la fois économique, sociale et environnementale, les arbitrages prix/valeur se complexifient[10] à travers l'affirmation de problématiques telles que celles liées à la fragmentation des publics, à la consommation engagée[11] ou à l'innovation ascendante[12], voire à la part de production déléguée au client lui-même[13]. L'entreprise s'adresse parfois à des milliers de clients dont on considère qu'ils souhaitent

---

6. Holbrook M. B., Hirschman E. C., « The Experiential Aspects of Consumption: Consumer Fantasies, Feelings and Fun », *Journal of Consumer Research*, Chicago, n° 9, 1982, pp. 132-140.

7. Kotler P., *Marketing management*, 14e éd., Paris, Pearson France, 2012.

8. Hetzel P., *Le Marketing relationnel*, Paris, Presses Universitaires de France, 2004.

9. Lipovetsky G., *Le Bonheur paradoxal : essai sur la société d'hyperconsommation*, Paris, Gallimard, 2006.

10. Cette évolution était déjà mise en évidence par la Direction générale de la compétitivité, de l'industrie et des services en 2006, Pôle interministériel de prospective et d'anticipation des mutations économiques (Pipame), « Le commerce du futur », disponible en ligne : http://www.dgcis.gouv.fr/files/files/directions_services/etudes-et-statistiques/prospective/commerce-du-futur/commerce-du-futur.pdf, dernière consultation le 13/12/13.

11. Dubuisson-Quellier S., *La Consommation engagée*, Paris, Les Presses de Sciences Po, 2009.

12. Hippel E. (von), *Democratizing Innovation*, Londres, MIT Press, 2005. Disponible en ligne : http://web.mit.edu/evhippel/www/books/DI/DemocInn.pdf, dernière consultation le 12/12/13.

13. Dujarier M.-A., *Le Travail du consommateur*, Paris, La Découverte, 2008.

voir leur individualité reconnue. De manière générale, alors que les marchés s'ouvrent à l'international, la qualité perçue de la relation entre entreprise et client est généralement présentée comme un avantage concurrentiel majeur.

Dans ces conditions, les technologies de l'information et de la communication peuvent apparaître comme un moyen d'agir sous la double contrainte de l'efficience économique et de l'exigence d'individualité. L'essor d'un e-commerce s'orientant toujours davantage vers une communication multicanal permet ainsi d'envisager la médiatisation et l'automatisation partielle de certains aspects de la relation au client. Le soin porté au contenu et à la structuration de la section « support » des sites Internet des grandes entreprises témoigne par exemple, tout comme l'utilisation de plus en plus fréquente des applications mobiles comme complément du point de vente, de cette dynamique qui met l'information nécessaire à la portée du client et déleste ainsi le service clientèle de coûteuses demandes. Les centres d'appels, chefs-d'œuvre de rationalisation néotaylotriste, sont préférés aux boutiques, trop coûteuses et peu flexibles. Les avatars présents sur les sites Internet et les conseillers accessibles par l'intermédiaire de dispositifs *Web call back* ou *Click to chat* participent également d'un processus de rationalisation de la relation. L'ensemble de ces dispositifs se trouve investi de trois missions : satisfaire le client par rapport à sa demande initiale, faciliter un éventuel acte d'achat et rassembler des informations toujours plus précises sur le comportement et les attentes du client. Sur ce dernier point, les données ainsi collectées alimentent le système d'information qui tient lieu de mémoire de l'entreprise et permet d'envisager une individualisation des pratiques commerciales qui a pu être qualifiée de personnalisation de masse[14].

L'ensemble de ces pratiques visant à optimiser la relation *au* client a finalement conduit les spécialistes à évoquer une *relation client*. Aujourd'hui, celle-ci comporte une forte dimension technique, dans la mesure où un certain nombre de dispositifs sont devenus indispensables à la gestion permanente des contraintes liées à la rationalisation de l'activité commerciale ainsi qu'à la prospection des clients et à la satisfaction de leurs attentes en termes de personnalisation de l'offre et du contact présentiel ou médiatisé. De nombreux acteurs de ce secteur proposent ainsi des solutions techniques, qu'il s'agisse de services (SEO, intégration Web, *community management*) ou d'infrastructures informatiques (serveurs, réseaux, *cloud computing*, logiciels professionnels), afin de permettre aux entreprises de gérer une relation dont la dimension à la fois sociale et culturelle renvoie au champ de la communication. Les stratégies des entreprises se trouvent ainsi confrontées aux valeurs qui sont celles de l'industrie des TIC et des réseaux[15], parmi lesquelles la foi en l'innovation et en la liberté de circulation des informations dans un « espace » réputé neutre semble essentielle. Or, il paraît difficile de considérer ces valeurs constitutives d'une *culture de l'Internet* comme indépendantes des questions de production, dans la mesure où l'innovation demeure un facteur clé dans le jeu concurrentiel. Il en résulte une peur de « passer à côté » qui conduit, selon nous, à un certain suivisme et ainsi à une homogénéisation des pratiques de relation client qui fait de la non-utilisation de certains dispositifs techniques en vogue[16] un parti pris particulièrement osé.

---

14. Gilmore J. H. et Pine B. J., « The Four Faces of Mass Customization », *Harvard Business Review*, n° 75, 1997, pp. 91-101, cité par Peelen E. *et al.*, *Gestion de la relation client*, 3ᵉ éd., Paris, Pearson Education, 2009, p. 84.

15. Castells M., *La Galaxie Internet*, Paris, Fayard, 2002.

16. Quelles sont les entreprises qui décident aujourd'hui d'être consciemment absentes des réseaux sociaux ?

L'ampleur prise par les questions technologiques en matière de consommation, et plus particulièrement de relation client, a conduit de nombreux professionnels à évoquer la dématérialisation de cette dernière[17]. Les recherches menées, notamment dans le champ des sciences de l'information et de la communication, tendent pourtant à montrer qu'il est plus approprié de parler de médiatisation, dans la mesure où l'utilisation du terme « dématérialisation » laisse supposer une neutralité des dispositifs techniques tout à fait contestable quand, questionnant le rapport entre informatique et pratiques d'écriture, Emmanuel Souchier note qu'« il n'y a pas de transformation technologique qui ne soit accompagnée d'une transformation des modes de faire et par là même des modes de penser »[18]. La constitution par Google d'un quasi-monopole sur la publicité en ligne à l'échelle mondiale représente sûrement le meilleur exemple de cette médiatisation ayant des conséquences bien concrètes sur les modèles et pratiques marketing. Cependant, le fait que des praticiens de la communication évoquent une « perte de matière » de la relation client a l'intérêt de laisser entrevoir certaines interrogations quant à l'impact des processus en cours, en particulier en termes de perception sensible par les clients. Si ces derniers valorisent le fait d'être considérés comme des individus engagés dans une relation avec l'entreprise, ne risquent-ils pas de réagir, ne réagissent-ils pas déjà négativement à cette technicisation, à cette désincarnation de la communication d'entreprise ? Pourquoi une banque en ligne comme Monabanq a-t-elle pu se présenter comme « De loin la banque la plus proche »[19] et insister sur le fait qu'elle propose des « innovations utiles » en matière de relation client ? Pourquoi l'émergence du *brand content* conduit-elle aujourd'hui de nombreuses entreprises à exprimer ce qu'elles considèrent comme leur identité à travers des productions éloignées des canons et des circuits classiques de la publicité ? Finalement, comment appréhender la part de doute exprimée par les publics cibles vis-à-vis des formes mobilisées pour mettre en œuvre et nourrir la médiatisation de la relation client ?

Afin d'éclairer ce point, il semble nécessaire de faire remarquer que, face à la concurrence et à un contexte sociétal parfois difficile à appréhender, les entreprises ont globalement affiné leurs stratégies de communication. Alors que les premiers marketers de Procter & Gamble prônaient la mise en avant d'une « *unique selling proposition* », faisant de la communication une question de segmentation du marché, les entreprises doivent aujourd'hui faire face à des exigences de plus en plus difficiles à concilier. Les marques ne sont plus seulement des « marques de fabrique » mais relèvent d'une mise en récit plus large, elle-même parfois indépendante des formes publicitaires classiques, une mise en récit impliquant aussi bien les pratiques de l'entreprise que celles de ses clients et visant à « établir la confiance à l'ère du soupçon »[20].

Ces stratégies et ces moyens techniques sophistiqués mis en œuvre par les entreprises engagées dans un marketing relationnel sont censés leur permettre de s'adresser individuellement à la foule de leurs clients. Cependant, la définition d'un positionnement marketing nécessite entre autres d'identifier et de communiquer ce que sont ou doivent être les valeurs de l'entreprise pour parvenir à une image de marque à la fois cohérente

17. Roustan M., *Peut-on parler d'une dématérialisation de la consommation ?*, Crédoc. Disponible en ligne : www.credoc.fr/pdf/Rech/C203.pdf, dernière consultation le 04/12/2010.

18. Souchier E., « L'écrit d'écran, pratiques d'écriture & informatique », *Communication et langages*, n° 107, 1996, p. 106.

19. www.monabanq.com, dernière consultation le 20/12/2013.

20. D'Almeida N., *Les Promesses de la communication*, Paris, PUF, 2001, p. 224.

et consistante[21]. Dans le cadre d'une recherche doctorale[22], nous avons pu montrer que, en cherchant à séduire un large public et à se distinguer de la concurrence, de nombreuses entreprises se sont inscrites dans une tendance à l'*hypersymbolisation* des messages adressés au grand public[23]. Cette remarque semble particulièrement valable pour les entreprises développant des activités de services, dans la mesure où l'intangibilité relative de leurs offres implique, au moins pour partie, la formulation de messages plus abstraits. De plus, il semble que la concurrence que se livrent les grands groupes sur les marchés financiers, en conduisant à un détachement des entreprises vis-à-vis de leurs métiers d'origine, contribue à l'émergence d'une communication d'entreprise qui recourt massivement au symbolique en termes de formes et de signes, alors qu'elle peine à afficher et à faire partager les indices d'une activité devenue peu tangible aux yeux du public. À titre d'exemple, de nombreux groupes issus de fusions entre des entreprises sectorielles portent des noms qui ne font plus directement référence à un secteur d'activité mais se limitent, au mieux, à y faire allusion (Veolia, Natixis, Poweo, Aventis…).

Dans ces conditions, si « le lien importe plus que le bien »[24], comment appréhender le fait que certains clients développent un sentiment de défiance vis-à-vis des stratégies marketing[25] ? Alors que Marie-Anne Dujarier évoque les « moyens d'action du consommateur »[26] face aux stratégies de relation client, il semble essentiel d'interroger la perception que celui-ci a de l'évolution desdites stratégies. Peut-on considérer que l'avènement du marketing relationnel a fait oublier au client qu'il est investi dans une relation marchande ? Vues sous cet angle, les mises en récit de la relation au client développées par les entreprises semblent très lisses, expurgées des sujets qui fâchent, centrées sur des approches consensuelles, et ne trouvent finalement pas nécessairement d'échos dans les représentations de certains consommateurs. Quel est alors le statut de la relation client alors que le *brand content* lui-même renie son origine publicitaire ? Est-ce une réelle relation, au sens communicationnel du terme et notamment au plan d'interactions consenties et engageant une réciprocité, ou bien un idéal convoqué et mis en scène à des fins strictement fonctionnelles ? Il semble que de nombreuses entreprises valorisent des dispositifs techniques sophistiqués en matière de relation client et mobilisent une symbolique particulièrement élaborée alors qu'une part croissante de la clientèle paraît en attente de simplicité, voire d'un équivalent entrepreneurial de la spontanéité qui ne se résume pas à un simple rétromarketing. Cette même attente conduit à interroger la manière dont est abordée en entreprise la notion de service rendu au client, définie par Philippe Zarifian et Jean Gadrey en termes d'amélioration des conditions d'existence, de bien-être et d'usage chez un individu ou un groupe[27].

Selon les éléments présentés ci-dessus, il est possible d'avancer que ce type de décalage résulte, au moins en partie, de dynamiques internes aux entreprises. Malgré les déclara-

21. Lewi G. et Lacoeuihe J., *Branding management*, 3e éd., Paris, Pearson France, 2012.

22. Bonnet F., *Évolutions sociétales et mutations de la relation client – Une approche communicationnelle de la relation au client développée par EDF*, Thèse de doctorat en sciences de l'information et de la communication, Celsa – Université Paris-Sorbonne, 2012.

23. Pour illustrer cette tendance à l'hypersymbolisation, on peut citer l'utilisation, courante sur différents supports (affiches, sites Internet, prospectus), de visages censés exprimer les valeurs de l'entreprise, au premier rang desquelles figurent souvent une forme d'empathie et la valorisation de la diversité.

24. Cova B., *Au-delà du marché : quand le lien importe plus que le bien*, Paris, L'Harmattan, 1995.

25. Roux D., *Marketing et résistance(s) des consommateurs*, Paris, Economica, 2009.

26. Dujarier M.-A., *Le Travail du consommateur*, Paris, La Découverte, 2008.

27. Zarifian P. et Gadrey J., *L'Émergence d'un modèle du service : enjeu et réalités*, Paris, Liaisons, 2001.

tions de principes du type « placer le client au centre de nos préoccupations », il apparaît que les stratégies de relation client sont généralement élaborées à partir d'un produit qu'il s'agit de commercialiser, ou d'une technologie à utiliser, sans que ne soit questionné le statut de l'entreprise comme émetteur de messages et producteur de sens aux yeux du client dans le cadre d'une interaction dont les dimensions sociales et culturelles ne peuvent pourtant être ignorées, y compris en termes d'efficience. De manière générale, la légitimité de cette dernière à communiquer est d'ailleurs très rarement remise en cause dans le cadre d'un modèle d'échange qui demeure unilatéral et transmissif. Les écarts de conceptions et de signification pointés ci-dessus mettent en évidence l'intérêt d'appréhender l'élaboration d'une stratégie de relation client comme un processus plus global et complexe qui dépasse la simple mise en place de dispositifs ponctuels.

3. Vers une approche communicationnelle de la relation client ?

S'il est nécessaire de tenir compte de la complexité de la relation entretenue entre l'entreprise et le client, le transfert plus ou moins direct de l'approche processus, issue d'un modèle industriel vers celui d'une relation de service, ne saurait suffire. En effet, un tel « plaquage conceptuel » induit une gestion principalement technique des processus de communication. Celle-ci n'intègre pas les dimensions culturelles, sensibles et symboliques essentielles à la compréhension et à l'amélioration d'un processus de relation au client qui va de la veille informationnelle à la mise en application des stratégies de communication.

Il semble pourtant que certains acteurs de la branche des services revendiquent aujourd'hui une approche différente dans le cadre de leurs stratégies marketing[28]. Le fait d'entretenir une relation de proximité avec ses clients, tout en renonçant à l'idéalisation et aux seuls « effets d'annonce » de celle-ci, semble constituer aujourd'hui un choix stratégique tout à fait envisageable en termes de communication, choix qui peut notamment justifier selon nous la distinction opérée par Daniel Bô entre *brand content* et *brand culture*[29]. Ce type de démarche, empreinte de pragmatisme, cherche à répondre à des attentes en émergence chez certaines catégories de clients. Notamment, l'absence d'intrusion de l'entreprise dans la vie privée et l'utilisation d'une communication moins idéalisée, moins éloignée de ce que le client perçoit de l'entreprise, sont désormais des éléments mobilisés afin que le client envisage ces interactions comme sincères et fructueuses.

En d'autres termes, la relation, et notamment la relation client, ne peut être décrétée par l'entreprise qui la trouverait utile. Pour être perçues positivement par le client, les stratégies de relation client ont désormais besoin, sous peine d'inadéquation, de tenir compte de ce que le client entend par « relation ».

L'affichage d'une évolution supposée des pratiques entrepreneuriales vers « plus de relationnel » engage donc, pour ne pas apparaître comme manipulatoires, la question

---

28. Dans le cadre de notre recherche doctorale, nous avons pu approfondir l'étude des pratiques et discours de l'entreprise Yello Strom dans le secteur de l'énergie en Allemagne.

29. Bô D., *Brand culture : développer le potentiel culturel des marques*, Paris, Dunod, 2013.

d'une interaction perçue dans le cadre d'une réciprocité, d'une équité et d'une confiance entre les protagonistes, dépassant ainsi la seule question de l'optimisation des dispositifs techniques.

Dans ces conditions, la légitimité de l'entreprise à revendiquer une évolution des pratiques commerciales vers plus de relationnel engage, selon nous, la convocation, l'élaboration d'une approche communicationnelle de la relation client. Celle-ci interpelle notamment la possibilité d'interinfluences choisies et consenties entre l'entreprise et le client. Au-delà d'une conception rationnelle et technique, voire techniciste, elle implique donc la prise en compte des dimensions sensibles et symboliques des contacts entre entreprise et client afin d'éviter paradoxes et contradictions néfastes à la confiance et également à l'efficience. L'intérêt porté à la dimension sensible du processus de relation au client conduit ainsi à interroger la perception, les représentations et les valeurs mobilisées par le client au cours de l'interaction que l'entreprise lui propose. La prise en compte de la dimension symbolique de ce processus visera, quant à elle, la pertinence et la cohérence des formes et des signes de communication utilisés pour les messages adressés au client.

Une telle démarche, tenant compte du regard du client sur les activités de l'entreprise et sur la relation que celle-ci lui propose, relèverait peut-être d'un marketing relationnel... Les implications d'une telle conception de la relation au client sont nombreuses, tant au niveau de l'organisation que de la manière de la mettre en scène et en récit auprès du client. Elle interroge également la qualité et la précision des messages diffusés en interne à propos de la conception que l'entreprise a de son client. Il reste à savoir quelles entreprises sont disposées à dépasser la simple convocation d'une symbolique unilatérale et hypertrophiée de la relation client pour initier une véritable démarche communicationnelle, avec des récepteurs désormais moins passifs.

Bibliographie

ABRIC J.-C., *Psychologie de la communication : théories et méthodes*, 3e éd., Paris, Armand Colin, 2008.

BÔ D., *Brand culture – Développer le potentiel culturel des marques*, Paris, Dunod, 2013.

D'ALMEIDA N., *Les Promesses de la communication*, Paris, PUF, 2001.

JODELET D. *et al.*, *Les Représentations sociales*, Paris, PUF, 2003.

LEWI G. et LACOEUIHE J., *Branding management*, 3e éd., Paris, Pearson Education, 2012.

MIÈGE B., « Les Tic entre innovation technique et ancrage social », in *La Société conquise par la communication*, Grenoble, PUG, 2007, tome III.

SOUCHIER E., JEANNERET Y. et LE MAREC J. (dir.), *Lire, écrire, récrire : objets, signes et pratiques des médias informatisés*, Paris, Bibliothèque Publique d'Information, 2003.

Lecture 3
Déni du travail et tyrannie des normes
Quand les normes de service
deviennent une fin en soi à la SNCF

Damien Collard

Damien Collard, « Déni du travail et tyrannie des normes. Quand les normes de service deviennent une fin en soi à la SNCF », *Travail et emploi*, n° 132, octobre-décembre 2012, pp. 35-48.© La Documentation française.

Par Damien Collard, Centre de recherche en gestion des organisations (CREGO) – Université de Bourgogne ; damien.collard@univ-fcomte.fr.

L'objet de cet article est d'explorer, dans une perspective clinique, les mécanismes organisationnels qui favorisent le déni du travail, à partir de l'exemple de deux démarches qualité déployées à la SNCF dans le domaine de la relation de service dans les années 2000 : les projets *Transilien* et *Gares en mouvement*. Les normes de service définies dans le cadre de ces deux démarches ont contribué au déni du travail des agents en *front office* de la SNCF, essentiellement parce que le respect de ces normes est devenu une fin en soi. Cette situation a fait naître chez ces agents une activité « contrariée », telle qu'elle a été conceptualisée par Yves Clot, dans la mesure où ils ont perçu les normes comme une entrave à la réalisation d'un travail de qualité. Dans les deux cas étudiés, le déni a porté simultanément sur la réalité (dans laquelle le travail de ces agents devait s'exercer), le travail réel (par opposition au travail prescrit) et le « réel du travail » (au sens où l'entend la psychodynamique du travail, autrement dit ce qui résiste aux prescriptions organisationnelles).

Le déni du travail serait-il une tendance forte des organisations productives contemporaines comme l'affirment certains auteurs ? Si tel est le cas, comment se manifeste-t-il et qu'entend-on au juste par « déni du travail » ?

Pour Vincent de Gaulejac (2005), la prégnance d'une conception gestionnaire du travail favorise une méconnaissance des situations de travail réelles, le déni étant une des figures de cette méconnaissance (Lhuilier, 2009). Selon Thomas Périlleux, certaines méthodes d'évaluation du travail contribuent au déni car elles ne prennent pas en compte le caractère multidimensionnel du travail et occultent le « travail vivant » (au sens de Marx) « en l'écrasant sous des mesures "indiscutables" et "exhaustives" » (Perilleux, 2005, p. 113). Dans la même veine, Amaury Grimand (2004) souligne que les techniques d'évaluation des compétences, qui sont mises en place dans les entreprises au nom de la « logique compétence », marquent un déni du travail réel quand elles ne prennent en compte que la seule performance (c'est-à-dire l'atteinte d'un résultat). Quant à Sophie Avarguez (2009), elle soutient que les prescriptions organisationnelles sont susceptibles d'alimenter le déni du travail réel et la souffrance au travail, son corollaire. « La souffrance mentale se prête [d'ailleurs] d'autant mieux au déni qu'elle a peu de signes visibles et qu'il en est souvent de même de ses causes » (Gollac *et al.*, 2006, p. 39). Différentes formes de déni sont ainsi mises en évidence par Avarguez dans le cas des conseillers à l'emploi de l'Agence nationale pour l'emploi (ANPE) [aujourd'hui Pôle Emploi]. La dictature du chiffre et la prescription d'un idéal (Dujarier, 2004 ; Gaulejac, 2005), l'empilement des instructions et l'injonction permanente au changement, ainsi que l'occultation du volet « social » de la relation de service, en constituent les principaux exemples.

Ces travaux envisagent le déni comme un refus de reconnaître une réalité. Cette conception concorde avec les définitions du déni données dans le champ de la psychiatrie, de la psychopathologie et de la psychanalyse, à savoir un mécanisme de défense à l'égard d'une perception dérangeante d'une réalité externe pour Sigmund Freud (1909), une « tentative de désavouer, de renier l'existence d'une réalité déplaisante » (Grangaud, 2001, p. 11), ou encore « un phénomène de refus de prendre en compte une part de réalité externe inacceptable, c'est-à-dire non métabolisable sur le plan psychique » (Bardou *et al.*, 2006, p. 99).

Cependant, certains cliniciens du travail prennent soin de distinguer la « réalité » du « réel » dans leurs analyses (Lhuilier, 2006). Cette distinction serait même au cœur de la clinique du travail. Ainsi, pour Christophe Dejours (1995), le fondateur de la psycho-dynamique du travail, tandis que la réalité est « un état de choses » (p. 42), le réel est « ce qui, dans le monde, se fait connaître par sa résistance à la maîtrise technique et à la connaissance scientifique » (p. 41). Selon lui, le réel se manifeste « sous la forme de l'expérience au sens d'expérience vécue » (p. 42), celle-ci étant toujours « une expérience subjective de l'échec, de l'incertitude, de l'impuissance, du doute » (Dejours, 2006, p. 128). Pour Dejours (1998, p. 30), le déni porte donc avant tout sur le « réel du travail », entendu au sens de « ce qui résiste aux connaissances, aux savoirs, aux savoir-faire et d'une façon plus générale à la maîtrise ». Autrement dit, les prescriptions organisationnelles – c'est-à-dire les consignes, les procédures, les modes opératoires, les normes de qualité, etc. – sont inopérantes pour faire face au « réel du travail ». Ce constat est partagé par d'autres auteurs, à commencer par Yves Clot et Dominique Lhuilier, pour qui « le monde du travail témoigne massivement d'un processus de réduction symbolique et de pratiques managériales de plus en plus déconnectées des réalités, tout entières au service d'une occultation du réel, de ce qui résiste aux savoirs, aux savoir-faire, à la technique, à la maîtrise » (Lhuilier, 2009, p. 92). Yves Clot et Daniel Faïta (2000, p. 35) ajoutent que « le réalisé n'a pas le monopole du réel », dans la mesure où « le possible et l'impossible font partie du réel ». Autrement dit, le réel doit être appréhendé non seulement sous l'angle de l'échec, mais aussi, et surtout, comme une occasion de développement, tout en sachant que ce développement peut être « contrarié » (Clot, 1995, 1999 ; Lhuilier, 2009).

Mais, au-delà de ces distinctions, quels sont les ressorts du déni du travail, ses fondements, et les mécanismes organisationnels qui le soutiennent ?

L'objet de cet article est d'explorer, dans une perspective clinique, les mécanismes organisationnels qui favorisent le déni du travail pour remonter aux sources de ce déni, en partant de l'exemple de deux démarches qualité qui ont été déployées à la SNCF dans les années 2000, dans le domaine de la relation de service, et qui se sont traduites par la mise en place de normes de service prégnantes. Après avoir présenté le cadre organisationnel dans lequel ces deux démarches ont pris place, et notre méthodologie, nous étudierons les effets induits par ces démarches sur le travail des agents en *front office* de la SNCF, avant de discuter le bien-fondé de ces normes de service et d'expliquer pourquoi leur respect est devenu une fin en soi.

1. Deux démarches qualité incarnant la « stratégie orientée client » de la SNCF

Ces démarches constituent l'incarnation de la « stratégie orientée client » qui, adoptée par l'entreprise depuis la fin des années 1990 (Collard, 2010), est la résultante de trois évolutions importantes : (1) le développement de la fonction commerciale dès la fin des années 1960 et la montée en puissance de la figure du « client » dans la stratégie de l'entreprise ; (2) la multiplication des démarches qualité et la diffusion dans l'organisation d'outils de gestion de la qualité ; (3) l'ouverture progressive de l'entreprise à la concurrence sous l'effet de la libéralisation du rail (voir tableau 1).

Tableau 1	Quelques grandes étapes de l'histoire de la SNCF et de la libéralisation du rail
Dates clés	**Événements**
1er janvier 1938	Création de la *SNCF* (Société nationale des chemins de fer français).
Fin des années 1960-années 1970	Émergence de *la fonction commerciale* (Williot, 2005) : lancement des études commerciales (1967), mise en place d'une politique de tarification pour ajuster l'offre à la demande, etc.
1972-1973	Réforme des structures de l'entreprise, avec notamment la création de vingt-cinq régions pilotées par des directeurs de région.
Fin des années 1980-début des années 1990	« *L'orientation client* » devient une règle de base du *management* (Guélaud, 2002) et inspire certaines réformes : décentralisation des décisions, concentration des établissements, contractualisation interne (Cauchon, 1998).
1996	Création d'une *Direction du développement des gares* et émergence de services en gare : services d'information, de portage, *agents d'ambiance*, etc. (Pouvelle, 1998).
13 février 1997	Création de *Réseau ferré de France* (RFF), chargé de la gestion des infrastructures et propriétaire du réseau, dans le cadre de l'ouverture à la concurrence (en application de la directive européenne 91-440).
Fin des années 1990	Adoption d'une « *stratégie orientée client* », *via* le déploiement de la « *gestion par activité* », puis du projet phare « *Cap client* ».
Fin 1999	Lancement du *Transilien* et mise en place de l'*humanisation des gares et des trains* en Île-de-France.
2002	Organisation de certaines gares selon un concept qui privilégie le regard du voyageur : « *l'Escale* » (Kopecky, 2002) ; la Direction du développement des gares devient la *Direction des gares et de l'escale*.
2003	Lancement du programme *Gares en mouvement* (démarche qualité) en vue d'accélérer le processus de certification des services en gare (Favin-Lévêque, 2005).
2003-2004	Généralisation de *l'Escale* dans les gares et définition de quarante-cinq engagements en matière de qualité de service (Royer *et al.*, 2004).
7 avril 2009	Création d'une nouvelle branche pour préparer l'ouverture à la concurrence du transport de voyageurs : *Gares et connexions*.
1er janvier 2010	Ouverture à la concurrence du transport international de passagers.

La SNCF est ainsi passée progressivement d'une organisation par métiers à une structure par types de clients, avec des branches positionnées sur des segments de clientèle (correspondant aux différents donneurs d'ordre de l'entreprise) et des directions au service des branches couvrant les métiers ferroviaires traditionnels (directions métier) ou des activités spécifiques (directions d'activité).

La première démarche étudiée – le lancement du *Transilien* et de l'*humanisation des gares et des trains* en Île-de-France à la fin de l'année 1999 – témoigne de la volonté de la Direction générale de la SNCF de transférer certaines attributions des directions régionales parisiennes[1] vers la Direction Île-de-France[2] afin de lui permettre de répondre aux demandes de ses clients : les usagers des trains de banlieue (destinataires du service) et le Syndicat des transports en Île-de-France (client institutionnel). La Direction Île-de-France a ainsi progressivement repris un certain nombre de dossiers auparavant gérés par ces directions régionales : l'évolution des métiers commerciaux, le pilotage du programme gouvernemental « Nouveaux services – Emplois-jeunes » en Île-de-France et la redéfinition du rôle des agents d'ambiance embauchés sous statut emploi-jeune par la SNCF[3], l'émergence de nouveaux services dans les gares, la mise en place de standards de service, etc. Pour ce faire, elle a édicté des directives très précises qui ont dû être respectées scrupuleusement par les directions régionales et, à une échelle locale, par les unités opérationnelles concernées.

La seconde démarche – baptisée « *Gares en mouvement* », lancée durant l'année 2003 – constitue, quant à elle, un des volets principaux de la politique commerciale définie par la Direction des gares et de l'escale[4] et incarne la volonté de la SNCF de mieux prendre en compte les besoins des voyageurs, usagers des TER et des trains grandes lignes. Elle témoigne également de la mainmise de cette direction sur les services d'escale qui offrent aux clients des prestations en matière d'information, d'accueil, d'orientation, etc., *via* notamment la diffusion auprès des agents d'escale d'« attitudes de service ».

Ces deux démarches qualité ont impliqué une contractualisation entre les directions d'activité et leurs donneurs d'ordre, l'introduction de relations de type client-fournisseur en interne et la définition de normes de service (voir figures 1 et 2).

Dans les deux cas, nous avons observé et analysé (voir encadré 1) les effets induits par ces démarches qualité sur le personnel en *front office* – agents d'ambiance et agents commerciaux dans un cas, agents d'escale dans l'autre – en étant particulièrement attentifs, dans une perspective clinique, au sens que ce personnel donnait à ces évolutions et à leur vécu au travail[5].

---

1. Il s'agit des directions régionales de Paris Sud-Est, Paris Rive-Gauche, Paris Est et Paris Nord.

2. La Direction Île-de-France est une direction d'activité.

3. Le programme « Nouveaux services – Emplois-jeunes » avait été lancé par le gouvernement de Lionel Jospin en 1998. Dans le cadre de ce programme, environ 2 000 jeunes avaient été recrutés comme contractuels par la SNCF, essentiellement pour des fonctions d'agent d'ambiance. Les tâches qui avaient été confiées à ces jeunes relevaient essentiellement de l'accueil et de l'accompagnement des voyageurs dans les gares ainsi que de la médiation sociale.

4. La Direction des gares et de l'escale est une direction d'activité.

5. Dans les deux cas, il s'agit d'employés de service situés en bas de la hiérarchie à la fois sur le plan statutaire et en termes de rémunération. Cependant, la situation des agents commerciaux et des agents d'escale doit être soigneusement distinguée de celle des agents d'ambiance recrutés par la SNCF en tant qu'« emplois-jeunes ». Tandis que les premiers étaient des agents statutaires et bénéficiaient à ce titre de tous les avantages liés au statut de cheminot, exerçant un métier reconnu par l'entreprise, les seconds étaient des agents contractuels – donc au statut précaire – exerçant un « métier » en émergence et par conséquent non reconnu institutionnellement.

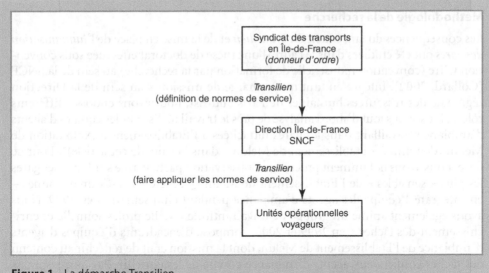

Figure 1 – La démarche Transilien.

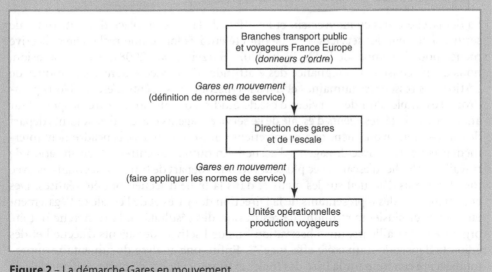

Figure 2 – La démarche Gares en mouvement.

Méthodologie de la recherche

Les conséquences du lancement du *Transilien* et de la mise en place de l'*humanisation des gares* ont été étudiées dans le cadre d'une thèse de doctorat effectuée sous convention Cifre (convention industrielle de formation par la recherche) au sein de la SNCF (Collard, 2002). Intégré en tant que « chargé de mission » au sein de la Direction régionale des ressources humaines de Paris Sud-Est, nous avons endossé différents rôles. Nous avons tout d'abord analysé de près le travail réalisé par les équipes d'agents d'ambiance travaillant dans les gares rattachées à l'Établissement d'exploitation de Melun (dénommé « Établissement de Melun » dans la suite de cet article)*. Pour ce faire, nous avons notamment procédé par observation participante sur l'une des gares les plus « sensibles » de l'Établissement de Melun – celle d'Évry-Courcouronnes – en intégrant l'équipe des agents d'ambiance pendant cinq semaines en 1999. Nous avons également animé un groupe de travail intitulé « veille professionnelle et enrichissement des tâches » en 1999 et 2000, composé d'encadrants d'équipes d'agents d'ambiance de l'Établissement de Melun, dont la mission était de réfléchir au contenu des tâches confiées aux agents d'ambiance en vue de les enrichir. Par ailleurs, nous avons conduit une étude sur l'impact économique de la présence des équipes d'agents d'ambiance dans les gares rattachées à cet Établissement dans le but d'évaluer la contribution de leur travail à la sûreté des gares.

La démarche *Gares en mouvement* et les effets de la mise en place des « attitudes de service » au sein des services d'escale ont été étudiés lors d'une recherche collective menée pour le compte de la SNCF en 2007 (Borzeix *et al.*, 2008). À cette occasion, nous avons constaté la prégnance des « attitudes de service » dans les pratiques de gestion des ressources humaines et dans les discours des agents d'escale. Nous prendrons l'exemple d'un des services d'escale étudié pour illustrer notre propos. Pour analyser l'activité des agents d'escale de ce service – agents d'accueil et adjoints départ de train –, nous avons mené quatre entretiens semi-directifs avec l'encadrement intermédiaire** et trois avec des agents d'accueil. En outre, des entretiens en situation de travail avec le chef d'escale, avec plusieurs adjoints départ de train sur les quais, et avec tous les agents d'accueil sur les quais et dans la bulle d'accueil ont été réalisés. Des entretiens avec des représentants de la Direction des gares et de l'escale ont également été menés et plusieurs réunions de restitution des résultats de la recherche ont été organisées. Par ailleurs, une observation fine de l'activité des agents d'accueil et des adjoints départ de train a été effectuée***. Enfin, une analyse documentaire approfondie a été conduite sur la base des traces existantes : fiches de postes, référentiels de compétences, notes de service, guides des « bonnes pratiques », etc.

---

*   À noter que la Direction régionale de Paris Sud-Est avait fait le choix de mettre en place des équipes d'agents d'ambiance pilotées par des « encadrants », c'est-à-dire des cheminots volontaires pour encadrer une équipe de jeunes et structurer des activités naissantes dans le champ de la médiation sociale et de l'accueil en gare. La région de Paris Sud-Est était l'une des rares régions à avoir adopté ce mode d'organisation.

** Un avec le dirigeant de l'unité opérationnelle production voyageurs, trois avec le dirigeant de proximité Escale.

*** Cette observation s'est étalée sur sept journées et a représenté vingt-huit heures de présence sur le terrain aux côtés des agents, à différents moments de la journée, en période creuse et en période de pointe. À cette occasion, des dizaines d'interactions entre agents et clients furent enregistrées et retranscrites dans un journal de bord, de même que les nombreux commentaires faits *a posteriori* par les agents.

2. L'humanisation des gares : une démarche vide de sens

La démarche *Transilien*, lancée fin 1999, consistait à labelliser les gares et les trains qui répondaient à certains standards de qualité. Concernant les gares, les engagements de la SNCF vis-à-vis de son donneur d'ordre, le Syndicat des transports en Île-de-France, portaient principalement sur l'*humanisation des gares*, dispositif qui devait impérativement se traduire par la présence d'au moins deux agents de la SNCF par gare jusqu'au passage du dernier train. Il s'agissait également pour la SNCF de réhabiliter les gares en renforçant la signalétique, en remettant à neuf les peintures et en remplaçant les bancs vétustes notamment. Elle s'engageait également à maintenir en bon état de marche les différentes installations comme les escalators, à assurer la propreté et la création d'une ambiance agréable par la diffusion de musique, la décoration florale, etc. Un système de bonus-malus, des procédures de contrôle et des indicateurs de qualité avaient d'ailleurs été mis en place pour l'inciter à respecter ses engagements.

Si la norme de service était claire et sans ambiguïté dans le cas de l'*humanisation des gares* puisqu'il s'agissait de garantir au client la présence en gare d'un collectif de taille réduite composé obligatoirement d'un agent commercial[6], d'un agent d'ambiance et éventuellement d'un maître-chien sur les gares les plus « sensibles » jusqu'au passage du dernier train, tel ne fut pas le cas pour le contenu du travail demandé aux agents puisqu'aucune réflexion sur leurs missions et tâches concrètes ne fut conduite par la Direction Île-de-France. La seule obligation des agents était en définitive d'assurer une présence continue dans le hall de la gare et/ou sur les quais notamment lors de l'arrivée des trains en gare. C'est donc un déficit de prescription qui a caractérisé la mise en œuvre de l'*humanisation des gares*. Cette situation, qui s'est avérée dans les faits subjectivement très coûteuse pour les agents[7], est d'autant plus paradoxale que l'un des projets de la Direction Île-de-France était d'assurer un transfert croisé de compétences entre agents commerciaux et agents d'ambiance : tandis que les premiers devaient transmettre aux seconds leurs connaissances du monde ferroviaire, les seconds devaient apporter aux premiers leur expérience des codes sociaux et culturels en vigueur dans les cités « sensibles »[8]. Ce déficit de prescription ainsi que l'absence de mesure de soutien et d'accompagnement eurent pour effet de vider de son sens la démarche d'*humanisation*. Ainsi, les agents d'ambiance appréhendèrent leur nouveau rôle comme celui d'un « gardien de gare », impuissant à agir en cas de problème. L'*humanisation des gares* leur apparut au mieux comme un dispositif inadapté à la nature des problèmes rencontrés dans les gares, au pire comme une démarche vide de sens et, dans tous les cas, comme un facteur de démotivation.

Pourtant, les agents d'ambiance n'étaient *a priori* pas hostiles au principe de l'*humanisation* qui consistait à assurer une présence la nuit pour accueillir et sécuriser les

---

6. Agent de guichet, chargé de la vente de billets, ou agent d'accueil, itinérant en gare.

7. Pour Clot, le relâchement de la prescription et l'atrophie de la tâche qui s'ensuit (situation que l'on rencontre fréquemment dans les services) ont pour effet de priver les salariés des appuis organisationnels nécessaires à l'accomplissement d'un travail de qualité (Clot, 2010, p. 66).

8. À noter que la plupart des agents d'ambiance embauchés par l'Établissement de Melun avaient été recrutés selon des critères sociaux, ethniques et sexuels (Borzeix, Collard, 1999). Emmanuelle Lada (2003), de son côté, avait constaté en région parisienne une « hégémonie masculine » dans le cas des équipes d'agents d'ambiance de la SNCF. Par ailleurs, le partage d'un même habitus avec les jeunes issus des cités était censé favoriser une certaine « connivence » avec ces jeunes (Petitclerc, 2002) et faciliter l'intervention des « médiateurs » auprès de ce public (Divay, 2004).

voyageurs. Mais en comparaison du travail de médiation réalisé auparavant au sein des équipes d'agents d'ambiance – un travail à leurs yeux consistant, motivant et gage d'efficacité (voir encadré 2) –, ils évaluèrent négativement leur nouveau rôle et le contexte dans lequel ils l'exerçaient : un collectif hétérogène de taille restreinte réduit le plus souvent à l'impuissance…

Encadré 2

Les compétences des agents d'ambiance de la gare d'Évry-Courcouronnes (en 1999)

L'observation participante que nous avions menée au sein de l'équipe des agents d'ambiance de la gare d'Évry-Courcouronnes dans le courant de l'année 1999 avait révélé la présence de compétences qui étaient à la fois individuelles et collectives. Elles reposaient sur des savoirs et des savoir-faire qui étaient partagés et/ou distribués entre les membres de l'équipe (Collard, 2003).

Nous avions ainsi constaté que les agents d'ambiance de la gare d'Évry-Courcouronnes catégorisaient de manière extrêmement fine les différents publics. Par exemple, parmi les « indésirables » de la SNCF, les agents distinguaient les « *zonards* », les « *toxicos* », les « *psychos* », les « *mythos* », les « *hystériques* », les « *mystiques* », etc. Cette terminologie, qui leur était propre, équivalait à des minischèmes d'action. Elle permettait une économie d'interprétation et l'adoption de comportements types pertinents : être détendu ou vigilant, créer de la convivialité ou garder ses distances, plaisanter ou rester froid et laconique, dialoguer ou faire un « *coup de pression* », etc.

Cependant, tous les agents d'ambiance n'avaient pas développé les mêmes compétences. Nous avions en effet remarqué qu'ils s'étaient implicitement répartis les rôles en fonction des ressources qui étaient les leurs et du type de problème rencontré. Ainsi, certains agents issus des cités « sensibles » s'étaient spécialisés dans la gestion des relations avec les « indésirables », tandis que d'autres prenaient plus volontiers en charge les tâches relatives à l'information et à l'orientation des voyageurs.

Les échanges que nous avons eus à cette époque avec les agents lors de nos visites sur site, mais également l'analyse de certaines traces écrites (mains courantes, comptes rendus de réunions, etc.), ont révélé deux phénomènes : un sentiment d'inutilité ressenti par les agents d'ambiance, du fait que leur travail se cantonnait à assurer une présence en gare alors même que la fréquentation était très réduite en grande soirée (d'où le terme péjoratif de « gardien de gare » utilisé par les agents pour décrire leur rôle dans le cadre de l'*humanisation*[9]) ; des tensions au sein même des équipes d'*humanisation* lors de situations conflictuelles avec des « indésirables » de la SNCF (toxicomanes, sans domicile fixe [SDF], etc.), tensions générées, d'après les agents, par la présence et l'attitude des maîtres-chiens (qualifiées de « sécuritaires »[10]) et par l'impossibilité dans laquelle ils se trouvaient de poursuivre le travail de médiation sociale entrepris auparavant dans le cadre des équipes d'agents d'ambiance.

---

9. En plus d'assurer une présence en gare, le comptage des clients au-delà de minuit a été la seule « véritable » mission qui leur a été confiée.

10. Plusieurs altercations ont eu lieu entre des maîtres-chiens et des jeunes issus des cités. Après enquête, certains maîtres-chiens ont d'ailleurs été licenciés.

Un agent d'ambiance, évoquant l'*humanisation* des gares explique ainsi : « De toute façon, la médiation ne peut pas être faite à ces heures-là ! » Un autre agent ajoute : « Le métier d'agent d'ambiance, **c'est un travail d'équipe**. Finalement, notre métier ce n'est pas de travailler avec un agent du guichet qui, lui, n'a jamais fait de médiation ! Et puis, en plus, là on est seul… Cela ne ressemble plus à notre travail. »

Coupés de leur équipe d'appartenance, de leur cadre habituel de travail et de leurs repères, ils n'ont pas pu mobiliser leurs compétences de médiation. La désillusion et la frustration qui en ont résulté sont révélatrices d'une activité « empêchée », « suspendue », ou encore « contrariée », pour reprendre la terminologie de Clot (1999)[11], activité dont on sait qu'elle a un coût subjectif élevé. Cette démotivation collective fut d'ailleurs relayée par certains membres de l'encadrement de la Région de Paris Sud-Est.

Un membre de la Délégation régionale sûreté de Paris Sud-Est précise ainsi dans un compte rendu de réunion : « Une majorité d'emplois-jeunes vivent la dispersion des équipes formées depuis 1998 comme un retour en arrière sur le plan de la sûreté sur le réseau Île-de-France. D'après eux, leur mission a évolué d'un travail de prévention, de négociation avec les jeunes à problèmes dans les trains ou dans les gares vers une mission de présence passive sans marge de manœuvre et sans possibilité de réaction en cas de problème. »

Un cadre de l'Établissement de Melun, évoquant la mise en place de l'*humanisation* des gares explique : « Depuis quelques semaines, des bandes de jeunes semblent apprécier nos fermetures tardives, en particulier à Savigny et à Boussy-Saint-Antoine […]. À partir de minuit, lorsque l'équipe d'emplois-jeunes et son encadrant ont terminé leur service et qu'il ne reste que deux agents et le maître-chien dans la gare, la situation devient plus critique. Nous n'avons rencontré aucun agent réellement satisfait de son nouveau poste de "gardien de gare". Il est plus facile d'humaniser "sur le papier" que sur le terrain ! »

Par ailleurs, le déficit de prescription à l'origine de l'*humanisation des gares* engendra, chez les agents commerciaux, une montée de l'anxiété en raison de l'absence de tout cadre protecteur face aux phénomènes d'insécurité. Un tel cadre aurait pourtant facilité l'émergence de représentations et de pratiques partagées entre agents issus de différents métiers. Les agents commerciaux n'ont donc guère mieux vécu la situation que les agents d'ambiance, d'autant plus, d'une part, qu'ils ne furent pas en mesure de mobiliser leurs compétences commerciales car les demandes des clients en grande soirée sont quasiment inexistantes et, d'autre part, qu'ils n'avaient pas été formés pour gérer des situations délicates et potentiellement conflictuelles avec les « indésirables »[12].

Au final, ce déficit de prescription, associé à une méconnaissance par la Direction Île-de-France de la réalité sociale des gares de banlieue au-delà d'une certaine heure, a contribué au déni du travail des agents en *front office* de la part de l'entreprise. Par ailleurs, la mise en place de roulements au sein des équipes en charge de l'*humanisation* eut pour conséquence de les fragiliser considérablement. Leur taille en fut mécaniquement réduite,

---

11. Cette situation est révélatrice du « réel de l'activité », de ce qui aurait pu advenir, c'est-à-dire de ce que les agents auraient aimé pouvoir faire dans d'autres circonstances, en l'occurrence si l'occasion leur avait été donnée d'assurer l'humanisation des gares dans le cadre des équipes d'agents d'ambiance existantes. Incontestablement, cette « amputation du pouvoir d'agir » (Clot, 1999) a été une source de souffrance.

12. Un rapport d'expertise, commandité par le comité d'hygiène, de sécurité et des conditions de travail (CHSCT) de l'Établissement de Melun et rédigé par un ancien médecin du travail de la SNCF, avait d'ailleurs mis en lumière le désarroi des agents commerciaux et les effets délétères de cette situation sur leur santé mentale.

d'autant plus que les agents devaient mettre en œuvre à la fois l'*humanisation des gares* et celle des trains en grande soirée en assurant non seulement une présence dans toutes les gares du périmètre, mais aussi dans tous les trains jusqu'au dernier. Il en résulta des tensions au sein des équipes d'agents d'ambiance entre ceux qui s'étaient engagés dans la démarche d'*humanisation* pour des raisons financières et ceux qui s'y étaient refusés, une perte de l'esprit d'innovation, et un effritement des compétences individuelles et collectives[13]. L'*humanisation* a ainsi constitué un préambule à la disparition des équipes d'agents d'ambiance mises en place quelques années auparavant sur la Région de Paris Sud-Est.

Cette situation nous sembla d'autant plus dommageable que l'étude que nous avions entreprise sur l'impact économique de la présence des équipes d'agents d'ambiance dans les gares de l'Établissement de Melun avait révélé que celle-ci avait permis de faire diminuer de manière significative le nombre d'actes de malveillance au cours de la période 1998-2000[14].

Elle tendait ainsi à corroborer les choix organisationnels de la Direction régionale de Paris Sud-Est et le bien-fondé des pratiques de médiation sociale. Pour autant, les compétences de médiation développées par les agents d'ambiance firent l'objet d'un véritable déni de la part de la Direction Île-de-France. Le refus catégorique de ses responsables d'employer le terme de « médiation » pour qualifier l'activité des agents d'ambiance fut d'ailleurs, de notre point de vue, un symptôme de ce déni. Dans la mesure où l'un de leurs objectifs principaux était de « fondre » les emplois-jeunes dans la politique commerciale de la Direction Île-de-France et de recomposer les métiers commerciaux pour créer un métier unique d'agent commercial, résultat de la fusion des emplois d'agent de guichet, d'agent d'accueil et d'agent d'ambiance, accepter de parler de « médiation » revenait à prendre le risque de voir émerger un nouveau métier – agent d'ambiance – qui serait venu contredire les orientations stratégiques de cette direction et bousculer les catégories existantes à la SNCF. Les cloisonnements existants entre les filières professionnelles auraient été remis en cause, notamment entre la filière commerciale et la filière sûreté. À cheval entre le commercial et la sûreté, la « médiation » apparut donc comme un concept subversif (Collard, 2002).

L'histoire du lancement de l'*humanisation des gares* sur la Région de Paris Sud-Est est donc celle d'un double déni de la part de la Direction Île-de-France : d'une part, déni du travail collectif et des compétences de médiation des équipes d'agents d'ambiance de l'Établissement de Melun en raison de la sous-évaluation de leur contribution au maintien de la sûreté dans les gares ; d'autre part, déni du travail des agents engagés dans la démarche d'*humanisation* dû au déficit de prescription évoqué précédemment et à la méconnaissance, par la Direction Île-de-France, de la réalité sociale des gares de banlieue. Ce qui a été dénié, au final, fut à la fois la réalité du travail (à savoir le contexte social spécifique dans lequel les agents devaient intervenir), le « réel du travail » (matérialisé par les difficultés, les contraintes et les obstacles de toutes sortes rencontrés par les agents dans l'exercice de leur activité) et le travail réel (c'est-à-dire les compétences mobilisées par les agents d'ambiance, mais aussi le fait d'assurer une présence en gare,

---

13. Il faut signaler que ces compétences étaient fragiles car elles dépendaient à la fois des individus qui les mettaient en œuvre, du degré de confiance et de coopération qui existait entre les membres d'une même équipe, et du contexte particulier dans lequel elles se déployaient (Collard, 2001).

14. Nous avions en effet observé une baisse du nombre des actes de malveillance, sur la période considérée, dans les gares dotées de collectifs d'agents d'ambiance et sur la tranche horaire de présence des agents (16 heures-24 heures), alors que dans le même temps les actes de malveillance étaient tendanciellement en augmentation sur la tranche horaire 24 heures-16 heures et dans les gares où la présence d'agents d'ambiance était nulle ou réduite (deux ou trois agents au plus par gare).

sans réel moyen d'action en cas de problème, pour ceux chargés de la mise en œuvre de l'*humanisation des gares*)[15].

3. Les « attitudes de service » de *Gares en mouvement* : des normes idéales de la relation de service qui sont venues compliquer l'exercice du métier

La seconde démarche étudiée dans cet article (*Gares en mouvement*) donna lieu à une contractualisation entre la Direction des gares et de l'escale et deux donneurs d'ordre internes à la SNCF, la branche voyageurs France Europe (grandes lignes) et la branche transport public (TER). Elle se concrétisa par la définition de normes de service que devaient respecter scrupuleusement les unités opérationnelles et le personnel d'escale, parmi lesquelles les « attitudes de service » qui consistaient en un savant mélange de normes vestimentaires, de scripts langagiers et de postures relationnelles à respecter dans toute relation de service (voir encadré 3).

Les « attitudes de service » à l'Escale (en 2007)

Encadré 3

Un document conçu par la Direction des gares et de l'escale à destination des agents d'escale au contact des voyageurs précisait que « les Attitudes de service décrivent notre manière d'être face à nos clients. Nous devons les adopter si nous souhaitons être reconnus comme de véritables professionnels du Service. Ces Attitudes sont écrites pour répondre au mieux aux attentes de nos clients. […] Chaque client doit être accueilli avec la bonne Attitude, par tous les agents, quel que soit leur métier ».

Ces attitudes étaient réparties en trois catégories – « attitude générale », « visibilité pour les clients », « information donnée » – qui apparaissaient comme autant de « promesses » faites au client.

- La catégorie « attitude générale » recouvrait les attitudes suivantes : l'agent salue en premier lieu le client ou répond immédiatement à son salut par un « Bonjour monsieur » ou un « Bonjour madame » ; est aimable et souriant tout au long du dialogue ; est disponible et prend le client en considération ; ose aller au-devant du client (il est proactif) ; prend poliment congé du client et accompagne la poursuite de son voyage.

- La catégorie « visibilité pour les clients » englobait : le port de la tenue complète ; le port de chaussures de ville (en harmonie avec le reste de la tenue) ; le port d'une tenue propre et soignée ; le port du badge avec son prénom et la mention « à votre service ».

- À la catégorie « information donnée » correspondaient les attitudes suivantes : l'écoute active ; renseigner de manière exacte et précise le client ; expliquer tous les services avec pédagogie ; disposer d'un espace de travail rangé et propre.

---

15. Une différence de taille est cependant à noter. Tandis que, dans le cadre des équipes d'agents d'ambiance, les agents ont réellement pu apporter des réponses pertinentes aux problèmes rencontrés en gare et, ce faisant, développer leur pouvoir d'agir, ils n'ont pas été en mesure de mobiliser leurs compétences de médiation dans le cadre de l'*humanisation des gares* et ont, de ce fait, été réduits à l'impuissance. Autrement dit, si dans un cas le travail réel est venu à bout du « réel du travail », dans l'autre, les agents ont buté sur ce réel.

Des outils de gestion entièrement focalisés sur les « attitudes de service »

- Les *comptes rendus de visite* des enquêteurs client mystère (qui servaient de base pour évaluer la qualité des services rendus par le personnel d'escale) étaient rédigés à partir d'un support contenant six grandes catégories (les « attitudes de service » étaient l'une de ces catégories) qui se décomposaient elles-mêmes en différents items (les « attitudes de service » se décomposaient ainsi en vingt-quatre items).

- Les *documents de synthèse* des enquêtes client mystère, élaborés par la société prestataire, présentaient les résultats consolidés des différentes enquêtes client mystère sous forme de graphiques (tous les trimestres) : à chaque grande catégorie correspondait une note globale exprimée en pourcentage qui matérialisait le degré de conformité des comportements des agents d'escale aux « attitudes de service ». Ils étaient systématiquement communiqués aux dirigeants de la SNCF.

- Le *support d'évaluation* confié au dirigeant de proximité Escale (conçu par la Direction des gares et de l'escale pour lui permettre d'évaluer ses agents) avait été élaboré sur la base du support utilisé par les enquêteurs de la société prestataire : il reprenait donc les catégories et items évoqués plus haut.

- La *fiche d'évaluation* « *tandem* » du dirigeant de proximité Escale (la première rubrique de cette fiche concernait les « attitudes de service ») était utilisée dans le cadre des « tandems » (pratique d'évaluation qui consistait pour un encadrant de proximité à suivre un agent dans son travail en vue d'évaluer son comportement et ses compétences).

- Le *livret de suivi professionnel* reprenait systématiquement les évaluations formalisées dans le cadre des « tandems », dont celles relatives aux « attitudes de service ».

- Dans les *fiches de poste* des agents d'escale figuraient également en bonne place les « attitudes de service » (elles faisaient donc partie intégrante du métier).

- Enfin, les « *mémos services* » établis par la Direction des gares et de l'escale permettaient de diffuser de manière pédagogique les « attitudes de service » auprès des agents d'escale.

La prise en compte et l'intériorisation de ces attitudes par les agents étaient régulièrement vérifiées lors d'enquêtes client mystère menées par une société travaillant pour le compte de la SNCF (appelée « société prestataire » dans la suite de cet article). Les résultats de ces enquêtes étaient censés refléter le point de vue du « client » et permettaient d'évaluer la conformité du service rendu à des standards préalablement définis. Les attitudes des agents étaient ainsi jugées « conformes » ou « non conformes » aux normes en vigueur. Prenons l'exemple de l'item « Les agents d'escale accueillent tous spontanément tout client qui s'adresse à eux par un "Bonjour monsieur" ou "Bonjour madame" » : si le client mystère avait croisé trois agents d'escale et si les trois avaient respecté le script, la réponse cochée était « conforme » ; en revanche, elle était « non conforme » si un seul d'entre eux n'avait pas respecté le script. Cette « surprescription » de l'activité des agents d'escale contraste donc fortement avec la situation décrite précédemment. Les agents d'escale ont en définitive été pris dans un filet aux mailles extrêmement serrées. Cela est d'autant plus vrai que tous les outils de contrôle et d'évaluation mis en place par la Direction des gares et de l'escale – des comptes rendus de visite des enquêteurs client mystère aux « mémos services » en passant par le livret professionnel de suivi de l'agent d'escale (voir encadré 4) – étaient centrés sur les normes de service.

Ces instruments constituaient des forces de rappel très puissantes pour les agents. Par ailleurs, ils renforçaient *de facto* le pouvoir des managers de proximité et leur permettaient d'asseoir leur autorité hiérarchique. L'encadrement intermédiaire pouvait ainsi déployer différentes tactiques pour discipliner les comportements (faire preuve de pédagogie, rappeler la règle, donner un ordre, faire une remontrance, etc.) et recourir à toute une palette de mesures, qui allait du blâme à la « sanction normalisatrice », pour reprendre l'expression de Michel Foucault[16] (1975) :

> *Alors là où j'ai essayé d'avoir une action, ce sont les nouvelles normes justement. Parce que les anciennes, elles sont à peu près connues. [...] Si je vois un agent avec des chaussures non conformes je lui fais la remarque. Je peux lui mettre un objectif dans son entretien annuel... Ce qu'il faut voir aussi, c'est que la norme, à un moment donné, elle se met en place. On lui fait la remarque, c'est le management. Et puis, à un moment donné, si l'agent ne se plie pas aux normes, eh bien, ça peut être une sanction... parce que ça devient la référence du métier on va dire.*

(Entretien avec le dirigeant de proximité Escale)

Pour certains agents d'escale, le déploiement des normes de service a eu pour effet non seulement de renforcer le pouvoir de l'encadrement, mais également d'introduire un rapport de servilité dans les relations agents-usagers, en faisant émerger la figure d'un « client roi », tout en les déshumanisant. L'agent d'escale était réduit, à leurs yeux, à un rôle d'« automate », de « pancarte », de « poteau indicateur », ou encore de « porteur », pour reprendre quelques-unes de leurs expressions favorites[17]. Ce refus explicite de respecter les règles dans certaines situations peut être interprété comme une « forme d'autoprotection » (Dassa, Maillard, 1996). « Ce à quoi l'organisation se heurte là [...] c'est à un certain sentiment de dépersonnalisation, d'intrusion dans la subjectivité, et dans une intimité jusque-là tenue à l'écart du champ et du contrat de travail. Quand la contrainte est ressentie par trop intrusive, l'individu résiste à une prise de pouvoir, de domination et de possession de soi et de son corps par l'organisation ; la transgression correspond alors à une forme d'autoprotection » (Dassa et Maillard, 1996, p. 37) :

> *Moi le mec qui arrive et qui me dit « Ici c'est Paris ? » en me montrant le TGV, sans rien dire d'autre, là je me contente de dire « oui » [...]. Moi je n'aime pas que les clients me prennent pour un poteau indicateur ! Il est hors de question que je dise « bon voyage » à un mec qui me prend pour une pancarte ! [...] Qu'est-ce qu'on va nous demander maintenant ? De cirer les chaussures des clients ?*

> *Une personne qui est en difficulté et qui nous le demande gentiment, on l'aide. Mais c'est vrai qu'il y a des clients qui nous prennent pour des porteurs ! Si c'est des gens polis, courtois, oui, mais sinon il y a des limites...*

(Entretien avec des agents d'accueil)

---

16. Selon Foucault (1975, p. 210), « Ce qui relève de la pénalité disciplinaire, c'est l'inobservation, tout ce qui est inadéquat à la règle, tout ce qui s'en éloigne, les écarts. Est pénalisable le domaine indéfini du non-conforme. »

17. Selon Avarguez (2009), ce sentiment de déshumanisation de la relation, induit par la mise en place de normes de service rigides, doit être mis en relation avec le déni de la dimension sociale de la relation de service. L'auteur dresse ce constat à propos des conseillers à l'emploi de l'ANPE et souligne le « mouvement de chosification dans lequel ils sont enserrés et auquel ils prennent part » (Avarguez, 2009, p 58).

Pour d'autres agents, ces « attitudes de service », parce qu'elles véhiculaient une représentation idéalisée de la relation de service, étaient inappropriées dans certaines situations, voire contre-productives. Elles ont donc été perçues davantage comme des contraintes que comme des ressources, d'autant plus qu'elles ont été une entrave à l'expression de leur personnalité dans le travail et qu'elles ont participé à la méconnaissance du travail réel des agents d'escale[18]. L'enquête de terrain a ainsi révélé que dans les situations perturbées (retards de train, grèves, etc.) au cours desquelles les agents d'escale devaient répondre – simultanément ou dans des temps très courts – à plusieurs demandes, ils devaient être capables de « se défaire » des clients les plus vindicatifs pour ne pas s'engager dans un « dialogue de sourds ». Pour ce faire, les agents adoptaient volontairement une attitude de fermeture, à rebours des « attitudes de service » prescrites. Mais, ce faisant, ils s'exposaient à des remontrances de la part de leur hiérarchie :

> *Il y a des situations où on ne peut pas dire « Bonjour monsieur », car ça n'a aucun sens. Je vais vous donner un exemple. Quelqu'un qui arrive complètement paniqué et qui nous interpelle, c'est difficile de dire "Bonjour monsieur" car ça n'a pas de sens ! [...] Donc, si on ne nous juge que là-dessus, c'est un peu réducteur. On pourrait nous juger sur plein d'autres choses...*

À propos du respect des normes de service évaluées lors des entretiens annuels d'appréciation :

> *Moi, je trouve que c'est bidon ! Moi, je trouve que je fais bien mon travail et, lui, ce qu'il me dit, c'est que je ne mets pas ma casquette ! On s'arrête sur des points de détail comme ça... parce que la norme c'est d'avoir la casquette sur la tête.*
>
> *Si le train est en retard, il faut se dire « il va desservir quoi ? » Derrière ça, il faut se dire « qu'est-ce qui va le plus m'arriver comme questions ? » Donc, le but c'est de tout de suite préparer les réponses parce que les gens ils vont être sur le quai et ils vont être pressés. Donc, ils ne vont pas attendre le « Bonjour monsieur », « Bonjour madame ». Eux, ce qu'ils veulent, c'est prendre un train et finir leur voyage.[19]*

> (Entretien avec des agents d'accueil)

À l'inverse, ils avaient noué de véritables relations de proximité avec les personnes à mobilité réduite, notamment avec les jeunes, leurs « habitués ». Ils adoptaient d'ailleurs avec eux et leurs proches une attitude teintée de familiarité (tutoiement, bises, échanges de menus services, etc.), au demeurant très éloignée des scripts langagiers qu'ils étaient censés respecter (voir encadré 5).

---

18. La mise en œuvre des « attitudes de service » eut mécaniquement pour effet de gommer les spécificités propres au contexte dans lequel les relations de service se déployèrent.

19. Cet exemple illustre bien le décalage qui peut exister entre, d'un côté, la qualité prescrite (matérialisée ici par le strict respect d'une norme de politesse) et, de l'autre, la représentation que l'agent se fait de la situation et de ce que signifie délivrer un service de qualité (ici renseigner efficacement et rapidement les voyageurs). La norme de politesse vient, dans cet exemple, compliquer l'exercice du métier et introduit une dissonance au cœur de l'activité. Comme le souligne très justement Clot (2010, p. 112), c'est alors « le sens même de l'action en cours [qui] peut se perdre quand disparaît le rapport entre les buts auxquels il faut se plier, les résultats auxquels il faut s'astreindre et ce qui compte vraiment pour soi et pour les collègues dans la situation en question. Ce qui compte vraiment – et parfois de manière vitale dans les tâches de services – dessine d'autres buts possibles en termes de qualité que la qualité attendue des buts prescrits ».

Extrait du journal de terrain du 8 juin 2007

JM, agent d'escale, s'occupe de Sandrine, une jeune fille malvoyante qu'il s'agit d'acheminer jusqu'à son père. Arrivé devant les voies, JM bascule délicatement le fauteuil vers l'arrière et fait traverser Sandrine (S) en arrière.

S : Oh là. Ne me lâchez pas, hein !

JM : Ah, c'est qu'elle a peur la Sandrine ! Ah, t'inquiète pas va ! On a l'habitude va.

Le chercheur : C'est un peu rock and roll ! [Rire de Sandrine.]

JM [arrivant dans le hall] : Bon, alors il est où, le papa ? Bon, il doit être sur le parking en train de fumer sa cigarette.

E [un autre agent] : Normalement, il devrait pas fumer avec ce qu'il a…

JM [s'adressant à Sandrine] : Tu feras gaffe Sandrine. Maintenant le dimanche c'est 18 h 05 ! Donc maintenant, le dimanche, le train qui descend sur Lyon, tu diras à ton papa que c'est 18 h 05 et non pas 18 h 15 !

S : 18 h 05.

JM : Voilà !

JM : Les horaires vont changer dimanche.

JM [en aparté, commentant la situation au chercheur] : Bon, de toute façon je vais le dire au papa. Il vaut mieux…

JM [saluant le père de Sandrine] : Bonjour. Alors vous ferez attention maintenant le dimanche, c'est 18 h 05.

Le père : Ah bon !

JM : Vous avez déjà vos billets ?

Le papa : Non. Mais c'est toujours 18 h 05 maintenant ?

JM : C'est 18 h 05 au lieu de 18 h 15. Non, mais je vous le dis parce que vous avez tellement l'habitude de venir à 18h15…

Au final, les contrôles de conformité réalisés par les enquêteurs client mystère de la société prestataire ont totalement occulté le travail réel des agents d'escale, les difficultés et les tensions inhérentes à leur activité, et l'étendue de leurs compétences. Par exemple, les agents étaient régulièrement amenés à gérer des situations dans lesquelles des contraintes de différentes natures étaient enchevêtrées. Soumis à des injonctions contradictoires, ils devaient alors établir des priorités et procéder à des arbitrages. Ainsi, ceux qui assuraient les départs de train en gare devaient très fréquemment arbitrer entre les exigences liées à la sécurité et celles liées à la relation de service. Si les plus expérimentés étaient parfaitement capables d'articuler différents registres d'action (voir encadré 6), il n'en allait pas de même pour les autres.

Le « bras de fer »

L'agent vient de procéder au départ du train. Deux jeunes voyageurs arrivent en trombe sur le quai et se précipitent vers le train.

L'agent s'interpose en adoptant une attitude de grande fermeté afin de faire respecter les procédures de sécurité : « C'est terminé ! On ne monte pas ! » L'agent fait barrage avec son corps et fixe les deux jeunes droit dans les yeux. Ils obtempèrent.

L'agent, calmement, adoptant une « attitude de service » : « Alors, le prochain pour Belfort, c'est 18 h 34. »

L'agent, commentant la situation après coup : « C'est vrai que quand je dis qu'on ne monte pas, on ne monte pas ! Quand j'ai dit non, c'est non ! […] Ça, c'est un apprentissage qui se fait sur le terrain. Le "bras de fer", c'est sur le terrain. »

Ces tensions étaient également fortement ressenties par l'encadrement intermédiaire souvent sollicité par les agents pour arbitrer entre des exigences difficilement conciliables, mais aussi parce qu'il devait régulièrement rendre des comptes à une pluralité d'acteurs situés au-dessus de lui. Le dirigeant de proximité Escale explique ainsi :

> Normalement, quand le train part, une fois que le départ est donné, l'agent est censé observer tout le défilé du train de manière à détecter une anomalie. Et c'est typiquement là où ça peut être difficile car le client, il voit que l'agent a donné le départ du train et donc il pose sa question. Alors, si c'est une question pour laquelle il faut trente secondes pour répondre, s'il se fait « extraire », l'agent n'aura pas fait sa mission de sécurité. […] Alors je ne prioriserais pas entre les deux car, suivant l'interlocuteur, je tombe souvent sur des intégristes de la sécurité qui vont me dire qu'il n'y a que la sécurité ! Je tombe aussi sur d'autres intégristes qui me disent l'inverse, à savoir que le client est prioritaire et que tout le reste est accessoire !

Les normes de service mises en place dans le cadre de la démarche *Gares en mouvement* ont, en définitive, contribué au déni du travail des agents d'escale de la SNCF. Elles ont notamment eu pour effet d'occulter la dimension sociale de la relation de service (la réalité du travail), de masquer les contradictions et les difficultés rencontrées par les agents sur le terrain (le « réel du travail »), de même que les compétences requises pour traiter efficacement certaines situations délicates (le travail réel).

4. Quand les normes deviennent une fin en soi

Dans les deux cas étudiés, ces normes ont finalement été perçues par la majorité du personnel en *front office* comme un obstacle à la réalisation d'un travail de qualité. La qualité du service rendu ne peut effectivement pas être appréhendée sur la seule base du respect des normes[20]. Assurer une simple présence en gare pour « humaniser » les

---

20. Signalons que, pour certains auteurs, dans la perspective dessinée par la psychodynamique du travail, « il est [même] impossible d'atteindre la qualité en respectant scrupuleusement les prescriptions » (Ganem, 2011, p. 131).

lieux, respecter les normes vestimentaires définies par la direction, ou encore s'en tenir au strict respect des formules de politesse contenues dans les scripts langagiers, ne la garantissent en rien. Au mieux peuvent-elles y contribuer. Selon de Gaulejac (2005), les normes préétablies ne permettent donc pas réellement de mesurer la qualité du service, « l'agent et le destinataire étant les mieux placés pour évaluer la relation de service », c'est-à-dire pour « formuler un jugement sur le service rendu » (p. 124). Les attentes des clients sur la qualité du service peuvent en effet ne pas correspondre aux « promesses » ou aux « engagements » pris par l'entreprise dans le cadre des procédures qualité, et ce, malgré les dispositifs d'évaluation et de contrôle mis en place (comme les enquêtes client mystère)[21]. Par ailleurs, les agents en *front office* ont généralement leur propre idée sur ce que doit être un travail de qualité, idée qui peut donc s'avérer assez éloignée des critères de qualité véhiculés par les normes de service. Le bien-fondé des normes peut par conséquent être contesté, aussi bien par le client final que par l'agent chargé de délivrer le service.

Cependant, les normes que nous avons décrites se sont révélées très pesantes dans les deux cas étudiés. Si, au départ, elles étaient censées être un moyen d'atteindre l'objectif légitime d'améliorer la qualité du service rendu au client, leur respect est devenu, à l'arrivée, une fin en soi. Ce constat rejoint, à bien des égards, celui dressé par Delphine Mercier (2001) à propos de la mise en place d'une démarche de certification dans les centres de tri de La Poste. Ce type de situation a pour effet de créer une confusion dans les esprits, les dirigeants et l'encadrement ayant alors tendance à confondre qualité prescrite et qualité réelle. En amont, le piège réside dans le fait de mesurer exclusivement la qualité des services rendus au regard des seules normes prescrites et de s'en tenir là, en oubliant au passage l'évaluation faite par le destinataire du service mais également par l'agent en contact direct avec le client. Dans les cas que nous avons présentés, cette situation nous semble au fondement du déni du travail des agents en *front office* de la SNCF[22]. Mais comment expliquer cette focalisation des dirigeants et de l'encadrement sur les normes prescrites au détriment du travail réalisé par les agents au contact de la clientèle ?

Il faut revenir brièvement sur le contexte dans lequel ces deux démarches ont été mises en œuvre pour répondre à cette question. Sous le prétexte d'amélioration de la qualité des services rendus, leur lancement s'est accompagné de l'introduction de relations de type client-fournisseur (voir figures 1 et 2) entre les donneurs d'ordre[23] et les directions d'activité[24], mais également entre ces dernières et les unités opérationnelles. La contractualisation s'est effectuée sur la base de standards de service, édictés par les producteurs de normes que sont les donneurs d'ordre et les directions d'activité. Ces derniers avaient en effet décidé de standardiser le service en définissant des normes et des indicateurs clairs, « objectifs », atteignables, et surtout mesurables. Dès lors, il était possible de mesurer le degré de conformité des gares par rapport à des standards

---

21. Ces dispositifs ne permettent finalement que d'évaluer les procédures de livraison du service au regard des standards préalablement définis.

22. Valérie Boussard (2003), reprenant le travail de recherche de Delphine Mercier réalisé au sein de La Poste, parle, quant à elle, d'« effet d'aveuglement » pour rendre compte du processus d'occultation du travail réellement effectué par les agents des centres de tri afin de réaliser un travail de qualité.

23. Le Syndicat des transports en Île-de-France dans un cas. Les branches transport public et voyageurs France Europe dans l'autre.

24. La Direction Île-de-France dans un cas. La Direction des gares et de l'escale dans l'autre.

préalablement définis[25]. Ce faisant, le respect des normes de service est devenu la priorité pour l'ensemble des acteurs concernés et ces normes se sont révélées être une véritable « technologie invisible » (Berry, 1983) : pour les donneurs d'ordre qui entendaient rémunérer les directions d'activité en fonction du degré de mise en conformité des gares ; pour les directions d'activité qui s'étaient engagées à honorer leurs « promesses » et qui devaient présenter un compte de résultat excédentaire (voir encadré 7).

Encadré 7

La prégnance des normes de service et des mécanismes de contractualisation

Dans le cas du projet *Transilien* et *humanisation des gares*, le Syndicat des transports en Île-de-France (donneur d'ordre) évaluait et rémunérait la Direction Île-de-France de la SNCF (direction d'activité) – *via* un système de bonus-malus – en fonction des engagements pris par cette dernière, au premier rang desquels figurait la présence en gare d'au moins deux agents de la SNCF jusqu'au passage du dernier train. Une gare qui ne respectait pas ce standard ne pouvait d'ailleurs pas obtenir le label *Transilien* et la SNCF se voyait alors attribuer un malus. On comprend donc pourquoi, lors du lancement du *Transilien* et de l'*humanisation des gares*, la priorité de la Direction Île-de-France fut la mise en place des équipes d'*humanisation*. Peu importe finalement ce que faisaient les agents en gare, l'essentiel était de tenir ses engagements à court terme et d'obtenir le précieux label.

Dans le cas de la démarche *Gares en mouvement*, les branches transport public et voyageurs France Europe (donneurs d'ordre) évaluaient et rémunéraient les services rendus par la Direction des gares et de l'escale (direction d'activité) en fonction du respect des normes de service, au premier rang desquelles figuraient les « attitudes de service ». Les mesures réalisées régulièrement par les enquêteurs client mystère permettaient, *in fine*, de calculer un indice de conformité des comportements des agents d'escale aux « attitudes de service » et d'attribuer à chaque gare une note.

Le respect des normes devint également une priorité pour l'encadrement principalement évalué en fonction de sa capacité à les faire appliquer par le personnel. Ainsi, lors du lancement du *Transilien* et de l'*humanisation des gares*, la priorité de la Direction de l'Établissement de Melun fut de trouver des volontaires parmi les agents d'ambiance et les agents commerciaux pour assurer l'ouverture des gares jusqu'au passage du dernier train et constituer des binômes agent d'ambiance/agent commercial dans chacune des gares. Dans le second cas, la Direction des gares et de l'escale impulsa des challenges durant les « temps forts » qui correspondaient à des périodes durant lesquelles les contrôles de conformité étaient renforcés par la multiplication des enquêtes client mystère. Les notations et les classements qui en résultaient, ainsi que les audits réalisés deux fois par an par cette direction, eurent pour effet de créer une pression environnementale

---

25. De Gaulejac (2005, p. 71) souligne, à propos des outils de mesure de la qualité, qu'ils « donnent l'illusion que la réalité peut être comprise et maîtrisée à condition de pouvoir la mesurer. Pour ce faire, on découpe cette réalité en particules que l'on voudrait élémentaires, auxquelles on affecte un coefficient. Une fois le découpage et le chiffrage effectués, tous les calculs sont possibles ». C'est exactement ce que nous avons observé dans le cas des deux démarches qualité décrites dans cet article. Cette situation est, selon l'auteur, le symptôme d'une « maladie de la mesure » désignée sous le terme de « quantophrénie » : « la quantophrénie désigne une pathologie qui consiste à vouloir traduire systématiquement les phénomènes sociaux et humains en langage mathématique » (p. 70).

forte : autant de procédures qui ont permis *in fine* à la Direction des gares et de l'escale d'exercer son pouvoir sur les unités opérationnelles et l'encadrement intermédiaire. Les « attitudes de service » étaient d'ailleurs d'autant plus prégnantes que l'encadrement intermédiaire était évalué sur sa capacité à faire respecter ces normes. Le dirigeant de l'unité opérationnelle production voyageurs, supérieur hiérarchique du dirigeant de proximité Escale, indique ainsi :

> *Ce n'est plus la « SNCF de papa » ! [...] Les transporteurs [les branches transport public et voyageurs France Europe] expriment un certain nombre d'attentes, dont des attentes économiques très fortes. Ils payent un service à l'Escale et donc ils veulent avoir le meilleur service au moindre coût. C'est une logique incontournable !*

Le dirigeant de proximité Escale ajoute : « Les clients mystères, c'est la Bible ! [...] C'est vrai que l'aspect purement normatif est un peu contraignant parce que, quand on a une enquête qui n'est pas bonne en termes de pourcentages, inévitablement ça nous retombe dessus on va dire, et il faut rendre des comptes. »

Dans les deux cas étudiés, le déploiement à grande échelle d'une politique de qualité, par un processus de certification des gares et la mise en place de toute une panoplie d'outils (système de bonus-malus, « attitudes de service », enquêtes client mystère, etc.), a permis aux dirigeants et à l'encadrement de disposer de « références communes » (Boigne *et al.*, 1986) et d'indicateurs simples, tels que le nombre de gares certifiées ou labellisées[26], le respect des standards de service, l'indice de conformité des comportements des agents aux « attitudes de service », etc. Ces indicateurs – bien que rudimentaires, car ne rendant pas compte de la complexité de l'activité des agents – permirent aux différents acteurs de contractualiser leurs relations, de dresser périodiquement des bilans et des évaluations, de comparer les gares entre elles, d'imputer des responsabilités, de distribuer des récompenses et des sanctions, de déterminer des objectifs à atteindre, d'orienter les conduites, bref de structurer la réalité en la simplifiant et de stabiliser les rapports sociaux (Berry, 1983)[27].

Au nom du client final, la diffusion de normes de service, d'outils et d'indicateurs de qualité dans l'organisation a eu pour effet d'enraciner le pouvoir des producteurs de normes, donneurs d'ordre et directions d'activité, de conforter les relations de pouvoir entre les différents acteurs et de légitimer chacun dans son rôle. Cependant, dans le même temps, elle a favorisé le déni du travail des agents en *front office*.

Les mécanismes organisationnels (du processus de contractualisation aux « défaillances » de la prescription en passant par la priorité accordée au respect des normes par les dirigeants et l'encadrement) que nous avons décrits à propos de deux démarches qualité déployées à la SNCF dans le domaine de la relation de service ont contribué au déni du travail des agents en *front office*. Le contexte social dans lequel s'exercent les relations

---

26. Dans le cas de l'*humanisation des gares*, rappelons que l'enjeu pour les dirigeants était d'obtenir auprès du Syndicat des transports en Île-de-France le précieux label *Transilien* SNCF. Dans le second cas, l'enjeu pour la Direction des gares et de l'escale était de faire certifier un maximum de gares sous son contrôle et, pour l'encadrement intermédiaire de la gare que nous avons pris pour exemple, de conserver sa certification (puisqu'elle avait été certifiée NF Service par l'Agence française de normalisation [Afnor]).

27. Comme le soulignent Dassa et Maillard (1996, p. 35), « la prescription porte en elle non seulement des énoncés d'actions instrumentalisées, mais aussi de manière cachée, secrète, inconsciente, "naturalisée", des rapports sociaux de dépendance et de contrôle. La procédure, au-delà du discours, continue de séparer prescripteurs et réalisateurs ».

de service (la réalité du travail), les difficultés et les obstacles rencontrés par les agents dans leur activité (le « réel du travail »), mais également les pratiques et les compétences professionnelles qu'ils ont développées pour conjurer le réel (le travail réel) furent totalement occultés et firent l'objet d'un déni de la part des producteurs de normes. En effet, les normes de service que nous avons analysées non seulement eurent pour conséquence de gommer les aspérités du réel – c'est-à-dire les particularismes locaux, la singularité des situations gérées par les agents en *front office*, la nature et la complexité des problèmes rencontrés, etc. – mais permirent également aux producteurs de normes de congédier et de chasser un réel très, voire trop, encombrant.

Nous pouvons alors nous demander si, du côté des producteurs de normes, nous n'avons pas affaire à « une rupture collective du lien avec le réel » (Dejours, 2006, p. 131), autrement dit à ce que François Sigaut (2004) a théorisé sous le terme d'« aliénation culturelle ». Selon lui, cette aliénation se produit quand l'expérience du réel d'un individu ou d'un collectif est déniée par un groupe social pour qui cette expérience est profondément dérangeante. S'ensuit alors « une coupure [qui] décrit la situation d'un groupe ou d'un sous-groupe social dans lequel l'impératif de solidarité entre ses membres […] est placé au-dessus de la prise en considération du réel » (Sigaut, 2004, pp. 121 et 122).

Bibliographie

Avarguez S., « Des "réformes venues d'en haut" aux "réformes venues d'en bas". Une approche sociologique du travail vécu des conseillers à l'emploi de l'ANPE entre insatisfaction et souffrance », *Pyramides*, n° 17, 2009, pp. 53-68.

Bardou H., Vacheron-Trystram M.-N. et Cheref S., « Le déni en psychiatrie », *Annales médico- psychologiques*, vol. 164, n° 2, 2006, pp. 99-107.

Batisse F., « L'Escale », *Revue générale des chemins de fer*, n° 108, 2002, pp. 31-32.

Berry M., *Une technologie invisible ? L'impact des instruments de gestion sur l'évolution des systèmes humains*, Paris, Centre de recherche en gestion de l'école polytechnique, 1983.

Boigne J.-M., Moisdon J.-C. et Tonneau D., « Gérer ou comprendre ? Perplexités à propos d'une intervention en milieu hospitalier », *Gérer et comprendre*, n° 5, 1986, pp. 78-86.

Borzeix A. et Collard D., « La gestion des gares de banlieue est-elle une compétence ? », *Éducation permanente*, n° 141, 1999, pp. 83-96.

Borzeix A., Collard D., Raulet-Croset N. et Teulier R., *Les Compétences implicites dans la relation de service à la SNCF*, PREG-CRG, École Polytechnique, Rapport de recherche réalisé pour le compte de la SNCF, 2008.

Boussard V. (2003), « Dispositifs de gestion et simulacres de contrôle », in Boussard V., Maugeri S., *Du politique dans les organisations. Sociologies des dispositifs de gestion*, Paris, l'Harmattan, coll. « Logiques sociales. Série Sociologie de la gestion », 2003, pp. 173-191.

Cauchon C., « Le modèle public de modernisation à la recherche d'une nouvelle régulation : un processus engagé mais non abouti à la SNCF », *Politiques et management public*, vol. 16, n° 4, 1998, pp. 19-39.

Clot Y., *Le Travail sans l'homme. Pour une psychologie des milieux de travail et de vie*, Paris, La Découverte, coll. « Textes à l'appui », 1995.

Clot Y., *La Fonction psychologique du travail*, Paris, Presses universitaires de France, coll. « Le Travail humain », 1999.

Clot Y. et Faïta D., « Genres et styles en analyse du travail. Concepts et méthodes », *Travailler*, n° 4, 2000, pp. 7-42.

CLOT Y., *Le Travail à cœur, pour en finir avec les risques psychosociaux*, Paris, La Découverte, coll. « Cahiers libres », 2010.

COLLARD D., « Activités et emplois de médiation sociale en gare. Quelles pratiques et quelles compétences ? », *Informations sociales*, n° 92, 2001, pp. 32-41.

COLLARD D., *La Médiation : une compétence ingérable ? Le cas des emplois-jeunes de la SNCF*, Thèse de doctorat de l'École polytechnique, Paris, 2002.

COLLARD D., « Analyser les compétences des médiateurs dans les gares de banlieue », *Travail et emploi*, n° 94, 2003, pp. 37-43.

COLLARD D., « De la stratégie orientée client aux "enquêtes client mystère". Les "enquêtes client mystère" à la SNCF : une "fiction" aux effets pourtant bien réels ! », *Gérer et comprendre*, n° 102, 2010, pp. 36-46.

DASSA S. et MAILLARD D., « Exigences de qualité et nouvelles formes d'aliénation », *Actes de la recherche en sciences sociales*, n° 115, 1996, pp. 27-37.

DEJOURS C., *Le Facteur humain*, Paris, Presses universitaires de France, coll. « Que sais-je ? », 1995.

DEJOURS C., *Souffrance en France. La banalisation de l'injustice sociale*, Paris, Éditions du Seuil, coll. « L'histoire immédiate », 1998.

DEJOURS C., « Aliénation et clinique du travail », *Actuel Marx*, vol. 1, n° 39, 2006, pp. 123-144.

DIVAY S., « Quand les compétences ethnicisées facilitent l'insertion professionnelle », *Hommes et migrations*, n° 1249, 2004, pp. 87-96.

DUJARIER M.-A., *L'Idéal au travail dans les services de masse*, Thèse de sociologie, Université de Paris VII Denis Diderot, 2004.

FAVIN-LÉVÊQUE J.-C., « La politique de services de la direction des gares et de l'escale », *Revue générale des chemins de fer*, n° 135, 2005, pp. 19-30.

FOUCAULT M., *Surveiller et punir. Naissance de la prison*, Paris, Gallimard, coll. « Bibliothèque des histoires », 1975.

FREUD S. (1909), « Analyse d'une phobie chez un garçon de 5 ans (Le Petit Hans) », in FREUD S., *Cinq psychanalyses*, Paris, Presses universitaires de France, 1954, pp. 93-198.

GANEM V., « Seul le travail rentable est évalué », *Travailler*, n° 25, 2011, pp. 129-143.

GAULEJAC V. (de), *La Société malade de la gestion*, Paris, Éditions du Seuil, coll. « Économie humaine », 2004.

GOLLAC M., CASTEL M.-J., JABOT F. et PRESSEQ P., « Du déni à la banalisation », Note de recherche : « Sur la souffrance mentale au travail », *Actes de la recherche en sciences sociales*, n° 163, 2006, pp. 39-45.

GRANGAUD N., *Déni de grossesse : description clinique et essai de compréhension psychopathologique*, Thèse de médecine, Université de Paris VII, 2001.

GRIMAND A., « L'évaluation des compétences : paradoxes et faux semblants d'une instrumentation », *XVᵉ Congrès annuel de l'AGRH*, Montréal, 2004.

GUELAUD C., « La SNCF : une stratégie de croissance, un imaginaire du déclin », in TIXIER P.-E. (dir.), *Du monopole au marché. Les stratégies de modernisation des entreprises publiques*, Paris, la Découverte, coll. « Textes à l'appui », 2002, pp. 126-146.

LADA E., « Agents d'ambiance et de médiation : une construction sociale sexuée et ethnicisée en devenir », in DIVAY S. (éd.), « Regards croisés sur les emplois-jeunes », Documents du Céreq, n° 173, 2003, pp. 131-141.

LHUILIER D., « Cliniques du travail », *Nouvelle Revue de psychosociologie*, vol. 1, n° 1, 2006, pp. 179-193.

LHUILIER D., « Travail, management et santé psychique », *Connexions*, n° 91, 2009, pp. 85-101.

MERCIER D., « Heurts et malheurs de la certification dans les centres de tri de la poste », in MAUGERI S. (dir.), *Délit de gestion*, Paris, La Dispute, 2001, pp. 31-50.

PÉRILLEUX T., « Le déni de l'évaluation », *Travailler*, n° 13, 2005, pp. 113-134.

PETITCLERC J.-M., *Pratiquer la médiation sociale*, Paris, Dunod, 2002.

POUVELLE P., « Les services en gare et la satisfaction de la clientèle : les différents métiers d'escale dans les gares », *Revue générale des chemins de fer*, n° 4, 1998, pp. 15-21.

ROYER C., LAUTIER R., LAURENT R. et OSTALIER S., « Pourquoi la mise en œuvre des escales et les certifications de service », *Revue générale des chemins de fer*, n° 129, 2004, pp. 25-31.

SIGAUT F., « Folie, réel et technologie. À propos de Philippe Bernardet. *Les Dossiers noirs de l'internement psychiatrique*, Paris, Fayard, 1989 », *Travailler*, n° 12, 2004, pp. 117-130.

WILLIOT J.-P., « Un nouveau chantier d'archives orales : l'histoire des décisions stratégiques de la SNCF et de leur application depuis les années 1970 », *Revue d'histoire des chemins de fer*, n° 31, 2005, pp. 29-61.

Lecture 4

Coût, qualité, délai au menu des services

Goureaux P. et Meyssonnier F.

Goureaux P. et Meyssonnier F., « Coût, qualité, délai au menu des services »,
L'Expansion Management Review, 1, n° 140, mars 2011, pp. 120-129.
Distribution électronique Cairn.info pour *L'Express – Roularta*.
© L'Express – Roularta. Tous droits réservés pour tous pays.

Pascal Goureaux et François Meyssonnier sont tous deux enseignants à l'Université de Nantes. Le premier est un spécialiste de l'hôtellerie-restauration, le second fait porter ses recherches sur le pilotage de la performance et l'instrumentation de gestion.

Dans le secteur des services, les managers de terrain doivent gérer les coûts (afin de préserver les marges et d'assurer la profitabilité de l'entreprise) en garantissant la qualité du service (valeur perçue par le client) et en respectant les délais (qui participent souvent de la qualité attendue). Cette préoccupation, qui concerne toute la chaîne de valeur, est essentielle dans les interfaces entreprise-client (*front office*), parce que la relation avec le client est fondamentale dans une prestation de service largement coconstruite avec lui. Nous nous sommes interrogés sur les modes de gestion et le degré de standardisation des activités relatives à ces trois dimensions. Il s'agit là d'un enjeu central du contrôle opérationnel dans les services, celui de l'« industrialisation » des processus de servuction – concept marketing désignant la production de service. La restauration commerciale, parce qu'elle concentre de façon quasi stylisée tous les traits fondamentaux de la gestion des services, a été le terrain de notre réflexion.

Cinq établissements présentant un champ de situations assez variées dans l'offre commerciale ont fait l'objet d'une analyse. Leur chiffre d'affaires (CA) journalier va de 3 000 à 50 000 euros et le ticket moyen de 15 à 70 euros. On retrouve la même diversité dans la mobilisation des ressources : le personnel des établissements étudiés varie de 18 à 170 personnes et le ratio entre personnel en salle et personnel en cuisine de 2,4 (grande brasserie à forte composante « café » et très grande amplitude d'ouverture) à 0,4 (restaurant gastronomique). Le tableau 1 présente une synthèse de ces différents éléments.

Dans les activités de services, où la relation avec le client est essentielle, le triptyque qualité-coût-délai est une préoccupation centrale. Comme le montre l'observation de restaurants aux positionnements différents – de la gastronomie traditionnelle à la chaîne de cuisine à thème –, le modèle d'affaires de l'établissement conditionne largement le mode de gestion du service ainsi que les leviers d'amélioration de la performance.

Encadré

1. Établissement A : restaurant gastronomique parisien

L'établissement A est situé dans le 8ᵉ arrondissement parisien. Il est ouvert environ 210 jours par an (il est fermé les week-ends, les jours fériés et en août). Il travaille avec deux types de clientèle : l'une, d'affaires et de proximité ; l'autre, en provenance des grands hôtels de la rive droite.

Il propose une offre composée d'un menu (38 euros à midi, 42 euros le soir) et d'une carte. La clientèle recherche une cuisine traditionnelle française de qualité constante et ne s'attarde pas : « Après minuit, il n'y a plus personne », indique le directeur.

Pour ce dernier, « le rôle du serveur est très important pour générer du chiffre d'affaires, car il y a pas mal d'extras en plus de la commande initiale ». Le ticket moyen est d'environ 65 euros à midi et de 75 euros le soir (davantage de commandes à la carte et de bouteilles de vin qu'à déjeuner). Le taux d'occupation moyen annuel est de l'ordre de 77 % (avec une fréquentation un peu plus élevée à l'automne avec les grands salons). Les délais sont gérés attentivement en interne (surtout à midi) afin de ne pas faire attendre plus de dix minutes entre l'entrée dans le restaurant et la prise de commande et pas plus de quinze minutes entre la commande et la livraison du premier plat. Afin de permettre le suivi, on note sur le bon l'heure de la prise de commande. De même, quand les réservations sont prises, on précise l'heure d'arrivée dans l'établissement afin d'améliorer la gestion des files d'attente au moment des « coups de feu ». Bien entendu, les consignes de la cuisine – « placer ceci ou cela » – permettent d'éviter les pertes « matières » (surtout avant la fermeture du week-end) dans un système où tous les produits utilisés sont frais. « Pousser les plats du menu ou du jour » et « grouper les plats » ont aussi pour effet de fluidifier les flux (il est beaucoup plus rapide de délivrer quatre plats identiques à une même table que quatre plats différents).

Tableau 1	Caractéristiques de cinq restaurants aux positionnements variés				
	A	**B**	**C**	**D**	**E**
Positionnement	Restauration traditionnelle gastronomique française	Grande brasserie parisienne	Brasserie classique en province	Restauration moyen de gamme à thème : chaîne de cuisine italienne	Restauration moyenne gamme à thème : chaîne de cuisine viande-grill
Nature de l'unité	Restaurant parisien gastronomique	Café-brasserie de renommée internationale	Restaurant-brasserie en centre-ville (récent)	« Bistro italien » en centre-ville (succursale)	« Grill américain » en zone commerciale (franchise)
CA moyen/jour	8 000 €	50 000 €	3 000 €	9 000 €	7 000 €
Ticket moyen	70 €	50 €	25 €	22 €	15 €
Nombre de places	75	450	200	250	200
Services	2 repas/jour	En continu	2 repas/jour	En continu	En continu
Personnel en cuisine	13	50	10	7	10
Personnel en salle	5	120	12	11	15
Plages d'ouverture	Repas, 5 j/7	Continu, 7 j/7	Repas, 5,5 j/7	Repas, 7 j/7	Continu, 7 j/7
Fermeture	1 mois/an	Jamais	Jamais	Jamais	Jamais

Le menu change environ toutes les trois semaines. Il y a les classiques de la maison (trois plats permanents) et les plats de saison ou les créations du chef. Pour prendre en compte les fluctuations des prix des matières qui peuvent être très importantes, le directeur de l'établissement procède à des ajustements différenciés : à la carte, il module le prix du plat pour respecter ses coefficients par rapport au coût matières ; dans le menu, comme le prix global est stratégique et doit rester stable, ce sont les plats qui s'adaptent (si la matière de base devient trop onéreuse à l'achat au marché de Rungis, le plat sort du menu). Globalement, la rentabilité de l'établissement est assez faible et les leviers d'action réduits, car beaucoup de choses sont liées (par exemple, le plateau de fromage est peu profitable mais sa suppression diminuerait la consommation de vin). Le seuil de rentabilité annuel est atteint en général seulement courant décembre.

2. Établissement B : grande brasserie de prestige parisienne

La brasserie B est une brasserie parisienne renommée, de 450 places, ouverte sept jours sur sept, 365 jours par an. Elle appartient à un groupe important de restauration, leader national dans plusieurs créneaux de la restauration commerciale, dont les brasseries. Il y a une organisation très hiérarchique, aussi bien parmi les 120 personnes de la salle (deux directeurs, deux directeurs adjoints, trois premiers maîtres responsables d'équipe, des maîtres d'hôtel, des chefs de rang, des serveurs) que parmi les 50 personnes de la cuisine (deux chefs, trois premiers seconds, des seconds, des chefs de partie, commis, plongeurs, écaillers, économes, etc.). Le chiffre d'affaires habituel journalier est généré par environ 1 000 couverts avec un ticket moyen de 50 euros. Comme on peut difficilement agir sur les prix, il faut stimuler les volumes, par exemple en proposant systématiquement un deuxième café. D'après le responsable de gestion : « Après 22 h 30, le ticket moyen est plus faible. C'est le même problème que pour les petits déjeuners. À certains moments, on perd de l'argent dans l'exploitation. Avant même les frais de structure, la rentabilité par rapport au *prime cost* (marge brute moins salaires) est négative ! » Il n'y a pas de cuisine centrale dans le groupe, ni de recettes d'assemblage, ce qui garantit la qualité et l'identité de la restauration dans chaque établissement, mais tous les achats doivent passer par une centrale d'achat unique dont le fonctionnement est assez lourd. Les chefs cuisiniers sont assez peu sensibles à la prise en compte de la profitabilité des plats : « Par exemple, les desserts avec des fruits rouges ne sont pas rentables à cause du coût de la matière. On devrait changer la recette et l'apparence dans l'assiette. Faire une mousse avec quelques fruits dessus, c'est plus spectaculaire et plus rentable. Mais on n'en est pas encore là malheureusement ! », indique le responsable de gestion. Et il déplore aussi que, si les fiches techniques intègrent les coûts matières et proposent des coefficients multiplicateurs pour la fixation des prix, elles ne prennent pas en compte les temps d'activité du personnel : « Quand on doit gérer 1 200 couverts les jours d'affluence, il faut s'appuyer sur des recettes simples. On devrait intégrer les temps de personnel dans les fiches techniques. Ducasse le fait bien ! Il faut prendre en compte tout le *prime cost* et pas seulement les coûts "matières"… et même il faut préciser si c'est du temps de commis ou de chef. » Enfin, d'autres contraintes brident le *menu engineering* : « En ce moment, le cabillaud est plus cher que le bar d'élevage. Mais, pour le client, à la carte ce ne serait pas normal de faire apparaître le cabillaud à un prix supérieur ; donc, on peut difficilement changer le rapport des prix entre les plats. »

3. Établissement C : brasserie classique de province

Il s'agit d'une brasserie qui s'est ouverte il y a quelques mois dans une grande ville de province. L'établissement est l'un des restaurants haut de gamme du centre-ville. Il est franchisé d'un grand groupe national. La fréquentation est régulière et moyenne en semaine. Elle est plus élevée le samedi. Comme l'activité est plus faible que celle prévue initialement dans le *business plan* de création, il n'existe aujourd'hui de problème de capacité ni pour la salle, ni pour le personnel. La brasserie communique sur sa carte en indiquant le nom des producteurs locaux dont les denrées entrent dans la composition des mets (c'est souvent précisé dans les intitulés des plats), afin d'accroître la perception subjective de la qualité.

La fréquentation est plus importante à midi que le soir. Le midi, les clients sont pressés et mangent dans une durée comprise entre quarante-cinq minutes et une heure. Le soir, la durée des repas atteint une heure et demie. Les commandes sont prises sur papier. Les seuls temps d'attente sont imputables aux « délais de sortie des plats ». Les serveurs expérimentés doivent être capables d'anticiper cette situation et d'avertir la clientèle pressée. Comme nous sommes là dans de la restauration de qualité avec des produits frais, « la cuisine a un rôle important aussi bien en matière de délais que de qualité des plats ». Le directeur de l'établissement oriente les clients en salle en fonction de la meilleure adéquation possible avec les serveurs disponibles : « Il est essentiel d'attribuer un serveur d'excellence à une table difficile. Comme pour le moment nous montons doucement en puissance, nous n'avons pas de problème de places en salle. Et faire ça, c'est le rôle du responsable de salle. » Cette étape est mise à profit pour former le *runner* aux règles du métier de serveur – car le *turnover* est très élevé parmi le personnel –, notamment au contrôle de qualité. « Il ne doit pas laisser sortir un plat s'il manque un élément, par exemple la feuille de basilic sur les pâtes. Il doit le signaler ou le corriger. C'est du contrôle de qualité visuel. C'est important et cela lui servira quand il sera *tipper*. »

4. Établissement D : chaîne de cuisine italienne

Le restaurant D est un des principaux établissements de la chaîne de restauration thématique « Bistro italien »[1]. La clientèle de centre-ville est mélangée, exigeante et dispose souvent d'un petit budget. L'essentiel du personnel est en salle : le directeur et deux adjoints, deux maîtres d'hôtel, les *tippers* (qui prennent les commandes, assurent le service, gèrent l'interface avec la clientèle… et bénéficient des pourboires) et quelques *runners* (nouveaux embauchés qui se familiarisent quelques semaines avec l'établissement en assurant les transports de plats, couverts, pain, eau, etc. de la cuisine à la salle pour approvisionner les *tippers*).

À l'arrivée dans l'établissement, les clients se voient proposer la carte dans la minute qui suit leur installation à table. Pour monter le ticket moyen, générer du chiffre d'affaires et augmenter les marges, les serveurs doivent systématiquement suggérer un apéritif. Parmi les trois offres proposées, un kir italianisant composé avec du nectar de pêche et un vin italien pétillant. Une des façons de diminuer les délais et d'homogénéiser la prestation est d'industrialiser la prestation en amont : « Les cocktails sont déjà tout

---

1. Nous avons changé le nom de l'établissement af in de préserver son anony mat.

faits. Cela arrive au restaurant en bouteilles déjà mélangées : pas de dosage à faire. Tout est OK. » Pour la prise de commande, tout est enregistré directement sur un poste informatique central. Si un client demande une modification du plat par rapport à la carte, le *tipper* l'indique sur l'appareil, par exemple : « sans œuf » pour la pizza *calzone* ou « pas d'herbes » pour les entrées. Il peut donc s'adapter à une diversité de demandes de la clientèle et démultiplier la carte. Le *tipper* a son badge et ses tables attribuées dans une zone du restaurant. Le responsable a accès à tout et peut rectifier les erreurs de saisie sur la machine ou donner un coup de main à un moment critique du service. Contrairement à une idée reçue, « C'est sur le menu qu'on gagne le plus d'argent [par comparaison avec les plats à la carte]. Le menu permet aussi d'accélérer la sortie des plats. On a plus de commandes identiques. Ça dépote en cuisine ! » Environ un client sur deux prend le menu (sous les formes : entrée + plat, plat + dessert ou entrée + plat + dessert).

Il y a bien sûr la visite de clients « mystères » et des audits techniques pour le contrôle de conformité.

Comme la non-qualité ou l'insatisfaction éventuelle de clients peuvent être l'objet de signalements directs des clients au service consommateurs de l'enseigne, l'équipe de direction de l'établissement tient un cahier de bord avec les consignes journalières et note les incidents éventuels ainsi que des explications… « au cas où ».

À l'intérieur du groupe dont dépend la chaîne, la solidarité joue sur le terrain entre les établissements pour réaliser les ajustements nécessaires en cas de problème dans la gestion des opérations : « On peut avoir des détachements de personnel d'autres Bistro italien si nécessaire. C'est l'avantage d'une chaîne. » Ce type de restaurant pratique de la cuisine d'assemblage avec usage de beaucoup de produits de cinquième gamme (prêts à l'emploi) : les crevettes précuites et le carpaccio sont surgelés (ce dernier doit être tranché à l'avance chaque jour avec une machine spéciale qui permet aussi de faire des copeaux de parmesan) et, comme d'autres produits comparables, servent à l'élaboration de nombreux plats et entrées. Il en est de même pour les sauces pesto ou au fromage ou encore les petits légumes grillés. Par ailleurs, beaucoup de préparations sont réalisées en amont : « On fait des kits de 110 grammes de riz qu'on met nous-mêmes en sachets à l'avance. Le grammage est fait aussi pour les accompagnements ainsi que des pochons de sauce. » On crée donc de la capacité à servir le client par anticipation. Comme le restaurant fonctionne sans interruption, il n'y a pas beaucoup de pertes matières ou de déchets à jeter. En cuisine, « le personnel n'est pas spécialiste du métier. Ce sont des gens très peu qualifiés à l'origine. Avec la cuisine d'assemblage, il y a très peu de créativité en cuisine. Tout est formalisé. Tout est normalisé ».

5. Établissement E : chaîne de cuisine viande-grill

Il s'agit d'un établissement « Grill américain »[2] qui fait de la cuisine tex-mex, des grillades essentiellement. Ce restaurant est installé dans la principale zone commerciale et de loisirs (multiplexe de cinémas, hôtellerie économique, etc.) d'une importante ville de province. Il est situé à proximité d'une autoroute. Ses principaux concurrents dans sa zone de chalandise sont Courtepaille, Les Trois Brasseurs et Léon de Bruxelles. Il s'agit d'une des plus importantes franchises du réseau Grill américain. Deux périodes

---

2. Nous avons changé le nom de l'établissement afin de préserver son anonymat.

de fréquentation sont clairement identifiables : la semaine, avec une fréquentation plus importante le midi (les gens qui travaillent à proximité) que le soir (les familles et les jeunes) ; le vendredi soir et le samedi où la clientèle est très importante et les capacités saturées. « La clientèle est composée de gens qui font leurs courses et de beaucoup d'habitués. Il y a des hôtels *low cost* autour et, par ailleurs, le centre commercial et les cinémas représentent un pôle d'attraction pour toute l'agglomération. »

La durée moyenne du repas est de moins de quarante-cinq minutes à midi. Beaucoup de clients se contentent d'un steack et d'un café gourmand. Ils se nourrissent simplement et apprécient la qualité sanitaire et l'efficacité du service sans être à la recherche d'une expérience gustative exceptionnelle. Le soir, le repas commence très tôt. À partir de 18 h 30 et jusqu'à 21 heures, la clientèle est nombreuse, venant dîner après des courses dans le centre commercial ou avant une séance de cinéma. Suit une période plus calme avant une nouvelle hausse de fréquentation à la sortie des séances de cinéma vers 22 heures. Ici comme ailleurs, « on pousse au menu : la plus forte marge est là, et c'est là aussi que le débit est le plus soutenu en cuisine ». Dans les procédures mises en œuvre par les serveurs, il y a traditionnellement la proposition d'un apéritif, d'un café, éventuellement d'un deuxième café, de boissons et d'un alcool en fin de repas. Vu le débit et l'homogénéité de la carte, il n'y a pas de problème de stockage ou de périssement des matières. La qualité est normée et vérifiée par des clients « mystères » qui passent mensuellement mais qui sont en général toujours satisfaits. De toute façon, « on les repère très vite : comme chez Grill américain, on a des box séparés en salle ; on les voit s'agiter pour tenter de regarder dans tous les sens afin d'évaluer la façon dont le service se passe ! ».

6. L'heure de vérité : la gestion des « coups de feu »

Dans un grand nombre de restaurants, le personnel de salle, à l'interface avec la clientèle, est directement intéressé à la bonne gestion des trois dimensions : financière, de qualité et temporelle. Les serveurs et l'encadrement de la salle touchent une rémunération sur la base d'une valorisation de points. En fonction de leur poste et des heures effectuées, ils accumulent des points. Traditionnellement, 15 % du chiffre d'affaires réalisé est affecté au service et réparti au personnel sur la base d'une valorisation uniforme mensuelle du point, qui découle du chiffre d'affaires réalisé. Si ce montant est inférieur à un minimum garanti, le minimum s'applique. S'il est supérieur, le personnel est mieux rémunéré et se trouve ainsi intéressé directement à la maximisation du chiffre d'affaires rendue possible par des incitations à consommer (faire progresser le ticket moyen) et à une accélération du rythme de rotation à la table (le nombre de couverts dépendant du rythme du service et de la gestion des départs).

Par ailleurs, les serveurs peuvent se constituer un complément de rémunération non négligeable par les pourboires qui sont directement proportionnels à la satisfaction de la clientèle (qualité perçue) même si cela doit être modulé en fonction du pouvoir d'achat disponible et des valeurs culturelles des clients en ce domaine.

De leur côté, les managers ne touchent pas de pourboires (car ils ne sont pas en contact permanent avec la clientèle) mais ils sont intéressés aux résultats des visites d'évaluation globale de la qualité effectuées mensuellement par un client « mystère ». Il en ressort que le personnel de salle de la restauration commerciale est directement incité à la maximisation des performances sur les différentes dimensions du triplet.

Le personnel de salle est rémunéré aux points et les pourboires sont assez faibles en semaine, plus élevés le week-end. La prise de commande est effectuée sur un boîtier électronique avec des icônes pour matérialiser le degré de cuisson souhaité pour les grillades. Tout est automatisé dans la machine. Comme la carte est composée de beaucoup de grillades avec frites et qu'il y a une majorité de glaces dans les desserts, le travail en cuisine reste élémentaire. Il n'y a pas de vrais professionnels qualifiés en cuisine, sauf le chef et le préposé aux grillades qui « doivent avoir un peu de jugeote ». C'est essentiellement de la cuisine d'assemblage. La moitié de la gamme est surgelée.

Et pourtant la clientèle est plutôt satisfaite : « Tout se joue dans l'accueil et la rapidité du service. Le concept est simple. La qualité est homogène. C'est une affaire qui roule toute seule. »

Tableau 2	– Comparaison des modalités de gestion du triplet coût-qualité-délai				
	A	**B**	**C**	**D**	**E**
	Restaurant gastronomique	**Grand café Brasserie parisienne**	**Restaurant Brasserie de province**	**Bistro italien de centre-ville**	**Grill américain de zone commerciale**
Préparation en cuisine (*back office*, temps différé)	Très importante	Importante	Importante	Réduite	Très réduite
Préparation de la salle (*back office*, temps différé)	Élaborée	Élaborée	Élaborée	Simplifiée	Simplifiée
Accueil en salle (*front office*)	Personnalisé	Adapté par type de clientèle	Adapté par type de clientèle	Standardisé	Standardisé
Réalisation en cuisine (*back office*, temps réel)	Produits frais et savoir-faire complexes	Produits frais et savoir-faire élaborés	Produits frais et savoir-faire élaborés	Cuisine d'assemblage et savoir-faire simples	Cuisine d'assemblage et savoir-faire très simples
Service en salle (*front office*)	Expérience pour le client	Expérience pour le client	Expérience pour le client	Prestation pour le client	Prestation pour le client
Conclusion du repas en salle (*front office*)	Personnalisée et parfois longue	Adaptée et parfois longue	Adaptée et parfois longue	Standardisée et courte	Standardisée et courte
Remise en état de la cuisine (*back office*)	Assez longue	Processus permanent	Assez longue	Simple et rapide	Simple et rapide
Remise en état de la salle (*back office*)	Assez longue	Processus permanent	Assez longue	Simple et rapide	Simple et rapide

Dans la pratique, le moment de vérité est la gestion des pointes d'activité lors des « coups de feu » (on pense notamment au samedi soir dans la restauration commerciale de centre-ville : « Le samedi soir, tout le monde est sur le pont »). Dans l'établissement D (Bistro italien), une typologie inductive de situations bien identifiées est développée par le personnel. Si les choses se passent bien, que les flux sont contrôlés et qu'il n'y a pas trop de diversité à gérer (« Si le client prend la carte : c'est l'autoroute. Mais s'il demande des modifications ou des ajustements : attention, danger ! »), le « coup de feu » est maîtrisé. Si des éléments de « crise » commencent à se généraliser, comme des erreurs dans la prise de commande ou une fréquentation très importante (salle « blindée »), qu'ils commencent à « perdre les pédales » et à multiplier les dysfonctionnements les serveurs s'estiment alors « dans le jus ». Quand *a posteriori* les gens de la salle veulent décrire une soirée où ils ont été dépassés par les événements, où ils ont fait « du trapèze volant » dans une situation « limite-limite », ils l'expriment alors en disant que « ça a été du viol » (au sens où ils n'étaient plus en mesure de maîtriser la situation, ni vraiment les événements). Dans cette situation, les coûts cachés engendrés par une gestion difficile des flux deviennent très importants.

Quand les arrivées se multiplient, les samedis soir de grosse affluence, les règles de livraison de l'offre de service ne sont plus totalement respectées. Comme l'explique le directeur adjoint du Bistro italien : « Dans ces cas de coups de feu, on fait l'impasse sur l'offre de l'apéro. La gestion du délai passe avant la proposition commerciale et l'optimisation de la marge. » Il faut éviter les goulots d'étranglement en salle et « irriguer le service ». C'est la même chose en cuisine : « Le gars du froid ouvre le dispositif du frigo [plan de travail horizontal à température contrôlée] et fait l'assemblage direct des entrées. En cas de coup de feu, il organise ses sessions sans respecter l'ordre des commandes. Il optimise en regroupant les commandes identiques en provenance de tables différentes. Comme cela, en faisant attention [car il faut quand même que les entrées d'une même table partent ensemble], il accélère la cadence. » Les règles de fonctionnement sont transgressées lorsque c'est nécessaire pour assurer une bonne gestion des opérations.

La formalisation des processus de production n'est donc valable que tant que l'on reste dans le cadre de la variété anticipée des événements et des flux. Quand la complexité des situations s'accroît, l'autonomie du personnel de contact dans la dernière maille de la chaîne de valeur (là où la prestation se coconstruit avec le client) devient essentielle. On s'abstrait alors des normes opérationnelles prédéfinies pour répondre dans l'urgence à la diversité des demandes de la clientèle ou pour faire face à la saturation des capacités devant une demande excédentaire. L'industrialisation des services trouve ses limites quand la spécificité des services s'impose au moment des « coups de feu ». Dans l'interface avec le client, s'il est difficile d'agir à ce moment-là sur les paramètres objectifs de la réalité, il est encore possible d'influer sur la perception subjective. Ainsi, le responsable du Bistro italien explique : « Pour l'attente, avant je disais : "C'est tant de temps." Maintenant je leur dis : "Vous voyez cette table et celle-là ? Ils en sont à l'addition. Dès que c'est fini, c'est pour vous." Et comme cela, j'ai beaucoup moins de problèmes avec les clients. » Parfois, il n'est pas nécessaire d'intervenir en salle. Le chef de cuisine du restaurant A (gastronomique) précise : « On voudrait que la qualité de l'assiette soit parfaite. Au moment du coup de feu, on atteint souvent moins le niveau de perfection. Mais si nous, en cuisine, on s'en rend compte, je ne crois pas que ce soit vraiment perceptible par le client. »

On rencontre aussi des modes de gestion opérationnelle différents. Dans le cas de l'établissement E (Grill américain), l'autre chaîne de restauration thématique, positionnée sur un ticket moyen un peu inférieur et installé en périphérie de ville avec une clientèle plus homogène, les choses semblent se passer plus facilement : « Le samedi soir, je passe tout mon temps dans le sas à gérer la file d'attente. Nous faisons 500 couverts entre 19 heures et minuit. Plus en décembre. Le temps d'attente peut être de cinq à trente minutes. On fournit des kirs d'accueil et des jus de fruits pour faire passer le temps (du vin chaud en décembre quand le sas est blindé et que la file s'étend à l'extérieur). Jusqu'à 120 boissons sont ainsi distribuées. Le système est rodé et tout se passe plutôt bien. »

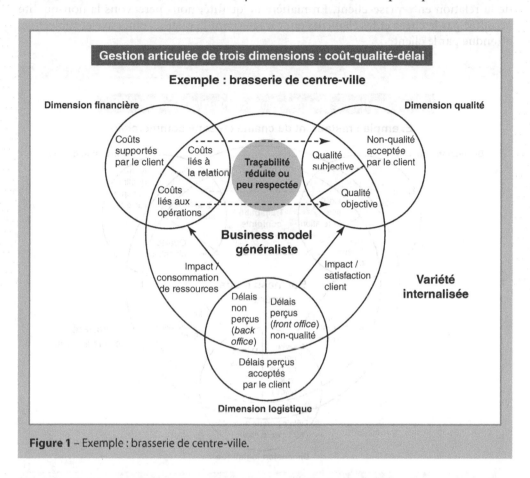

Figure 1 – Exemple : brasserie de centre-ville.

On a donc bien, semble-t-il, deux modes de gestion de la chaîne de valeur et deux types de contrôle opérationnel : le cas général, fondé sur la capacité d'adaptation du personnel de contact, et un cas plus spécifique (illustré par l'établissement E) où, grâce à une offre stratégique plus ciblée, la formalisation des processus productifs est plus poussée et semble permettre de faire face à la quasi-totalité des situations[3].

7. *Business model* et gestion opérationnelle

Dans la conceptualisation de la gestion du triplet coût-qualité-délai, on peut distinguer le cadre stratégique et les trois dimensions de la gestion opérationnelle des services. Le *business model* global conditionne l'action en matière de coûts, de qualité et de délais.

---

3. Le secteur de la restauration commerciale est très difficile sur le plan économique. Quelques mois après la réalisation de notre enquête (courant 2008), l'arrivée de la crise a fortement dégradé la rentabilité du secteur. La brasserie C a fait faillite et la chaîne de restauration Bistro italien (dont dépendait l'établissement D) a annoncé son retrait progressif du marché. En revanche, l'établissement E (Grill américain) se port e plutôt bien, t out comme en général le segment *low cost* (avec les fast-foods) et en particulier McDonald's.

Dans les coûts, on peut distinguer les coûts externalisés assumés par le client et les coûts supportés par l'entreprise, qu'ils soient liés à la gestion des opérations ou à la gestion de la relation entreprise-client. En matière de qualité, nous percevons la non-qualité acceptée par le client et les éléments qui caractérisent la qualité, objective et subjective, attendue par le client.

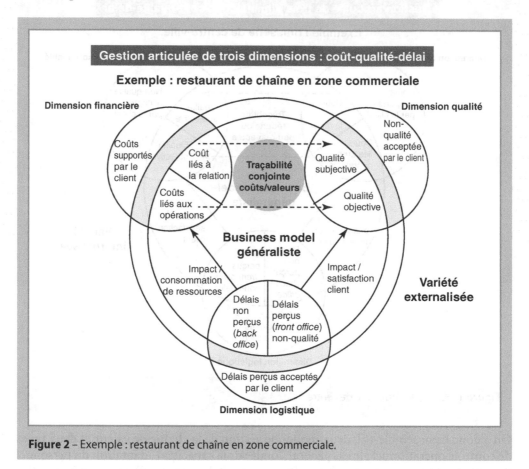

Figure 2 – Exemple : restaurant de chaîne en zone commerciale.

Dans la dimension logistique, certains délais sont acceptés par le client. Parmi ceux qui sont intégrés et assumés par l'entreprise, nous identifions les délais non perçus par le client et traités en *back office* (qui impactent les coûts liés aux opérations) et les délais perceptibles par les clients en *front office* (sources de non-qualité objective). Une représentation graphique est proposée (voir figure 1).

Dans les services classiques, la variété est internalisée et gérée par l'entreprise. La traçabilité est relativement réduite ou pas totalement respectée. Les ajustements sont réalisés *in situ* par les managers ou le personnel de contact. Pour ces raisons, les leviers de performance sont essentiellement la formation et la capacité d'adaptation du personnel de contact dans la dernière maille de la chaîne de valeur de l'entreprise.

Par contre, il est possible de trouver des cas où le *business model* n'est plus généraliste mais centré. La variété prise en charge par l'entreprise est alors limitée, comme dans le cas des compagnies *low cost*, par réduction des engagements de l'entreprise dans le *business model* et par ciblage de la clientèle. Le périmètre de ce qui relève vraiment de l'entreprise est moindre que dans le cas précédent (ce qui est clair sur la figure 2).

Dans ce cas, la variété est externalisée : sur la chaîne de valeur de la prestation de services, la frontière entre ce qui est pris en charge par l'entreprise et ce qui est assumé par le client se déplace, réduisant la part du travail imputée à l'entreprise. La traçabilité conjointe coûts-valeur semble alors possible dans le cadre de l'activité de l'entreprise. Les leviers de performance sont alors essentiellement liés à la formalisation des processus et à l'instrumentation de la gestion interne.

Études de cas

L'Internet des objets, pour gérer efficacement notre quotidien ?

Simplib, le réseau social du Web !

Développement d'une offre culturelle en réseau sur un territoire donné :
le cas de la C'Art à Lille

Autolib' révolutionne-t-elle notre vision de l'automobile ?

Club Med, le rôle clé joué par le personnel de contact

Whatever/Whenever®, un service proposé par l'hôtel W Paris - Opéra

L'Internet des objets, pour gérer efficacement notre quotidien ?

Pascal Latouche[1]

Lorsque les objets connectés se fondent dans notre quotidien, l'usage de la technologie au service de notre bien-être prend tout son sens...

Hôtesse d'accueil sur les champs de courses parisiens, et animatrice de sport, Laurence est toujours attentive à sa condition physique et mentale. Son mode de vie quotidien met en place des stratégies pour chercher à préserver son équilibre et son efficacité dans les situations les plus simples, comme les plus compliquées. Laurence est loin d'être férue de technologies, et pourtant...

7h00, quelque part dans la grande banlieue, un réveil sonna, annonçant l'une de ces longues journées que Laurence affectionnait. Une lumière d'ambiance d'aube inonda sa chambre ; nous étions pourtant en plein hiver et il faisait encore nuit dehors. Elle eut un sourire ! Laurence se leva, saisit son téléphone et un bouquin, *Votre bien-être*, entamé la veille. Elle rangea son bouquin sur une étagère qui en était déjà pleine. Elle activa alors sur son smartphone la connexion Bluetooth.

Elle se rendit d'un pas léger vers sa salle de bain, en se questionnant sur la musique qu'elle écouterait lorsqu'elle prendrait sa douche. Il y a quelques mois, Laurence devait changer l'ampoule de sa salle de bain ; elle opta alors pour une ampoule LED musicale Bluetooth qu'elle avait installée elle-même. Elle se revoyait cherchant le rayonnage « Luminaires » dans un magasin ; le vendeur, remarquant son look dynamique et souriant, lui avait lancé : « *Si vous voulez une ampoule classique, c'est le troisième rayon là-bas, mais vous avez aussi des ampoules plus intéressantes avec LED musicale Bluetooth* ». Intriguée, elle s'était alors fait expliquer que ce type d'ampoules permet de diffuser de la lumière et de la musique en un seul objet. Une fois connectée en Bluetooth avec un smartphone, tablette ou ordinateur, l'ampoule peut diffuser de la musique. Une petite télécommande permet aussi d'augmenter ou de baisser le volume, et d'éteindre ou d'allumer la lumière. Prix : 100 €. « *C'est cher... mais j'ai aussi la musique avec !* », s'était dit Laurence en se laissant convaincre.

---

1. Diplômé du Master 1 mathématiques appliquées aux sciences fondamentales, université Paris VI – Jussieu, du Master 2 statistiques et modèles aléatoires en économie et finance, université Paris I – Panthéon Sorbonne / Paris VII – Jussieu, du Master spécialisé gestion et administration d'entreprises, Institut Supérieur du Commerce – Paris, il dirige une équipe dédiée à l'innovation et au développement business avec les startups au sein d'un opérateur Télécoms.

Ce matin-là, comme tous les matins depuis, Laurence mit un point d'honneur à écouter ses morceaux préférés dans une salle de bain où elle passait en moyenne une heure, le temps de se faire impeccable. Son travail d'hôtesse d'accueil l'exigeait.

La fin du rituel matinal dans la salle de bain était toujours marquée par un passage sur son pèse-personne connecté tout-en-un. Elle comptait beaucoup sur cet outil pour surveiller sa santé : mesurer son poids, sa masse grasse, son rythme cardiaque et la qualité de l'air dans son appartement. Elle s'était très facilement accaparé cet objet, car son usage en était très simple : il fallait retourner la balance et appuyer sur le bouton d'appairage, activer le Bluetooth sur le smartphone ou la tablette, puis installer l'application dédiée. Ça, elle savait faire. La balance pouvait alors envoyer ses informations dans un tableau de bord qu'elle consultait en fin de semaine, quoiqu'ayant l'usage de la balance tous les jours. Prix : 149,95 €, un investissement facilement fait d'autant que l'objet lui-même faisait partie de ces objets du quotidien dont le design soigné et raffiné inspirait une valeur certaine.

Il était 9h00 et elle était fin prête à partir. Elle saisit quatre objets sur une commode et se dit : « Ceux-là, je vais en avoir besoin aujourd'hui ».

Sur le trajet du bureau, elle continua d'écouter sa musique dans le métro avec son casque stéréo Bluetooth. Grâce à sa *playlist* sur son smartphone, elle pouvait ainsi contrôler sa musique et ses appels depuis ce casque sans fil. Prix : 29,95 €. Écouter de la musique, oui, mais pas au risque de rater un appel de ses parents, qu'elle devait retrouver plus tard chez elle pour diner.

Arrivée à son travail, la matinée fut comme toujours chargée. Des personnes plus ou moins aimables à recevoir, à guider dans les dédales des champs de courses. Son travail en intérieur comme en extérieur – dès lors que les conditions météo le permettaient – était éprouvant, tant moralement que physiquement. « *Qui a dit qu'une hôtesse d'accueil reste derrière son comptoir pour donner des badges d'accès* », avait-elle rigolé un jour avec ses amis. Ce travail, alimentaire, la rendait toutefois heureuse, car il lui permettait de s'adonner sur son temps libre à sa passion : les cours de gymnastique qu'elle donnait à de petits groupes. Après tout, ce travail sur les champs de courses était une bonne façon de se faire des relations… pensait-elle souvent pour se donner de l'entrain.

Comme toujours, vers 13h00, le déjeuner à la cantine était pour Laurence l'occasion de faire une pause avec ses collègues, loin de l'animation des champs de courses. Ce moment était important pour elle, car il lui permettait de continuer consciemment à gérer son bien-être et elle y tenait. Elle avait pensé à prendre sa fourchette connectée, étrange objet auquel ses collègues s'étaient habitués, et qui continuait à faire sourire le personnel de la cantine : « *Avec vous, on n'aura pas de vaisselle à faire, vous la ferez vous-même* ». Cette fourchette permet de régler des problèmes de digestion, de reflux gastriques et même de surpoids. La fourchette vibre quand on mange trop vite et compte le nombre de bouchées. Elle détecte le contact de notre main sur le manche. Équipée d'un port USB, elle peut être reliée à un PC ou smartphone et on peut utiliser l'application dédiée (coaching, évaluation des performances). Prix : 79 €. Un petit bijou de technologie qui avait converti bon nombre de ses collègues, et Laurence n'en était pas peu fière. « *Préserver votre bien-être* », leur disait-elle, « *votre corps vous le rendra* ».

Le déjeuner se poursuivit dans la bonne humeur jusqu'au moment où l'un de ses collègues lui dit : « *C'est ton grand jour* ». Laurence lui fit un large sourire. Aujourd'hui était un jour particulier. Son chef d'équipe lui avait demandé de préparer et d'animer la réunion d'équipe sur les plannings de la semaine suivante, et Laurence comptait bien en faire un moment important pour démontrer son professionnalisme.

La réunion d'équipe débuta à 14h00, dans une ambiance bon enfant. Chaque membre se connaissait depuis maintenant plusieurs années. Laurence présenta les plannings, commenta, répondit aux questions. À la fin de la réunion, son chef d'équipe lui dit : « Auriez-vous un imprimé à distribuer ? ». Non, elle n'en avait pas et comme toujours, c'est dans ces jours-là que l'imprimante commune faisait des siennes. « *Laurence, si tu as le document sur ton smartphone, tu as bien l'un de tes précieux objets magiques pour l'imprimer, non ?* », lui lança une collègue et amie. Laurence eut une de ces expressions du visage qui font penser : « Là, je vais les épater ». Elle sortit de son sac une mini-imprimante tenant dans le creux d'une main. Cette mini-imprimante connectée à un smartphone permet d'imprimer des SMS et toutes sortes d'éléments du Web dans un format ticket de caisse, sans encre (système d'impression thermique directe) ; elle fonctionne en Wifi, grâce à une application smartphone qui permet de choisir ce que l'on souhaite imprimer. Prix : 200 €. Cadeau d'anniversaire de son père, féru de technologie, qui avait pensé : « *Laurence bouge beaucoup, elle peut avoir des choses à imprimer de temps en temps, en urgence* ». Cet objet faisait partie de ceux dont Laurence ne se séparait jamais, mais qu'elle utilisait pourtant peu souvent. Aujourd'hui était un jour pour cela. Laurence imprima le planning en quelques exemplaires et se dit intérieurement : « *Merci Papa* ». Son responsable d'équipe fut impressionné par son esprit d'initiative. « *Merci beaucoup Laurence, vous êtes une pro* », lui dit-il avec un large sourire. La journée s'acheva et les pensées de Laurence étaient maintenant toutes concentrées sur sa fin d'après-midi et sa soirée. Elle avait un cours de gymnastique à donner en fin d'après-midi, et ses parents à dîner le soir. Elle allait pouvoir raconter à son père son expérience du jour.

La journée sur les champs de courses était finie. Il était 17h00. Laurence n'eut que le temps de saluer ses collègues, qui la félicitèrent encore pour sa présentation, et de filer à trois stations de métro de son lieu de travail pour donner son cours de gymnastique. Non seulement ces cours étaient une façon pour elle de vivre sa passion du sport, mais ils représentaient aussi de quoi bien arrondir ses fins de mois. Un petit groupe de cinq personnes l'attendait dans cette salle que lui prêtait l'une de ses amies, en échange d'une part sur les bénéfices tirés de ses cours. À 100 € par personne et par mois, et avec une bonne vingtaine de fidèles clients tous les mois, Laurence parvenait largement à augmenter ses revenus d'au moins 2000 €. Elle donnait à son amie 25 % de ses recettes. Un bon plan, pensait-elle souvent. Loin de se contenter de faire son cours de gymnastique, elle prenait aussi le temps d'échanger, de conseiller, de partager ses convictions sur le bien-être, le sport, l'équilibre alimentaire. Ses clients lui en étaient toujours très reconnaissants. « *Un jour viendra où je ferai de cette activité mon activité principale.* » Elle en était convaincue.

Vers 19h00, en rentrant de son cours, Laurence prépara un dîner équilibré. Elle mettait un point d'honneur à prendre le temps de bien faire les choses lorsqu'elle recevait ses parents, qui venaient une fois par mois dîner chez elle. Son père, restaurateur, et sa mère, diététicienne, lui avaient inculqué le goût et le plaisir de la cuisine bien faite. Sa mère lui avait offert une balance culinaire en lui disant : « *Je ne m'y connais pas en technologie, mais si tu veux préserver ton bien-être, il faut manger équilibré* ». Avec cette balance culinaire connectée, Laurence pouvait faire attention à son alimentation. La balance donne les mesures exactes des aliments que l'on pèse, fournit des informations nutritionnelles sur chacun des aliments pesés (par exemple, le nombre de vitamines C ou de fer ingurgités dans la journée). Fonctionnant en Bluetooth, elle est couplée à une application sur smartphone. Prix : 50 €. Laurence en faisait un usage régulier.

La sonnette retentit à la porte et annonça l'arrivée de ses parents. Il était 21h00. Embrassades, rires… Laurence raconta son expérience avec l'imprimante connectée qui lui « *sauva la vie aujourd'hui* », dit-elle avec un éclat de rire non retenu. Son père en fut bien aise. Au moment de servir l'apéritif, Laurence se retourna vers ses invités et leur dit : « J'ai une surprise ! ». Elle prit son smartphone et appuya sur une application. Des lampes d'ambiance connectées transformèrent la luminosité de son appartement. « *Plus agréable pour prendre l'apéritif* », lança-t-elle ! Contrôlées par son smartphone grâce à une application dédiée, les lampes d'ambiance lumineuse offrent une diffusion dynamique et colorée. Les LED disposées dans le cadre en aluminium peuvent être pilotées individuellement, créant ainsi des effets multidimensionnels. Des dizaines d'ambiances sont accessibles et une fonctionnalité permet même une synchronisation avec la musique. Les lampes peuvent notamment simuler l'aube pour un réveil en douceur. Laurence en savait quelque chose, elle en avait l'usage tous les matins au réveil, car elle en avait une dans sa chambre. Prix : 199,95 €. Un investissement important, mais un effet assuré à chaque fois qu'elle recevait des proches et des amis. « *Ma fille, tu dépenses une petite fortune dans tes gadgets connectés* », lui dit sa mère. « *Ce ne sont pas des gadgets, mais des objets, des objets de mon quotidien, qui m'aident à préserver mon bien-être, à me divertir, et aussi à gagner du temps.* »

La soirée s'acheva vers 1h00, et Laurence programma son smartphone comme un réveille-matin. La nuit serait courte… Mais n'étions-nous pas vendredi ? « *Alors, demain, grasse matinée !* » Le smartphone fut programmé à 9h00.

Questions

1. Listez tous les services issus d'objets connectés dont Laurence à l'usage. Pour chaque service, indiquez « c'est quoi ? », « à quoi cela sert ? » et « comment cela marche ? ». Peut-on les classifier en grandes catégories d'usage ? Quel est le ou les éléments centraux qui permettent d'utiliser tous ces services issus d'objets connectés, et en quoi est-il ou sont-ils fondamentaux ?

2. Comment expliqueriez-vous l'hétérogénéité des prix des objets connectés proposés ? Prenez un cas de service issu d'un objet connecté et trouvez une société qui en produit. Élaborez des scenarii de *business models* permettant de le vendre à prix facial réduit. Quels avantages et inconvénients pouvez-vous définir sur la base des *business models* imaginés ?

3. Pensez-vous qu'il soit envisageable que tous les services de musique issus d'objets connectés présentés puissent être réunis au sein d'une seule et même offre ? Si oui, pourquoi ? Si non, pourquoi ?

4. Listez les services rendus par Laurence elle-même dans sa vie professionnelle et personnelle. Comment analyseriez-vous l'apport des services issus d'objets connectés par rapport aux services que Laurence met en œuvre ?

5. Quel est l'avenir de l'Internet des objets, et comment peut-on en assurer la démocratisation ?

Simplib,
le réseau social du Web !

Pascal Latouche

Rédigé en étroite collaboration avec Youri Jedlinski,
Alex Chapoutot et Lucie Pousson.

Le Web, un univers virtuel peuplé d'étoiles...

Combien existe-t-il de sites Web (actifs) dans le monde ? Une question fascinante à laquelle Netcraft a tenté de répondre. Netcraft, spécialisée dans les services (tests d'intrusion, vérification de code, etc.) et les études concernant Internet, a entrepris de chiffrer l'étendue de la Toile. Grâce à des recherches dévoilées début 2012, elle affirme avoir compté pas moins de 644 275 754 sites Internet actifs et la progression s'établirait à 5 % de croissance tous les mois[1].

Combien existe-t-il d'ordinateurs, de tablettes et de smartphones ? Dans une étude datant du 28 mars 2012, le cabinet d'études américain IDC dévoile ses prévisions à l'horizon 2016 concernant le parc d'ordinateurs connectés (incluant PC, tablettes et smartphones) : de 916 millions d'unités recensées fin 2011, le nombre d'appareils « intelligents » connectés devrait passer à... 1,84 milliard ![2] Le cap du milliard a été franchi dès 2012.

Voilà donc le contexte posé : une matière première en constante croissance (le nombre de sites), des moyens d'y accéder qui se multiplient (le nombre de supports)... et l'indispensable : vous, nous, tout un chacun toujours motivé à partager, convaincre ou influencer son voisin.

1. À la rencontre des fondateurs

Interrogés sur l'impact de leur parcours respectif dans la création de Simplib, ses fondateurs nous livrent chacun une biographie édifiante.

Youri Jedlinski (*Chief Executive Officer* de Simplib) : « Je collectionne des objets, choses et souvenirs depuis toujours. Je collectionne aussi des sites Web. Cela date de mes études d'architecture en 2006. Lorsqu'on étudie, on a des devoirs, des documents à rendre, des

---

1. *Source : L'Informaticien*, n° 119.
2. *Source :* 01net.

plans de bâtiments, des dessins techniques, des planches de croquis... On s'inspire, on regarde ce que les autres font, on va donc voir du côté des grands maîtres. Le premier réflexe dans les métiers de la création est de référencer les choses et les objets. »

« C'est donc lors de mes études que j'ai pu découvrir le plus grand nombre de sites possibles : sites d'architectes et de designers, galeries et musées, mais aussi banques d'images, références de plans et dessins techniques... Avec les autres étudiants de ma promo, nous nous échangions souvent nos sites de référence. »

« Après mes études, je suis allé vivre à Londres. Là, une barrière s'est dressée devant moi, je ne connaissais pas les sites nécessaires à la vie pratique sur place. Je me souviens d'avoir souvent cherché «équivalent de... en Angleterre». Là encore, j'avais besoin des sites de personnes qui partagent ce qu'elles ont, dans le but de rendre service. J'ai finalement trouvé par moi-même en tant qu'autodidacte. Mais cette recherche m'a pris du temps et j'aurais aimé qu'on me mâche en quelque sorte le travail. »

Alexandre Chapoutot (*Chief Financial Officer* de Simplib) : « Un jour de novembre 2011, je tombe sur un site espagnol situé dans la région de Valence, qui propose un modèle de chaussures en plastique recyclé biodégradable. Ayant trouvé le concept fort sympathique, je retourne sur le site en question une semaine plus tard pour acheter une dizaine de paires dans diverses tailles correspondant aux pointures de mes frères, cousins et parents. Ce cadeau de Noël était parfait, à la fois original et pratique. Encore fallait-il qu'il arrive à bon port. Une dizaine de jours plus tard, aucun colis à signaler. J'avais donc payé un site sans jamais recevoir mon dû. Après plusieurs appels à l'étranger, j'ai dû renoncer, faute de temps, à mes cadeaux et aller faire en urgence de nouveaux achats. À ce moment-là, je me suis demandé pourquoi il n'y avait toujours pas de plate-forme qui centralisait les meilleurs sites du Web et les avis reçus, en e-commerce ou un site d'information. »

« Étant naturellement généreux, je suis intimement convaincu qu'il faut donner en permanence sans attendre en retour. On se voit toujours récompensé lorsqu'on a cette envie de partager sa petite connaissance, son maigre savoir. On peut donner de son temps, de sa personne, inviter des amis, faire des cadeaux et partager les sites «pépites» découverts au fil du temps. »

« Cette philosophie m'a permis de me construire en tant qu'homme et aujourd'hui, je vois une parfaite symétrie avec le concept Simplib : donne un site et accède à des milliers de sites répertoriés par nous autres. Le fait de donner m'a permis de créer énormément de valeur : des amitiés, des relations professionnelles, et de recevoir, bien plus rare, la reconnaissance des personnes que j'apprécie. Avec l'expérience acquise, le moment est venu de bâtir une affaire rentable en donnant aux fondateurs de sites les meilleurs conseils pour améliorer leurs performances. »

Lucie Pousson (*Chief Communication Officer* de Simplib) : « Je suivais des tutoriaux sur YouTube, des gens donnaient deux heures de leur temps pour partager leurs connaissances et faire évoluer les outils, pour les rendre plus simples et accessibles. Finalement, ce n'était pas si compliqué, car ils étaient tous là pour m'expliquer tout et à n'importe quelle heure ! J'ai alors compris, sans en connaitre les mécanismes, les enjeux de l'*open source* et de la collaboration libre sur le Net. Depuis, je suis convaincue que collaborer rend le Web meilleur, plus simple et plus performant. »

« À mon arrivée à Buenos Aires, en novembre 2011, j'étais perdue. Je ne connaissais pas la ville, et pour ça, il y a les guides. Ne parlant pas la langue, j'étais aussi perdue sur Internet. Je ne savais pas sur quel site commander à manger, acheter mes billets de bus pour le Chili au meilleur prix. C'est lorsque j'ai rencontré des amis locaux que j'ai pu trouver les réponses à mes questions. J'aurais bien aimé disposer du service Simplib en Argentine ! »

« C'est pourquoi, lorsque Youri et Alex m'ont parlé de l'idée Simplib, j'ai voulu me lancer avec eux dans cette folle aventure pour créer un service dont j'avais réellement eu besoin, avec une équipe d'amis à l'énergie débordante et la créativité stimulante. »

« Je suis toujours à la recherche de bons plans et à l'affût des recommandations de mes amis. À mon tour, je partage mes expériences et je conseille souvent mon entourage à regarder tel ou tel film, tester ce restaurant, découvrir cette boutique. »

« Les réseaux sociaux sont les meilleurs outils pour partager ce qu'on aime et découvrir ce qu'aiment nos amis. Dans la masse d'articles, de photos, de vidéos, de liens partagés, on a du mal à s'y retrouver. On a besoin de services spécialisés comme Pinterest (images), Foursquare (lieux) et pour les sites… Simplib ! »

2. Simplib 2011 : la genèse

Alex et Youri sont des amis d'enfance, présentés par des amis communs. Voisins de palier dès leurs 15 ans, ils deviennent très proches l'année du bac français. Ils ont alors tous deux 18 ans. Depuis, ils ne se sont pas quittés. Ils ont souvent pensé à différents business et idées de projets.

C'est Youri qui en juin 2011, a proposé à Alex de le rejoindre pendant un mois à Londres pour travailler sur une idée de site : créer une banque sur Internet où l'on pourrait payer toutes ses factures et centraliser tous ses achats (« Globill » pour *global bill*). Alex était partant, et le travail d'étude et de recherche a commencé.

C'est cette phase amont qui a conduit nos deux amis à faire plusieurs constats, dont le plus important : le nombre impressionnant de sites sur lesquels les consommateurs font leurs achats. Alex et Youri ont trouvé ces sites, car ils les cherchaient par rapport à une problématique particulière. Beaucoup de temps de recherche ! En effet, il n'existait jusqu'alors aucun endroit qui centralise les meilleurs de ces sites.

L'idée de Simplib (*Simple Library*) est ainsi née d'un besoin, d'une attente de ses deux co-fondateurs : lister les sites par catégories, faire une sélection large avec une arborescence détaillée, dans le but de rendre accessible un maximum de services.

Ils ont consacré l'ensemble de la fin de l'année 2011 aux premiers éléments de mise en œuvre de ce projet : les premiers entretiens avec des développeurs, l'évaluation de la faisabilité du projet, le rapprochement vers des contacts travaillant dans le secteur, le design des maquettes, les premières expressions du projet (cahier des charges du site, charte graphique, explication concept), et bien sûr la découverte de nombreux sites, lecture de blogs spécialisés, découvertes des événements entrepreneurs…

Alex et Youri se sont alors dédiés à 100 % à cette aventure. Ils ont levé en *love money* quelque 15 000 €, et ont incarné le concept par la création d'un blog en décembre 2011 : Simpliblog.

3. Simplib 2012 : chemin faisant...

C'est en mars 2012 que la société Simplib a vu le jour en Angleterre, suite à une deuxième levée de fonds en *love money* (15 000 €). L'Angleterre offre à de jeunes startups une rapidité à la création, ainsi que des coûts pour le moins attrayants (£250/24h). Par ailleurs, une création au Royaume-Uni ne devait-elle pas être le symbole de perspectives de revenus à travers le monde entier...

Le monde, une très belle ambition... Mais peut-on considérer le monde en oubliant les usagers ?

« Les gens n'avaient pas besoin de nous pour découvrir des sites ! Les sites doivent être amenés par les utilisateurs et non par nous. » Amer constat issu de nombreux échanges avec des utilisateurs potentiels, qui ont conduit Simplib, à peine née, à refondre totalement son concept (ce sont les utilisateurs qui devaient collecter les sites), sa maquette et son cahier des charges. La vision, elle, restait inchangée.

Cette mésaventure du début est ce qui a probablement poussé Alex et Youri à intégrer, en tant qu'associée, Lucie, qui apportait à la démarche un œil neuf issu d'expériences fort utiles.

Le nouveau trio constitué, fort de leur convergence de vue, a mis en place Simplib dans son quotidien (bureau, produit, communication, management). Ils ont alors lancé de nouveaux tests en version privée, des analyses d'usage, des échanges divers et variés.

Ainsi, s'est écoulée 2012, au terme de laquelle une version pré-lançable a été disponible.

4. Simplib 2013 : se jeter à l'eau

La version de pré-lancement prête, les résultats n'ont pas été au rendez-vous. Les testeurs collectaient les sites mais n'y retournaient pas, ne les recommandaient pas.

De nouvelles améliorations, réclamant de nouveaux apports de fonds (5 000 €), ont été mises en place avec la volonté de simplifier le produit, de se concentrer sur une fonctionnalité fondamentale toujours dans le sens de la vision initiale : réunir les meilleurs sites.

La création des badges comme motivation à la collecte des sites. Donner du sens à la collecte en attribuant des avis : ce site est-il bon, fiable, utile ou bien désigné ?

Les conclusions ont été motivantes et le lancement d'une MVP (*Minimum Viable Product*) a été décidé. Interrogé, Alex nous parle du *business model* : « Notre société aide les fondateurs à référencer leur site sur le premier navigateur social de sites Internet. La mise à disposition de ce service n'engendre aucun coût pour le fondateur, qui peut bénéficier d'une nouvelle forme de visibilité et de crédibilité. Nous avons choisi d'offrir le service de base gratuitement pour acquérir des fondateurs de sites sur Simplib. Pour générer des revenus, Simplib propose un modèle «premium», avec un élément différenciant pour les sites qui souhaitent affirmer leur présence : afficher sur leur page d'accueil le nombre de recommandations, une sélection d'avis reçus et obtenir un rapport détaillé de leur activité sur Simplib, en contrepartie d'une souscription à un abonnement mensuel. Inspiré du réseau professionnel LinkedIn, qui propose à ses utilisateurs d'accéder à des fonctionnalités supplémentaires et des avantages multiples lorsqu'ils souscrivent à ce service. Pendant plusieurs mois, nous avons étudié cette approche avec des fondateurs de sites avec qui nous sommes continuellement en collaboration, et tous nous disaient qu'ils seraient prêts à payer ce type d'offre si nous avions du trafic. »

Le projet était fin prêt à se confronter à une demande de prêt, obtenu aussi bien auprès de Oseo que de BNP Paribas (32 000 €).

Le lancement officiel beta s'est déroulé en octobre 2013.

5. Du virtuel à la réalité business

Choisir des sites en tant que particulier, ou posséder un site est rarement une démarche pour soi. On cherche à partager, à influencer, à générer du trafic. *Via* le Web, on peut y parvenir. Coupler un outil Web avec une démarche qui s'ancre dans la réalité permettait aux yeux de nos fondateurs d'incarner Simplib dans la réalité.

C'est ainsi qu'a été inventé Web & Co, une soirée mensuelle dédiée à une thématique donnée, où les fondateurs de sites en lien avec la thématique et des particuliers (leaders d'opinion, etc.) se rencontrent. En octobre 2013, s'est déroulé le premier événement Web & Co sur le thème « Fashion chez Soubis », et en décembre. 2013, le deuxième événement Web & Co sur le thème « Music chez Deezer ».

Ces démarches « festives », dont le but réel répondait à de l'acquisition aussi bien de fondateurs de sites que de particuliers (retombées buzz sur les réseaux sociaux), n'en ont pas fait pour autant oublier l'absolue nécessité de continuer à challenger en parallèle le *business model* Simplib. Simplib a consulté lors d'entretiens des investisseurs privés et des fonds d'investissement reconnus à Paris. Ces derniers ont invité Simplib à aller plus loin dans les réflexions. Il fallait arrêter de voir Simplib comme un outil et penser à une solution plus flexible, s'adaptant continuellement aux besoins variés d'un fondateur de site au cours de son aventure entrepreneuriale.

Alex : « Un jour, le fondateur d'un site de placement et gestion de patrimoine en ligne a contacté Youri pour connaitre le meilleur outil de management de projet pour gérer une équipe de développeurs. Youri l'a reçu dans un café pour lui conseiller d'utiliser le même outil que Simplib, à savoir Pivotal Tracker, et après avoir écouté les conseils de Youri, le fondateur du site a souscrit à la solution Pivotal Tracker. »

« Une semaine plus tard, nous sommes dans un espace de *co-working* et je vois Youri discuter avec le fondateur d'un site de financement participatif pour les créateurs de mode, Iamlamode. Je rentre dans la discussion au moment où ce fondateur de site nous fait part d'un problème majeur auquel il a dû faire face par le passé. À la suite d'un article paru dans la presse, plusieurs centaines de visiteurs affluent sur son site pour la première fois et son site ne tient pas cette charge. L'énorme visibilité ne peut être convertie sur son site, alors qu'il a ramé pour avoir cet article. Une première question surgit de la bouche de Youri : «Quel est ton hébergeur ?». Réponse : «Je suis sur OVH». Youri explique quels sont les avantages et inconvénients d'OVH et lui propose une solution plus stable, nommée Heroku. Le problème étant résolu en quelques secondes par Youri, cela m'a donné une idée. À cet instant, je me suis rendu compte que notre savoir-faire nous permettait de conseiller à nos pairs fondateurs de sites les meilleurs services existants sur le Web pour améliorer leur site. »

« Nous pouvons leur apporter notre expertise des services Internet, en aidant les fondateurs à accéder aux meilleurs outils en ligne pour créer, améliorer ou refondre leur stratégie digitale. Au cours d'un entretien ayant pour but de comprendre l'environnement, le stade d'avancement du projet et la stratégie digitale mise en place, nous pouvons dans un premier temps déceler à travers diverses questions précises, les problématiques actuelles de notre client. Puis, suite à un audit du site Internet, nous pouvons dresser un bilan et proposer un panel de services partenaires qui apporteront les solutions capables de répondre à leurs attentes. Chaque client qui souscrit à un service partenaire nous rapporte des commissions qui évoluent en fonction de l'intensité de l'usage du service prescrit. »

Autrement dit, Simplib prend des commissions variables selon la durée de la souscription ou la nature du partenariat lorsque deux sociétés se rencontrent par l'intermédiaire de Simplib.

L'aventure continue donc…

Questions

1. Décrivez la vision Simplib telle qu'elle a été pensée par les fondateurs. En quoi le profil des fondateurs va-t-il influencer la nature du service proposé ?

2. À qui se destine Simplib ? En quoi ce service prétend-il se différencier auprès de ses cibles ?

3. Sur quel *business model* repose le service Simplib au lancement ? Quelles perspectives sont envisagées ? En quoi l'observation des besoins des cibles Simplib a-t-elle influencé cette évolution ?

4. Qu'apportent les évènements Web & Co au business de Simplib ?

5. Dans quel(s) champs de concurrence peut s'inscrire le service Simplib ? Listez des concurrents directs et indirects de Simplib, et expliquez pourquoi.

Développement d'une offre culturelle en réseau sur un territoire donné : le cas de la C'Art à Lille

Guergana Guintcheva et Jean-Christophe Levassor

Cette étude de cas est préparée par Guergana Guintcheva, professeur de marketing à l'EDHEC, et Jean-Christophe Levassor, directeur de la culture à Lille Métropole Communauté Urbaine, comme base pour un travail en classe. Elle ne peut être considérée comme une source d'informations, ni comme illustration de la gestion efficace ou inefficace d'une situation professionnelle. Les auteurs remercient les cinq institutions membres de Lille MAP, ainsi que Lille Métropole Communauté Urbaine pour leur aide précieuse.

La mise en réseau d'équipements culturels et la constitution d'offres qui ouvrent l'accès à une variété de propositions répondent à plusieurs objectifs : accroître la circulation des publics, faciliter la fréquentation, conquérir de nouvelles audiences, etc. Le réseau se concrétise la plupart du temps par un *pass* tarifaire qui est fréquemment mis à disposition pour les touristes (par exemple, Venice *pass*, NYC *pass*, Paris *pass*, etc.) et plus rarement, pour les visiteurs locaux.

Le réseau Lille MAP (Metropolitan Art Programme) est un exemple réussi de mise en réseau culturelle dans la région lilloise, à destination à la fois d'une cible locale et touristique. Le réseau se concrétise par une marque (Lille MAP), une communication commune (brochure, site Internet) et un *pass* tarifaire (la C'Art), qui offre un accès illimité aux cinq musées membres, pendant un an, dans les collections permanentes et les expositions temporaires.

1. Le réseau Lille MAP

Le programme Lille MAP[1] regroupe les cinq principaux musées de la métropole sur quatre communes (le Palais des Beaux-Arts de Lille, la Piscine de Roubaix, le LaM de Villeneuve d'Ascq, le MUba Eugène Leroy et le Studio national des arts contemporains du Fresnoy de Tourcoing). Avec le soutien de Lille Métropole Communauté Urbaine, ces institutions d'art ont engagé une démarche commune de promotion de leur programmation auprès de cibles à la fois locales et touristiques.

Le patrimoine de chacune des structures est fort d'une identité propre, solidement ancrée dans son histoire et le projet scientifique de l'institution. Parallèlement, leurs

---

1. http://www.lillemap.fr.

projets se trouvent être complémentaires dans une approche muséale globale, car ils recouvrent une grande diversité tant historique qu'artistique : leurs collections mises bout à bout couvrent de l'Antiquité à l'art contemporain, à chaque fois avec un regard qui leur est propre.

1.1. Une analyse de l'offre culturelle du réseau Lille MAP

1.1.1. État des lieux

Le paysage muséal de la région lilloise a sensiblement évolué en termes d'offre patrimoniale. En effet, ces deux dernières décennies, plusieurs projets d'ouverture et de rénovation de musées et centres d'art ont vu le jour, mis en valeur et enrichi le patrimoine existant (par exemple, le Palais des Beaux-Arts de Lille, la Piscine de Roubaix ou encore la très récente réouverture du LaM de Villeneuve d'Ascq). Aux côtés de trois grandes institutions rassemblant une large audience et figurant régulièrement parmi les dix meilleurs musées de France (classement *Journal des Arts*), la métropole lilloise compte également un grand nombre de « petits » musées et centres d'art qui contribuent à diversifier le paysage muséal de la région (le MUba et le Fresnoy font partie du réseau Lille MAP, tout comme le Musée d'histoire naturelle de Lille, le Forum départemental des sciences, le Musée des arts et traditions populaires, la manufacture de Flandres, le Musée de plein air, etc.). En décembre 2012, l'ouverture du Louvre-Lens à une quarantaine de kilomètres au sud de Lille vient considérablement renforcer l'offre de l'aire métropolitaine (c'est-à-dire Lille Métropole, bassin minier et versants belges de l'Eurométropole). Actuellement, les visiteurs peuvent trouver dans l'aire métropolitaine un très large panorama culturel, où les traditionnelles collections des Beaux-Arts sont complétées par des patrimoines d'autres horizons pour mieux répondre à l'attente du public.

Le réseau Lille MAP rassemble quatre musées d'art et une institution d'arts visuels, qui se positionnent sur un large spectre patrimonial complémentaire allant de l'archéologie à l'art contemporain, en passant par l'art moderne, l'art brut et les arts appliqués (céramique, textile, audio-visuel, etc.).

Ainsi, le Palais des Beaux-Arts de Lille détient des collections historiques, qui vont de l'archéologie jusqu'à l'art moderne. Le LaM de Villeneuve d'Ascq assure la continuité par sa riche collection d'art moderne, d'art contemporain et d'art brut. Le musée de la Piscine de Roubaix hérite des collections des anciens Musée de l'Industrie et Musée Municipal, et rassemble à la fois des œuvres d'art (peintures, sculptures) du XIXe et du XXe siècle et une collection d'arts appliqués (céramique, textile). Le MUba Eugène Leroy de Tourcoing développe une collection laboratoire avec un mélange de styles et d'époques à travers des accrochages thématiques réguliers. Enfin, le Fresnoy n'est pas un musée, mais un centre de formation de stature internationale qui développe aussi une activité d'exposition d'art contemporain à haut niveau d'exigence.

Cette cohérence et cette complémentarité de l'offre permettent au public, en fonction de ses centres d'intérêt et des expositions qui sont proposées, de bénéficier d'une offre complète proposant une vision de l'histoire de l'art de la période antique et médiévale à ce qu'il y a de plus contemporain, avec la très jeune création qui est présentée au Fresnoy. Chacune de ces structures a sa propre identité, mission et positionnement.

1.1.2. Les membres du réseau Lille MAP

Le Palais des Beaux-Arts de Lille

Le musée des Beaux-Arts de Lille est une institution qui trouve ses origines au XVIIIe. En 1793, le peintre lillois Louis Watteau propose au directoire de district de Lille de constituer un musée. Au fil des siècles, grâce à une politique minutieuse et sélective de conservation et d'extension de l'héritage, le musée enrichit ses collections et forge une identité de « référence scientifique » dans le paysage muséal national. C'est l'une des plus importantes collections de France.

Cette identité est renforcée par un lieu exceptionnel : un palais, construit en 1892 pour accueillir les collections du musée. Historiquement, cette période correspond à une conception de la conservation de l'art que l'on peut qualifier de figée. En effet, la mission des musées se résume par une conservation d'un patrimoine pour une élite d'amateurs érudits. L'impulsion politique des années 1970, ainsi que les changements de la société ont fait évoluer cette conception vers un rôle de médiation envers les publics qui est maintenant l'un des axes phares du Palais des Beaux-Arts de Lille.

La cible individuelle du musée (*vs.* cible des groupes ou des scolaires) est l'amateur d'art, connaisseur qui apprécie la richesse des collections et « *qui aime revenir comme dans un lieu de référence absolue* » (AFL, directrice de communication). Ces visiteurs suivent de près également la programmation des expositions temporaires, apprécient leur qualité scientifique et sont prêts à faire le déplacement uniquement pour visiter une exposition temporaire exceptionnelle : « *Par exemple, Philippe de Champaigne, c'est un sujet qui n'avait jamais été traité et c'est là où on a eu plus de 28 % d'autres départements, ce qui est énorme* » (AFL, directrice de communication).

Ainsi, le Palais des Beaux-Arts de Lille peut être défini comme **un lieu d'héritage, de rayonnement et de référence scientifique**.

Le LaM de Villeneuve d'Ascq

Le LaM présente trois collections exceptionnelles d'art moderne, d'art contemporain et d'art brut. Le musée a été construit pour accueillir la donation Masurel et a été inauguré en 1983. Cette collection est constituée de chefs-d'œuvre en art moderne (Picasso, Braque, Léger, Modigliani, Poliakoff, Miro, Klee, etc.) et en art contemporain (Messager, Boltanski, Buren, Barry, etc.). En 1999, une autre donation, de l'association L'Aracine, vient enrichir le fonds par 4 000 œuvres d'art brut qui constitue le patrimoine le plus important en France dans cette catégorie. L'ampleur de cette donation a nécessité la rénovation et l'extension du musée, rouvert en septembre 2010.

Ainsi, l'identité du LaM s'appuie sur ces trois collections, mais aussi sur le dialogue entre ces dernières : quels liens ou passerelles s'établissent entre l'art moderne, l'art contemporain et l'art brut ? Le musée du LaM est construit dans un parc, à la demande des donateurs Jean et Geneviève Masurel. En effet, le musée a été pensé comme l'alliance harmonieuse d'une collection d'art, d'une architecture et d'un parc de sculptures exceptionnel. Ainsi, l'architecture moderne, par son esprit et les matériaux, enrichit la symbolique véhiculée par le patrimoine. Marqué par son histoire, le LaM s'affirme comme un musée majeur sur le plan national tout en proposant aux visiteurs une expérience sensible et personnelle, plus qu'une exigence encyclopédique.

Le public du LaM est à la fois national et international, composé de visiteurs de la métropole mais également de la région (hors métropole), de toute la France (hors région) et enfin, une part importante d'internationaux. La réouverture du musée en 2010 est marquée par une hausse considérable de sa fréquentation et par un accroissement de la part des visiteurs étrangers.

Le LaM est un **musée d'importance nationale et internationale, fort de collections rares (art moderne, art brut) et d'un environnement différenciant (architecture, installation dans un parc, etc.).**

La Piscine de Roubaix

Le musée de la Piscine de Roubaix est « *un musée dont l'histoire est très liée au territoire, c'est un musée assez local* » (MM, administratrice de la Piscine). En effet, d'un musée national, il devient municipal après le désengagement de l'État. C'est un musée qui possède un patrimoine spécifique (arts appliqués et industrie), également lié à la région : une importante collection textile, mais également de sculptures et céramiques. Donc, dès sa création, le musée a été pensé avec un positionnement local, pour les Roubaisiens. Néanmoins, sa réputation au fil des années de son existence a dépassé le territoire roubaisien pour s'étendre au niveau régional, national et international. C'est un musée voulu intime et de souvenirs, qui est devenu un musée européen.

Le lieu, une ancienne piscine municipale 1930 de style Art déco et icône de la ville, a été logiquement désigné pour accueillir les collections du musée. Il est devenu partie intégrante de la collection et de l'offre du musée. En effet, la première visite est souvent motivée par l'envie de découvrir le lieu, le bassin, les cabines de douche avec leurs accrochages. Ensuite, les visiteurs reviennent pour la qualité « scientifique » des collections permanentes et des expositions temporaires, mais le premier contact avec le lieu est toujours impressionnant et il fait parler.

En plus de ses collections permanentes, le musée pratique une gestion dynamique de l'offre des expositions temporaires. Il propose trois grandes expositions par an et six autres propositions annexes, en utilisant un espace de 600 m^2, un deuxième espace de 200 m^2 et enfin, un espace de 100 m^2 qui correspond aux cabines autour du bassin. Le choix des thématiques des expositions temporaires est toujours de grande qualité scientifique (mission incontournable d'un espace de conservation), mais il introduit de plus un aspect « spectacle » qui est largement médiatisé (par exemple, l'exposition Degas sculpteur actuellement, Agatha Ruiz, Robert de Niro senior en présence pour l'inauguration du fils du peintre). Cette structuration de l'offre peut être définie comme *blockbuster* dans la mesure elle est largement médiatisée et fait venir une audience captive et grand public.

La majorité des visiteurs viennent de la région Nord-Pas de Calais avec une majorité de Lille Métropole. La fréquentation étrangère peut être également citée.

Ainsi, la Piscine peut être définie comme **un musée spécialisé et technique (par sa collection permanente), complété par une offre temporaire médiatique sur laquelle s'appuie la stratégie de communication.**

Le MUba de Tourcoing

Le MUba Eugène Leroy réouvre ses portes en 2010 avec un projet entièrement repensé. Le Musée des Beaux-Arts de Tourcoing est né vers 1860 et s'installe dès 1931 dans un hôtel particulier du XIXe en face de la mairie. Il ne bénéficie que d'une audience réduite. L'importante donation d'œuvres d'Eugène Leroy par ses fils en 2009 est l'occasion d'une refonte du projet de musée et d'une redéfinition de son identité.

Il se définit aujourd'hui comme un musée laboratoire, c'est-à-dire, selon sa directrice et conservatrice en chef, Evelyne-Dorothée Allemand, un musée qui interroge le lieu comme expérience de l'œuvre. La conversation se fait entre des styles et thématiques différents, mais aussi avec les arts vivants et les arts plastiques. Ce positionnement marque une distinction avec l'idée traditionnelle de diffusion et de conservation d'un patrimoine (mission originale d'un musée). Bien sûr, ces fonctions sont présentes au MUba de Tourcoing, mais le musée voit sa mission dans le dialogue avec son public, jeunes artistes, scolaires ou visiteurs individuels.

L'organisation des collections du musée reflète ce positionnement. En effet, le fonds permanent est pensé comme des expositions temporaires avec des accrochages thématiques tous les trois mois. Des artistes invités peuvent participer à l'organisation des collections et participent ainsi dans cette « école du regard ».

Le MUba s'affirme donc comme un musée sensible et personnel, qui s'adresse tant aux amateurs d'art individuels qu'à un public appréciant l'interrogation permanente des collections et des frontières des formes artistiques.

Compte tenu du positionnement autour de l'expérimentation de l'œuvre, le musée a développé son offre afin de créer des points de contact/dialogue avec son audience.

D'abord, au niveau des collections et du réseautage, le musée montre une volonté d'ouverture et de coopération avec des structures similaires (qui ont le même positionnement). Un exemple de cette ambition est l'initiative de l'exposition « ambulante » Transfer France-NRW qui associe cinq structures muséales, dont deux en Allemagne et trois en France (Dijon, Nantes et Tourcoing).

Ensuite, le musée crée des initiatives originales pour renforcer sa mission éducative, mais également sociale qui vise à diminuer la distance perçue entre les œuvres et leur audience. Le musée ne doit pas faire peur. Depuis 2004, le musée met en place une possibilité de prêt d'œuvres issues de ses collections pour installer des expositions au sein des établissements scolaires. Le principe est de rapprocher les publics scolaires de l'art en amenant l'art dans leur cadre habituel, au collège ou au lycée. Ces expositions, d'une durée de 15 jours à un mois, sont préparées en coopération avec les conservateurs et les enseignants. À cette occasion, des visites des élèves au musée sont prévues pour approfondir le thème choisi.

Le positionnement du MUba Eugène Leroy peut se définir comme **un musée laboratoire en dialogue avec son public.**

Le Fresnoy de Tourcoing

Le Fresnoy est un établissement de formation artistique de haut niveau sous l'égide du ministère de la Culture et de la Communication. Sa mission se définit par l'enseignement, la production et la diffusion d'art contemporain. En effet, le Fresnoy est un lieu de création (avec ses professeurs-artistes, des moyens techniques), dont l'objectif principal est d'accompagner le développement des jeunes talents.

L'établissement ne possède pas de collection permanente. En effet, les expositions présentées s'inscrivent dans sa mission de diffusion et en lien étroit avec sa mission de production et d'enseignement. Elles sont trois par an : une exposition thématique à la rentrée (par exemple, *Art Belge Contemporain*), une exposition monographique et la dernière exposition, *Panorama*, présente en fin d'année scolaire les productions des élèves et des artistes invités. L'offre de diffusion du lieu est complétée par l'activité cinématographique (deux salles) qui présente une sélection de films d'art et essai, ainsi que la cinéthèque, antenne de la Cinémathèque française.

Le studio du Fresnoy est installé dans un ancien lieu de divertissement populaire construit initialement en 1905, où se déroulaient des bals, des combats de catch, des spectacles, des soirées dansantes, etc. Ainsi, avec l'installation du studio du Fresnoy en 1997, l'activité de divertissement trouve une continuité.

Le public est issu à la fois des milieux des jeunes artistes contemporains et des amateurs connaisseurs, mais on croise aussi un public local et familial, en particulier pour l'activité cinéma. Le studio bénéficie d'une grande renommée nationale et internationale auprès du public averti (artistes, professionnels, marchands, etc.). En effet, chaque année, l'établissement reçoit un nombre important de candidatures de plus de 45 nationalités différentes. Le Fresnoy se tourne vers la scène nationale (actions avec le Centre Pompidou, l'Ircam) et internationale (expositions et programmation en Argentine, au Brésil, au Canada, en Chine, en Espagne, etc.). En parallèle, les actions d'inscription du Fresnoy dans le territoire local et régional sont nombreuses : collaborations avec des institutions géographiquement proches (par exemple, l'école supérieure d'art, les centres chorégraphiques et audiovisuels, etc.).

Le Fresnoy complète logiquement l'offre du réseau Lille MAP par un regard dynamique au travers des créations de ses jeunes élèves. Il met l'accent sur le dialogue permanent entre les artistes et leur audience.

2. Les bénéfices de la mise en réseau sur le développement d'une offre culturelle

Les expériences de mise en réseau d'organisations montrent que l'insertion d'une entreprise dans un réseau améliore sa performance. Les principaux effets bénéfiques sont un meilleur accès à l'information, la réalisation d'économies d'échelle et d'apprentissage grâce à l'optimisation des ressources.

Dans le cas d'organisations culturelles, la mise en réseau est une pratique de plus en plus courante, qui prend des formes bien spécifiques telles que la création de parcours touristiques autour d'une thématique commune (par exemple, les « routes historiques », comme la *route des vins du Jura*, la *route de l'olivier*, la *route du Champagne*, etc.), les pôles d'économie du patrimoine qui ont comme volonté le développement d'un territoire, etc. Un certain nombre d'institutions développent des partenariats, des fusions ou tout autre renforcement de leur marque (par exemple, le Centre Pompidou à Metz, le Louvre à Lens).

L'orientation stratégique de mise en réseau doit être renforcée par des actions opérationnelles qui facilitent la circulation des publics entre les institutions partenaires. Les *pass* tarifaires sont un exemple d'action opérationnelle dans ce sens.

3. Un *pass* tarifaire pour faciliter la fréquentation

Les « city cards » – des *pass* tarifaires incluant plusieurs, voire l'ensemble des institutions culturelles d'une ville – ont comme cible principale les touristes pour faciliter leur visite en réunissant les avantages d'un seul titre d'accès, pour les transports en commun et l'entrée aux principaux monuments. Pratiquement toutes les villes, qu'elles soient très touristiques ou à fréquentation plus modeste, proposent une carte de ce type. Ces *pass* proposent souvent une offre limitée dans le temps (1 jour, 3 jours ou 5 jours) et un package de produits touristiques (culturels, mais aussi de divertissement, de service, de transport) à un tarif préférentiel. Ces offres permettent aux touristes de profiter pleinement de leur séjour sans perdre de temps dans les files d'attente (le *pass* donne droit à un accès rapide, ou coupe-file) et ouvrent le droit à des accès privilégiés, ainsi qu'à d'autres services gratuits.

3.1. Un *pass* tarifaire à destination de la cible locale

Même si les « city *pass* » sont répandus dans les villes touristiques, des *pass* ciblant le public local ne sont pas des pratiques fréquentes dans le milieu culturel.

3.1.1. L'exemple de Campania Artecard à Naples en Italie

La **Campania Artecard**[2] (voir figure 1) a comme objectif le développement de la valeur du territoire à travers un instrument tarifaire fondé sur l'intégration entre l'offre culturelle (musées, sites touristiques, monuments, etc.) et le transport public.

Figure 1 – La Campania Artecard, *DR*.

---

2. http://www.artecard.it/.

La région de Campanie peut être définie comme une région à haute densité culturelle : plus de 400 bibliothèques, 100 musées, beaucoup d'églises, de villas, parcs et jardins.

L'offre produit de la carte inclut uniquement des institutions culturelles (musées, églises, sites archéologiques, parcs avec des villas particulières, etc.). Elle est proposée à des durées de validité différentes (3 ou 7 jours pour les touristes et 365 jours pour les visiteurs locaux). Sa version annuelle est proposée au prix de 43 € et 33 € pour les jeunes (18-25 ans). Elle inclut 31 sites culturels qui peuvent être visités maximum deux fois par an gratuitement et une réduction de 50 % sur 14 autres sites.

3.1.2. L'exemple du *pass* Musées du Rhin Supérieur

Le Passeport des Musées du Rhin Supérieur[3] est une carte d'accès valable dans plus de 250 musées en France, en Suisse et en Allemagne. Le *pass* Musées (voir figure 2) offre aux visiteurs l'accès gratuit pendant une année dans les collections permanentes et les expositions temporaires de tous les musées membres. Le détenteur peut également emmener jusqu'à cinq enfants de moins de 18 ans gratuitement au musée, et ce sans aucune obligation de lien de parenté.

Figure 2 – Le *pass* Musées du Rhin Supérieur.

Le positionnement du *pass* est éclectique :

> « *Des œuvres d'art renommées, le monde de la technique ou encore les dinosaures ? Avec le* pass *Musées, vous pourrez découvrir la diversité et la richesse culturelle de la région. Visiter des expositions passionnantes, faire de longues promenades dans des châteaux et jardins romantiques ou encore visiter un musée durant quelques minutes : voilà ce que vous propose le* pass *Musées.* »[4]

Dès le début du lancement du *pass* en 1999, 120 musées ont fait partie du réseau des Musées du Rhin Supérieur. La distribution du *pass* est assurée par les musées partenaires. Il est proposé à la vente à l'accueil de tous les musées membres. Il peut être également commandé en ligne ou acquis dans l'un des nombreux points de vente partenaires (Fnac, Carrefour, certaines banques ou centres commerciaux, etc.). Le *pass* est proposé en formule solo et duo, ainsi qu'en tarif réduit solo ou duo (voir tableau 1) :

---

3. http://www.museumspass.com/.
4. *Source* : site Internet du *pass*.

Tableau 1	La tarification du *pass* des Musées du Rhin Supérieur	
Tarifs		**Prix**
Tarif 1 (1 personne + 5 enfants de moins de 18 ans)		82 €
Tarif 2 (2 personnes + 5 enfants de moins de 18 ans)		149 €
Tarif réduit 1 (1 personne + 5 enfants de moins de 18 ans)		75 €
Tarif réduit 2 (2 personnes + 5 enfants de moins de 18 ans)		142 €

D'un point de vue de l'administration de la structure qui gère le *pass*, il s'agit d'une association. L'association du Passeport des Musées du Rhin Supérieur a été fondée sur l'initiative du groupe de travail « culture » de la Conférence du Rhin Supérieur le 14 décembre 1998. Officiellement lancé le 1er juillet 1999, le *pass* Musées est le premier passeport culturel trinational en Europe. Les organes de l'association se composent de membres allemands, français et suisses. Le financement du réseau est assuré par des fonds publics, privés et complétés par les recettes de la vente des *pass*. À sa création, les Länder allemands de Rhénanie-Palatinat et de Bade-Wurttemberg, les cantons suisses de Bâle-Ville, Bâle-Campagne, d'Argovie et du Jura, ainsi que l'État français, la région Alsace et l'Union européenne (Interreg II Rhin Supérieur et Pamina) ont financé ce projet. Depuis 2004, l'association est financièrement indépendante et compte plus de 43 000 *pass* vendus en 2012. Le nombre d'entrées avec le *pass* s'élève à 406 000 la même année[5].

3.1.3. La C'Art – le *pass* tarifaire du réseau Lille MAP

Le *pass* La C'Art[6] du réseau Lille MAP a été lancé en septembre 2013 à l'occasion des Journées du patrimoine. Cinq visuels sont disponibles (un par institution membre). Chaque visuel représente une œuvre emblématique pour l'institution (voir figure 3).

Figure 3 – La C'Art – le *pass* du réseau Lille MAP.

---

5. *Source* : rapport annuel de l'association.
6. http://www.lacart.fr/fr/.

Il offre aux souscripteurs un accès gratuit et illimité pendant un an aux collections permanentes et aux expositions temporaires des cinq membres du réseau Lille MAP. Trois tarifs sont proposés :

- la C'Art Solo à 30 € ;
- la C'Art Duo à 45 € ;
- la C'Art Jeunes (- 26 ans) à 15 €.

La C'Art est gratuite pour les bénéficiaires des minima sociaux.

Deux supports au choix sont disponibles pour cet abonnement dématérialisé : une carte « collector » (avec un visuel-chef d'œuvre par musée) ou un chargement sur la carte Pass Pass des transports en commun de la région de Lille[7] (les supports fonctionnent grâce aux technologies numériques sans contact).

À l'occasion du lancement de la C'Art, deux partenaires étaient associés : le Louvre-Lens (accès à tarif réduit aux expositions temporaires) et Lille 3000 (accès gratuit à l'espace d'exposition Tripostal – Happy Birthday Galerie Perrotin 25 ans, présentée d'octobre 2013 à janvier 2014).

La C'Art est disponible à l'achat à l'accueil des cinq musées membres et sur le site Internet.

Une campagne de communication a accompagné le lancement de la C'Art en septembre avec des visuels décalés, dont l'objectif était de se faire remarquer et de se libérer d'une perception élitiste de la culture et des musées (voir figure 4).

Une deuxième campagne de communication a été lancée à l'occasion des fêtes de fin d'année pour inciter à offrir la C'Art (voir figure 5).

Au bout de quatre mois, 4 000 *pass* ont été vendus[8].

3.2. Le profil d'un visiteur fidèle susceptible d'adhérer à la C'Art

Le visiteur fidèle à un musée ou à un ensemble de musées (réseau) est un amateur d'art, souvent abonné à plusieurs institutions muséales (multifidélité), qui a un intérêt professionnel pour l'art (soit par son métier, qu'il soit enseignant ou de profession artistique, soit par ses études, comme les étudiants en histoire de l'art) et qui est très fortement attaché à un lieu (musée) en particulier.

- **Amateur d'art :** « Ça vient de mon enfance. Mes parents achetaient des encyclopédies diverses, il y en avait une en particulier dans laquelle il y avait de magnifiques reproductions de tableaux, et je suis tombée dedans. J'adore ça. J'adore la peinture. » (Rép. EP)

- **Abonné à plusieurs musées (multifidélité) :** « Je suis abonnée au Palais des Beaux-Arts de Lille, à la Piscine de Roubaix également, et au Louvre. Le Louvre-Paris et le Louvre-Lens maintenant. » (Rép. CL)

---

7. http://passpass.transpole.fr/.
8. *Source* : la *newsletter* de la C'Art.

Figure 4 – Exemple de la campagne de communication lors du lancement de la C'Art.

Figure 5 – Campagne de relance pour les fêtes de Noël.

- **Intérêt professionnel (enseignant, profession artistique, études) :** « En tant qu'enseignante de Français, je travaille aussi sur l'histoire de l'art avec mes élèves, et puis j'aime aussi les emmener dans les musées. » (Rép. EP)

- **Attaché à un lieu :** « C'est le musée [Palais des Beaux-Arts] auquel je suis peut-être le plus attachée parce que j'y viens souvent. Je peux venir juste pour boire un café sans visiter ou alors vraiment visiter très peu. C'est un peu comme chez moi. Ce n'est pas forcément les expositions que je préfère ou les tableaux, mais c'est un lieu que j'aime beaucoup. » (Rép. EP)

Les motivations qui déclenchent l'abonnement

Plusieurs raisons peuvent motiver la décision de s'engager avec un musée par un abonnement. D'abord, dans le contexte d'un déménagement dans une nouvelle région, les musées de cette région sont perçus comme une façon de la découvrir. Ensuite, sans surprise, l'abonnement est perçu comme une opportunité financière. L'équipe d'accueil du musée est un facteur crucial dans la motivation de s'abonner. En effet, c'est le premier et souvent le seul contact pour le visiteur. Si cette équipe propose et explique l'abonnement, le visiteur sera enclin à s'abonner. Enfin, l'abonnement est perçu comme un synonyme de liberté pour un résident qui pourra venir à sa guise dans le musée. Il passera peut-être seulement quelques minutes, il verra un tableau ou deux, il ne subira pas la pression d'amortir son ticket d'entrée et donc de se sentir obligé de rester plus longtemps dans le musée.

- **Déménagement dans une nouvelle région :** « Quand j'arrive dans une région, dans une ville, je vais voir les musées. » (Rép. CL)

- **Opportunité financière :** « Le musée offrait un certain nombre d'ateliers sur l'année et j'avais vu que quand on achetait ce *pass*, on avait des conditions. » (Rép. PC)

- **L'équipe d'accueil du musée :** « À l'entrée, on m'a proposé [l'abonnement]… donc j'ai dit oui. De toute façon, je ne suis pas très loin et je passe souvent. » (Rép. EP)

- **Une perception de liberté :** « Je me balade dans le musée. Je ne fais pas tout le musée, puisque je peux venir quand je veux. Je fais une salle qui me plait, qui me touche. » (Rép. CL)

- La plupart du temps, les motivations qui déclenchent l'abonnement sont multiples :

  > *« Je suis venu avec un ami et je me suis rendu compte que c'était la deuxième fois que je venais et que je comptais revenir régulièrement, donc d'abord pour une raison d'économie et puis aussi le fait de pouvoir y venir quand je veux. Ça me motive un peu plus de savoir que je peux venir pour y passer peu de temps. Par exemple, des fois, j'ai envie de venir juste voir la salle médiévale, je n'ai pas envie d'y passer 2 heures et je n'ai pas envie de payer plein tarif pour visiter un petit bout de l'exposition, donc là je viens à volonté et je peux visiter des coins qui m'intéressent de façon très spécifique sans avoir derrière l'idée que je perds mon argent, parce que je n'ai pas tout visité. Je n'ai pas l'impression que je dois rentabiliser mon ticket d'entrée, donc j'ai plus de liberté. Je vais vraiment là où j'ai envie. » (Rép. Romain)*

Les visiteurs voient la C'Art comme une offre avec plusieurs utilités (*vs.* un gain financier simple). Même si l'avantage financier est la condition obligatoire pour qu'ils s'intéressent à ce service [« *Tu paies une seule fois un tarif pour cinq musées. Probablement, c'est moins cher que d'additionner cinq visites indépendantes. Ce qui m'attirerait, ce serait la possibilité de visiter des musées de premier plan à un tarif intéressant. » (rép. 1.)]*, ils s'attendent à ce qu'il soit associé à d'autres avantages de natures très diverses (une durée de validité longue, un accès élargi à tout l'espace du musée, y compris les expositions temporaires, des invitations à un vernissage, des coupe-file, etc.) *[« Il faut une longue période de validité... S'il peut être utilisé par exemple pendant un an, je trouve ça très intéressant. » (rép. 3)]*. Néanmoins, les retombées positives d'un *pass* réseau sont indéniables. D'abord, il favorise la circulation entre les membres, incite à la découverte, permet de déclencher une première visite *[« C'est une bonne idée pour promouvoir les musées qui sont moins connus, c'est-à-dire celui de Tourcoing et le Fresnoy. Si on a un pass, on va peut-être faire la démarche d'y aller alors qu'autrement, on ne le ferait pas. Ça peut déplacer les gens sur Tourcoing alors qu'ils seraient restés sur Lille. » (rép. 22)* ; *« Je trouve ça bien parce que, même si on a connaissance de ces musées, déjà sur les cinq, il y en a deux où je n'ai jamais mis les pieds, donc le fait de les voir dans une brochure, ça peut me donner envie d'y aller. » (rép. 3)]*. Un autre point positif de la C'Art perçu par les visiteurs est une incitation à une pratique muséale régulière. Enfin, il est perçu comme permettant de désacraliser le lieu *[« Cela permettrait de faire des activités de façon régulière. S'il y a des week-ends où on n'a rien de prévu, on peut se dire «Ah ben tiens, si on allait au musée», plutôt que de faire autre chose. » (rép. 11)]*.

Néanmoins, certains visiteurs craignent une perte d'identité individuelle pour chacun des membres *[« Pas très intéressant [la C'Art], parce que l'intérêt de chaque musée est sur une thématique différente. À ce moment-là, on met en valeur l'œuvre et pas le musée. C'est indépendant de l'âme de ces musées. » (rép. 28)]*. Enfin, le *pass* réseau est perçu comme pouvant représenter un risque de dévalorisation de l'image de la catégorie des biens culturels : « *Ça ressemble presque à une carte de fidélité Carrefour. La culture, c'est pas ça.* » *(rép. 14)*.

Questions

1. Conduisez une analyse SWOT du *pass* La C'Art.

2. Définissez les perspectives d'évolution du réseau Lille MAP selon les axes suivants :

   a. Gestion des entrées/sorties du réseau – critères de choix.

   b. Gestion de la pérennité du réseau.

   c. Gestion de la marque : avantages/inconvénients d'avoir deux marques, une pour le réseau - Lille MAP et une autre pour le *pass* du réseau, la C'Art.

3. Définissez la stratégie marketing pour la C'Art à n+3 et n+5 ans – mix marketing.

4. Réfléchissez sur le point critique en fin de première année d'existence de la C'Art – le renouvellement des abonnements.

Autolib' révolutionne-t-elle notre vision de l'automobile ?

Patricia Baudier[1]

Autolib', gérée par le groupe Bolloré, propose, pour Paris et sa proche banlieue, une offre de location de voitures électriques en libre-service basée sur le concept de l'auto-partage. Ce service public permet « la mise en commun au profit d'utilisateurs abonnés d'une flotte de véhicules de transports terrestres à moteur. Chaque abonné peut accéder à un véhicule sans conducteur pour le trajet de son choix et pour une durée limitée »[2]. L'auto-partage devient donc une véritable alternative à la voiture individuelle apportant une solution aux problématiques environnementales auxquelles les municipalités sont confrontées et offrant une solution aux individus devant faire face à l'augmentation des coûts liés à la possession d'un véhicule (achat, carburant, entretien, assurance, parking, ainsi que les potentielles contraventions en milieu urbain). Autolib' incite ainsi les individus à opter pour une logique d'usage et non une logique de propriété.

Autolib', syndicat mixte intercommunal, a été créé afin de gérer le projet d'auto-partage. Il regroupe, à mars 2013, 54 communes dont la ville de Paris. À la fin du premier semestre 2013, Autolib' totalisait 2,5 millions de locations, avec 31 000 abonnés premium[3]. Contrairement à l'offre habituelle proposée par les sociétés d'auto-partage qui demandent aux conducteurs de rendre leur véhicule dans la station où ils l'ont loué, Autolib' offre un système de location dit de « trace directe ». Le conducteur peut rendre le véhicule dans une autre station que celle du lieu de location. Selon une étude réalisée par 6-T[4], seulement deux sociétés en France proposent la solution d'auto-partage en trace directe : Autolib' à Paris et Yélomobile à La Rochelle. Le concept d'Autolib' propose, aux particuliers comme aux professionnels, plusieurs formules : soit des abonnements individuels, soit une offre multi-utilisateurs (forfait partagé de 8 heures valable deux mois de un à quatre utilisateurs).

1. Le choix de l'exploitant

L'une des premières missions du syndicat, en décembre 2009, a été de rédiger un cahier des charges afin de sélectionner l'exploitant de ce nouveau service. En février 2010, six dossiers de candidature ont été déposés : VTLIB' (Veolia Transport Urbain), le

1. Patricia Baudier est enseignant-chercheur, docteur en sciences de gestion (TEM Mines-Télécom) et diplômée d'un Master 2 en marketing (ESSEC). Elle a travaillé 28 années au sein de multinationales (Apple, Kodak Europe...).
2. Article 54 de la loi de Grenelle II.
3. Résultats du premier semestre 2013 (30 août 2013) sur www.bollore.com.
4. http://ademe.typepad.fr. Étude réalisée par 6-T, bureau de recherche en partenariat avec France Autopartage et le soutien de l'ADEME.

groupement Avis-SNCF-RATP-Vinci Park, le groupe Bolloré, Interparking, Extelia (filiale du groupe La Poste) et ADA (société de location de véhicules). En mars 2010, le syndicat mixte a choisi parmi les six candidatures, quatre sociétés invitées à remettre pour juin 2010 une offre détaillée. Les quatre candidats retenus étaient : VTLIB', le groupement Avis-SNCF-RATP-Vinci Park, le groupe Bolloré et ADA. En juin 2010, Autolib' a retenu trois candidatures : VTLIB', le groupement Avis-SNCF-RATP-Vinci Park et le groupe Bolloré. Enfin, en septembre 2010, le syndicat mixte a attribué la délégation de service public au groupe Bolloré pour une durée d'exploitation de douze ans.

Le service Autolib', qui vient de la contraction des mots « automobile » et « liberté », a été inauguré le 5 décembre 2011, offrant à la location une flotte de 250 véhicules électriques (Bluecar) et 250 stations de location. En 2013, ce sont près de 3 000 Bluecars, 5 000 bornes de charges et 1 100 stations qui sont disponibles sur les six départements de l'Île-de-France[5].

2. La Bluecar : élément clé de l'offre d'Autolib'

Sa filiale Batscap a développé en 2011 une voiture entièrement électrique : la Bluecar. Le groupe Bolloré a investi environ 2 milliards[6] d'euros, afin de la concevoir et de développer la batterie électrique utilisée par les clients d'Autolib'. Ce véhicule propre (faible rejet en CO_2) et silencieux se recharge en quelques heures (4 à 8 heures). Grâce à sa batterie LMP (Lithium Métal Polymère) 100 % recyclable, les conducteurs disposent d'une autonomie d'environ 250 km en parcours urbain. Le GPS permet de s'orienter sans difficulté. Du fait de son faible encombrement (avec une longueur inférieure à 3,65 mètres), les clients peuvent se garer aisément, la Bluecar répondant ainsi à une problématique récurrente dans les grandes agglomérations, à savoir la difficulté de stationnement. Le véhicule est équipé d'un PC embarqué, qui permet notamment au conducteur de rester en contact avec un opérateur d'Autolib' 7 jours sur 7 et 24 heures sur 24 en cas de besoin, comme par exemple une panne ou une crevaison. Certaines bornes Autolib' (environ 250) dites « bornes de charge tiers » offrent aussi la possibilité aux possesseurs de voitures électriques d'utiliser les installations pour recharger leur batterie, moyennant des frais d'inscription et un coût de recharge à l'heure.

3. Autolib' : une alternative à la voiture personnelle

Le budget voiture demeure pour les Français, avec l'alimentation et le logement, l'un des postes de dépenses les plus importants. L'Automobile Club Association (ACA)[7] estime à 6 049 € le coût annuel moyen de possession d'une voiture essence sur 2012. Ce coût comprend l'achat du véhicule et les frais financiers associés, le carburant, l'assurance, l'entretien, les coûts liés au stationnement (garage ou parking), ainsi que les péages. Certains n'ont pas le choix ; la voiture reste souvent la seule solution pour se rendre du domicile au travail. Toutefois, pour les citadins de Paris et sa proche banlieue, Autolib' propose une alternative à la possession d'un véhicule adaptée aux conducteurs urbains roulant peu.

---

5. https://www.autolib.eu.
6. http://www.lemonde.fr/economie/article/2013/02/22.
7. Automobile Club Association, « Le budget », juin 2013.

4. Autolib' : une réponse aux attentes environnementales

Le concept proposé par Autolib' permet de répondre aux attentes environnementales à la fois des consommateurs et des collectivités locales, comme la limitation de la pollution de l'air et de la pollution sonore en milieu urbain grâce à l'utilisation de véhicules électriques. Autolib' contribue aussi au décongestionnement des centres-villes grâce au concept d'auto-partage, en diminuant de fait les problèmes de stationnement. Les communes qui proposent ce service s'engagent dans une politique de développement durable. L'utilisation des 3 000 Bluecars permet une réduction du parc privé automobile. En effet, plusieurs études estiment qu'un véhicule en auto-partage remplace de quatre à huit véhicules privés, soit dans le cas d'Autolib' 12 000 à 24 000 voitures[8]. L'offre proposée par Autolib' s'inscrit donc dans le plan 2050 de la Commission européenne, qui vise à réduire de plus de 60 % les émissions de carbone et de 80 à 95 % les gaz à effet de serre[9] par rapport à 1990. Le rapport préconise notamment l'utilisation de véhicules plus propres, électriques et rechargeables. Selon une étude publiée en 2013, seulement trois sociétés d'auto-partage[10] proposent des véhicules électriques : Autolib' (Paris), Yélomobile (La Rochelle) et Auto Bleue (Nice).

5. Les concurrents d'Autolib'

Mobizen, créée en 2007 et principal concurrent d'Autolib' sur Paris et la région parisienne, a été rachetée par une entreprise québécoise, la société Communauto. Elle propose en auto-partage un nombre plus limité de véhicules (environ 150)[11], mais avec une gamme plus étendue comprenant notamment des véhicules utilitaires. Toutefois, Mobizen, bien que concurrent direct d'Autolib', souhaite proposer une offre complémentaire. Son président, Benoît Robert, indique clairement que leur « objectif est de positionner ce service pour lui permettre de jouer un rôle catalyseur qui renforcera l'offre d'Autolib' »[12].

Le système d'auto-partage peut être proposé par des professionnels, mais aussi des particuliers. Les mentalités évoluent, la crise aidant ; les individus ne sont plus réticents à proposer à la location leur véhicule personnel. Autolib' doit donc aussi faire face à la concurrence des sites sur Internet d'auto-partage entre particuliers qui proposent des forfaits de location comprenant l'assurance et le prix de la location. Buzzcar, par exemple, compte plus de 70 000 utilisateurs et propose en auto-partage plus de 7 700 véhicules[13], ou bien Livop ou encore Drivy. Certains conducteurs ne souhaitant pas nécessairement louer leur véhicule proposent un service de covoiturage et s'inscrivent sur des sites comme Blablacar ou bien 123envoiture. Toutefois, ce type de service est plus souvent utilisé et proposé pour des trajets longs.

Donc, bien que l'automobile ait été considérée pendant de nombreuses années comme un signe de réussite sociale, les individus sont enclins à changer leurs habitudes, leur

---

8. http:/www.developpement-durable.gouv.fr ; CERTU 12 2008.
9. http://eur-lex.europa.eu/LexUriServ.
10. http://ademe.typepad.fr.
11. http://www.mobizen.fr.
12. http://www.automobile-propre.com/.
13. http://www.buzzcar.com/fr.

comportement et sont de plus en plus réceptifs, soit pour des motifs économiques ou de développement durable, aux solutions d'auto-partage ou de covoiturage.

6. Vers une rentabilité annoncée ?

Avec un chiffre d'affaires de près de 40 millions[14] d'euros en 2013, Autolib' n'est pas rentable. En effet, le système coûte aujourd'hui au groupe environ 50 millions[15] d'euros par an. De plus, Autolib' doit faire face à des actes de vandalisme comme des vitres cassées, des véhicules incendiés, ces dégradations engendrant des coûts supplémentaires. Toutefois, selon Vincent Bolloré, l'équilibre financier sera peut-être atteint au printemps 2014, soit quatre ans plus tôt que les prévisions à 2018 annoncées lors du lancement du projet. En septembre 2013, Autolib' possédait 42 000 abonnés[16] à l'année ; il en faudrait 65 000 pour atteindre l'équilibre. Pour assurer la rentabilité de son *business model* et contrer la concurrence, le groupe Bolloré a choisi d'opter pour une politique d'expansion en France et à l'étranger.

7. Autolib' : vitrine technologique

Blue Solutions, la filiale du groupe Bolloré qui gère le service d'auto-partage dont Autolib', a fait son entrée en Bourse le 13 septembre 2013 avec une volonté très claire d'expansion à la fois sur le territoire français et à l'international. « Aujourd'hui, nous sommes une affaire française mais dont le champ d'investigation et de développement se veut être le monde, et la cotation en Bourse, tout le monde le sait, c'est une visibilité très importante », a souligné Vincent Bolloré[17], PDG du groupe.

En septembre 2013, le Grand Lyon (Lyon et Villeurbanne) a lancé Bluely, son service d'auto-partage géré par le groupe Bolloré ; 130 Bluecars sont proposées à la location. Cette expérience sera suivie en 2014 par la communauté urbaine de Bordeaux, qui lance BlueCub, en proposant 90 véhicules électriques.

Autolib', Bluely et BlueCub représentent surtout pour le groupe une vitrine technologique lui permettant de montrer au monde son savoir-faire, notamment dans le domaine des batteries électriques.

Ainsi, le groupe Bolloré a remporté en décembre 2013 le contrat de gestion des 1 400 bornes de recharge électrique de la ville de Londres[18] et a été sélectionné par la ville d'Indianapolis, aux États-Unis, pour lancer en 2014 le concept d'auto-partage avec environ 500 voitures électriques et 1 200 stations de recharge[19].

---

14. http://www.easybourse.com/bourse/green-business.
15. http://m.lesechos.fr/redirect_article.
16. http://www.franceinfo.fr/societe/le-vrai-du-faux-2013-09-13.
17. http://fr.reuters.com/article/businessNews.
18. http://www.challenges.fr/entreprise/20131212.
19. Press release – Bolloré - 10/06/13.

Questions

1. Pourquoi le concept d'auto-partage connait-il un réel succès auprès des consommateurs ?

2. Expliquez pourquoi la ville de Paris et sa proche banlieue ont adopté le projet Autolib'.

3. Présentez la stratégie du groupe Bolloré. Quel est l'impact du projet Autolib' sur cette stratégie ?

4. Connaissez-vous d'autres secteurs d'activité personnelle ou professionnelle qui privilégient l'utilisation plutôt que la possession. Expliquez-en les raisons.

Club Med, le rôle clé joué par le personnel de contact

Sylvie Hertrich[1] et Ulrike Mayrhofer[2]

Précurseur de la formule du tout compris dans des villages de vacances, le Club Méditerranée a récemment choisi de repositionner son offre vers le haut de gamme, afin de se démarquer de la concurrence et d'attirer une clientèle plus internationale. Cette nouvelle stratégie, qui est déclinée dans les 71 villages de vacances répartis à travers le monde, se traduit par un changement en profondeur de toutes les composantes de l'offre. Le personnel de contact du Club Méditerranée joue un rôle central dans cette montée en gamme.

1.   Club Med : Tous les bonheurs du monde

Créé en 1950, le Club Méditerranée commercialise des produits de voyage et de loisirs sous le nom de Club Med. Nommé président-directeur général du groupe en 2002, Henri Giscard d'Estaing a effectué un virage stratégique majeur, qui consiste à repositionner la marque sur le haut de gamme.

1.1.   Le Club Méditerranée, inventeur du « club de vacances »

C'est depuis les années 1950 que le Club Méditerranée développe la formule du « club de vacances » dans de nombreux pays. Un village de vacances peut être défini comme un ensemble d'hébergements faisant l'objet d'une exploitation globale, destiné à assurer des séjours de vacances et de loisirs, selon un prix forfaitaire comportant la fourniture de repas ou de moyens individuels pour les préparer et l'usage d'équipements collectifs permettant des activités de loisirs sportifs et culturels. Le produit « club de vacances » se compose de cinq éléments : le site touristique, l'équipe d'animation, les activités sportives, la restauration et l'hébergement.

Aujourd'hui, le Club Méditerranée exploite 71 villages de vacances et un bateau de croisière (Club Med 2). Il gère également de nombreuses agences de voyages. En 2013,

1.   Enseignante associée, EM Strasbourg (HuManiS, EA 7308), Université de Strasbourg
      61, avenue de la Forêt-Noire, 67085 Strasbourg Cedex
      sylvie.hertrich@em-strasbourg.eu

2.   Professeur des Universités, IAE Lyon (Magellan, EA 3713), Université Jean Moulin Lyon 3
      6, cours Albert Thomas, 69008 Lyon
      ulrike.mayrhofer@univ-lyon3.fr

le chiffre d'affaires du groupe s'est élevé à 1,483 milliard d'euros. La même année, les villages du Club Med ont accueilli plus de 1,3 million de clients. L'encadré 1 présente quelques dates clés du développement de l'entreprise.

Quelques dates clés de l'histoire du Club Med

1950 : Création du Club Méditerranée

1951 : Direction l'Italie

1952 : La Grèce à la mode tahitienne

1955 : Tahiti, le Club débarque au paradis

1956 : Le Club s'offre les sports d'hiver

1957 : Objectif mer : Corfou, Capri, Djerba, Elbe… la vie dans l'eau

1957 : Le premier Village enfants, qui deviendra le Mini-Club

1961 : Le premier séminaire du Club

1963 : Un actionnaire nommé Rothschild

1963 : Trigano, PDG sans jamais rompre ses liens d'amitié avec Gérard Blitz

1963 : Création de la fonction de chef de village

1965 : La deuxième naissance : Agadir, avec la notion de Village permanent

1965 : Le Club sillonne les mers avec le paquebot l'Ivan Franka

1966 : Le Club Med en Bourse

1968 : La conquête de l'Amérique

1969 : Le Club poursuit son développement aux Caraïbes

1970 : Le Club fête ses 20 ans et s'amuse à s'imaginer en l'an 2000

1971 : Le golf arrive

1972 : Club Med affaires : lancement d'une activité « séminaires » dans certains villages

1973 : Un pied-à-terre au Japon (un bureau)

1975 : Diversification des activités avec Maeva

1976 : La campagne des verbes : Aimer, Chanter, Rire, Manger, Jouer…

1977 : Escale à Bora Bora

1979 : À la conquête du monde : Asie et Amérique du Sud

1979 : Produits et accessoires Made in Club Med

1980 : Seul au monde aux Maldives

1983 : 28 chefs d'État au Club

1986 : Une villa en Chine

1987 : Le premier village japonais

1989 : Le plus grand voilier du monde : Club Med 1

1991 : Le Club achète Aquarius, « l'autre Club »

1993 : Gilbert Trigano se retire, son fils Serge Trigano prend le relais

1993 : Après une période difficile, le Club croit en son futur

1996 : Le Club est en difficulté

1997 : Gilbert et Serge Trigano annoncent leur départ du Club Med

1997 : Ouverture à Varadero, Cuba

1997 : Transformation de la société en société anonyme

…

Encadré 1

...

2002 : Henri Giscard d'Estaing dirige le Club Med

2004 : Ouverture du premier village 3 en 1 à Marrakech, vitrine du nouveau Club Med haut de gamme

2007 : Ouverture du premier village 5 Tridents et lancement commercial du concept des villas Club Med

2008 : Cession de Jet Tours et de Club Med Gym

2009 : Recentrage sur le cœur de métier, les villages haut de gamme, et vente de Club Med World

2011 : Inauguration du premier village en Chine dans la station de ski Yabuli

2013 : Deuxième village en Chine à Guili

Suite au succès rencontré par la formule du club de vacances, d'autres acteurs ont également développé le concept. On peut notamment mentionner les clubs Paladien (Nouvelles Frontières), Framissima, Lookea, Marmara et Neckermann. La concurrence a fortement accentué la pression sur les prix. C'est dans cette perspective que le Club Méditerranée a décidé, en 2004, de se différencier en adoptant un positionnement haut de gamme.

1.2. Le repositionnement du Club Med

Le Club Méditerranée se positionne désormais comme le spécialiste mondial des vacances tout compris haut de gamme, conviviales et multiculturelles. Dans le passé, les villages de vacances du Club Med avaient des niveaux de confort variés (2 à 4 Tridents), ciblant plusieurs segments de clientèle. Aujourd'hui, le groupe recentre son activité sur les villages 4 et 5 Tridents (qui accueillent désormais 73 % des clients), les espaces 5 Tridents (des espaces luxueux et privatifs), les villas et les chalets-appartements (proposés à la vente en pleine propriété), afin d'attirer une clientèle exigeante venue du monde entier.

Encadré 2

L'offre « tout compris » proposée par le Club Med

Choix de 71 sites uniques dans 25 destinations à travers le monde

Choix de 3 gammes de villages et de prix

Transport aller-retour, choix de la compagnie aérienne, niveau de confort et horaires (avec supplément)

Accueil et transfert, taxes et pourboires

Choix du confort de la chambre : Club, Deluxe, Suites selon les villages

Room service petit-déjeuner dans les suites, et toutes les chambres en village 5 Tridents

Petits-déjeuners, déjeuners, goûters, *snacking* et dîners

Choix de restaurants avec buffets raffinés et généreux, ou service à table

Open bar/snacking inclus toute la journée avec un large choix de produits

Club Med Baby Welcome : matériel de puériculture, restauration adaptée, biberonnerie

Séjour offert aux enfants de moins de 4 ans

...

…

Encadrement des enfants de 4 à 11 ans par des GO (gentils organisateurs) multilingues spécialisés

Passworld : club adolescents de 11 à moins de 18 ans

Choix entre 10 et 15 activités sportives et de bien-être : ski nautique, voile, fitness, trapèze, ski, etc.

Neige : forfaits remontées mécaniques et cours collectifs inclus, etc.

Accès gratuit au hammam et sauna en villages 4 et 5 Tridents

Service de conciergerie, service minibar, service *beach & pool bar* et champagne inclus à la coupe en soirée dans les villages 5 Tridents

Ambiances décontractées ou festives avec concerts et spectacles

2. Le rôle central du personnel de contact

Dans le cadre de la nouvelle stratégie déployée, le rôle du personnel de contact a considérablement évolué. En effet, le positionnement haut de gamme a nécessité la montée en compétences des collaborateurs, le personnel étant garant de la prestation de service proposée par le Club Med.

2.1. Le personnel de contact du Club Med

Le personnel de contact du Club Med est constitué des chefs de village, des GO (gentils organisateurs) et des GE (gentils employés).

Le chef de village est le patron du village. Il est responsable de la vie du village qu'il gère et qu'il anime. Son rôle est également d'identifier et favoriser le développement des talents des GO et GE de son village. Doté d'une forte expérience et de qualités d'organisation et de communication, le chef de village joue aussi un rôle local et se doit d'avoir une éthique de représentativité de l'entreprise auprès des populations : il rencontre les fournisseurs (excursions, nourriture, etc.), ainsi que les élus et représentants locaux (immigration, aéroports, autorités portuaires, etc.).

Le gentil organisateur (GO) est une figure emblématique du Club Med, qui incarne l'esprit de l'entreprise. À son professionnalisme « métier » vient s'ajouter sa façon d'être : il a le sens du service et apporte une attention personnalisée aux GM (gentils membres). Passionné et souriant, il incarne la joie de vivre et il sait communiquer. Curieux de l'autre, il a la capacité de s'adapter aux personnalités et aux cultures qu'il rencontre. Le GO est ouvert sur le monde qui l'entoure et respectueux des différences de chacun. Son savoir-vivre et son raffinement lui permettent d'accompagner la montée en gamme du Club Med. Le talent des GO d'établir des relations de gentillesse et de convivialité (le savoir-être) grâce à des compétences (le savoir-faire), est essentiel. Le GO est avant tout un créateur de lien au sein du village.

Le gentil employé (GE) occupe un poste dans un métier de l'hôtellerie-restauration et doit contribuer à offrir des prestations de qualité aux GM. Même s'il n'est que peu au contact des clients, il doit avoir le sens du service et s'attacher à personnaliser au mieux leur accueil.

Le personnel de contact représente l'engagement du Club Med à dispenser un service hôtelier de qualité en accord avec le standing des villages. L'équipe d'un village doit travailler dans un but commun, celui de satisfaire au mieux les GM venus chercher pour leurs vacances convivialité, générosité, raffinement, ambiance… et bien d'autres éléments.

2.2. La définition de cinq valeurs fondamentales

En 2005, le Club Méditerranée a réuni ses équipes, les chefs de village, les GO (gentils organisateurs) et les GE (gentils employés), en vue de mener une réflexion collective sur la création de valeur pour les clients. Considérant que le Club Med est une expérience humaine, festive et enrichissante, une convivialité choisie mais non imposée, les équipes ont participé à la définition de cinq valeurs fondamentales :

- **Multiculturalité** : c'est favoriser les apports culturels de ses collaborateurs et de ses clients, s'en enrichir pour bien vivre ensemble. Offrir ses différences, accueillir celles des autres…

- **Liberté** : c'est être autonome, rendre l'autre autonome, pour vivre pleinement ses aspirations dans le respect de soi, des autres et de l'entreprise. Imaginer ce que l'on veut, vouloir ce que l'on imagine…

- **Gentillesse** : c'est être attentif aux besoins de son entourage et aimer rendre service. Être gentil, c'est la signature du Club Med, le « G » de GO, GE, GM (gentil membre) qui marque sa différence. Prendre plaisir à faire plaisir…

- **Responsabilité** : c'est exercer son activité avec compétence et conscience, s'engager et s'impliquer personnellement pour honorer la parole donnée. Assurer sa fonction pour assurer sa mission…

- **Esprit pionnier** : c'est montrer le chemin, avoir une vision, des idées novatrices et les mettre en œuvre pour répondre à un besoin client essentiel et non satisfait. Aimer oser, oser créer…

En 2010, le 60e anniversaire du groupe a été une nouvelle occasion de nombreuses actions internes pour valoriser les GO et GE. Un dispositif de communication interne a été mis en œuvre pour s'assurer de la compréhension et de l'adhésion des chefs de village, des GO et des GE au projet d'entreprise et à ses valeurs.

Le personnel de contact occupe aussi une place centrale dans le suivi de la satisfaction de la clientèle. Ainsi, le Club Méditerranée s'efforce d'être à l'écoute des GM, notamment grâce à la relation particulière qui se noue durant le séjour entre, d'une part, le chef de village, les GO et les GE, et d'autre part, les GM. Ce suivi est complété par un outil central, le « GM feed-back », qui constitue une enquête de satisfaction adressée à tous les GM par courrier ou e-mail et qui, malgré un questionnaire détaillé, obtient un taux de retour de 40 %. Ce taux illustre la relation qui se développe entre les GM et le Club Med, à laquelle le personnel de contact contribue de manière significative.

Sources

Club Méditerranée, *Documents internes*, 2013.

Hertrich, S. et Mayrhofer, U., *Cas en marketing*, Éditions Management & Société, Coll. Études de cas, Cormelles-le-Royal, 2008.

Hertrich, S. et Mayrhofer, U., *Club Med : Tous les bonheurs du monde*, Centrale de Cas et de Médias Pédagogiques, Paris, 2010.

Hertrich, S. et Mayrhofer, U., « Repositionner une marque sur le marché mondial du tourisme. Le Cas Club Med - Un entretien avec Henri Giscard d'Estaing, Président Directeur Général du Club Méditerranée », *Décisions Marketing-Tribunes de DM*, Tribune « Managers », 2011, N° 64, pp. 71-74.

Mayrhofer, U., *Marketing International*, 2ème éd., Economica, Paris, 2012.

Mayrhofer, U., *Marketing*, 4e éd., Éditions Bréal, Coll. Lexifac, Paris, 2013.

Questions

1. Quels sont les services spécifiques qui contribuent au positionnement haut de gamme du Club Méditerranée ?

2. Quelles sont les principales fonctions remplies par le personnel de contact du Club Méditerranée ?

3. Comparez le rôle joué par le personnel de contact du Club Méditerranée au rôle du personnel de contact dans d'autres groupes hôteliers.

Sylvie Hertrich et Ulrike Mayrhofer

Whatever/Whenever® (tout ce que vous voulez, quand vous le voulez) – tel est l'un des services exclusifs proposés par l'hôtel W Paris - Opéra, qui est un établissement 5 étoiles ayant ouvert ses portes le 29 février 2012. L'hôtel parisien appartient à l'enseigne W (groupe Starwood Hotels & Resorts) qui s'est imposée comme une marque d'art de vivre emblématique offrant à ses clients (hôtes) un accès privilégié à des expériences et des services extraordinaires.

1. W Paris - Opéra, un hôtel 5 étoiles

L'hôtel W Paris - Opéra occupe un élégant bâtiment haussmannien qui se trouve à proximité de l'Opéra de Paris (Palais Garnier). La décoration de l'hôtel reflète l'élégance parisienne et l'énergie new-yorkaise. Le cabinet de design new-yorkais Rockwell Group, en charge des travaux, a souhaité mettre en avant le côté typiquement parisien de l'immeuble et une décoration très moderne basée sur la lumière (« L'énergie de New York rencontre Paris, la Ville Lumière »). « Design, mode et musique » sont les trois mots qui caractérisent la nouvelle adresse.

1.1. L'hôtel W Paris - Opéra

Équipé des innovations les plus avant-gardistes, l'hôtel compte 91 chambres et suites, réparties sur cinq étages, offrant le confort et le bien-être en toute subtilité. Il dispose d'un espace salon, W Lounge, où les clients peuvent se retrouver, faire connaissance et se détendre dans un esprit de convivialité et d'élégance. L'établissement possède également un centre de fitness « Sweat® » et propose un service de soin « Six Senses® ». Deux salles de réunion, qui sont d'un luxe raffiné, peuvent être réservées pour des réunions d'affaires.

Concernant la restauration, l'enseigne W a choisi le chef catalan Sergi Arola (2 étoiles Michelin à Barcelone, disciple du célèbre chef Ferran Adrià à El Bulli) qui est reconnu pour ses talents de création. Le restaurant présente le nouveau concept culinaire « Pica Pica » : des plats créatifs et des tapas, à partir de produits saisonniers et classiques, servis sur des plateaux à partager.

L'hôtel, qui se différencie de l'hôtellerie parisienne classique et traditionnelle, est devenu une destination privilégiée des *trend-setters* et des *trend-seekers* venus du monde entier, mais aussi de la capitale française. L'établissement tente de stimuler les échanges entre les hôtes et la clientèle parisienne. Les clients peuvent ainsi découvrir de surprenants environnements sensoriels, un divertissement original, des salons animés, des chambres modernes, une cuisine et des cocktails innovants. L'hôtel se veut comme un lieu expérientiel et donc évènementiel : il accueille régulièrement des réunions et des évènements spéciaux (mode, musique, design, culture, etc.) en cherchant à créer des atmosphères uniques et originales.

Parmi les services exceptionnels proposés par l'hôtel, on peut noter le choix des oreillers. Certains services sont adaptés aux cibles. Pour les voyageurs d'agrément, l'hôtel cherche à offrir une expérience hôtelière expérientielle. Les innovations sont très présentes, du design raffiné aux fonds sonores et musicaux, aux parfums et lumières en passant par le service. Après l'accueil par un personnel attentif, les clients sont accompagnés dans leur chambre où ils peuvent découvrir un mélange unique et harmonieux de confort, de style et de technologie. Pour les voyageurs d'affaires, l'équipe de l'hôtel se tient à leur disposition pour simplifier leur séjour. Les chambres sont conçues comme des bureaux virtuels, avec deux téléphones et une connexion Internet haut débit. Les voyageurs d'affaires peuvent aussi bénéficier du centre d'affaires de l'hôtel.

1.2. Le service Whatever/Whenever®

Comme les autres établissements de l'enseigne W, l'hôtel parisien propose également le service Whatever/Whenever® (tout ce que vous voulez, quand vous le voulez). Ce service couvre des prestations classiques comme le service d'étage, de concierge, de blanchisserie et de nettoyage à sec, mais aussi des prestations exceptionnelles comme la livraison de 1 000 roses blanches à une amie, la visite de Paris en hélicoptère ou la dégustation d'un Petrus 1949. Il est disponible 24/7/365, c'est-à-dire 24 heures sur 24, 7 jours sur 7 et 365 jours par an. Tout client de l'hôtel peut en bénéficier, en appuyant sur la touche du téléphone de la chambre ou en se rendant à la réception de l'hôtel. L'objectif est d'offrir un style de vie à la fois branché et luxueux et de rendre chaque moment magique en transformant les rêves en réalité.

Afin d'offrir un séjour unique et exceptionnel à chacun de ses hôtes, l'hôtel W Paris - Opéra accorde une importance particulière au personnel de contact. Comme dans les autres hôtels de l'enseigne W, les employés portent le nom de « talents ». L'établissement privilégie le recrutement d'individus dynamiques et ouverts qui incarnent l'énergie de la marque et encourage la gaieté, l'épanouissement professionnel et la créativité.

À l'hôtel, des « W Insiders » proposent aux hôtes de leur faire découvrir le Paris qui leur correspond et d'arranger des visites en fonction de leurs envies. Le « W Insider » est chargé de rendre chaque visite unique et inoubliable. Ce « talent » noue une relation amicale avec les clients et se comporte comme un ami de l'autre bout du monde qui fait découvrir la ville telle qu'il la connaît, loin des clichés et des attractions classiques. Il connaît les lieux les plus secrets et les plus exclusifs de la ville, ainsi que les nouvelles tendances, afin de faire de chaque séjour une incursion dans ce que sera le Paris de la mode, du design et de la musique de demain.

Comme le précise Christophe Bofarull, directeur marketing en charge de l'ouverture de l'hôtel, « *les clients sont de plus en plus exigeants. Force est de constater que si le client n'est pas regardant sur le prix, dans notre segment, il l'est sur le service. Nous appelons «promesses» les valeurs que nous partageons. Ces promesses guident nos actions quotidiennes et assurent une compréhension commune de ce que nous attendons les uns des autres. Pour nous, le service, c'est aller au-delà des attentes en prenant des mesures qui créent des relations durables et renforcent la fidélité des clients. Nous valorisons le travail en équipe. Notre volonté est d'offrir un environnement de travail agréable à nos employés («talents»). La finalité est toujours d'être au service du client pour lui offrir la meilleure des expériences. Comprendre nos hôtes est essentiel pour savoir comment répondre à leurs attentes. Savoir de quoi ils ont besoin contribue à renforcer notre offre et gagner leur confiance ».*

2. W Hotels, une enseigne du groupe Starwood

Créée en 1998, l'enseigne hôtelière W appartient au groupe américain Starwood Hotels & Resorts, qui constitue l'un des plus importants groupes hôteliers à l'échelle mondiale.

2.1. L'enseigne hôtelière W

L'enseigne hôtelière W se positionne comme une marque luxueuse et branchée, qui propose à ses clients des expériences exclusives et extraordinaires dans des lieux prestigieux au design contemporain. Alliant la personnalité et le style d'un hôtel indépendant aux exigences de service des grands hôtels, elle offre une qualité de service exceptionnelle « Whatever/Whenever® » (tout ce que vous voulez, quand vous le voulez), de même que des événements et des partenariats exclusifs dans les villes où ils sont localisés.

Chaque établissement mêle un design moderne aux influences de son environnement local, créant un lieu unique où les clients peuvent vivre des expériences variées. Ils ont la possibilité de découvrir différents univers sensoriels (des salons avec des animations, des chambres modernes intégrant les technologies de pointe, une cuisine et des cocktails innovants, etc.) et de s'informer auprès des collaborateurs des dernières tendances concernant le design, la musique et la mode.

L'ouverture d'un premier hôtel W à New York en 1998 a été suivie d'une douzaine d'autres établissements dans des villes comme Los Angeles, Chicago, Seattle et Séoul en moins de deux ans. L'enseigne s'est implantée dans des villes prestigieuses en Amérique du Nord, dans l'Asie-Pacifique, en Amérique du Sud, en Europe et au Moyen-Orient. L'hôtel W Paris - Opéra constitue le 42e établissement de l'enseigne. D'autres ouvertures sont prévues (Abu Dhabi, Beijing, Guangzhou, Mexico, Milan, Santa Fe de Bogota, Shanghai, Tel Aviv, Verbier, etc.), afin d'atteindre une soixantaine d'établissements d'ici à 2015.

2.2. Le groupe Starwood Hotels & Resorts

Starwood Hotels & Resorts est un groupe américain qui détient plusieurs enseignes de renommée internationale, telles que Sheraton, Four Points by Sheraton, Aloft, W Hotels, Le Méridien, The Luxury Collection, Element, Westin et St Regis. Avec 1 121 établissements et 328 055 chambres, il figure parmi les dix premiers groupes hôteliers dans le monde (voir tableau 1).

Tableau 1	Top 10 des groupes hôteliers dans le monde (janvier 2013)			
Rang	Groupe	Nationalité	Nombre d'hôtels	Nombre de chambres
1	InterContinental Hotels Group	Royaume-Uni	4 602	675 982
2	Hilton Worldwide	États-Unis	3 992	652 378
3	Marriott International	États-Unis	3 672	638 793
4	Wyndham Hotel Group	États-Unis	7 342	627 437
5	Choice Hotels International	États-Unis	6 198	497 023
6	Accor	France	3 515	450 199
7	Starwood Hotels & Resorts	États-Unis	1 121	328 055
8	Best Western	États-Unis	4 024	311 611
9	Home Inns (+ Motel 168)	Chine	1 772	214 070
10	Carlson Rezidor Hotel Group	États-Unis	1 077	166 245

Source : MKG Hospitality, 2013.

Le groupe Starwood Hotels & Resorts est essentiellement présent en Amérique du Nord et dans les Caraïbes, mais il se développe également en Asie-Pacifique et en Europe. Le tableau 2 présente le nombre d'hôtels, le nombre de chambres et le nombre de pays d'implantation de ses différentes enseignes.

Tableau 2	Les enseignes du groupe Starwood Hotels & Resorts (janvier 2013)		
Enseignes	Nombre d'hôtels	Nombre de chambres	Nombre de pays d'implantation
Sheraton	427	149 784	69
Westin	192	74 626	35
Four Points	171	30 924	29
St Regis	30	6 413	15
The Luxury Collection	85	16 366	29
Le Méridien	96	25 437	41
Aloft	62	9 859	10
W Hotels	44	12 369	18
Element by Westin	10	1 641	1

Source : Starwood Hotels & Resorts, 2013.

Le groupe Starwood Hotels & Resorts gère un programme de fidélisation, appelé « Starwood Preferred Guest », qui permet aux clients de gagner des points pour bénéficier de nuitées gratuites, de sur-classements et d'autres avantages. Aujourd'hui, environ 60 % des clients de l'enseigne W sont membres de ce programme.

L'ouverture de l'hôtel W Paris - Opéra s'inscrit dans la stratégie de développement de l'enseigne W menée par le groupe Starwood Hotels & Resorts. Aujourd'hui, la ville de Paris constitue la première destination touristique mondiale : en 2012, la capitale française a attiré 29 millions de visiteurs. Avec 1 564 hôtels et 81 431 chambres, l'offre hôtelière parisienne est particulièrement diversifiée (selon l'Office du Tourisme et des Congrès de Paris). La capacité d'accueil ne cesse de croître, notamment dans la catégorie 5 étoiles. L'hôtel W Paris - Opéra a choisi d'offrir des services exceptionnels à sa clientèle dans le but se différencier de la concurrence.

Sources

Hertrich, S. et Mayrhofer, U., *Cas en marketing*, Éditions Management & Société, Coll. Études de cas, Cormelles-le-Royal, 2008.

Hertrich, S. et Mayrhofer, U., *W Paris - Opéra : Un nouvel hôtel de luxe du groupe Starwood*, Centrale de Cas et de Médias Pédagogiques, Paris, 2012.

Mayrhofer, U., *Marketing International*, 2ᵉ éd., Economica, Paris, 2012.

Mayrhofer, U., *Marketing*, 4ᵉ éd., Éditions Bréal, Coll. Lexifac, Paris, 2013.

MKG Hospitality, *Base de données*, Paris, 2013.

Office du Tourisme et des Congrès de Paris, *Le Tourisme à Paris. Chiffres-Clés*, 2013.

Starwood Hotels & Resorts, *Documents internes*, 2013.

Questions

1. Quels sont les services spécifiques qui permettent à l'hôtel W Paris - Opéra de se différencier d'autres hôtels 5 étoiles à Paris ?

2. Quels peuvent être les effets de l'appartenance de l'hôtel W Paris - Opéra à l'enseigne W et au groupe Starwood Hotels & Resorts sur les services qui sont proposés ?

3. Comparez la stratégie suivie par le groupe Starwood Hotels & Resorts à celle d'un autre groupe hôtelier figurant parmi les dix premiers groupes dans le monde (voir tableau 1).

Glossaire des termes de marketing des services et de management

Ce glossaire définit les principaux termes clés utilisés dans cet ouvrage, et plus généralement en marketing et management des services. Pour une approche plus complète des termes du marketing, reportez-vous aux glossaires présents dans les ouvrages de marketing, tels que *Marketing Management* de Philip Kotler, Kevin Keller et Delphine Manceau (Pearson France, 14ᵉ édition).

Tout le monde n'attache pas le même sens au même terme. C'est pourquoi, il est important de clarifier ce que vous entendez vraiment lorsque vous employez un mot ou une phrase particulière. Il arrive fréquemment, dans tout domaine en pleine évolution, que les mêmes termes soient définis et utilisés de manière différente par les universitaires et les praticiens, et entre les managers de différents secteurs d'activité. Même des sociétés prises individuellement peuvent attacher un sens qui leur est propre à des termes spécifiques.

Les mots et les phrases peuvent également avoir un sens complètement différent lorsqu'ils sont appliqués dans un contexte non managérial. À titre d'exemple, le mot « service » revêt de nombreuses acceptions, réunissant des applications allant du travail domestique, de l'attente dans un restaurant et du devoir militaire jusqu'au tennis, aux procédures légales et à l'élevage des animaux de ferme.

ABC (*Activity-Based Costing*) ou **méthode ABC.** Méthode de gestion de la performance qui permet de comprendre la formation des coûts et les causes de leurs variations.

ACSI (*American Customer Satisfaction Index*). Indice de satisfaction client américain.

Alena. Accord de libre-échange nord-américain (en anglais NAFTA, *North American Free Trade Agreement*).

Analyse comparative ou *benchmarking.* Comparaison des produits et des processus d'une organisation avec ceux des concurrents ou des leaders, dans le même secteur ou un secteur différent, afin de trouver les moyens d'améliorer la performance, la qualité et de diminuer les coûts.

Analyse conjointe. Méthode de recherche servant à déterminer le niveau d'utilité que les consommateurs attachent aux différentes caractéristiques d'un produit.

Analyse de Pareto. Procédure d'analyse pour identifier la proportion de problèmes causés par chacun des différents éléments du processus.

Attente post-processus. Attente intervenant après que la livraison du service a été effectuée.

Attente préprocessus. Attente avant que la livraison du service ne commence.

Attentes. Standards personnels que les clients utilisent pour juger la qualité d'un service.

Attitude. Évaluations, impressions et réactions durables d'une personne vis-à-vis d'un objet ou d'une idée.

Attribut du produit. Ensemble des caractéristiques (à la fois tangibles et intangibles) d'un bien ou d'un service pouvant être évaluées par les clients.

Attributs d'examen. Caractéristiques d'un produit que les consommateurs peuvent aisément évaluer avant l'achat.

Attributs d'expériences. Caractéristiques de la performance d'un produit ou d'un service que les clients peuvent évaluer uniquement pendant la livraison du service.

Attributs de croyance. Caractéristiques de produits qui ne peuvent pas être évalués par le consommateur, même après leur achat et leur consommation.

Autonomisation. Autorisation donnée aux employés de trouver des solutions aux problèmes et de prendre les décisions adéquates pour répondre aux préoccupations des clients, sans avoir à obtenir l'aval hiérarchique.

Avantage compétitif. Capacité d'une société à réussir dans certains domaines alors que ses concurrents ne peuvent ou ne veulent pas l'égaler dans ces domaines.

Back office. Aspects de la livraison du service qui sont cachés aux consommateurs.

Balking (pas d'équivalent en français). Décision d'un consommateur de ne pas faire la queue parce que l'attente semble trop longue.

Bannière publicitaire. Petite fenêtre rectangulaire sur un site Web, qui contient du texte et parfois une image pour faire la promotion d'une marque.

Bénéfice/Avantage. Avantage ou gain qu'obtient un client du fait de la réalisation d'un service ou de l'utilisation d'un bien matériel.

Besoins. Désirs profonds et subconscients qui sont toujours rattachés à l'existence à long terme et à des problématiques d'identité.

Big Data Marketing. Concept popularisé en 2012 pour traduire le fait que les entreprises sont confrontées à des volumes de données de plus en plus importants à traiter. Le commerce électronique et le marketing digital ont joué un rôle important dans le développement du « Big Data ».

Blog. Site Web accessible publiquement contenant des pages fréquemment mises à jour sous forme d'articles, de journal intime, de brèves, etc. Les auteurs, appelés bloggeurs, se concentrent souvent sur des sujets spécifiques.

Blueprint. Schéma des différentes séquences d'activité nécessaires à la livraison du service, et qui précise les éléments en *front office* et en *back office* ainsi que les liens entre eux.

Bouche-à-oreille. Commentaires positifs ou négatifs sur un service faits par un individu (habituellement un client ou un ancien client) à un autre individu.

Business model. Moyens par lesquels une organisation génère des revenus grâce aux ventes et autres sources de revenus. Il représente un choix de politique de prix, de types d'utilisateurs, de revenus publicitaires ou sponsors, d'autres parties tierces, destinés à couvrir les coûts et créer du profit pour les actionnaires. (*Remarque* : pour les entreprises publiques ou à but non lucratif, les donations et subventions peuvent être des éléments à part entière de ce modèle.)

Business plan ou **plan d'affaires.** Document écrit permettant de formaliser un projet d'entreprise.

Canaux de distribution. Moyens physiques et électroniques par lesquels une entreprise de services (parfois assistée d'intermédiaires) fournit un ou plusieurs éléments de produit et service à ses clients.

Capacité de production. Ensemble des installations, des équipements, de la main-d'œuvre, des infrastructures et des autres biens disponibles dans l'entreprise pour créer les produits ou services finaux.

Capacité maximale. Limite haute de la capacité d'une entreprise à répondre à la demande client à une date spécifique.

Capacité optimale. Point au-delà duquel les efforts d'une entreprise pour servir des consommateurs supplémentaires entraîneront la perception d'une qualité de service dégradée.

CEC. Centre européen de la consommation.

CFS (*Customer Feed-back System*). Système international basé sur les meilleures pratiques (*best practices*), qui aide les entreprises à mettre en place des innovations dont le but est l'amélioration de la qualité du service rendu.

Chaîne de valeur. Ensemble des départements au sein d'une entreprise ou de partenaires externes et/ou de sous-traitants qui, par leurs activités, contribuent à la création de valeur afin de concevoir, produire, vendre, délivrer et supporter un produit ou une offre de service.

Charge psychologique. État mental ou émotionnel non voulu, expérimenté par les clients à la suite du processus de livraison d'un service.

Churn (contraction de l'anglais *change and turn*) ou **attrition** (en français). Exprime le taux de déperdition de clients pour une entreprise.

Clicks and mortar. Stratégie qui consiste à offrir des services à la fois dans des magasins physiques et dans des boutiques virtuelles *via* des sites sur Internet.

Client interne. Employé recevant des services des fournisseurs internes (d'un autre employé ou d'un autre département) en tant qu'apport nécessaire à la bonne réalisation du travail.

Client mystère. Technique d'évaluation du service employant des individus actant comme des clients ordinaires pour obtenir un retour/*feed-back* sur l'environnement d'achat et les interactions clients/employés.

Communication impersonnelle. Communication à sens unique dirigée vers une audience ciblée n'ayant pas de contact avec la source du message (cela inclut la publicité, les actes promotionnels et les relations publiques).

Communication intégrée. Concept selon lequel une entreprise va attentivement intégrer et coordonner ses différents canaux de communication pour donner un message clair, pertinent et concis sur l'entreprise et ses produits.

Communication interne. Ensemble des formes de communication du management vers les employés au sein d'une entreprise.

Communications personnelles. Communications directes entre les personnes du marketing et les clients, impliquant un vrai dialogue (tel qu'une conversation en face à face, des appels téléphoniques et des e-mails).

Compétence principale/Cœur de métier. Aptitude qui est la source d'un savoir-faire unique et d'un avantage compétitif.

Concept de service. Offre de l'entreprise et de ses processus de livraison.

Configuration d'une queue. Manière dont la ligne d'attente est organisée.

Consommation. Achat et utilisation d'un bien ou d'un service.

Cookie. Témoin de connexion défini par le protocole HTTP qui le retourne à l'auteur à chaque comexion, permettant ainsi de savoir qui se connecte, quand, combien de fois.

Cookie buster. Logiciel qui empêche le cookie de se placer dans l'ordinateur de l'utilisateur.

Cost-based pricing. Mise en relation du prix à payer pour un produit avec les coûts associés à sa production, sa livraison et sa commercialisation.

Cost leader. Entreprise qui mène sa politique de prix avec pour objectif de proposer les prix les plus bas de son secteur.

Courbe de demande. Courbe montrant le nombre d'unités que le marché va acheter à différents prix.

Coût fixe. Coût ne variant pas avec la production.

Coût total. Somme des coûts fixes et variables pour l'ensemble des niveaux de production donnés.

Coût variable. Coût dépendant directement du volume de production ou de la vente de services.

Credoc. Centre de recherche pour l'étude et l'observation des conditions de vie.

CRM (gestion de la relation client). Structures et systèmes informatiques permettant la mise en œuvre et l'utilisation d'une stratégie de gestion de la relation client.

Cross-canal. Vente utilisant plusieurs moyens de distribution en relation les uns avec les autres, comme le téléphone et Internet.

Culture d'entreprise. Croyances, normes, expériences et anecdotes partagées qui caractérisent une organisation.

Culture organisationnelle. Valeurs, croyances et style de comportement dans le travail partagé qui sont fondés sur une compréhension commune des missions et objectifs de l'entreprise.

Customer equity ou **capital client.** Somme des valeurs des durées de vie des clients de la base complète des clients d'une entreprise.

Cyberespace. Désigne un ensemble de données numérisées constituant un univers d'informations et un milieu de communication liés à l'interconnexion mondiale des ordinateurs (*Petit Robert*).

Cycle de demande. Période pendant laquelle la demande pour un service va croître et décroître de manière relativement prévisible avant que cette même variation ne se reproduise.

Database marketing. Construction, maintenance et utilisation de bases de données clients pour, entre autres, contacter, vendre, effectuer de la vente croisée ou de l'*up selling*, et construire des relations clients.

Défection. Décision d'un client de transférer la fidélité qu'il avait pour son fournisseur de service actuel vers la concurrence.

Demande excessive. Demande d'un service à un instant donné, supérieure à la capacité de production de l'entreprise.

Demande indésirable. Requête pour un service en conflit avec la mission de l'entreprise, ses priorités ou ses capacités.

Dépenses non pécuniaires. Dépenses en temps, effort mental et physique, et expériences sensitives non voulues associées à la recherche, à l'achat et à l'utilisation d'un service.

Design d'entreprise. Ensemble de couleurs, symboles, logos et inscriptions utilisés de manière durable pour donner à une société une identité facilement reconnaissable.

Diagramme de causes et effets. Technique de diagramme exposant les problèmes spécifiques aux services en différentes catégories de causes sous-jacentes (aussi connu sous le nom de diagramme d'Ishikawa).

Diagramme de contrôle. Diagramme qui représente les changements qualitatifs de la performance d'un service concernant une variable spécifique relative à un standard prédéfini.

Discounting. Stratégie de diminution du prix d'un article ou d'un service.

E-commerce. Achat, vente et autres processus marketing basés sur Internet.

Effet de halo. Tendance d'un produit à voir les évaluations de son attribut principal influencer l'évaluation de ses autres attributs.

Effort physique. Conséquences non désirées sur le corps d'un client résultant de son implication dans le processus de livraison du service.

Élasticité des prix. Amplitude de l'influence d'une variation de prix sur la demande. (La demande est décrite comme non élastique au prix quand les changements de prix n'ont que peu, ou pas, d'effets sur celle-ci.)

Éléments du produit. Ensemble des composants d'un service créant de la valeur pour les clients.

***Emotional labor*/Travail émotionnel.** Expression d'émotions socialement adéquates (pas forcément vraies) envers les clients pendant la livraison de services.

Empowerment. Pratique émancipatrice qui donne plus de pouvoir aux individus afin qu'ils agissent sur les conditions sociales, économiques, politiques ou écologiques qu'ils subissent.

Enablement. Pratique consistant à fournir aux employés compétents les outils et les ressources dont ils ont besoin afin d'utiliser leur propre discernement avec confiance et efficacité.

Enquête post-achat. Technique pour mesurer la satisfaction du client et sa perception de la qualité du service, alors que le service expérimenté est encore proche dans son esprit.

Entrepôt de données ou ***Data warehouse.*** Base de données détaillée et complète contenant des informations sur les clients et des données sur les transactions.

Étape préachat. Première étape dans le processus d'achat de services, pendant laquelle les clients identifient les alternatives, évaluent les bénéfices et les risques, et prennent la décision d'achat.

Évaluation des prix basée sur la valeur ou ***Value pricing.*** Pratique de fixation des prix à partir du montant que les clients sont prêts à payer pour la valeur qu'ils pensent recevoir.

Évidence physique. Indices visibles ou tangibles donnant la preuve d'un service de qualité.

Exploitation de données. Extraction d'informations utiles concernant des individus, des tendances ou des groupes, à partir d'importantes quantités de données clients.

Fail point. Dans un *blueprint* ou logigramme, les points à risque les plus sérieux marqués d'un *F* dans un cercle.

Fardeaux sensoriels. Sensations négatives ressenties par les cinq sens du client pendant le processus de livraison du service.

Fidélité. Engagement du client à continuer à commercer avec une société spécifique sur une longue période.

Fleur des services. Cadre permettant la compréhension des éléments de services supplémentaires entourant et ajoutant de la valeur au produit de base.

Flux tendu. Ajustement à tout moment des capacités de production au niveau de la demande.

Focus group. Groupe, typiquement constitué de six à huit personnes attentivement présélectionnées à partir de certaines caractéristiques (par exemple, démographiques, psychographiques ou individus consommant certains produits), qui est réuni par des chercheurs pour des discussions approfondies, menées par un modérateur, sur des sujets spécifiques.

Franchise. Association contractuelle entre un franchiseur (en général, un fabricant, un grossiste ou une entreprise de services) et un professionnel indépendant (franchisé) qui achète le droit de posséder et de gérer la marque dans une ou plusieurs unités.

Front office. Aspects de livraison du service qui sont visibles, ou du moins apparents, aux clients.

Garantie de service. Promesse de l'entreprise de respecter les standards prédéfinis lors de la livraison du service, sous peine de devoir donner une ou plusieurs formes de compensation au client.

GATT (*General Agreement on Trade and Tarifs*). Régit le commerce international des marchandises.

Génération Y. Les jeunes de 20 à 30 ans.

Gestion de la relation client. Processus global de création et de maintien de relations avec le client en apportant une valeur et une satisfaction plus grandes pour le client et l'entreprise.

Image. Ensemble de croyances, d'idées et d'impressions liées à l'observation d'un objet.

Incident critique. Rencontre spécifique entre le consommateur et le prestataire de services dont l'issue a été particulièrement satisfaisante ou décevante pour une ou pour les deux parties.

Intangibilité mentale. Difficulté pour les clients à visualiser une expérience en amont de l'achat, à comprendre le processus et même la nature de sa finalité.

Intangibilité physique. Éléments de service qui ne sont pas accessibles pour un examen par l'un ou plusieurs des cinq sens. Plus précisément, il s'agit d'éléments qui ne peuvent pas être touchés, vus, sentis, goûtés ou conservés par des clients.

Interface client. Ensemble des points d'une organisation avec lesquels le client est en interaction avec l'entreprise.

Internet (« la Toile »). Réseaux d'ordinateurs qui connectent les utilisateurs du monde entier les uns aux autres et donnent accès à un vaste entrepôt d'informations.

IP (*Internet Protocol*). L'un des protocoles de communication les plus importants au sein d'Internet car il permet l'élaboration et le transport des diagrammes IP sans toutefois en assurer la livraison.

iTV (télévision interactive). Procédures permettant aux auditeurs de modifier leur utilisation de la télévision en contrôlant les programmes télévisuels (par exemple, TiVo, *video on demand*) et/ou leur contenu.

Jaycustomer. Consommateur impulsif et ingérable qui agit de manière non réfléchie et parfois dangereuse, posant des problèmes à l'entreprise, à ses employés, ainsi qu'aux autres consommateurs.

Logigramme. Représentation visuelle des étapes nécessaires à la livraison d'un service aux clients (voir aussi *Blueprint*).

Loss leaders. Services vendus moins cher qu'ils ne coûtent afin d'attirer les clients.

Management des ressources humaines. Coordination des tâches liées à la description d'un poste, au recrutement, à la sélection, à la formation et à la motivation des employés. Cela inclut aussi la planification et l'administration des autres tâches liées à la gestion des employés.

Management du revenu. Stratégie de construction du prix basée sur le fait de faire payer différents prix à différents segments à différents moments pour maximiser le revenu possible de la capacité d'une entreprise sur une durée spécifique (aussi connu sous le nom de *yield management*).

Marché. Lieu réel ou virtuel où les fournisseurs et les clients se retrouvent pour acheter/vendre des produits ou des services.

Marché ciblé. Marché(s) sur le(s)quel(s) une société a décidé d'être présente.

Marketing interne. Activités marketing dirigées vers les employés pour les entraîner, les motiver et les faire se concentrer sur le client.

Marketing mix communication. Ensemble des outils de communication (gratuits et payants) à disposition des équipes marketing, comprenant la publicité, la promotion des ventes, l'événementiel, les relations publiques, le marketing direct, etc.

Marketing réciproque. Tactique de communication marketing permettant à une entreprise sur Internet de proposer à un acheteur de recevoir des promotions d'une autre entreprise en ligne, et *vice versa*, sans coûts additionnels pour chacune des parties.

Marketing relationnel. Activités dont le but est de développer des liens rentables, sur le long terme, entre une entreprise et ses clients pour un bénéfice mutualisé entre les deux parties.

Marketing viral. Utilisation d'Internet pour créer des effets de bouche-à-oreille de manière à supporter les efforts marketing.

Marque. Nom, phrase, motif, symbole, logo ou combinaison de ces éléments qui représente les services d'une société et qui la différencie de ses concurrents.

Mass customization. Proposition d'un service générique avec quelques éléments de personnalisation à un grand nombre de clients pour un prix faible.

Membership. Relation formalisée entre l'entreprise et un client spécifique permettant aux deux parties de pouvoir bénéficier d'avantages.

Mercosur. « Marché commun » du Sud. Il regroupe au sein d'une communauté économique plusieurs pays de l'amérique du Sud (Argentine, Brésil, Uruguay et Venezuela).

Méthode ABC. Approche de l'évaluation des coûts basée sur l'identification de chaque activité exercée, puis la détermination des ressources que chacune de ces activités consomme.

Microsegmentation. Segmentation réalisée au sein d'une population en vue d'obtenir des segments le plus homogènes possibles.

Mise en œuvre marketing. Processus de passage des plans marketing à des projets et assurant l'exécution de ces projets dans le respect des objectifs fixés dans les plans marketing.

Modèle de consommation du service à trois étapes. Cadre représentant la manière dont les clients se déplacent d'un état préachat (dans lequel ils reconnaissent leurs besoins, cherchent et évaluent les solutions alternatives et prennent une décision) à un état post-achat (dans lequel ils évaluent la performance du service par rapport à leurs attentes).

Modèle de gravité des points de vente. Approche mathématique dans la sélection des sites pour un commerçant, impliquant le calcul du centre de gravité géographique de la population ciblée et la localisation d'une installation facilitant l'accès des clients.

Modèle de management proactif. Approche basée sur l'hypothèse que les employés sont capables de s'autogérer et, s'ils sont convenablement formés, motivés et informés, qu'ils sont aptes à prendre les bonnes décisions quant à la production et à la livraison de services.

Modèle de service. Assertion globale spécifiant la nature du concept de service (offre de l'entreprise, de ses destinataires et des processus de livraison) et du *business model* l'accompagnant (manière dont les revenus vont être générés pour couvrir les coûts et assurer la viabilité financière).

Modèle moléculaire. Cadre utilisant une analogie chimique pour décrire la structure d'une offre de service (modèle moléculaire de Shostack).

Moment de vérité. Instant dans la livraison du service pendant lequel les clients interagissent avec les employés ou les installations de livraison, et dont le résultat peut affecter les perceptions liées à la qualité de service.

Monde virtuel. Réalité virtuelle sans existence physique dans laquelle se déroulent des transactions ou des communications virtuelles.

MOOC (*Massive Open Online Course*). Cours en ligne ouvert et massif qui constitue un exemple de formation ouverte et à distance en téléenseignement. Les participants au cours – enseignants et étudiants – sont dispersés géographiquement et communiquent uniquement par Internet.

Multicanal. Désigne le phénomène d'utilisation simultanée ou alternée de différents canaux de contact pour la commercialisation de produits ou services et/ou la relation client.

NAF (code NAF). Nomenclature d'activité française.

Niveaux de contact avec le client. Degrés d'interaction physique entre les clients et l'organisation.

OMC (Organisation mondiale du commerce). En anglais, WTO (*World Trade Organisation*).

OTSU (opportunité de rater). Voir Point critique.

Perception. Processus selon lequel des individus sélectionnent, organisent et interprètent des informations pour former une image significative du monde.

Permission marketing. Stratégie de communication marketing encourageant les clients à se porter volontaires auprès d'une entreprise pour communiquer à travers des canaux spécifiques en échange d'avantages commerciaux.

PIB. Produit intérieur brut.

Plan perceptuel. Illustration visuelle de la manière dont les clients perçoivent des services concurrents.

Point critique. Étape dans un processus à partir duquel il existe un risque non négligeable de problème qui pourrait détériorer la qualité de service (quelquefois appelé humoristiquement OTSU, pour *Opportunity To Screw Up*, c'est-à-dire « opportunité de rater »).

Poka-yoké. Concept lancé par l'ingénieur Shigeo Shingo chez Toyota . Son idée a été de mettre en place un système qui empêche l'erreur de se réaliser.

Positionnement. Établissement d'une place précise et distinctive d'un produit ou d'un service dans l'esprit des clients, liée aux attributs que possède l'entreprise et que ne possèdent pas ses concurrents.

Post encounter stage. Étape finale dans le processus d'achat de service, pendant laquelle les clients évaluent le service expérimenté, formulent leur jugement de satisfaction/insatisfaction du résultat du service et établissent leurs intentions futures.

Prévisualisation du service. Démonstration du fonctionnement du service, de manière à éduquer les clients sur les rôles qu'ils devront jouer pendant la livraison du service.

Prix dynamique. Technique employée pour facturer différents clients à différents prix pour les mêmes produits, basée sur les informations collectées grâce à l'historique de leurs achats, de leurs préférences et de leur sensibilité au prix.

Prix forfaitaire. Tarif unique d'un service.

Prix packagé. Prix à payer comprenant le prix du service de base, auquel s'ajoutent des frais pour des éléments optionnels.

Processus. Méthode particulière d'opérations ou série d'actions, généralement constituée d'étapes devant se dérouler dans une séquence précise.

Processus d'achat. Étapes suivies par un client dans le choix, la consommation et l'évaluation d'un service.

Productivité. Niveau d'efficacité dans la transformation des *inputs* en produits finaux qui ont une valeur ajoutée pour le client.

Produit. Résultat final (service ou bien fabriqué) produit par une entreprise.

Produit amélioré. Produit de base (bien ou service) auquel on a ajouté des éléments qui accroissent sa valeur pour le consommateur.

Produit final. Résultat final du processus de livraison d'un service tel que perçu et valorisé par les clients.

Programme de fidélité/Programme grand utilisateur. Programme visant à récompenser les clients dont les achats sont réguliers et d'un montant important.

Promotion des ventes. Activité à court terme offerte aux clients et aux intermédiaires pour stimuler des achats plus rapidement ou plus importants.

Promotion éducation. Ensemble des activités de communication et de motivation faites pour construire un sentiment de préférence du client pour un service ou un fournisseur de service spécifique.

Proposition de valeur. Ensemble spécifique de bénéfices et de solutions qu'une entreprise prévoit d'offrir, ainsi que la manière dont elle propose de les délivrer, en mettant en avant les points clés des différences vis-à-vis des alternatives concurrentes.

Publicité. Toute forme de communication impersonnelle réalisée sur un support payant par un vendeur pour informer, éduquer et persuader les membres d'une audience ciblée.

Qualité. Degré à partir duquel un service satisfait les clients en répondant constamment à ses besoins, ses désirs et ses attentes.

Qualité de service. Évaluations cognitives, à long terme, de la livraison du service pour une entreprise.

Queue. Ligne de personnes, véhicules, autres objets physiques ou items intangibles attendant leur tour pour être servis ou intégrés dans un processus.

Recherche marketing. Collecte, analyse et rédaction de rapports systématiques et d'articles fondés sur le recueil d'informations correspondant à une situation marketing spécifique.

Réclamation. Expression formelle d'une insatisfaction concernant tout élément relatif à un service.

Reengineering. Analyse et reconception de processus d'entreprise dans le but de créer des améliorations significatives de la performance dans des domaines tels que les coûts, la qualité, la vitesse et les expériences du client lors de l'utilisation du service.

Registre des réclamations. Registre détaillé de toutes les réclamations des consommateurs reçues par un prestataire de service.

Relations publiques. Efforts fournis pour stimuler un intérêt positif pour une entreprise et ses produits en envoyant des communiqués de presse, en tenant des conférences de presse, en créant des événements spéciaux et en sponsorisant des activités organisées par une entité extérieure.

Rencontre de service. Période pendant laquelle les clients interagissent directement avec un service.

Rendement. Revenu moyen perçu par unité de capacité offerte à la vente.

Renoncement. Décision du client de quitter une queue avant d'en arriver au bout car l'attente est plus longue ou plus pesante que prévu.

Réparation du service. Efforts systématiques de l'entreprise pour corriger un problème suite à une défaillance du service et de conserver la bienveillance du client.

Repositionnement. Changement de la position tenue par une entreprise et/ou ses produits dans l'esprit d'un client par rapport à la concurrence.

Retour sur qualité. Contrepartie financière obtenue grâce à des investissements pour l'amélioration de la qualité du service.

Roue de la fidélité. Approche systématique et globale de ciblage, d'acquisition, de développement et de rétention d'une base de client

RSS (*Really Simple Syndication*). Moyen simple d'être tenu informé de nouveaux contenus d'un site Web sans avoir à le consulter.

Satisfaction. Sentiment personnel de plaisir résultant d'une expérience de consommation en comparaison avec les attentes.

Satisfaction du client. Réaction émotionnelle à court terme due à l'accomplissement d'un service spécifique.

Secteur des services. Secteur de l'économie d'une nation représenté par les services en tout genre, incluant ceux offerts au public par les entreprises et par les organisations à but non lucratif (services marchands et non marchands).

Segment. Groupe de clients actuels ou futurs partageant des caractéristiques, des besoins, des comportements d'achat ou des types de consommation communs.

Segmentation démographique. Division du marché en groupes basés sur des critères démographiques tels que l'âge, le sexe, la situation de famille, la taille de la famille, le salaire, la profession, les études, la religion.

Segmentation du marché. Processus de division d'un marché en groupes distincts dont chacun regroupe des clients homogènes partageant tous des caractéristiques importantes les distinguant des clients d'autres segments, et répondant de manière similaire aux actions marketing.

Segmentation géographique. Division du marché en unités géographiques telles que pays, régions ou villes.

Segmentation psychographique. Division du marché en différents groupes basés sur des caractéristiques de personnalité, de classe sociale ou de style de vie.

Service. Activité économique offerte par une partie à une autre, typiquement sans transfert de biens, créant de la valeur grâce à la location ou l'accès à des biens, de la main-d'œuvre, des compétences professionnelles, des installations, des réseaux ou des systèmes, séparément ou ensemble.

Service *blueprint*. Voir *Blueprint*, Logigramme.

Service désiré. Niveau de qualité espéré par le client qui croit, ou pense, pouvoir en bénéficier.

Service prévu. Niveau de qualité de service que le client pense recevoir de l'entreprise.

***Service recovery*.** Expression anglaise qui n'a pas d'équivalent en français, donc difficile à traduire. Réparation du service.

Service satisfaisant/minimum. Niveau minimum d'un service qu'un consommateur acceptera sans être insatisfait.

Services à contact élevé. Services impliquant de fortes interactions entre les clients, le personnel, les équipements et les installations.

Services à faible contact. Services requérant un contact minimal, voire inexistant, entre les clients et l'entreprise.

Services d'information. Ensemble des services dont la valeur ajoutée principale est la transmission d'informations aux clients. Cela inclut le traitement du stimulus mental et le traitement de l'information.

Services supplémentaires. Services additionnels ajoutant de la valeur au service de base pour le client.

Servicescène. Néologisme inventé par Christopher Lovelock et Denis Lapert pour désigner les lieux physiques où les clients viennent pour commander et pour obtenir la livraison des services.

SERVQUAL. Modèle en 22 items standardisés permettant de mesurer les attentes du client et ses perceptions des cinq dimensions de la qualité de service.

SQI (*Service Quality Index*) [prononcer « Sky »]. Outil de mesure de la satisfaction selon 12 critères de la satisfaction globale du client.

Standardisation. Réduction de la variance entre les opérations et la livraison des services.

Stickiness (pouvoir d'attraction). Capacité d'un site Internet à encourager les visites répétées et les achats en fournissant aux utilisateurs une navigation aisée, une exécution des tâches sans problème, et en gardant son audience en alerte avec une communication interactive présentée de manière attrayante.

Streaming. Lecture en continu qui désigne un principe utilisé pour l'envoi de contenus en direct.

SST (*Self Service Technologies*). Interfaces technologiques permettant au client de produire des services indépendamment de l'implication du personnel.

Surcapacité. Capacité d'une entreprise à produire un service en quantité supérieure à la demande.

SWOT ou **analyse SWOT** [de l'anglais *Strengths* (Forces), *Weaknesses* (Faiblesses), *Opportunities* (Opportunités), *Threats* (Menaces)]. Outil de stratégie d'entreprise permettant de déterminer les options stratégiques envisageables au niveau du domaine d'activités stratégiques.

Syndication. Pratique qui consiste à vendre à plusieurs diffuseurs un programme.

Système d'information de la qualité de service. Processus de recherche continuel fournissant aux managers des informations utiles et adéquates sur la satisfaction des clients, leurs attentes et leur perception de la qualité.

Système de livraison de service. Partie du processus de service pendant laquelle les éléments sont définitivement assemblés et délivrés au client. Cela inclut les éléments visibles du déroulement du service.

Système opérationnel du service. Partie du processus complet de service pendant laquelle les *inputs* sont traités et les éléments du produit de service sont créés.

Systèmes experts. Programmes informatiques interactifs qui simulent le raisonnement d'un expert humain pour dresser des conclusions à partir de données, résoudre des problèmes et donner des conseils personnalisés.

Tangible. Pouvant être touché, tenu ou conservé dans sa forme physique pendant une longue durée.

Technique de l'incident critique. Méthode pour collecter, classer et analyser des incidents critiques qui se sont déroulés entre clients et prestataires de services.

Timeshifting. Décalage temporel, appelé parfois contrôle du direct. Il s'agit d'un procédé de gestion d'enregistrement vidéo et audio sur un support de stockage numérique.

TiVo. Magnétoscope numérique à disque dur qui permet d'enregistrer des programmes télévisés pour une lecture différée.

TQM (*Total Quality Management*) [en français, qualité totale]. Démarche de gestion de la qualité dont l'objectif est l'obtention d'une très large mobilisation de toute l'entreprise pour parvenir à une qualité proche de la perfection en réduisant autant que faire se peut les gaspillages.

Transaction. Événement pendant lequel a lieu un échange de valeur entre deux parties.

Transaction à distance. Interactions entre clients et prestataires de services pour lesquels les courriers et les communications téléphoniques minimisent le besoin de se rencontrer en face à face.

Up selling ou **montée en gamme.** Consiste à proposer un produit ou service légèrement supérieur et plus cher que celui auquel s'intéresse le prospect.

Usine de services. Site physique dans lequel les opérations du service prennent place.

Valeur d'échange. Transfert des bénéfices et des solutions offertes par une entreprise en compensation de valeurs financières ou autres offertes par un acheteur.

Valeur de la durée de vie d'un client. Valeur nette des contributions actuelles et futures, et des profits attendus pour les achats de chaque client pendant sa durée de vie en tant que client d'une entreprise donnée.

Valeur nette. Somme de l'ensemble des bénéfices perçus (valeur brute) à laquelle est soustraite la somme des dépenses.

Variabilité. Manque d'uniformité dans les *inputs* et les produits finaux pendant le processus de production de service.

VAV. Valeur à vie du client.

Vente aux enchères. Procédure de vente dirigée par un intermédiaire professionnel au cours de laquelle le prix du produit est déterminé en faisant enchérir les acheteurs potentiels les uns contre les autres.

Vente en ligne. Vente sur Internet en lieu et place des magasins physiques.

WAP (*Wireless Application Protocol*) [technologie WAP]. Protocole de communication qui permet d'accéder à Internet à partir d'un appareil de transmission sans fil comme un téléphone portable.

Yield management (en français, gestion du rendement). Consiste à maximiser le chiffre d'affaires généré en jouant sur les variables prix et le coefficient d'occupation à l'aide d'une politique de tarification différenciée.

Zone de tolérance. Échelle selon laquelle les clients acceptent des variations dans la livraison du service.

Index des notions

Index des noms